清季外交史料 2

王彦威 王亮 辑编

李育民 刘利民 李传斌 伍成泉 点校整理

湖南师范大学出版社

分册目录

清季外交史料卷十一　光绪三年八月至九月 …… 201

使英郭嵩焘奏英外相调处喀什噶尔情形折（八月十三日） …… 201

使英郭嵩焘奏喀什噶尔剿抚事宜请饬左宗棠斟酌核办片　附上谕（八月十三日） …… 203

使英郭嵩焘奏续陈禁止鸦片事宜折　附上谕（八月十三日） …… 204

使英郭嵩焘奏请纂成通商则例折（八月二十七日） …… 206

使英郭嵩焘奏新嘉坡设立领事片（八月二十七日） …… 207

使英郭嵩焘奏请派员赴万国刑罚监牢会片（八月二十七日） …… 209

闽抚丁日昌奏闽省乌石山名胜俯瞰全城拟令教堂他徙片（九月初一） …… 209

甘督左宗棠奏道员胡光墉息借汇丰银行款项折　附函及文稿（九月初二日） …… 210

甘督左宗棠奏英人以保护安集延为词图占边疆万不可许折（九月十六日） …… 211

吉林将军铭安玉亮奏宁古塔三姓副都统会同俄官补修界牌分别勘立折（九月十六日） …… 212

御史董儁翰奏轮船招商局关系紧要急须实力整顿折　附上谕（九月十八日） …… 214

总署奏拟纂通商则例以资信守折（九月二十五日） …… 215

总署奏议复郭嵩焘奏请于新嘉坡设立领事片（九月二十五日） …… 217

总署奏议复郭嵩焘奏请派员赴万国刑罚监牢会片（九月二十五日） …… 218

总署奏议复郭嵩焘奏英外相调处喀什噶尔片（九月二十九日） …… 218

清季外交史料卷十二　光绪三年十月至十二月 …… 220

谕李鸿章查明李凤苞能否胜出使之任（十月初三日） …… 220

总署奏与西班牙公使订定古巴华工条款折　附条款（十月十六日） …… 220

总署奏与西班牙公使换约缮写全权大臣字样片（十月十六日） …… 223

总署奏西班牙商船被抢与古巴换约案同时办结片　附照会二件（十月十六日） …… 224

总署奏请赏给德国翻译官阿恩德二等宝星片（十月十六日） …… 226

粤督刘坤一奏捐资生息储养洋务人才折　附上谕（十月二十五日） …… 226

川督丁宝桢奏英人吉为哩等由川赴藏番夷阻回片（十月二十七日）…………… 227
川督丁宝桢奏英人入藏探路用意狡谲请密饬驻藏大臣修好于布鲁克巴以固藩篱片（十月二十七日）………………………………………………………………… 228
总署奏俄国官员迭被喇嘛库伦地方人民欺侮请饬甘督查究办理折 附俄员日记及上谕（十月二十七日）……………………………………………… 230
吉林将军铭安等奏会同俄官补修宁古塔珲春界牌一律修立完竣片（十月三十日）………………………………………………………………………… 233
使英郭嵩焘奏办理洋务横被构陷折（十月三十日）…………………………… 234
驻藏大臣松溎等奏廓尔喀国王遣使抵藏例派护送起程日期折 附译表文（十一月初九日）………………………………………………………………………… 236
谕总署湖北武童殴伤英人着李瀚章妥筹办理（十一月二十八日）……………… 237
使英郭嵩焘奏奉颁国书照会英外部订期呈递折（十二月十八日）……………… 237
总署议复丁宝桢奏英人西藏探路用意狡谲情形折（十二月二十一日）………… 237
总署奏洋商船只在不通商地方起卸照约禁阻片（十二月二十二日）…………… 239

清季外交史料卷十三　光绪四年正月至七月 ………………………………………… 240
甘督左宗棠奏遵查塔尔巴哈台中俄交涉情形折 附清单（正月二十六日）…… 240
使德刘锡鸿奏抵德呈递国书情形折（正月三十日）…………………………… 242
总署代奏郭嵩焘出使英国呈递国书情形折 附函及照会（二月十四日）……… 243
甘督左宗棠等奏白逆彦虎等逃入俄境请交涉引渡折（二月二十二日）………… 244
总署奏与俄国交涉引渡逆回白彦虎情形折 附照会二件（二月二十二日）…… 245
总署奏议复左宗棠奏查办伊犁俄人交涉各案折（二月二十二日）……………… 248
总署奏据使英郭嵩焘咨太古洋行趸船移泊情形片（三月十七日）……………… 249
谕丁日昌据奏称香港总督及巫来由王捐赈应否致谢一折着查复具奏（四月初六日）………………………………………………………………………… 250
总署奏法使请行令朝鲜将被拿教士理若望释放折（四月十五日）……………… 250
塔尔巴哈台参赞锡纶奏密陈边事并俄人寻衅情形折 附上谕（四月十九日）… 251
驻藏大臣松溎等奏办理边防联络哲孟雄廓尔喀部落折（四月二十四日）……… 252
谕禁止外人入内地放赈及贩卖灾民妇女（四月二十四日）……………………… 253
总署奏议复丁宝桢奏派黄茂材赴印度游历片（五月初七日）…………………… 253
总署奏俄日德使先后出京所有公务均派员署理片（五月初七日）……………… 254
谕崇厚派充使俄大臣又谕作为全权大臣便宜行事（五月二十二日）…………… 255
使英郭嵩焘奏报兼使法国呈递国书情形折（六月初三日）……………………… 255
总署奏日本梗阻琉球入贡现与使臣何如璋相机筹办折（六月初五日）………… 256

塔尔巴哈台参赞锡纶奏查结喇嘛库伦欺凌俄国使臣一案折 附上谕（六月十一日）…… 257
总署奏议复刘锡鸿奏德国修约可成及时制治保邦折（七月十八日）…… 258
谕派曾纪泽李凤苞充出使英法德等国大臣四件（七月二十七日）…… 261

清季外交史料卷十四 光绪四年八月至十二月 …… 262
直督李鸿章奏请以李凤苞仍兼管出洋学生及采购军火各事片（八月二十一日）…… 262
总署奏闽垣英教士洋楼被众焚毁请饬该督抚妥速办结折 附上谕照会及节略（八月二十二日）…… 263
总署奏酌议出使大臣崇厚曾纪泽薪俸折（八月二十三日）…… 265
侍讲张佩纶奏请勿给崇厚全权及便宜行事字样折（九月初七日）…… 266
侍讲张佩纶奏棍楚札楞参俄人所惮请假以事权片（九月初七日）…… 267
闽督抚何璟等奏英教士侵占乌石山激成众愤查办情形折 附上谕（九月初八日）…… 267
总署奏闽省焚毁英教士洋楼请旨办理折 附上谕及函二件（九月十四日）…… 268
西使致总署中国驻古巴领事等官请派中国人照会（十月十二日）…… 271
总署复西使古巴设领事等官当专派中国人照会（十月十三日）…… 271
总署致西使赴古巴华工如有临时不往者借垫款项由关道取保俾得有着照会（十月十三日）…… 271
西使复总署华工赴古巴如有船主垫款由关道取保于条款易于得手照会（十月十三日）…… 272
使英法曾纪泽奏调用人员折（十月二十日）…… 272
总署奏新加坡设总领事经费薪俸办法折（十一月初八日）…… 273
总署奏与西使互换华民赴古巴条约折（十一月十一日）…… 274
总署奏与西使通融互换古巴条款片 附条款正文（十一月十一日）…… 275
前闽抚丁日昌奏条议乌石山教案办法折（十一月十二日）…… 276
前闽抚丁日昌奏闽省乌石山教案拟就案结案酌拟办法密陈片 附上谕及办法九条（十一月十二日）…… 278
使美日秘陈兰彬等奏报抵美呈递国书折（十一月十五日）…… 279
使美日秘陈兰彬等奏应派驻美中国领事以资保护侨民片（十一月十五日）…… 280
使日何如璋等奏分设驻日本各埠理事折（十一月十五日）…… 280
粤督刘坤一等代递越南王阮福时告急疏折 附越南王疏（十二月十四日）…… 281
甘督左宗棠奏请饬科布多库伦大臣禁阻俄商擅往巴里坤哈密贸易片

（十二月二十日） …… 282
谕总署中外人等领照由藏行走着驻藏大臣依约保护（十二月二十四日） …… 282

清季外交史料卷十五　光绪五年正月至六月 …… 284
谕何璟等乌石山教案着迅速筹办完结（正月初三日） …… 284
总署奏据朝鲜王咨日本不认朝鲜为中国属国请由朝鲜自行酌复折（正月十八日） …… 284
驻藏大臣松溎等奏办理哲孟雄边界事务完结折　附信字（二月初七日） …… 285
使俄崇厚奏行抵俄京并谒见外部折（二月二十三日） …… 286
总署致俄使请勿发给白彦虎伙党路票照会（二月二十三日） …… 287
总署奏檀香山拟设商董由驻美公使发给谕帖折（二月二十三日） …… 287
总署奏俄使照复安集延纠众扰边事已设法禁止片（二月二十三日） …… 288
使英法曾纪泽奏报抵法呈递国书折（二月二十三日） …… 289
使英法郭嵩焘奏报交卸出使事务遵旨回京折（三月初四日） …… 289
总署奏据桂抚杨重雅奏伏莽未净洋人遽难通商片（三月十三日） …… 290
总署奏议复何如璋函述日本阻梗琉球入贡一案相机酌办折（三月十九日） …… 290
闽督何璟等奏办结乌石山教案折（三月二十二日） …… 291
闽督何璟等奏英使威妥玛到闽言教士愿将被毁洋楼拆去片　附上谕（三月二十二日） …… 292
旨寄沈葆桢等日本阻琉球入贡情殊叵测应妥速筹画以固藩篱（三月二十八日） …… 293
总署奏据使俄崇厚电报商办交收伊犁折（闰三月初一日） …… 293
闽督何璟等奏英教士翻悔乌石山换地片（闰三月初四日） …… 294
总署奏日阻琉球入贡请饬使臣何如璋暂勿归国折（闰三月初五日） …… 294
川督丁宝桢等奏会筹藏中应办事宜折　附廷寄（闰三月二十三日） …… 295
前闽抚丁日昌奏英教士侵占乌石山一案该教士翻悔前议折　附廷寄（闰三月二十三日） …… 297
使俄崇厚奏俄国允将越界滋事之人听中国惩办折　附廷寄（闰三月二十四日） …… 298
总署奏俄人允还伊犁请派大员接收折　附廷寄（四月初七日） …… 299
总署奏法使呈递国书请照案给予复书折（四月初七日） …… 300
甘督左宗棠奏俄国哈萨克人来著勒土斯山游牧陈明办法片（四月十二日） …… 300
使俄崇厚奏与俄外部商办收还伊犁事宜折（四月二十九日） …… 301
总署奏请将交收伊犁办法议妥后再行弛禁通商折（六月初五日） …… 302

总署奏请饬崇厚妥商俄国交还伊犁片　附上谕（六月初五日）…………………… 303
使美日秘国陈兰彬奏报抵任呈递国书折（六月十七日）…………………………… 304
桂抚张树声奏统筹越南剿匪事宜折（六月二十一日）……………………………… 305
使英法曾纪泽奏法国新铸银圆甚愿通行中国据情上陈折　附咨文
（六月二十四日）……………………………………………………………………… 306

清季外交史料卷十六　光绪五年七月至八月 …………………………………………… 308
总署奏朝鲜拿禁法国教士请饬查明释放折（七月初四日）………………………… 308
总署奏与俄外部商议交收伊犁事宜折　附复函界说及节略（七月初十日）……… 309
总署奏俄国交还伊犁请将边界地方先照旧例通商以便定议折（七月初十日）
……………………………………………………………………………………………… 313
直督李鸿章奏遵旨函劝朝鲜与各国立约通商折　附函稿二件（七月十六日）… 313
川督丁宝桢奏保护马加国游历官入藏情形片（七月二十日）……………………… 316
总署奏美国前总统在日本调处琉球事拟有办法折（七月二十一日）……………… 318
总署奏准美国前总统函称在日本商办球事折　附来函（八月初五日）…………… 318
旨寄驻藏大臣松溎等晓谕藏番照约许洋人入藏游历（八月二十一日）…………… 320
总署奏准使俄崇厚电称已与俄立约签押折（八月二十三日）……………………… 321
总署奏俄约界务商务请饬左宗棠统筹全局片　附上谕（八二十三日）…………… 322
总署奏请派邵友濂暂署俄使片（八月二十四日）…………………………………… 324

清季外交史料卷十七　光绪五年九月至十月 …………………………………………… 325
甘督左宗棠奏陈收回伊犁事宜折　附上谕（九月初一日）………………………… 325
江督沈葆桢奏议复崇厚丧失国权条约各款万不可行折（九月初五日）…………… 328
总署奏琉球官员到京乞援折　附原禀（九月十三日）……………………………… 329
甘督左宗棠奏查明俄民寄居喀什噶尔并无驱逐出境情事片（九月十七日）…… 330
使俄崇厚奏议结中俄交涉各事宜折（九月二十一日）……………………………… 331
川督丁宝桢奏设法阻止洋员入藏游历片（九月二十九日）………………………… 331
礼部奏朝鲜国王咨报与日本商订开港事竣折　附咨文（十月初二日）…………… 333
直督李鸿章奏遵议交收伊犁补救崇厚订约失败事宜折（十月初二日）…………… 333
使俄崇厚奏与俄国修约完竣回京复命请派邵友濂代理公使折（十月十九日）
……………………………………………………………………………………………… 335
使俄崇厚奏与俄国议明交收伊犁修定约章谨陈办理情形折　附照会
（十月十九日）………………………………………………………………………… 335
总署奏遵议崇厚与俄定约损失国权折（十月二十七日）…………………………… 338

清季外交史料卷十八　光绪五年十一月至十二月 …… 340

使俄崇厚奏与俄定约后由南洋回京折（十一月初三日） …… 340

甘督左宗棠奏遵议伊犁交涉应付事宜折　附上谕（十一月初五日） …… 340

甘督左宗棠奏遵议李鸿章对俄交涉意见折（十一月十四日） …… 344

翰林院侍读学士黄体芳奏崇厚专擅误国请议罪折（十一月二十一日） …… 344

谕出使俄国大臣崇厚先行交部议处所议条约等件着各臣工妥议具奏（十一月二十一日） …… 345

总署奏俄署使凯阳德因议处崇厚谕旨提出抗议折　附节略（十一月二十七日） …… 345

总署奏定内港江河行船免碰及救护赔偿审断专章（十一月二十七日） …… 346

司经局洗马张之洞奏要盟不可曲从宜早筹御侮折（十二月初五日） …… 349

谕出使俄国大臣崇厚着革职拿问交刑部治罪（十二月初六日） …… 352

直督李鸿章等奏遵议崇厚所订俄约应准应驳及各条利弊折（十二月初十日） …… 352

司经局洗马张之洞奏驭俄之策宜先备后讲折（十二月二十六日） …… 353

伊犁将军金顺奏遵议崇厚议约失败补救办法折（十二月二十九日） …… 357

清季外交史料卷十九　光绪六年正月至二月 …… 359

礼亲王世铎等奏军机处等会议崇厚与俄所订约章专条窒碍难行请遣使前往转圜折　附懿旨（正月初十日） …… 359

大清国大皇帝致俄国声明崇厚所议条约违训越权窒碍难行国书（正月初十日） …… 360

少詹宝廷奏使事宜慎请饬曾纪泽来京请训折（正月初十日） …… 360

庶吉士樊增祥奏崇厚使俄违训越权请亟正典刑折（正月十七日） …… 361

礼亲王世铎等奏曾纪泽使俄议约应随时请旨遵行片（正月二十一日） …… 362

旨寄左宗棠李鸿章曾国荃刘坤一等伊犁事俄国多所要求着筹备防务　计七件（正月二十一日） …… 363

谕出使俄国大臣崇厚着定为斩监候（正月二十三日） …… 365

谕曾纪泽到俄后必须力持定见妥慎办理以全大局（二月初一日） …… 365

川督丁宝桢奏伊犁事件关系大局自请赴俄交涉折（二月初四日） …… 365

总署奏巴西遣使来华议约请饬南北洋大臣会商折（二月十四日） …… 367

总署奏与德国议修条约请旨派全权大臣折（二月十四日） …… 368

塔尔哈巴台参赞锡纶奏密陈应付俄边机宜折（二月十四日） …… 368

塔尔哈巴台参赞锡纶奏统筹办理接收伊犁事宜片（二月十四日） …… 370

川督丁宝桢奏俄约多不能准请筹东北边防片 附上谕（二月十七日） ………… 370
司经局洗马张之洞奏谨议改使改约办法片（二月二十一日） ……………………… 371
司经局洗马张之洞奏请改致俄国国书词句片（二月二十一日） …………………… 371
总署奏俄国分界通商各事经审订签注拟议办法折 附签注条约陆路通商章程专条 附议专条及约章总论（二月二十二日） ……………………………………………… 372

清季外交史料卷二十 光绪六年三月至四月 ……………………………………………… 386
总署奏德国修约已成谨将前后办理情形专折具陈折 附条约善后章程及照会凭单（三月初四日） ……………………………………………………………………… 386
甘督左宗棠奏遵复中俄外交事宜并边防布置情形折 附上谕（三月初八日） … 390
前粤督刘坤一奏遵议与俄国交涉失败后防守事宜片（三月初八日） ………… 392
前兵部侍郎郭嵩焘奏俄人构患已深遵议补救之方折 附上谕（四月初五日） … 394
试用道王之春条陈俄事折（四月三十日） ……………………………………………… 397

清季外交史料卷二十一 光绪六年五月至六月 ………………………………………… 401
使美日秘国陈兰彬奏由西班牙起程赴秘鲁日期折（五月初四日） ……………… 401
总署奏崇厚获罪英法德等国使臣来函请加宽免折（五月初八日） ……………… 401
总署奏变通废约即不足抑俄实足结英法之好片（五月初八日） ………………… 403
少詹黄体芳奏不宜徇各国之请轻释崇厚折（五月十一日） ……………………… 404
太仆寺少卿钟佩贤奏陈处分崇厚罪名意见折（五月十六日） …………………… 404
内阁侍读学士胡聘之等奏请俟俄约挽回就绪再赦崇厚折（五月十六日） ……… 405
醇亲王奕譞奏请乘英法调停之际以赦崇厚为条件挽回俄约折（五月十六日） ……………………………………………………………………………………… 405
修撰王仁堪奏崇厚不宜减罪疆臣宜图奋勉折（五月十九日） …………………… 406
礼亲王世铎等奏遵议崇厚罪名应徇外使之请予以减免折（五月十九日） ……… 407
翰林院侍读学士张之洞奏陈经权二策应付俄事折（五月十九日） ……………… 408
旨寄曾纪泽着将崇厚暂免斩罪知照俄国并应修条约妥慎办理（五月十九日） ……………………………………………………………………………………… 409
谕李鸿章等此次宽免崇厚之罪实因海防不足恃嗣后务当各就地方情形预筹备御（五月二十日） …………………………………………………………………… 409
直督李鸿章奏巴西遣使来华议立通商条约折 附上谕（六月初八日） ………… 410
使俄曾纪泽奏谨就收回伊犁事宜敬陈管见折（六月十五日） …………………… 411
使俄曾纪泽奏缓索伊犁并非退让请照西例交嗐噜太司特公议片 附上谕（六月十五日） ……………………………………………………………………… 413

总署奏日本废灭琉球一案美国前总统拟加调停事已中变请派大员商办折（六月二十日）…… 414
总署奏探访俄国情形意在启衅折（六月二十四日）…… 415
总署奏闻俄国将以四铁甲船十余兵船封锁辽海片 附函报及上谕（六月二十四日）…… 416

清季外交史料卷二十二 光绪六年七月至八月 …… 418
少詹宝廷奏外患渐迫乞召知兵重臣入朝以定危疑折（七月初二日）…… 418
总署奏俄国未立新约以前交涉未结各案择要商办完结折（七月初三日）…… 419
总署奏俄国派兵增舰拟赶办车隆等五案与大局不无裨益片（七月初三日）…… 420
谕左宗棠现在时事孔艰俄人启衅着来京陛见以备朝廷顾问（七月初六日）…… 421
谕鲍超俄国派兵来华着募勇成军于天津山海关两处适中之地择要驻扎（七月初六日）…… 421
谕崇厚加恩开释着曾纪泽妥议条约（七月初七日）…… 421
谕金顺奏拟诱致白彦虎一节不可轻率从事（七月初八日）…… 422
右庶子张之洞奏解释俄约条文请寄曾纪泽为辩论之助片（七月初十日）…… 422
右庶子张之洞奏因俄事条陈应防各要地事宜片（七月初十日）…… 423
总署奏议复定边将军春福拟设科布多卡伦折（七月十九日）…… 424
总署奏德国续修条约展期互换折（七月十九日）…… 425
使俄曾纪泽奏报赴俄日期折（七月二十四日）…… 425
谕李鸿章等闻俄国兵船至大连湾着严防海口边界（七月二十六日）…… 426
总署奏接曾纪泽电俄以兵船挟华遵照前约请谕曾纪泽与俄交涉要旨折 附电及上谕（七月三十日）…… 426
总署奏美国修约使臣来华请派大员与之商议片（七月三十日）…… 428
右庶子张之洞奏陈与俄议约迫促急图补救折（七月三十日）…… 428
右庶子张之洞奏闻崇厚不知杜门悔罪请予防范片（七月三十日）…… 429
总署奏据曾纪泽电称俄外部拒绝交涉另派使赴北京商订折 附原电及上谕（八月初五日）…… 430
直督李鸿章奏与巴西使臣议立通商条约竣事折（八月初六日）…… 431
总署奏中俄换约日期已届请饬曾纪泽和衷商办片（八月十七日）…… 433
总署奏接曾纪泽电称俄已派布策来华应俟其到日再议片 附懿旨（八月二十日）…… 434
左庶子张之洞奏陈俄使将来预筹应付办法折（八月二十四日）…… 434
工部尚书翁同龢奏俄事交涉步骤折（八月二十五日）…… 435

礼部奏朝鲜国王咨明遣使驻日本折 附咨文（八月二十七日）………………… 436
编修许景澄奏俄事应先筹定讲约事宜以保和局折（八月二十九日）…………… 437
编修许景澄奏拟将俄约择要驳改及补救条陈片（八月二十九日）……………… 437

清季外交史料卷二十三 光绪六年九月 …………………………………………………… 440
直督李鸿章奏朝鲜讲求武备恳准该国工匠来津学造器械折 附函
（九月初六日）…………………………………………………………………… 440
左庶子张之洞等奏俄事机有可乘宜筹抵制折（九月初十日）………………… 442
帮办新疆军务刘锦棠奏新疆边防情形折 附上谕（九月十三日）……………… 443
左庶子张之洞奏挽救俄约折 附上谕二件（九月十五日）…………………… 444
左庶子张之洞奏陈西防东防津防事宜以备采择片 附上谕（九月十五日）…… 446
使俄曾纪泽奏谒见俄皇呈递国书折（九月二十五日）………………………… 447
谕李鸿章关于俄国议约发曾纪泽电信着先奏闻（九月二十五日）…………… 447
总署奏日本废琉球一案已商议办结折（九月二十五日）……………………… 448
总署奏琉球南岛名属华实属日不定议无以善后片 附球案条约凭单拟底
（九月二十五日）………………………………………………………………… 449
右庶子陈宝琛奏琉案日约不宜遽订折（九月二十五日）……………………… 450
右庶子陈宝琛奏俄事既可坚持日事无庸迁就片（九月二十五日）…………… 452
直督李鸿章奏议复朝鲜派匠来学制造事宜折 附上谕（九月二十九日）……… 452
直督李鸿章奏朝鲜学员令其自备资斧暂从海道不得多派从人片
附章程笔谈清折（九月二十九日）………………………………………… 453
直督李鸿章奏朝鲜与西人通商系谋国要图亦为盛吉直鲁之屏蔽片
（九月二十九日）………………………………………………………………… 459

清季外交史料卷二十四 光绪六年十月至十二月 ……………………………………… 460
左庶子张之洞奏琉球案宜审缓急折 附上谕（十月初一日）………………… 460
直督李鸿章奏日本议结琉球案牵涉改约暂宜缓允折（十月初九日）………… 461
谕各督抚俄国议约请展限其意叵测着及时布置严密备防（十月十二日）……… 463
总署奏美国修约提出限制华工条款折（十月十四日）………………………… 464
总署奏华商船往美额外征税应与美使及时议定片 附条约二件（十月十四日）
…………………………………………………………………………………… 465
祭酒王先谦奏俄人在华购茶自运茶商多歇业请以轮船运货出洋片
（十月二十六日）………………………………………………………………… 467
江督刘坤一奏球案宜速结日约宜慎重图维折（十月二十八日）……………… 467

江督刘坤一奏东三省缓急有备俄无能为片（十月二十八日）…………………… 470
甘督左宗棠奏陈中俄交涉方针及防务情形片（十一月初四日）………………… 470
浙抚谭钟麟奏琉球案宜速结对日须战守均有实力折（十一月十六日）………… 471
粤督张树声等奏球案不必急议日约未便牵连折（十一月二十五日）…………… 472
直督李鸿章奏在英订购兵轮派员管带来华片（十一月二十九日）……………… 474
御史萧韶奏请严禁各国轮船凡不挂旗者不准入口折（十一月二十九日）……… 475
库伦办事大臣奕榕等奏俄人经商库伦者颇多请于张家口外扼要驻兵折
（十二月初十日）…………………………………………………………………… 475

清季外交史料卷二十五　光绪七年正月至闰七月上 ……………………………… 477
总署奏朝鲜宜联络外交变通旧制折（正月二十五日）…………………………… 477
桂抚庆裕奏越南王请代递奏疏沥陈边务情形折　附奏疏（正月二十八日）…… 478
直督李鸿章奏朝鲜委员来津请示斟酌答复折（二月初四日）…………………… 479
军机大臣左宗棠奏办理琉球案说帖　附上谕二件（二月初六日）……………… 480
帮办吉林军务吴大澂奏苏城沟等处拟设官理事片（二月初九日）……………… 481
使俄曾纪泽奏中俄改订条约盖印画押折　附上谕（二月十五日）……………… 482
使俄曾纪泽奏中俄改约情形折（二月十五日）…………………………………… 485
粤督张树声奏拟订中外交涉行文仪式以资遵守片（三月十五日）……………… 487
朝鲜国王致礼部遣使日本咨请转奏文（三月十五日）…………………………… 488
总署奏檀香山设领事片（三月十六日）…………………………………………… 488
谕喜昌着酌带新军赴库防边（四月初八日）……………………………………… 489
新疆督办刘锦棠奏向俄索交白彦虎折　附上谕（四月十七日）………………… 489
谕刘锦棠等着办理中俄界务（五月十六日）……………………………………… 491
总署奏请将续修美约钤用御宝折（六月十六日）………………………………… 491
总署奏中俄新订条约请预筹以备开办折（五月二十八日）……………………… 491
总署奏俄国新君嗣位寄到国书片　附国书（六月十六日）……………………… 492
总署奏会同俄国大员接收伊犁折（闰七月初九日）……………………………… 493
总署奏中俄换约日期折　附改订条约陆路通商章程及卡伦单（闰七月初九日）…… 493

清季外交史料卷二十六　光绪七年闰七月下至十二月 …………………………… 501
谕刘锦棠等着办理中俄伊犁分界事宜（闰七月初十日）………………………… 501
直督李鸿章奏巴西修约情形折　附条约及节略（闰七月初十日）……………… 501
总署奏接曾纪泽电法人谋越通滇拟预筹办法折（十月十五日）………………… 506
总署奏越南积弱已甚中国为藩篱计不能置之度外片　附上谕（十月十五日）… 507

谕张树声等着预防李玉墀为法图越（十一月初九日） …… 507
直督李鸿章奏朝鲜陪臣金允植密陈该国王议商外交情形相机开导折
附朝鲜密书语录及上谕（十二月初四日） …… 508
直督李鸿章奏朝鲜匠徒学习制器情形折 附咨文二件及名单（十二月初四日）
…… 513
伊犁将军金顺奏接俄土尔吉斯坦总督回文定期交还伊犁折（十一月二十日）
…… 515
伊犁将军金顺奏接收伊犁并分界事宜折 附上谕（十二月初九日） …… 515
桂抚庆裕奏法人谋占越南北境遵旨预筹办法折 附上谕（十二月十三日） …… 517
总署奏厘定奖给洋员宝星章程折 附章程（十二月十九日） …… 518

清季外交史料卷二十七 光绪八年正月至四月 …… 520
直督李鸿章奏请派员与巴西换约折 附上谕（正月初六日） …… 520
使俄曾纪泽奏白彦虎窜入俄境俄国允加禁锢折（正月十八日） …… 520
伊犁将军金顺等奏预筹西北边界分段查勘折（正月二十二日） …… 521
新疆督办刘锦棠奏俄商来新贸易应遵章查验不得行销中国土货折
（正月二十七日） …… 522
吉林将军铭安等奏朝鲜贫民占种吉林边地妥议复陈折（二月初六日） …… 522
总署奏遵议设所管理海参崴俄界华民折（二月初八日） …… 523
使俄曾纪泽奏法人谋占越南北境拟筹办法折（三月初三日） …… 524
桂抚庆裕奏预防法人侵越一事已开导越使转达国王片（三月初三日） …… 525
直督李鸿章奏筹办朝鲜与美国议定约稿请派员会办折 附条约（三月初八日）
…… 525
桂抚庆裕奏法人图占越南北圻以侵滇疆折（三月十三日） …… 529
谕各省督抚法越兵端已起着妥议复奏（三月二十五日） …… 530
直督张树声奏法越交兵通筹边备折 附上谕（四月十四日） …… 531
直督张树声奏请命岑毓英经理越南南圻片（四月十四日） …… 532
代理粤督裕宽奏越南与法交涉请勿预其事片（四月十六日） …… 532
总署奏新疆开埠中俄一律免税折（四月十八日） …… 533
谕金顺等向俄索还索伦右翼四旗等地方（四月二十日） …… 534
礼部奏朝鲜与英国订立修好通商条规折 附咨文约章及照会（四月二十二日）
…… 534
直督张树声奏英商包揽洋药章程请饬总署核议折 附章程（四月二十二日） … 538
总署奏议复英商揽办洋药事宜折（四月二十六日） …… 540

科布多办事大臣清安额尔庆额奏俄兵入科先事筹备折（四月二十六日） ……… 541
直督张树声奏朝鲜与美国立约事竣折（四月二十六日） ……… 543
谕朝鲜请派使驻京着不准行（四月二十九日） ……… 544

清季外交史料卷二十八　光绪八年五月至七月 ……… 545
德使致总署咨请将粤海关议订土货三联单及洋货入内地税单章程酌量核改照会
附照会六件章程二件（四月二十日） ……… 545
直督张树声奏朝鲜与英德议约事竣折（五月初十日） ……… 550
谕李鸿章张树声朝鲜乱党滋事着派员前往相机办理电三件
（六月十五日，二十九日，三十日） ……… 551
直督张树声奏朝鲜援师起程并查探情形驰报折（七月初十日） ……… 552
直督张树声奏接朝鲜国王咨文乘机答复冀引就范围折　附咨文（七月十三日）
……… 553
直督张树声奏陆师抵韩登陆情形片（七月十六日） ……… 554
前兵部侍郎郭嵩焘奏法扰越南宜循理处置折（七月十八日） ……… 554
前兵部侍郎郭嵩焘奏请振励人心奠安朝鲜片（七月十八日） ……… 556
直督张树声奏获致朝鲜乱首解送来津折　附上谕（七月二十三日） ……… 557
盛京将军崇绮奏探明朝鲜情形折（七月二十六日） ……… 558
北洋大臣李鸿章奏官军捕治朝鲜乱党及该国派员抵津妥商善后折
（七月二十八日） ……… 559

清季外交史料卷二十九　光绪八年八月至九月 ……… 561
科布多办事大臣清安额尔庆额奏科布多边界复行勘分困难情形折
附廷寄（八月初三日） ……… 561
谕刘长佑等法人拟据北圻着相机因应（八月十一日） ……… 563
北洋大臣李鸿章等奏究问朝鲜乱首李昰应情形折（八月初十日） ……… 563
北洋大臣李鸿章等奏朝鲜派员筹商善后片　附咨文及上谕各二件（八月十二日）
……… 565
总署奏遵议发给洋人游历内地护照请仍照旧章片（八月二十日） ……… 567
北洋大臣李鸿章奏朝鲜与日本续订约款折　附条约（八月二十四日） ……… 568
北洋大臣李鸿章奏妥议朝鲜通商章程折　附章程（九月初一日） ……… 569
北洋大臣李鸿章奏自强要图宜先练水师再图东征折（九月初二日） ……… 573
桂抚倪文蔚奏防军到越布置情形折（九月初八日） ……… 574
桂抚倪文蔚奏法人增调师船胁越片　附上谕（九月初八日） ……… 575

总署奏议复朝鲜通商章程折（九月十二日）…… 575
总署奏议复中外税厘各事折（九月十二日）…… 576

清季外交史料卷三十　光绪八年十月至十二月 …… 578
滇督岑毓英等奏会筹越边防务折（十月初六日）…… 578
滇督岑毓英等奏据藩司唐炯禀越事出境兴师甚非长策据实密陈片　附上谕（十月初六日）…… 579
北洋大臣李鸿章奏议复朝鲜事宜折（十月初七日）…… 580
北洋大臣李鸿章奏与朝鲜陪臣妥议善后片（十月初七日）…… 583
北洋大臣李鸿章奏接朝鲜王咨文酌量答复折　附咨文等共六件（十月十四日）…… 584
使俄曾纪泽奏中俄界务重勘情形折（十月十四日）…… 586
使俄曾纪泽奏请变通边疆人随地归之例片　附上谕（十月十四日）…… 587
科布多办事大臣清安额尔庆额奏中俄界务重勘情形折（十月二十七日）…… 588
滇督岑毓英等奏越防换防情形折（十一月初四日）…… 589
盛京将军崇绮等奏朝鲜边民交易严定限制折　附上谕（十一月十四日）…… 590
伊犁将军金顺等奏中俄界务重勘竣事折　附伊犁界约（十一月二十三日）…… 591
伊犁将军金顺奏勘分科境边界事宜折（十一月二十三日）…… 594
伊犁将军金顺奏分段勘分伊境界址片（十一月二十三日）…… 595
北洋大臣李鸿章奏朝鲜国王咨请派员勘界折　附咨文二件（十二月初十日）…… 595
总署奏法人欲与中国会商越事折　附上谕及条文（十二月初十日）…… 597

清季外交史料卷三十一　光绪九年正月至二月 …… 599
总署奏洋药厘税并征载在会议条款请饬驻英使臣与英外部商办折　附上谕（正月十二日）…… 599
新疆督办刘锦棠奏新疆南界之贡古鲁克地方宜趁划界未定据约索还折　附上谕二件（正月十四日）…… 600
北洋大臣李鸿章奏查明常胜军旧欠美商洋行账目筹款议结折（正月二十二日）…… 603
伊犁将军金顺奏与俄国勘分伊犁南段界务情形折　附喀什噶尔界约（正月二十八日）…… 604
滇督岑毓英等奏法越交涉法愿调停请预筹善法折　附上谕（二月初二日）…… 606
桂抚倪文蔚奏遵筹法越交涉事宜折（二月初六日）…… 607
桂抚倪文蔚奏法越分界事俟派大臣来粤再行定议片（二月初六日）…… 609

桂抚倪文蔚奏越藩横征暴敛民怨甚深片　附上谕（二月初六日）……………… 609
总署奏伊犁交涉俄人案件亟应查办完结以免藉口折（二月初十日）…………… 610
使美郑藻如奏美国纽约地方请设领事折（二月初十日）………………………… 610
左庶子张佩纶奏越事趋重粤西请简边材折　附上谕（二月十五日）…………… 611
侍讲学士何如璋奏越南危急请派统兵大员出关筹办以保属土折（二月十九日）
……………………………………………………………………………………… 612
中英会议上海至香港电报办法合同（二月二十三日）…………………………… 613
伊犁将军金顺等奏勘分科界必先安插蒙哈请款抚恤折（二月二十七日）……… 614
伊犁将军金顺等奏请收回乌梁海属之阿尔泰山一带游牧地片（二月二十七日）
……………………………………………………………………………………… 615
中俄议定塔城俄属商人贸易地址条约（九年二月二十七日）…………………… 616
中俄议定管理塔城各属缠头商民条款（九年二月二十七日）…………………… 617
直督张树声奏驻韩官军请缓撤退以顺藩情折　附上谕（二月二十七日）……… 618
粤督曾国荃等奏遵旨详议法越交涉事宜折（二月二十七日）…………………… 618

清季外交史料卷三十二　光绪九年三月至四月 ……………………………………… 620
新疆督办刘锦棠奏安集延商人赴新贸易恐开衅端并汉缠各回越界滋事亟应
阻止折（三月初二日）………………………………………………………… 620
总署奏法使请会商越南事宜现有变局亟应筹防折　附上谕（三月初八日）…… 622
谕岑毓英着将浪穹县教案及早妥办（三月初八日）……………………………… 623
谕李鸿章着迅往广东督办越南事宜（三月初九日）……………………………… 623
旨寄左宗棠法破南定防务紧要着妥筹具奏（三月初九日）……………………… 623
桂抚倪文蔚奏遵旨严申边备并陈越南近日军情折　附旨（三月二十六日）…… 623
桂抚倪文蔚奏越南军情日亟藩司遵旨出关折（三月二十八日）………………… 624
中国电报局英国大东公司续订上海香港电报章程（四月初一日）……………… 625
北洋大臣李鸿章奏预筹越南边防事宜折（四月初一日）………………………… 626
北洋大臣李鸿章奏赴越督军恐启兵端请熟筹饬遵片　附上谕（四月初一日）… 627
伊犁将军金顺等奏俄兵撤回并筹办边防折　附上谕（四月初九日）…………… 628
滇督岑毓英等奏越南南定省失守督饬各镇严防折　附旨（四月初九日）……… 629
滇督岑毓英等奏遵旨密筹越南防务折　附上谕（四月二十四日）……………… 629
滇督岑毓英奏援越军队扼要防守片（四月二十四日）…………………………… 630
伊犁将军金顺等奏安抚蒙哈并勘分边界情形折　附旨（四月二十五日）……… 631
桂抚倪文蔚奏密陈越南近日军情折（四月二十七日）…………………………… 632
粤督曾国荃等奏粤船巡海无益事机折（四月二十七日）………………………… 632

清季外交史料卷三十三　光绪九年五月至六月 …… 634
滇督岑毓英等奏藩司统率防军扼守越边折　附旨（五月初二日） …… 634
桂抚倪文蔚奏越将力战大捷折（五月初七日） …… 635
北洋大臣李鸿章奏法越交涉统筹全局折（五月十七日） …… 635
北洋大臣李鸿章奏越事方亟滇粤防务宜责成疆臣备御法廷如有转机请派专使与议片　附上谕（五月十七日） …… 637
旨寄倪文蔚丁宝桢岑毓英等关于法越战事　三件（五月二十一日） …… 639
北洋大臣李鸿章等奏美韩换约折　附咨文二件（五月二十五日） …… 639
滇督岑毓英等奏越南官军进攻河内连获胜仗折　附上谕（六月初三日） …… 641
北洋大臣李鸿章奏定期赴津筹备与法使交涉折　附上谕（六月初十日） …… 642
桂抚倪文蔚奏藩司到越边布防情形折　附上谕（六月十三日） …… 643
哈密帮办大臣长顺奏中俄勘分贡古鲁克界务折（六月十五日） …… 643
粤督曾国荃等奏筹备边防折　附上谕（六月十七日） …… 644
桂藩徐延旭奏遵旨出关相机筹办越事折（六月二十日） …… 646
桂藩徐延旭奏留唐景崧商酌防务片（六月二十日） …… 648

清季外交史料卷三十四　光绪九年七月至八月 …… 649
桂抚倪文蔚奏据藩司探禀法越军情并增募军勇折　附上谕（七月初二日） …… 649
哈密帮办大臣长顺奏复勘新疆南界及查明南北路径情形折　附上谕（七月初八日） …… 650
哈密帮办大臣长顺奏伊犁著勒土斯山设卡防守片（七月初八日） …… 651
桂藩徐延旭奏报法越军情随时会筹布置折　附上谕（七月初八日） …… 651
桂抚倪文蔚奏陈近日边报暨增军提饷情形折（七月初八日） …… 652
伊犁将军金顺参赞升泰等奏行抵哈巴河与俄使晤商勘界折（七月十三日） …… 653
总署奏议复朝鲜商务委员章程折（七月二十日） …… 654
使俄曾纪泽奏与俄国外部商议界务折（七月二十日） …… 655
北洋大臣李鸿章等奏会商奉天与朝鲜边民交易章程折　附章程（七月二十二日） …… 655
桂抚倪文蔚奏收复南圻之安江河仙两省折　附上谕（八月初四日） …… 659
桂藩徐延旭奏募勇出关密陈筹办情形折　附上谕（八月初五日） …… 659
旨寄李鸿章闻法舰来津着通盘筹画具奏（八月十一日） …… 661
桂抚倪文蔚奏报越兵战胜法人片　附上谕（八月十五日） …… 662
伊犁将军金顺等奏勘分科塔界务议定中俄新界折　附中俄科塔界约二件

科布多新界牌博记一件（八月十七日）…… 662
谕李鸿章张树声法使到津着与交涉并严密戒备（八月十七日）…… 669
旨寄李鸿章北洋防务是否足恃着即具奏（八月十八日）…… 670
谕彭玉麟左宗棠等法以兵船寻衅着实力筹办（八月二十二日）…… 670
粤督张树声奏察看粤东海防情形密筹布置折 附上谕（八月二十五日）…… 670
桂抚倪文蔚奏报越兵再战获捷情形折 附上谕（八月二十八日）…… 673
桂藩徐延旭奏法人迭被越军击败折 附上谕（八月二十九日）…… 674
桂藩徐延旭奏法人决堤以淹刘团转以自害片（八月二十九日）…… 675
桂藩徐延旭奏越南海阳为法人所袭现正防御片（八月二十九日）…… 675
北洋大臣李鸿章奏与法使会议及筹办北洋防务折 附上谕（八月三十日）…… 676

清季外交史料卷三十五　光绪九年九月 …… 678
谕岑毓英等法人迫胁越南着督饬防军严密扼守电（九月初一日）…… 678
总署奏颁给巴西总领事等官文凭折（初一日）…… 678
桂抚倪文蔚奏越南王遣使赍表由海道进京折 附越南王弟即位禀（初三日）…… 679
桂抚倪文蔚奏法越和议有成据报奏陈折 附上谕（初九日）…… 680
桂抚倪文蔚奏法越和约已订谨陈详细情形折 附廷寄及和约（初九日）…… 681
桂藩徐延旭奏法人力扑越军迭被击败退回现拟规复河内折 附上谕（初十日）…… 683
桂藩徐延旭奏报越人不以议和为是请力图恢复河内片（初十日）…… 686
谕唐炯法兵退回河内着赴防所认真筹办（十七日）…… 687
总署奏俄使布策到任视事片（十七日）…… 687
广东提督吴长庆奏留防朝鲜难于措置请陛见折 附上谕（十八日）…… 688
桂抚倪文蔚奏法越议和防务愈棘折（二十日）…… 689
滇督岑毓英等奏密筹越南边防折（二十日）…… 690
桂藩徐延旭奏法越议和已见明文法兵仍向刘团寻衅折（二十二日）…… 690
谕彭玉麟法人逼越立约局势已异着妥筹办理（十月初四日）…… 692
谕李鸿章左宗棠等法人侵我藩属着力筹防御（三十日）…… 693

清季外交史料卷三十六　光绪九年十月 …… 694
滇督岑毓英等奏近日法越尚无战事并筹商布置情形折（十月初七日）…… 694
粤督张树声奏法越议和北圻人心涣散谨陈愚虑折（初七日）…… 695
伊犁将军金顺等奏会同俄官勘分科塔新界安设牌博折（初八日）…… 697
伊犁将军金顺等奏择地安插蒙哈以资游牧片（初八日）…… 698

桂藩徐延旭奏越势难与图存北圻必须力保折（初十日）…………………………… 698
桂抚倪文蔚奏徐延旭奉命赴越督师边事当有起色折 附旨（十四日）………… 700
旨寄左宗棠着速拨军械交倪文蔚派员解往前敌电（十四日）……………………… 700
伊犁将军金顺等奏塔属西南界段已按图约议定建立牌博并互换条约折
附塔尔巴哈台西南段界约二件（十五日）…………………………………………… 700
桂抚倪文蔚奏据近日探报边情请进规河内全复北圻折（十八日）……………… 705
总署奏议复朝鲜边民交易章程折（二十日）………………………………………… 706
总署奏德副领事强占汕头官地案酌拟办法片（二十日）…………………………… 707
总署奏英使威妥玛回国及巴夏礼到任片（二十日）………………………………… 707
谕沿江沿海各督抚着选将领调兵勇修炮台筹军械俾免法人逞兵（二十一日）
…………………………………………………………………………………………… 708
新疆帮办张曜奏喀什噶尔西边界务应照条约现管之界办理折（二十二日）…… 708
哈密帮办大臣长顺奏勘分新疆南段界务折（二十二日）…………………………… 709
桂藩徐延旭奏奉旨恢复河内以固北圻应俟越军分途并进即出关调度折 附旨
（二十四日）………………………………………………………………………… 710
驻藏大臣色楞额等奏派员办理济咙边界商民失物偿款折（二十六日）………… 711
桂抚倪文蔚奏请饬徐延旭乘势恢复北圻折（二十九日）…………………………… 713
滇督岑毓英奏密筹恢复越南事宜折（二十九日）…………………………………… 713
谕彭玉麟法兵船至粤寻衅宜持以镇静（三十日）…………………………………… 714
滇督岑毓英等奏法越情形布置边防折 附旨（三十日）…………………………… 715

清季外交史料卷三十七　光绪九年十一月 …………………………………………… 716
粤抚倪文蔚奏越南义兵战胜折 附上谕（十一月初三日）………………………… 716
礼部奏据琉球官员禀称国灭主辱请复藩邦折 附琉球国陪臣禀（十一日）……… 716
滇督岑毓英等奏刘永福退守山西并添派官兵出关折 附上谕（十一日）………… 717
桂抚徐延旭奏关外刘团募兵未齐请暂缓出关折（十二日）………………………… 718
哈密帮办大臣长顺奏中俄南路划界毫无舛错折（十二日）………………………… 719
粤抚倪文蔚奏越边各军筹备情形折（十六日）……………………………………… 720
谕张树声等越南民变戕王着前往戡定（十八日）…………………………………… 721
桂抚徐延旭奏关外义兵获胜分别进规严防折（二十日）…………………………… 722
桂抚徐延旭奏遵饬两路统领联络刘团相机拨应片（二十日）……………………… 723
谕海防紧要着南北洋大臣及各督抚实力筹防（二十日）…………………………… 723
滇抚唐炯奏赴越布置防务折 附旨（二十日）……………………………………… 724
滇抚唐炯奏刘永福募勇尚未成营暂难进取片（二十日）…………………………… 724

谕张树声等法破越南山西省城着严饬各军不得松懈（二十一日） …………………… 725
总署奏喀什噶尔西边界务应照现管之界办理折（二十五日） ………………………… 725
粤抚倪文蔚奏法人阻越贡使据情上陈折（二十七日） …………………………………… 727
粤抚倪文蔚奏越南嗣王迟遣贡使恐与法人暗订盟好片（二十七日） ………………… 728
科布多办事大臣清安等奏塔城北段牌博建立完竣并中俄互换条约折
附塔尔巴哈台北段牌博记二件（二十八日） ……………………………………………… 728

清季外交史料卷三十八　光绪九年十二月 ………………………………………………… 732

粤抚倪文蔚奏法在越南北圻各省设官折　附越南国王咨文（十二月初一日） …… 732
直督李鸿章奏遵旨妥筹法越事宜折　附旨（初一日） ………………………………… 733
直督李鸿章奏责成岑毓英节制前敌各军并由津匀拨枪炮片（初一日） ……………… 733
吉林将军希元奏会议朝鲜贸易章程折　附章程（初一日） …………………………… 734
谕彭玉麟张树声法攻北宁闻将犯琼州着扼要严守（初四日） ………………………… 737
桂抚徐延旭奏出关暂驻谅山并越南义兵得胜折（初五日） …………………………… 737
桂抚徐延旭奏据报告各处义民响应遇敌敢战片（初五日） …………………………… 739
桂抚徐延旭奏法人增兵运械事机日紧拟分路并进使其四面受敌片　附旨
（初五日） ……………………………………………………………………………………… 740
滇督岑毓英奏带兵出关折　附旨（十七日） …………………………………………… 741
桂抚徐延旭奏法兵攻破越南山西请饬滇粤出兵匡复折（二十三日） ………………… 742
桂抚徐延旭奏请饬闽抚及船政大臣派拨大轮船十数艘分扼海口断敌归路片
（二十三日） …………………………………………………………………………………… 744
总署奏法人吞越显背公法请筹饷备械以遏外侮折（二十四日） ……………………… 745
滇抚唐炯奏扼守家喻关以图进取折（二十七日） ……………………………………… 746

清季外交史料卷三十九　光绪十年正月至三月 …………………………………………… 747

粤抚倪文蔚奏法陷山西粤军失利当奖率将士力图绥靖折（正月初十日） …… 747
桂抚徐延旭奏布置北宁各路防军迅图恢复折　附上谕（十三日） ………………… 747
旨寄岑毓英着节制诸军和衷商办电（十八日） ………………………………………… 749
旨寄徐延旭调度乖方致北宁失陷着革职留任并收集败军尽力抵御电（十九日）
……………………………………………………………………………………………………… 749
滇督岑毓英奏筹画防御情形折　附旨（二十一日） …………………………………… 750
桂抚徐延旭奏法人窥犯北宁官军添募勇营竭力抵御折（二十二日） ………………… 750
桂抚徐延旭奏越南山西失陷后教民蜂起当加意严防片（二十二日） ………………… 752
直督李鸿章奏改订朝鲜贸易章程折　附朝鲜国王咨文（二月十九日） ……………… 753

谕彭玉麟等北宁失陷官军退至太原着筹备海防电（十九日）…………………… 754
桂抚徐延旭奏北宁失陷情形折（二十一日）…………………………………… 754
桂抚徐延旭奏法据郎甲现饬唐景崧等驻扎长庆府以遏凶锋片（二十一日）…… 756
桂抚徐延旭奏北宁守御尚可无虞现调营勇西联滇军东防江口折 附旨
（二十四日）………………………………………………………………………… 756
彭玉麟张树声倪文蔚奏钦灵山险不便进兵折（二十七日）…………………… 758
谕彭玉麟等着派兵援越并固琼防电（二十八日）……………………………… 759
谕彭玉麟张树声倪文蔚法攻太原着速筹备御电（二十九日）………………… 759
旨寄潘鼎新太原失守徐延旭拿问桂抚着潘鼎新署理电（二十九日）………… 759
谕张凯嵩署理滇抚并将唐炯革职拿问电（二十九日）………………………… 759
滇督岑毓英奏法攻北宁派兵往援折 附上谕（三月初一日）………………… 760
桂抚徐延旭奏法兵犯芹驿关现饬各军竭力堵御折（初十日）………………… 761
桂抚徐延旭奏法兵攻破扶良业经竭力堵击并请交部严议折 附旨
（三月十二日）…………………………………………………………………… 762
滇督岑毓英奏遵旨增募勇营分道进取请拨协饷折（十三日）………………… 763

清季外交史料卷四十　光绪十年三月下至四月 ………………………………… 764

粤督张树声致枢垣北宁失陷退驻谅山电（三月十五日）……………………… 764
滇抚唐炯奏缅属猛拱蛮幕等处夷匪滋事现饬永昌腾越沿边防范折（十六日）
…………………………………………………………………………………… 764
旨寄潘鼎新着解办失守人员电（十九日）……………………………………… 765
滇督岑毓英奏派兵驰往北宁击散教匪并据报北宁失守折 附上谕（二十二日）
…………………………………………………………………………………… 765
直督李鸿章致枢垣兴化失守法水师提督拟据中国口岸为质电（二十三日）…… 766
使英法曾纪泽致总署我战虽不利不应赔费请拒法索偿电（二十四日）………… 767
总署复曾纪泽坚持不偿法国兵费电（二十五日）……………………………… 767
直督李鸿章致总署中法交涉事宜据德璀琳述法总兵福禄诺意见密函
附福禄诺致李鸿章函及曾纪泽致德国报馆函（二十五日） …………………… 767
直督李鸿章致枢垣法提督带兵船八艘过厦门向北开驶电（二十六日）………… 770
谕沿海各督抚法以兵船来华恫喝着督饬将领实力筹防电（二十六日）………… 770
滇督岑毓英奏越事万难补救乘此全师撤回免伤精锐折（三十日）…………… 771
苏抚卫荣光直督李鸿章致枢垣法船进沪情形电 共二件 （四月初一日）…… 772
谕各大臣中法和战事宜着详审陈奏（四月初二日）…………………………… 772
伊犁将军金顺等奏会同俄使勘分新疆南界折（初三日）……………………… 773

直督李鸿章致总署调开曾侯已密告福禄诺电（初五日） …………………………… 775
直督李鸿章致枢垣东来法舰月内保无动静电（初六日） ……………………… 775
直督李鸿章奏中法交涉请预为审定折　（初六日） ……………………………… 775
直督李鸿章奏请抽撤驻韩防营并委袁世凯会办朝鲜防务片（初六日） ………… 777
谕各疆臣通饬边海各军严防备战以杜法人要盟（初八日） …………………… 778
谕曾国荃着督饬在防各军竭力守御电（初八日） ……………………………… 779
谕李鸿章办理中法和议电（初十日） …………………………………………… 779
粤督张树声致枢垣法于太原破后弃城而去电（初十日） ……………………… 780
直督李鸿章致枢垣越南收复太原富平电（初十日） …………………………… 780
直督李鸿章致总署据李凤苞电法廷谓新旧使均须国书电（初十日） ………… 780
总署致李鸿章使法只给照会毋须国书电（初十日） …………………………… 780
总署致曾纪泽派李凤苞兼署法使电（初十日） ………………………………… 781
直督李鸿章致枢垣粤西匪徒连结贵州散勇电（十一日） ……………………… 781
粤督促张树声致枢垣兴化粮尽难守陆续退兵电（十二日） …………………… 781
使法李凤苞致总署已到法京须谢使电方接见电（十二日） …………………… 781
直督李鸿章致总署法外部电云兵费可免但求商务有益电（十三日） ………… 781
直督李鸿章致总署法国提出简明条款函　附钞册及简明条款（十三日） ………… 782
谕李鸿章法人居心叵测务当切实辩论力杜狡谋电（十四日） ………………… 785
醇亲王奕譞等奏简明条约意尚明晰无庸询问折（十四日） …………………… 785
谕派吴大澂陈宝琛张佩纶会办南北洋闽海疆事宜（十四日） ………………… 786
旨寄岑毓英潘鼎新法人与李鸿章讲解略有端倪滇桂防军着扼扎原处电
（十五日） ………………………………………………………………………… 786
谕会议诸臣法越事务诸须惧重不应漏泄谕旨电（十五日） …………………… 786
谕派李鸿章与法使办理条约事务电（十六日） ………………………………… 786
直督李鸿章致总署法外部复电允和电（十八日） ……………………………… 787
谕李鸿章中法议和细目务须详明（十九日） …………………………………… 787
谕彭玉麟等法越构衅着切实筹练勿稍松劲（十九日） ………………………… 787
粤督张树声复奏援越各军情形并催冯子材出关片（二十七日） ……………… 788

清季外交史料卷十一

光绪三年八月至九月

使英郭嵩焘奏英外相调处喀什噶尔情形折

出使英国大臣郭嵩焘奏，为英外相调处喀什噶尔情形事。

窃臣抵伦敦后，随有喀什噶尔使臣赛尔德相踵而至，接晤英国爵绅，多为关说。英外部丞相德尔比屡遣威妥玛道意。旋据照会章程三条，其蓄意保护喀什噶尔，已于四年前定立条约，互相遣使驻扎。观其意旨，尤惧俄罗斯侵有其地，谋为印度增一屏障，是以护持尤力。臣因来文三条内推广言之，要以四款，尤归重在令缴还毗连北路，及前后藏各城，使西路声气不至中梗。臣熟筹西域情形，有不能不为皇上一陈之者。

查乾隆年间戡定西域回疆，自吐鲁番以西设立东西八城，而于哈密六千余里之地设绿营兵五千七百余名、骑兵五百余名，皆由伊犁、乌鲁木齐更调轮戍，谓之换防之兵。驻防将军、都统皆在北路，分设参赞大臣。而回疆远出伊犁之西，仅统于一参赞，似当时庙谟深知回民反复难驯，一以羁縻视之，更不复加意经营。是以北路兴屯二十四万余亩，南路回疆尚不及五分之一，简法轻徭，与为休息，无使叛乱而已。及道光初回疆之变，密谕将军、参赞筹议，西四城可否仿土司分封之例，听从管辖。当时廷臣无敢主其议者，然亦足见回疆无足经营，列圣之心后先符合。然自乾隆以后，回疆数变，皆倚浩罕为声援，道光初平定张格尔，即有浩罕安集延入寇之事。论者谓，西域回民即有变乱，无足深虑；可虑者，浩罕安集延逼近回疆，必为边患。道光以后增添防兵，其意实在于此。是近年俄古柏占据西域各城，其几已兆于数十百年之前，非从前回疆一时蠢动可比。又以逼近英国所辖之五印度，倾心结纳资其保护，似应乘其调处之机妥定章程，以为保境息兵之计。臣请言其利病，约有六端：

西洋公法有保护立国之例，比利时并于荷兰，法人护之，遂自立国。葡萄牙并于日斯巴尼亚，英人护之，亦自立国。今英国犹以调处为义，奉中国以建置小国之权。正宜援据西洋公法，划定疆界，杜其侵扰；而亦可乘此机会，令其缴还一二城以自输款，解和息兵，尤为有名。此一利也。

汉唐边地分别北庭、西域，二者即今天山南、北两路。汉建校尉，唐置都护，降胡杂虏因叛立国，兴废频仍，无损国威。即我朝喀尔喀四部、土扈尔特〔土尔扈特〕一部亦常给地游牧，使自为部落。与其穷兵糜费以事无用之地，而未必即能规复，何如捐以与之；在中国不失为宽大之名，在喀什噶尔弥怀建置生成之德。揆之列圣安置喀尔喀、哈喇沙之成规，亦能曲合。此二利也。

回疆各城为俄古柏占据者，其势尤有所统一，北路回民乘乱俶扰，占据城池，各立名号。以臣愚意度之，俄古柏跨有各城，声势方张，各路回民未有不假其名号以求逞者。是以与英国外部丞相德尔比酌拟四条，以为南北两路称乱十余年，大率皆回民也。无论俄古柏所辖与否，皆责成解散，庶几一举而兵戈可息。是捐西域数城之地，而南北两路数千里皆可设法抚绥，不至运兵转饷为累无穷。此三利也。

俄古柏侵据西域，结纳四邻，到处通商，与英国通商已逾十余年，即西历一千八百六十八年也。俄国通商亦及六年，即西历一千八百七十二年也。其根柢盘固已可概见。及此时允准立国，亦可与俄罗斯明定章程，交相犄角，以为巩固边防之计。此四利也。

臣闻关外地土饶沃甚于内地，英人亦以该处通商之利力护喀什噶尔。中国收取其地百有余年，未甚一加顾惜，河碛险远，声气阻隔，即各城土产运入内地者甚少。因查西洋电报及机轮舟车之利，皆创自英国，各国并仿行之。臣见土耳其、波斯、日本各使臣皆隶亚细亚者，常相对慨叹，言天地之精英聚于欧罗巴一洲，勉力学之常苦不逮。日本一经通商，即仿制电报，甫及七年，西洋诸法次第备举。土耳其使臣言：二十年前出使法国，初见电报，即请其国仿为之。土耳其始得西洋制造电报之法，试行之以为利，以次及各种机器及兵法及学馆，而后及火轮车并及一切政教，云为皆近三四十年事。是以至今犹能与俄罗斯相持力战，非是则坐困矣。臣询以土耳其用法极严，见之各国记载。该使臣言：此三十年以前事，今所行并西法也，中国士大夫未易骤晓。关外各城地旷人稀，足资规画。应及此时消弭兵端，即以举行电报及火轮车为善后之策。招募内地商民及回民之富者，令其捐资制造，而官为之经理，居积转运有所凭恃；贫民逐利，易以谋生，富者自护其利源，必不肯轻易从乱。各城声息毕达，如在咫尺，商贾百货到处流通。十数年后，关外各城尽成都会，即可渐次推行其法于内地。臣又查关外设官阶级较少，一切疏节阔目，与内地情形绝异。趁此大乱初平，举行乾隆中保举边臣之例，所设办事领队各官慎选壮年、有志气而官品较卑者，补授加以鼓舞奖励之功，必可一收其效。此五利也。

现在办理西域军务专恃一左宗棠，其年已六十有六，而军务茫无了期。诸臣威望已不能逮，又皆不习边事，不独统兵之大员难为接代，即办理善后事宜，亦须老谋深算、经画久远。及此时与喀什噶尔解和休兵，使左宗棠得免征兵转饷之烦，亦即所以保全功臣；而令与俄古柏议定疆界，筹办善后事宜，亦必能酌古准今，规国家久远之计。此六利也。

臣于关外情形本非所知，远处海外数万里，并无书史案卷可备检查，又以交涉边防大局尤有非人所敢言者，臣亦岂敢冒昧上陈？徒以英国属意调停，其势不能拒而不纳。窃计张格尔以一回酋寄居浩罕，崛起称乱，用兵至七八年而始定。其时国家方盛，府库丰盈，犹且兵敝于外，财殚于中。今俄古柏气象规模迥异张格尔，即使穷极兵力收复东西各城，而安集延逼处葱岭，不能尽徙其人民而兼取其地，则边患更无穷期。夫经国者规久远，主兵者急事功。是以督兵大员无议抚之理，惟恃朝廷权衡缓急轻重，秉成算以宣示机宜，而后将帅之威伸，朝廷之恩乃深入远人之心，使俯首而听约束。凡臣所言，皆审量国势所及与为利之远且大者，略为举其大纲。至于节饷息兵关系本原大计，人所共知，臣更不敢深论。伏乞敕下陕甘督臣左宗棠，体察情形，斟酌核办，并钞录臣照复德尔比文件，恭呈御览。四者皆关系紧要，而于划分疆界及兼筹北路军务两条，尤为切紧，应恳并敕左宗棠，一体查照办理。谨奏。

光绪三年八月十三日奉旨。

使英郭嵩焘奏喀什噶尔剿抚事宜请饬左宗棠斟酌核办片　附上谕

郭嵩焘片。

再，喀什噶尔一案，英国外部丞相德尔比照会调处已经多日，威妥玛言之尤力。臣前屡见新闻报叙述西路艰难情形，深虑大军出关饷运不继；英、俄诸国又已与之通商，其势足相抗拒；得此转旋之机，或可力筹善后以弭边患，于国家体制亦尚无损。是以具折陈明，候其外部承允一切，即行发递。初七日，新闻报忽称，俄古柏病殁于古拉尔地方，其子古里裨格袭立。旋据世爵斯丹累苐赛斯来传喀什噶尔使臣赛尔德之言，云此尚属谣传。即俄古柏死，其子亦有能名，所有倾心归服中国之处，一依前议办理。而据德尔比之意，欲饬署理公使傅磊斯前赴总理衙门会议，苐赛斯亦拟来京调处。臣以喀什噶尔应抚与否，宜由总理衙门请旨办理，而其办理之法，必应由督兵大臣左宗棠审度情形，划分疆界，无由总理衙门悬拟之理。并告以苐赛斯当出关与左宗棠会商，不当前赴总理衙门。所议粗有端倪。惟西路军务情形此间一无所闻，能乘俄古柏冥殛之时席卷扫荡，当不出数月之内；或尚有阻滞，及时议抚亦可稍省兵力，以为消弭边患之计。本日见新闻报，喀什噶尔使臣遂已回国，外部议复四条臣亦必不听其翻驳。而由西洋函达中国皆用电报，朝发夕至，臣具折到京常在两月以后。恐傅磊斯据以为言，于臣所议条款朝廷尚未知其详，总理衙门亦难于置对。此间外部回复文件，速则半月，迟或数月，是以依照与外部原议先行具奏。可否谕饬左宗棠体察关外情形，以制剿抚之宜，一面将现在进兵事宜是否能操成算赶紧复奏。庶使总理衙门于西路剿抚大局，及臣在伦敦辩议各情，熟悉于心，以为临时应付之资。如幸西路军务成功有日，不独此折可置不论，即英国派员调处一节，亦必自行中止，一切皆非臣之愚所能遥揣也。谨奏。

光绪三年八月十三日奉上谕：郭嵩焘奏，英人照会喀什噶尔事宜，并传闻俄古柏病殁各折片。据称英国德尔比屡遣威妥玛为喀什噶尔调处，照会章程三条，意在护持帕夏。又闻喀什噶尔俄古柏病殁于古拉尔地方等语。该侍郎所奏，于新疆南路军务得手情形自尚未悉。着左宗棠将该侍郎所奏体察情形，斟酌核办。原折片单各一件，着钞给阅看。

使英郭嵩焘奏续陈禁止鸦片事宜折 附上谕

出使英国大臣郭嵩焘奏，为禁止鸦片烟应行事宜，谨补陈数条上备采择事。

窃臣光绪三年二月初八日具奏设法禁止鸦片烟一折，至今未奉批谕。窃惟国家兴利除弊，关系重大，未敢轻议整顿。鸦片烟为害中国五六十年，通计各省士民陷溺其中率十之四，其害日广，其毒亦日深。道光十九年，特诏严禁，遂至激成海疆之祸，而吸食者愈多。至咸丰九年，例禁已开，更无顾忌。臣于此时复为禁止鸦片烟之议，人皆知其难行，而臣揆之事理，验之人心，顾独以为至易。盖使国家严立科条，责成地方官禁之，徒以扰累百姓，其终必至愈禁而愈开。使民人自为禁制，以奖励其廉耻而激发其天良，则动于诏旨一二言，而人心自振，积弊亦将自除。此臣熟筹深计而决知其必然者也。谨就愚见所及略具数条，敬为皇上陈之：

一曰权衡人情以定限制之期。臣前折议禁鸦片烟以清理学校为先，所有文武职官及举贡士绅一例示限三年，自属一定不移之章程。而其中情节实各不同，有因治病吸食者，有年逾五十精力已衰不能骤戒者。惟当责成地方官清厘整饬，万不可搜剔窥伺及开揭告之风。其绅民五十以上，已至垂暮之年，亦可无庸示禁。盖此次议禁之意在严绝其将来，不在追咎其既往。庶几人心不至惊惶，即督抚大吏因病吸食亦可无忧反噬。朝廷但有察觉，无难处办。至于学校出身之阶，正本清源端在于是。自府县试互结即须以鸦片烟为首禁，应纂入《学政全书》，万不宜丝毫宽假。此权衡人情之大端也。

二曰严禁栽种以除蔓延之害。臣前折叙述陕甘、云贵、山西、四川等省栽种罂粟情形，沿西数千里之地日肆蔓延。而江苏之徐州、浙江之台州，亦皆种植罂粟，有徐土、台土之名，而一皆消行内地。是各省多栽一亩罂粟，即民间多增一亩之害端，国家亦多废一亩之生产。非得督抚臣深体朝廷之用心，切实推求，断绝根株，万不能有所裨益。此严禁栽种之大端也。

三曰严防讹诈以除胥吏之扰。朝廷明示例禁，督抚下其令于州县，州县即授其权于书差，乘势苛扰，得贿包庇，且有不胜言者。又，自咸丰年间开鸦片烟之禁，旋禁旋开，又旋加禁，亦复无此政体。臣之愚见以为，当时开禁仅及民商，官绅仍照旧禁止；是今日之议禁与咸丰时之开禁用意正属相同，而一以劝戒为义，则差役之骚扰不能不先示严禁。但有因事生风，借戒烟为名肆行讹诈，应听民人呈控；交涉书差者立行严惩，交涉地方官者亦立予严参。总期使民间实受禁烟之利，而不至虚贻禁烟之害。此严防胥吏之大端也。

四曰选派绅员以重稽查之责。近年广东设立劝禁鸦片烟会，臣常嘉其用心之善，然出自民间私议，有劝导之功而无董率之责，其势不足以振发人心。应饬各省督抚臣举派在籍公正知事体绅员一二人，使专司示禁鸦片烟之责；以次责成各府州县及学官各举派总办一人、帮办二三人，仍由府绅总其成，以达于省绅而稽考其成效。亦不必设立公局开支经费，但由地方官及绅民捐资广制戒烟方药，分散四乡。责成各族族长稽查一族，各乡乡长稽查一乡。督抚即因以推知州县之奉行与否，及各府县绅员之得力与否。一除粉饰之心，而坦然示以大公，恻然推以至诚，绅民未有不感动踊跃自为禁制者。此举派稽查之大端也。

五曰明定章程以示劝惩之义。窃查鸦片烟之盛行，在道光中叶以后，风俗人心因之日趋于浇薄，水旱盗贼相承而起，贻患至今。是鸦片烟之为害，不独耗竭财力，戕贼民命，实为国家治乱之一大关键。是以道光中设为厉禁严刑，原属惩奸之要义，立法并无稍过。惟当纪纲废弛、风俗颓败之余，法令愈严推行愈多梗塞，不能不以整齐之令寓诸从容劝导之中。而人心玩法已甚，其骤难禁革之积弊，尤应明定章程，以使知利病之切身而自求变计。其法即取贩卖鸦片烟之利，以为禁烟之资，凡遇贩鸦片烟土者，无论城村市镇概准厘税加征五倍，永不停免。亦责成绅员互相稽查，一由厘局征收，而酌提为制造方药之费。其各省栽种罂粟者，亦皆示限严禁，各视土地所宜责令改种五谷。其田土有多寡，又有承佃及自耕之分，逾期不改种，二十亩以上酌提一半充公。承佃者出自业户之意全数充公，出自佃户之意责成更佃，不遵办者亦全数充公。二十亩以下勒限惩责，其充公之田各就其乡添设小学及各善举，由地方官督饬办理，有侵食者亦听呈控惩办。此明定章程之大端也。

六曰禁革烟馆以绝传染之害。鸦片烟为害之烈尤莫甚于烟馆。无艺平民及子弟之无管束者，无不从烟馆吸食，以至积而成瘾，其害亦人所共知。而不能禁革者，在官之耳目不能敌书差之包庇也。闻两江督臣沈葆桢严禁，烟馆皆相率移至城外，以沈葆桢切实认真，其力亦不过用及城内而已。非责成各处绅士自相稽查，万不能有实际；而非督抚及地方官实求整饬，不能除弊。然除弊尤以察吏为先，在京各城司坊等官，在外各州县巡检、典史，能不以收受陋规为事，禁革烟馆即亦非难。此严禁传染之大端也。

伏查国家兴利除弊，大抵交涉部务，应由部臣制其准驳之权，其有违犯禁令，亦应由部臣添议科条编入则例。此次禁止鸦片烟先及官绅士子，本属从来未开之禁，无庸另立专条。其禁止栽种罂粟及开设烟馆，尤屡见之奏案，明示例禁。至于州县差役之讹诈，按律处办已自有余，并无庸酌增条例。各海口征收洋土税，则照旧办理；或另立章程，税厘并征，酌量增加，均可及时开办，听从贩运，与此次议禁大旨全无妨碍。俟奉有禁办明文，臣即照会英国外部，渐次禁止栽种贩运。此时开办之始，惟当从容涵泳，宽以二十年之期，先官而后民，先士子而后及于百姓；一以渐摩劝戒为义，明示以朝廷爱养民力、援拯陷溺之苦心，力除苛扰，与天下相感以诚。其大要尤在责成各省绅士，自立章程，切实劝导，求实效而不务虚文，求真有益百姓，而不专假官势以责近功。人心具有天良，无不可感动禁革者。伏乞天恩明下臣章，饬各督抚臣虚心核议，实力举行，天下幸甚！谨奏。

光绪三年八月十三日奉上谕：郭嵩焘奏续陈禁止鸦片事宜一折，已有旨令各省将军督抚酌度办理。兹览所奏，自系未经接奉前旨，着钞给一分寄往。另折片奏英人照会调处喀什噶尔事宜等语，新疆军务业将土鲁番城攻克，安集延逆酋帕夏自毙，剿办甚为得手。该侍郎所奏各情，已谕令左宗棠酌办矣。

使英郭嵩焘奏请纂成通商则例折

出使英国大臣郭嵩焘奏，为各口通商事宜，急应纂成《通商则例》一书以资信守事。

窃查道光二十二年五口通商以来，讫今三十六年。咸丰十年增加十口，光绪二年又增加五口。沿海九千余里，内达长江五千余里，交涉日广，情事日繁，仅恃通商条约为交接之准。而条约定自洋人，专详通商事例，于诸口情状皆所未详，每遇中外人民交涉事件，轻重缓急无可依循。是以历年办理洋案，各口领事与各地方官交互抵难，辗转避就，无一能持平处断者。推原其故，由中国律例与各国相距太远，又无能究知西洋律法；遇有辩论事故，无例案之可援，观望周章，动为所持。

因查西洋通商起于隋唐之世，已历一千五六百年。初开广州一口，宋明以后添开福州、宁波二口，明又分别西洋、南洋各归一口。其时办理通商并无建立埠头房屋，是以各口增减分合中国能自操其权，而自通商至今未尝一日停罢。今口岸繁开，民商屯集。窃度西洋通商之局一成而不可易，三十年来办理洋案，艰烦冗剧，棘手万分。盖由西洋以通商为制国之经，各国相沿章程，守而弗失，大略相同。中国本无通商成案，一切屈意为之，所定条约苟且敷衍，应付一时，未尝为经久之计。自始通商，即分别各国民商归领事官管理，地方官权利尽失。而于条约所载，地方官又多忽视不甚究心，使洋人据为口实，于是并条约所有之权利皆失之。情事变迁日甚，中国办理洋案日益迷离惝恍，无所适从。前岁总税务司赫德承议租界免厘一节，稍能窥见本原，通筹全局，于其中分析商情、交际、词讼三者，实为中外相接紧要关键，允宜明定章程，廓然示以大公；不独以释中国之猜疑，亦且使各口地方官晓然于朝廷用法持平，明慎公恕，遇事有所率循，庶不至以周章顾虑，滋生事端。

臣愚，于例案无所知晓，略就所见推举二端。盖有已失之既往者，有补救于将来者。窃闻理藩院办理蒙古各盟案件，以圈禁代流徒，以罚赎代笞杖。西洋立法，大者拘系，小者罚赎，与此例正同。各口通商之始，倘能明示此例，援照西洋公法，通商各口民商一听地方官管束，则此三十年内枝节不至繁生，国家体制亦当赖以保全。此失之既往者也。天津毁拆教堂，伤毙领事；云南戕害翻译官，凶犯应抵罪，失察之地方官亦应议处。其事本可立结，徒以中外例案迥异，地方官稍有迟回，遂至反复争持，贻累国家无有穷期。使当时颁有通商则例，各国戕毙中国人民，与中国戕毙各国人民作何问拟？戕毙职官作何问拟？地方官知情故纵作何问拟？使犯者明知而不至故蹈，朝廷按律拟罪，而亦不至游移。此所急宜补救将来者也。

臣顷奉旨辩论镇江趸船一案，经再次照会外部，至今未据核议。其前后两届公使以保护商民为义，力足相持。因查各国海口皆有船坞码头，无行商自置趸船之事，所定条例有云：修理船坞码头，察得某船必须挪移，理船厅知会三日内移开，如有违延，该船主应行议罚。又云：各项船只不遵理船厅分示，听将该船绳索松割，铁链打碎，代为移泊，一切使费出自该船主各等语。中国于此全未定立章程，商民肆意抗拒，更历三年之久；无词以相诘难，一切任从所为，不得已就其国辩论，听候外部核议。是不独交涉通商事件无有准则，权衡万不足以经久，其于两国相交体制，关系亦颇巨。

臣窃以为赫德前议三条内与各国交际及词讼，其原一由于通商而至。洋人到处，与中国人民错居，交涉纷繁，绝非通商条约所能尽其事例。一遇民商牵涉案件，窥探揣合，舍己从人，徒滋议论之烦，终无准拟之例。诚惧口岸日开，事端日剧，为累亦将日大。应恳勅下总理衙门，参核各国所定通商律法，分别条款，纂辑《通商则例》一书；择派章京内实任户部、刑部司员二人，另请通知西洋律法二人，专司编纂之责。仍饬总税务司及南北洋大臣参酌，由总理衙门审定颁发各省；并刊刻简明事例，略叙大纲，颁送各国驻京公使。庶一切办理洋案有所依据，免致遇事张皇，推宕留难，多生枝节。区区愚忱，冒昧上渎，诚知无裨高深，然独居深念洋务所关莫要于此，不敢以愚见所及避而不言，无任悚息屏营之至。谨奏。

光绪三年八月二十七日奉旨：该衙门议奏。

使英郭嵩焘奏新嘉坡设立领事片

郭嵩焘片。

再，臣奉准总理衙门光绪二年八月十三日具奏出使经费一折，内开总领事及正副领事名目。诚以各口设立领事官，与出使事例同条共贯。臣随查明英国属地新嘉坡等处，中国流寓经商人民共计数十万人，应分别设立领事以资弹压，于是年九月十五日具奏。

旋于十月二十八日道出新嘉坡，见广东人道员胡璇泽，为其地人民所推服。数年前，广属人民与各属互斗，亦经胡璇泽解散。英国官商皆倚信之。臣以新嘉坡领事非胡璇泽无可充承者。经照会英国外部，计逾五月之久，至六月初始得复文。臣即札知胡璇泽妥议章程。

窃查中国设立领事情形，与各国绝异，其本末利病，有须一详陈者。西洋各国以通商为制国之本，广开口岸，设立领事保护商民，与国政相为经纬，官商之意常亲。中国通商之利一无经营，其民人经商各国，或逾数世，或历数年，与中国声息全隔，派员经理，其势尤格而不入。窃揆所以设立领事之义，约有二端：

一曰保护商民。远如秘鲁、古巴之招工，近如南洋日国所辖之吕宋，荷兰所辖之婆罗洲、噶罗巴、苏门答腊，本无定立章程，其政又近于苛虐，商民间有屈抑，常苦无所控诉。是以各处民商闻有遣派公使之信，延首跂望，深盼得一领事与为维持。揆之民情，实所心愿。此一端也。

一曰弹压稽查。如日本之横滨、大阪各口，中国流寓民商本出有户口、年貌等费，改归中国派员办理，事理更顺。美国之金山、英国之南洋各埠头，接待中国人民视同一例。美国则盼中国自行管辖，英国则务使中国人民归其管辖，用心稍异，而相待一皆从优。领事照约稍联中国之谊，稽查弹压别无繁难，准之事势亦所易为。此一端也。

臣愚以为此时设立领事，取从民愿而已，毫无当于国计。是以领事之名可立，领事之费必不可多。因查各口民商盼望保护，皆愿凑集领事经费。英国古巴领事吉乐福乞假回国，言闻中国工民筹办领事经费，无不乐从。吕宋等处人言略同。其专恃以弹压者，但择其地绅商有资望者为之，于户口、年貌、册费内筹备需用款目，由使臣假以事权，俾得尽其调处之益，一切开支应从减省。近年以来，遣使各国需用浩繁，就臣所处言之，糜费实多，而求可以裨益国家实少。徒使福建船政局、上海机器局需用经费无从拨给，几至停工。若更听从各使臣设立领事开报薪水，以有用之经费资无名之支销，于国计无裨丝毫，于经理各国事宜，亦万不能持久。是今日多一豪举，更历数年，亦必多一贻累。诚惧公私交困，进退两穷。在臣谋国之愚忱，尤不能不长虑，却顾以为经久之计者也。应恳敕下总理衙门另行核议。臣之愚虑实早及此，是以在新嘉坡谕知胡璇泽，但允发给开办经费，应支薪水听从筹画报销，胡璇泽亦欣然允从。惟交涉东西两洋事宜，必应明定章程，俾归画一，尤不宜有畸轻畸重之分，听令彼此参差，丰约互形，以资口实，则所损尤大。至所派胡璇泽充当新嘉坡领事，其南洋各埠头应否分设领事，臣皆未能自悉；应令胡璇泽切实考求，报明办理，即饬作为南洋总领事，一切事宜分别申报各国使臣，仍统归南北洋大臣及两广总督臣就近经理，并乞恩准施行。所有设立新嘉坡领事情形，因经费艰难，另行核议之处，谨附片陈明。谨奏。

光绪三年八月二十七日奉旨：该衙门议奏。

使英郭嵩焘奏请派员赴万国刑罚监牢会片

郭嵩焘片。

再，据瑞典国使臣爱达华达摆柏照会，内称：整理万国刑罚监牢会今年在比利时国都城伯鲁赛尔会议，明年八月在瑞典都斯多克火恩会议，应由其国预先通告各国。并称瑞典主极盼中国国家派员往赴此会，乞将此情转奏各等因。臣因查询此会之缘始，盖前八十年间，英国有名侯尔德者，遍历各处监牢，备悉其苦况，言之国家定更制度，以次及法、奥、德、俄诸国，一皆献议仿行。于是西洋各国公立此会，互相维持。臣去岁过香港、新嘉坡，遍视其系囚处，整齐清洁，叹为尽善。至伦敦，往观莽敦威拉监牢，收系一千六百余人，规模尤极阔大；大致以年分久暂定罪名轻重，而一皆制以教养之经；凡所收系，课以工艺，使其出而皆可以谋生，尤服其用意之深厚。至是始知其发端自侯尔德，而因以公会为名，相与益致其情，度其会议必多有可纪者。臣现奉使英国，距瑞典国为近，应由臣处奏派一人前往，谨先将该使臣照会大旨陈请圣裁。应如何办理之处，当俟奉旨后开具参赞以下衔名，听候简派一员届时前赴瑞典国，以资与各国会议。理合附片陈明。谨奏。

光绪三年八月二十七日奉旨：该衙门议奏。

闽抚丁日昌奏闽省乌石山名胜俯瞰全城拟令教堂他徙片

丁日昌片。

再，查福建省城内乌石山为第一名胜，可以俯瞰全省形势。道光二十八年间，洋人力持在此山租造洋房，当时疆吏不能与争，辄将此山指为城外蒙混入奏。嗣前任云贵总督林则徐回家，百端设法欲令洋房移出城外，而卒不果。自此之后，该山上教堂洋楼日辟日广，所有山上名胜几全为教士所占。而该教堂洋楼又复高耸入云，有碍全省风水，民心忿怨，敢怒而不敢言。督臣何璟到任后，与臣熟商，以为欲绝将来祸根，必先令乌石山上教堂全行撤移城外。商议既定，适英领事星察理为领保汉行管事吴荣魁事来署谒见，臣再三开导谓：百姓深恨全省风水为教堂所伤，众怒难犯，将来若激成变端，中外官均有办理不善之咎。不如将城外官买电线局官屋官地，与乌石山一切教堂洋楼互相抵换，仍略贴修助之资，此后教士即永不在乌石山上建造一切。英领事亦欣然答应，当面商立议单，由英领事携回。次日，英领事即函称：邀到教士胡约翰传知一切，该教士颇亦情愿，并无不可之意，惟须写信回国与教首商明，往来须五旬之久方有的信等因。臣查福建省城内乌石山上所有教堂洋楼，英领事既愿劝教士移往城外，以官地官屋抵换，该教士亦允寄信回国商办。并据英领事当面声称，此事约有八九分可成，诚可断绝祸根。臣因交卸在即，当经嘱知英领事将来函改为印文申陈，以便存案而免反复。兹经英领事改换申陈前来，除据申陈分别咨行存案，并将一切办理情形面与督臣交代外，督臣志切修攘、操纵合宜远胜于臣，将来接办此案更必妥善。理合附片陈明。谨奏。

光绪三年九月初一日奉旨：该衙门知道。

甘督左宗棠奏道员胡光墉息借汇丰银行款项折 附函及文稿

督办新疆军务陕甘总督左宗棠奏，为查明道员胡光墉息借洋款情形，据实陈明，应请饬下总理衙门，速将磅〔镑〕数、息数知照驻京英使，转行上海英领事暨汇丰银行，如限付银，以免贻误事。

窃臣于肃州行营，钦奉光绪三年七月初三日上谕：总理衙门奏左宗棠请借洋商汇丰银行银五百万两，前据奏明每月给息一分二厘五毫等因。钦此。

臣伏查此案未奉谕旨之先，准总理衙门飞缄询问前因，比即照录驰询道员胡光墉，前据禀复，此项借款虽是一事，惟原借仙令系英商汇丰洋行，继包认实银系德国泰来洋行。英商计息，只按年一分者，由于乐用仙令冀价获利也。德商计息，必按月一分二厘五毫，由于包认仙令预备价落赔垫也。胡光墉虑军饷紧急，既请以每年一分之息照会英国成借，又虑仙令价值无常，异日归还增累。故加为每月一分二厘五毫之息，包给德商承认。首尾本属一贯，惟前次禀呈汇丰行，拟定照会文稿未经声叙明晰，以致数目参差。臣接胡光墉此次来禀，检其前后各禀，详加考核，觉其中原委均属实在情形。

此项借款，上海英领事暨汇丰行付银必须驻京英使知照，而驻京英使必须总理衙门知照。况议有限期，罚银尤不可缓。谨查总理衙门知照驻扎英使之文，一则照录奉谕准借，一则声明磅〔镑〕数、息数，共二件。臣已于奏内，据胡光墉禀呈汇丰行拟式，钞请照行在案。现据胡光墉禀，七月二十四日限期将逾，谕旨转行之文已经到沪，惟磅〔镑〕数、息数明文尚未见到；倘至九月半后展限有逾，而磅〔镑〕数、息数明文迟到，诚虞罚银三十万两难以收回，而议借之五百万亦难理说。臣复核属实，应请饬下总理衙门，查照前项照会，如尚未行，即飞行驻京英使查照速行，免因逾限别生枝节，不胜迫切待命之至。所有遵旨查明道员胡光墉息借洋款实无别故，除将胡光墉汇丰、泰来两洋行合同，并钞汇丰行原议照会，息数、磅〔镑〕数文稿，咨送总理衙门分别复核照行外，谨据实驰陈。谨奏。

光绪三年九月初二日奉旨：依议，该衙门知道。

附总署致英使借定洋款准左督函加息二厘五毫函

径启者：

六月初十日，本衙门准陕甘总督左咨，具奏借定洋款一折，内称据道员胡光墉禀，已向英商汇丰洋行借定银五百万两，并议借实银还实银，由汇丰银行提银，按月一分二厘五毫行息等因。于六月十二日照会贵署大臣在案。兹准左总督函称，胡道此次向汇丰所借银两原系一分行息，现议定借实银还实银，是以加息二厘五毫等语。为此再行分晰，布达贵大臣查照可也。

附左宗棠送来汇丰银行拟定照会文稿

上海采运局委员胡光墉谨将汇丰银行请由总理衙门知照英国驻京公使，转饬上海英领事知照该行，并准借上谕录咨英国公使两项公文之式样，钞呈陕甘爵阁督部堂左。上海道胡光墉托上海汇丰银行手代为签名，发给债单，向外国告借伦敦磅〔镑〕数计一百六十万四千二百七十六磅〔镑〕十办士，不得过此磅〔镑〕数，即为中国关平关银五百万两。所发债单内应付息数听该银行之便，按照西历每年不得过一分之外。此项借款分十四次本息摊还，每一次以一百七十七日为期，共十四期，计二千四百七十八日，合计七年本息还清。将上海、宁波、广东、汉口四关之票作抵，到期还银。倘各关税项日后不敷，另行筹付。请为知照英国驻京钦差云云。陕甘爵阁督部堂左奏借汇丰银行关平关银五百万两，于奉旨准借之日录咨英国驻京钦差，转行上海英领事知照汇丰银行，以便钦遵办理云云。

甘督左宗棠奏英人以保护安集延为词图占边疆万不可许折

督办新疆军务陕甘总督左宗棠奏，为复陈办理回疆边界情形事。

窃臣钦奉寄谕：郭嵩焘奏英人照会调处喀什噶尔事宜，并传闻俄古柏病殁各折片等因。钦此。窃维西北兵事自陕回肇乱，甘回继起，关内外遍地贼氛，而新疆遂因之瓦解。乱北路者，妥、索两逆贼党，均关内陕甘客回也。乱南路者，浩罕所部之安集延酋帕夏贼党皆其部人，南八城、吐鲁番等缠头回及旧土尔扈特等种人，概为帕夏所劫；不特回疆之民望风而靡，即换防弁兵亦叛附之。迨北路贼首妥得璘为其所败，降于安集延，于是帕夏阑入北路，而新疆遂几成异域矣。安集延本浩罕四部之一，浩罕为俄人所并，安集延遂谄附英人。帕夏侵占回部十余年。英人阴庇之亦十余年，明知为国家必讨之贼，从无一语及之者，盖坐观成败，阴持两端之故智也。上年官军克复北路数地，英人乃为居间，请许其降，而于缴回各城、缚献叛逆紧要节目一字不及，总理衙门向其辩斥而止。

兹德尔比、威妥玛复以此絮聒于郭嵩焘，彼意以护持安集延为词，以保护立国为义，其隐情则恐安集延之为俄人所有。臣维安集延系我喀什噶尔境外部落，英、俄均我与国，英人护安集延以拒俄，我不必预闻也。英人欲护安集延，而驻兵于安集延境，我亦可不预闻。至保护立国，虽是西洋通法，然安集延非无立足之处，何待英人别为立国？即欲别为立国，则割英地与之，或即割印度与之可也，何乃索我腴地以市恩？兹虽奉中国以建置小国之权，实则侵占中国为蚕食之计。且喀什噶尔即古之疏勒国，汉代已隶中华，固我旧土也。喀什译义为各色，噶尔译义为砖房，因其地富庶多砖房，故名为喀什噶尔。南八城之富庶，素以喀什噶尔、和阗、叶尔羌为最，此固中国所共知者。英人以保护安集延为词，图占我边方各城，直以喀什噶尔为帕夏固有之地，此意何居？英人从前恃其船炮横行海上，犹谓只索埠头不取土地，今则并索及疆土矣。彼阴图为印度增一屏障，竟公然与我商议，欲于我回疆撒〔撤〕一屏障，此何可许？

臣奉职无状，才疏德薄，致启远人轻视之心，无所逃罪。惟以局势言之，我愈示弱，彼愈逞强，势将伊于胡底？亦惟有勉竭驽钝，愿效驰驱，成败利钝听之而已。帕夏于库尔勒地方服毒自毙，英国既有所闻，赛德尔意仍照郭嵩焘前议办理，德尔比意欲饬署理公使傅磊斯赴总理衙门会议，茀赛斯亦将来京调处，此皆无关紧要。彼向总理衙门陈说，总理衙门不患无词。彼来臣营陈说，臣亦有以折之。现在南路之师，刘锦棠所部三十二营于八月中旬分起西进，张曜拟于九月初旬继发。臣前调徐占彪所部蜀军移驻巴古之间，兹委记名提督·前安徽寿春镇总兵易开俊率马步数营，进驻吐鲁番以资镇抚。与郭嵩焘片奏，乘俄古柏冥殛之时，席卷扫荡一语，尚无不合。惟迫于数月之间转战三千余里，窃恐事有难能。臣前闻英人有遣叔侄赴安集延之说，已驰告刘锦棠、张曜，属其善为看待，如论及回疆之事，则以我奉令致讨侵占疆宇之贼，以复我旧土为词，别事不敢干预；如欲议论别事，请赴肃州大营。臣于此次奉到谕旨，当即饬其体察情形妥为办理，务期预为审酌以顾大局。谨奏。

光绪三年九月十六日奉旨。

吉林将军铭安玉亮奏宁古塔三姓副都统会同俄官补修界牌分别勘立折

吉林将军铭安玉亮奏，为宁古塔三姓副都统会同俄官补修界牌，分别勘立事。

窃查宁古塔所属松阿察河口、三姓所属乌苏哩口等处，系与俄国接界之区。自分界之后，所有分立界牌于上年九月间查有被水冲没、被火焚毁、雨浸朽烂者，共五处。当经前署将军古尼音布等，以事关边防，请旨特派大员，前往会同补立等因具奏奉上谕：古尼音布等奏补立界牌请派大员会办等语，著宁古塔副都统双福、三姓副都统长麟、珲春协领纳穆锦就近查照，分别会同勘办。钦此。等因。一面会同东海滨省固毕尔那托尔，转饬边界官约期会立。嗣据该俄官照复，拟定会修日期，随即行令副都统双福等即便分往会办，并呈明总理衙门查核在案。

兹据宁古塔副都统双福咨报，带兵起程，于六月初六日行抵俄界，会见摩阔岁地名俄官廓米萨尔官名名称玛题岳尼音布人名。当即会商，抵瑚布图河源山顶原立被焚界牌处所，依照旧式，复行补立怕字头界牌一个，缮录原议牌文，油饰巩固。俄官亦写俄字牌文，加烙火印。复同俄官于六月初九日会抵瑚布图河口，在于原立被焚小孤山补立倭字头界牌一个；会抵横山处原立雨浸朽烂处所，补立那字头界牌一个。又抵小漫冈即白棱河源地方，会勘拉字头界牌年久朽烂。又抵白棱河口，即奎屯必拉地方，会勘喀字头界牌雨浸糟朽。此二处均即时商允，俄官仍按原处，会同重新换立界牌二个。复会松阿察河源地方原立被焚界牌处所，补立亦字头界牌一个。以上宁古塔所属界牌六处，内补立者四处，重新换立者二处，逐一会同俄官勘立妥协，互换清文照会。立毕，郭〔廓〕米萨尔即回摩阔岁去讫。该副都统亦即旋城，一面转饬珲春协领，候俄官旋抵图们江口时，即将该处应行补立界牌会同俄官补修呈报。

又据三姓副都统长麟咨报，带兵启程，于六月初一日抵乌苏哩口，面见图勒密俄官巴雅尔。传说海参崴固毕尔那托尔业勒满在此，即会见俄官，声称前接吉林将军来文，已添俄国博克米〈克〉，会同宁古塔副都，补立界牌竣后，来此会同补立；既博克米克未到，不必久待，我同副都统仍在原地补立方妥等语。该副都统随将备立界牌西面，照旧书写牌文，罩油令其验看，俄官看毕，答称甚妥。即同至乌苏哩江口两岸，仍于原立被水冲没之莫勒密地方，择其高阜免被水冲处，竖立耶字头界牌一个，已将两国界址互相出具文字，永为查照。其东面俄字牌文，该俄官前已饬交博克米克携带，令饬图勒密边界俄官巴雅尔俟博克米克到时，就近会同乌苏哩卡官再为书写。立毕，该俄官即入乌苏哩口去讫。该副都统亦将界牌东面未写俄字，饬交乌苏哩卡官骑都尉英林，俟俄官博克米克抵至图勒密时，务须会同书写呈报，亦即带兵旋城各等情咨报前来。

奴才等详查原与俄国分立界牌共系八处，前被水火冲焚、雨浸糟朽者五处。兹经副都统双福查勘，小漫冈即白棱河源，又白棱河口即奎屯必拉等二处界牌，虽尚竖立，均已糟朽，就便会商一律重新修建。其图们江口土字头界牌，立已年久，已由该副都统转饬珲春协领，候俄官旋抵时，会同补修，以期经久，俾彼此疆界分明。所办甚属合宜。奴才当时将该副都统等差竣日期，并俄官递给照会，附封呈报总理衙门查核；一面咨复该副都统等，转催俄官并珲春协领，望速添写补修，期早竣事，慎勿延缓时日，以重边防。并檄令严饬边卡员弁妥慎防守去后。迄今月余，其乌苏哩界牌未书俄字曾否添写，图们江口界牌有无会同补修，尚未据报完竣。除由奴才等仍咨催各副都统，饬催作速会办完结，俟报到时再行奏报外，合将宁古塔、三姓副都统会同俄官补修界牌，分别勘立缘由，先行复奏。

光绪三年九月十六日奉旨：该衙门知道。

御史董儁翰奏轮船招商局关系紧要急须实力整顿折　附上谕

山西道监察御史巨董儁翰奏，为轮船招商局关系紧要，急须实力整顿以期持久事。

窃惟轮船招商创千古未有之局，实因时事变迁，不得不藉此以收中国之利权。设立之始，以江浙漕米为揽载之根基，所以保护之者用意甚为周至。自上年归并旗昌洋行各轮船后，成本愈重，虽加增揽载漕粮用资裨补，然臣闻该局出入之数，每月竟须赔银至五六万两之多。如此层递亏折，年复一年，必致不可收拾。查该局致亏之由，一由于置船过多，轮船行驶经费甚巨，必须一船得一船之用，方可无虞折耗。兹闻该局在南洋行驶各船，揽载之资不敷经费，船多货少。刻下既未能遽赴外洋各国，以广收贸易之利，只宜善为布置，先将基本立定，使所出之数不致浮于所入。庶持之既坚，将来尚可渐为推广，以收成效而宏远图。应请饬下南北洋通商大臣于该局各商总时加察核，务令遇事和衷，期有裨益，不得揽权喜事，徒骛虚声，致无实际。

又由于用人太滥。查该局事务既繁，自不能不需人助理，但不得过多以节縻费。闻该局轮船每年遇运漕粮之际，各上司暨官亲幕友，以及同寅故旧，纷纷荐人，函牍盈尺，平时亦复络绎不绝。所荐之人，无非各谋薪水起见，求其能谙练办公者，十不获一。甚至官员中亦有挂名应差，身居隔省，每月支领薪水者。各该商总碍于情面，未免意存迁就，所耗之费几于加倍。且所用非其所习，尤虞变生意外，福星轮船沉失一案是其明鉴。应请饬下南北洋通商大臣，严谕该局不准以办公为名位置私人，其已在局者应分别裁汰。嗣后遇有荐人到局，应公同商议，不得但凭一人私见，必其人实在可用而又为局中所必需，方准收录。其局员中有挂名应差者，均不准支给薪水。仍每月将所用人数，申报通商大臣查核。如有滥予收录情弊，立即罢黜。该大臣等亦应破除情面，不得稍存徇庇，庶事归核实，不致人浮于事，而经费可期撙节矣。此外各项费用并须严禁滥支，随时驳饬，不得但凭该局所开一年账略，遽准核销。

至沿江、沿海各口岸，凡属中国官商应需轮船运载货物能否统归该局轮船揽载，并各省漕粮能否再予加成归该局轮船载运之处，应由各该省督抚体查情形，妥筹办理。总期互相维持，俾令有基勿坏，渐成远大之规。此实当今之要务也。论者或谓，该局应仿照船政成案，专设大臣一员管理。臣愚以为，易商为官，徒滋浮费，且恐转多掣肘，不如仍存商局之名，由南北洋通商大臣统辖，庶几查察易周密，而经费无须再增。臣为该局关系中外大局，是以不惮筹思至再，覙缕上陈。谨奏。

光绪三年九月十八日奉上谕：御史董儁翰奏，轮船招商局关系紧要，急须整顿一折。据称，上年归并旗昌洋行轮船，成本愈重，该局每月亏银五六万两。其致亏之由，一因置船过多，揽载货物之资不敷经费；一因用人太滥，耗费日增，请饬实力整顿一折。轮船招商原以收中国利权，必须有利无弊，方可以期久远。着李鸿章、沈葆桢通盘筹画，认真整顿，毋稍虚縻，并饬令该商总和衷办事，勿骛虚声而鲜实际。至该御史所称，沿江、沿海各口岸，中国官商应需轮船运载货物能否统归该局揽载，各省漕粮能否再予加成归该局轮船载送之处，并着该大臣妥筹办理。

总署奏拟纂通商则例以资信守折

总理各国事务恭亲王奕䜣等奏，为遵旨议奏事。

光绪三年八月二十七日军机处钞交出使英国大臣郭嵩焘奏，各口通商事宜应纂成《通商则例》一书，以资信守一折。查原奏内称：通商以来，交涉日广，情事日繁，仅恃通商条约为交接之准。而条约定自洋人，专详通商事件，于诸口情形皆所未详。每遇中外人民交涉事件，轻重缓急无可依循。历年办理洋案，各口领事与各地方官交互抵难，展转迁就，无一能持平处断者。推原其故，皆由中国律例与各国争〔相〕差太远，又无能究知西洋法律，遇有辩论事故，无例案可援，观望周章，动为所持。而溯既往之失，以期将来之补救。援理藩院于蒙古各盟案件，以圈禁、罚赎代流徒、笞杖办法为比例；就现辩论镇江趸船一案，相持无定议为引证；举总税务司前议商情、交际、词讼三者为紧要关键。请饬总理衙门参核西洋各国所定通商律法，分别条款纂修《通商则例》一书；择派章京专司编纂，南北洋大臣及总税务司参酌，由总理衙门审定颁发各省；并刊刻简明事例，略叙大纲，颁发各国驻京公使，庶一切办理洋案有所据依等因。意在引中外之律例为交涉之准绳，遇事庶几持平，在今日允为要务。臣衙门承办中外交涉事务，早经筹议及此。数年前已饬总教习及各馆教习学生等，先将法国律例陆续翻译，因篇页繁多，一时尚未译毕。

至行之是否有弊，及各国能否允行，有不能不详审通筹者。各国条约所载，大抵中国人由中国官照中国例治罪，外国人由领事官照外国例治罪。外国不一国，国各有例，非中国人所能尽悉。各国之人此国居彼国者，均由所居之国管束，遇事照所居之国律办理，又与各国之在中国者不同。中国有斩绞徒流诸罪，各国自换约以来，惟俄国有用火枪打死罪犯一案，其余交涉各命案率谓按其本国罪名，不过监禁做工数年及以若干银偿命，大端不出此两层办法。各国遇有被中国人杀毙之案，有以监候之犯坚请提前办理者，是于中国之法且欲从严矣。至外国杀毙中国之人命案，微特不办死罪，谓外国无此办法，即外国所谓监禁、罚银两层，亦有为之开脱不办者，是于外国之法且欲从宽矣。条约所开于通商较详，而各国使臣于条约之利于彼者，力为之争；利于中国者，曲为之说。即如该大臣所引镇江趸船一案，于中国无此情理，于英国且有明禁，而迄今并未照核申禁者。泰西各国竞尚兵力，其于中国情势亦然，力所不能胜，而欲以条例口舌争胜焉，难矣！是各国使臣即允订此例，中国遇事恐未必能照行。其难一也。

均此罪状，而由中国之律则死，由彼之律则生，彼岂不知通商以来十数年已得之便宜？今欲明定公共之条，归于划一。既为中外公共之律，应由各国使臣画押允行。揆之各国使臣之用心，恐未必就我范围。若均从中国律例，杀人及盗论死，各国必不能允从。均照各国律例，则中国人民欲快心于彼者久矣。讵无甘蹈监禁，愿出多金以求一报积怨者？律减犯多，或至办不胜办。若斟酌乎中外之间，则罪名轻重相去太远，既非圈禁之视流徒、罚赎之视笞杖，轻重略等者比，势必彼此有所损益，于此而欲酌定条款，良非易易。况与各国向准管辖境内所居他国人民者，又殊非各国使臣力除成见，共矢实心，各奏其主一律愿行，必无成局。是中国即定此例，各国使臣未必允行。其难二也。

该大臣奏请酌定者系《通商则例》，而其意重在《命盗律例》。《通商则例》有各国条约及各国通行章程可循，其寻常涉讼者，复有会讯章程可据，只在搜译各国条例参核考订办法，当不甚悬殊。《命盗律例》中外轻重不同，须将各国律例译出，酌夺比例，折衷定论。而溯厥根由，因通商始有交涉，因交涉始有命盗各案，自应仍归《通商则例》，分门纂辑，合订成书，不致与定例牵混滋弊。惟是《通商则例》办理在各口岸，有各国领事官会办。《命盗律例》则兼及内地，凡各国游历、传教等事，均有滋事案件，而于传教为尤多。内地不得设领事官，若将案犯解交口岸办理，恐滋拖累。领事官在口岸经办事件，于理于势于条约，均不应令其赴内地审办案件。若仅将洋犯解赴口岸交领事官办理，则事无质证，末由定谳，在彼有辞。是各国使臣即允同订是例，遇事即肯照办，亦恐启内地添设领事之渐。其难三也。

然而牧民者责在民生，知己者本应知彼。既关民命，敢不殚心？溯当同治年间预筹各国换约事宜，经臣等饬令各章京查核各国条约。据章京周家楣呈议：其中外办罪生死出入，不得其平，拟请定约时，将中外命案定一公例，凡系交涉之案，彼此照办以得其平；于条约内载明遵守，虽在彼族诸多狡展，而在我总宜力争。前大学士文祥亦以为可行，仍恐启内地设洋官之端，不如各照中外律例自行办理。同治十年十月间，北洋大臣李鸿章奏陈：中外通商已久，而条约应行事例间有随时变通者，无成编可考，探讨莫从入手。以江苏题补道凌焕留心著述，又于洋务经办十年，胸有成竹，饬检南洋卷档；即以条约为纲，按款采集成案，胪列章程，再将北洋办过各案择要添入，由该大臣核定；南北洋大臣衙门各存一编，庶遇事有所依据，将来或修换新约，或议通商律条，均可添资参考，似属办理洋务必不可少之书等情。是李鸿章亦早筹及此事。惟欲订中外共守律例，则其权不尽自我操，自不能不另为筹办。至于总税务司赫德于光绪元年十二月间，因云南戕毙马嘉理一案申论中外交涉，呈递节略甚繁。所议商务、讼件、政务三层，其讼件内，因中外律例之不同，审法之不同，罪名之不同，其缘事有因人、因产、因税之目，而欲立一通行详细规条，有通行之讯法，有通行之罪名，有通行之衙门。其引论中，并有议及外国人归地方官管理之条。专就此事论之，所议自可采取。而其用意有因此及彼，此利而彼弊，此益而彼损并行；则我有所难专办，则彼非所愿，且悔不可追，又不得不审慎图维，相机筹议。

臣等公同商酌，该大臣所请纂定《通商则例》一书之处，除由臣等一面广购各国律例诸书，饬同文馆总教习及各馆教习学生等以次翻译；一面咨行出使各国大臣，搜采其国之法律等书，饬随带之中外翻译官，陆续译出，录寄臣衙门参互考订。拣派通晓律例各章京，将中外律例分门缀辑。如所治何罪，于《大清律例》各条下，附以各国律例、从前历办成案，随条采注，用备比议。并咨行南北洋大臣，遴派通晓律例及素习洋文中外人士，责令详明翻译，一体分类纂辑，并将西洋办过成案随条采注，咨送臣衙门，划一纂订成书。再由臣等随时与各国使臣及总税务司相机议论，随时筹办外，应请饬下南北洋大臣暨出使各国大臣，遵照办理。谨奏。

光绪三年九月二十五日奉旨：依议。

总署奏议复郭嵩焘奏请于新嘉坡设立领事片

奕䜣等片。

再，光绪三年八月二十七日，出使英国大臣郭嵩焘片奏，英国属地星嘉坡拟设领事，委道员胡璇泽充当作为南洋总领事，并因经费艰难，应另核议等因。

查臣衙门原议出使经费兼及总领事及正副领事，本因美国之金山、日斯巴尼亚国之古巴、秘鲁国之利马及日本国之长崎等处，中国人民在彼实繁有徒，须设领事以资钤束保护之处，其是否设立，仍由出使大臣自行酌度。或无须设立以免糜费，或如该大臣所称，酌给开办经费，不给薪水，期得节省之益。出使大臣自当各就所至各国地方情形核实详筹办理，本非令凡出使大臣皆设领事于其国也。今以星嘉坡须设领事，该大臣拟遴委道员胡璇泽承充，即作为星嘉坡领事官，所办各事申报出使大臣主裁。其所称南洋各埠头应否分设领事，该大臣未能深悉，拟令胡璇泽切实考求报明办理。即饬作为南洋总领事，一切事宜分别申报各国使臣，仍统归南北洋大臣及两广督臣就近经理等情。查中国领事官事经创设，南洋各埠头相隔甚遥，胡璇泽甫令任事，才具即堪胜任，耳目亦难遽周，出使各国大臣及南北洋大臣、两广总督势亦不能节制，应请从缓妥筹，此时无庸置议。该大臣以领事之费必不可多，议给开办经费，不给薪水，即就中国流寓民商愿出户口、年貌等费内报销开支，系为力求节省起见。至若出使各国须设领事应归划一之处，臣等公同商核，除不必设立领事各国仍无庸议外，其有各处情形与新嘉坡相似者，即照此一律办理；或该处口岸另有碍难照办情形，由出使大臣查察，另行奏明核办，仍应力求撙节以期事归实际，用无虚糜。谨奏。

光绪三年九月二十五日奉旨：依议。

总署奏议复郭嵩焘奏请派员赴万国刑罚监牢会片

奕䜣等片。

再，郭嵩焘片奏又称，据瑞典使臣爱达华达摆柏照会，内称：整理万国刑罚监牢会，今年在比利时都城伯鲁赛尔会议，已定明年八月在瑞典都城斯多克火恩会议，应由其国预先通告各国；并称瑞典国极盼中国国家派员往赴此会，乞将此情转奏各等因。并陈其立会之由，意在整洁监牢，课各犯以工艺，使可出而谋生，于系囚中寓教养之经，其会议必有可纪。该大臣奉使英国，距瑞典为近，应由该大臣处奏派一人前往，应如何办理之处，当俟奉旨后，开具参赞以下衔名，听候简派一员前往，与各国会议等情。臣等查同治年间法国聚珍大会、美国百年庆会暨奥国赛奇会，经其国驻京使臣及其本国大臣照会，臣衙门请准派员赴会，经臣等酌核，分别办理在案。瑞典国无驻京使臣，今由该国驻京之员照请出使英国大臣派员与会，且有会议政务，与历办成案未符，应请无庸置议。理合附片复陈。谨奏。

光绪三年九月二十五日奉旨：依议。

总署奏议复郭嵩焘奏英外相调处喀什噶尔片

奕䜣等片。

再，臣衙门于本年七月二十六日具奏，接据出使英国大臣郭嵩焘函，述英国与喀什噶尔互相遣使情形等因一折，奉旨：依议。钦此。旋于八月十三日，由臣衙门代递郭嵩焘奏陈，英国外部丞相德尔比调处喀什噶尔，并传闻阿古柏病故各折片。奉上谕：著左宗棠体察情形，斟酌核办。并据郭嵩焘致臣等函述一切，且谓英国外部已嘱傅磊斯面商，可否照办等情。

兹于八月十七日，英国署使臣傅磊斯偕其翻绎〔译〕官梅辉立等来臣衙门。经臣奕䜣等接见，梅辉立译述傅磊斯所言，据称：接本国丞相德尔比来文，提及喀什噶尔一事，意在息事罢兵，所议三条：一、阿古柏原以中国为上国之主，命使臣入贡。二、中国与喀什噶尔将地界画清。三、两边议和后，永远和好，彼此不相侵犯。德尔此〔比〕令其商询此事可办与否等情。当答以中国用兵亦出于不得已，阿古柏本非喀什噶尔回民，乃乘乱占据其境。自左宗棠攻破吐鲁番后，军务得手，此时大兵想已西进。左宗棠办事向有斟酌。乾隆年间平定伊犁时，亦是叛者剿之，降者抚之，此事左宗棠自有办法。又据称阿古柏自得喀什噶尔地方，彼时该处无主。答以该处是中国地方，何得谓之无主？各回部亦有蒙大皇帝封爵者，其地终属中国管辖。上年威妥玛在署，曾言阿古柏必派人至左宗棠营，请勿加害；当经据情函致，并将左宗棠缄复各情告知。随问以近闻阿古柏病故，是否确实？傅磊斯未及答复，即以德尔比所拟之条究竟可行与否为问。告以前接郭嵩焘信，已致函左宗棠查核，应如何办理，将来左宗棠自必奏明请旨。傅磊斯等再三坚询，则直告以将来无论如何办理，总要在情理之中，如出情理之外，断不可行。往返问答，仍以由左宗棠酌核办理一语归宿。所有答复情形，理合附片具陈。

光绪三年九月二十九日奉旨：知道了。

清季外交史料卷十一终

清季外交史料卷十二

光绪三年十月至十二月

谕李鸿章查明李凤苞能否胜出使之任

上谕：郭嵩焘奏，特参副使刘锡鸿，恳请撤回，以李凤苞接署德国使臣各折片。据称李凤苞讲求洋务，勤慎耐劳，若以之接办德国使务，必远胜于刘锡鸿等语。李凤苞人才究竟如何，是否能胜出使之任，着李鸿章据实具奏。

十月初三日

总署奏与西班牙公使订定古巴华工条款折 附条款

总理各国事务恭亲王奕䜣等奏，为查办日斯巴尼亚国古巴地方华工一案，现与日国使臣议就条款事。

窃臣衙门于同治十三年十二月间，奏陈出洋委员陈兰彬，查访华工在洋承工情形一折，以所查华人承工各节极为详细，拟即分致各国使臣查照，并咨行南北洋大臣暨各关道知悉，将来仍邀各国使臣公同评断等因。复于光绪元年十一月间，奏派陈兰彬出使美国及日国、秘国三国办理交涉事件。秘国、日国均有应议华人出洋承工事宜，秘国已经李鸿章议有条款。日国则俟陈兰彬查复后，由臣衙门与日国并各国使臣会议，曾经臣等拟定《保护华工条款》，与各国使臣定期数次晤论，日国使臣丁美霞及各国使臣亦议具条款，复将彼此条款参酌合而为一。正在会议，适光绪元年春间，滇省有戕毙英国翻译官马嘉理一案，英国使臣威妥玛来函，以此案未结以前，所有与日国商量各议论，此后概不相预等因。威妥玛旋即出京，臣衙门亦未与各国使臣订议，事遂中止。自滇案议结，日国使臣伊巴里时已来京，历经臣等定期晤议，未能就绪。本年夏间，值日国使臣以避暑前往烟台，无从商办。迨伊巴里由烟台回京，来臣衙门晤论，彼此竭力筹办，将从前所议各条目酌核增损，议出章程凡十六款。彼此核阅划一，定于十月十三日将条款互相画押，其未尽事宜另具照会声明。并订明所议条款，写汉文、法文各二份，各存其一，以昭信守。谨钞录章程各款及另行声明往来照会四件，一并恭呈。如蒙俞允，臣衙门立即照会从前与议之各国使臣，咨行南北洋大臣、各省将军、督抚、出使各国大臣，并由南北洋大臣、各将军、督抚转行各监督一体遵照。俟互换后，再行刊刻成本通行办理。谨奏。

光绪三年十月十六日奉旨：依议。

照录《古巴华工条款》

大清国大皇帝、大日国大君主，甚愿将中国人民前往古巴寓居之事，重新商订妥协，以期永无相左之处。为此大清国大皇帝特派总理衙门大臣成、毛、沈、董、夏，作为全权大臣；大日国大君主特派驻扎中国钦差·兼驻扎粤南、暹罗钦差·御赐头等意萨贝勒等宝星大臣伊，作为全权大臣，妥议其事。所有议定各条开列于后：

第一款　所有同治三年九月初十日大清国、大日国在天津定立条约，内载立约为凭，招华人承工各节，嗣后既不招人出洋承工，自无庸立约为凭。惟前约第十款内，有不得收留中国逃人之语，仍遵其旧。

第二款　前约承工出洋未能尽善之情，既经除去，自应将所议赔偿一层，两国互相罢论。

第三款　两国定准，嗣后彼此庶民出口前往，无论单身或携带家属，皆以出于情甘自愿为要；总不准或在中国各口，或在他处，妄用勉强之法及施诡谲之计，诱令华民人等不出情愿而往。如有两国人民、船主人等违背此约者，则两国必将其人从严查办，均照本国律例从重定拟罪名。大日国又允，所有待各大国同类之人最优之处，中国人民或已在古巴者，或嗣后前往者，亦应一体均沾。

第四款　中国所开之通商各口，如有中国男女人等自愿备川资往古巴居住者，大清国自应听其自便，并无禁阻之意。并令通商各口关道及地方等官，如有遵照此次之约愿载该民前往者，通商各口关道及地方等官自听各国之船在该口内自备应用之物，以便载客出口；所有该船之船东、船行及经手各事人等，如果能遵守此约，通商各口关道及地方等官亦不拦阻。

第五款　所有华民出口前往一切情事，是否果遵此约各章之处，各该口关道及地方等官可自行详细查明，以昭慎重。如有华人自愿出洋者，应先赴关道处报名挂号，请领盖印执照此项执照各关道预先备办，送交日国领事官画押盖印，由关道发给该华人上船出洋。俟船到古巴后，由该处该管官将关道原给盖印执照，送交中国领事官查验。其通商各口载客出洋之船，该关道仍可派中国委员，大日国领事官亦派委员，同往该船亲为访察。如查出华人内，有并未领关道所给盖印执照者，立将此等华人撤回。倘到古巴后，有未领关道所给盖印执照之华人，即由该处日国官员会同中国领事官商办。至船欲何时出口，该船主、船东务将开船时刻先期报明，以便委员于应查各节详细验明，不致因循贻误。如该船主不遵此章，辄以开船在即不及候验为辞，则照会日〔国〕领事官，先将船牌等件存署不发，并准将该船扣留，照日国律例办理，俟各章遵办后方可放行。

第六款　大清国即派领事官，前往古巴夏湾拿地方驻扎，此外所有日国准各国领事官等员驻扎之各处地方，中国亦可一律派员前往驻扎。惟所有中国派总领事等官一节，均照互相订明办法办理。日国允待中国各员与待各国驻扎古巴各官一样。大清国所派之总领事、领事、副领事等员，大日国古巴各官自应尽力照料，令其易于称职，妥为保护在彼本国之民。

第七款　所有在古巴中国人等均准随便出岛他往，惟其中倘有罪犯应行候讯者，不在此例。至华民在岛随便来往立业，自应设法以与第三款所言之利益相符。以上或应由日国执政大臣会同中国驻扎日国钦差大臣，抑或由日国夏湾拿地方官会同中国总领事官，妥设良法，俾令中国人等均能获此约内所言之益，与各大国在彼同类之人一例相待。惟所设之法，既应与该处防范滋事之章均宜相符，即以后在岛再立防范滋事之章，亦皆包括。又应由日国地方官每人予以随便往来之准单一纸，至此准单自应与各国人所执之单式样相符。

第八款　一、中国人等或为被告赴署分辩者，或为原告赴署理论者，所有该处日国谳局优待各国两造之处，该谳局应令中国人等一律均沾。一、中国人等在谳局有事之时，准其延请律师及传话之人，无论他国、日国均准请去，且或自觅其人，或请中国总领事、领事等员代觅均可。惟其人必须按照日国律例，能在日国谳局承办此事者，方可延请。一、至现今在古巴岛之华民人等，内有未行互换此项条约之前，自言曾受委屈者，均可前往该日国谳局诉其冤枉，该处谳局即将各案次序确查，秉公断结，与优待各国人所能得者一样。

第九款　大清国所派夏湾拿之总领事官，急与该岛各该管官妥订章程，令现今在古巴之华民人等以及嗣后再来之华民，均皆报名挂号于花名册。其册存于中国总领事等官署内，每人由领事官发给执照一纸，以为业经报名之据。此等执照应呈各府城庄寮等所查验。一、古巴地方官即将该岛各处现有华人多寡之数并其姓名，知照中国总领事等官，并设良法令中国总领事等官，易于前往该岛庄寮等处，以便将中国在彼承工之人实在情形亲自详察。

第十款　各国之船愿载华民出洋，除此约各条应一体遵照外，尚宜遵守其本国载客之章，以免船上或乏应用之物，或缺防客染病之法各等情形，是各国之船若不遵守此二项规矩，即不准载客出洋。

第十一款　一、现今古巴承工之华人内，恐有从前在中国或读书，或作官，及此项人之亲属，大日斯巴尼亚国敦崇和谊，愿将此项人等由日国自出船资载回中国，以昭诚衷。俟此次条约互换后，即行开办。惟应由中国总领事、领事等员，先将实在情形查明，知照日国该处地方官，将各情详细核明，如果属实，即将此人放行载回。一、现今在古巴之华工内，所有年老力衰以致不能作工之人，并中国孤寡妇女，兹大日国允将此二项内自愿出岛回国之人，亦由日国出资送回。

第十二款　一、现今在古巴之华工合同期满，原合同内，如有雇主人等应送回国等语，大日国自应督令该雇主人等，按照合同而行。一、现今在古巴之华工人等，亦有工期已满，而原合同未载送回本国之语者；至此项内，诚恐有无力自备船资回国之人，应由古巴地方官与中国总领事等官详商设法，以便送回。一、所有现今在古巴合同工期已满之华工，俟此次条约互换之后，即应一体予以期满之执照一纸，所有以上第七款所言之利益其人自应一体均沾，其人或愿仍在该岛居住，或愿出岛他往，均听其便。

第十三款　古巴岛各处地方官倘察某处当时情形，其处若聚人过众，恐滋事端，以致地方不靖；该地方官一面禁止中国人等，一面知照领事官不准前往居住，与待各国人一律办理。若果有此情形，即不得以第七款有随便来往之语为辞。

第十四款　一、现今在古巴工期未满之华人，仍应按合同之期将工作满，其余如执照准单等一切事宜，新到之华人与期满之华人所获利益，应一律同沾。一、现今在古巴所有拘于各处工所之华人，俟此次条约互换之后一体放出，并将应立之章内所定各项执照亦皆发给，总将其人与在彼处各项华人一例相待。至于犯罪已未定案之人，仍送官监候结。

第十五款　大清国、大日国在此次所立各条内，日后如有愿行删改之意，则应至少于一年之前预先知照，以备日后详商。大清国如于华民出洋一事，以后若将此次条约未载之利益施及他国，则日国即应一体均沾。

第十六款　现今所立各条，应由两国御笔批准，于八个月限内在大清国都城互换，或能先期互换均可。

右载条约今已将日文、法文、汉文各二份，校对无讹，在大清国光绪三年十月十三日，大日国一千八百七十七年十一月十七日，由两国所派之全权大臣在京师亲为画押，钤用关防，以昭信守。大清光绪四年十一月十三日总理衙门大臣押，大日一千八百七十八年十二月初六日伊大臣押。

总署奏与西班牙公使换约缮写全权大臣字样片

奕䜣等片。

再，查各国议办条款，素以全权大臣字样为重，从前英、法等国换约，及设总理衙门以来办理各国议约事件，均经奏明办理。今臣衙门与日国使臣伊巴里议办《古巴华工条款》，订定之日系臣沈桂芬等与日国使臣面晤，日国使臣以封河在即，急欲出京。事机紧迫，而条款底本内均应缮写全权大臣字样，始昭慎重。臣沈桂芬等因查照历届成案办理，于本月十三日会同画押盖印。谨奏。

光绪三年十月十六日奉旨：知道了。

总署奏西班牙商船被抢与古巴换约案同时办结片　附照会二件

奕䜣等片。

再，同治四年间，据原任福建抚臣王凯泰咨，同治二年十二月日国索威拉纳商船有在台湾遭风被匪拆抢一案，据该国驻厦领事申报等因。六年，日国使臣玛斯始将此案照请查究。臣衙门行文闽省后，该使臣迄未催办。至十三年九月，该国使臣丁美霞来询此案何人承办。臣衙门给与照复，令其详细叙述，未据该使臣声复。是年冬，陈兰彬自古巴查明凌虐华工情形，并取具各该工人供词回京备述一切。臣衙门当即送英、法、美、俄、德使臣阅看，俾得评断办法。日国使臣丁美霞、法乐得等，先后与各国使臣拟来条款，意多偏徇，毫无成议。商船一案，该使臣亦暂搁不提。光绪二年，日国使臣博海达忽以失物价值八万余元，屡请赔偿。臣等以该国于同治三年始与中国立约，此案失事在换约以前，即照约亦无赔偿明文，严行驳斥。惟此案始终未据闽省将实在情形查报，仍咨催该将军等；于二年七月间始据查复，并拟请将各地方官议处。其时伊巴里适接充日国使臣之职，自行另拟《古巴华工条款》交臣衙门，又复邀请各国使臣会议。臣等逐款与之辩论，彼此意见大致相符。乃伊巴里则以咨报本国未复为词，再三催询，延宕将及一载。而于商船一案，始则照请早为办结，继则并闻有兵船来华之说，意在借端挟制。臣等当奏明先事筹办，并函致闽省将军、督抚等，随时防范催办前案。

本年二月间，据闽省咨报，将当时失事之地方官奏参革职，复由该抚臣丁日昌遴派提督蔡国祥、游击吕文经等至小吕宋，查明该商船系自行沉没，船值只一万五千元，货值二万二千两；并觅得货主谢跻带同来闽，自称不愿求偿等因，函知臣衙门。臣等遂力与相持，不为少动。该使臣始易赔偿为追赃，并善其词为养赡哀恤之用，且以避暑烟台故示整暇。臣等揣知伊巴里之意，非船案给项略有眉目，则古巴章程必仍以未接该国复文为词，延不商办。其所称养赡等语，措词尚近情理，因与闽省往返函商办理。据该督抚臣何璟、丁日昌等先后委令道员唐廷枢、叶文兰等，与日国领事胡敦若面议，除去货价七万元，许以照追船价一万三千元，该领事惟以伊巴里必须给还一万八千元为言。何璟等并函称此案是小事，《古巴条款》是大事，宜将此案理结，而古巴一案辩论亦可少所顾虑等因。

八月间，伊巴里由烟台回京。臣等往晤，即询以《古巴条款》该国是否回复。该使臣遂称，近日始接复文，大致与原议条款不甚悬殊；惟船案情愿一并结办，并请给一万八千元之数；再能由京给领，即将各条款缮出相商。臣等公同商酌，该国船案本属无理取闹之事，惟古巴华工数万待拯孔亟，此项条款争论有年，变幻多端，终未就绪，权其轻重，自以早日定议为是。且原案索赔偿八万余元，今请给一万八千元，核与闽省议给之一万三千元为数相去无多，而又作为抚恤之资，迥异赔偿。况此款由京给领，如各条款可以商定，即予支领，否则两案均作罢论，操纵之权均由我主。遂给该使臣一函，船案许其照办，仍令将古巴华工各条款，即日带至臣衙门会同商订。伊巴里始将各条款译送，详细酌核，遂与订定画押盖印；再将船案议结，照会送交其银一万八千元，由总税务司赫德书给上海银行汇据交其带往支取，仍咨由闽省照数拨还。此议办日国索威拉纳商船案起讫情形，及与古巴案同时办结之缘由也。谨将议结日国船案往来照会共二件钞录，恭呈御览。谨奏。

光绪三年十月十六日奉旨：依议。

附西班牙公使致总署夹板船失事请酌量赔偿照会

为照会事。

光绪三年三月初九日，准贵衙门照会内称：索威拉纳夹板船失事，系未经换约以前案件，此案不能赔偿之处，本衙门前次照会业经详细声明，自无庸再为复述等因。查《世理公法》及《万国公法》均载遭难之船急宜往救，此正索威拉纳一案之谓也。且此理不论有无条约，必应遵守，海宇名士皆以为然。即如《恒费德万国公法》第七十九款云：此系仁政所必有者，凡有教化各国必须照办者，每遇不行自当其咎等语。与英国一千八百五十四年《英国行船章程》及《卜伦遮理万国公法》第三百三十三款均属相符。试问前于索威拉纳一案照此办否？再，《卜伦遮理万国公法》第三百三十四款内载：船上难民身家物件不准扣留，亦不准扰害。而索威拉纳失事之时，始则抢掠物件，继则拆毁船只，终且拘羁难民，必待交出赎银三百圆始行释放。本大臣现存该民人收银字据，非悬揣之词也。至来文云，夹板失事，系未经换约以前案件一语，殊与《万国公法》迥不相侔。本大臣已屡言及之。且《万国公法》更云：每遇失事，如未逾限，船东均可索偿。而索威拉纳失事一案，当时业由本国驻扎澳门总领事、驻扎厦门领事官二员，与该地方官详商请偿，岂将谓为逾限乎？《万国公法》又云：沿海各国均应尽力设法，不分畛域，拯救被灾之船，优待遭难之民，保护伊等身家产业等语。当时已未照办，今虽将未能获盗之官参革数员，即得谓办理合宜乎？《万国公法》以及英国一千八百五十四年《行船章程》第四百七十七款又云：如有某处滋生事端之事，自应著落在某处众人身上等因。本大臣前次照会请贵衙门，或令地方赔偿，或另行筹款以为养赡者，即此意也。且索威拉纳一船价值既属甚巨，船上所载绸缎、铜磁、东洋杂货、干果等类，又系贵重之物，均有贵国江海关所具清单在本大臣处存案，亦可奉付贵王大臣验之也。今贵王大臣屡言，失物无存岂能赔偿，而本国国家必令本大臣请偿，此诚进退维谷之势也。本大臣惟有仰体本国大君主睦邻盛情，自应急敦友谊。且据本大臣之臆见，谅失物犹有存者，似可由本大臣设法帮办。为此现拟派本国兵船一只，并派本国一员，前往该处，与贵国所派之员，将应行办理各节会同办妥。推此意也，一为本国敦好，凡贵国乐为之事无不极力赞襄。再为按照《世理公法》及《万国公法》，有必须请偿者，是以竭尽心力而为之，想贵王大臣当必以为不谬矣。查中国素以仁政为心，贵王大臣自应将本大臣前次照会所称哀恤茕独之事，再为熟思可也。为此照会贵大臣查照，请即见复。须至照会者。

十月十四日

附总署致西使允赔偿夹板船损失照会

为照会事。

所有贵国索威拉纳夹板船在福建台湾南岽洋面失事一案，其失事年月情形及中国如何办理分际一切，业经屡次详细照会贵大臣，并与贵大臣面谈，贵大臣均已深悉。兹者《古巴华工会议条款》贵大臣深念睦谊，与本衙门同心筹议妥章，彼此雅意相让，本衙门又于此项船只失事一案，悉力设法，屡经行催闽省将军、总督、巡抚切实查办。除将失事地方官议处外，复为破格体念船主，就贵大臣所称加惠施仁之意，将由闽省追给洋银一万八千圆，完结此案。相应照会贵大臣查照销案，并照复本衙门，以凭咨行闽省查照销案可也。须至照会者。

十月十六日

总署奏请赏给德国翻译官阿恩德二等宝星片

奕䜣等片。

再，各国洋人为中国办事出力者，如随同官军攻剿，及船政局、同文馆练习，并各口税务司、外国兵官等，各省督抚大臣及臣衙门核其劳绩，分别等差，奏明赏给宝星以为奖叙，历经奉旨允准各在案。此次臣衙门与日国使臣商订《古巴华工章程》各款，往返辩论时将三载，始能订定。其中往来传话翻译，均系德国翻译官阿恩德兼任其事，臣衙门颇资得力。可否查照成案，恳恩赏给二等金宝星一面，以示鼓励。如蒙俞允，即由臣衙门于上海咨送宝星内颁给。谨奏。

光绪三年十月十六日奉旨：依议。

粤督刘坤一奏捐资生息储养洋务人才折 附上谕

两广总督刘坤一奏，为捐资生息储养洋务人才，以备任使事。

窃查内地久经肃清，西事亦将告竣，当今所亟宜绸缪者惟在洋务。自有立约通商之局，泰西各国接踵而来，即使中国日臻富强，势亦难闭关绝市。王者无外之义，亦只有正名分，肃纪纲，不必以血气之俦而绝其尊亲之路。以臣愚见，谓洋务未可计期而罢也。洋务既不能罢，则所以办理洋务者必须得人。

夫洋务人才固在学有体用，识达经权，洞悉夫各国强弱离合之情形，深明夫朝廷操纵刚柔之机要，而又将之以忠信，导之以协和，使其仰我皇风，遵我盛轨。而非仅于一材一艺之末，与各国絜短竞长也。顾人才必巨细之兼赅，而用人亦偏全之各适。现在遣使各国及派充领事官，并中国各口凡遇交涉案件会审会议，如得熟习各国文字语言与其史传律例者，则断事措辞庶易得其旨窍。且各省设立机器局、制造轮船枪炮等项，则西洋之所谓格致，亦不可不得其门径而探其堂奥。总理衙门奏请于京外设立同文馆，并遣幼童出洋学习，原为储人才计也。惟查同文馆人员及出洋幼童于洋务均系初学，必数年始能得其浅近，必十数年乃渐得其精微，未可责以速效，更恐其半途而废，不必皆底于成。此次侍郎郭嵩焘、寺卿陈兰彬奉使出洋，曾贻臣书，窃有乏才之叹也。以中国之大且通商之久，除同文馆外，岂别无熟习洋务之人以备驱策？

夫近山者多善猎，近水者多善渔。粤人与洋人相处，有素其营生外洋各埠者几百万人，不独文字语言通晓者众，即西洋之法律、西人之艺能，亦多所娴习。如郭嵩焘所举之总领事胡璇泽，美国之翻译官余桢祥，英国之大律师伍秩庸，均系粤产；又如在籍候选员外郎温子绍，于各项机器颇能会通，则粤人之熟习洋务于此可以概见。诚得此项人才，加以造就，犹拱把之木因而灌溉滋长之，则取材更易。是于同文馆外别开一储才之地也。第非广为搜罗，则其人无由自达；非厚其饩廪，则其身无以自谋。粤东经费维艰，无力及此，臣居官岁久，请以廉俸所余捐银十五万两解交藩库，作为公项转发招商局，按年取息，以为储养此项人才之用。或出示招考，或随地访求，以及如何优给薪资使之尽心西学，容臣与抚臣熟商办理。倘得一二俊彦，有裨时宜，而后咨送总理衙门及南北洋大臣听候录用。若洋务人才骤难多得，此项息银有赢，则拨归机器局以助工作，其本银常存招商局不准轻动，亦可以备地方缓急之需也。再，臣起自寒畯，丝毫皆出天恩，此项以公归公，不敢仰邀议叙，合并陈明。谨奏。

光绪三年十月二十五日奉旨：刘坤一捐输巨款为储养人才之用，实能公尔忘私，力顾大局，殊堪嘉尚。所捐银两著该衙门核给奖叙。

川督丁宝桢奏英人吉为哩等由川赴藏番夷阻回片

丁宝桢片。

再，驻渝之英人吉为哩于五月三十日由成都省城起身，前往西藏一路回国；英员贝德禄于六月十六日由省起身，赴越嶲、嘉定、峨边、雅州、宁远、会理州、打箭炉等处，至滇省一带游历；均经派员沿途护送，并密查该英员等行径，先后附奏在案。

续据护送委员钟坦来禀：该英员贝德禄于出省后，执意欲去谅山普雄台地方，会晤猓夷，力阻不允；因到越嶲时，密嘱营员唤来城当差之熟夷前来，教以语言，令其到贝德禄寓所故作窥伺。贝德禄一见该夷，即唤入内，给以酒食，细询夷地一切情形。该夷兵即照该委员等所教之言回答，并以谅山夷人系属生番，见人即害，其语言伊等亦不能知等语。嗣由越嶲起程，沿途所见多夷，均皆细问情形，大略相同。贝德禄始信为真，到登相营时，始不提及前去谅山普雄〈台〉之语。及到泸沽，又耽延一日。到宁远府即由该府另派委员会同护送出境，至云南巧家厅交替。旋又据泸州知州田秀栗禀报，该英员贝德禄又于九月十六日，与副员麦良臣由滇省富官村一带行走，复入川境，至泸州，即日赴合江，前往重庆等语。并据各沿途禀报，贝德禄沿途皆秘密绘图，行走尚属安静。

至吉为哩一名，由省行至打箭炉，出口行抵巴塘。巴塘本系入藏之路。兹据该塘委员赵光燮报：前奉文以英人赴藏游历饬令保护，彼时即闻藏番有阻挡之说。该英员到塘时，不欲入藏，拟由巴塘赴滇回国。该委员以江卡地方与巴塘毗连，以宁静山为界，凡有差事进藏，江卡即派马队四出哨探，以致巴夷喇嘛亦多附和，最易滋事。该英员既不进藏，即不必过江卡，但恐江卡兵夷越界另生枝节。该委员当饬土司飞调马队、传集土兵，又饬蟒里、宗俄两坝，檄各带土司头目、蛮兵随同护送。行过邦木塘，复饬塘兵驰往宁静山，告以英人系由巴入滇，不必惊疑。一面即分路赴甲乃顶前进，行过山坳，遥见宁远山下有帐房人马排立，该委员只得在后待吉为里〔哩〕等行过，始随后前进。幸该处人马未动，只连放数枪，随即谕令英员赶紧前行，幸免无事各等语。

臣查该英员等来川，驻扎重庆，查看通商事宜。兹一则由川赴藏，又由藏越滇；一则由川赴滇，又由滇回川，行踪迄无一定。其为查看道路形势，探明风土人情，以为日后拟由该国陆路出入川境可知。但该国由藏入川，较之由滇入川须绕行缅甸，道路较近。缘噶尔喀与英连界，仅一山之隔，而后藏与廓夷毗连故也。臣于此次该英员由藏赴国颇为寂寞，因有西藏探路之约，未便阻止，当飞致巴塘各委员沿途妥为查看。今以藏番有阻挡之信，而该英员乃废然思返，实为目前一幸事。但该英员注意于此，以后尤当随时妥密防范。臣惟有竭智尽心，事事遏于几先，藉慰宸廑。谨奏。

光绪三年十月二十七日奉旨：该衙门知道。

川督丁宝桢奏英人入藏探路用意狡谲请密饬驻藏大臣修好于布鲁克巴以固藩篱片

丁宝桢片。

再，英人前有西藏探路之请，其用意狡谲。臣心窃虑之，以后恒切切思维，欲暗中设法补救，以为得尺则尺之计。此次贝德禄、吉为哩二员，明为查看通商事宜，乃遍地游历，或则欲会谅山猓夷，或则欲由藏赴国，沿途详绘地图，其几已见。

臣窃揣英人之意，从前专注意海疆，今则二十余年；船炮既极坚利，而河海之地势人情已经熟悉，自以为经营就绪。惟不通海疆之四川、云南、贵州、湖南、广西、甘肃、陕西、山西、河南数省，未能水路相通。彼就目前视之，实觉毫无可恃。故又欲以向之致力于海疆者，转而用之于西南各省。然必择其于该国最近之省先为入手，徐图推广。而与该国最近者莫近于蜀，滇次之，而蜀又为数省中菁华聚集之所。故英人此时用意在蜀，蜀得而滇黔归其囊括矣。此实英人目前肺腑之谋也。

查川省门户在前、后藏，而后藏外接披楞，即英孟加拉之属部。披楞又名噶里噶达，孟加拉又名第里察，与后藏相近之阿里，皆古东印度地。英既得东、南、中三印度之半，窥伺后藏久矣。从前为布鲁克巴、廓尔喀之中界哲孟雄部大山所阻，山极险峻，中通一线。道光年间，哲孟雄属于英，此山已为英所据。前二十余年海道未甚通，印度洋烟入川即由此路。彼若此时将山开凿，即可长驱入藏，幸尚有布鲁克巴、廓尔喀界连前后藏，足为我藩篱。查布鲁克巴全境不丽印度，廓尔喀兵力颇强，前此英人并吞印度，未能侵其寸土，至今惮之。现英人通藏必由此道，此二国足与为难，若将该两国极力羁縻，绝英人近交之计，则两藏不失要隘，我即得自固其藩篱。且查英人从前于北印度取赛哥属部加治弥尔，即有欲赴藏通市之意，是其蓄谋已久，今若不将布、廓两国极力笼络，英人必设法相与连合，则西藏一无屏蔽，而川省门户遂失。必恃西北毗近番猓夷地数千里以为界限，而番猓各夷贪而无亲，诚恐英人啖以金钱，则川省事势破裂，所关非浅。

臣前奏所以欲在宁越附近夷地一带试办开矿，非为谋利，实欲借此联络番猓夷人，为以夷制夷之举。但恐力不能远及，寝食难安。臣窃查洋人入川情势，实为中国陆路一大关键，未可视为末务。臣愚以为，欲图内地之安，则境外藩篱必先自固，蜀之门户在西藏，西藏之藩篱在布鲁克巴、廓尔喀。今廓尔喀本遵例入贡，臣服维虔；惟布鲁克巴久未贡献。此时若将廓尔喀厚为羁縻，密饬驻藏大臣设法修好于布鲁克巴阴为外助，则可以伐英人入藏之谋。况布鲁克巴，本于雍正年间准其内附入贡，今若殊恩远沛，准令联旧日之情，该国必将感激效顺。因利乘便，在我第行所固然；非同创局，他人即不能藉生异议。详审前后形势，似应早为酌办，勿令彼族得以播弄，暗中撤我藩篱也。至将来洋人如有请于蜀滇两省开厂，及由川赴藏通商各事，似须设词婉拒，务令彼水陆不能相通，庶令有所忌惮，不敢遽行思逞。其关系全局，实与海防相为表里。是否有当，附片密陈。谨奏。

光绪三年十月二十七日奉旨：该衙门议奏。

总署奏俄国官员迭被喇嘛库伦地方人民欺侮请饬甘督查究办理折 附俄员日记及上谕

总理各国事务恭亲王奕䜣等奏，为俄国官员迭被喇嘛库伦地方人民欺侮，请旨饬下陕甘督臣等查究办理，以清积案而固邦交事。

窃上年十月间，俄国驻京使臣布策遣其翻绎〔译〕官柏百福，来臣衙门面称：俄国游历官坡塔宁等由边界进至喇嘛库伦地方，突遇数百人，将坡塔宁拉至马下，抢去帽子、手枪等件。且云彼于游历之先，曾经俄国边界巡抚行文定边将军等衙门，何以仍如此欺侮？请由臣衙门查办各等语。

检据布策来函，并将西悉毕尔总督来文详译送阅前来，其中所述与面谈情形大略相同，内有斜米巡抚行文科布多参赞大臣及察罕格根喇嘛、库伦大臣，请其照应等语。当经函致定边将军额勒和布、科布多大臣保英、库伦大臣志刚等，查明声复。去后嗣据额勒和布复称，并未接过俄国巡抚知照游历公文；至察罕格根系塔尔巴哈台人，今在阿勒泰山安插，距塔城九台，应归塔尔巴哈台参赞大臣管辖等因。臣衙门于本年二月初六、五月初二等日，两次行知塔尔巴哈台参赞大臣英廉查办。九月初五日，接据英廉函称：五月三十日，接准斜米固毕尔那托尔来文，派俄官乌拉索付往阿勒泰山，查办此事。即派通事布该于六月初一日赶赴济木乃，会同前往等因。九月二十四日，复据英廉函述，布该由阿勒泰山回称：到济木乃地方会见乌拉索付，同往阿勒泰山，布该因马乏落后，乌拉索付先到该处，晤见察罕格根。迨布该赶到，即将信函投递格根，未令见面，仅据乌拉索付言，格根仍不给回文；所带器械亦被格根扣留逾十日，格根始将器械交布该给还，并未给布该回信，俄官亦无回文等语。经英廉询问，并无别故等因。

至本月，布策又偕柏百福来臣衙门面称：俄国斜米巡抚派员往察罕格根处查办此案，不料至彼又被百般欺侮。因取出西悉毕尔总督来文，交臣等阅看，内有俄员乌拉斯福日记，所述情形尤详，阅之颇为骇异。布策等又云：此事本国看得极重，中国如不认真办理，本国当自行设法处治。臣等答不必如此措词，应由本衙门迅速行知左宗棠等派员查办。旋准布策将俄员日记译送前来。

伏查此案现经英廉派布该前往会办，理应赴察罕格根处详细开导，或偕俄员同往，庶不致别滋事端。乃因马乏落后，以致格根见俄员时任意诟侮，将器械扣留。且据布该所禀各情，核与俄员日记所述，显有不实不尽。若不认真查办，殊非慎重邦交之道。除由臣衙门函知钦差大臣・陕甘总督左宗棠、伊犁将军金顺、塔尔巴哈台参赞大臣英廉，迅即查明声复外，相应请旨饬下该督臣等，拣派妥干委员前往该处，将实在情形确切查明，妥筹办法，据实复奏，以清积案。谨钞录布策送来俄员日记，恭呈御览。谨奏。

光绪三年十月二十七日奉廷寄左宗棠：据总理衙门奏俄国官员被喇嘛库伦地方人民欺侮一案，该使臣布策每向该衙门饶舌，总以此案未经办结，藉词延宕，为缓还伊犁之计。此时更不值因此事致滋口实。着左宗棠、金顺拣派妥员前往该处，将实在情形妥筹具奏。

照录俄员日记

六月十九〈日〉

职带兵头一名、兵丁六名、哈萨克三人，前往喇嘛库伦欺凌游历官坡塔宁地方。至该城门，即被察罕葛根①之外回事人拦挡，即请下马在帐房等候。伊去通报，职等候两点半钟之久，回事人等复出，请职随伊等前往为职所备之屋。而去询其察罕葛根何时会面，答以今晚。其为职所备之屋座落在彼第二层院内，其预备兵丁、哈萨克等所住之区止搭帐房。职旋闻知察罕葛根同院，住有金将军玛纳斯派来征牲畜之大臣二位、游击一员，一位称施大人，一位称赵大人，一位称魏大老爷。其征牲畜一事，系由察罕葛根及其左右分派。

本日晚九点钟，回事人请职往见察罕葛根。一入其屋，见察罕葛根坐于屋之后面，炕上设有小棹，葛根并不还礼，仅以手中扇微指棹旁之椅。职一入坐，葛根即厉声大喝道：汝何敢带领有器械之兵来我庙宇，以致亵渎吾之所尊？或是汝前来交战耶？职即指示，以不得视职如伊所属而喝之。并称：我来并非打仗，系奉本国上司所派送信与汝，请汝或以书信回复，或口信详细答之。其所以派我充此差者，因不用通事，即可明白汝回复之中国言语耳。至随带兵丁及我佩兵器，系按本国纪律，凡属武职必佩兵器，永不离身。言毕，即将信函递讫。葛根拆信，草草阅看其中来文，陡然用手将信揉搓，即呵一声言：吾如不给回信，汝等即要用认真之法，试问将用何法？莫非欲与佛爷争耶？汝之巡抚及监督从前所来各文，因未经回复，即欲恐吓吾耶？吾不但于俄国，即于本国总理衙门，予以回信即系优礼相接。乃汝等带兵来讨回信，吾今永远不能给汝等回信。汝所求者乃系旧事，就为去年所来游历之事。汝巡抚岂不闻本国总理衙门来文询吾，吾以杀却俄国人若干答之耶？此案由京如何定断，即以如何为是。如欲与我打仗，即请俄国人来罢，吾将动所有阿尔泰山人民对敌。到彼时，吾看曾护庇拜只济特哈萨克一种之人将何以回归。

葛根喧嚷越来越着急，甚至忘其所以，并将信函在手揉搓，复加唾沫，手撕足践之。职屡进言阻止，而所进之言为伊声所压。及伊息声缓气，职起而言之曰：贵葛根，俄国与你，及你所谓自有之阿尔泰人民，不值一战；且按照两国和好之谊，亦未必肯允。仍复语汝，我来非打仗，但为取一回信而来。葛根尔竟忘一切礼貌，当吾之面如此

① 前作“察罕格根”。

捉弄巡抚信函，则本职不能坐此听尔怒言，俟尔消气再来取回信。若按尔所言，尔管阿尔泰之民，或我等以非礼称呼欺之。黎民呼尔为佛，所以本职以尔为出家人。如视尔办理阿尔泰事务之外，有人呼尔为王子，则尔即当明告我，即更正我之过失。我但有一言，请尔勿着急，一俟消气，即刻邀我前来，无论何时，皆可听候葛根和平之回信。职言讫即欲去，而葛根起坐，顿足大呼曰：呵，我是佛爷，我是王子，不怕俄国！即向其左右言：尔等将此人推至吾所赐之座处去。其左右武弁、喇嘛等即行扑来，我未容其扑近，即徐步行至我屋。伊之总管亦随而入，即将我递于葛根之信函掷在棹上曰：葛根有谕，此信无所用，故掷还耳，以后你的巡抚更不必遣人及寄信前来。

二十日

早，屋外置役看守。由窗外观者，并讥笑职之衣冠及胡须，终日烦扰。如遇我出往帐房，必有不言不语之人役跟随，惟以钱买通，得知系被其看押，又知葛根设法如何处我。职希图此事尚可了结，并望葛根为信所激，或可醒悟，自认其非。是以想定忍耐，而乘中国大臣等在此之便，可托为开导。即问知所来大臣内孰为首座？何人为其回事之人？职即将此回事人唤来曰：本职不能亲拜施大人，烦尔转请大人过我寓所。

二十一日

施大人来，职即将奉派前来缘由，并葛根何以待我之处，面叙大概；并请施大人用其威势，调停此事，开导葛根。视施大人所答言语之情，想是十分挂怀。施大人劝职将此事交付于伊，请自放心，必可了结。并声叙葛根系出家之人，禀性焦燥，而为人聪明，必肯认其非及强言之罪。

二十三日

施大人遣其回事之人来告职，此事不能代为扶正，惟请职视两国和好之谊，虽有葛根要见之请，可却之不允，亦不必等候回信，即可归去。职闻知施大人为我刚一开言，即被葛根阻其言而问曰：尔为何而来？为俄国事耶？为中国事耶？随又吆喝施大人曰：尔何敢见吾所禁之俄国人耶？施大人即却之不言。

二十四〈日〉

清早，职令备马即出屋，而押役或放，或不放，尚自游移。及至职等上马去门十步，一阵喧嚷，有百余喇嘛由四面跑来，内有拉马缰者，有揪阻者，有夺兵器者，即将职并随带人皆拉扯落马，其间不辞任意摧挫，并揪按两手摘卸兵器，将职仍拉回屋。其当时在场之外回事人讥之曰：尔等着何忙，你前数日所遣回之人，亦快回来，一同受此。

七月初一日

有伊之总管并掌库人来言：葛根欲将汝由驿递送塔尔巴哈台，随带之人亦欲遣放至塔城，时即有参赞代葛根付汝回信。职答以我来非行葛根之所欲，乃遵行我巡抚之命，虽死亦不能往塔城。伊等即去，旋即复来说：尔如不愿遵葛根之令，葛根即按尔巡抚差官之分，不愿会见，而令我等传述于尔。你们巡抚愿知上年殴打欺凌你们之人孰任其咎，则须你们任其咎，你们巡抚当惩治其人，以戒将来欺侮我教并我之佛。并饬凡持械骑马者，必于未临庙之先呈验执照。因上年伊等来时并不遵行，是以奉葛根谕令，将伊等缚打而放。嗣后你们巡抚如愿询问葛根何事，则须由总理衙门转问。葛根如愿回复，亦即回复北京。嗣后毋得派人及寄信前来。不然，则葛根欲办来人更不如今日。现在向葛根索讨殴欺俄国人六名之回音，而何以你们巡抚，不将回逆作乱时，食我民血之仇人拜只济特收为己有？又得银二万余两，此岂公平乎？拜只济特本为我之民，曾背于我，岂不能背尔国乎？一背尔国，你们心中乐乎？葛根永远不甘此事，如因根葛〔葛根〕以上所言，尔巡抚欲生擒我们，即令其于十月遣人来擒。到彼时，此处除出家人以外，别无他人，而现在尚有中国兵在此，可以代为动手。职答之曰：俄国向不开端，如愿来时，不待问葛根允否。该人等又言：葛根现在不以尔为差来之官，所以撤去看押兵役，请你今日为客。

初二日早

由喇嘛库伦起身，其器械并未还给，据回事人传说，器械须于中途还给。

初三日

至喇嘛库伦之第二站，同派之中国官系塔城参赞大臣所派赶到，该官在喇嘛库伦时住于乡间，其庙内并未备其住房。由该官将兵器还职。职之兵器齐全，兵丁之兵器数目虽符，内有鸟枪两杆、宝剑一口则皆折矣。

光绪三年十月二十七日奉上谕：总理衙门奏，俄国官员迭被喇嘛库伦地方人民欺侮，请饬查究办理各折片。据称俄国游历官坡塔宁等上年在喇嘛库伦地方突被抢劫，英廉因俄官乌拉斯福①前往阿勒泰山查办此事，即派通事布该会同前往。乃布该因马乏落后，以致乌拉斯福先到，复被察罕葛根任意诟侮，并将器械扣留。现据俄国使臣布策声请认真查办等语。中外交涉事宜全在封疆大吏认真办理，庶不失讲信修睦之道。此案事已经年，英廉既派通事会办，即应先赴察罕葛根处详细开导，乃辄托辞退后，致酿衅端，其何以重邦交而伸大信？且布策每向总理衙门议及交收伊犁一事，总以交涉各案未能办结等词，为缓交伊犁之计，此时更不值因此滋事致滋口实。着左宗棠、金顺拣派妥员前往该处，将实在情形查明，妥筹具奏。至察罕葛根，性情粗鲁，应如何剀切晓谕俾免衅隙之处，即由左宗棠斟酌情形早为了结。

吉林将军铭安等奏会同俄官补修宁古塔珲春界牌一律修立完竣片

铭安等片。

① 前作“乌拉索付”。

再，宁古塔、三姓副都统前已遵旨会同俄官补修界牌，分别勘立缘由，当于本年八月二十九日由奴才等先行恭折复奏，并声明：三姓乌苏哩江口西岸莫勒密地方，新立耶字头界牌，应写东面俄字牌文，未经即时书写。珲春图们江口，应修之土字头界牌一个，尚未修立。请俟该俄官到日，即行分别添写、补修，会办完结，再行随时奏报在案。兹据宁古塔副都统双福咨报，据珲春副都统衔协领讷穆锦①呈报：俄官廓米萨尔照会，定于八月二十日同往图们江口立界牌。该协领即随带弁兵前往，于二十一日与俄官廓米萨尔同至图们江口，距海不过二十里山顶上会勘。原建界牌年久糟朽，即遵造土字头木牌一面，照旧各书两国牌文，眼同粘贴油饰巩固，于二十二日仍按原立处所会同竖立，互换清文照会。立毕，廓米萨尔即回俄界，该协领亦即旋城等情呈报转咨前来。奴才等详查，前经宁古塔、三姓副都统会同俄官补修界牌七处，兹据珲春协领会同俄官补修界牌一处，共计前后补修界牌八处，今已一律修立完竣。至乌苏哩口耶字头界牌，应书俄字牌文，由奴才等再行咨催三姓副都统，转催俄官博克米克，速抵莫勒密，眼同卡弁添写。续报到日，随时呈报总理衙门查核备案。谨奏。

光绪三年十月三十日奉旨：该衙门知道。

使英郭嵩焘奏办理洋务横被构陷折

出使英国大臣郭嵩焘奏，为办理洋务横被构陷，沥情上陈事。

窃臣见道光以来，办理洋务变故迭生，诚有使人痛心疾首不能暂释者。历考三十余年情事，亦由不能尽知洋务底蕴，往往以平易可了之事，积而为艰难生衅之端，致使挟其狡强之气，乘隙思逞，嫉愤愈深，即其构衅亦愈烈。急应于此推考事理，以求应付之方。而以其余闲兴利劝学，驯致富强，则国本固，而处置一切事务皆得其理，可使俯首屏气，以听约束。前岁奉命出使，因念国家创举肇始自臣，顷十余年沿海通商九千里，内达长江三四千里，云南沿西边界亦渐次通商，交涉日益繁多，诚虑事变日生。即臣出使数万里，亦徒受其轻简，公私兼计，惶惧实深。是以遇事稍一陈其所见，以期据理求胜，传曰惟礼可以御侮，臣之捣昧妄意如此，而为一时诟毁所集，约有三端：

一、请将云南抚臣岑毓英交部议处。封疆大吏于中外交涉事宜不能先事预防，致成衅端，例应议处。体察滇案情形，但一议处岑毓英，则诸事皆可据理折之，不至过为要挟。臣所以敢犯一时之诟谪而不辞者，自度捐弃一身无谓之声名，以求解朝廷之隐忧，于事实确有把握也。

一、请六部堂官与洋人周旋，不宜专投名帖一节，系奉旨办理事件，正宜借此考览

① 前文作“纳穆锦”。

洋情，推求事要。其不愿与周旋，自持正论，两不相妨。若定议专投名帖，其中有未一见洋人者，且有干犯名义之嫌。而洋人所要求固不在名帖也，势必函诘总理衙门，又将穷于为答。是以劝令一二人前往接见，以免重生议论。

一、自上海启行，沿途日记。臣自通籍三十余年，日皆有记，凡闻一善言，见一善行，必谨录之，亦用以自箴砭，期使言动皆可以告人。此次沿途见闻所及，及与诸随员谈论，录次其稍有关系者，诚念使臣之责在宣布国家之意，通之与国，亦审察与国之情达之朝廷。其间爱恶攻取轻重缓急，皆可以知所从违，万不宜稍有虚饰。至于中外交接事宜，洋人一一著之新报，委曲详尽，多臣所未悉，日记略陈事理，尤无所避忌。录呈总理衙门，实属觇国之要义，为臣职所当为。同文馆检字刷印，藉以传示考求洋务者，固非臣所及知。

两年以来，为此三端，诬篾讪议不遗余力，臣亦无从置辩。去年京师编造联语，以何必去父母之邦相诮责；家乡士子直诘臣以不修高洁之行，蒙耻受辱，周旋洋人，至欲毁其家室。臣勉辞差委，上既违君父之命，推求事理又只为毁谤之归，沥血呕心，时自伤哽。近闻编修何金寿参折内，直谓大清无此臣子，是视臣罪为天地所不容，万古所不赦。仰荷圣恩，不加严谴，而臣区区老病之身奔走四万里，负辱就瞑，何辞以解于人世？闻其所据为罪状者，在指摘日记中并不得以和论一语。窃查西洋通商已历一千四百余年，与历代匈奴、鲜卑、突厥、契丹为害中国情形绝异，始终不越通商之局。国家当一力讲求应接之术，战、守、和三者俱无足言，而仍以自求富强为之本。臣此言实屡见之论奏，不自日记始。溯查臣通籍道光中，年逾六十，亦稍知读书观理，内直南斋，外任巡抚，屡蒙先朝简用，学问阅历皆无足言，而自问耿耿此心，无一念不求裨益大局。遭值时艰，于国家得失利病，臣亦不能不引为咎责，参劾诟辱所不敢避。何金寿至文致其言词，陵蔑攻击，竟似有意媒蘖。副使刘锡鸿因据何金寿一折，取日记所录一一傅致其罪。自臣在京师，与何金寿往来交好，此奏必不可少，是其交通情状悍然一无隐讳，而使国家处置洋务终至无所适从，即臣亦万无可图效之地。辗转寻思，实莫测其用心。此皆由臣德薄能鲜，知人不明，莅事多阍，于洋务本无知晓，轻率议论，以致动干忌讳，万口交谪。蒙被圣恩，无能仰酬万一。而一念之愚，求益反损，乃使一生名节毁灭无余，私心痛悼，无可湔拔。诚惧卒被众口铄金之冤，以伤朝廷委任之明。臣之病势又日增剧，不敢不缕具梗概，沥陈于圣主之前。其刘锡鸿任性妄为各款，经臣另折参奏，此次副使刘锡鸿、编修何金寿勾通构陷情形，应否交部议处，伏候圣裁。九死孤臣惶迫上诉，无任战栗陨越之至。谨奏。

光绪三年十月三十日奉旨。

驻藏大臣松溎等奏廓尔喀国王遣使抵藏例派护送起程日期折 附译表文

驻藏大臣松溎、桂丰奏，为廓尔喀国王敬遣正副贡使行抵前藏，照例派员护送，起程日期事。

窃奴才等接据廓尔喀额尔德尼王苏热达热毕噶尔玛萨哈禀称，前奉奴才松溎檄谕，光绪三年廓尔喀应进五年例贡、奏奉谕旨：按期呈进。钦遵之下，合国大小官员莫不欢感，惟阳布距京程途遥远，必须预先敬谨遣使护送贡品起程，方不致误朝觐日期。今谨查照上届进贡之例，专差正副噶箕第杂八哈、都热纳等恭赍年班例贡、庆贺大皇帝登极表贡，于六月初二日自阳布起程，等因前来。奴才等当即饬知经过地方，将所需骑驮马牛食物预备齐全，拣派班满回川，驻防后藏参将潼川营都司庆山，驻防江孜汎〔汛〕松潘中营守备陈源济，及通晓廓尔喀字话教习马骥良等，带领兵丁并唐古忒番官，前赴聂拉木边界迎护。兹该贡使等于八月十九日行抵前藏，奴才等谨将表文译阅。该国王感戴天恩，情词恳切，遂将所进贡品逐一点检，妥为包固。奴才等又将入觐仪制明白指示，照例筵宴，分赏噶箕及头目人等绸缎、银牌、皮衣、皮靴、荷包、小刀、茶叶、羊只、米面等物；照例由奴才等捐备皮衣价银一百五十四两三钱、盘费银一百两，当面赏给；令其歇息数日，仍令都司庆山、守备陈源济，带领教习马骥良等，妥为护送，于九月十八日由前藏赍送起程。其由藏至川，仍照例拣兵丁十名小心护送，并饬知沿途文武逐段经理前进。奴才等现已咨明四川督臣，及经过之陕西、河南、直隶各省查照，向例一体妥为应付，计至光绪四年春即可到京。奴才等谨将译出表文二道，及该国所进贡品二分，并噶箕头目随从人等敬缮清单，恭呈御览。

再，该国王赍送奴才松溎等缎片、大小枪刀、象牙、槟榔等土仪各物，惟收象牙一只，余皆未收，当即回赏素黄大缎一卷、平金荷包一匣、玛瑙烟壶一个、青玉酒杯一个。奴才桂丰惟收象牙一枝，余皆未收，当即回赏素黄大缎一卷、红缎荷包一匣、玛瑙烟壶一个、鼻烟二瓶，以期仰副圣主怀柔远人，厚往薄来之至意。该噶箕等甚为欢欣。所有廓尔喀国王敬遣贡使行抵前藏、派员护送起程日期，理合恭折具奏。

光绪三年十一月初九日奉旨。

敬译廓尔喀王表文

小臣廓尔喀额尔德尼王苏热达毕噶尔玛萨哈九叩跪奏：如天覆育，如日月照临，抚育万国，寿如须弥山坚固，至大至尊文殊菩萨大皇帝宝座前，恭请圣安。敬查从前大皇帝登极，小臣祖父曾经进贡叩贺天喜。上年曾经禀明驻藏二位大人，荷蒙代为具奏，奉旨：令将叩贺天喜表贡，随本年例贡一同呈进，以省跋涉之劳等因。钦此。檄谕前来，小臣当即钦遵大皇帝恩旨，谨将叩贺天喜表贡、本年例贡备办齐全，恭赍赴京。伏乞俯念小臣部落最小，遵照前例敬办些微贡物，恳求大皇帝御览赏收。小臣阳布离京窎远，所有部落中事件均由驻藏二位大人转奏，总求大皇帝在小臣头上施恩以释困苦，小臣得以永远报效出力，就沾恩不朽了。为此于光绪三年六月初二日自阳布跪奏。

谕总署湖北武童殴伤英人着李瀚章妥筹办理

上谕：总理衙门奏，湖北武童殴伤英国教士，请饬速行办结一折。英国教士在武昌被殴受伤案，业经该省拿获滋事武童数人，而英国使臣仍以首犯务获究办，地方官即应参办始可议结为词，其照会并有牵涉滇案告示之事，亟应速图议结以弭衅端。着李瀚章即将此案妥筹，并饬地方官持平办结，勿任迁延致生枝节。

十一月二十八日

使英郭嵩焘奏奉颁国书照会英外部订期呈递折[1]

出使英国大臣郭嵩焘奏，为接奉补颁驻扎国书，照会英国外部订期呈递事。

窃臣承准总理衙门咨开奉旨补颁国书，随于十月初四日奉到驻扎英国国书一通，并蒙恩颁给勅书一道，仰见圣主绥来动和怀远以德之至意。查英国君主每于秋间避暑苏葛兰巴莫拉尔行宫，至冬深乃回温色尔行宫。巴莫拉尔距伦敦一千八百里，温色尔相距一百八十里，必俟至开会堂时，始一回伦敦。臣即恭录国书，照会其外部德尔比，订期呈递。窃计其君主回伦敦当在两月以后，即赴温色尔行宫呈递，亦当在二十余日之后，不敢不先期呈明。臣维西洋最重邦交旧谊，但幸处置得宜，必可令少生枝节。臣愚阘衰疾，无能稍释毫末，诚惧此身负咎滋深，罪戾滋重，前经具折陈请销差，计奉批谕尚需时日。前复领到国书，饬令面陈事体，关系甚具。臣又不敢诿辞，仰叨饬谕之周详，实重此心之愧咎。惟有仍恳天恩，俯照臣前折所请，赏准销差，曲赐矜全，不胜感恩之至。谨奏。

光绪三年十二月十八日奉旨：知道了。

① 原刊目录此折日期标为“十二月二十八日”，据文推测，似为“十二月十八日”。

总署议复丁宝桢奏英人西藏探路用意狡谲情形折

总理各国事务恭亲王奕䜣等奏，为遵旨议奏事。

光绪三年十月二十七日，军机处钞交四川总督丁宝桢片奏，英人西藏探路用意狡谲等因。奉旨：该衙门议奏。钦此。查丁宝桢原片所称各节，除此次廓尔喀遵例入贡各事宜，已于本年十月二十七日奉旨，由松溎、桂丰、恒训、丁宝桢及理藩院各钦遵办理外，臣等以藏属藩部事隶理藩院承办，由臣衙门行查该院，以界连后藏之布鲁克巴、廓尔喀于何年始行入贡？所贡系何方物？由何路行走？入贡有无定例？常期每届贡期有无赏用何物？现在是否照旧按期入贡？检查例案，并将布鲁克巴、廓尔喀源流逐细声复。旋准理藩院复称：廓尔喀始自何年入贡及该部落源流，于道光三十年间本院典属司科房不戒于火，将道光年间以前档案烧毁不齐，无凭查考。惟咸丰三年廓尔喀国王遣使入京，呈进叩贺天喜贡物一分，班例贡一分，由四川赴京，沿途由驿行走，所赏各物由军机处、内务府交出，由院转交来使祇领。同治六年，廓尔喀国王呈进贡物，到川因道路梗塞，经四川总督派员将该国贡物赍京，赏件发交四川总督转交祇领。至布鲁克巴部落，本院向无源流，亦无办过进贡之案。将《会典》所载廓尔喀等部落事迹及本院现行事例，并咸丰三年廓尔喀国王遣使赴京贡物赏件、同治六年四川总督派员赍京代递贡物各数目，钞录粘单咨复前来。

查《会典》内开，廓尔喀额尔德尼王五年遣使入贡一次，又载：西藏西南与布鲁克、哲孟雄、作本〔木〕朗、洛敏汤、廓尔喀各部落接界，自萨迦、宗喀、聂拉木、绒辖、定结、帕克里一带，皆堆设鄂博；定日、江孜二处为外藩各部落来藏要隘，皆特设汎〔汛〕防，驻藏大臣每岁于阅兵之便，亲加巡察等语。臣等公同详考舆图，证引记载，综核形势，揣度详情，布鲁克巴、哲孟雄、廓尔喀三部落屏列藏地西南边界，与向设鄂博定宗喀、聂拉木、绒辖、定〈结〉等处皆中隔大山。哲孟雄界布鲁克巴、廓尔喀之中，与江孜相去较近，中有径路可通。道光年间，哲孟雄为英所属。藩属已自不完，若得布鲁克巴、廓尔喀一心效顺中朝，则于哲孟雄境界左右有所牵制，于英必有所顾忌，在我亦尚得屏蔽之资。该督所筹自系深虑远谋，亦目前之要策。惟廓尔喀自乾隆五十六年入寇藏地，用兵戡定后，历经遵例入贡。该部落与英为世仇，自当加意附循，俾无携贰。至布鲁克巴，本西梵国属，皆皈依红教，崇佛诵经；雍正十年始归诚内附入贡，迄今年久，理藩院查无办过进贡之案，只于该院现行《西藏通制则例》内载有：布鲁克巴素信红教，每年遣人来藏，向达赖喇嘛呈递布施，由边界官查明人数，禀驻藏大臣验放进口等语。若遽令其入贡转令生疑，拟由驻藏大臣于该国人来藏，仍照旧例稽察外，随时加意抚绥，相机斟酌办理。

至于英人觊觎藏境，匪伊朝夕，其所至游历地方探幽极远，绘画地图到处皆然，明以考证地学为词，用意极为诡谲。臣衙门从前闻有法、俄各国，请给护照，前往藏境传教、游历之事，多告以彼处地属外藩，保护难周，殊有禁之不能，听之不可之势。至上年烟台条款业已立有专条，准由内地四川等处入藏以抵印度。据驻藏大臣函咨，以阖藏各寺不愿外人到境游历，吁请阻止。经臣衙门咨复该大臣，设法开导，勿令生事，亦属事处两难。边外各部落信习喇嘛教，性情向多质鲁。在我驭外机宜，又非可家喻户晓之事。该两部落或不善体会，处置轻重失宜，致生枝节，是未得其助我之力，先予人以口实之资，似亦不可不虑。要之，英人素蓄之谋，总伺我中国可乘之隙，惟在力求自强，实能自立，使之抵隙无由，而又无事可以借口。虽在彼之冀倖未必潜消，而所以固吾圉，而伐彼谋者道莫外是。拟请饬下成都将军恒训，四川总督丁宝桢，驻藏大臣淞〔松〕溎、桂丰，不动声色，妥密筹维。强邻之防杜宜严，而在我必先无瑕可蹈；藩服之绥来宜亟，必在彼使知合力与谋。庶几内固藩篱，而外弭衅隙，可得驭远防边之全策。至丁宝桢筹虑及此，足见用意深远，如有切实妥协办法，亦即由该督臣详细密陈，以资集益而专责成。谨奏。

光绪三年十二月二十一日奉旨：依议。

总署奏洋商船只在不通商地方起卸照约禁阻片

奕䜣等片。

再，李鸿章等片称，中国官商货物交中国轮船承运，本属名正言顺。嗣后沿江、沿海各省，遇有海运官物，应需轮船装运者，统归局船照章程承运。若须在不通商地方起卸，由局移请海关缮给专照，以便关卡查验，而免洋商影射等因。奏奉谕旨，允准在案。查条约内载，洋商船只准在通商各口贸易，如到别处沿海地方私做买卖，船货一并入官。今商局以中国船只往来中国地方，原无须拘守条约，惟不通商各处不准洋船来往，系为预防流弊起见。现在商局船只，业经奉旨准到不通商各处起卸官物。设或洋商船只有请援照商局成案前往之事，应请饬下南北洋大臣，务须照约设法禁阻。至商局船只，嗣后除承运官物外，无论该局及华洋商人货物概不准揽载，在不通商各处起卸。仍令各该地方官认真查验，倘有藉词影射者，一律从严罚办，以清界限而杜弊端。如蒙俞允，臣衙门应即咨行南北洋大臣，转饬一体遵办。谨奏。

光绪三年十二月二十二日奉旨：依议。

清季外交史料卷十二终

清季外交史料卷十三

光绪四年正月至七月

甘督左宗棠奏遵查塔尔巴哈台中俄交涉情形折 附清单

陕甘总督左宗棠奏，为遵旨派员前赴玛纳斯、塔尔巴哈台，查明中外交涉各案件事。

窃臣于光绪三年六月十八日奉上谕：总理衙门奏，塔城讯办俄属哈萨克办理未协，请饬妥议一折等因。钦此。遵即檄委都统衔・前布伦托海办事大臣李云麟、候补直隶州知州刘祥汇，前赴玛纳斯、塔尔巴哈台一带查勘，当经奏明在案。李云麟等起程时，臣并将迭次承准总理衙门缄饬查办英廉于塔城收税一案、英廉封锁俄商吐喀拉房夺取货物银钱一案、俄商运送金顺军粮两次被劫一案，饬其查复。旋于七月十七日奉上谕：总理衙门奏，现议交收伊犁与边界各案，统归左宗棠相机筹办一折，所有边界交涉各案，着左宗棠确切查明，妥筹办理等因。钦此。当经恭录密饬李云麟钦遵查照。

十一月十七日，据李云麟、刘祥汇呈报查勘事毕，途次乌鲁木齐，先将奉查各件呈复前来。当经咨呈总理衙门查照，并声明俟李云麟等回营，面询一切，再行复奏。兹李云麟途次感冒风寒，沿途调治，尚未入关。刘祥汇已于正月初九日抵肃州行营，臣面询一切，与前呈复各情无异。据将塔城奎屯各乡约原供亲赍呈核前来，除一并咨送总理衙门备核外，臣维上年奏委李云麟等往查各案时，属其但得各案情节访询的实，凡有地址时日可考、有数目可计、证佐可凭者，均逐一详细稽查，务得实在证据以资辩论，不必预存成见，径下断语。盖委查之件与承审不同，若著论断便与体制不合，且虑因而失实，致事理不得其平，转贻口实也。兹据赍呈前来，臣详加复核，俄国使臣所据以与我争辩者，多出自俄商一面之词，疑端日积，论端日增，触类引伸，不胜究诘。实在疆场之事，彼此会商，难免啧有烦言，本古今邻邦交际常有之事，毋足为怪。中外商人惟利是视，只图经营获利，遑顾大局攸关。如果彼此驻界大小各员均知以息事为怀，以挑衅为忌，遇事准驳自有权衡；则各商知以安分经营为正，以恃强争竞为非，自无动辄琐屑干渎之事，总理衙门对于边疆之事亦可无庸过问矣。兹既委查明确，谨将实在情形分别条举，谨具清单恭呈御览。谨奏。

光绪四年正月二十六日。

清单

谨将委员副都统衔李云麟、直隶州知州刘祥汇奉查各件，按款陈复，缮单呈览。

一、奉查塔尔巴哈台参赞大臣英廉拿获行劫之哈萨克绰兰一名正法一案。

李云麟、刘祥汇于上年九月十六日抵塔城，查得塔城地方情形，惟额鲁特十苏木官兵最为熟习，当传该旗总管孟可吉勒嘎尔及佐领以下各官，询问绰兰确系何时分归俄国？是否本系塔城所属自投俄国民人？据称塔城所属之哈萨克，旧有三种：其一阿吉公所部之哈萨克，分十二柯磊，素称良善；现经随地分归俄国者三柯磊半，其八柯磊半现属塔城。其一黑宰哈萨克，旧有中国所设头领官，年远无考。其一为拜吉格特哈萨克，即绰坦汗所属者。此两种人数众多，各以数万计，自哈城变乱时即投俄国。而同治十一年塔城分界后，虽人与地俱归俄国，而此两种人时常越境滋事。其拜吉格特哈萨克曾勾结汉回攻陷塔城，尤为不法；前经呼图克图棍噶札拉参带兵剿办，稍为敛迹。近日恃俄国之庇，复益猖獗。正法绰兰一名，实系拜吉格特部内之人，于同治三四年间塔城变乱时自投俄国者也。

一、奉查英廉收税一案。

查得英廉奏请试办专收塔城货物出境之税，系上年春间设办；起二月至三月，收过俄国所属安集延缠头等之税，计一月有余，约收税银五十两，旋因奉总理衙门缄示停止未收。刘祥汇于上年九月二十二日在塔城，会同俄国苇塘子带队官马义尔沙南吉乃克，讯据俄商安集延缠头乡约阿兴拜供称：英廉收税自二月起三月止，约一个月，后又收过安集延，除所收税银六两以后，再未收过。询之俄官，亦云大约所收税银不过数十两。刘祥汇遂令沙南吉乃克书俄字年月，花押于其后；俄官亦将所录俄字供词，付刘祥汇书汉字年月于后，各执为凭。复向阿兴拜索取塔城收税票据，谨据该乡约缴呈路票一张，税票四张，共银六两。

一、奉查英廉封锁俄商吐喀拉房屋，夺取货物、银钱一案。

刘祥汇会同俄官马义尔沙南吉乃克，讯据阿兴拜供称：吐喀拉于同治十三年在塔城做了六个月生意，卖出货物数目不得知道，剩下货物是不要紧的。吐喀拉自往俄国，留了使唤人夹合普看守并收账项。英廉封锁铺面时候，我们未见将货物丢弃街上，亦未见夺取货物、银钱等语。其供词均于尾上互相画押。刘祥汇并会同俄官，将所封铺面开验，存货仅有碱四十块、破鹿角十五副、木货架二个，余无别物。

一、奉查俄商于光绪二年九月底运送金顺粮米内，有二帮被抢，一在附近石河子，一在附近玛纳斯，其时押运粮米之人或有被戕，或有被伤，所有马匹尽被驱去，并指为荣全部下所劫一案。

此案前于上年三月二十八日，并接准俄国图尔齐斯坦等省总营公文，内开：俄商库毗斯喀敏额斯克依在金顺处写立合同，运送军粮，一起面车一百五十辆，由伊犁行过西湖二三台地方遇贼，头目人托哈木拜被杀，随行人众被伤，马匹物件全行掠去。一起驮面马八十五匹，由宰桑卡伦行过玛纳斯，路经破城遇贼，头目人库三阿里依被杀，随行三人被伤，马匹全行掠去，又面二十五口袋亦被抢去。微闻系荣全随行步队自玛纳斯旋回时行劫等情。李云麟、刘祥汇往返经过玛纳斯，查得破城子在玛纳斯城东四十里，荣全驻营在玛纳斯之西，旋回塔城并不由破城子经过，所部俱是满兵马队，并无步队。兹称路过破城遇贼，或是俄商运粮赴昌吉时事。惟金顺所收俄粮并未过玛纳斯一步，且金顺九月中旬始与康密斯克书立合同，可证所称九月底两帮粮运被劫，不知从何说起。且查俄国驻京公使向总署所称，系一在附近石河，一在附近玛纳斯；而俄国图尔齐斯坦总管来文又称，一在西湖二三台，一在破城，所指地方地名互舛。惟查光绪二年九月二十八日，白彦虎、余小虎零贼由南山窜至三道河子，杀毙俄人一名，受伤一名，抢去马八九十匹。当经防营派队夺回马九匹，于次日交给该俄商领去。十月初六、七日，署库尔喀喇乌苏营游击刘春元同吉林马队统领依楞额带队搜山，获马四匹，为铁脚绊绊住，知为贼人所失。当传奎屯缠头乡约莽索尔并通事又努斯阿洪，转交俄商收领讫。李云麟、刘祥汇抵奎屯时，复传讯莽索尔、又努斯阿洪，据供前情不讳，并取有回字供辞。此外并未闻有俄人被劫情事。而三道河子在玛纳斯城西一百二十里，其玛纳斯城东并无劫杀俄商之案，上年秋间玛纳斯一带营头甚多，有无购买缠头安集延粮面，不得而知。兹称俄商被劫，或系私行贸易所致，无从查悉，然断非承运金顺之粮也。

再，李云麟等抵塔城时，并查得塔城旧有贸易圈一所，因乱平毁。上年俄商并不候参赞请总署示指定地基，辄擅盖洋房七十余所，纵横约计数里。

又查得塔尔巴哈台山东西横亘数百里，山阳之地系属塔城，山阴之地分归俄国。现在拜吉格特哈萨克之帐房、牲畜则布满山阳地方。

又查得黑宰哈萨克自分归俄国后，移住伊犁之博勒特罗地方，现在时常侵入塔城之南境之載利山并巴尔鲁克山中居住，与拜吉格特部众勾结。而俄境之安集延缠头等众亦皆任意出入，鲜有持三连票者。

使德刘锡鸿奏抵德呈递国书情形折

出使德国大臣刘锡鸿奏，为行抵德都，呈递国书情形事。

窃臣于十月初九日由伦敦起程驰赴德国，业经奏明在案。渡海后，经过法国境地及比利时都城，于十一日行抵柏林。适值该国国主外出，臣往见其外务大臣毕鲁询问，据云不日可回，旋订于二十二日进见。届期带同翻译官博郎，恭赍国书前赴彼宫呈递，其国主问劳甚殷，具有答问，及臣进见颂词，谨缮录恭呈御览。又据毕鲁云：既见国主之后，例应先见国后，然后往拜各官。亦于十一月初一日将其国后见讫，一切仪文均较英国为简，尚无为难之处，足以仰纾圣廑。谨奏。

光绪四年正月三十日奉旨：知道了。

总署代奏郭嵩焘出使英国呈递国书情形折 附函及照会

总理各国事务恭亲王奕䜣等奏，为代奏补递国书日期事。

光绪四年正月二十六日，据出使英国大臣郭嵩焘咨称：上年十月初四日，奉到驻扎英国国书，当即恭录照会英国外部德尔比，于十月十二日先将办理大概情形奏明在案。十一月初六日，准外部照会，定于初八日午刻接见。当于是日携带翻译官德明、马格里，前往呈递国书，经其君主接收，加以慰劳之辞。请由臣衙门查照呈递日期代为具奏，并钞录与英国外部来往文函三件，声明云南之案作为完结等因前来。臣等查出使英国大臣郭嵩焘本因议结滇案钦派前往英国，所赍国书内未有驻扎英国明文。郭嵩焘行抵英国后，奏称可否补发国书令其驻扎，请旨遵行。经臣衙门议复奏请补发国书，俾充驻扎英国办理交涉事件大臣，于光绪三年三月十七日奉旨：依议。钦此。随由军机处遵旨颁发驻扎英国国书，交臣衙门转寄郭嵩焘祗领。后曾于上年十月间，先将办理大概情形自行奏闻。兹以上年十一月初八日补递国书日期，咨请臣衙门具奏，理合恭折代陈，并钞录郭嵩焘与其外部来往文函三件，恭呈御览。谨奏。

光绪四年二月十四日奉旨：知道了。

附郭嵩焘致英外部论《烟台条约》函

径启者：

近见新报总教师及世爵议绅有论《烟台条约》一书，又有商会议驳条约一书，持论各异。贵伯爵自有权衡，非本大臣所敢与闻。然本大臣奉使贵国，专为陈谢烟台议结一案，是于此节实为切己关系之一事，亦不敢不一略陈所见。查商会所以怀疑者，以《天津条约》并未载有厘金一项，遂谓《烟台条约》增出名目。不知中国厘金本非正课，原属筹办军饷，一时权宜之计。所以各处厘金专在中国商民抽收，而洋商运货到各口岸仅一纳子口税，各关卡并不查问。将来军务告竣，中国商民厘金亦逐渐议撤。《烟台条约》先免租界厘金，每年中国厘金已短收数十万两，何以反谓中国增加税项？至于鸦片烟土一项，税则本轻，厘金仍应照旧抽收。威公使议准税厘并征，亦因租界厘局裁撤，鸦片烟土一项不能不归税务司并征。向来厘金皆与正税相准，一切照旧办理，略无出入。商会于此既多怀疑虑，则威大臣所定《烟台条约》第二端、第三端，原在昭雪滇案之外；或一切照旧办理，于通商事宜概无庸更改，则所议添开四口及起卸货物六口，均应一并停免，中国亦无不乐从。否则，据此为疑，未免有失威公使会议条约之本旨。每愧不能通知语言，无由面述此意，用并以一书陈达。

附英外部德尔比复使署答复惋惜滇案照会

为照会事。

照得前礼拜三日，本爵闻悉贵大臣言，到英国觐见大君主时，贵大臣以为大君主曾说言词之内，有致函回答贵大臣奉使呈递中国大皇帝惋惜滇案信函之语。本爵会晤贵大臣时曾言，回复各国所递书与不回复所递书，本无一定章程。君主回复各国所递书，亦罕见由使臣转递。然中国因欲知悉惋惜之信果否完结，本爵将代国家依允惋惜备文咨达呈递，惋惜云南之案可以作为本爵已行接许。溯查数员英官行历中国地面，虽有护照，竟被击回，马嘉理因之被戕。英国因请中国查办，而中国查办不妥情形，英国回忆及此，心殊凄惨。虽然驻扎中国之英国公使曾经议准，若中国所行数事，该公使始能声明完结。此案所言数事之内，要紧一层，系中国遣使携带惋惜之信前来英国，此节中国业已照行，英国并不欲从新再议此案。谅贵大臣犹记大君主接收惋惜之信时，曾言愿望贵大臣奉使本国，可以预兆两国愈加和好，贵大臣亦必将朝见时君主所言奏报贵国。贵大臣在英国居住，亦必见英国屡言欲与中国敦睦友谊，其愿出自真诚，贵大臣所见英国真诚之原谅，必亦报明贵国。贵大臣并应查觉英民在外生理，英国尤为小心照应，使之安康。英国民性虽为和平，看待外国亦必友睦自矢；英民在外受屈应行讨偿者，英国岂能不为讨偿？若不允其讨偿，则难免两国稍有失好之虞。为此照会，须至照会者。

附郭嵩焘复英外部论惋惜滇案作为完结照会

为照复事。

十一月二十九日准伯爵照会，内称惋惜云南之案可以作为完结等语。本大臣不胜欣幸。窃查十一月十五日本大臣前晤贵伯爵，以前次呈递国书奉君主面谕，当即有书回复大皇帝，当将此语奏明本国。九月内接到本国总理衙门来函，询及前语。本大臣亦知复书出自君主之意，非本大臣所能催请；即威公使所定《烟台条约》距今一年有余，尚未议准，本大臣亦断不能过问。是以并未照录本国总理衙门来文，照会贵伯爵。惟于往晤时，以私意询问，亦缘奉到本国总理衙门来文已历三月，亦须问明回报。兹据贵伯爵勤勤见示之意，并已领悉，即准来文咨呈本国总理衙门查照。合行照复，即烦贵伯爵查照施行。

甘督左宗棠等奏白逆彦虎等逃入俄境请交涉引渡折

督办新疆军务左宗棠、伊犁将军金顺、督办新疆军务刘典等奏，为白逆彦虎等逃入俄境，请交涉引渡事。

窃于十一月十五日，余虎恩派戴宏胜押解于小虎及逆眷四百余口回喀，拟率队穷追。适布鲁特回子来报，伯克胡里已于昨日窜过，此时计抵过路峡，距俄国窝什地方不远；俄国早派多人在彼照管，俟伯克胡里到，即收取军械放入界内。讯之擒贼，供亦相同。余虎恩以伯克胡里既窜入俄界，未便穷追。而白逆向西北窜走，必由恰哈玛克经过，拟舍伯克胡里不追，与黄万鹏合势追白彦虎。黄万鹏十六日追贼至岌岌槽，已与贼之尾队相值；正挥军掩击间，适萧元亨步队亦到，合力奋击，生擒伪元帅马元，并斩其副白彦龙，此股遂尽。讯据生贼供称，白逆十五日早由此经过。是夜五鼓，黄万鹏等拔队再进行三十余里，忽山沟内冲出骑马持枪一股，约五六百人，谛视装束却与贼殊，遣随行通知探问，乃知为俄属布鲁特部众所称黑勒黑斯者也。询其在此何为？答称：我头目派来放卡，知中国有人由此过路，故来看视。头起过去已远矣，地属俄罗斯界，非先知照不得便过，如要拿人，非头目自行捆送不可。问头目何在？答称：在纳林河，距此尚十数站也。并讯据擒贼供称，白彦虎于秋杪已遣甘回马壮，赍所掠金银货宝，由俄属布鲁特赴俄买路求生，至今未回。此次一闻官兵骤至，即与叛弁前玛喇尔巴什守备马振威，甘回索老三、黑宝才、马良会等先行窜走。至伯克胡里窜入俄界，虽未谋之白彦虎，而其求生觅路用心则同。又据侦探贼踪之布鲁特回子报称：白彦虎一股窜过恰哈玛克时，正值大雪，冻僵无数。余一二百骑，于十一月二十四日到俄界纳林河桥，俄人收其军械，放令过桥而去。

臣维余虎恩、黄万鹏等穷日夜之力，始追及两逆殿后之于小虎、马元等股，一鼓歼旃。若前途无容纳之事、无遮阻之人，白彦虎、伯克胡里两逆固无难生致麾下，以竟全功。不幸事与愿违，竟致漏网。据刘锦棠转禀，诸将士忿气勃发，请仍分路追剿，务期罪人斯得。刘锦棠亦义愤填膺，愿率所部与其周旋。臣筹维再四，伯克胡里亡国逆竖，白逆败灭残魂，虽觅路逃窜同恶无几，死灰何能复燃？俄边虽任其阑入，然所属布鲁特人尚有可由头目押送之说。两逆阑入纳林河桥时，俄官亦令先收军器，或意在缚送以敦睦谊，或遵人随地归定约，留伯克胡里而献白彦虎，均未可知。应否饬下总理衙门，向俄国公使理论，令其将白彦虎及马壮等逆交出之处，伏候圣裁。谨奏。

光绪四年二月十二日。①

总署奏与俄国交涉引渡逆回白彦虎情形折　附照会二件

总理各国事务恭亲王奕䜣等奏，为新疆首逆逃入俄国，谨将遵旨与俄国使臣理论一

① 原刊目录和正文标示时间均为“十二日”，但据前后文件时间判断，疑为“二十二日”。

切情形恭折奏陈事。

光绪四年二月十二日奉上谕：左宗棠等红旗报捷，新疆南路一律肃清，逆首白彦虎与伯克胡里及马壮等均逃入俄国。着左宗棠等饬令设法擒拿，并着总理衙门王大臣向俄国使臣理论，令其将白彦虎等悉行交出等因。钦此。钦遵由军机处交出到臣衙门。臣等伏查上年七月间据左宗棠来函，以白逆狡诈，计其窜路，如入伊犁，官军自当蹑追，可否于俄国使臣处先为提及，勿误疑官军为径取伊犁等因。臣等当与俄国使臣布策面论，并钞录回答各语，函知左宗棠在案。现在新疆肃清，逆首白彦虎等逃入俄国。按照俄约第八款，应送回听中国按律治罪。且上年七月，臣等已将左宗棠函称各节转告，更不应有容留中国逆叛之事。

臣等钦奉谕旨后，即于十五日照会俄国使臣布策，嘱其转行其国边界官，按照条约及去年七月所称，将白彦虎党羽悉数解送军营。十六日，臣沈桂芬、臣毛昶熙、臣董恂、臣景廉、臣成林、臣夏家镐复往俄馆面为理论。据称：上年七月已说明由左宗棠照会土耳其斯坦总督，自然易办；昨接照会可行知本国按照条约办理，惟牵引交涉未结各案，以为中国未能照约办结。臣等告以白彦虎等身为首逆，天下人共恶之，即逃入俄国亦必为俄国所恶；此事与寻常交涉案件不同，即如近时吉林地方有误杀俄人一案，该将军等不待俄国照会已行办结，亦为案关重大起见。再三辩诘，据称日后必有照会前来等语。臣等即将是日问答各语函知左宗棠，嘱其行文俄官，或由刘锦棠行文，就近设法。至十八日，据俄国使臣布策照称：将照会所称咨报本国，本国于此事能查照条约所载办理，仍须左大臣照会土耳其斯坦总督云云。核与十六日面谕情形大略相同。

查俄国使臣既称本国照约办理，谅不肯自居为逋逃薮。第牵及未结各案为口实，并谓须由左宗棠照会土耳其斯坦总督，是否意在推诿，或借以居奇，均不可测。臣等公同商酌，此时该逆已入俄疆，能否迅即交出实无把握，惟有始终执约理论乃为名正言顺办法。应请饬下左宗棠，查照臣衙门前函，即日行文俄国土耳其斯坦总督，并令刘锦棠就近行知俄国边界官，务将白彦虎等照约解回听凭治罪。臣等仍须时加催询俄国使臣布策，转咨本国后究系如何办理。内外一气，勿稍松劲，以期罪人斯得，仰纾宸廑。谨将臣衙门与俄国使臣布策往来照会各一件照录，恭呈御览。谨奏。

光绪四年二月二十二日。

附总署致俄使照会

为照会事。

光绪四年二月十二日，准左大臣红旗捷报，新疆南路一律肃清，首逆未获情形。据称：刘锦棠所部于上年十二月十三日收复喀什噶尔城，回逆白彦虎、安集延酋伯克胡里分道穷窜，当经分兵追拿。十五日，追至明要路，有布鲁特回子报称：伯克胡里已于昨日窜过，此时计已抵过路峡，距俄国窝什地方不远；俄国早派多人在彼照管，俟伯克胡里到，即收取器械放入界内。讯之擒贼，供亦相同。又，十六日，追贼至岌岌槽，擒获尾贼供称：白逆十五日由此经过。即拔队前进，忽山沟内冲出骑马持械一股人，数约五六百。经通事探闻，知为俄属布鲁特部众，所谓黑勒黑斯也。询其在此何为？答称：我头目派来放卡，知中国有人由此路过，故来看视。前队过去已远。告以过去者系贼头白彦虎，来者系中国追贼之官兵。答云：地属俄国，非先知照不得便过，如要拿人非头目自行捆送不可。问头目何在？答称在纳林河，距此尚有十数站等语。并讯据生擒各贼，佥供：白彦虎于秋杪已遣甘回马壮，赍所掠金银货宝，由俄属布鲁特赴俄国买路求生；次者即与叛弁前玛喇尔巴什，守备马振威，甘回索老三、黑宝才、马良会等先行窜走。又据侦探贼踪之布鲁特回子报称：白彦虎一股窜过恰哈玛克，于十一月二十四日到俄界纳林河桥，俄人收其军械放令过桥而去。此伯克胡里、白彦虎均由俄属布鲁特窜入俄境，俄人收纳之实在情形也。惟过纳林河桥俄国地方究竟何人管辖，无从查询。应请饬下总理衙门照会俄国大臣，请饬将白彦虎及马壮等逆交出，固见邦交厚谊，亦有以慰诸将士奋激之心等因。奉上谕：着总理衙门王大臣遵照办理等因。钦此。本衙门查南路各城沦陷多年，经大兵血战，一律收复，贵国睦谊克敦，自必同深欣悦。查上年七月二十七日与贵大臣面晤，曾谈及白彦虎如逃往伊犁，官兵追剿，请告知伊犁贵官不必惊疑，并代为堵截。贵大臣曾言土耳其斯坦总督自能设法等语。前据左大臣奏报，白彦虎、伯克胡里等均窜往贵国边界，想贵国边界各员必能按约查拿，迅速捆送。现既奉谕旨，理合照会贵大臣，迅即转行知照贵国边界官，按照庚申条约所载及去年七月二十七日贵大臣所称，将逃往贵国之逆贼白彦虎、伯克胡里等悉数解送本国军营，以昭大义而重邦交。相应照会贵大臣查照可也，须至照会者。

光绪四年二月二十二日奉旨。

附俄使复总署照会

为照复事。

本月十五日，贵王大臣将左大臣所奏报之要略知会本大臣，内引据各口供，所得安集延酋伯克胡里及逆回白彦虎逃往俄国情节，请贵王大臣照会本大臣，设法交出白彦虎及马壮等因。奉有谕旨，所以贵衙门愿俄国边界官照庚申条约第八款所载，及本大臣上年七月间所有将逃往俄国之白彦虎、伯克胡里等，悉数解送贵国军营等因。照会前来。准此，本大臣将以照会所称咨报本国，本国于此事盖能查照条约所载办理。但应提及此事，仍必须经由左宗棠照会土耳其斯坦总督，如本大臣上年七月间曾言之者。其时承贵大臣询以为追拿白彦虎，中国兵可否许入俄国境内。当答以不能允准。若因成全此事，左大臣须俄国官员帮助，则当知会土耳其斯坦总督。须至照会者。

二月二十三日

总署奏议复左宗棠奏查办伊犁俄人交涉各案折

总理各国事务恭亲王奕䜣等奏，为遵旨议奏事。

陕甘总督左宗棠奏称，派员查明中外交涉一案一折。奉旨：该衙门议奏，单并发。钦此。钦遵由军机处钞交到臣衙门。据原折内称：承准军机大臣字寄光绪三年六月初三日奉上谕：总理衙门奏，塔城讯办俄属哈萨克办理未协，请饬妥筹一折等因。钦此。遵即檄委副都统·前布伦托海办事大臣李云麟、候补直隶州知州刘祥汇，前赴玛纳斯、塔尔巴哈台一带查勘，当经奏明在案。李云麟等起程时，臣并将迭次承准总理衙门缄饬查办英廉于塔城收税一案，英廉封锁俄商吐喀拉房屋、夺取货物银钱一案，俄商运送金顺军粮两次报劫一案，饬其查复。兹既委查明确，谨将实在情形，条举件系，缮就清单具奏等因。

查交收伊犁暨边界交涉各案，臣等前此奏请统归左宗棠相机筹办，奉旨允行在案。并一面告知俄国使臣布策，嘱其咨请本国派员会商。旋据布策复称，以必须将边界各案办结，以见中国真心和好，方能咨请本国派员会商。盖深恐议交伊犁而姑藉此为缓交之计。若非将各案早为议结，则于伊犁一事终无议办之日。此次左宗棠折内所称清单内开具各节，历叙各案始末情形，而未议及所以办结之法，内如英廉误收俄商税银，及封锁俄商吐喀拉房屋、夺取货物银钱两案，经刘祥汇会同俄官，讯据俄商安集延缠头乡约拜〔阿〕兴〔拜〕所供：一称英廉收税仅一月有余，约计银五十余两等语。一称英廉封锁铺房时候，并未见将货物丢弃街上，亦未见夺取货物银钱等语。复经刘祥汇与俄官沙南吉乃克，各书花押于供词之后，执以为凭。是在我已有可据，日后与布策辩论及此，不患无词以对。惟前经布策向臣等声称，有此项银两并未见中国悉为筹还之语，现经刘祥汇向该乡约索取路票一张、税票四张，还过银六两，其余尚欠俄商税银四十余两，应如何全数给还？所封铺面存货既经开验无几，应如何给还吐喀拉？或吐喀拉久经回国，令其使唤人夹合普代为领取，以免口实。又，俄商运送金顺粮米二帮被抢，并指为荣全部下所劫一案，据李云麟等查得，金顺运到俄粮与俄商被劫时日不符，俄国使臣所称与俄国土耳其斯坦文称地方地名互异；且俄商被劫之地非荣全驻营之地，荣全所部皆马队，亦并无步队。是既非承运金顺之粮，又非荣全部下所劫。有此数端可证，自可据为辩论之资。惟俄商在中国地面运粮被劫，如果实有其事，即非金顺购运之粮，亦应确切查办。至英廉拿获行劫之哈萨克绰兰正法一案，据李云麟查明，拜吉格特哈萨克于同治十一年塔城分界后，人与地俱归俄国，正法之绰兰即其部内之人。查该犯既系分归俄国之哈萨克，按约自当行文俄官办理。乃英廉漫不加察，辄于拿获后擅行正法，复于行俄国斜米巡抚文内直认为俄属哈萨克而不讳。布策曾执此相诘，颇难置辩。

此外，尚有俄官坡塔宁迭被喇嘛库伦地方人民欺侮一案，光绪三年十月十四日奉旨：着左宗棠、金顺拣派委员前往该处，将实在情形确切查明，妥筹具奏等因。钦此。旋于本年正月二十一日，据左宗棠奏称：李云麟等已将各案查竣销差，未便复令折回前途，已咨金顺就近拣员前往等因。复经奉旨：着左宗棠、金顺仍遵前旨派员前往等因。钦此。各在案。此案布策迭来臣衙门，请为设法重办，情词甚为激切。又，乌里雅苏台承审官员拷打俄人萨哈赖暨前任伊犁将军荣全向伊犁张贴告示两案，布策亦屡向臣等饶舌。以上各案，并李云麟等到塔城时调查得：俄商在塔城不候中国官指示地址，擅盖洋房七十余所；塔尔巴哈台山阳之地系属中国地方，拜吉格特哈萨克帐房、牲畜布流山阳；黑宰哈萨克自分归俄国后，时侵入塔城南境之载利山等处；俄境之安集延缠头等众亦皆任意出入，鲜有持三连票等情。除由臣等随时与布策相机立论外，仍请饬下陕甘总督左宗棠与伊犁将军金顺、新任塔尔巴哈台赞参〔参赞〕大臣锡纶，于查明各案后，一律筹议办结之法，奏明请旨定夺；或先咨商臣衙门酌核办理，以清积牍。现在新疆各城已就肃清，伊犁正宜及时收复，更不应因交涉各案致滋口实。至原折内称，俄国使臣所据以与我争辩者，多出自洋商一面之词，又称中外商人惟利是视各等语，洵属洞悉事机，知彼知己。至所称彼此驻界大小各员均知以息事为怀，以挑衅为忌，遇事准驳自有权衡等语，尤为正本清源之论。第洋人见利则趋，正不独商人为然，即如交涉各案本属无关紧要，曲直攸分，准驳不难立断，乃彼族多方挑剔，事事藉为渔利之谋，又安望其以息事为怀，以挑衅为忌？惟理先尽其在我，事必期于持平，嗣后各城内将军、大臣遇有交涉事件，果皆加意慎重，按约而行，使之无隙可乘，无瑕可摘，或者彼此相安，而辩论可以稍息矣。谨奏。

光绪四年二月二十二日。

总署奏据使英郭嵩焘咨太古洋行趸船移泊情形片

奕䜣等片。

再，查臣衙门于本年三月初七日，接据出使英国大臣郭嵩焘咨称：镇江关太古洋行趸船移泊一案，上年奉旨饬在英国总理衙门评断等因。旋准将全案图说一并咨送前来。即经节次照会并诣辩论，始于正月初六日接准英国外部议复，核其情词尚属允洽。兹将外部来文照译汉文照复文件，另录清折附呈，并请转咨南北洋大臣札饬镇江关道，体察情形，转饬理船厅，指一相安之处令其移泊外，谨请据情具奏等因。

查镇江关太古洋行趸船一案，前据税务司吴得禄声称：须将该船暂行移泊，始可察看坍岸情形，该船坚不遵移。迭经臣等与英国使臣威妥玛等辩论，迄无定议。嗣据总税务司赫德面称：此案在中国相持，不如告知出使大臣，在英国总理衙门剖辩，较有把握。旋将全案汉、洋文并绘图送臣衙门。当于上年正月间，奏请饬下郭嵩焘即与英国总理衙门据理评断，以期结案等因。奉旨允准，行知遵照在案。今郭嵩焘以此案已据英国外部议复，有允饬该船移泊之语，请为具奏等因。除由臣衙门咨行南北洋大臣，转饬该关道遵照核办，谨照录郭嵩焘与英国外部往来照会各一件，恭呈御览。谨奏。

光绪四年三月十七日奉旨：知道了。

谕丁日昌据奏称香港总督及巫来由王捐赈应否致谢一折着查复具奏

上谕：丁日昌奏，劝办潮州并香港各埠捐务集有成效，及香港总督捐赈应否致谢各折片。据称：潮州一府已捐者已有二十余万之多，新嘉坡、小吕宋等处华商捐定者已有三万余圆，所办甚属认真；其劝捐出力绅董及各埠管事头目，并准于事竣后由丁日昌知照李鸿章核明请旨。至巫来由王捐银千圆以为华商之倡，该国王向无与中国交涉事件，应如何办理之处，着李鸿章与丁日昌斟酌妥办。香港驻埠之英国总督燕轩尼士约翰捐赈钱五千圆，亦属好义，已谕令总理衙门知悉，应否酬答该督等，察度具奏。

四月初六日

总署奏法使请行令朝鲜将被拿教士理若望释放折

总理各国事务恭亲王奕䜣等奏，为朝鲜拿禁法国教士，据法国使臣吁恳，奏请饬下礼部行令查明释放，以息事端事。

光绪四年四月初十日，法国使臣白罗尼来臣衙门面称：有法国教士理若望，向曾来往中国、朝鲜各处。光绪三年，该教士拟再赴朝鲜传教，迭经极力劝阻，该教士未允，随于八九月间自行潜往。现接来信，知该教士理若望经朝鲜地方官拿获囚禁。当即行文法国水师提督，嘱令不可妄动。因念朝鲜系中国属国，法国既与中国夙敦友谊，自应先求总理衙门代为奏恳天恩，饬下朝鲜国王查明教士理若望因何拿禁，即行释送中国牛庄海口或他处海口，俟其到时即饬回国。所有由朝鲜至中国海口一切路费若干，自应如数归款。希念两国友谊，代为经理等因。旋据专函前来具述前因，与面晤所称大略相同。

查该教士理若望，既经白罗尼力阻，即不应贸然前往；到朝鲜后，又不知因何情节致被拿禁。法国使臣白罗尼所请自为息事解纷起见。应请饬下礼部，据情行文朝鲜国王，转饬查明理若望有无滋事，察其情节，即由朝鲜送到中国牛庄海口，或他处海口，以便白罗尼饬令回国，藉泯猜嫌。谨奏。

光绪四年四月十五日奉旨：依议。

塔尔巴哈台参赞锡纶奏密陈边事并俄人寻衅情形折　附上谕

塔尔巴哈台参赞锡纶奏，为密陈塔尔巴哈台边情事。

窃奴才愚以为现在回逆军务之终，正俄人边务之始，而西边之邻俄境者伊犁既未交收，则塔城当为第一。今伊犁未收，固可暂为俄地。塔城既定已数年，我兵民乃寄居俄地，如蜩螗沸羹不知从何处著手。且就察罕格根欺侮俄使之故，与奴才夙昔因俄人相与之迹参而论之，略可举塔境边情之一隅。伏查俄罗斯国中有大川曰额尔济斯河，穿绕其国，流数千里，如中国之有黄河与长江也。其水西北入于冰海，或云有分河东流，即我黑龙江之上游，而其源乃出于我阿尔泰山之阳，察罕格根庙东南一百数十里之固尔图岭诸大山中。俄人之所以必觊觎阿尔泰山者，以此河源在我国中，如王濬楼船之事，则终非彼国之利。察罕格根与前布伦托海办事大臣李云麟立议，必据阿尔泰山者，亦以此也。迨同治九年撤海归科，奴才回京供职后，此意无人知者。

至察罕格根，即棍噶札拉参呼图克图，蒙人尊呼之曰察罕格根耳。其为人奴才前于布伦托海办事大臣任内同治七年六七月间自手缮折密陈，其原奏奉旨留中；奏中原有设法羁縻该喇嘛，俾得暂收其用，俟事体略定再图良策，以杜衅端之语。然该喇嘛勇略沉毅，洵有过人处，允为边才中不可易得之品；坐镇空山今将十年，俄人不敢轻视，且以佛法教种人归心，实奴才等所不逮；以其遇事长于用谲，不但俄人深惮之，我边疆诸大员亦往往多所疑畏。奴才自密奏后，与该喇嘛委蛇羁縻相交数年，久而不渝，知之遂深。至于奴才此数年间催粮俄国，以及俄人之来我境者，事有不合多严厉遇之，甚者箠楚从之，所至之处俄人莫不驯柔敛迹，间有学跪拜者。此情金顺等皆知之。其惮恶奴才之心，更有甚于棍噶札拉参。所以不毁奴才，而必毁棍噶札拉参者，以该喇嘛守据阿尔泰山，奴才旋过旋离，则无碍于彼国大事也。

今奴才授任塔城，羁于职守，与昔日情形不同。于交涉各事，虽奴才无论如何竭力屈抑，不敢稍露声色，而该夷猜忌之心终反侧不能释然。奴才岂不知受殊恩膺重寄，曷敢倔强自用，误国事，开边衅，以干不逭之罪？无如夙行所著人心实难遽解，虑俄人必将设法寻衅，陷奴才于罪，以适彼之所欲。微躯原不足惜，倘因之以遗我两宫皇太后、皇上之忧，奴才罪戾何可负荷？若仍前此数年之局，朝廷必以宽仁为心，将帅偏宜和缓为用，则奴才断不可居此参赞大臣之位。如仅以奴才与察罕格根相识，易于劝导之故，奴才请将欺凌俄使一案查办奏结，即恳恩迅速另简妥员，俾资塔城边防之寄。奴才虽潜身下列，但期不偾事即不辜恩，不然察罕格根之事大定，俄人寻衅奴才之波澜必起，区区之塔城将长烦圣廑于何时？若以今日诚为洋务之始，塔城果为边防第一，朝廷有意兴复旧制，筹度机宜，培兵濬饷作镇守之计，奴才量力所能不敢推诿，可为参赞大臣。且奴才不慕迁擢，不思乡里，乞圣恩宽假时日，俾得久任十年，庶勉竭驽骀之微诚，力遏犬羊之无厌，仰副圣德以安边氓，奴才所愿也。奴才到任目睹塔城弛废大略情形，另片附奏细情，容次第缕陈。察罕格根欺凌俄使一案，当查明与左宗棠、金顺会同奏结。所有塔境边防密情，不敢不据实先行冒渎沥陈，不胜忧恐涕泣待命之至！谨奏。

光绪四年四月十九日奉上谕：锡纶奏密陈塔尔巴哈台边境情形一折，览奏均悉。现在新疆回匪已平，伊犁尚未交收，塔城经兵燹后，旧制未复。该处逼近俄境，为西北岩疆，一切布置事宜自应详慎筹画，次第举办。锡纶曾经亲历俄境，熟悉边情，嗣后遇有交涉之事，务当体察情形，刚柔并用，期于疆圉永固而边衅不开。此中操纵机宜断不可孟浪从事，该参赞大臣如有所见，即着随时奏明办理。棍噶札拉参久居阿尔泰山，能得众心，足资镇守；惟该呼图克图性情卤莽，易滋俄人口实。其欺凌俄使一案，必须早为办结，着即查明实在情形，会商左宗棠、金顺妥议具奏。

驻藏大臣松溎等奏办理边防联络哲孟雄廓尔喀部落折

驻藏大臣松溎、桂丰等奏，为现办驭远防边实在情形事。

窃本年二月二十四日接奉总理衙门咨开，本衙门复奏四川总督丁宝桢陈奏英人赴藏等情一折，于光绪三年十二月二十一日军机大臣奉旨：依议。钦此。相应钞录原奏，恭录谕旨咨行遵照等因前来。奴才等细阅四川督臣丁宝桢所奏，自系深谋远虑，杜渐防微。复读总理衙门复奏，更属筹虑精详，意良法备。第今昔之情形稍殊，而抚驭之重轻有别，不得不为圣主密陈之。

查布鲁克巴、哲孟雄、廓尔喀三部落，本为卫藏西南门户；各处贸易番民均集前藏，与唐古忒有唇齿之依，理应守望相助。自哲孟雄独结岭为英人所据以后，该处部长乞唐古忒援兵，商上不准，哲孟雄藉为口实，致生嫌怨。布鲁克巴亦因强邻附近，迭次来信与唐古忒会商，借助兵力以固边圉；而商上饰词推诿，该部长大为忿恨，故有披楞租地之事。廓尔喀前派驻藏弹压巴勒布之噶巴丹，因唐古忒礼遇不隆起程回国；该国总噶箕属欲赴定日一带，以打猎为名寻衅。兼之商上、噶布伦、总堪布等识量褊浅，罔知大体，不能相机变通，因时制宜；遇有边外交涉事件，虽驻藏大臣译饬遵办，该噶布伦等固执己见，动以不合向例呈请更正，不知羁縻外番为要。

奴才松溎于光绪元年十二月抵藏任事后，察知情形正拟举办；适于二年正月，布鲁克巴部长以披楞欲租地修路来藏通商，飞禀请员办理。当即奏委西藏粮员周溱驰往相机妥办，该部长等以百余年未见汉官到彼，喜惧交集，周溱与之会商，设法阻回披楞，密订交好，嘱其外拒强邻，内保边界。复赴哲孟雄查看情形，该属仅存一隅，势难自立，劝令阳为照常修好，阴则力图固守。两部落均各欢欣遵允，前经奴才松溎将布鲁克巴、哲孟雄两部长奏请奖励，奉旨赏准，并给予该属头目等翎顶执照在案。布属驻藏头人感激天恩，每逢万寿日期，自愿附入唐古忒番官之末随班叩贺，其心悦诚服已有明验。廓尔喀闻之，观感兴起，顿释前嫌，复派噶巴丹于二年十月来藏，奴才松溎接见之下，嘉其诚悃，厚给赏赍。三年四月，该国王遵遣噶箕等呈进例贡。九月，奴才桂丰于巡阅隘口时，严谕定日、江孜等处营官，恪守疆界，不准别滋事端。惟哲孟雄地属英者十之七八，布鲁克巴、廓尔喀畏英强盛，暗中币帛相将。此时欲引三处为外助，亟宜固结其心。英人以富庶饵彼，我则以贵动之。英人以兵威挟彼，我则以礼貌加之。英人以诡诈诱彼，我则以诚信待之。随时遇事抚驭羁縻，藉振兴两藏之声势，使三部落自固藩篱，为效顺中朝之属，得三部落之倾心，使英人无从离间，潜消窥伺之谋。仍恐唐古忒不善体会，有误机宜，严切密饬噶布伦等痛除固执积习，与三部落联为一气，如敢抗违，奏请参办。奴才等不时传见布鲁克巴、哲孟雄、廓尔喀来藏头人，或给予翎顶虚衔，或重赏银两、缎匹，均各踊跃乐遵驱使。乘机询问边界情形，据称自委员办理以后，迄今相安无事等语。倘将来英人由川入藏，奴才等自当加意防维，以期仰慰宸廑。所有现办驭远防边实在情形，恭折密陈。谨奏。

光绪四年四月二十四日奉旨：览奏已悉。所筹尚合机宜，即着松溎等随时体察情形，妥为办理。

谕禁止外人入内地放赈及贩卖灾民妇女

上谕：河南学政瞿鸿禨奏，闻英国遣罗亨利、花园兵二名携银赴豫散赈，亦有赴晋省者，请饬设法阻止。又闻该国收买流民妇女，请饬南北洋大臣、湖广总督严贩卖出洋之禁等语。前总理衙门王大臣面奏，日本国使臣森有礼曾在该衙门声称：日本人有捐助赈粮者。当经王大臣等以山西转运艰难力为劝阻。嗣据李鸿章函致该衙门，米已运至天津等语。外国捐助名为善举，实则流弊滋多。前据瞿鸿禨奏，英人携银前往晋豫散赈，即着曾国荃、涂宗瀛悉心酌度，婉为开导，设法劝阻，一面将罗亨利等前往情形确查具奏。至贩卖妇女出洋，本干例禁，着李鸿章、沈葆桢、吴元炳、李瀚章、潘霨督饬地方官，实力稽查，严行禁止，倘有奸民渔利转贩，即行奏拿，照例惩办。

四月二十四日廷寄

总署奏议复丁宝桢奏派黄茂材赴印度游历片

奕䜣等片。

再，据丁宝桢片称，本年二月，英员贝德禄由重庆前赴嘉定各处，饬令派员护送，执意推辞。该英员沿途行踪甚秘，所到之处详绘地图。窃维英人蓄意开通西路由来已久，查西路至藏全系陆地，由藏至五印度相距不过千数百里；近闻英人于东印度孟加拉之东开拓新境，名曰阿塞〔赛〕密，距西藏边界不过数百里，似不可不先事预防。臣现拟遴访精习舆图，熟谙算学、仪器一二人，由前后藏过廓尔喀，折至中印度；遍历东西南北各印度；复折回中印度，循恒河而东，至孟加拉东之阿赛密东北境；再溯藏江而返历布鲁克巴及貉貐野人之地，以达于南墩；将各该处山川形势、径途道里以及民人性情绘图贴说，俾全蜀西南形势可以周知，庶遇事较有定见。所派之员已选得江西贡士黄茂材，颇为可靠，乞饬下总理衙门知会英国公使查照，臣即缮发执照，饬黄茂材起程前往等语。光绪四年四月二十五日奉旨：该衙门知道。钦此。钦遵。

臣等伏查光绪二年直隶督臣李鸿章与英国使臣威妥玛烟台会议条款内，另议专条载明：英国派员由中国京师前往甘肃、青海一带地方，或由四川等处入藏以抵印度，为采访路程之意等因。此次英员贝德禄由重庆前往各处，谅为探访路程而去。印度距藏甚近，边患诚不可不为预防，丁宝桢请派员遍往游历，以周知其情形，系为未雨绸缪之计，应即照所拟办理。其所派之江西贡士黄茂材，前据江西学政臣许庚身奏称，该贡士品学兼优，数理尤有心得，若再广其见闻，可成有用之材等语。奉旨：饬令来京交总理衙门查看等因。钦此。现尚未据来臣衙门。丁宝桢称其可靠，自系堪以胜任之人。

惟请由臣衙门知会英国使臣后，由丁宝桢缮发执照一节，查同治七年英国士人唐古巴由印度赴广东等省游历，英国使臣阿礼国请由臣衙门发给护照；十二年，英国使臣威妥玛以接其印度节度大臣行知所属官员，从缅甸起程经过云南，并委翻译官马嘉理前往云南边界迎候，各给护照，请臣衙门会同盖用印信等因各在案。现在黄茂材由川前往印度，必须有合同盖印护照为凭，且印度地方不通中国文字，照内并须翻写英文；仍由英国使臣将中国派员前往游历各节，行文印度地方官查明，庶免疏虞。臣等因于四月二十九日，往晤英署使臣傅磊斯面述一切，并将护照式样与之酌定。傅磊斯均称照行。除将护照一纸及傅磊斯咨五印度总督文一件，由臣衙门发交丁宝桢转给黄茂材收执，并将臣等与傅磊斯问答一切函知丁宝桢查照外，应请饬下丁宝桢，转饬该员沿途务须明查暗访，详妥办理。所有绘图贴说等件，并令咨送臣衙门一分，以备查考。谨奏。

光绪四年五月初七日。

总署奏俄日德使先后出京所有公务均派员署理片

奕䜣等片。

再，臣衙门于二月二十八日，接据俄国驻京使臣布策照会，内称现请假回国，所有事件交副使凯阳德署理。又，三月二十二日，接据日本国驻京使臣森有礼照会，内称现奉召回国，所有公务交一等书记官郑永宁署理。又，四月十七日，接据德国驻京使臣巴兰德照会，内称现出都他往，所有交涉公务交参赞绅珂署理，各等因。各使臣等并先期来臣衙门辞行，臣等亦即分日赴馆送行。各使臣等均已先后起程，所有出京及接署各缘由，理合附片陈明。谨奏。

光绪四年五月初七日奉旨：知道了。

谕崇厚派充使俄大臣又谕作为全权大臣便宜行事

上谕：总理衙门奏请派驻扎俄国出使大臣一折，本日已有旨派崇厚出使俄国钦差，并明降谕旨，令该署将军来京陛见矣。现在新疆底定，伊犁为俄兵驻守未据交还，首逆白彦虎等逃往俄疆尚未交出，该国修约事宜亦久未议定。崇厚向能办事，于中外交涉情形亦俱熟悉，是以特派前往驻扎，相机办理。著该将军即将任内现办事件交代清楚，遵旨来京陛见。

五月二十二日廷寄

六月二十一日奉上谕：赏戴双眼花翎・头品顶戴・太子少保・总理各国事务大臣・吏部左侍郎崇厚，前经派充出使俄国大臣，着作为全权大臣便宜行事。

交总理衙门未发钞

使英郭嵩焘奏报兼使法国呈递国书情形折

出使英国大臣郭嵩焘奏为陈报兼使法国呈递国书情形事。

窃臣三月二十五日奏报由伦敦驰赴巴黎一折，其时正值法国开办大会，于抵巴黎后，经其外部大臣瓦定敦订先赴会而后呈递国书。随于四月初五日未刻，由其御前奉引大臣莫拉管驾朝车一辆、马车二辆来迎，臣即带同翻译德明、联芳、马建忠、陈季同，恭奉国书至其雷立赛宫。甫入内门，其伯理玺天德已免冠立候，臣宣读颂辞毕，伯里〔理〕玺天德亦宣读答辞，相与鞠躬而退。旋据莫拉开交所颂答辞，仰希中朝礼乐输诚修好，其意似极勤恳。出入陈列队伍奏乐迎送，规模制度又视英小异。除将颂辞、答辞各一通咨送总理衙门外，所有呈递国书情形谨缮折具陈。

光绪四年六月初三日奉旨：知道了。

总署奏日本梗阻琉球入贡现与使臣何如璋相机筹办折

总理各国事务恭亲王奕䜣等奏，为日本梗阻琉球入贡，现与出使大臣相机筹办情形，恭折密陈事。

窃臣等于光绪三年五月十四日钦奉上谕：何璟、丁日昌奏，日本阻梗琉球贡物，请旨办理一折等因。钦此。并由军机处钞交何璟等原折一件，到臣衙门。臣等公同查阅原奏称，琉球密遣陪臣赍咨来闽，有托言海船遭风情事，其畏惧日本可知。当经臣等告知何如璋等，如据其密咨与日本辩论，恐日本责问琉球，适启衅隙；不若由闽省以琉球贡使久延未至，风闻日本有阻挠情事为由，径咨出使大臣就近查询，则日本无从寻衅琉球，而发端自外，亦复较易措词。当经行知何璟等在案。嗣何如璋等行抵日本，函称：琉球陪臣耳目官向笃忠，迭次在京求见，面陈危迫情形，钞呈该国近与日本来往文书。反复详阅，缘琉球于明万历时原属日本之萨摩岛，数年前始改隶东京，该国王曾声请中、东两属，日本许之。近以日本废置诸藩，乃迫令改朔易制，其意直欲并举琉球而郡县之。以其臣事我朝，牵掣顾忌未敢遽发，故百计挠之，欲琉球之携贰于我，而后可逞其志。此阻贡之所由来也。揆势度情自不能默尔而息，专待闽咨以凭核办云云。

又经臣等函催何璟去后，旋据何璟等将咨文寄来，并另函声称迟迟未发之故，实以日本举动叵测，难保不藉琉球为挑衅之端，台湾一郡密迩邻封，惩及前事未免踌躇；且恐琉球或有首鼠两端之计，不可不防等语。臣等因复函属何如璋等，详细察度情形，再行核办。现据密复，缕述日本国势困敝，自改从西制以来，所费不赀，饷无所出，又甫经内乱，必不敢遽开边衅。琉球危急可悯，不能不为援手各情。因筹拟三策：一为先遣兵船责问琉球，征其入贡，示日本以必争。一为据理与言，明约琉球令其夹攻，示日本以必救。一为反复辩论，徐为开导，若不听命，或援《万国公法》以相纠责，或约各国使臣与之评理，要于必从而止。臣等核其所陈，似尚不为无见。

伏查琉球孤悬海岛，地瘠民贫，二百余年恪守藩服，今以逼近日本，为所迫胁，国势濒危。若竟弃之而不为覆庇，势必为日本所并，不足以宣圣朝绥远之恩，而慰荒服瞻依之愿。惟是先遣兵船责问及明约琉球夹攻，实嫌过于张皇，非不动声色办法。又，日本自台湾事结后，尚无别项衅端，似不宜遽思用武。再四思惟，自以据理诘问为正办。因复与北洋大臣李鸿章往返函商，意见亦复相同，现拟由出使大臣径据琉球陪臣面述情形，先为发端，使日本不致迁怒寻仇，别生枝节。除由臣等函告何如璋等相机审办外，理合将先后与出使大臣筹办日本阻挠琉球入贡缘由，恭折密陈。谨奏。

光绪四年六月初五日奉旨：知道了。

塔尔巴哈台参赞锡纶奏查结喇嘛库伦欺凌俄国使臣一案折 附上谕

塔尔巴哈台参赞锡纶奏，为遵旨查明喇嘛库伦欺凌俄国使臣一案，拟定咨会督臣等酌核办结，先将所查大略情形恭折奏闻事。

窃奴才前于上年十二月十七等日，先后奉到军机大臣密寄并督臣左宗棠等咨会，光绪三年十月二十八日奉上谕：总理衙门奏，俄国官员迭被喇嘛库伦地方人民欺侮，请饬查究办理各折片等因。钦此。钦遵奴才于本年二月二十一日到任视事后，将一切应办事宜粗略料理，即于三月十六日起程，亲至阿勒泰山，面问呼图克图棍噶札拉参即察罕格根，宣谕圣恩，反复开导。

该喇嘛已深知悔惧，望阙碰头，除将所具供词、日记等件照录并所拟办法外，伏查原供有称：光绪二年七月十二日午后，有俄国回人来询，无执照。次日复来，乘马游行敕赐承化寺大殿前，登月台上，因有念经喇嘛等拦阻口角，俄人遂取身边小铳向小喇嘛开放。该念经众喇嘛等一时情急，群起夺下洋铳三杆、腰刀一把、马鞭四个。历年以来，俄人游行蒙古地方，骄横生衅，已非一端。最甚者，同治九年秋间，俄国斜米占达喇勒帕尔塔喇斯齐，率兵百余名并炮车等物，无端突至我吐尔扈特北部落游牧察罕鄂博东喇嘛庙中，将札萨克头等台吉图普新柯什克捆缚，行半程旋释之；掠去铜佛像大小二十五尊，并银两、马匹、衣物等件；又将小喇嘛盆足克一名俘去，至今死生不知消息。同治十一年二月间，俄官索思诺福斯齐又至该游牧庙中滋扰，掠去佛像七十二尊，呈报各任将军、大臣皆不为理。此其大者、甚者。近年俄人游行，每至佛寺，即不抢掠，辄将佛像供器手取玩弄以为常。奴才亦所屡闻，该喇嘛等游牧邻迩，稔知此事。蒙人夙重佛教，今见俄人游行该庙，乘马登台，既恨其从前所为，又恐其今日复尔，以故一时情急，夺取铳刀等件。该俄人窘迫，始言有执照，令人取来白纸小本三个，上有俄、回、蒙古三样字体，并无各城将军大臣照会，其蒙古字可以认识，上有乌科库三城并布伦托海古城等处游历字样，无阿勒泰山。该俄人去后，闻其在哈萨克部中买卖牲畜等情，遂将起衅情形并所夺铳刀等件，照数面呈前任参赞大臣英廉携往塔城，并经报明科布多大臣衙门有案。此坡塔宁一案之大略情形也。

至于乌拉索福①，此项起衅之由，实因通事布该未到，棍噶札拉参随从皆蒙古喇嘛，不更事。只有都司衔即补守备朱澍向系塔城绿营职官，变乱后随从该呼图克图有年。此次乌拉索福之来，布该既未同到，棍噶札拉参因令朱澍陪伴往来传话。因该使官强向棍噶札拉参索要欺凌坡塔宁一案回复文书。该呼图克图以为无本管大臣行饬，不应擅与外

① 前文和本文中也作“乌拉索付”。

国行文，因不回文，亦不肯常与相见，令朱澍及尼尔巴喇嘛等传话问答。该俄使视为寻常蒙古侮慢习惯，遂出大言任意恐吓，以致激切言语失当。该俄使惭不能答，转赧为恨，遂诡计先令随从人众遁归，而自不肯行，延驻数日始行，反托词羁留欺侮，致令使臣布策听远道一面之词，声请查办。时有金顺军营采办驼马委员知府石定国等在场目睹，奴才复加详查，并无异词。

此案坡塔宁事后已经年余，前任大臣英廉并未早图弭衅之法。乃俄官复派乌拉索福来先行文，该大臣又不以查办为己任，辄听从俄官自由吉普乃径往阿勒泰山；更不拣派妥员先行咨饬，率令并无职官之空翎顶通事布该，自由塔城启行往阿勒泰山，只给文函，更无一语交派。布该既未与俄官一路行走，又不知其中情事，期迟道远，比即报文而衅端已成。诚如圣谕所云：中外交涉事件全在封疆大臣随事认真办理，庶不失讲信修睦之道。兹该前任大臣英廉办理不善，以致酿成衅端，实有应得之咎；因系大员，奴才未便拟议，咨明由左宗棠、金顺请旨，是否交部议处之处，自出天恩。五品顶戴蓝翎通事布该等原无职任，只空通事翎顶，此次出差英廉既未有饬知，只令递送文函；俄官从吉普乃赴阿勒泰山道近，塔城道远，以致俄官先到，送文迟延之外，别无余咎，即将该通事翎顶摘去，可勿庸议。都司衔花翎即补守备朱澍于俄官乌拉索付至阿勒泰山时，经棍噶札拉参派令陪伴俄官，往来传话，语言失当以致成衅。尼尔巴喇嘛等皆无知蒙古，姑置勿论；该守备身为职官，岂不知事关交涉？乃亦从中任意附和，殊属非是。查例载并无欺凌外国官员之条，此案虽仅止口角欺凌，然事关两国交信，情节重大。即补守备朱澍拟从重援比并无统属官员彼此相殴者，俱革职之律革职。棍噶札拉参呼图克图于坡塔宁、乌拉索福两次起衅，虽皆情理可原，然性情粗鲁，不能约束所管喇嘛，以致有欺侮之名。例无专条，即拟比照官员斗殴，平日约束不严之专管官罚俸一年之例，罚俸一年。其原供日记等件已咨送左宗棠等核办，词繁不及备录。所有奴才遵旨查办喇嘛欺凌俄使情形，并拟办大略缘由，理合先行具陈。谨奏。

光绪四年六月十一日奉上谕：锡纶奏，查明喇嘛库伦欺凌俄官一案，咨会左宗棠酌核办理，并令筹塔城边防，及所拟拨兵暂易塔城局面，函致金顺酌定各折片。览奏均悉。俄国官员，迭被喇嘛库伦地方人民欺侮，现据锡纶查明起衅原由，将棍噶札拉参所具供词、日记等件照录，并所拟办法咨行左宗棠、金顺酌量办结，即着迅速结案。英廉等应得处分，着该督等议奏。塔城边防紧要，积弊甚深，锡纶现在力图整顿，一切机宜由金顺就近相助，并由左宗棠指示遵行。

总署奏议复刘锡鸿奏德国修约可成及时制治保邦折

总理各国事务恭亲王奕䜣等奏，为查明具奏事。

出使德国大臣刘锡鸿奏，德国修约可成及时制治保邦等因一折。光绪四年七月初二日奉旨：该衙门知道。钦此。钦遵。据原奏内称：三月二十一日，接据德国外务大臣来文，行令巴兰德照现在商妥条款赶立新约，其有数条未经中国允许者，无论如何要紧均可从缓办理等语。是此条约立见有成可无他虑。即来文以内地重征厘金一节，仍谓与原约不符，将来尚须另酌，然其意亦只在增加子口税银，归于总海口整起完纳，以免沿途征收、迄无定数，想他时亦易定议。臣驻扎西洋一载有余，熟察各国互争嗜利之性，非据理争辩所能制，亦非曲意和好所能弭，惟政教修明乃可化之。其次则武备为治标之急务，数年以来，各省练兵、造船、制器多已改用洋法，然有精有不精，有实有不实。中国操演现照洋法，队伍非不可观，火器非不可共习。然营哨长素未讲求，意不专注，无从督率；又辄以侵克兵饷为事，众心不服号令，安望能从？且目前已练新军，而分防无事之老兵依然募补；目前已尚枪炮，而御侮难资之弓箭犹复并行。至于补缺补粮，循旧制以校射，所用在此，所考在彼，殊非核实之道。当令内外臣工妥议裁撤旧兵，别定为新兵画一之制，教练不易之法，俾各遵行。至中国船政局亦募洋工，彼第于船式粗有所知，非能深究奥妙。中国匠人既未谙其机窍，则各省置办战船应统令西洋船厂代办，由驻扎该国使臣督成之。俟出洋学生究得其法，然后自制。中国天津、上海、福州等局所造枪炮，现虽不如西洋，犹可望其日进而益上；他省则有名无实者居多，应由天津等局以铸就枪炮分给之，或择税务司可靠之员饬赴西洋代购，不必另行设局。其枪炮之业有成数者均令登记册档，严其掌守之责，定为交代之令者，皆实事求是之道也。西洋兵力之强，由富足基之，中国军兴以来人皆怠于生业，闾阎滋困。忧时者以民穷饷乏归咎于银之出洋，不知人之货足耗我财，我之货亦足致人之财。倘能督课工商发展实业，内地家给民足，则外洋之财未有不流注内地者。夫整军经武者，提镇之事也；率属以谋富教者，藩臬巡道之职也。三载考绩而无成效则废黜，有功然后行赏，斯司道提镇靡不劝矣。督抚身膺疆寄，司道提镇不能称职而不纠劾，则罪及督抚。朝廷察督抚，督抚察司道，提镇又各纠察其属，嘉庆以前之故事本如此。苟恪遵成宪，并复司道提镇专折奏事之旧制，俾人人得效忱悃以襄督抚之勤劳，不惟可致富强，文德之修亦即寓焉。今年德国之约虽成，不两年而他国之约又当换，凌逼恫喝互相效尤，其究有不堪设想者等语。

臣等伏查德国修约一事，前经德国使臣巴兰德开列条款，并牵引旧约多方要求，臣衙门屡与往复辩论，迄无成议。上年刘锡鸿调驻德国后，臣等因将辩论各情形随时详细知照。本年正月以后，迭据刘锡鸿电报，谓巴兰德所列外部等语皆非，并谓：条约一事，厘金要总纳，口岸可不添。外部来文已令巴兰德于目前商妥各条，速立新约，未允者俱从缓，惟厘金日后仍要议办。巴兰德换约后即调回国，无他虑等语。其时巴兰德屡次到臣衙门议论条约各条，仅将大孤山开口及洞庭湖、北运河添置拖带轮船各节删去。其余中国未允之条及允臣衙门开送之条，均执定必须查照彼意举办。议论不合，巴兰德遂即出京。臣衙门亦由电报知照刘锡鸿。后又据刘锡鸿电报谓，巴兰德竟自回国，外部谓俟其到时询明情形，秋冬间仍须修约。嗣又将其外部单开修约各条，及与外部往来文件钞寄臣衙门。查其外部单开各条，与巴兰德开送臣衙门者相同；惟单内所开中国已允、未允字样，则与巴兰德在臣衙门议论情形未尽符合。盖德国外部据巴兰德一面之词，知照刘锡鸿；刘锡鸿据其外部一面之词，知照臣衙门，未及将臣衙门先后寄去各件逐条细检也。其外部致刘锡鸿文函称：中国未允各条未能删去，仍望玉成其事云云。是德国修约，其外部与巴兰德本属联为一气。故于未允各条，议论一有不合，巴兰德即出京回国，并未能如刘锡鸿电报所云速立新约等语办理。此事现尚毫无端绪，而刘锡鸿信其外部之言，未加体察，便为〔谓〕修约立见有成，可无他虑，未免言之太易。至厘金一节，尤为各国所注意。现在德约既未修成，法约亦未议定，本年又值英国修约之期，臣等揣度情形将来必有群起力争之事，不知如何繁费笔舌。刘锡鸿亦谓易于定议，缘其更事浅故视事轻，所言恐未可深恃。

至所称购办船炮、督课农工各节，均为实事求是起见。查前因议办海防各督抚请购办铁甲船，终以费巨而止。现由李鸿章饬令总税务司购到英国蚊子船四只，均交闽厂，本年经李鸿章调赴天津勘验，尚称适用。臣衙门因与李鸿章函商，可否筹款添购以资防守。究竟外洋购办，不如自行制造之为便。闽厂造船系洋员日意格督同中国工匠制造，前派学生出洋考究其法，原为将来学成而归，以期精进日上之意。制船一事，任大费重，未可轻易举办。若如刘锡鸿所议，各省置船统令西洋船厂代办，由驻扎该国使臣督成。不但中国一时未能筹此巨款，且驻洋使臣定有年限，不能在彼久驻督视，船只良楛使臣素所未悉，尤恐购办不适于用，反致虚縻。臣衙门前因各省购买枪炮多不一律，奏请在上海地方派员总理其事，并令津沪两局亦遴派得力专员办理，及局内每年需费按年开报成造各件按件开报，以昭核实等因。现据李鸿章等复奏，以上年候选道李凤苞带领闽厂学徒赴英德两国练习，曾令其访求最精洋枪酌量合购。兹拟并饬该道亲历各厂，确查前后膛大小炮之最精者，将图样价单寄核各省，遇有购用，即令该道照式在洋一手经理。上海地方只须派员设局，专司汇寄价银、验收转运等事。闽粤两省无庸取道上海者，即自行汇价验收。李凤苞精细廉正，以之兼办军火甚便，倘或办理贻误，自可执法从事。津沪两局制造向来互相考较，以后每成军火只宜抽送臣等查验，无庸另派专员监察。机器局岁销用款向皆实用实销开单奏报，若每年逐细造册报部，徒启吏胥挑驳需索之端，不若照旧以归简易等因。李鸿章等于外洋购办枪炮，既议专派李凤苞在洋一手经理，仍请饬下李鸿章、沈葆桢，转饬李凤苞实心任事、洁己奉公；并由该大臣等随时随事加意访察，如查有声名平常，及所办枪炮等件不堪适用，暨浮冒开销等事，即将该员分别严行惩处，其选派不慎之上司一并交部核议。津沪两局制造各件，并令李鸿章等随时认真校阅，每年成造之枪炮及各项经费，除照章开单报部外，仍令每年详细知照臣衙门一次，以资考证。刘锡鸿所称将枪炮业有成数者均令登记册档等语，核与臣衙门及李鸿章等所奏办法尚属符合。至刘锡鸿奏请改练新军、裁撤旧兵及教练专尚枪炮各节，我朝武备弓箭与枪炮并重，弓箭所以辅枪炮之不足，以习弓箭者兼习枪炮期于适用，事或可行，若竟废而不用，殊与定制有违。与夫裁旧兵、改新军，各省能否遵行，有无窒碍，并请饬下李鸿章、沈葆桢悉心会议，奏明办理。臣衙门前据御史李璠奏请，倡导商民凑集公司装货出洋，及购外国机器并仿制洋布、呢毡等物，以收中国利权等语。当经奏令李鸿章等妥议在案。今刘锡鸿以强由于富，请益课蚕桑织绣等事，使海外之财流注内地，所言是否确有把握，应由李鸿章等一并妥核复奏。至各省督抚身膺疆寄，当此时事多艰，本应破除情面，纠察僚属，以上副朝廷委任之意。但使司道提镇以下处处得人，自于民生军务有所裨益。司道提镇职分较大，如果确有所见，亦可随时与督抚商榷办理，似毋庸责令专折奏事，徒尚空言而无实济。谨奏。

光绪四年七月十八日奉旨：依议。

谕派曾纪泽李凤苞充出使英法德等国大臣四件

上谕：一等毅勇侯·候补四品京堂曾纪泽着赏戴花翎，派充出使英国、法国钦差大臣。郭嵩焘着回京供职。

七月二十七日

同日奉上谕：本日已有旨，派曾纪泽充出使英、法两国钦差大臣，令郭嵩焘回京供职矣。著该侍郎俟曾纪泽行抵伦敦，将经手事件交代清楚，并一切情形详细告知，再行回京，不得于曾纪泽未到之前遽行起程。将此谕令知之。

同日奉上谕：候选道李凤苞著赏加二品顶戴，署理出使德国钦差大臣。刘锡鸿著回京供职。

同日奉上谕：本日已有旨，派李凤苞署出使德国钦差大臣，令刘锡鸿回京供职。著该京卿将经手事件交代清楚，并一切情形详细告知李凤苞，再行起程回京。

清季外交史料卷十三终

清季外交史料卷十四

光绪四年八月至十二月

直督李鸿章奏请以李凤苞仍兼管出洋学生及采购军火各事片

李鸿章片。

再，准总理衙门咨称，奉上谕：候补道李凤苞著赏加二品顶戴，署理德国钦差大臣等因。钦此。窃查道员李凤苞经臣等于光绪二年十一月奏派监督，带领闽厂生徒赴英、法两国学习水师制造、驾驶之法，并令兼查前赴德国学艺武弁。本年七月间，又经臣等奏派李凤苞就近在外洋采办军火。原因李凤苞练达勤能，才大心细，不致贻误。该员出洋两年以来，周历英、法、德三国，逐事留意考究，迭次函报，经办学生习艺诸务甚有条理。现既奉命署理出使德国大臣，计必迅赴伯灵都城接任。所有臣前派往德国学艺之武弁七人，业由李凤苞察看，将不甚得力之卞长胜、朱耀彩于本年三月撤回。现在该国军营仅有五人，均距德京相近，自应仍由李凤苞督查功课。其闽厂派赴英、法学生，系责成李凤苞会同监督日意格经理，目下布置就绪，学艺亦有进益，实难遽易生手。闻由德往英、法，轮车、轮船不过一日夜可到。李凤苞情形既熟，但派得力帮办一二人分驻照料，遇有要事，仍可抽暇亲往商办，来回不过数日，似于使事无碍。至该员署理公使，应自接任之日起，照章支领公使薪俸，其监督学生薪费自无庸由闽另支。嗣后所用帮办薪水及来往查察杂费，仍准酌量核实开支，该大臣随时移会船政大臣查核。至采购外洋军火一节，驻洋使臣本应与闻其事，李凤苞曾在各处实力探讨，颇知奥妙；德国军器甚精，臣等近年购用不少，自无难就近查访，即英法各工厂声息易通，亦可随时考较妥商办理。将来曾纪泽出使英法，该大臣于军事素有阅历，闽厂学生及采购军火各事更应互相考察，遇事商办，以助李凤苞之不逮。谨会同南洋通商大臣・两江督臣沈葆桢、闽浙督臣何璟、船政大臣・署福建巡抚臣吴赞诚，合词附片具陈。谨奏。

光绪四年八月二十一日奉旨：该衙门知道。

总署奏闽垣英教士洋楼被众焚毁请饬该督抚妥速办结折　附上谕照会及节略

总理各国事务恭亲王奕䜣等奏，为闽省城内英国教士洋楼被众焚毁，请饬下该督抚妥速催办完结事。

窃臣衙门于本年八月十七日，准闽浙总督何璟等会函，内称：英国教士胡约翰占筑乌石山洋楼一案，前因闽省水灾、火患迭见，归怨于洋楼高耸，损伤阖省风水，众口一辞。经前任抚臣丁日昌卸篆时，与英国领事官星察理议以城外之电线局与乌石山之一切教堂洋楼互换，仍略贴修助之费。该领事允以寄信本国与教首商明，须五旬之久方有的信等语。曾经丁日昌附片奏明在案。嗣因日久无信，饬由通商局函催。该领事以近接公会回信，不愿对换，俟奉到外部议复，再行申陈等语复局。乃于本年五月间，教士胡约翰竟在乌石山雀舌桥添盖楼屋三间，大碍方向，迭据举人林应霖、乡耆雷在南等先后具禀，饬局照会该领事官，饬令停工，定期会勘，而迟延日久始暂停工。旋据该领事官申陈，洋商议买马厂，请官帮助办理，其电线局对换一事，必当力催等语。即经饬县查明酌办，一面饬令福州府厅县会同该领事官所派翻译暨教士，于八月初三日履勘，其雀舌桥新起洋楼实系侵占。教士胡约翰已无可置辩。时近山聚观之民为胡约翰举手驱逐，已形愤愤，经地方官弹压而止。迨勘竣后，府厅县将勘明侵占情形谕知绅耆，并令各散。旋领事星察理于午后入城，众复随至山上，胡约翰见随从人众，便开口嫚骂。众心业已不服，又见中国年轻妇女聚于教堂，群情大愤，立哄至雀舌桥，将侵占公地新盖之楼拆毁，继之以火。司道以下各官驰救不及，仅将尚未完工楼屋二间烧毁，其逼近之旧洋楼将及延烧，急饬兵役抢救，其余房屋保全无事等因前来。

臣衙门即行据情，照会英国署使臣傅磊斯在案。旋据傅磊斯以此事照会，请妥为伸理，黏附节略一纸，内开绅衿实为魁首等因。并于二十三日至臣衙门，面称闽浙总督所报，与领事官所报情节不符；复呈出清折一件，据云如核办此案，须照所开各条办理。臣等答以应即转行查明斟酌办理等语。当经函复闽浙总督何璟等，转饬迅速查拿在场为首之人，分别秉公惩办，以期早为结案。查此案起衅情由，教士等固有理曲之处，而地方官临时未能妥为弹压，亦非照约保护之道。若查办稍事迟延，未免更予口实。拟请饬下闽浙总督何璟、署福建巡抚吴赞诚等妥速筹办，并严饬该地方官确切查明，持平议结，毋任迁延日久，枝节愈多。所有臣衙门与英国署使臣来往照会二件、傅磊斯面递清折一件一并钞录，恭呈御览。谨奏。

光绪四年八月二十二日奉上谕：总理衙门奏，闽省城内洋楼被毁请饬妥速办结一折。据奏前据何璟等函饬〔称〕，福建省士民因英国教士在乌石山雀舌桥添盖洋楼，有碍风水，禀经该督等饬查，实系侵占。旋因教士胡约翰嫚骂，群情愤愤，致将楼屋烧毁。英国使臣傅磊斯声称，此案与领事官所报情节不符。业经该衙门函复该督查办等语。此案起衅情由，教士固有理曲之处；该处民人遽将其楼屋焚毁，亦属卤莽。地方官临时既未能弹压保护，如再办理迟延，更滋口实。且恐日久枝节愈多，尤难了结。着何璟、吴赞诚严饬该地方官，迅速查明实在情形，持平妥办，毋稍迟延。

附总署致英使胡教士占筑洋楼既经捣毁当拿滋事之人究办希会同秉公办理照会

为照会事。

光绪四年八月十七日，准闽浙总督何璟等报称：英国教士胡约翰占筑乌石山洋楼一案，前因闽省水灾、火患迭见，归怨于洋楼高耸，损伤阖省风水，众口一辞。前任福建巡抚丁日昌卸篆时，与贵国领事官星议，以城外之电线局与乌石山上一切教堂洋楼互换。星领事官允以写信回国与教首商明，须五旬之久方有的信等语。嗣因日久无信，饬由通商局函催。领事官以近接公会回信，不愿对换，俟奉到外部议复再行申陈等语。乃于本年五月，胡教士竟在乌石山雀舌桥名胜之区，添盖楼屋三间，大碍方向。迭据举人林应霖等、乡耆雷在南等先后具禀，饬局照会领事官，饬令停工，订期会勘，而迟延日久始暂停工。旋据领事官申陈洋商拟买马厂，请官帮助办理，其电线局对换一事必当竭力催促等语。即经饬县查明酌办，一面饬令福州府厅县，会同领事官所派协办富翻译暨胡教士，于八月初三日履勘，其雀舌桥新起洋楼实系侵占。胡教士已无可置辩，犹以围墙筑已多年藉词矫强。时近山聚观之民为胡教士举手驱逐，已形愤愤，经地方官弹压而止。迨勘竣后，府厅县将勘明侵占情形谕知绅耆，并令各散。旋领事官于午后入城，众复随至山上，胡教士见随从人众，开口嫚骂。众心业已不服，又见中国年轻妇女聚于教堂，群情大愤，立哄至雀舌桥，将侵占公地新盖之楼屋拆毁，继之以火。司道以下各官驰救不及，仅将尚未完工楼屋二间烧毁，其逼近之旧洋楼将及延烧，急饬兵役抢救，保全无事等因前来。

查英国条约第十八款内载：英国人民中国官宪自必时加保护，令其身家全安，如遭欺凌扰害，及有不法匪徒放火焚烧房屋或抢掠者，地方官立即设法派拨兵役弹压查追，并将焚抢匪徒按例严办等语。又，第十二款内载：英国人民在各口并各地方，意欲租地盖屋，设立栈房、礼拜堂、医院、坟墓，均按民价照给，公平议定，不得互相勒措等语。是英国民人身家在中国者，中国官宜加保护，而该民人之在中国各地方租地盖屋，亦必须公平议定，不得勒措，方为照约办理。此次胡教士于闽省乌石山雀舌桥起盖洋楼，该处人众群哄烧毁，固属愚民不谙事体。惟胡教士并不查照租据，由领事官与中国商量定议，擅行侵越建造；又于会场各散后，教士见随从人众，开口嫚骂，以致激成众怒。且城外之电线局与乌石山上一切教堂洋楼互换一节，领事官曾称：俟奉到外部议复，再行申陈等语。兹胡教士乃竟不候贵国外部复文定议，自行添盖楼房，亦与原议不合。除由本衙门咨省大宪，转饬迅速查拿滋事之人究办外，相应照会贵署大臣转饬领事官，将毁烧洋楼一节核明起衅缘由，会同该处地方官秉公办理可也。须至照会者。

八月二十一日

附英领事面递福州乌石山地方英国牧师房屋被毁情形节略

福州城内乌石山，数月前在彼旧租地墙内兴工盖造房屋，周围租地之墙已有十余年，墙内之地人皆知系牧师地基。乃于兴工盖屋之际，有闽省绅衿遽以新盖房屋之地即系侵占，并非在地基之内，遂经地方官照会星领事官，会商查看其事情形，验明基限有无此地。随于八月初三日午前，福州府知府及闽县、侯官两县暨海防厅，会同英国领事署中翻译官，一并前往该牧师处。及至该处，瞥见多人在彼聚集，于各官查看之间渐次大声喧哗扰乱。验毕，各官回署。嗣于午后，星领事耳闻乌石山等处甚不平静，随亲自前往。比及到时，因见多人将花园围绕踩拔，即遣人请侯官县前来。不多时，侯官、闽县一同前来，又文武官十数位，带兵二百名陆续来到，其兵未带器械。当时星领事催各官查拿首犯，各官以如拿首犯，则群人必更滋扰，未允所请。而武官以兵丁不足，未肯弹压，反云须禀请添派携器兵丁前来，语毕随即辞去。此时众人将门撬开进内，将房屋焚毁。当时附近庙宇内，有许多绅衿观望，地方官屡往会商。查数年来欺侮牧师全系此辈，是日之乱，仍由各绅衿于午前作势张狂，午后群凶遂至动手，以致房屋强行焚毁。其绅衿中有一林姓名应霖者，多方煽惑，实为魁首。数月来，此人设计，令人心怀不甘，遂兴今日之祸。

照录英使傅磊斯面递节略

一、一切教士所受屈之处，必须伸冤。

一、此事动手者固须严拿惩办，而主使者尤必查办为要。

一、教士之地基，如有界限不清之处，地方官与英领事官会同履勘。

一、焚毁房屋应须赔补。

一、以上四条办理妥协，应由闽浙总督出示晓谕。

总署奏酌议出使大臣崇厚曾纪泽薪俸折

总理各国事务恭亲王奕䜣等奏，为查照请旨事。

窃臣衙门前于光绪二年八月酌定出使各国经费折内声明：出使大臣头等一二品充，月给俸薪一千四百两。二等二三品充，月给一千二百两。三等三四品充，月给一千两；四五品充，月给八百两。是年九月拟定《出使章程》十二条，内开：出使各国大臣分头、二、三等名目。此次办理伊始，所有现在业经派出各国大臣，均暂作二等出使各国大臣；月给俸薪照现在实职官阶支给，其四品充二等者拟月给一千两。嗣因出使日本国大臣何如璋、出使德国大臣刘锡鸿俱系五品官阶，其应支俸薪拟照四品充二等者，月给一千两等因。先后奏准行知遵照各在案。

本年五月，臣衙门奏请简派出使俄国大臣，二十二日奉上谕：吏部左侍郎崇厚著充出使俄国钦差大臣。钦此。七月二十一日奉上谕：崇厚著作为全权大臣便宜行事等因。钦此。二十七日，臣衙门奏请派员接办出使英、法、德国大臣，奉上谕：一等毅勇侯·候补四品京堂曾纪泽著派充出使英国、法国钦差大臣等因。钦此。臣等查崇厚、曾纪泽奉命出使俄、英、法各国，按照奏定章程均应作为二等。惟崇厚钦奉特旨畀以全权大臣之任，原以出使俄国，现在有议办交涉事件关系重大，与出使他国情形不同，可否作为头等以崇体制。查西洋各国凡充头等使臣者，有代国主行权之责，从不轻以除授，拟请嗣后出使各国大臣，如非实任一二品及有应办紧要事件者，毋庸赏加全权字样，以示区别。至曾纪泽以前大学士曾国藩之子承袭侯爵，加恩以四五品京堂候补，爵秩较崇，自应量予优异，可否比照二三品充二等者办理。如蒙俞允，臣衙门应即行知遵照，其应得俸薪，仍令均自到任之日起照章支给。谨奏。

光绪四年八月二十三日奉旨：依议。

侍讲张佩纶奏请勿给崇厚全权及便宜行事字样折

翰林院侍讲张佩纶奏，为大臣奉使宜策万全，敬陈管见事。

窃吏部侍郎崇厚出使俄国，闻其定议由南洋取道红海、地中海、黑海以达俄都，臣愚窃所未喻。崇厚此行，修约定界谅非一事，庙谟深秘，虽未尽悉，要之索伊犁其大端也。使臣议新疆必先知新疆，自宜身历其地体察形势，知己知彼则刚柔操纵，数言可决。今航海而往，不睹边塞之实情，不悉帅臣之成算，胸无定见而遽蹈不测之地，将一味迁就乎？抑模棱持两端乎？事事迁就则不能，语语模棱则不可，不必许而许之则贻害，不必缓而故缓之则失机。是犹医者未尝切脉辨证，而悬揣以处方，安见其能中窾窍乎？臣度左宗棠责任重，更事多，虽整军经武，正辞盛气以临俄人，此自疆吏之体则；然尔其老谋深算，必有持久通变之策，决不孟浪徼幸以生戎心。仰请敕令崇厚由陆路前往，与左宗棠定议而后行，庶胆识坚定，不至受绐而召侮矣。又闻崇厚系以全权大臣便宜行事。查外洋使例，全权而兼便宜，则其权不限于一事。设有关系重大、利害未及详审者，俄人劫制行人，要以一言立决可否，使臣负咎不足惜，如大局何？夫英、法皆大国，使臣并无全权名号，崇厚加内大臣衔秩已尊矣，于《万国公法》所谓交遣使臣当平行等级，已相符合。窃谓殊域遣使，当予以便宜之实，而不假以便宜之名。伏望圣明裁度熟计，勿轻授与崇厚全权、便宜名目，遇有重件创举，驰奏候旨，则所以为使臣地者稍宽。若贸然从事，一诺之后便成铁铸，不慎于始，虽悔何追？臣为慎重邦交起见，是否有当，伏乞圣鉴。谨奏。

光绪四年九月初七日。

侍讲张佩纶奏棍楚札楞参俄人所惮请假以事权片

张佩纶片。

再，俄国日强以后，边事日多。虽圣朝柔远专以文德抚绥，然必武备修饬，隐然有猛虎在山之势，而后敌谋自阻，和局自固。窃维御俄之道，惟有强蒙古以藩中国，闻有呼图克图棍楚札楞参智略得众，胆勇冠时，素为三音诺颜、土尔扈特、科布多一带蒙民所信服；历年绥集部众，捍卫边圉，剿除土寇，屡奏奇功，俄人惮之。若假以事权，令左宗棠、金顺等推诚相待，与之联络掎〔犄〕角，必能有益边陲。该喇嘛系甘肃洮州蒙古，非西藏番僧可比，当无难于控制之虑，此似亦安边之一助也。谨奏。

光绪四年九月初七日。

闽督抚何璟等奏英教士侵占乌石山激成众愤查办情形折　附上谕

闽浙总督何璟、福州将军庆春、福建巡抚吴赞诚奏，为省城乌石山洋人添建教堂勘明侵估〔占〕，该教士激成众愤，致被居民拆毁，现在查办，请将弹压不力之知县、汎〔讯〕官摘顶勒缉缘由事。

窃福建省城乌石山道山观，自教士租盖教堂，圈占公地，其间名胜古迹毁灭殆尽，又建高耸洋楼伤碍全省风水，人心怨愤已非一朝。前抚臣丁日昌于交卸回籍时，拟以城外电线局空屋基地与之对换，议有头绪，取英领事申陈存卷附片奏明在案。自是省城百姓皆以为官与领事议定，案经具奏，必无改移，朝夕延盼洋人早日迁出，使胜地得还旧观，众口一词转相告语。嗣经臣等迭饬通商局司道函催，并允多贴城外地基，俾之乐于迁徙。该领事星察理以英国公会回信不愿对换，尚须俟外部议复。诘其何以前允后翻，则称前次申陈，曾言此事非一人所能专主，并照录上年十一月间复前抚臣函稿到局，为未能确允之证。

本年五月，教士复于租界外侵占公地，添造楼屋一区，形势更加耸露，绅民益滋惶惑。臣等据绅耆公禀照会领事，速饬教士停工候勘。乃教士悍然不顾，并力趱工，至七月间工程已完七八，始允暂停。经臣等檄饬福州府厅县，约同英翻译官，于八月初三日会勘，屋基确系侵占。该教士无可置辩，但以围墙圈筑已久，当时何不早阻为词。其时观听人多，当经晓谕各散，听候官为办理，旋经散去。是日午后，星察理入城，径上乌石山，众复随往聚观，教士胡约翰当众嫚骂呵逐。该民等先闻教士围墙何不早拆之言，证以新屋并力趱工之事，及见其词色倨傲，知其蓄意硬赖，众心各抱不平。当教士厉声呵骂时，仰见旧洋楼上有中国年轻妇女多人，聚首下窥，似相非笑。群情益愤不可遏，拥至新盖洋楼，攘臂齐前，将未完工之门窗木料准〔堆〕积烧毁，火势延及新洋楼一座。司道以下及各营驰救不及，急饬兵役将逼近之旧洋楼瓦面门窗折〔拆〕去，始免延烧；并保护领事、教士及男女教徒俱各无恙，一切什物亦无损失。惟时观前人满，地无空隙，后临陡岩，恐一经查拿，则哄走颠坠，多伤人命。是以只能救护弹压，不便当场拿人。现将已拆卸旧洋楼饬匠修整，一面饬地方文武密查首先动手之人，分别拿办，并追偿被毁屋料。

查该教士向多干预民事，无赖依附为奸，百姓蓄怨已深，隐忍未发。臣等虽将中外修好，彼此宜敦睦谊，随时开导。无如愚民寡识，众怒难犯，见成议翻悔于已允之后，壮夫受辱于妇人之前，一时羞恶难堪之情，与积不能平之气，猝然触发，一哄而起，不约而同，实无主名可按。然地方官竟疏于防范，弹压不力，致无知百姓酿此事端，殊难辞咎。相应请旨，将署侯官县知县刘恩第、乌石山千总蒲大兴，摘去顶戴，勒限查缉，以肃地方。所有会勘侵占地基后，洋人肆骂起衅，致众人将租界外新盖洋楼拆毁，现在查拿追办情形，除咨送总理衙门外，谨合恭折驰陈。谨奏。

光绪四年九月初八日奉旨：刘恩第、蒲大兴均着摘去顶戴，勒限严缉。此案前据总理衙门具奏，已谕令何璟等迅速妥办，仍着该将军等饬拿为首滋事之犯，务获究办，毋稍迁延。

总署奏闽省焚毁英教士洋楼请旨办理折 附上谕及函二件

总理各国事务恭亲王奕䜣等奏，为闽省焚毁英国教士洋楼一案，臣衙门现接外省信函，请旨办理事。

本年八月二十九日，臣等以英国教士胡约翰占筑乌石山洋楼被众焚毁，请饬该督抚妥速办结，钦奉谕旨，恭录咨行督臣何璟等钦遵办理；并密函知照北洋通商大臣李鸿章、南洋通商大臣沈葆桢，会商妥筹办结各在案。兹据李鸿章函称：此案上年丁日昌因领事星察理有可将电线局互换之意，遂访出举人林应霖等，令具公呈，陈诉妨碍，原系多方设谋。不料事未办成，丁日昌已去任，英领事藉词延宕，胡教士更添盖洋楼，激成众怒。署使臣傅磊斯指林应霖为魁首，确有凭证。若惩办此人，即从轻亦须斥革，已恐大拂舆情。若曲为护庇，该使臣、领事断不允结。如必欲议结，似须另设方略，或与傅磊斯面商办法，或议奏请丁日昌就近赴闽筹办，似较得力。复接何璟等函称：乌石山洋楼，日来饬县先将旧洋楼因救火拆损各处，召匠赶紧如旧修整。其恃众滋事民人，业饬该府县确访首先动手之人，拿办示惩。惟该领事援引和约，指为放火匪徒，情罪不符，断不能科民以重罪，深恐彼此争持，非旦夕所能即了，全案之中此最棘手。查各洋商营买马厂，岁久无成，共以为憾。今藉此以遂各国洋商之愿，拟买定合式地段，暂置弗与，以为消纳此案地步等因前来。

臣等正在核办间，即于九月初八日准军机处钞交福州将军庆春等奏，请将此案弹压不力之知县、汛官摘顶勒缉等因一折。奉旨：著该将军等饬拿为首滋事之犯，务获究办等因。钦此。臣等伏查傅磊斯前照会内所称，附节略有绅衿中林应霖实为魁首之语。嗣在臣衙门面递清折四条，第二条亦言：动手者固须严惩，而主使者尤必查办。今庆春、何璟等奏折及来函所筹办法，自系尚未接阅臣衙门所寄傅磊斯节略并清折各件。惟与洋人办事，总须秉公持平，迅速议结为妥，否则迟延愈久，枝节愈多。此案现既钦奉谕旨饬拿为首滋事之犯，该将军等自应钦遵妥速办理。臣等谨将李鸿章暨何璟等各信函照录，恭呈御览。应否饬知闽省将军、督抚，参照李鸿章函述一切酌核筹办；抑或照李鸿章所称，饬下丁日昌就近前赴闽省会同商办之处，恭候谕旨遵行。谨奏。

光绪四年九月十四日奉上谕：总理衙门奏，闽省洋楼一案现据李鸿章函请旨办理一折。据称：上年，丁日昌因英领事星察理有可将电线局互换之意，遂访出举人林应霖等，合〔令〕具公呈，陈诉妨碍，原系多方设谋。不料事未办成，丁日昌已去任。该领事藉词延宕，胡教士更添盖洋楼，激成众怒。英国署使臣傅磊斯即确指林应霖为魁首，该省大吏实亦操纵两难。并据何璟函称：日来已饬县先将旧洋楼因救火拆毁各处照旧修整，并饬该县拿首先动手之人惩办。惟该领事援引和约，指为放火匪徒，彼此争持碍难定议，现拟买定合式地段，以为消纳此案地步各等情。近来中外交涉事件，总以秉公持平迅速拟结为要。刻下傅磊斯照会内，已有绅士中林应霖实为魁首之言；且在该衙门面递清折，亦言动手者固须严惩，主使者尤须究办。如迟延日久，深恐枝节愈多。前者丁日昌与星察理议将电线局互换，诚为妥善办法。嗣该领事因丁日昌去任，多方延宕。此案若由该前任始终经理，自易筹办完竣。着丁日昌迅速驰赴闽省，将此案妥速完结，藉免遗患。何璟、吴赞诚于该前抚未到以前，仍当严拿为首滋事各犯，按律究办。

附直督李鸿章致总署函

敬密复者：

连奉八月二十六日、二十八日四百四十一、二号密示，敬聆一一。本年八月初三闽省乌石山洋楼被毁一案，此间迭接筱宋、春帆函牍，备闻其详。钧谕以查办主使一层较难，着笔洵属破的之论。筱宋等谓：彼此隔阂，情意难通，查办尚无把握。方商调熟悉洋情之唐道廷枢前往，唐道正在试办开平铁矿，恐其未可远离。傅署使所开四条均尚近情，不如此，则彼必不肯允结。惟闽中绅民蛮抗异常，地方官宪自难操之过蹙。此案为首之举人林应霖等，上年丁雨生因晤星领事，有可将电线局互换之意，遂访出该举人等，令具公呈，陈诉妨碍，原系多方设谋。不料事未办成，丁已去任。星领事藉词廷宕，胡教士更添盖洋楼。初欲藉绅禀以胁制洋人，继且贻口实，以激成众怒。傅署使节略内指明林应霖为魁首确有凭证，今若惩办此人，即从轻亦须斥革，已恐大拂舆情，另生他变。若曲为庇护，该公使、领事断不允结。该省大吏实亦操纵两难。倘能就此议结，办到电线局或马厂与教堂地基互换，立定约据，开导绅民；或尚可惩办为首之人，为地方一劳永逸之计，并许以日后再为另案开复，庶几众心可平。必须稍用机权，方能两面妥贴。但恐英人素性倔强，此时绝不允互换堂基，则林举人等未可拿办，此案亦遂不能速结。钧处如必欲议结，于威使未到之先，似须另设方略；或与傅署使面商办法，或奏请雨生就近赴闽筹办，似较得力，尚希卓裁。

附闽督何璟等致总署函

敬肃者：

乌石山拆毁洋楼一案业经函达，并具咨详陈在案。日来饬县先将旧洋楼因救火拆损各处，召匠赶紧如旧修整。其被毁之新建楼房基址，既经地方官会同洋员履勘，侵占公地属实，当时胡约翰已无可置辩，自应将地退还，以昭平允。断不容再行兴造，故忤舆情，致留祸本。惟用过工料价值，俟饬将占地清交后，应由官核实补还，用示体恤。现令饬匠核估，大约不过数千金，惟彼借端浮开在所不免，究亦不能听其任意需索也。其恃众滋事民人咎有应得，业饬该府县确访首先动手之人，拿办示惩，以杜藉口。惟该领事来文援引和约，指为放火匪徒云云，情罪实不相符。彼即架此大题，亦断不能科民以重罪。深恐宽严轻重，彼此争持，非旦夕间所能即了。全案之中，惟此一端最为棘手，容随时尽心斟酌，函请大教。倘不致有损政体，大拂民情，自当妥筹以期息事。至星察理因通商局屡函催问互换确信，遂以马厂为请。此盖因案经具奏，事在必行，故为此无厌之求，使我贪于互换之有成，以遂其要挟之深意；但云马厂办成，则互换之事必为竭力催促，其词殊属闪烁。自洋屋被毁后，负气不复提及此事，究竟未能忘怀。若再显然复绝，或置之不理，则彼无所希冀，必于此案益肆苛求。查各洋商营买马厂岁久无成，共以为憾。今若藉此以遂各国洋商之愿，使洋人之寓福州者共知百姓虽与教士为难，官司实与远商无嫌，且可免助彼争执。现拟买定合式地段后，暂置弗与，即以为消纳此案地步。惟是地非一姓，业非一主，即使办成，亦不免稍需时日。此皆现在筹办事理。是否有当，诸希诲示。至此外应如何办理方征妥协之处，务求指示机宜，俾资遵守，则尤感鸿施于靡既矣。教士胡约翰寓居乌石山历年最久，平时劣迹多端，实非安分传教之人，久为民所共嫉，积不相安。今既嫌隙显开，若任令仍居福州，难保将来不因他事再滋衅端。其住屋僻在山上，与各衙门隔远，实有防不胜防之虑。是以昨经函致郭筠仙侍郎，谆嘱相机向彼国公会教首设法开导，别为之所。

西使致总署中国驻古巴领事等官请派中国人照会

为照会事。

照得中国人前往古巴居住一事，经贵衙门各大臣与本大臣屡次商议，定立条款。而现今所定条约第六款内，所有派中国总领事等官一节，均照互相订明办法办理等因。查嗣后贵国派此等官员前往该处，自为保护各节谨照条款办理起见，若非慎重之人，难尽其责。本大臣前已将该处较他处尤难之情形，在贵大臣前屡次述明。并请如派总领事、副领事官，务希专派中国本国之人。为此现请贵衙门，将贵国允否照此节办理之处，妥为示复可也。须至照会者。

十月十二日

总署复西使古巴设领事等官当专派中国人照会

为照复事。

本月十二日，接准贵大臣照会，内称中国人前往古巴居住一事，经贵衙门各大臣与本大臣屡次商议，定立条款。而现今所定之条约第六款内载，所有派中国总领事等官一节，均照互相订明办法办理等因。查嗣后贵国派此等官员前往该处，自为保护各节谨照条款办理起见，若非慎重之人，难尽其责。本大臣前已将该处较他处尤难之情形，在贵大臣前屡次述明。并请如派总领事、副领事官，务希专派中国本国之人。为此现请贵衙门，将贵国允否照此节办理之处，妥为示复等因前来。查条款第六款内中国派总领事等官一节，本王大臣等与贵大臣屡行筹议，已极详明。兹准前因，自当查照办理，相应照复贵大臣查照可也。

十月十三日

总署致西使赴古巴华工如有临时不往者借垫款项由关道取保俾得有着照会

为照会事。

照得《古巴华工章程》各款，本大臣等已与贵大臣逐款当面订定。一俟彼此画押盖印后，本衙门即奏明饬令南北洋大臣，转饬通商各口关道及该地方官等，一体遵照办理。此后倘有自愿出洋之华人已经前赴该关道衙门报名挂号，领有该关道盖印执照，下船时又不愿出洋者，如该船船东或船主有借垫该华人银钱若干，该关道及该地方官，应令该华人将亲立券约呈验相符后，即行勒令如数缴还。倘有未能缴还情事，应由该关道及该地方官取具的保，俾得有着可也。相应照会贵大臣，转饬领事官一切查照办理为要。

十月十三日

西使复总署华工赴古巴如有船主垫款由关道取保于条款易于得手照会

为照复事。

本日接到来文，内开：俟彼此画押盖印后，本衙门应即奏明饬令南北洋大臣，转饬通商各口关道等官。此后倘有愿出洋之华人已经领有该关道执照，下船时忽有不愿出洋者，如该船船东、船主有借垫该华人银钱若干，该关道等应令该华人将亲立券约呈验相符后，即行勒令如数缴还。倘有未能缴还情事，应由该关道等取具的保，俾得有着等因前来。查如此办理，实于今已画押之条款易于得手，自应由本大臣即行转饬各口本国领事官，查照一切办理可也。为此照复，须至照会者。

十月十三日

使英法曾纪泽奏调用人员折

出使英国、法国大臣曾纪泽奏，为行抵上海，谨将随带人员缮具清单，恭折驰陈事。

窃臣于八月二十八日蒙恩召对，谨遵旨与总理衙门王大臣讨论一切，旋于九月初四日出都，过天津时又与直隶督臣李鸿章面商诸务，即附轮船之便于九月二十日离津。前据总理衙门咨到奏定《出使章程》，内开随带人员有参赞、领事、翻译、随员、供事、武弁、学生诸名目，固将以备咨询、供职事、育人材也。臣奉命出使英国、法国，应于伦敦、巴黎两处分时驻扎，方能兼顾。而该两国交涉事件均须随到随办，若必俟微臣驻扎该国之时再行核办，诚恐积压之余致生枝节。且有时使馆虚无一人，亦复不成事体。拟请于英国、法国各置二等参赞一员，为该馆诸员弁之领袖，其三等参赞、翻译、随员等人，即随该参赞分别驻扎。遇有交涉事件，值臣驻英，则法国应由参赞禀报，庶臣得以随时核办，既免鞭长莫及之虞，亦无案搁不行之弊。惟查郭嵩焘随带人数本属无多，即所奏请酌定参赞二员，实止随带一员，其英文翻译官德明近又经崇厚调赴俄国，现在人员实已不敷分派。其法国使馆甫经增设，布置尚未周备，此次更须添派人员以供差遣。臣仍慎之又慎，不敢滥用多人。诚以外洋交涉关系匪轻，其诚笃可信而又通晓洋务者，一时实难其选；一人偕往，岁费且数千金，如其不能得力，非仅虚糜款项，更恐贻误事机。兹谨择素所深知及同文馆学习有年者，酌带二等参赞、三等参赞各一员，英文翻译二员，法文翻译一员，医官一员，随员四人，供事二人，武弁四人，学生三人，但使员弁足资办公，官生实堪造就，即可无须添调。如到该国后，察看情形，事浮于人，不敷差遣，臣当函商总理衙门王大臣等，再行添派。至于微臣分别驻扎之期，及各该员应如何分驻之处，应俟接印之后，与郭嵩焘熟商具奏。除供事、武弁、学生及臣私带工役人数，由臣咨明总理衙门查照外，所有随带出洋参赞、翻译、随员、医官等项，谨缮折具陈。

光绪四年十月二十日奉旨。

总署奏新加坡设总领事经费薪俸办法折

总理各国事务恭亲王奕䜣等奏，为新加坡设立中国领事，应给俸薪等项查照章程成案酌核办理事。

出使英、法大臣郭嵩焘奏，新加坡设立领事恳给俸薪一折。光绪四年十一月初一日奉旨：该衙门知道。钦此。钦遵于初二日由军机处钞交到臣衙门。据原折内称：准总理衙门咨复，查上年奏请设立领事折内，有在新加坡谕知胡璇泽，但允发给开办经费，其应支薪水听从筹画等语。今准咨称，领事、翻译等俸薪由江海关道归入出使经费内汇拨，自系变通前奏办理，应由臣等专折奏明等因。臣自受命出洋以来，实见开支出使经费岁益繁多。领事保护民商，尚有身格纸费，足资筹画。是以举胡璇泽以为例，非谓各国选派领事皆应开支经费，独新加坡一处可以责成筹办也。国家所定经制须归一例，不能以胡璇泽一人独示区别。至该处所收经费，自应责成按年开报，抵销所支薪俸。其需用人员、文案委员亦不可少，翻译之设专取传达语言，领事能通知该处语言翻译一节，即可从省。伏乞饬下总理衙门，仍照通定章程，发给新加坡领事及委员等薪俸，从开办之日为始均归出使经费内开支，所用委员亦责成使臣酌核名数，咨报总理衙门，以昭划一等语。

臣等伏查上年八月间据郭嵩焘片奏：领事之名可立，领事之费不可多，各口民商盼望保护，皆愿凑集领事经费。在新加坡谕知胡璇泽，但允发给开办经费，其应支薪水听从筹划报销，胡璇泽亦欣然允从。南洋各埠应令胡璇泽切实考求，即饬作为南洋总领事，仍统归南北洋大臣及两广总督，就近经理等因。当经臣等以新加坡须设领事，该大臣拟委胡璇泽承充，应即作为新加坡领事官。南洋各埠相隔甚远，南北洋大臣等势不能节制，该大臣拟饬胡璇泽作南洋总领事等情，应请从缓妥筹。该大臣议给开办经费，不给薪水，即就中国流寓民商愿出户口、年貌等费内报销开支，系为力求节省起见。各处情形，有与新加坡相似者，即照此一律办理等因。奏准行知各该大臣遵照。嗣于本年二月间，据北洋大臣咨，准郭嵩焘咨：胡璇泽驻扎新加坡领事，所需经费未据总理衙门核定，似应照奏定出使经费通行章程，正领事官月给薪俸五百两，领事、翻译官月给薪俸三百两，即由报准开办之日起，饬江海关道就近汇支；其中国流寓商民愿出身格、年貌等费每年若干，令该领事据实详细开报，酌核抵销等因。经臣衙门咨令详细察核咨复。六月间，据郭嵩焘咨：新加坡领事经费应自胡璇泽具报二月十九开办之日起支，所收商民船牌及身格等费，饬由领事据实开报扣抵。臣衙门复咨令专折奏明等因各在案。

今准郭嵩焘奏请，仍照奏定章程，发给新加坡领事及委员等俸薪等语，既据该大臣查明据实奏请，查照臣衙门奏定出使章程内开正领事月给薪俸银五百两之例，按月由郭嵩焘发给新加坡胡璇泽照数支领。胡璇泽通晓西洋语言，即毋庸添设翻译，以归节省。至领事官需用文案委员之处，查臣衙门前议复郭嵩焘等奏随带人员折内声明：出使章程只有随员、医官，并无文案名目，请将该大臣等随带之文案作为随员，按月照俸薪二百两之数支给。现在新加坡领事处需用人员，未便创立文案名目，应令查照奏案，将文案委员作为领事随员，照出使大臣随员月给俸薪银二百两之数酌减，每月给予俸薪银一百六十两，稍示等差。该领事应用随员名数，仍由该大臣核定后咨报臣衙门查核。所有领事及随员等俸薪等项，均自开办之日起支，统于该大臣出使经费内发给，仍汇入一年期满奏销册内一并列款请销。至该处所收身格纸费等项，臣衙门前咨复郭嵩焘，以现与日国有议订招工章程，华人前往新加坡可按此章程商办，所有出洋身格纸费无庸另议，以归一律。惟出洋船牌费一项，各国征收有无异同，转饬胡璇泽详细禀复，应令该大臣查照前咨，即饬胡璇泽将船牌费一节迅即查明，禀由该大臣咨复臣衙门核办，并令该大臣饬将该处每年所收船牌费若干，抵支开办薪俸等费不敷若干，再由出使经费内拨给，以昭核实。谨奏。

光绪四年十一月初八日奉旨：依议。

总署奏与西使互换华民赴古巴条约折

总理各国事务恭亲王奕䜣等奏，为日斯巴尼亚国使臣原订华民前往古巴条约十六款现拟定期互换事。

窃臣衙门于光绪三年十月十六日奏明，与日国使臣伊巴里商定条款，彼此校阅画一，互相画押、盖印等汉文及日文、法文各二份，各存其一，声明俟互换后，刊刻成本，通行办理在案。光绪四年六月初十日，日国使臣由暹罗回京，来臣衙门，据称：条款已经本国批准，惟原约本未经带来，现有所奉本国君主画押用宝日文、法文条约十六款，与原本日文、法文一律相符，请为通融互换。当答以中国与各国换约，均系互换原本，向无此等办法。且若照此式，中国应如何体式？据称即照日国此次之式办理。又答以各国体制不同，中国难于照办；惟有将总理衙门奏陈奉旨之处，恭录入约，或尚可行。日国使臣亦以为然。臣等因事属创见，必须益加精详。而现在出使大臣陈兰彬业经出洋，古巴应办事宜亦当逐层核办，倘因此迟延，转无以慰古巴华工盼望之心。遂经公同详细商酌，拟于公立换约文凭内声明，与原定约本三体文字校对相符，与原本条款一同永远遵守等语，始可商酌互换，以免日后洋文、汉文互异之议。日国使臣业经允议，仍以安南有事，前往沪、粤等处。

兹于十一月初七日，日国使臣来臣衙门，面称愿照前议办理，将日文、法文约本交留校对，并将译出汉文送阅。其前系载日国君主诏书，旋列十六款，其后声明御书用宝等情。惟十六款汉文系用粘单钞附，当将日、法文条款交同文馆洋总教习丁韪良，与上年所缮洋文约本细心校勘，据称一律相符。复令署总税务司裴式楷等来署复核，亦称无大相谬。所立凭单缮写汉文及日文、法文各二纸，订明彼此画押，各存其二，以昭信守。惟日国使臣拟于封河前出京，请由臣衙门早为办结，俾可登程。所有原订条约十六款，已于上年十月间钞录，恭呈御览，悉仍其旧，惟将保护华工条约十六款，据请改为中国民人前往古巴如何优待条约十六款，用意尚无出入。兹查照历届成案，将现缮条款约本咨送内阁请用御宝，即由臣衙门与日国使臣订期互换。谨奏。

光绪四年十一月十一日奉旨：依议。

总署奏与西使通融互换古巴条款片　附条款正文

奕䜣等片。

再，本年二月间该使臣由暹罗回京，照会臣衙门，据称条款已由本国批准，惟华人向日国人借垫船资一节，应由中国领事官明立合同等语。臣等以该使臣所言，或恐暗伏招工机械，当经照复该使臣：华人欠日国人钱，只可由中国领事官迅追，不便明立合同；如愿就近办理，可寄信出使日国大臣会同商办。嗣于八月初三日，该使臣来臣衙门，据称草办互换条约一事，惟去年商定原本早寄回本国，请以本国君主御书批准条约十六款，商量通融互换。臣等面加驳斥，并于八月初九日函致该使臣，备述中国与各国换约办法，应将画押、盖印原本取回互换，以符向章。十二日，该使臣函复约事如不能办，起程回国，此后换约无期。臣等窃思伊巴里狡展异常，若非略示通融，势必前功尽弃。遂于二十三日函致该使臣，将拟出凭单办法反复申明，注定三体文字条款言之，总期此本与原订之本校对相符，归重以原本为主，始可商量互换。臣等以为，该使臣如不换原本一节，别有用心，必多推诿。而该使臣既以为可行，又辞而他往，于二十四日即匆匆出京，直至十一月十六日始行回京，即于初七日来臣衙门商定换约，面递其君主所书条约十六款，请先校对以便互换。而于臣衙门所拟凭单办法，该使臣已就范围，均愿照办。虽该使臣用意所在未可预料，然就事论事，现经校对，送到洋文与原本日文、法文均各一律相符，似亦足为将来办理古巴华工事宜持守之据。所有臣衙门与日国使臣通融互换古巴条款缘由，谨附片密陈。

光绪四年十一月十一日奉旨：知道了。

附古巴条约正文

大清国总理衙门奏陈，大清国、大日国会订中国民人前往古巴如何优待条约十六款，请用御宝并公立凭单，订期互换请旨一折，照录原条约于左：

大清国总理衙门大臣·全权大臣宝、景、董、王、周、夏，大日斯巴尼亚国特派驻扎中国钦差兼驻扎暹罗钦差·御赐头等意萨贝勒等宝星·全权大臣伊，为公立文凭事，案照两国大臣于大清国光绪三年十月十三日、大日国一千八百七十七年十一月十七日，在中国京都公同商允，议立中国民人前往古巴如何优待条约十六款。当经缮写中国文、日文、法文三件文字，两国大臣画押、盖印，各执一份，详细校对均系一律相符，彼此奏明，钦奉谕旨允准。今于光绪四年十一月十一日，谨奉大清国大皇帝允准谕旨用宝，须发汉文条款凭据。大日斯巴尼亚国大君主允准谕旨画押用宝日文、法文条款凭据，在中国京都总理衙门，由两国派换条约大臣同时互换，与光绪三年十月十三日两国大臣议立中国民人前往古巴如何优待条约十六款画押、盖印三件文字条款，详细校对，均系一律相符。彼此订明，将现换谕旨条款凭据及各执一份之两国大臣画押、盖印三件文字条款，一同永远遵守勿替。为此公立汉文、法文文凭各二纸，两国大臣同时画押盖印各二纸，声明前项各节，以垂久远而昭信守。须至文凭者。

前闽抚丁日昌奏条议乌石山教案办法折

前福建巡抚丁日昌奏，为病势沉重，未能即速赴闽乌石山，事体亦微，该省足以自了，谨举得力员绅数人，藉资臂助事。

窃臣顷准直隶督臣李鸿章、闽浙督臣何璟咨钞九月十四日钦奉上谕：总理衙门奏，闽省焚毁洋楼案，现接李鸿章等信函请旨办理一折。著丁日昌迅速驰赴闽省，会同何璟、吴赞诚妥为商办等因。伏查闽省乌石山为省会名胜，臣在闽时迭据绅士林应霖等禀控，教士胡约翰屡图占地起屋，臣当即据情会同前后督臣，札行英领事禁阻。上年秋间，英领事星察理来见臣，商以城外电线局与乌石山一切洋楼、教堂互换，该领事约期五旬回信，商立议单八条，由该领事用印文申陈存案。经臣附片奏明，并将该领事申陈议单钞咨总理衙门、南北洋大臣各在案。本年春间，英领事初有接本国教会回信不愿互换，仍俟外部议复，再行申陈之言；嗣又闻申陈总督，请官为帮助办理购买马厂，电线局互换，渠必竭力催促等语。是电线局互换一案，英领事并未回复断绝，倘能批却导窾，自可徐图就我范围。乃胡教士于五月间占地建楼，侯官县既不能认真禁阻于前，复不能极力防范于后，以致酿成事端。

钦奉谕旨令臣前往会商，臣苟稍效支持，自当立即就道以期稍效涓埃。惟臣自蒙恩开缺以来，适值晋豫大灾，臣仰体圣主视民如伤之意，竭力办捐，截至现在止，已共解过银一百余万元。臣之心力由此加瘁，臣之病势由此日深。近复感冒风邪，一交午后即寒热大作，气喘头晕，初以为乘坐轮船之故，乃改由旱道肩舆而行，不数里即已喘汗不止，臣诚不自意衰惫至此。且臣脚肿，至今未能穿着履袜，到闽后倘有中外官绅来见，亦觉体制不雅。臣性情焦急，极欲勉强就道，以冀稍效驰驱，无如精神委顿，挣扎再三，终觉不能撑拄，以致力与心违。伏念乌石山一案，百姓不候官断，辄擅自烧毁洋人占建楼屋，固属法所难宽，所幸并未伤人，亦未抢及财物，事体尚不甚大。何璟、吴赞诚公忠体国，志切尊攘，识见闳远，胜臣十倍，谅此区区小事，倘稍假以时日，必能妥速就绪。

顷接何璟函称：此案惟有以占地造屋罪诸彼，遑忿擅拆责诸民。此二语实已深得窾要。何璟又称：我求之愈急，则彼持之愈坚。证以英领事近日所开三条，则该督臣所言不为无见。倘该洋人等知臣专为此事往闽，诚恐更生奢望。昨阅上海新闻纸，知英使威妥玛因事不能即行，有改期来华之说。果尔，则封河以前必不能到京，闽省督抚正可趁该使未到之前，将此案妥为措置，免致欲速不达。刻下紧要全在拿犯，而拿犯非客官所能为力，恭译圣谕，何璟、吴赞诚仍当严拿为首滋事各犯，不得专候丁日昌前来致滋迟误。仰见圣慈明烛万里，固知拿犯一事，非责成地方官不能有效也。至于通达官民隔膜，非得深悉洋情、素有声望之大绅参赞其间，不能联下情而达民隐。查丁忧回闽之江苏臬司龚易图、船政提调·候选道吴仲翔，老于洋务，体用兼备，而且居住省城，素孚乡望。乞饬令闽省督抚臣传知龚易图、吴仲翔随同办理此案，必能藉资指臂，胜于臣之前往会商。又，江苏候补副将王荣和、福建补用道方勋、福建补用游击吕文经，皆与英领事素有往来。吕文经则本系督臣委办此案之员，即使臣亲自往闽，亦不过用此数人往来通意。臣亦函请督抚臣，于数员中酌量调派差遣，会随通商局办理此案，或亦可收微效。臣一面钞折密咨何璟、吴赞诚，并将详细办法加函商告，以凭酌采而免耽延。所有闽省洋务，微臣刻因病重，未能前往会商，谨举得力员绅，藉资臂助缘由，理合恭折陈明。谨奏。

光绪四年十一月十二日奉旨。

前闽抚丁日昌奏闽省乌石山教案拟就案结案酌拟办法密陈片 附上谕及办法九条

丁日昌片。

再，闽省乌石山洋楼滋事一案，会勘时地方官均在彼弹压，若能当场拿获数犯或极力喝阻，洋人自可心平，何至予以口实？且本年正月间，英教士在乌石山占地筑楼，大兴土木。自夏而秋，侯官县署相距咫尺，复经绅耆林应霖等屡次禀请阻止，该县令不能诿为不知，乃竟不能认真力阻；洋楼已十成七八，方议会勘，致酿事端。吴赞诚曾有信言及该县令长厚迂缓，禁阻稍迟，推原祸始，恐不能为该令宽也。此案不办林应霖则已，若办林应霖，则绅士禀请阻止者当不能免。该县事前不能阻止，临事不能弹压，咎应加重，若不予以撤委，诚恐不足以服绅士之心。且撤委后，该县随同办理，如有成效，固仍可予以复任也。至林应霖，本系该山董事，以前数年所有出头控告教士胡约翰占地建屋之案，俱系该举人签列首名，有案可查。即如前年臣未渡台之前，林应霖已控过胡约翰二次。并非臣于上年因星察理有可将电线局互换之意，始访出该举人，令具公呈，陈诉妨碍也。此事臣本不必深辩，惟闽省通商人多口杂，最易漏泄机事。如果此事传至洋人，则彼必以为林应霖系此案之主使。而林应霖为臣访出之人，则臣乃主使中之主使矣。若臣仍承办此事，其中棘手不问可知。此次总理衙门催令闽省将此案速结，不及十日即已刻在香港新闻纸中。该局机事如此不密，诚恐此后枝节尚多。何璟函称通商局人多才少，有事寡助，三复此言，为之慨然太息。其电线局与乌石山教堂洋楼互换一举，如果于未经焚毁洋楼之前设法办理，自可徐图就绪。今已另起波澜，若仍与议互换，则彼必以洋楼一经焚毁，即须迁徙，何异驱逐，既恐别国耻笑，又惧他处效尤。英人性情矫强，此时与议此事，恐势有所难，俟一半年后痕迹略淡，再与筹商，方免格外挟制。目前只能就案结案分作两截办理，庶几事免迟误。现就臣愚见所及，拟就各条密寄何璟等，请其酌量采择。即臣亲往会商，亦不过此数条办法也。除节录拟办各条开列清单，恭呈御览外，所有乌石山案酌拟办法缘由，谨附片密陈。

光绪四年十一月十二日奉上谕：丁日昌因病未能赴闽，特举得力员绅，酌拟办法，开单呈览一折。福建乌石山一案，即着何璟、吴赞诚、李明墀按照丁日昌所拟各条，迅速酌核办理；将丁日昌所保龚易图、吴仲翔、王荣和、方勋、吕文经各员绅，酌量调派差遣，以联下情而达民隐。

谨拟闽省乌石山案办法各条开列清单恭呈御览

一、英署使傅磊斯及英领事星察理均以八月初三日焚毁洋楼系由绅士林应霖主使，力请查办一节，应再由地方官会同切实查明，倘无确据，固不必言；如有确据，亦只能办到该绅激于义愤，不候官断，致酿事端，与无故主使放火者不同。查举人林应霖，本系候选职官，倘情罪果实，应将该绅官职革去，仍留举人。

一、放火之人亦系旁观不平，骤然聚集，且所烧仅占地新造未成之屋，并未延烧他处，与贪人财物有意放火并伤毙人命者不同。即使极重，亦不过比照挟仇放火尚被救息、尚未延烧之例，为首者枷号两个月，发近边充军，为从者枷杖。倘动手放火诸犯中有人肯自认为主使，则林应霖之非主使可以不辨自明。

一、英领事所开三条中，有将焚毁洋楼照旧再建一节，此层万做不到。如必欲再建，则须议明：如勘系侵占，即仍照旧议，将乌石山洋楼教堂一概与电线局对换。盖建后仍归之，于我则此举尚不失算。若对换之议不行，即再建之说亦不能行。

一、教士被毁之屋土木工价计共若干，自应照例由滋事人等着落追还。倘不能追，即由弹压不力官员身上着追，庶可儆戒将来。

一、侯官县知县当五月间教士占地建楼时，不能认真力阻以致酿成此衅，似宜撤委，方足以服中外国人之心。

一、据游击吕文经言及，英领事欲请闽省办到林应霖不准在省城居住。查林应霖与胡约翰本系原、被告，若林应霖须离开闽省，胡约翰立宜撤回泰西。

一、此事虽甚细微，然是日烧毁洋楼，地方官当场目击，并不喝阻一声、拿获一犯。此事若不速结，将来洋人必于此处挑拨生波。故拿犯及将弹压不力之文武略予薄惩，此层尤不可缓，若不能先尽其在我，诚恐节外生枝，愈久愈多轇轕。

一、未经焚毁洋楼以前，自可徐图办理互换一局。今则事已决裂，恐难一气呵成。似宜就案结案，等一半年后痕迹略淡，然后再议互换。

使美日秘陈兰彬等奏报抵美呈递国书折

出使美国大臣陈兰彬、候补道容闳奏，为恭报微臣行抵美国日期及呈递国书情形事。

窃臣兰彬于五月二十一日，在香港途次奏报出洋日期。即于二十二日，率领随员人等附美国公司轮船开行。六月二十八日，到美国之金山埠。七月初五日，由火车启程。十二日，路经哈富，晤副使臣容闳，探得伯理玺天德避暑外出，回宫需时，未便即赴美都，因在哈富等候。八月二十三日，行抵华盛顿，照会其外部大臣伊樾士。二十九日，伯理玺天德回京，据其外部照复，订于九月初三日午刻接见。届期，臣等恭赍国书前赴彼宫呈递，其伯理玺天德免冠握手，问劳殷勤，臣等诵致通好之辞，伯理玺天德亦具有复辞，钞呈御览。谨奏闻。谨奏。

光绪四年十一月十五日奉旨：知道了。

使美日秘陈兰彬等奏应派驻美中国领事以资保护侨民片

陈兰彬等片。

再，臣等查华人侨寓美国各邦共约十四余万，在金山一带已有六万之多。近年土人及外来洋人积不相能，现未结之案计有二百余起，监禁者三百余人，交涉事几于无日无之。臣等呈递国书后，应即知照该外部，派设中国领事，妥为保护，将来美都使署一切事务亦必纷繁。臣等不日仍须前赴日国、秘国，是以公同商酌，必须在此添用人员常驻料理，庶臻周密。查有五品衔花翎保升主事容增祥，管理幼童肄业局务，已驻美国七年，熟悉情形，结实可靠，堪以就近调派参赞，并用美国人拍立一员，帮同照料。合并仰恳天恩，俯准调用，以资襄助。谨附片陈明。

光绪四年十一月十五日奉旨：依议。

使日何如璋等奏分设驻日本各埠理事折

出使日本大臣何如璋奏，为日本通商口岸分设理事官，并添调人员布置粗定事。

窃臣等自去年十一月间到东洋以来，各口华商纷纷禀求设官保护。查得日本通商口岸共有八处，除新隅、夷港二口尚乏商人无庸议设理事官外，横滨、筑地两口拟设正理事官一员，业于今年正月间，将随带正理事官候选同知范锦朋派充。神户、大阪两口，拟设正理事官一员，于五月间将随派副理事官内阁中书余瑞派充。至箱馆一口，华商只二三十人，未便遽设理事官；又距别口太远，势难兼顾；经与该外务省商办有案，暂由该口地方官代理，随时移知横滨理事官查照，或遣员前往审办，或即移解横滨。其与日人交涉词讼，一面由臣等再与该外务省妥筹善法。所有三处分设理事官，各宜分派西学翻译官一员、随员一员。臣等均于随带人员中拣派前往，随同各该理事官办事，并饬就地举董藉资箝束联络。惟前随带西学缮译除美国人麦嘉绅外，只有沈鼎钟、张宗良二员，经三处分派翻译即不敷用。是以臣续调候选州同粱殿勋，于五月间来东充当翻译官；随又函请总理衙门，派同文馆翻译学生前来。嗣准总理衙门咨，经附片奏派户部学习主事杨枢，于本年九月十四日奉旨允准在案。至东学翻译最难其选，因日本文字颠倒，意义乖舛，即求精熟其语言者，亦自无多，臣等只得暂觅通事二名，该三处理事官亦各饬令就地觅一通事，以供传宣奔走之用。谨奏。

光绪四年十一月十五日奉旨：该衙门知道。

粤督刘坤一等代递越南王阮福时告急疏折　附越南王疏

两广总督刘坤一、广东巡抚张兆栋奏，为代递疏文由驿驰陈事。

窃臣等于光绪四年十一月十四日，准越南国王咨送到疏文一件，求为转呈请飞咨广西，派兵援剿李扬才股匪等由前来。除飞咨广西抚臣杨重雅查照，并咨催广西提督冯子材，迅速督军起程出关剿办外，所有越南国王疏文，臣等谨会同由驿代为恭进。谨奏。

光绪四年十二月十四日奉旨。

附越南国王阮福时告急疏

越南国王臣阮福时顿首谨奏，为冒达远情，仰祈睿鉴俯恤事。

窃念臣国世受栽殖，永作藩篱，虔供职贡，终始一心。从前中国乂安，臣国幸亦无事。自咸丰年间上国偶遭多故，臣国孤立，以致已失南陲六省土地，兵财渐形贫弱，虽非裂土，亦受恩封，不敢渎陈，惟甘罪痛。自此至兹，上国边吏皆为公忙，不遑防戢照顾，致令中国荒徼游民侵扰臣国，千百为群，所至残害，公私财产荡然一空。臣节经咨呈广西巡抚，并具疏委由使臣叩阍陈乞，仰蒙谕令抚臣委派提督冯子材、道员赵沃，已经两次提兵会剿，略见扫除。奉输军费亦蒙掷还，诚知圣恩体恤甚厚。无如事半兵还，余烬未能净尽，游棍销勇惯熟路程，在此盘据，难除来者串通难遏。兹则原随提督冯子材营弁之李扬才，因以擅派被削，蓄怨生心，招聚无赖之徒以千万计，旗服军色袭用难分，现已围攻臣国谅山省城，欲图分支滋蔓，势甚紧切，防截难周。经以书达广西巡抚，正恐鞭长不及；近报道员赵沃，亦谓兵少难分。似此情形，谁因谁极？且臣国区域不过中国一省耳，财力几何？而一带沿边皆与上国接壤，山溪纷错，路出多歧，数十年来防备输挽，财竭兵疲，为患日深，何以堪此？窃想皇仁一视，岂忍贻害一方？边臣仰体圣心，岂不欲定厥事？但日月之照或遗于幽遐，职司奉行或牵于典例，致此边氓未沾厚惠。夫小国之恃大国，以其能救患恤灾，而人情劳苦倦极，莫不呼天反本。兹臣国苦切情状若此，若阂于成例不得冒达，郁抑难伸，则非惟臣有乖畏天事大之诚，恐亦非仰体大皇帝柔远怀来之意。万不可已，辄敢略将现在确状沥陈，凭由广东督抚臣为之转达。幸蒙大皇帝、皇太后圣览，恕臣之罪，恤臣之情，特简忠勤才略大臣如李、左诸名公者，不辞远驾速往救援，边疆驻节大加经理一番，使人民各安生业，官吏各勤职守，关汛各严防禁，既来者尽数收除，未来者永无违越，疆界截然，锋燧永息。则非惟臣国苍生大幸，抑亦上国边氓早沾皇化，迁善远罪之一大幸也。窃照道光年间无事之日，臣曾摅诚越例，恳准宣封钦使，直抵臣国省城，行宣封礼，经奉宣庙广推字小之恩，俯从所请。矧今忧危紧切确状，谅圣心之所不忍也。万望圣旨破格准行，早消积患，臣临疏不胜惶恐，翘望待命之至。谨奏。

光绪四年十二月十四日奉旨。

甘督左宗棠奏请饬科布多库伦大臣禁阻俄商擅往巴里坤哈密贸易片

左宗棠片。

再，伊犁未交还以前，俄国通商互市之事尚未开办，上年俄商伊定克塔、拉尼普科等持科布多文案处路票来巴里坤、哈密贸易，比经臣咨请科布多参赞大臣嗣后毋庸发给俄商路票来巴、哈贸易。嗣准咨复，业经禁谕不准前往。乃本年八九月间，迭据哈密、巴里坤文武禀报，五月二十七日有俄商乜皮等三起共十七人，由科城到巴里坤售货，持有该国边官执照，当饬各文武一面照护，一面阻止。讵该商等任意行走，延至七月二十八日始由哈密折回科布多。又据报，俄商阿斯瓦、瓦自哩牙诺福二人，随带货物、马、羊、驼只；又一起密哈、伊勒、初吗福二人①，随带货物、马驼，于八月十三日到哈密，呈验库伦执事官发给满、汉、俄字执照。该文武催令速归，延至九月初三日始由哈密折回库伦。并准哈密办事大臣明春咨回前由。臣维陕逆白彦虎等败窜俄国，俄官尚未交出。八月间，白彦虎曾嗾其党将金山等赴俄官处领路票，假称贸易，纠党寇边，经臣奏明在案。兹经俄商或持库伦执事官路票，或持俄国边界官路票，任意前来贸易，真伪莫辨，不独草地非官军所能照护，设有疏失，难保不别滋事端已也。况该执事官等并未禀明该管大臣，擅给俄商路票，尤于体制有乖。应请旨饬下科布多参赞大臣、库伦办事大臣，伊犁未收还以前，遇有俄国商请给路票赴两路贸易者，应即设法禁阻，各执事官及文案人员尤不得擅给路票，如敢任意妄行，即参处示儆。俄商如持执该国边官路票前来，所过地方应一并拦阻，勿准前进，以归划一。谨奏。

光绪四年十二月二十日奉旨。

谕总署中外人等领照由藏行走着驻藏大臣依约保护

上谕：总理衙门奏，中外人等领有执照由藏行走，请饬妥为保护一折。据称贡生黄

① 据《光绪朝硃批奏折》（第111辑），此处为“密哈、伊勒、初吗福三人”。

茂材经丁宝桢奏明，由藏赴五印度游历，该藏番众派兵守卡不准进藏；将来英国及各国游历之人如照《烟台会议条款》由藏行走，诚恐肇衅生端，请饬驻藏大臣严谕该番众毋得拦阻等语。中国与各国既有会议条款，即应遵照办理，中外人等由藏行走，领有执照，何得擅行拦阻？着松溎严切开导该藏番众，安分守法，遇有中外人等领有执照由藏行走，必须一体保护，不得任意阻止，致启衅端。

十二月二十四日

清季外交史料卷十四终

清季外交史料卷十五

光绪五年正月至六月

谕何璟等乌石山教案着迅速筹办完结

上谕：何璟等奏办理洋案情形等语。福建乌石山教堂一案，该督等拟办各折尚属周妥。至所称该领事星察理一味狡执，且知中国意在速结，刁横愈甚，是以暂与相持，固为慎重起见。惟此等交涉事宜日久迟延，恐将来办理愈形棘手，仍当早为办结，以免枝节丛生。丁日昌已于上年十二月抵闽，尚为迅速，即著何璟、丁日昌、李明墀悉心会商，将此案妥速筹办完结。

正月初三日廷寄

总署奏据朝鲜王咨日本不认朝鲜为中国属国请由朝鲜自行酌复折

总理各国事务恭亲王奕䜣等奏，为奏闻事。

光绪五年正月初六日，准礼部咨称，钞录朝鲜国王咨文转奏一折，于光绪五年正月初六日奉旨：该衙门知道。钦此。钞录该国王原文知照前来。臣等公同阅看，该国王原文内开：因东莱府使尹致和状启，接见日本国代理公使花房义质，抵礼曹判书称：戊寅六月，阁下致我外务卿书，披读一过，见有上国字样抬头书写，惊讶靡已，以为违背条规。丙子年，两国讲定条规，贵国自称为自主独立，条规第一款大书朝鲜国自主之邦。若别有奉事之上国，是为藩属，已不足称为自主独立也。故命却回，请熟察良图云云。小邦之服事上国，视向内服，天下所共闻知，邻国书契中于上国二字曷敢不抬头特书？至丙子年条规云朝鲜自主之邦，即系日本所书。又，其外务卿寺岛宗则抵礼曹判书称：贵国以咸兴、永兴、文川、安边四邑为不便开港，我政府未审四邑形势，现遣一舰检测之，待该舰复命，更欲令公使有所熟议协定，请谅云云。彼国公使屡欲开港，而敝邦之德元府元山浦逼近寝庙，不得许从，而使之别求港矣。忽于本年春夏掠舰测水，任便泛泊，及今又欲熟议，硬把德元地方苦要立港各等因。

臣等查光绪元年十一月间，日本使臣森有礼来臣衙门面递节略，据称欲与朝鲜修好等因。臣等当云以朝鲜虽为中国藩服，其国中政教禁令概由该国自行专主，中国从不与闻等语。亦备节略送交收阅，曾经奏奉谕旨，照录往来节略，咨送礼部备文转交朝鲜在案。嗣于光绪二年三月间，准森有礼面递与朝鲜和约译汉修好条规十二款，并准礼部咨送朝鲜国王咨呈与日本办理条约照旧修好各情，亦经奏闻在案。臣等查日本与朝鲜和约十二款内，第一款内有朝鲜国系自主之邦等语。今准该国王咨称前因，臣等详核朝鲜久隶中国，而政令均归自理，其为中国所属，固天下所共知；其为自主之国，亦天下所共知，所有朝鲜答复日本文书，应由朝鲜自行斟酌复之。至议增港口一节，所指地方是否必不可允，能否始终坚拒，非中国所能悬揣，亦应由该国揆度情形自为主持。相应请旨饬下礼部转行朝鲜遵照，以奠属邦而杜窥伺。谨奏。

光绪五年正月十八日奉旨：知道了。

驻藏大臣松溎等奏办理哲孟雄边界事务完结折　附信字

驻藏大臣松溎、桂丰奏，为办理哲孟雄边界事务完结据实驰奏事。

窃前因哲孟雄禀称来藏面陈边界情形，并该夷困苦下忱，当令来至江孜汎〔汛〕听候面询办理，均于奴才松溎巡阅后藏三汛营伍折内声明在案。经奴才松溎在江孜汛面询大概情形，重加赏赉，遂将所递各条饬交委员周溱、噶布伦策旺洛布等逐一细问，令其据实回复，妥拟章程，禀复核办，以期固结其心而安边界。奴才松溎转回前藏之后，屡接该委员等来禀，备陈颠末，遂与奴才桂丰悉心详酌，批饬妥办；并译行商上，令其善为体恤，酌加调剂。经该委员等反复详询，善言开导，不啻至再至三。该哲孟雄办事喇嘛头人匡子卓尼等始犹固执己见，总以披楞势强不能阻止，竟欲弃地不守，诿过于唐古忒，而乞一容身之地以养余生，或乞加兵与彼夷决战。查其所禀，均属窒碍难行，何可激起边衅？嗣经批饬，令其宣示利害，反复开导，晓以大皇帝抚绥之恩有加无已，达赖喇嘛慈悲之念普及诸夷，岂可一旦辜恩怀此不忠之举？又经商上行知，前给青稞一千克，每年发给，并不短少。此次该委员噶布伦又各捐给青稞五百克外，重赏绸缎、茶叶等物，并代请奏赏顶翎执照，发给印札，令其仍旧固守边界，彼此相安，勿得妄行渎请，致干咎戾。该匡子卓尼等方觉感激五内，俯首无辞，遂具永守边界切实甘结。奴才等亦即发给印札，声明朝廷抚绥之恩，令其固守边界，彼此相安，勿得滋事。饬令委员等剀切晓谕，完案旋藏。奴才等伏查唐古忒西南边界毗连廓尔喀，该国现与英国披楞交好通商，布鲁克巴兵强山险，亦可与彼夷相拒。惟哲孟雄地小势弱，自夺给岭早被披夷占据之后，山势险阻已失，出产青稞亦少，其难驻守之言实非妄行捏造，若不随时加意抚恤，设法羁縻，仍恐将来难免另生枝节。奴才等悉心筹维，曷敢稍忽？惟有仰体圣主抚绥边疆，一视同仁之心，竭力尽心，因时制宜，镇静地方，安抚诸夷，以期仰答高厚鸿慈于万一耳。谨将办理哲夷全卷咨送军机处，以备察核。谨奏。

光绪五年二月初七日奉旨。

节录掌办商上事务呼图克图信字

自乾隆五十七年廓尔喀滋扰唐古忒边界以内地方之时，蒙简命将军福等前来剿办，将廓尔喀收入属下，分别唐古忒及廓尔喀边界，藏属聂拉木、绒辖尔、济咙等处，蒙中堂派委设立鄂博。乾隆五十九年，蒙驻藏大臣和派员，将帕克里及哲孟雄边界雅纳山暨曾毋纳山顶上设立鄂博，至雅纳山以内，分定系唐古忒管属地面。已蒙分别边界内外，而哲孟雄边界系属边外之地。此项不独乾隆年间有案，嗣于道光二十五年蒙琦、瑞二位大人定章条款内，哲孟雄及足浪并洛敏汤等部，凡专差进藏者，均要边界营官查明人数，详细禀明驻藏大臣以凭查核，再行准入内界地境等谕。是以至今如有哲孟雄专差，或有书信呈请二位大人查阅请示。此次据称求准披楞来藏通商和好，免得哲孟雄等于中为难，不然即求将哲属所有地方照旧取回承管，或准现存哲属地土概请汉番收管，部长、亲族人等即于藏属无论何地，改地安置一层，均属碍难准行云云。

使俄崇厚奏行抵俄京并谒见外部折

钦差出使大臣崇厚奏，为恭报行抵俄国日期，并接见外部情形专折驰陈事。

窃臣于十月初四日行抵上海后，曾将出洋日期奏明在案。十四日午刻开船，昼夜兼行，道经香港、西贡、新嘉坡，及印度洋之锡兰、亚丁、红海、苏尔士，过新开河，入地中海，至那波里，于十一月二十四日始抵法国马塞海口登岸。计自上海至此，水程二万六千七百余里。二十六日，上火轮车，次日抵法国都城巴黎，出使英、法国大臣郭嵩焘于跪请圣安后，率同参赞、随员等与臣接见。次日，往拜法国外部尚书瓦登顿、俄国驻法使臣阿罗福、英国驻法使臣来阳斯、俄国告假开缺之前驻京使臣倭良嘎理〔哩〕。初四日，行抵德国都城柏林，署出使德、法国大臣道员李凤苞跪请圣安后，率同随员及大学士李鸿章派令学习兵法之武弁等，与臣接见。臣察看李凤苞留心时务，办事安详，于中外舆地情形，颇能洞悉；其随员及武弁等亦均遇事讲求，尚堪造就。

计自马塞至俄路程八千数百余里，沿途屡易轮车，于十二月初八日行抵俄国都城彼得斯伯克。其外部遣前署天津领事官孟弟来接，论及钦差等，渠以国书未经载明为辞。查本年八月二十五日，臣接准总理衙门咨称，本衙门具奏出使大臣有全权字样者作为头等一折，八月二十三日奉旨：依议。钦此。钦遵行知遵照在案。特恐其时未经照会俄国驻京使臣，故其国诿为不知，当即照录咨文，与订期往见外部王大臣，请递国书之事各办具照会；饬令参赞邵友濂于次日前往外部面交，国书副本一并持交。十一日，臣往见其外部尚书格尔斯，彼复言及国书未经载明等第字样。臣即告以八月二十三日所奉谕旨及办给照会之意。据格尔斯云，已电报驻中国署使臣凯阳德，俟总理衙门复文到日，即行照办；现呈递国书时，可按照全权大臣接待。臣查全权大臣本系国书载明字样，其所称自属可行。十三日，格尔斯与前驻京俄国使臣布策来臣寓所拜见。谈次，格尔斯述及彼国副将撤斯前在新疆时，大学士左宗棠相待极优。布策亦谓，前在天津及为驻京使臣时，与臣相识计有十余年之久。察其情意，颇为款洽。臣当告以奉命前来，系朝廷慎固邦交之意，嗣后办事总当以两国有益和好为重。据格尔斯称，数日内当将此意奏明，并请定接见日期，再为知照。布策亦有如本国之命，深愿和衷商办之语。除钞录原奏暨与格尔斯、布策问答节略咨呈总理衙门查照外，谨将给俄国外部照会照录，恭呈御览。谨奏。

光绪五年二月二十三日奉旨：览奏均悉。嗣后商办事件，该大臣当随时相机筹画，务臻妥协。该衙门知道。

总署致俄使请勿发给白彦虎伙党路票照会

为照会事。

准左中堂来函，内称：逆贼白彦虎、马良会伙党于托胡玛克领取贵国路票，赴鸭儿湖贼目马壮住处，凑集悍回二百人犯，分两路扰掠乌什、喀什噶尔边境，贼踪飙忽，四出杀掠，并于所获陕回头目金山身边搜出路票两纸等因。将原给俄文俄印路票二纸咨送前来。查逆回白彦虎等逃入贵国，迄今未见交出。此次寇边之贼复由白彦虎、马壮等指嗾所致，擒讯各贼口供佥同，其所携路票以贸易为名，查系贵国管理廓罗库奴斯地方回务总办官及托克玛克县官给与。白彦虎等系中国叛逆匪首，乃贵国官员竟给与路票，致令入寇边疆，将来携带贵国路票由卡经行者，尚复何所取信？揆诸敦崇友睦之谊，计贵国当不出此。相应钞录洋文路票二纸，照会贵署大臣，速行咨报贵国查核办理，并望见复可也。须至照会者。

二月二十三日

总署奏檀香山拟设商董由驻美公使发给谕帖折

总理各国事务恭亲王奕䜣等奏，为出使美、日、秘国大臣陈兰彬拟发现住山域治埃兰国商董谕帖，约束华民，据情具奏，请旨办理事。

窃臣衙门接准陈兰彬函称：太平洋中有国曰山域治埃兰，译称檀香山，共辖八岛，内有大岛曰阿亚湖，正埠曰汉拿老路，为各国商人聚集之所，距广东、香港一万六千余里。咸丰初年，华人前往贸易，继以耕种畜牧，合计止有千余人。自美国与该国商酌通商，互相免税，生计日蕃；又值金山土人逼逐华工，因之前赴该岛者添至七八千人。游手既多，华商经理无权，土人浸滋疑忌。现据同知衔陈国芬等联名禀请该大臣，就近迅派领事官驻扎檀香山，一切经费各商情愿筹办等语。查陈国芬请设领事原系该处急务，惟未经换约之国，既不便设立领事，又不属美邦，非使美之员所能添设。但念此地本为出洋要冲，又为金山后路，且系秘鲁来华中站，若得有人照料，为中国万数穷民栖身谋食之地，亦属相宜。并查陈国芬系广东香山县人，已在该岛贸易有年，华洋夙著声望。可否变通酌办，或由南洋大臣，或由两广总督，或由该大臣发给商董谕帖，饬令陈国芬随时稽查约束，即将该处华民人数若干，作何生业，有何章程料理，限于一年之内禀报，如所办实合机宜，随后即可接办，否则即将谕帖撤销各等语。

臣等查泰西有约各国，业经钦派出使大臣前往驻扎，且于英国、新嘉坡、美国旧金山各处设立领事官，原为保护华民在外贸易、佣工起见。檀香山与中国并未立约，原未便按照各国在于该处设立领事。惟现据该大臣查明，该岛华工聚至七八千人之多，若不妥筹保护，时加约束，诚恐华民愈聚愈多，该岛之人渐生忌嫉，他日更难办理。该大臣现拟发给商董谕帖，交由陈国芬稽查约束，并拟嗣后或派或撤，再行随时酌度，原于保护之中仍作权宜之计。今若由南洋大臣或两广总督发给谕帖，地在万里以外，未免遥制为难，自以由出使大臣就近办理，较为合宜。应否即照陈兰彬所商，由该大臣赶办商董谕贴，饬交陈国芬暂行试办，与领事官示有区别。如蒙俞允，再由臣衙门咨行该大臣遵照，将来该岛遇有应办事件，即由该商董径详该大臣酌核办理，以期周妥而免稽迟。谨奏。

光绪五年二月二十三日奉旨：依议。

总署奏俄使照复安集延纠众扰边事已设法禁止片

奕䜣等片。

再，臣衙门于光绪四年十一月十六日奉上谕：左宗棠奏陕回寇边，搜出路票二纸，著总理衙门照会俄国驻京使臣等因。又于光绪五年正月初六日奉上谕：左宗棠奏安集延逆目纠众谋逆，剿捕蒇事，应如何申明禁约。著该衙门照会俄国驻京使臣等因。钦此。钦遵。臣等遵即分别先后照会俄国署使臣凯阳德去后，上年十二月初九日准凯阳德照复，内称：搜出陕回路票，系准往俄国境内，并非理应越境，已译原文咨报本国等语。本年正月二十五日，又准凯阳德照复，内称：本国边界官已于去年九月内筹画，以禁后来再出此等之事等语。臣等查凯阳德所称，给与俄文路票，系准往鸭儿湖、阿尔玛图贸易；该两处系俄国边界，并非准其越境，与译出汉文核对尚属相符。其纠众扰边一事，照复则称边界官已设法禁止，察其语意似尚近情。谨奏。

光绪五年二月二十三日奉旨：知道了。

使英法曾纪泽奏报抵法呈递国书折

出使英国、法国大臣曾纪泽奏，为恭报行抵法国呈递国书日期事。

窃臣于十月二十八日自上海启行，仰托鸿福，海不扬波，于十二月十二日行抵法国巴黎都城。臣郭嵩焘先在巴黎相候，随于十五日偕臣至外部大臣瓦定敦衙署，订期呈递国书。该大臣函订十八日未时接见。届期，由御前接引大员穆纳以朝车及副车从骑来迎，臣即登朝车，率同参赞官黎庶昌，翻译官联芳、联兴等，赍奉国书诣其勒立色宫。宫门外陈兵奏乐，臣入门鞠躬，伯理玺天德亦免冠鞠躬。臣手捧国书宣读颂词，前署驻京公使葛士奇侍立臣旁，以法文再为宣读。伯理玺天德手受国书，答词既毕，慰劳甚殷，其输诚修好之意，溢于言表，足以仰纾圣廑。谨奏。

光绪五年二月二十三日奉旨：知道了。

使英法郭嵩焘奏报交卸出使事务遵旨回京折

出使英国、法国大臣郭嵩焘奏，为恭报交卸出使英、法两国事务，遵旨回京事。

窃于十月初二日承准总理衙门咨开：光绪四年七月二十七日奉上谕：一等毅勇侯·候补四五品京堂曾纪泽，着派充出使英、法两国钦差大臣，郭嵩焘着回京供职。钦此。随闻曾纪泽已自上海启行，臣即驰赴巴黎等候。曾纪泽行抵法国，将法国一应交涉事务妥为移交。曾纪泽旋于十二月十八日呈递国书。以次行抵英国，复将英国一应交涉事务移交。择于光绪五年正月初四日，遣派文案处随员李荆门恭赍钦差出使大臣关防一颗，交由曾纪泽祗领任事。随将两处支用经费造具清册，咨送总理衙门核销；两年经手事件逐款清厘，毫无轇轕。臣即于拜折后驰赴巴黎，附搭法国公司轮船启程回国，并将两次奉颁敕书咨总理衙门备案。谨奏。

光绪五年三月初四日奉旨：知道了。

总署奏据桂抚杨重雅奏伏莽未净洋人遽难通商片

奕䜣等片。

再，广西巡抚杨重雅奏，伏莽未净，洋人遽难通商一折。内称：准粤督刘坤一咨，广东琼州、北海各口通商，英商请领报单、税单两事，总署咨行筹办议定章程，并洋货运入内地应发税单，土货运出内地应发三联报单各式样前来。查广西伏莽未净，洋人通商非宜。且广西瘠苦，若行洋货，则厘税减少，于饷需诸多窒碍。所陈亦系实在情形，惟办理交涉事务向以约章为凭，洋货请领税单，报单赴内地通商，久经明定约章，不得不予照行。且粤东甫经议定，粤西即以有碍饷需请停止发给单照，恐未能照办。至该抚所称条约原有匪徒不靖，俟平靖再议之文云云。查英约第十款虽经列入，然指长江下游而言，不得援引也。谨奏。

光绪五年三月十三日。

总署奏议复何如璋函述日本阻梗琉球入贡一案相机酌办折

总理各国事务恭亲王奕䜣等奏，为出使大臣办理日本阻梗琉球入贡一案，迭据函述大概情形，恭折密陈事。

窃查光绪三年五月间，闽浙总督何璟等奏，琉球国因日本阻贡吁请陈奏一折。奉上谕：琉球此次所贡方物为日本所阻，该国王遣陪臣来诉等因。钦此。臣衙门即传知何如璋等遵照。嗣何如璋到日本后函陈三策：一、先遣兵舶责问琉球征其入贡。一、约琉球令其夹攻日本。一、反复辩论，若不听命，或援《万国公法》以相纠责，或约各国使臣与之评理。臣衙门与北洋大臣李鸿章往返函商，以据理诘问为正办。当经臣衙门函复何如璋等相机审办，并于上年六月密折具奏。奉旨：知道了。钦此。钦遵在案。

上年七月以后，迭据何如璋等来函，述及琉球一事，日本人渐有骑虎难下之势。欲求无隙可乘，先在留予体面。拟先隐告以我国必争之故，即潜留日人以可转之机。此策若不能行，然后明目张胆以正论相诘责。其时正值暑热，日本外务官员多仿西例告假避暑，未能与议。何如璋等复查咸丰年间琉球曾与美、德、荷兰三国立约，用我年号正朔。日本最信美使，因往见美国驻京使臣，告以情节，冀其相助。美使慨然应诺，谓当转达其国。何如璋等因令球官禀明美使，即收其禀，而美使亦遂回国。八九月间，何如璋等面晤日本外务卿寺岛宗则商议，延不答复。十月间，何如璋等遂照会其外务卿，有日本堂堂大国，谅不肯背邻交欺弱国，为此不信不义、无情无理之事等语。前驻中国日本使臣森有礼已告假回国，谓此数语未能谦逊，须另删改，否则将照会寄还臣衙门。何如璋等告以如贡事照旧，即将照会撤回亦无不可，而日人惟含糊照复而已。

本年正月，何如璋等函述：日人驱遣球国官员之在日本者全行回球，并派其内务大丞松田往球，欲废球为郡县。既据函述，松田自球回日，复行再往，并拨巡捕兵二百名随去。松田在球交有誓书，勒令球人遵写条言，不许再求中国及各国，并令改用纪元。揣此事势，宜假兵威以示必争等语。何如璋等复见其内务卿伊藤博文，告以现在正议此案，而乃遣员往球，恐生枝节，内务卿极言必无他事。又见其外务卿阻其松田往球之举，亦言：既经派出，非伊所能阻止；然两国议妥，即可撤回，仍俟派员来商。何如璋等告以事无可商，即行告归。近又闻派出驻华使臣宍户玑，系其国元老院议官之职，若为此事来者。何如璋等以日本若灭琉球，宜一面明饬沿海诸省严防边备，一面撤回使臣，彼之使臣必随来乞议，而事可成。若事不至此，彼使即来，自宜洞烛其情，密定我议。若彼使未来，仍属在日商议，必须另立专条。又闻人言此案结局，必在中国不愿在日商议云云。此何如璋等迭次函述办理日本阻贡一案之大概情形也。

臣等查琉球久隶藩服，意本无他，日本欲以威权强为迫胁，实属情理两亏。惟何如璋等欲假兵力以示声威一节，揣度中国现在局势，跨海远征实觉力有不逮；若徒张虚声而鲜实际，设或为彼觑破，转难了局。臣等再四熟商，自应仍以依据情理辩论为正办。即使日本使臣来华商议此事，臣衙门亦惟以情理二字相驳诘。或者日本意中有所顾忌，而球人藉以图存亦未可知，倘何如璋等以事无转圜暂尔回华，亦勿遽露决裂痕迹，以为日后收场地步。适北洋大臣李鸿章来京，臣等晤商，意见相同。除由臣衙门函知何如璋等相机酌办外，理合恭折密陈。谨奏。

光绪五年三月十九日奉旨：依议。

闽督何璟等奏办结乌石山教案折

闽浙总督何璟、前福建巡抚丁日昌、福州将军庆春、福建巡抚李明墀奏，为闽省乌石山百姓毁焚洋楼案业已议结，教士侵占公地案仍由绅董控理事。

窃查上年八月初三日，英国教士于乌石山公地占造洋楼，百姓激于公忿擅行拆毁一案，钦奉上谕：严拿为首滋事之犯，务获究办。旋奉寄谕：派臣日昌前来闽省商办。续奉寄谕：将此案早日办竣，毋稍延缓。钦此。等因。当经臣等督饬司道营将府县，拿获放火滋事之林依奴等九名，续又拿获主使滋事之武生董经铨等三名，业已按照条约分别办理。而英领事星察理狡诈万分，所欲甚大，始终坚执必须罚官绅银五万元，并指绅士林应霖上年递禀，有请官将洋楼拆毁等字句，为主使确据，必须严办等因。经臣等再三辩驳，力与相持。该领事既无所施其恫喝之技，因而渐就范围，业于二月二十五日前来俟官县观审。所有此案人犯，均由府县分别定拟罪名，因英领事在旁观看，并无异词。林应霖虽无主使确据，亦加以不能临时劝止之咎，拟摘去顶戴，停委三年。该领事亦复无可挑驳。该教士于八月初三日遗失杂物银一千四十五元，亦经追赔，交由领事转付。臣等经将此案办结情形并告示三纸，札行英领事知照。兹据该领事申复，据称此案现在妥办了结，本领事心想本国朝廷喜悦，除俟驻京大臣不日来闽，即行呈报，察定可否，将结案办理情形具报外政大臣察核等语。

至英教士胡约翰，本系租赁乌石山道观居住，乃将该观平房擅自毁坏改建洋楼，经已二十余年，绅董均隐忍不与计较。而上年复又侵占公地，起盖新楼，百姓哄然一集，致有八月初三日拆毁之事。该绅董等心怀不服，现于中外官前具控，并请该领事迅提教士质讯，一俟教士到案后，如讯有侵占确据，固当立刻迁移。即无侵占确据，而绅董等既不愿将房屋永租，亦难强之以必租，届时应否另觅地基抵换，再当相机办理。盖百姓焚毁洋楼，乃我无理而彼有理之事，业已先行办结，领事自愿详请销案，定不致再有异议。而教士侵占公地，则为彼无理而我有理之事，既由绅董在前具控，自应俟教士到案后，方能将有无侵占定断，应轻应重，其权操之于我，断不致再生波澜。所有臣等札行及领事申陈等件，均钞录咨呈总理衙门，以备察核。谨奏。

光绪五年三月二十二日。

闽督何璟等奏英使威妥玛到闽言教士愿将被毁洋楼拆去片　附上谕

何璟、丁日昌片。

再，臣等正拜折间，适英国使臣威妥玛于二月三十日到闽。当于次日谒见臣等，殷殷以乌石山绅董控告教士，将来两造必有一造吃亏，不如劝令两造和好，使不成讼等语。询问应如何能令两造使不成讼之法，威妥玛答以教士现在情愿将烧毁之新洋楼及围墙拆去，旧洋楼一概改低，只要准其久住。臣等告以百姓连遭水灾、火灾，皆归怨于洋楼建在煞方，过于高耸；若教士仍要照旧住乌石山洋楼，百姓万难相安；总以另行觅地迁移，方免后患。威妥玛允为转劝。旋即回复，转据教士以旧洋楼居住已久，地方高爽，他处卑湿，不肯遽迁为辞。臣等仍力与相持。俟其如何转圆〔圜〕，再行相机办理，总以争得一步是一步，挽回一分是一分也。臣日昌本拟案结后即行回籍，因威妥玛来闽，是以仍留在此与之辩论，合并附片陈明。

光绪五年三月二十二日奉上谕：何璟、丁日昌议结焚毁洋楼一案，并与英国使臣辩论情理各折片。乌石山一案，现经丁日昌将拿获滋事各犯分别定罪，并将林应霖摘顶停委，教士所失银两亦经赔偿，案已议结，办法尚妥。惟绅董呈控教士侵占公地一节，尚在相持。现在威妥玛既经到闽，即当将此事早为议结，免致别生枝节。丁日昌著俟此事办结，再行回籍。

旨寄沈葆桢等日本阻琉球入贡情殊叵测应妥速筹画以固藩篱

旨寄沈葆桢、吴元炳：据沈葆桢奏，接出使日本大臣何如璋来信，该国废琉球为郡县等语。琉球久属中国，日本竟敢阻其入贡，夷为郡县，狡焉思启，情殊叵测。速应妥为预备，力图自强以固藩篱。著该督抚将南洋防守事宜悉心筹画，固不可稍涉张皇，亦不可稍存大意，并着探明该国情形妥速具奏。

三月二十八日

总署奏据使俄崇厚电报商办交收伊犁折

总理各国事务恭亲王奕䜣等奏，为迭据出使俄国大臣电报商办交收伊犁一事，恭折奏闻事。

窃查出使俄国大臣崇厚于上年十二月初八日行抵俄国都城并递国书日期，业由该大臣奏报在案。嗣臣衙门迭准崇厚函述谒见外部情形，并以俄国现有公会开篆后当知照外部订期会商等语。本月二十三日，据崇厚电信内称：外部允还伊犁，商办通商，分清边界；其商亏并代收、代守兵费已允还给，数目尚未说明，尚无图利之心。二十五日，又据电信内称：前信外部允还伊犁，商办交收清界章程；我允其通商，允还代收、代守兵费，请代为面奏。并照会凯署使，嘱其电致外部代达中国谢意，并将彼此允还大要声明定章，交收迅速办理。再，布策密云并无因利多索之心各等因。

臣等查伊犁久为俄人占据，屡经臣衙门与俄国历任使臣商办，正言婉论，多方驳辩，彼辄以边界各案未了为言，藉词抵制，已于上年五月间将大略情形附片陈明。迨俄国使臣布策回国，复与其署使臣凯阳德重伸前说。伊谓必须将布策所指各节办完，方有交收伊犁根子。往复辩论，藉为迁延之计。今崇厚到该国后，与其外部会商，已将允还伊犁大意宣露，似有转圜之机。惟思洋人惟利是图，其间俄人在伊犁地方岁收各项税租，每年不下数十万两，未必轻易交还，其索讨兵费自是意中之事。既经崇厚允其商办，并请由臣衙门照会其署使臣凯阳德，代达谢意，以冀办理迅速。连日接有电报，是事机正在吃紧，自应速为照办，俾免日久另生枝节。谨奏。

光绪五年闰三月初一日奉旨：知道了。

闽督何璟等奏英教士翻悔乌石山换地片

何璟、丁日昌片。

再，乌石山烧毁洋楼，闽省按约办理，英领事具文声明妥结各情形，业已奏明在案。英国使臣威妥玛抵闽，以绅民控告教士，将来两造必分胜负，负者难以为情，力主调停之议。连日择地抵换已有数处，威妥玛甚为合意，而教士不肯依从，威妥玛百般劝解，无如之何。迨三月初九日，威妥玛又言，教士意欲迁徙英领事所租前福建总督范承谟祠西馆畔行馆，亦即派道员方勋、盛世丰等前往踏看。威妥玛并与教士三面约定，教士当已应允，其英领事则由威妥玛劝令归并移徙一处，领事亦已答应。威妥玛旋与臣等商议换立租约等事。正定议间，教士遣人持函至威妥玛处，又复翻悔不愿抵换。威妥玛接信后，亦深恨教士不可以情喻理劝，并谓：此时只可由绅董控告，等审到教士无理由，公堂断令驱逐，我亦不加怜悯等语。伏查威妥玛深欲调停此案，以免教士无理之处被绅董和盘托出。无如闽省处处曲全，而教士节节翻悔。威妥玛至此，已深谅绅董等万不得已始行控告之苦心。此案官已调停不下，将来两造应俟到案后再分曲直，曲在教士固宜令其迁徙，但洋人狡狯异常，如或别生枝节，又恐多费唇舌。臣等愚虑所及，惟有随时相机妥为筹办。现威妥玛已回香港，臣日昌亦于三月十二日由闽启程回籍，办理截止赈捐等事，合并附片陈明。谨奏。

光绪五年闰三月初四日奉旨：该衙门知道。

总署奏日阻琉球入贡请饬使臣何如璋暂勿归国折

总理各国事务恭亲王奕䜣等奏，为接据出使日本大臣电报现在日本阻梗琉球入贡情形，恭折密陈事。

窃臣衙门前于上月十九日，将出使日本大臣何如璋迭次与日本辩诘阻梗琉球一案大概情形，密折具奏。奉旨：依议。钦此。当即密咨该大臣并南北洋大臣遵照在案。嗣于上月二十七日，据何如璋等电报，内称：松田至球举动未详，十三日大政官示废球为郡县。此事如何因应，请示遵行，余俟缄呈等语。臣等查何如璋等前屡函述，日本派其内务大丞松田往球，欲废藩为郡县。何如璋见其内务卿，据称必无他事。又见其外务卿阻之，据称：既经派出，非所能阻；两国议妥，即可撤回。何如璋等告以事无可商，即将告归。又闻派出驻华使臣宍户玑，此案结局必在中国等因。其时虽有废球之说，尚未有废球明文。今据何如璋电报，是派往琉球之人既去，而其国又以废球之事公然宣示，其不顾情理殊属已甚。何如璋见此情形，恐以事无可商，只可回华。所称如何因应者，欲取决臣衙门以定行止也。

臣等再四揣度，琉球与日本逼处，国小而弱，日本久已觊觎。其所以历久图存者，未尝不赖中国维持之力。现在中国局势未能长驾远驭，日本岂不知之？乃废球一事一面宣示国中，一面仍派使臣来华，是其国亦尚有顾忌中国之意。从前台湾一案，日本兵驻番社，即遣使臣大久保利通来京辩论，此次举动大略相同，或者如台案故智亦未可知。其所派使臣宍户玑，据其署使臣郑永宁函报，现已抵津，日内计将到京。前据何如璋等函称，此案结局必在中国。臣等拟候日本使臣到后，即据理与条约向其辩论，相机办理。其国既派使臣来华，是注意在与臣衙门商办。何如璋等正在趁此机会与臣衙门一气相生，仍向其内、外务等衙门极力与争，并约驻日之西洋各使相助为理，俾知公论所在，情理难容，或尚可以就范。此时何如璋等若竟废然而返，不但于事无益，且一露决裂痕迹，恐日后愈难转圜。应请饬下该大臣，仍在日本将此案妥为随时商办，勿遽回华以顾大局。除由臣衙门密电何如璋等遵照外，理合恭折密陈。谨奏。

光绪五年闰三月初五日奉旨：依议。

川督丁宝桢等奏会筹藏中应办事宜折　附廷寄

四川总督丁宝桢、驻藏帮办大臣色楞额奏，为遵旨会筹藏中应办事宜事。

窃臣等承准军机大臣字寄，光绪五年二月三十日奉上谕：前已有旨，将色楞额简放驻藏帮办大臣等因。钦此。臣跪诵之下，仰见圣主绥靖边陲，洞烛万里，莫名钦服。窃维藏卫与川省唇齿相依，自西人有赴藏探路之约，情事时虞变更。臣宝桢到川后，每于该处情形沉思远虑，未尝稍释于怀，兹蒙谕令与臣色楞额妥商筹画，敢不竭忱尽智，期于办理无误，稍纾朝廷西顾之忧。惟川省距藏六千余里，彼处情形诚恐未能尽悉，幸年来于派往藏中之员弁、兵丁人等回川，臣宝桢必将该处近日情事详加咨询，因得略知梗概。伏思西藏地方从前祖宗定制，自察木多、乍了至前后藏以及江孜、定日各隘口，均设有游击、都守、兵丁以资驾驭，而临之以驻藏大臣居中统制。凡藏中事务其小而易办者则由各该番官办理，层次申送取裁于该藏王；其大而难办者，则由藏王咨送驻藏大臣核办。即其番官之拣补升除，均须由驻藏大臣主持办理，体统极为尊严，事权不容紊越。所以控驭该藏者，立法至为精详。二百年来番官颇受汉官约束，番人不敢轻视，汉番一体办理，一切令行禁止，极为顺手。

自道光末年以后，抚驭稍宽，番官因与汉官分而为二，各不相统，而番官之气焰渐张；其后习为故常，遂不复遵汉官约束，而汉官之呼应亦觉不灵。惟驻藏大臣之体制一切犹遵定制，不敢违背，然亦不免于羁縻矣。今欲藏卫之中事事就理，则必仍令汉番合而为一，自可收提纲挈领之效。然积习已数十年，番情固执难通，一时恐难骤易。所幸该藏人情向惟知尊崇佛教，别无伎俩。其藏中应办各事，经臣宝桢详加查访，俱系绾地之田土买卖、命盗各件居多；其实在费手者，则惟有彼此撤卡争斗之事，要亦蛮触相争，决无大患。只须驻藏大臣恩威相济，处以公平，即不难于了息。故就藏中今日情形而论，决不虑其为我腹心之忧，特恐其贻我兼顾之累。

臣宝桢与臣色楞额详细审度，目前该藏应办紧要事宜约有二端：一在于各国洋人之游历无常，一在于哲孟雄之藉端要索。能将此二事调处得宜，斯藏卫可期安谧，而内地亦无虞搅扰。盖藏地界连印度，洋人久有窥伺之心，徒以其为我属境，又值彼此讲信修睦之时，不得其间而入耳。观于洋人探路之约既得所请，而赴川游历之人近者已十倍于往昔。其中遇有赴打箭炉一带前进者，臣宝桢均预饬该厅同知及各塘委员，随时查探，如有入藏洋人，必先婉言阻止，决不令其轻入。缘藏番不识时宜，愚而自用，设防闲不豫，致洋人冒昧前进，则藏番必一意胶执，设有他事，其酿祸将有甚于马嘉理者。臣宝桢与臣色楞额筹画，以后凡有由川入藏洋人，由臣宝桢随时饬属设法拦阻，一面咨会查照妥办。第查各国游历洋人，近有由外洋及新疆别路入藏者，此则无从防范，必须驻藏大臣先得消息，在于交界之处择要增设文报委员二人，归驻藏大臣统属，专司稽查护送游历洋人。各国如遇有洋人由外赴藏者，先行委曲阻止，倘力不能阻，则一面飞禀驻藏大臣，一面力为谕导藏番，必亲为护送出入，不少疏玩。庶洋人之来藏者，我可以先为防范，即万一有意外之事，我既有员保护，彼亦无可借口。此则筹画目前之第一要务也。

又，哲孟雄地方界在印度、西藏之中，近日探悉该番往往假披楞欺占彼地，时向藏中生事，上年啧有烦言，经松溎妥协办理，幸得无事。臣宝桢细揣其情，该番此时似意属骑墙，彼此播弄以为渔利之具，若不早为筹及，恐其外肆勾结，内挟欺凌，将来洋人与藏中衅端必从此起。臣宝桢查江孜、定日地方，本设有守备二员驻扎巡防，惟武弁不能通达机宜，殊不可恃。现与臣色楞额筹商，拟将新设稽查游历洋人之委员二人，或分一员住江孜，与哲孟雄毗连，俾其就近探查该处番情，随时随事稽查弹压；如该番别有隐谋，即可设法预为解散，俾不至暗中愚弄，或可弭患未萌。此又筹画该藏之第一要务也。

至藏番虽崇佛法，然其情性嗜好，实亦惟利是图。但使驻藏大臣事事持廉秉公，恪遵法度，该番自能敬畏，就我范围。此则正本清源之计。臣宝桢亦以此与臣色楞额互相勉励，以期正己率人，不至为所挟持，自不敢不遵我节制。至察木多、乍了等处，闻近日亦渐觉不驯，然细察其由，实亦因彼此攘夺起见。只须驻藏大臣驭之以恩，示之以信，其有二三桀骜生事者，亦必置之于法，不稍宽假，自可诚服相安，不致滋生他事。此外，该藏照常应办事宜，则在臣色楞额到任后，与松溎因时审势斟酌照办，别无可虑。其余有关大局者，则由臣松溎与臣色楞额等随时飞行咨商。臣宝桢亦必殚心会筹，绝不敢稍分畛域，以仰副圣主长驾远驭之至意。至所议增设委员二人，究应分驻何处，乃尽扼要得力之方，应由臣色楞额到后，与松溎详细查酌，再行奏咨办理。谨奏。

光绪五年闰三月二十三日奉廷寄丁宝桢等：据奏具悉。现在藏事紧要，必须汉番合而为一，方能提纲挈领，操纵咸宜。近来各国洋人请入藏游历者甚多。又，哲孟雄地方界在印度、西藏之中，该番往往以披楞侵占彼地为言，希图生事。全在该督与驻藏大臣妥筹慎画，方能彼此相安。丁宝桢拟于藏中及各路交界之处，择要增设文委员二人，归驻藏大臣统属，专司稽查、护送游历洋人各事；并分一员住江孜，与哲孟雄毗邻，俾得采访该处番情，就近稽查弹压，所筹尚妥。洋人行踪无定，防不胜防，丁宝桢、松溎、色楞额务当饬令该员等认真防范，是为至要。惟委员仅有二人，尚须分一员专驻江孜，设有缓急，势必不能兼顾；且官职过卑，亦恐难期得力。着丁宝桢悉心筹画，如何实事求是之处，即行会商奏明办理。

前闽抚丁日昌奏英教士侵占乌石山一案该教士翻悔前议折　附上谕

前福建巡抚丁日昌奏，为报明回籍日期并办理截止赈捐事务事。

窃照闽省上年烧毁乌石山洋楼一案，本年二月间办竣，并据英领事申陈以此案业已妥办完结缘由，业经会奏陈明在案。旋因英国使臣威妥玛到闽，屡来臣处商酌，以绅董控告教士侵占地基，将来必分胜负，负者难以为情，不如由中外官会同劝息，使不成讼等语。盖威妥玛固深知绅董理直，教士理曲，诚恐会审后水落石出，教士露出占地实据难以为情故也。臣会商督臣何璟、抚臣李明墀，允其调停之说。威妥玛初欲教士照旧居住，并议明已烧洋楼不得再建，所有旧洋楼一概改低。臣等以教士原住洋楼地势高耸，有碍全省风水，照旧再住之说绅董恐不肯答应；因于城之西及城北一处，拣择空地数块，令道员方勋、盛世丰等带同威妥玛，亲往看视内北门钱塘巷空地一处及西南门陈、李二姓空地一处，威妥玛俱甚合意。而教士总以卑湿为辞不肯抵换，威妥玛再三勉强，教士终不遵从。三月初九日，威妥玛复云：教士合意前闽浙总督范承谟祠之西畔英领事所租公馆，欲以此地转租。教士租定移徙后，即以原租之洋楼、教堂一概归还绅董，其领事则由威妥玛劝令归并南屋一处居住，领事亦复应允。当又派道员方勋等，会同威妥玛并教士同往踏看，议定限制，教士业已答应。当经议立租据，教士旋又以限制太严，翻悔不遵。威妥玛虽极急，而无如之何，只云：此时只好听绅董控告，由公堂断令驱逐，我亦不加怜悯等语。

臣奉命办理烧毁洋楼之案业已早竣，此时只有中国绅董控告外国教士侵占公地之案，官已调停不下，将来两造一经到案，自必曲直易分。现在教士因领事将彼所有理之案先行了结，无可挟制，颇归怨于领事。领事又因教士窥夺其多年住居之地，亦与龃龉。据该领事星察理云：教士如此恃强，必须由绅董控审，将其实在侵占凭据和盘托出，然后英国朝廷始知教士无理底里，免致将来处处袒庇教士，调停之说断不可行等语。其言亦不无可采。臣于各旧卷中觅出教士侵占凭据数十条，业已钞交绅董等，以便临时与之辩驳。威妥玛已于三月初十日回香港。臣于三月十一日起程由轮船回籍，已于十六日行抵揭阳，现在赶紧料理截止潮州、台湾及香港、新加坡、暹罗、安南等处赈捐请奖事宜，以免有违定限，且免失信远人。臣濒行时，并与何璟等熟商，以闽粤寄信甚便，将来绅董控告侵占之案，若有须臣商议之处，可开节略寄知。臣必尽心参酌，期于折衷尽善，即万一有翻复大故需臣面商者，臣亦必力疾前来。何璟现已谅臣并无他肠，当能推诚相与也。谨奏。

光绪五年闰三月二十三日奉旨：知道了。遇有应行商办之件，仍着随时与何璟等会商妥办。昨有旨将该抚赏加总督衔，派令专驻南洋，会同沈葆桢及各督抚筹办海防事宜，本日复令兼理各国事务大臣。丁日昌当懔遵谕旨，即行驰赴江南，会筹督办，以副委任。

使俄崇厚奏俄国允将越界滋事之人听中国惩办折 附廷寄

出使俄国大臣崇厚奏，为遵旨查明滋事匪徒与俄罗斯外部商办情形事。

承准军机大臣密奉十一月十六日上谕：左宗棠奏，陕回窜匿俄境，分道寇边，经官军截剿净尽一折等因。钦此。并准总理衙门将左宗棠、金顺等咨文、路票及文函等件照录，函寄前来。臣查此事前据金顺函询俄国七河巡抚，旋复称无托胡玛克之人在内，如有扰害内地之人，听内地办理等语。臣因即据以立论，缮具照会，于正月二十四日持赴外部，见其尚书格尔斯，面交路票，给其阅看。据格尔斯面称：此项人众并非俄国之人，票内写明地方系在本国界内，并不料其越界滋事，自应一体严防，以安两国边境。臣复告以两国交界之处极多，除七河巡抚已经函知伊犁将军外，尚有西悉毕尔、图尔齐斯坦各总督，亦应再为知照。据称从前曾经知照边界各官严禁，现在当再为知照。又称此后俄国往中国贸易良民，还要中国保护。臣答以商议边界各事时，应议定章程，妥为办理。

嗣于二月十五日接准外部照复，阅其词意与面谈各节大略相同。既云：该匪系私自越境，并非俄国准其前往，当严饬边界各官认真稽查，实力办理；则凡系回匪越境滋事者，自应剿办。又云：嗣后越界滋事之人任听中国办理一节，俄国人民不在此例；则凡系俄国人入境贸易者，仍应保护。惟照会中有望中国将回人赦免，准其回籍等语。其意为并未滋事良善回民乞恩分别办理，措词不甚明晰。因思圣恩宽大，凡遇胁从为匪者，一经改过自新，无不宽其既往。当此新疆甫经平定，地方之凋敝实深，自宜招集流亡各安生业。可否饬下大学士・陕甘督臣左宗棠，出示晓谕，其怙恶不悛者，法所不赦；其洗心迁善，情有可原者，分别劝惩，广为开导。上以广生成之德，下以消反侧之心，似于安边之策不无裨益。至俄国商民每被地方官勒措，致有货帮被阻、被焚等情，其外部屡向臣声说。查边界通商本系条约准行之事，现当议收伊犁及商办各案之际，应请饬下左宗棠等，遇有俄国商民入境，妥为保护，免生枝节。谨奏。

光绪五年闰三月二十四日奉廷寄左宗棠、金顺、崇厚：据崇厚奏，回匪窜边并非俄人，现俄国外部已出示，将越界滋事之人任听中国办理，着左宗棠、金顺分别惩办。至照会中有中国将回人赦免准其回籍一节，自系指良善回民而言，并着左宗棠出示晓谕，分别办理。俄商入境贸易，前降旨于伊犁未收以前概行禁止，左宗棠着仍遵旨办理，崇厚即将议办各事速筹为要。

总署奏俄人允还伊犁请派大员接收折　附廷寄

总理各国事务恭亲王奕䜣等奏，为续据出使俄国大臣电报，请简派大员办理交收伊犁暨分界事宜事。

窃臣等前因迭准出使俄国大臣崇厚电信，声报俄国允还伊犁商办各节，该大臣允其通商及偿还兵费，请先由臣衙门照会俄使凯阳德代答谢意等语。当经照办，并于闰三月初一日专折奏明在案。二十四日钦奉上谕：崇厚奏，遵查边境滋事匪徒与俄国商办情形一折等因。钦此。钦遵亦在案。臣旋于二十六日据崇厚电信，内称：俄国允还伊犁，其电信到彼，回民恐遭诛戮，纷纷逃入俄国。与布策商办交还章程，首以恩赦为请，并云必要晓谕通知，不至交收时仅有空城数座。当答以两国以礼交还，能保不杀一人。业已奏请恩赦，望转达左宗棠。同日，又据电信内称：请代奏即派接收伊犁分界大臣，以便定约时，同俄国所派大员在何地、何时交收伊犁，并将恩赦知照凯阳德各等语。

臣等窃查伊犁一事议论数年，彼国无非支吾延宕。今据崇厚先后电信，其外部尚无推诿之词，似于交还一层微有端绪，而兵费数目、通商、分界各节尚未明言。且洋人惟利是视，或别存觊觎之心，或仍是虚诳之计，种种变态正未可知。而目下情形，在彼既尚属近情，在我自未便先存逆亿〔臆〕。崇厚拟请派员接收伊犁并分界大臣，自为趁此事机一气呵成，以免另生枝节起见。惟交收一事关系綦重，必得会晤俄官就地商办。迨收复伊犁后，西北沿边与俄国接壤袤延数千里，其如何分清界限之处，亟应重为厘定，妥立章程，方可永远相安；自非熟悉边情，而平时声望素为俄人所信服者，不足以胜此巨任。可否请旨，于西北两路边界大臣中简派一人，会商左宗棠、金顺，就近驰赴该处，相机筹办，以专责成。臣等未敢擅便，恭候圣裁。谨奏。

光绪五年四月初七日廷寄左宗棠、金顺、崇厚、锡纶：据总理衙门奏接崇厚电信，与布策商办交收伊犁章程，首以恩赦为请，并请派接收伊犁分界大臣等语。所有接收伊犁及分界事宜，着派锡纶先行会商左宗棠、金顺，相机筹办；俟俄国派有大员，约定在何处交收，即著锡纶驰往办理一切，与左宗棠、金顺详酌，不得迁就。伊犁回人被匪逼胁，未能自拔，情尚可原。此次收还各城，除著名首逆罪在不赦外，其余被胁人众准予自新。着左宗棠明白晓示，接城之日不可妄行杀戮，以示法外施仁至意。

总署奏法使呈递国书请照案给予复书折

总理各国事务恭亲王奕䜣等奏，为法国使臣呈递国书，请旨照案给予复书，以示酬答事。

窃本年三月初十日，法国使臣花罗呢请假回国，其署任使臣巴特纳于闰三月初一日到京，十七日至臣衙门谒见，面递伊国主洋字国书一函、译汉文一件，内称：本年正月初九日，本国大将军麦麻韩侯爵麻仁达退位，议政国会上堂、下堂公举立为大伯理玺天德，切愿两国益敦友睦，推诚相待等因。臣等查历来西洋各国呈递国书，均经奉旨颁给书函，以见往来交际之谊。第从前各国使臣所递国书皆有蜡印，中国复书由军机处备办，用满汉合璧文字钤用御宝，发交臣衙门转给祇领。嗣德国、秘鲁国所递国书因无蜡印，经臣等公同商酌，中国给予复书，似可不用满汉合璧，即由臣衙门用黄笺拟缮，亦无庸请用御宝，以示区别，均经奏奉谕旨照办在案。此次，法国署使臣巴特纳所呈国书并无蜡印，中国给予复书，可否仍由臣衙门照案办理之处，伏候命下遵行。谨奏。

光绪五年四月初七日。

甘督左宗棠奏俄国哈萨克人来著勒土斯山游牧陈明办法片

左宗棠片。

再，臣据喀库善后局员知州黄丙焜、营员知县黄长周禀称：喀喇沙尔城西北著勒土斯山形势奥衍，北通精河，西接伊犁，向本吐尔扈特插帐之所，嗣后地无人居，久成废壤。上年九月，吐尔扈特部众自伊犁来归，比经拨地安插。嗣据山中打牲蒙民报称，有哈萨克人众千余，来著勒土斯游牧。旋据卡丁报称，吐部蒙民阿穆林、钦布、勒伊喜等三人，有盗窃山中哈萨克马二十五匹情事。黄丙焜、黄长周当饬该管台吉将阿穆林等所窃马匹查获，派通晓蒙语之什长余中德，带同蒙缠通事毛山等二名，前往传谕山中失马之人前来认取。余中德等到山，查明失马民人白凯巴音、白克布二名，令其随通事诣营详询一切。据供称俱布鲁特人，此次牧马，系布鲁特、哈萨克两部，共千余人，马二十余万匹。当谕以著勒土斯非其旧土，暂假栖息可否应候饬遵，并责令阿穆林等将马匹照数给还原主，复派哨官严有福督带勇丁数名，押送出卡。该布鲁特头目库鲁玩德克旋同余中德出山来见，备言该两部历受天朝厚恩，畀封王公、台吉，印绶尚在。自从受制俄人，横加赋敛，中户每年纳丁畜税银十数两，上户数十百两，最下亦须数两，兵役通事人等供应需索在外，日朘月削，劳扰不堪。该两部惟望大兵收还伊犁，得睹天日。并称俄人于两部境内凡依河阻水扼要之地，皆筑堡戍守，距伊犁西南五六日程，距乌什西十余日程。临河旧筑两堡，派兵千名驻守；上年六月，忽增三四千人，旋复撤去。前年喀什噶尔逃往回民二千余人，俄人置之堡外，责令耕垦。俄人并于乌什、阿克苏两处冰岭之北通伊犁路径，概行掘断。据余中德回称，山中该两部人马大数与白凯巴音等所供略同，现尚相安无事，禀请核示前来。

臣维俄属各部落近来多以税重差繁为苦，逃徙远窜。俄边各官不复以追逋为急，听其来去自如，似亦有不暇兼顾之势。此次该部众来吐尔扈特旧地游牧。应即驱逐出境以杜侵占之端。惟念各部旧蒙覆载，此际因为追呼所迫自投来归，若复固拒不容，未免为丛驱雀。而吐尔扈特部众流离甫集，亦未便更滋他族久假不归。当饬该员黄丙焜等谕知吐尔扈特各头目，暂可听其插帐游牧。并传谕该两部，暂准借地游牧，以纾喘息，一俟故土可归，即当速作归计；不准借口生端，希图侵占，如敢违延，即派兵驱逐。其吐尔扈特汗居址，已饬由该员等酌发银两，俾得陆续兴修，聊资栖息。是否有当，谨附片具奏。

光绪五年四月十二日奉旨：该两部如系从前分界时已属俄国人众，此时准其借地游牧，俄国将来有无藉口之处，着再妥筹具奏。

使俄崇厚奏与俄外部商办收还伊犁事宜折

出使俄国大臣崇厚奏，为与俄罗斯外部商办收还伊犁各事宜，谨陈大既情形事。

溯自同治十年，俄人代收伊犁后，其使臣倭良嘎哩即知照总理衙门，当经王大臣向俄国驻京使臣倭良嘎哩商议，俟中国奏请简派署伊犁将军荣全到伊犁后，俄国即将伊犁交还。嗣荣全前往伊犁，与俄国派往议事之大臣博呼策勒博斯奇商议未定。倭良嘎哩又云：俟中国克复乌鲁木齐后，方可接收伊犁。迨中国将乌鲁木齐等城克复，照会驻京使臣布策申明前说。布策又谓：中国须将通商交涉各案先行办结，方可会议交还。屡次辩论，迄无定议。从前倭良嘎哩曾向总理衙门有俄国代收伊犁伤人费饷之语，前经前大学士文祥告以中国素重报施，此款谊应筹及。臣此次在都迭蒙召对，面为陈奏请训时，仰承指授机宜，并准臣于行抵俄国酌度时宜，相机办理。臣自抵俄国后，每遇交涉之事，惟以诚意相孚，故其君臣亦各相待如礼。上年十二月间面递国书时，其国君当面告以两国交涉各事宜已谕令外部王大臣会同商办等语。臣因于正月内，将奉旨交办事件先行商办，业经专折奏明。

二月十六日，往见其外部尚书格尔斯。谈次，允其商办通商及交涉各案，并筹还伊犁用费，而仍以收还伊犁为正义。随将面谈各节缮具节略面交。据称事关重大，拟将节略奏明国君，会商户、兵两部总理，方可定议。旋准节略，复称以奏明后，其国君稔知朝廷以和好为念，简派臣前来修约，深为欣悦，仍照倭良嘎哩原议，特派格尔斯会商交还伊犁及一切交涉事件。又准节略声称：大致分通商、分界、补恤俄民为三大端，复将商务、界务各分为三条。商务一条，曰中国西边省分准其贸易，曰天山南北各路妥议贸易章程，曰西边省分及蒙古地方设立领事官。界务之三条，曰伊犁西南界，曰塔尔巴哈台界，均应稍加更改；曰天山迤南两国，应将未定边界划清。至补恤俄民银两应再详议，其交还伊犁章程亦须妥商办理等因。

计前后订期晤商数次，多属申明节略之意。所谓西边省分，系指嘉峪关达汉口之路而言。天山南北各路，系指乌鲁木齐、塔尔巴哈台、伊犁、喀什噶尔等处而言。蒙古各地方系指乌里雅苏台、科布多等处而言。察其用意，盖为便益商民起见。及询以通商设官指定何处，彼尚无成见，应详细商酌再为定议为词。当告以两国有益之事皆可允行，西路地方甫经平定，但恐商务未能兴旺，多添处所，徒形糜费。渠亦以臣言为是。论及伊犁更定界址之故，则以为伊犁系形胜之区，自俄国收来后控制回部声势颇壮，俄国论者咸谓必不可还，而本国君与外部敦崇睦谊，故有是举。特交还后力量不免稍弱，故不得不稍宽其界以为自固疆圉计，顾为地实属无几。论及塔尔巴哈台更定界址之故，则以为该处哈萨克冬夏游牧，往来无定，时常越界，稽察难周，故欲将人地分清，永息边患。论及天山迤南新定界址之故，则以为浩罕地方近为俄国所属，与该处毗连，自应划清交涉，免起争端。当告以此事应检阅舆图方可商议，以便将来两国派员会勘分定。据称日内拟将分界舆图绘就送阅。论及伊犁用费及俄民补恤两款，则以数目无多，俄国总以保护商民为重，若将大事定妥，其余均属易办。臣当告以筹还用费，总宜说明数目，以便奏报。复称事隶兵部，应即询明告知。再，据格尔斯面称，数日后随其君同赴南省巡阅，其驻京使臣布策现因请假在此，已奉俄君之旨，帮同格尔斯与臣商办一切章程，商明即可订约。臣惟有悉心妥议，逐款详求，总以顾全两国邦交，安定边民生计，为久安长治之法。谨奏。

光绪五年四月二十九日奉旨：该衙门知道。

总署奏请将交收伊犁办法议妥后再行弛禁通商折

总理各国事务恭亲王奕䜣等奏，为接据出使俄国大臣电报，现拟交伊犁办法，请即行文边界弛禁通商事。

窃臣衙门前于三月，迭据出使俄国大臣崇厚电报，外部允还伊犁，商办通商，分清边界，还给代收、代守兵费。闰三月，又据崇厚电报，请即奏派接收伊犁分界大臣，以便定约时，同俄国所派大员在何地、何时交收伊犁等因。臣等先后奏明，钦奉上谕：所有接收伊犁及分界事宜，著派锡纶先行会商左宗棠、金顺，相机筹办；一俟俄国派有大员，约定在何处交收，即著锡纶驰往会晤，妥为面议等因。钦此。臣衙门即由电信行知崇厚遵照在案。兹于五月二十二、二十四等日，迭据崇厚电报，内称：外部译来金将军复文，交收伊犁后方可弛禁，俄所争俟弛禁后方可交收伊犁。又接七河巡抚文：俄商前往石河，中国官禁阻。喀什噶尔将俄国寄居属民三百余户驱逐出境。和阗现在有乱，住俄之回民，欲入喀什噶尔滋事，俄巡抚派兵驱逐。现奉国君面谕，告知中国钦差，报明本国速弛边禁。现拟办法，俄国允还伊犁，中国允即通商，行文边界弛禁，请照行凯使，即电复等语。

臣等伏查上年十二月奉上谕：左宗棠奏俄商请领路票前往西路请饬禁阻一片等因。钦此。现据崇厚电信，金顺复文，俟交收伊犁后，方可弛禁云云。自是钦遵前奉谕旨办理。惟现在崇厚与俄国格尔斯、布策等商议通商、分界各事，均为收还伊犁张本。若必俟伊犁交还以后，始准弛禁通商，恐其因此生疑，致碍交收大局。第俄国于边界通商一事，注意已久，今以伊犁未交藉为要挟。该处通商章程，据崇厚函称，正与布策逐条商议，尚未妥定立约。西路分界，据崇厚函送伊犁一路办法，其喀什噶尔等处地界并未分定，代收、代守伊城兵费亦未指有确数。俄国是否心存叵测，尚未可知。若即允为先行弛禁，设彼既得通商之利，遂其所欲，而伊城仍复藉词延宕，中国岂能以已弛之禁，复行收回？臣等再四审度，自以一面交收，一面弛禁，方不至有顾此失彼之虑。如蒙俞允，应由臣衙门知照崇厚钦遵办理，并先行电复该大臣，告知俄国外部，速即派委大员前往会晤锡纶，商办接收伊犁各事宜。仍令左宗棠、金顺、锡纶等，一俟俄国所派大员到后，即将交收、弛禁两事一并妥为办理，毋稍参差。至崇厚电信所称，喀什噶尔将寄居俄国属民驱逐出境，及和阗现在有乱各节，是否确有其事，应请饬下左宗棠等详细查复，以凭核办。谨奏。

光绪五年六月初五日奉旨。

总署奏请饬崇厚妥商俄国交还伊犁片　附上谕

奕䜣等片。

再，交收伊犁一事，崇厚所许俄国者三端：一通商、一分界，一偿款。通商、分界现已议有端倪，偿款一层尚无数目。本年三月，据崇厚电报，兵费数目未说，布策密云并无因利多索之心等语。今据崇厚电报，现拟办法，请即行文边界弛禁通商云云。揆厥情形，似乎俄国即得通商、分界之益，伊城应即交还。即所索偿款谅不至肆意多求。惟是事之利害，当权其轻重，而情之真伪，尤难于测度。俄人久据伊犁以为要挟，无非为贪占便宜起见，我不予以便宜，伊城必不肯交还，此理之显而易见者。然以便宜与交还较，果能相值固计之得也。即或不值，而尚不至于不值之外仍有可虞之事，则计虽未为得而尚不得为失也。今据崇厚电报，商议通商各款及伊犁一城分界大概。查核俄人所占便宜已多，即因此交还伊犁，未必即属相值。况塔城等处，尚不知如何分界，偿款数目尚不知如何需索乎！且洋人性情最为叵测，往往于彼有益之事我已照行，于我有益之事彼则翻悔。如近年烟台条款内，凡英商利益各条均已开办，而洋药厘税一节至今英国尚未商办，今年威妥玛来京，仍复哓哓争论，此即可为明证。即如偿款一层，布策与崇厚面谈时，虽有并无因利求索之心一语，设或已将通商、分界各事允其开办，彼又得步进步，多索偿款。此时开办之事已难收回，多索之款势难应允，恐其藉口偿款未给，而于伊城交还仍是有名无实。此亦事之不可不为长虑者也。臣等窃以为将通商、分界、偿款三端尽行议妥，一面照办，一面即将伊犁收还，两事节奏不分先后最为要着，与前此一面商办各事、一面交还伊犁原议，亦属相符。仍请饬下崇厚、左宗棠等，将通商、分界、偿款各节通盘核算，倘照此收还伊犁，或与未收同，或还不如不收还之为愈，自应再行详细妥商，以昭慎重。俄人逼近中国，所欲甚奢，交涉之事最为难办。崇厚奉命出使绝域，商办交收伊城一事，尤属力任其难，臣等何敢稍为遥制？惟此事关系重大，不敢不瞻前顾后，详慎以图。为此附片密陈。谨奏。

光绪五年六月初五日奉上谕：总理衙门奏，接据出使俄国大臣电报，并密陈交收伊犁一事折片。据奏崇厚电报内称：俄国接金顺复文，俟交收伊犁后方可弛禁，俄人所争俟弛禁后方可交收伊犁。现拟办法，请即行文边界弛禁通商等语。俄人久据伊犁，此次虽允交还，其欲藉此要挟，图占便宜，固在意中。然利害所关，必当权其轻重，未可因急于索还伊犁，转贻后患。即如通商一节，所辖地方甚广，流弊滋多。分界一节，欲于原定界址再图侵占。即偿款一节，虽据布策云，并无因利求索之心，然数目究未明言。以上三端，均尚未有成议，如遽行弛禁，彼又得步进步，多所要求，办法转致棘手。崇厚务当力持定见，总宜将通商、分界、偿款三端议定后，与交还伊犁同时并举，方为妥善；设或所议各节利害相权，得不偿失，自应另筹办法。着左宗棠、崇厚、金顺、锡纶通盘筹画，详细陈奏。至崇厚电信所称，喀什噶尔将寄居俄国属民驱逐出境，及和阗有乱，住俄回民欲入喀城滋事各节，是否确有其事，着查明具奏。

使美日秘国陈兰彬奏报抵任呈递国书折

出使美日秘国大臣陈兰彬奏，为行抵日国日期及呈递国书情形事。

窃臣于三月十六日，在华盛顿使署奏报起程日期。即于十八日，率领随员人等前赴纽约海口，附搭英国轮船，二十一日开行，渡大西洋。闰三月初二日，至英国之利华浦埠登岸。初三日，到英都伦敦。十二日，到法都巴黎。四月初一日，行抵马得力，是为日斯巴尼亚国都。次日，照会其外务大臣戴端。初三日准外务照复，订于初四日未刻接见。届期，臣偕参赞・侍讲衔翰林院编修臣吴嘉善等，恭赍国书前赴彼宫呈递，其君主躬亲接受，问劳殷勤，臣等诵致通好之辞，日主亦具有复辞，谨并录呈。谨奏。

光绪五年六月十七日奉旨：知道了。

桂抚张树声奏统筹越南剿匪事宜折

广西巡抚张树声奏，为接据越南国王来咨，统筹关外剿匪事宜事。

窃臣前在途次，钦奉谕旨：饬即速赴新任，会商李瀚章、冯子材，将剿匪事宜妥筹办理等因。钦此。当于行抵湖北时，先派记名提督黄桂兰驰往越南察看军情，并专函令其赍赴提臣冯子材大营谒商一切。迨臣抵省接篆，即得扫平北岩巢穴之报，业将大略及详细情形两次奏陈在案。现在事机顺手，自当乘此兵势专力擒渠。捕剿愈殷，粮饷愈亟，西省虽支绌万状，总当将月饷、赏恤各项竭力凑筹，提前赶解，以赴关外之急，期早一日蒇事得早一日息肩。然暑雨载途，劳师绝域，臣无日不私心忧之。乃接据越南国王咨呈，以北岩既克，恐一旦逆渠授首急于回军，预作尽剿诸匪之请。省城离提臣太原行营往返兼月，阃外军情倏忽无定，非后路所可遥度。至全局所关，关外利害所系，臣亦不敢不勉竭其愚衷，通盘筹画。

越南山川险恶，水土毒深。从来大众徂征，必因天时之宜，审地利之便，出有余之全力，鼓行奏凯。役不逾时，若穷搜远讨，日久师劳，供馈艰难，疾疫继作，未有能善其后者。乾隆五十三年，前督臣孙士毅既定安南，阮惠遁还巢穴。高宗纯皇帝以安南屡世孱弱，道远饷难，无旷日劳师代其搜捕之理，诏即班师入关。孙士毅悬师轻敌，明年正月朔遂有富良江失律之事。兹事未远，可为前鉴。同治十年，海阳、太原之役，升任抚臣刘长佑亦有扼边要以固本根，其河阳、兴化距边较远，仍传知该国自行攻剿之奏。曾奉谕旨，饬遵列圣庙谟，昭昭垂示，诚明于虚内事外之戒也。现在夏潦方盛，瘴疠繁兴，我军自冬徂夏荷戈转战，杼轴已空，罗掘馈饷，以天时、地利、兵力、财力审之，皆犯兵家之忌。而大军在外，边隘空虚，内地伏莽乘衅乱者踵起，绸缪吾圉。中夜彷徨，臣愚以为李扬才中国叛将，窜扰藩封，义不能纵。该逆授首之后，果新霆击风歼剿除余匪。提臣冯子材老于戎行，必能审度机宜，乘时荡定，以宏圣主怀远之仁。臣已将越南来牍咨请提臣核办在案。倘需大举深入，戡定无期，则越南积匪实繁有徒，无不恃险负固，该国抚叛不常，蛮触之争为日久矣。似当恪遵前旨，仍传知该国王自行攻剿，以清余孽，提臣冯子材即一面班师凯旋。由臣等商派得力营队，扼边关之要隘，杜奸民之出入，如昔年防设故事。当饬将领及地方官，不准稍涉松懈，若余匪窜扰边境，即行随时协剿，以逸待劳，不敢存袒纵之心，亦不失万全之计。除将升任抚臣刘长佑原奏并钦奉谕旨暨此次越南国王来咨，录送军机处查核外，理合会同两广总督臣刘坤一、广西提臣冯子材，恭折驰陈。谨奏。

光绪五年六月二十一日奉旨。

使英法曾纪泽奏法国新铸银圆甚愿通行中国据情上陈折 附咨文

出使英国、法国大臣曾纪泽奏，为法国议铸大圆银钱，甚愿通行中国，据情上陈事。

窃臣于光绪五年四月二十二日，接据法国外部瓦定敦咨称：法国现议铸造大圆银钱，用之安南等处地方；并拟用之附近各国，甚愿贵国家收受此钱通行天下，并望海关衙门准其收用；前准美国之多拉银钱通行各处，法国新铸之钱亦可收用，恳请转奏等因。臣不敢壅于上闻，谨将法外部来咨照译汉文，恭呈御览。

伏查美国之多拉，华语称曰花钱，每圆重合广东市平七钱二分，银色约九成有余，流行中国沿海各省，垂数十年。江浙一带商民行用，每圆兑换足银价值早晚不齐，或值银七钱三四分，闻有增至七钱五六分者。其非沿海省分，江西、安徽、湖北、湖南等处，近因茶叶贸易，花钱亦渐通行。今法国易铸银钱若干，成色重轻与美国花钱大略相仿，则事同一律，久之商民必有与美国花钱搀杂互用之一日，目下自不必设词拒之。且事苟便于民生，一任流通，未始不足与钱法相辅。惟法钱初入之时，百姓偶有迟疑不肯收受之事，亦在意中。我国家只当俯顺商情，不能绳以官法。且花钱不入于税饷，无关于则例，商民如未通行，亦断无由官吏三令五申强使收受之理。我国家于商民生计纯任自然，固可以明告该国，使知法钱可与美钱一律看待，而不能格外邀求利益也。至于所请海关收用一节，查与中国各项税课征收足银之例不合，亦与美国花钱只由中国商民通行之例不合，似难照准。事关银币大政，准驳之间务宜详审，可否饬下总理衙门暨南北洋大臣核议转行到臣，咨复法国外部之处，恭候圣裁。谨奏。

光绪五年六月二十四日奉旨：该衙门知道。

谨将接据法国外部瓦定敦来咨照译汉文恭呈御览

为咨请转奏事。

窃照法国国家现在定议铸造大圆银钱，为安南属地之用。钱之式样与美国北边买卖银钱相似，一面有法国国家图记，与本国微有不同，一面钱纹系王冠上花圈，圈内刻有比阿司脱尔得高墨尔司字样，臣纪泽谨译：法语比阿司脱尔系另一种钱名，得字作之字用，高墨尔司系言通商，比阿司脱尔得高墨尔司即通商之另一种银钱也。圈外刻有各商希勒法兰腮司字样，及银之成色分两，臣谨译：法语各商希勒系言安南，法兰腮司系言法国，各商希勒法兰腮司即法国属地之在安南者也。成色计一千分有九百分净银，每个重二十七格拉模零一格拉模千分中之二百一十五分，臣谨译：格拉系法语分两名目，计每个银钱合中国分两约重七钱二分。圆径得每买特尔中一千分之三十九分　臣谨译：买特尔系法语尺寸名目，计圆径合中国一寸一分。此钱现将赶紧制造，不仅用之安南，并拟用之附近各国。敝国甚愿贵国收受此钱，通行天下，并望贵国海关衙门准其收用。此等方便之处，以前既准美国之多拉通行，臣谨译：多拉即言美国通行之花钱。现在法国新铸之钱贵国亦可收用。但法国国家必须候奉贵国回信，敝国深信贵爵大臣，因此必能据情转奏北京朝廷，道达敝国之所求，不胜盼望之至。须至咨者。一千八百七十九年六月初六日，外部大臣瓦定敦押。

清季外交史料卷十五终

清季外交史料卷十六

光绪五年七月至八月

总署奏朝鲜拿禁法国教士请饬查明释放折

总理各国事务恭亲王奕䜣等奏，为朝鲜拿禁法国教土〔士〕，据法国署使臣再为吁恳，奏请饬下礼部查照前案，行令朝鲜国王查明释放，并将在朝鲜各教士一体确查，令其出境，以息衅端事。

溯自光绪四年四月间，法国教士理若望在朝鲜被拘，法国前使臣白罗呢以朝鲜系中国属国，不欲遽启衅端，函请臣衙门代为奏恳天恩，饬下该国王查明释放。当于奉旨允准后，由臣衙门咨行礼部遵照办理。嗣因该国将教士妥为释送，当据照会白罗呢，并告以劝阻教士，毋再前往朝鲜。旋据白罗呢照复，理若望已回中国，本国回信致谢各在案。九月，白罗呢遣其翻译官德微理亚来署面称：理若望外，尚有数人在朝鲜，恐滋事端，仍望令其回来。询以有无拘禁，答云未经拘禁。又询以数教士是何姓名，仍以尚未查明，未能指出。五年六月十九日，法国署使臣巴特纳同德微理亚来署，面递信函，内称：自朝鲜送回理若望后，昨接营子来函称，本年闰三月有法国教士一名在朝鲜忠清道公州地方被拿囚禁，恳仍为相助，具奏恩准照前一律办理，以救其命。本国必深感厚谊，并开该教士姓名系崔镇胜等语。臣等询以法国教士在朝鲜者究有几人，巴特纳云：连理若望至多不过五人，内尚有病故一人各等因。查崔镇胜现在朝鲜被拘，果与前此理若望被拘情节相同，似可令朝鲜一律释放，毋令法国有所借口。且巴特纳此次来为教士求情，其词较婉，其情颇急。若不俯允所请，转恐伊国藉端径与朝鲜生衅，实于大局非宜。可否请旨饬下礼部，查照前案，据情行文朝鲜国王，转饬查明法国教士崔镇胜因何被拘，如无滋事情形，即由该国释放，送至中国海口，以便巴特纳饬令回国。至此外外国教士在该国者，查明尚有几人，一并令其出境，以免日后再生周折。臣等为朝鲜预弭衅端起见，非以徇法国使臣之请求也。谨奏。

光绪五年七月初四日奉旨：依议。

总署奏与俄外部商议交收伊犁事宜折　附复函界说及节略

总理各国事务恭亲王奕䜣等奏，为迭准出使俄国大臣函述与其外部议论交收伊犁事宜，经先后函商陕甘督臣参酌筹办事。

窃查出使俄国大臣崇厚自上年驰抵俄都后，臣等于本年三月二十三、二十五等日接据电报，外部允还伊犁，商办分界、通商各事等因。当于闰三月初一日具奏在案。嗣迭准崇厚电报信函，以格尔斯、布策迭次商议边界旧案及通商分界各节，布策于通商一事要求不已，于嘉峪关入口由秦州、兰州两路达汉中，许其择定一处行走等情。臣等以通商一事办理亦不能漫无限制，当经斟酌情形，分别核复崇厚妥为办理。五月十九日，又准函称，与布策商议分界，据称要将前定界址酌改，塔尔巴哈台、伊犁、喀什噶尔三处均绘有地图，先将伊犁一图并分界说寄来。臣等按图中所指，将同治三年经明谊议定之界，欲于西境、南境各画去地数百里，并伊犁通南八城之路隔断，致伊犁一隅三面皆为俄境，弹丸孤注，势难居守。此万不可许之事。臣等缮具节略，飞致崇厚。二十三日，又准来函，其与布策议论塔城及天山以南分界并通商事宜，于商务不无扩充之处。臣等再四筹商，诚恐过予通融，俄人或得寸思尺，此次收还伊犁，或致与不收还同，或且不如不收之为愈。故于六月初五日附片密陈，请饬下崇厚、左宗棠等，将通商、分界、偿款各节通盘筹画，以昭慎重等因。奉旨允准，钦遵在案。旋于六月二十日，复准崇厚寄到《新议通商章程》十七款。臣等查崇厚先后函称各节，均关西路交涉边陲要计，其中得失利弊，有非悬揣臆度所可尽者。当经随时钞录原件，飞递陕甘督臣左宗棠察核去后。兹得其复函，臣等公同阅看，知续寄崇厚来件尚未接到，其于分界、通商二端指陈剀切，与臣等意见相同。左宗棠身临其地，于边疆要害、商务盈虚讲求有素，所言必有所见。臣等当即录寄崇厚去讫，窃冀补偏救弊，或于界务稍有限制。所有臣等迭次接据出使俄国大臣来函，即经函商陕甘督臣妥筹办理，并录崇厚寄来俄国外部节略并分界说，暨《新议通商条约》十七款，又臣等答复分界节略及左宗棠复函，恭呈御览。

光绪五年七月初十日奉旨：知道了。

附左宗棠复函

地山星使所称，交收事宜分通商、分界、补恤俄民为三大端，复将商务、界务各分三条，钞寄问答节略；并格尔斯随其君主往南都，所有事宜暂由布策代为商议。其狡执特甚，惟务损中益西，不想可知。俄人之令其暂代格尔斯，自有深意，似须俟格尔斯回，星使方可与之计议。布策得寸思尺，未足与言也。

论中俄地界，自塔尔巴哈台东北沙滨，至西南浩罕边界葱岭，按同治三年明大臣所议，俄人虽有侵占，尚不甚多。惟黑宰哈萨克一种，本归塔城管辖，每年冬深雪大准入外卡过冬。伊犁、塔城变起，黑宰哈萨克乘隙潜据内卡，不复迁出；遥附于俄，自称俄属哈萨克，与中国之克里哈萨克互相劫杀，致成仇隙，蒙汉种族骚然。此次议及界务，照人随地归约章，黑宰哈萨克自应仍归塔城管辖，俄人不得越界占管。倘俄人不肯清还，黑宰哈萨克又甘为俄属，则应迁出卡外，不得再据我外卡寻隙生端也。此外尚有哈萨克、布鲁特等各种族之附俄国者，近时多为征敛所苦，纷纷内徙，或占据土尔扈特旧区，或占据布伦托海游牧，亦当逐加清厘，以明界画而复旧制。星使揽辔匆匆，只能计画大处。其余紧要各节，均须由外间主议之人与俄官随地随时相度定议，列入新约，以便遵循。至彼此交界之处，应留隙地，名为瓯脱，本是古今通义，所以别嫌明微，而杜争占侵越之萌者在此。如界务之必指山水为断，以其有一定形势可凭也。然山以岭顶为界，大水以中流、小水以涯际为界，固可一目了然。然立界于山巅水涘，而即于其处画地而居，则一举足一褰裳，即便逾越所定界址，彼此均启争端。何若各让其地不居，所弃者小而所全者大乎？旧约以二十丈为言，未免过短，其与漫无限制亦复相同。将来定界时，必须于立界牌鄂博外，彼此各空出地段若干，禁止架屋插帐，庶期免烦唇舌，可规久远。星使只须议及大界画，不宜议各细节目，致求密而失之疏。

顷又接和甫将军来缄，论及卡伦一事，凡例有三：内曰常设，外曰移设，再外曰添设。三者之中，惟常设卡伦为永远驻守之地，余皆暖则外展，寒则内迁，进退盈缩或千里，或数百里，皆在常设卡伦之外。故伊、塔旧界距俄甚远。同治三年，明将军谊与俄官杂哈劳会议，值新疆乱作，草率从事，将外重移设、添设之地悉畀俄人，仅以内重常设卡伦为界。今此议已载入约章会要，自此常设卡伦之外尺寸皆非朝廷所有矣。窃意成案虽不能翻，然亦宜设法补救，惟以瓯脱为例，我不索还移设、添设地段，彼亦不居移设、添设地，作为界外隙地，可免实逼处此之嫌，但未知能否有成。至交还伊犁，须交还全境，不独全境以内不容其侵占留住，即境外亦宜多留隙地。此自一定之局，固无须赘说，星使当知所以处之。

朝廷允其通商，俄只有陆路。此次布策所议，并及嘉峪关以内兰州、秦州、汉中，直达汉口，盖欲为俄商广贸易之路，而不为华商留一生机也。此何可许？从前约章本无嘉峪关通商之说，布策始微露其端，此次格尔斯犹未敢显以为言，布策则专以为重。且于嘉峪关外，议及川楚土货总汇之汉口、宜昌等处，意在尽茶丝之利归之俄商，尽陕、甘、新疆之利并之俄国。星使欲以诚感之，恐布策之贪狡居心，非诚所可动也。续奉五月十七、二十二日钧缄，并录示星使与布策两次问答应酬条件，敬知纤人肺腑，已毕澈于洞鉴之中。窃料星使于格尔斯南都言归后，必有剀切之论。格尔斯正派而知大体，俄国又亟敦睦谊转圜之速，固在意中。惟泰西各国大计多决于商人，布策在京、在国所持异论，多出自俄商之口。非将商务利弊剀切详明与俄官商之，则俄官蔽锢日甚，惟务损中益西以图目前之利，其弊仍自其国家受之。《易》曰：利者，义之和也。苟违义而争利，则义失而终失其利，有必然者矣。

试为俄商计之，其图通商贸易固将以求利也。论其求利之方，一在销本国之货，一在购中国之货。俄货入中国者，如大呢哈喇、粗细毡毯、皮张之属，其精好者非民生日用所需，其粗者价值低微，新疆南北路所产不乏，其销路必不能畅。由嘉峪入关，历肃、甘、凉，以达兰州、秦州、汉中，素非繁富之区，兵燹之余，凋敝日甚，售销殊不能多。汉口则江汉总汇，商贩争趋，可期畅旺。然洋商营运皆由水路，俄独由陆数千里转运而来，脚价增多奚啻十倍！运价费则成本加，成本加则销路滞，一定之理。又，俄货之出售内地与各国差同，人情数见不鲜，非减价招徕难言踊跃。合此观之，销货一事不但无利可图，且折阅亦巨也。如此则俄商之利，惟在内地购货入俄行销一事。俄商购货以茶、丝为大宗，茶惟楚产者良，蜀虽丝、茶并产，而茶逊于楚亦少于楚。此次之以汉中、汉口、宜昌并请者，盖欲于丝、茶广产之区自行采购，径运入俄，利源并归俄商，获益自饶耳。蜀丝无贩运来甘者，其贸易衰旺情形无由知其大概。茶则西、甘、庄三司所属行销，旧本官商引地，变乱后官商歇业，片引不行；乃议招贩改票代之，惟时值流亡未复，户口凋零，行销阻滞。比肃州克复，南北两路以次戡定，引地收回，销路可期稍畅矣。而又因归绥、包头私茶浸灌，官茶仍苦壅滞难销。近则各番回亦有转贩私茶，由俄边达吐鲁番、阿克苏者。虽茶价渐长而销数仍滞，计官茶之现存关内外者尚近百万斤，按照现在销数，非二三年不能全完也。俄商入内地产茶处所购买，运赴俄境出售，自期合算。惟合茶价、运脚计之，则每斤合银若干，与华商无甚增减；以茶色高低、价值多少，虽有不同，而路程远近、脚费多少，彼此同出一途，固无二致也。若按实在情形言之，则现在改引为票招贩运销，与向之承引茶商一切费用均为节省，与俄商入内地自购自运合为成本比较，则节省之多又不待言。为俄商计，与其入内地自购自运不能获益，且须防损，孰若嘉峪通商收买票贩之茶，价平运速之为得也。

要之，星使之议通商，本意在持平办理，务使中俄商人均沾利益，两不相妨，乃可顾大局而规久远。嘉峪通商俄享其利，华商尚无所损，引地无虞侵占，只须于哈密、巴里坤、古城等处设卡盘查，防其透销。新疆引界尚易照料，较之深入内地防不胜防犹为得之。星使力持此议，将彼此取益妨损之说详与商酌，彼诚知一切详细情形，或易转圜。如必坚执前议，则嘉峪关设商口后，由其选派妥人，请给护票，遍历察看商务情形，从长计议，亦未为迟也。此商务之应筹者，星使当知所以处之。宗棠昨接上海道转递星使惠缄，于诸务只浑含言之，未暇详及。故不敢多所论辩，恐语涉歧互，于事无济，翻于专对之义有妨。兹承详谕及之，谨举愚臆所及披陈尊览，可否摘取附寄星使，聊备采择。

附俄外部致崇厚节略

交收伊犁，本国意思仍照从前所请各事商议交还。查本国所请各事有三端：会议商务，一也。边界有不妥处，另议办法，二也。中国边疆不靖，俄民有受累者，应议给银补恤，三也。按通商条内可分三条：中国西边省分应准俄商前往贸易，一也。天山南北各路既经中国收复，应妥议俄商贸易章程，二也。中国西边省分及蒙古地方应议设领事，三也。清理边界事内亦分三条：伊犁西南界应稍加更改，一也。两国前在楚古渣所定中国之塔尔巴哈台与俄国之色米巴拉单斯省边界，亦应酌改，二也。天山迤南两国未定边界，现在俄国所收霍罕之地与中国接壤，亦应划清，三也。此外，另有一事，贵国如欲保守伊犁，必须大赦伊犁人民。

附俄外部致崇厚分界说

伊犁交界：

顺布尔罕河至札尔堪特卡，再顺此河往南，直至布尔罕河、伊犁河汇处，过河至乌宗唐卡旧址，顺帖格尔满河至格特满岛，再顺帖克斯河北格特满岛、乌宗岛、伊什其哩克山岭往东，其岭南山口留在交界之南，再顺此岭由帖克斯河东南，至廊克苏达板，转向西南至天山，顺岭直至苏约克山。

喀什噶尔交界：

由苏约克山顶往南，顺有阿来廓勒及廓勒及萨乌业尔得二山口之山脚，至业精与那格拉察勒得二卡中间之地，再顺齐吉勒苏河，由伊尔克什唐卡东再往南，至玛里他巴尔山。

伊尔特什交界即塔尔巴哈台界：

由奎峒山顺喀巴河与布尔崇河二河中间之地，过黑伊尔特什河，直至萨乌尔岭内之堪叠尔雷克河发源之处。

附总署核复分界节略

同治三年，明谊所定伊犁边界，北在博罗胡济尔等常住卡伦之内，西在特穆尔图淖尔之东，两面逼近伊犁，已属非计。今则由博罗胡济尔卡伦之东向南画界，占地约数百里；复由格登山之阳往东，过特克斯台再折而南，顺天山之阴，西抵前定之界址，东西又占去地约数百里。计同蚕食，犹其小焉者也。前定之界址包伊犁两面，今则直包三面，仅留东面通乌鲁木齐一路，弹丸黑子势成孤立，其危可知。格登山迤南通南路捷径三：一由伊克哈布哈克卡伦，达乌什之贡古鲁克卡伦；一由穆素尔搭巴罕，达阿克苏之札木台；一由纳拉特卡伦达喀喇沙尔，皆捷径也。今新议界址在格登山南向东圈出地数百里，横亘于伊犁、阿克苏之间，伊克哈布哈克、穆素尔搭巴罕两路已归俄国界内，咽喉隔塞，南北声息不通。一旦有事，彼此不能相顾，是非仅伊犁成孤立之势，即南路西四城亦成孤立之势矣。纳拉特卡伦一路，虽可通喀喇沙河，然距西四城数千里，鞭长莫及，犹无路也。况收还伊犁后，不能固守而先弃地，若许其定约，所损不已多乎？此议断不可许。必不得已而思其次，则将俄人所指塔城、巴哈尔苏达斋桑淖尔之路，准其稍为改易，以抵伊犁改易之界，或尚可行。特未知道里远近，须勘明再定，然总不如不许之为愈也。

总署奏俄国交还伊犁请将边界地方先照旧例通商以便定议折

总理各国事务恭亲王奕䜣等奏，为接据出使俄国大臣电报，俄国派员交还伊犁，请将边界地方先照旧约办理通商，以便定议事。

奉上谕：左宗棠奏，俄商请领路票前往西路。请饬禁阻一片等因。当经恭录，知照出使俄国大臣崇厚钦遵办理去后，旋据崇厚复称：请领路票一节，应将边界、内地分晰明白，庶免饶舌。现在议还伊犁，其安分谋生之辈当照约保护等语。复经臣等照录崇厚原信，函商左宗棠酌度情形分别办理，现尚未准左宗棠复到。迭接崇厚来信，以通商之事议有端倪，已将应修十七款交俄国外部查阅。并据崇厚电报，俄国允还伊犁，其兵费、补恤商亏汇核总数现银卢布五百万元一切在内，又称边界贸易原无拦阻之理，请即飞行左宗棠照约办理。近又接崇厚电报，以俄国已派高复满等交还伊犁，现商交收、分界、通商各事，所有边界地方格尔斯要先照旧约办理，彼方定约等因。

臣等查俄商西路贸易本载条约，嗣因西路不靖，道途梗阻，所以近年以来俄商应请路票未能畅行。现在西路已经肃清，俄人执约坚请，自是意中之事。左宗棠前奏设法禁阻，原为伊犁未收起见。即臣等前与俄国使臣布策议论，亦云未收伊犁之前，西路未便照常贸易，与左宗棠意见本属相同。今俄国既经允还伊犁，所有代收、代守各费议有成数，并已派员交还。虽分界各事能否均就范围，伊犁能否即日收还，尚难逆料；而在彼既以边界贸易本系条约所准为词，若必固执前说，转令有所藉口，实于大局不无关系。臣等再三商酌，前后情形既不相同，应请饬下左宗棠及西北路大臣，转饬边界各官，将旧约所准俄人贸易地方，按照条约何处系不应行之路，逐细分晰，妥为办理，免与新章有所牵混。至此次崇厚与俄国新议条款，所有准予通商贸易之处，应与分界各事，均俟定约御笔批准之后再行开办，以示区别而符向章。谨奏。

光绪五年七月初十日奉旨：依议。

直督李鸿章奏遵旨函劝朝鲜与各国立约通商折　附稿函二件

直隶总督李鸿章奏，为遵旨缮函，密劝朝鲜与泰西各国立约通商，钞稿进呈事。

窃臣承准军机大臣密寄七月初四日奉上谕：总理衙门奏，泰西各国欲与朝鲜通商，因事关大局，缕晰密陈等语。伏念朝鲜孤峙海滨，向不愿与远人交接，英、法、美诸国屡为所拒。前岁日本胁以兵威，始与立约通商，猜嫌未泯，积有违言。日本知其孤立无援，倘一旦伺隙思逞，俄人亦将隐启雄图，英、法、美诸国复群起而议其后，非惟朝鲜之大患，抑亦中国之隐忧。本年五月间，前福建抚臣丁日昌所陈各节，为朝鲜计实为中国计。惟朝鲜地僻俗陋，囿于风气，彼于近日海外情形茫乎未有闻见。日本最与相近，交涉数年，尚多隔阂。若骤语以远交之利，恐彼国君臣成见未融，势难相强。此臣所以久欲设法而不能不踌躇审顾者也。

至朝鲜原任太师李裕元，自光绪元年秋季奉使来京，是冬十二月间事竣回国，道出永平，属语知府游智开转寄一函，道其仰慕。臣以古者邻国相交，其卿大夫不废赠答之礼，矧朝鲜久列藩服，谊同一家。现值时事多艰，臣职在通商，既不能不广示牢笼，稍通遐迩之气；复不能不代为筹画，俾免杌陧之虞。因于复书略著外交微旨。嗣后，间岁每一通函，至于备御俄人、应付日本之方常为道及。本年春间，李裕元来书，颇陈日本非礼侵侮。臣尚未及裁答，适蒙圣慈垂训。顷已专饬复函作为微臣之意反复开导，加封递至盛京将军衙门，请兼署将军岐元妥速转递。查李裕元现虽致仕，据称系其国王之叔，久任元辅，尚得主持大政，亦颇晓畅时务；如能因此广咨博议，未雨绸缪，庶于大局有裨。惟泰西各国立约，如传教内地及贩运鸦片烟入境，为该国上下所深恶，恐其因此疑畏。是以书中预为剖晰，俾毋过虑。将来朝鲜若果定议，事务正多，该国于约章利病素未深究，立约之时或不能不代为参酌。朝鲜臣民未谙洋情，骤与西人杂处，欲其措置悉协、永无瑕衅，亦尚难保；仍应由中国随时随事妥为调处，庶几柔远绥边较有实际。除俟接李裕元复书再行陈奏外，谨将来往函稿钞呈御览。

光绪五年七月十六日奉旨：该衙门知道，单并发。

附朝鲜原任太师李裕元来函

本年十月年贡使去，略修起居之礼，寻当自永平府查呈，而即于别使之还，伏奉去年上书答教。本年九月初四日函也，备承钧体，对时保重，兼领下赐十六种，件件辉映，在在情曲，已极感激，何图边务之算至及于海外偏邦！远引汉唐故事，近论洋日情实。若是之详，确乎开之以茅塞，诲之以牖约。其在依仰之地铭镂肺腑，受益难谖。英人称以深活之恩，间到莱府愿见官员。俄人种种剥去北陲，居民私相和奸，终难禁制。日本非不讲和，喜愠无常，或赠炮器，或资书籍，言或由中，然少不如意，易致葛藤。向日因总理衙门咨文，洋学教人解送之后，又以此事有日本书契，而奉遵上国之指挥，已为解送之意有所回答。寻有花房义质之书，以上国二字之抬头标出，其说不敬，极为骇惋。小邦之于上国为属国，天下之所知也。丙子爵前严斥森有礼时，有小邦受正朔之教，则渠岂不知此个义理，而肆然发此等之语耶！又以德源开港事遣辞啧薄，不可与之较絜，略加晓喻责其局见，已有咨文呈纳。伏想即经钧鉴，而德源之元山彼必欲图占，不知何意？今于爵前下书始乃觉得，而其许否当博采众议。大抵俄洋事状、日本情形，若非下布之纤悉，漠然尚在暗室中矣。无论何方、何人、何事，如有告愬之端，则惟冀镇压之泽，此岂小生一人之仰望？乃举国齐声之祝！莱馆开港后，自今年出税于土人矣。彼国公使花房义质因此到莱海，谓以非年次恐喝之语，无所不至，此则犹可阔狭，故更为展限。而彼使还归时其书不恭，且有贸易失利赔偿等语，未知春间有何事端矣。兹因钦差言旋，凭游太守转白，不能伸下情，万万悚怅，万万坏礼不备！光绪四年十二月十五日。

李鸿章复李裕元书

正月杪裁复寸函，旋于二月间接到客腊望日惠书，反复于邦交一事，推究得失，剖晰情势，忠谟硕画，倾佩无涯。比稔颐养修龄，平章大政，保疆御侮，措注咸宜，至为企颂。承示日本与贵国交涉各节，日人情形桀骜贪狡，为得步进步之计，贵国随时应付正自不易。客岁驻日公使何侍讲来书，屡称日人倩为介绍，愿与贵国诚心和好，两无虞诈。鄙人思自古交邻之道，因应得其宜则仇敌可为外援，因应未得其宜则外援可为仇敌。日人之言虽未必由中，尚冀迎机善导，杜彼争端，永相辑睦。是以曾寓书奉劝勿先示以猜嫌，致令藉为口实也。近察日本行事乖谬，居心叵测，亟应早为之防，有不能不密陈梗概者。

日本比年以来崇尚西法，营造百端，自谓已得富强之术。然因此致库藏空虚，国债累累，不得不有事四方，冀拓雄图以偿所费。其疆宇相望之处，北则贵国，南则中国之台湾，尤所注意。琉球系数百年旧国，并未开罪于日本，今春忽发兵船劫废其王，吞其疆土。其于中国与贵国，难保其将来不伺隙以逞。中国兵力、饷力十倍日本，自忖尚可勉支。惟尝代贵国审度踌躇，似宜及此时密修武备，筹饷练兵，慎固封守。仍当不动声色善为牢笼，凡交涉事宜恪守条约，勿予以可乘之端，一旦有事，则彼曲我直，胜负攸分。第思贵国向称右文之邦，财力非甚充裕，即令迅图整顿，非旦夕所能见功。现闻日本派凤翔、日进两战舰，久驻釜山浦外，操演巨炮，不知何意？设有反复，中国即竭力相助，而道里辽远，终恐缓不及事。尤可虑者，日本广聘西人教练水陆兵法，其船炮之坚利虽万不逮西人，恐贵国尚难与相敌。况日本谄事泰西各国，未尝不思藉其势力侵侮邻邦。往岁西人欲往贵国通商，总见拒而去，其意终未释然。万一日本阴结英、法、美诸邦，诱以开埠之利，抑或北与俄罗斯勾合，导以拓土之谋，则贵国势成孤注，隐忧方大。

中国识时务者佥议以为与其援救于事后，不如代筹于事前。夫论息事宁人之道，果能始终闭关自守，岂不甚善？无如西人恃其精锐，地球诸国无不往来，实开辟以来未有之局面，自然之气运非人力所能禁遏。贵国既不得已而与日本立约，通商之事已开其端，各国必将从而生心，日本转若视为奇货。为今之计，似宜用以毒攻毒，以敌制敌之策，乘机次第亦与泰西各国立约，藉以牵制日本。彼日本恃其诈力，以鲸吞蚕食为谋，废灭琉球一事显露端倪，贵国不可无以备之。然日本之所畏服者泰西也。以朝鲜之力制日本，或虞其不足；以统与泰西通商制日本，则绰乎有余。泰西通例向不得无故夺灭人国，盖各国互相通商，而公法行乎其间。去岁土耳其为俄所伐，势几岌岌，英、奥诸国出而争论，俄始敛兵而退。向使土国孤立无援，俄人已独享其利。又，欧洲之比利时、丹麦皆极小之国，自与各国立约，遂无敢肆侵陵者。此皆强弱相维之明证也。且越国鄙远，古人所难。西洋英、德、法、美诸邦距贵国数万里，本无他求，其志不过欲通商耳，保护过境船只耳。至俄国所据之库叶岛、绥芬河、图们江一带，皆与贵国接壤，形势相逼。若贵国先与英、德、法、美交通，不但牵制日本，并可杜俄人之窥伺，而俄亦必随即讲和通好矣。诚及此时幡然改图，量为变通，不必别开口岸，但就日本通商之处多来数国商人，其所分者日本之贸易，于贵国无甚出入。若定其关税，则饷项不无少裨。熟其商情，则军火不难购办。随时派员分往有约之国通聘问、联情谊，平时既休戚相关，倘遇一国有侵占无礼之事，终可邀集有约各国公议其非，鸣鼓而攻，庶日本不致悍然无忌。贵国亦宜于交接远人之道逐事讲求，务使刚柔得中，操纵悉协。则所以箝制日本之术，莫善于此；即所以备御俄人之策，亦莫先于此矣。

近日各国公使在我总理衙门，屡以贵国商务为言。因思贵国政教禁令悉由自主，此等大事岂我辈所可干预！惟是中国与贵国谊同一家，又为我东三省屏蔽，奚啻唇齿相依！贵国之忧即中国之忧，所以不惮越俎代谋，直抒衷曲，望即转呈贵国王察核，广集廷臣深思远虑，密议可否。如以鄙言为不谬，希先示复大略。我总理衙门亦久欲以此意相达，俟各国使臣议及之时，或可相机措词，徐示以转圜之意。从前泰西各国乘中国多故，并力要挟。立约之时，不以玉帛而以兵戎，所以行之既久，掣肘颇多，想亦远近所稔知。贵国若于无事时许以立约，彼喜出望外，自不致格外要求。如贩卖鸦片烟、传教内地诸大弊，悬为厉禁，彼必无词。敝处如有所见，亦当随时参酌一二，以尽忠告之义，总期于大局无所亏损。夫政贵因时，治期可久；知己知彼，利害宜权；用间用谋，兵家所尚。惟执事实图利之。法国教士崔镇胜经贵国拿禁，该国使臣在京婉求我礼部行文，转请释放，实为调停息事起见。想已查照施行。缘迭奉来函，谆谆于交邻保境之道，用敢不惮觌缕密布腹心！复候起居，书不尽意。

七月初九日

川督丁宝桢奏保护马加国游历官入藏情形片

丁宝桢片。

再，臣前准陕甘督臣左宗棠、西宁办事大臣喜昌先后来咨，以马加国世袭伯爵摄政义随带凯、罗两人拟由上海历湖北、陕甘出嘉峪关，因而入藏，经总理衙门给发护照，咨行转饬沿途保护。嗣该游历官至肃，复拟改道西宁，由青海觅通藏路径。自西宁一百一十里至申中卡，地属青海；自申中卡至柴达木约二千里，系海北通藏大路。地远而荒，恐有野番劫掠，拟令随同玉树会盟便员行走，计期五月内可至柴达木。其柴达木以西皆川藏地界，咨请派员直至柴达木面为接护各等由。

准此，当经臣恒训查明西藏至西宁程站，钞单飞咨驻藏大臣松溎，转饬汉番各官，并檄令各台站文武粮员拣派得力弁兵，先期驻扎各交界处所侦探，如已由柴达木起程前来，即行首先迎护。复因西藏距西宁甚远，应查明柴达木地方，庶免派员前往别有歧误。惟遍查西招图略，并无柴达木地名。又复博访周咨，查得柴达木在肃州边境之西哈密之南路达安西，为巴里坤后户。若自西宁绕青海之北，经和硕各旗境折而西行始至其地，复由玉树一带行走以达西藏，应在拉里以北迎护。复经开单咨送驻藏大臣，请迅派员弁带领兵役多名循途迎探，直至柴达木地方面为接护。并飞饬各台站文武，转饬土司各按单开道里探明行径，随处接替保护，俾无疏失。又查打箭炉管辖之德尔格特土司属境，亦与西宁、西藏交界，虽道里较远，仍应加意防范，檄令该厅文武札谕土司派员头目、土兵，速往边境探迎，以备不虞。且查柴达木在西宁之东、川藏之西，而川境与西宁接壤者，全在松潘。其交界之曲那木地名，向有果洛克野番时出为患。昔年驻藏大臣恩麟由藏从西宁一路回京，道经其地曾被劫掠，尤当预为设法严防。又已专檄该镇厅，令派员弁多带得力兵役，预在曲那木等处驻扎，力为防卫。并分饬界连之懋功协厅，一体探明，保护前进，用昭慎重。所有派出各员弁、兵役经费、口粮，均准其作正开销，以资迎护。如敢虚应故事并不认真派护者，查出即行严参。并饬将派出名数及接护入境出境日期各缘由，据实飞报查考。均经迭次咨商驻藏大臣妥为办理，并令谙习夷情之部郎约束所辖与玉树界连之三十九族番众，转替接护，不准稍有疏玩。一面接查先后单开程站果否确实，此外如别有可通之路，仍当另行派拨员弁，督率兵役随处保卫，以期周密。各在案。

窃思洋人入藏游历，又藏中第一要务。该藏番虽愚蒙成性，理谕难通，臣等时时顾虑，殊费踌躇。臣宝桢前与驻藏帮办大臣色楞额，遵旨预筹藏中情形，曾经奏明俟色楞额抵藏后，与松溎妥商定议，再行奏明办理。兹色楞额甫经前往，尚未闻抵任之期，而游历官如克日旋来，诚恐开意外之衅。盖其未入藏境以前也，既虑野番之劫掠；幸其既入藏境以后也，又虑藏番之阻拦。而臣等又各相距在六千余里而遥，实有鞭长莫及之势。惟有随时随事尽心筹画，总期防患于未然。并咨商驻藏大臣设法驾驭，善为开导该商上人等，责成沿途保护入藏；再饬拉里及巴里各塘委员，选派得力弁兵随同照料，更加严密稽查，毋任私行其意，俾该游历官不致稍有疏虞，以安远人而纾宸廑。谨奏。

光绪五年七月二十日奉旨：该衙门知道。

总署奏美国前总统在日本调处琉球事拟有办法折

总理各国事务恭亲王奕䜣等奏，为接据出使日本大臣函称，美国前统领在日本调处琉球事，拟有办法，谨将大概情形先行恭折密陈事。

窃臣衙门前准出使大臣何如璋等电报，称日本政府示废琉球为县，遣兵赴球，该大臣与之诘问。又，日国改遣使臣来华等情，于闰三月初五日具奏在案。嗣有美国前总统格兰忒游历来都，亦经臣等于四月二十八日奏明在案。臣等以格兰忒系美国前任总统，用兵定乱，威望著闻美国，又为日本所畏服；知其即有日本之行，球事或可从中为力，因于接晤之际述及此事，格兰忒亦谓日本无理，臣等即将此事始末详细告之；并言琉球久属中国，日本无故废之，灭人国，绝人祀，殊出情理之外，托伊到彼代评此理，以持公道。格兰忒允为设法调处。近由津赴东，又经直隶督臣李鸿章与之面商，渠亦应允不辞。近由李鸿章钞寄格兰忒在日本来函，内有所托之事仍当妥商办法，不敢预定等语。兹臣等接何如璋等函称：见美国驻日使臣平安，据称，事必须了，且必须两国有光，已与前总统商一办法。查琉球各岛本分三部，今欲将中部归琉球立君复国，中、东两国各设领事保护之。其南部近台湾，为中国要地，割隶中国。其北部近萨摩，为日本要地，割隶日本。未知贵国允否？当答以本国意在琉球，惟期球祀不绝而已。美使欣然等因。

臣等查日本废球为县，经何如璋等与其外务争辩，臣等与其使臣宍户玑诘责，往复辩论，已历数月。彼惟一味强词夺理，并谓琉球为彼旧属，始终无一毫悔悟之机，其贪狡为心固有非情理所能动者。格兰忒所拟办法日本尚未答复，虽能否就范正不可知，然窃以日人狡诡卑鄙，谄事西人，其于美国尤为心悦诚服，今以格兰忒一言或可幡然改计。至中国在球设立领事，揆诸字小之义当无不合。惟将琉球南部割隶中国，中国岂可因以为利？且非朝廷抚绥藩服之意，臣等拟候定议后另筹办法。缘现在若因何如璋将此意宣示，则日本必藉口于中国未允，以便其不甘输服之私。届时格兰忒势处两难，转不免于松劲也。又据何如璋等声称，格兰忒之意必欲得当以报，且有欲将大局说定，然后归国；并事可照行，须立专条，拟请美国一同画押各等语。是日人即不遽从，亦必另有办法。此事似已渐有端倪，谨将大略情形先行奏闻，上慰宸厪。谨奏。

光绪五年七月二十一日奉旨：知道了。

总署奏准美国前总统函称在日本商办球事折 附来函

总理各国事务恭亲王奕䜣等奏，为接据直隶督臣李鸿章函报，接准美前总统格兰忒函称在日本商办球事情形，恭折密陈事。

窃臣衙门前接出使日本大臣何如璋等函报，见美国驻日使臣平安，据称已与前总统商一办法。查琉球各岛本分三部，今欲将中部归球立君复国，中、东两国各设领事保护。其南部近台湾，为中国要地，割隶中国。北部近萨摩岛，为日本要地，割隶日本等语。臣等当以格兰忒所拟办法，日本能否就范正不可知，并拟俟定议后另筹办法等因。于本年七月二十一日奏闻在案。兹据李鸿章函称：近由美国领事德呢、副领事毕德格赍到美国前总统格兰忒致臣奕䜣函及致该督臣函各一件，译其来函语意，须将何如璋前给日本外务省照会撤销，由两国另派大员会商办法始有结局。又称：美国副将杨越翰同日致该督臣函，内云，格前总统寄臣奕䜣之函缮毕后，已交日君阅看，毫无异词。美国领事德呢谓：其前总统受臣等面托球事，既与日本君臣议定，此信即算是公文；拟请摘录原信要语，由臣衙门照会日本外务省，请其另派大员会商等语。并译录格兰忒原函二件前来。

臣等查此次李鸿章函称各节，与前何如璋函报情形不同。惟格兰忒前游历来都时，臣等将球事详细告知，嘱其到日本后持平辩折，格兰忒允为设法调处。迨出都过津，又经李鸿章与之面商，伊亦应允不辞。兹闻其致臣奕䜣函，内有称但若中国肯宽让日人，日本亦愿退让中国，足见其本心不愿与中国失和等语。词意浑涵，未审其所谓宽让、退让者果何所指？其致李鸿章等函云：何如璋前有一文书，日本深怪彼此不常见面，公事亦不能商量；不妨将前项文书撤回，另派大员与日本议办，当可设法了结。美领事德呢并称，球事既经格兰忒与日本大臣议定，此信即算公文各等语。似此则球事尚无把握。无论前此何如璋来函所述办法，格兰忒未必与日本议明。即使日本允此办法，而未由格兰忒一手经理，另由中、日两国派员会商，日本狡谲已甚，恐仍未易归宿。然就现在情形而论，似只可照李鸿章函内所称，摘录格兰忒原信要语，由臣衙门照会日本外务省，请其另派大员来华会商。一俟接其照复如何，再行请旨定夺。谨奏。

光绪五年八月初五日奉旨：依议。

照译美前总统来信

西历八月二十三日，即中国七月初六日。我到日本以后，屡次会晤内阁大臣，将恭亲王与李中堂所托琉球之事妥商，设法使中、日两国不至失和。看日人议论琉球事与北京、天津所闻情节微有不符，虽然不甚符合，日本确无要与中国失和之意。在日人自谓球事系其应办并非无理，但若中国肯宽让日人，日本亦愿退让中国，足见其本心不愿与中国失和。从前两国商办此事，即一件文书措语太重，使其不能转湾，日人心颇不平。如此文不肯撤销，以后恐难商议。如肯先行撤回，则日人悦服，情愿特派大员与中国之特派大员妥商办法。此两国特派之大员必要商定万全之策，俾两国永远和睦。譬如两人行路，各让少许便自过去，无须他人帮助。两国大员会议时，如用洋人翻译，亦须两边愿意，不必再请各国公使调停。倘两国意见实有不合之处，可另请一国秉公议办，两国应各遵行，亦不可仅令驻京公使理说。

亚细亚洲人数地球三分之二，惟中、日两国最大，诸事可得自主。所有人民皆灵敏有胆，又能勤苦省俭。倘再参用西法，国势必日强盛，各国自不敢侵侮。即以前所订条约吃亏之处，尚可徐议更改。各国通商获利之处，中国亦不至落后。盖取用西法广行通商，则民人生理、国家财源必臻富庶，不但中国有益，本国利益更多矣。日本数年来采用西法始能自立，无论何国再想勉强胁制立约，彼不甘受。日本既能如此，中国亦有此权力，我甚盼望中国亟求自强。我探知通商各大国内，有那般奸人愿中国日弱，他好乘机图得便宜。我实有爱惜两国百姓之诚心，不得不苦口奉劝，勿中那般奸人觊觎之计。再过两礼拜，我即启程回国，日后若听闻中、日两国为琉球事业经说合，并有永远和好之意，我更十分欢悦。我原不肯干预两国政务，越俎多事，但既出此言，两国果皆信以为实，球事可望了结，我亦不虚此行，与有荣施也。前在中国，各处大小官员待我礼貌甚厚，至今感念不置。格兰忒拜具。

照译美前总统致李鸿章函

西历八月二十日，即中国七月初三日。我有一句话要向贵中堂陈明，祈莫怪我。我原不便说的，看似多管闲事，但受恭亲王与贵中堂之托调停琉球事，我总未与何公使当面商量。我诚心要劝中、日两国不至因此失和，先将两国所争论者详细说开，使两国面子上均过得去。若照驻东洋各公使之意，不免从旁挑唆生事，他们好出头搅扰，冀得便宜。若中、日两国失和交战，兵费浩大，人民受殃，此极惨恶之事，不知几十年后元气才能渐复。我风闻何公使遇有交涉事件，必与西国那一位公使商议，或因是他的好友，其是否我亦不敢知也。美国现有平安公使在此，人甚公正，我常与密商球事，但不能再向各国公使道及，因亦不便与何公使说及。何公使先前有一文书，日本深怪彼此常见面，公事亦不能商。我盼望中国要妥细商办此事，不妨将前项文书撤回，另派大员与日本议办，当可设法了结。凡与中、日两国相好，皆有是心。外另致恭亲王一函，请贵中堂先看，再为转寄。格兰忒谨启。

旨寄驻藏大臣松溎等晓谕藏番照约许洋人入藏游历

旨：着总理衙门寄恒训、丁宝桢、松溎、色楞额。洋人入藏游历，该藏僧俗公禀不令入境，松溎未能剀切晓谕，着交部议处。通善济咙呼图克图等当开导僧俗毋庸妄疑，如有洋人入藏，饬妥为保护。此系按约之事，松溎等当妥慎办理商上连结情形。着总理王大臣照会该国使臣，知照洋人入川，恒训等当设法劝阻，如不听阻止，松溎等当妥慎筹办，不得观望。

八月二十一日

总署奏准使俄崇厚电称已与俄立约签押折

总理各国事务恭亲王奕䜣等奏，为现准出使俄国大臣电报，所有交收伊犁及分界、通商各事均经议定立约，定期画押，谨将臣等筹办缘由恭折密陈事。

窃臣衙门自本年三月以来，接准出使俄国大臣崇厚电报，以俄国允还伊犁，中国允给代收、代守各费，并商办分界、通商事宜。臣等即恐俄人以我注意伊犁将有挟而求，凡所蓄谋者不遂其欲不止。故核复崇厚各函，均告以分界、通商等事虽不能不略予通融，而利害轻重之间亦须通盘筹画，庶免流弊滋多。并以事关重大，将臣等与崇厚来往各信件，随时函商陕甘督臣左宗棠、直隶督臣李鸿章详细核复，历经奏明在案。七月初十日，复将崇厚寄来俄国外部节略，并分界图说暨新修通商条约十七款，又臣等答复崇厚分界等节略及左宗棠核复一函，照录恭呈。近于八月初七、十五、十七等日，连接崇厚电报，内称：约章现亦定议缮齐，于八月初八日起身赴黑海画押；拟将出使大臣篆务暂交参赞邵友濂署理，报明外部后，崇厚即由南洋回京复命。并将现议条约款目摘要电报前来。其第一款，俄国允还伊犁。第二款，中国允即恩赦伊犁居民。第三款，伊犁民人迁居俄国，入籍者准照俄人看待。第四款，俄人在伊犁置有财产，准其照旧管业。第五款，交收伊犁由左宗棠等与俄国所派之高复满会办，中国御笔批准后交收大臣照行。第六款，中国允还俄国收守伊犁各费卢布银五百万元。第七款，接收伊犁后，陬尔果斯河西及伊犁山南之帖克斯河归俄属。第八款，塔城界址拟稍改。第九款，两国分界派大员酌定，安设界牌。第十款，旧约喀什噶尔、库伦设领事，关外现准嘉峪关、乌里雅苏台、科布多、哈密、吐鲁番、乌鲁木齐、古城酌设领事。第十一款，领事与地方官会办公事，用信函，待以客礼。第十二款，俄商在蒙古、天山南北路贸易均不纳税。第十三款，设领事处及张家口均准设栈。第十四款，俄商运俄货走张家口、嘉峪关赴天津，走汉口过通州、西安、汉中，运土货回国同路。第十五款，此约通商章程自批准日起五年后修改。第十六款，俄国愿收税则，将下等茶税会商总理衙门酌定。第十七款，边界牲畜被偷，声明旧约追究，官不代赔。第十八款，定约画押由两国批准后通行，一年为期，在俄京互换各等语。

臣等详加复核，各款中仍以偿费、分界、通商为三大宗。查俄人代收伊犁历有年所，此次偿还卢布五百万元以为收守各费，约计银二百八十万两有零，虽为数不少，而核其收守年分所偿尚不过多。即嘉峪关前未通商而茶运由楚达陇，左宗棠亦曾议及。其所扩充者，现如蒙古贸易，统天山南北两路、张家口及准设领事官之处均立行栈，且所设领事增出嘉峪关、乌里雅苏台、科布多、哈密、吐鲁番、乌鲁木齐、古城七处。前据崇厚函称通商准行之路尚有尼布楚、归化城两处，此次电报各条目只言大略，其尼布楚、归化城曾否允行，尚不可知。是商务一节若允照办，轇轕甚多，并与华商生计亦有妨碍。至于分界之事，中国接收伊犁后，陬尔果斯河西及伊犁山南之帖克斯河均归俄属，并塔城界址亦拟酌改。是照同治三年议定之界，又于西境、南境各划去地段不少，似此则伊犁已成弹丸孤注，控守弥难。况山南划去之地内，有通南八城要路两条，关系回疆全局，兼之俄人在伊犁置有财产照旧管业，亦彼此人民混杂，种种弊端难以枚举。以此观之，臣等前奏所陈，收还伊犁与不收同，或尚不如不收之为愈，并非过虑也。

崇厚办理交涉事件有年，于边务、商务一切无不周知。所有中国有利无害之处，但能争得一分，当无不争之理。现定条约其为俄人肆意要求，不言而喻。臣等一接分界信件，即行电致崇厚，有若照来函有碍回疆全局，节略内并有所损已多，断不可行各等语。嗣接崇厚电复则云：约章定明，势难再议。臣等伏思要求在人，允否在我。崇厚此行固以索还伊犁为重，而界务、商务害之所在，亦宜熟思审处，乃竟轻率定议，殊不可解。虽寄崇厚电信有各事均候批准再行举办之语，可为退步，然中外情异势殊，实觉毫无把握。查同治八年英国新修条约，彼国末〔未〕经批准，至今尚未奉行。现修俄约，既有批准后通行之语，似亦可置而不行。第先允后翻，曲既在我，再以敌情测之，无论从此不还伊犁俄人有所借口，且恐彼仍以分界、修约为词，肆意要挟，靡所底止。缘洋人惟利是视，凡事于彼有益者，虽中国未允之款尚且争之至再，岂中国已允之款遂肯作为罢论乎？中俄接壤，西北处处毗连，边衅一开，防不胜防。溯自办理交涉事务以来，长驾远驭，中国一时力有未逮，所与争论者只恃笔舌之能。往往有先议一事，在我以为难行而不允；一反复间，其所要求者，虽视前议尤不可行；而恃强挟制，将欲仅照前议而不可得。此洋务之愈办愈难，亦愈难愈不能不办之情形也。

臣等再四筹商，目下俄约既经议定，允行则害若彼，不行则害若此，瞻前顾后，殊觉进退两难。顾日后之利害宜权，当前之是非亦宜审。因思左宗棠于新疆情形了如指掌，金顺、锡纶亦久在西北各路，谙习边情，其于边界事宜，均已筹之至熟。且西路通商应如何布置，始能害少利多，左宗棠亦必有权衡。至张家口、汉口系南北洋分辖地方，所有通商诸事自应彼此通筹，以图补救。应请饬下李鸿章、左宗棠、沈葆桢、金顺、锡纶，各将崇厚与俄国新定界务各条款，究应如何办理始臻周妥之处，分别酌核，密折复陈，庶于大局有所裨益。谨奏。

光绪五年八月二十三日。

总署奏俄约界务商务请饬左宗棠统筹全局片 附上谕

奕䜣等片。

再，新修俄约界务、商务两宗，尤以界务最关紧要。查前此崇厚寄来布策所交伊犁、塔城、喀什噶尔三处更改界址说并伊犁图，其所指地方与中国舆图地名多不相符。此次第七款内载陬尔果斯河及伊犁山南之帖克斯河，第八款载塔城界址拟稍改，据崇厚电报称均有图说。其彼此分界地方，是否与布策前交图说相同，抑有续议更改之处，尚不可知。惟第八款既有两国派员勘定安设界牌之语，将来分界条约如果照行，其有损于中国无论已。惟就崇厚寄来伊犁分界一图而论，中国受损究到如可〔何〕地步，是否尚可设法布置藉资补救之处，既应由左宗棠、金顺、锡纶就近酌度情形，妥为办理。若其图占之地均居要隘，此约必不可允。则西北地方处处毗连俄境，所有边防诸事亦应由左宗棠等及时筹办，始无患生肘腋之虞。此中一出一入关系綦重，应请饬下左宗棠等统筹全局，权其利害轻重，一并核议密陈，请旨遵行，以昭慎重而免疏虞。谨奏。

光绪五年八月二十三日奉上谕：总理衙门奏，筹办交收伊犁事宜，请饬疆臣核议一折。据称连接崇厚电报，约章皆已定议，崇厚定于八月初八日起身赴黑海，画押后即由南洋回京复命，并将条约十八款摘要知照。详加复核，偿费一节尚不过多，通商则事多轇轕，分界则弊难枚举，亟应筹画机宜，迅图补救各等语。崇厚出使俄国，固以索还伊犁为重，而商务、界务关系国家大局，自应熟思审处，计出万全。且迭经总理衙门电致崇厚，有若照来函有碍大局，节略内并言所损断不可行。该大臣尤应遵照办理，设法与之辩论；乃竟任其要求轻率定议，殊不可解。现在俄约既经议定，其第七款所称中国接收伊犁后，陬尔果斯河西及伊犁山南之帖克斯河归俄属；第八款所称塔城界址拟稍改。是照同治三年议定之界，又于西境、南境划去地段不少，从此伊犁势成孤立，控守殊难。况山南划去之地，内有通南八城要路两条，关系回疆全局尤非浅鲜。至第十款，于商约喀什噶尔、库伦设领事官外，增出嘉峪关、乌里雅苏台、科布多、哈密、吐鲁番、乌鲁木齐、古城七处亦酌设领事。第十四款并有俄商运俄国货走张家口及嘉峪关赴天津、汉口，过通州、西安、汉中，运土货回国同路之语。不特口岸过多，并于华商生计亦有妨碍，允行则实受其害。先允后翻，则曲乃在我，自应设法挽回以维全局。左宗棠于新疆情形了如指掌，金顺、锡纶久在西北各路，谙习边情。且东路通商应如何布置，始能害少利多，左宗棠必有权衡。至张家口、汉口系南北洋分辖地方，所有通商事务亦应彼此通筹。着左宗棠、金顺、锡纶将界务各条款悉心酌核。李鸿章、沈葆桢素顾大局，除商务各条详加筹画外，其界务如何办理始臻周妥之处，分别详细密陈。该衙门另片所陈界务尤关紧要，就崇厚寄来分界图说，中国如尚可设法布置，即当妥为办理；若必不可允，则边防尤宜及时整顿各等语。此事一出一入关系极重，左宗棠督办军务，事权归一，尤当通筹全局，权其利害轻重，一并复议具奏。

总署奏请派邵友濂暂署俄使片

奕䜣等片。

再，现准崇厚电报，约章缮齐，于八月初八日起程赴黑海画押，拟将出使大臣篆务暂交参赞邵友濂署理，即由南洋回京复命等因。臣等查崇厚系奉特旨授为出使头等钦差便宜行事全权大臣，与出使各国驻扎钦差作为二等者不同，若以参赞邵友濂署理，未免位望悬殊。现在崇厚业经起程回华，应否照出使各国一律请旨，改派出使俄国驻扎大臣一员，其未到任以前，即令邵友濂先行署理，抑或另降谕旨，就近即派邵友濂暂署出使俄国驻扎大臣，以示区别之处，臣等未敢擅便，恭候圣裁。谨奏。

光绪五年八月二十四日。

清季外交史料卷十六终

清季外交史料卷十七

光绪五年九月至十月

甘督左宗棠奏陈收回伊犁事宜折　附上谕

督办新疆军务陕甘总督左宗棠奏，为遵旨复陈事。

窃臣于二月十七日钦奉谕旨：总理衙门奏接据出使大臣电报，并密陈交收伊犁一事各折片等因。比即恭录谕旨，密致金顺、锡纶，拟俟定商一切，会同陈复。因彼此相距甚远，复到需时，谨先就管窥所及敬为上陈。

窃维伊犁本我旧土，适中原多故，远略不遑，猝致沦陷。俄人伺衅而动，借词代为收复，入据要区，亦知所为本冒不韪，佯言俟官军克复乌鲁木齐、玛纳斯即交还伊犁，更无异说。迨天戈西指，迅克乌鲁木齐、玛纳斯，而俄据伊犁自若也。官军逾岭而南拔吐鲁番，连下八城，安集延逆酋既伏其辜，逆竖与陕甘败残逆贼渠目白彦虎等窜入俄境，俄官纳之，屡索不与，而据伊犁自若。冬春之交，窜俄诸逆领取俄边贸易路票，三次窥边，为官军搜获，俄官诿为不知，而据伊犁自若也。朝廷重念邦交，特命崇厚出使以修约而敦睦谊，于收还伊犁外并议及界务与商务。夫伊犁应还不待今日，且俄人旧议也，今迟之又久始践前诺，其未足市德于我也明矣。

以界务论，同治三年明谊与俄官定议准之旧界有缩无赢；此次即仿瓯脱往事视为隙地，彼此共之，在我仍有所损，在彼亦受其益。以商务论，除边界旧约无庸更议外，布策从前在京师虽颇以嘉峪关为意，总理衙门未尝轻许，自不得即据为定论；此次崇厚议允其设立领事已过期望，凡此皆不待烦言而决者。崇厚以全权出使，商务、界务外，更有议给偿款之请。彼既利我土地，我复许以重酬。于议似虽未协，然汉文之待北匈奴大单于也，诏书而外，优以缯帛，词意斐亹，故事可循犹之可也。皇上俯允所请，惟于商务虑其流弊滋多，界务虑其再图侵占，饬崇厚坚持定见。崇厚钦遵谕旨，与俄之外部诸臣从长计议，理足而将之以诚，我睦邻之谊尽，而又尽彼厌足之道，加无可加。若界务于同治三年定议外再许侵占，商务于嘉峪关内再允推广，则有关国家疆圉、华民生计者甚大。在拮据戎马、机会迫促时，犹未可轻议及此。矧值天威远被，遐迩震慑，何为必出此下策，以苟安目前？窃恐俄人识时务者或疑过情之许为不诚，其无知者翻疑我情实之两诎。有为而为之论端日出，应接不暇，固无论舐糠及米，异时防不胜防，必将于大局有误也。

臣愚，窃谓伊犁、塔尔巴哈台一带旧界已难复按，则仍以同治三年所定之界为定。而以旧界作瓯脱隙地，俄人或有在隙地内造屋居住，一时难于迁徙者，亦姑听之，但定为瓯脱隙地，禁其日后修造可也。所有哈萨克各部落之旧属中国新附俄国者，一并划明界址，毋俾混杂。其喀什噶尔、英吉沙尔一带旧设卡伦，为逆酋阿古柏所毁，逆酋于相距二百里内外改设卡伦，查本安集延故地，此次用兵追贼所得，因移旧卡于此地，虽在旧界之外，与俄无涉，不在约内。此界务大略也。

至商务，已允其嘉峪关设领事通商，其由俄边而来入中国境，如古城、巴里坤、哈密、安西、玉门等处地方，皆其必出之途。由古城经过者，有官有驿，足资照料；惟旁境可通车驼者尚多，应分设塘汛，容俟察核办理。嘉峪关城地极褊狭，俄设领事于此势多不便，或于肃城内外度地居之，地之相距仅六十里，亦易照料；由官置地建造租赁俄官居住，按月薄取租值并无不合，俄之官商不得私向民间购基造屋致滋论端。此商务大略也。

至由肃州、高台，经甘、凉两郡以达兰州省会，由兰州南路以达汉中，或由东路达陕西省会，由西安以达汉中，而均指汉口为销货、置货之地。由俄边至汉口水陆万里而遥，历新疆、甘肃、陕西、河南、湖北辖境，陆程居其大半；至龙驹寨、紫荆关各处，始有小船可雇。余皆车驼曳负而行，道路修阻，途境错杂。俄商零星装运，防护难周，时有疏失之虑。如其联帮行走，尖站过载，主客相参，易滋口舌。俄商性情高傲，计较最工。内地无赖之徒，从而簸弄，事事倚藉外人声势，构衅生端，官司不能讥禁，偶有抵牾，辄干吏议。各省大吏相距太远，声息难通，事关中外交涉，咨行察办往复需时，两造各执一词，难于究诘，案悬莫结，动经数年，督责既有时而穷，调停复无计可设，而疏漏冒混，狱市多扰，姑不具论。此患之中于官者也。

甘肃地瘠民贫，向不知经商服贾之利。土物行销外省者，烟叶、药材而外，别无大宗。民间所用车辆，多系无铁高轮，牛马驾曳，负重而不能行远。驮货用驴，于农隙受雇运货，以供喂养，而资其余利。陕西驾车多用骡马，惟驮货用骡。骡产自河南嵩洛间，非陕所出。陕民以车驮为业，购骡于豫，揽载通行，百货藉以运销，公私均取给于此。军兴日久，牲畜疲乏，倒毙为数本多；加以陕豫濒饥，民间因喂养缺乏，宰食充腹者不少。于是车驮之价顿增，百货转运因之而滞，民间以向私蓄车驮牛驴，于农隙短运取值以资过度。若允俄商入内销货、置货，则车驮雇价益昂，民间短运将废，生机顿塞，殊非所宜。此患之中于农者也。

商贾行销，茶为大宗，茶之所产以楚为盛。甘肃旧有茶商行销之茶，设有官引，从前私茶充斥，官引不行。军兴以来，官商死丧流亡，茶务倒歇。臣不得已奏请改引为票，招贩承销，裁革陋规，听民自便，于是茶贩踵至。迨官军复地渐广，可冀畅销，而私茶又由山西包头藉行销蒙古，绕道草地，浸销新疆北路，间有倒灌南疆者。臣饬古城，巴里坤印委各员，实力查禁，而偷越仍难杜绝。惟南疆吐鲁番八城缠回见砖茶则喜，谓即承平时湖茶非私贩筒子茶可比。惟地方新复，销数尚未能畅，官茶屯滞各处者，尚百余万斤，然两年不能销尽。而票贩成本息耗愈久，则亏累愈巨，正思减价出售以清夙累。若允俄人入内地置货，势必侵占官茶引地，票贩亏累无从取偿。此患之中于商者也。

经商之事，必先计成本。所谓成本者，合货价、运脚、盘揽三者估之，摊入货色为成本，再计市值之高低为利息之赢缩，大抵皆然。泰西各国之通商者，均由海道入长江抵汉口，虽远逾数万里，而皆一水可通；货价虽同，而运脚较陆程减少不止十倍。洋商初入长江，见汉口为百货汇萃埠头，争于其地购地修造洋行；又于汉口下游江西之九江购地，如式修造，洋行既成，杰构临江，自夸得计。乃不数年生计萧条，得不偿失，并两处洋行觅主求售，亦不可得。水路经商尚如此之艰也，兹俄商不顾崎岖万里，欲与海国竞此贸易之利，前车既覆，后轨方遒。加以陆运脚价、行栈、盘揽，合计成本，较各国商人奚啻十倍过之。纵使善于营运，折阅固在意中。虽彼自失算，于我无尤，然折阅必不甘心，又将顾而之他为求赢之计。于是而电线、铁路诸事论议纷纭，殆有应接不暇者。斯时偶与通融，异日即添无数烦恼，再图补救悔之已迟。此患之中于国计者也。

臣愚，再四筹维，俄商若由嘉峪关，历甘肃、陕西、河南、湖北而抵汉口，销货、置货，彼此实无利益，徒多扰累。非赖使臣钦遵谕旨，坚持定见，剀切言之，俾决计阻止不可。

至洋药流毒日久，必思所以禁之。论其办法次第，必自内地禁种罂粟始。内地不产烟，则其价必昂，价昂则吸之者自少，然后禁令可张，始有更新之望。甘省遵旨禁种罂粟，著有成效。上年曾经奏明，现复据司道详称：先后据府厅州县禀报，印委各员躬亲巡历，不惮劳苦，民间奉令惟谨，实已根株净尽。惟恳出示晓谕，禁止外来土烟，如有川滇客民贩土入境者，当众焚烧，薄与责惩，令其改图贸易，奸贩亦渐知耸慑。臣拟俟复核确实，再行具奏。兹阅崇厚商改章程第十五款，于洋药定议稍宽其禁，准在口销卖，与甘肃现行章程不合。若照所议，不特无以慰此邦官绅士民望治之心，亦无以杜川滇商贩之口。崇厚未悉现时甘肃办法，故有此议。可否仰恳天恩，谕将洋药一项芟除定议，伏候圣裁。犹忆光绪元年，俄使索思诺福斯齐等在兰州与臣谈及将来通商事宜，即言断不令俄商贩鸦片入中国，以洋药流毒为中国所不容，亦俄人所共知也。

谕旨垂询：崇厚电信所称，喀什噶尔寄居俄国属民驱逐出境，及和阗有乱，住俄回民欲入喀什噶尔滋事各节，是否确有其事？臣已恭录移知金顺、刘锦棠矣。惟新疆南路文报络绎，从无只字道及，未知崇厚果何所闻？或俄人意欲释其前此纵贼犯边之嫌，则未可知。近接道员罗长佑缄称：英国驻土耳其领事有来喀什噶尔会唔〔晤〕之意，措词甚恭。又称：今正大捷，漏逸贼酋爱木克汉〔汗〕条勒、阿布都热哈玛，国〔因〕俄人不肯收纳，寄居乌鲁克恰提，近甫渡河而南招致回部游手，意在窥边。罗长佑已调马步两旗，赴乌帕尔筑垒以待，余均照常安谧。合并附陈。谨奏。

光绪五年九月初一日奉旨：左宗棠奏交收伊犁事宜，崇厚现已定议，惟有急图补救。著该大臣遵奉八月二十三日谕旨，将界务、商务详慎筹奏。所称甘境不销外来烟土，仍著体察情形筹办。

江督沈葆桢奏议复崇厚丧失国权条约各款万不可行折

两江总督沈葆桢奏，为俄人要挟太甚，应将使臣所议作为罢论，不宜顾已破之甑以摇全局，遵旨筹议，密折驰陈事。

窃臣于本月初一日，承准军机大臣密寄光绪五年八月二十三日奉上谕：总理衙门奏筹办交收伊犁事宜请饬疆臣核议一折，著左宗棠、金顺、锡纶将界务、商务各条款悉心酌核。李鸿章、沈葆桢素顾大局，除商务各条详加筹画外，其界务如何办理，始臻周妥之处，分别详细密陈，原折片著钞给阅看等因。钦此。查崇厚与俄国所立条约，其第一款曰允还伊犁，以下各款无非百倍取赢之意。盖以我所注意者在此，故彼所挟以居奇者亦在此。使索还以后永断葛藤，事事由我自主，偿费乃为有着。若划地对抵，奚啻割无瑕之肉以补已溃之疮！况复推波助澜，得步进步？总理衙门所奏固已燃犀照影，毫发毕呈矣。

西北地舆臣未能深悉形势，但就所立条约言之，伊犁虽已收回，盘据无非他族，名曰得地，实则寄居。划去之craft尔果斯、帖克斯河必尚在伊犁以内，扼吭拊背，我不啻入其伏中，求一举手动足而不可得。较古人所谓如得石田者，所失奚啻百倍？宜宸廑之辗转不释，而总理衙门亦通盘筹画，兢兢于驷马之难追也。第原奏所最踌躇者，谓既允复翻，其曲在我。查《万国公法》云：使臣执全权议约，虽已明言其君必将准行，若有违训事件，则君不必准也。况此次约章明言候御笔批准，并未明言国家必将准行，且逐条皆于批准二字再三申意，则未奉批准即当作为罢论。其理明甚，不能责我以违约也。纵使万不得已，不如光明正大，许以不索伊犁，以塞其多方要挟之计。明知祖宗之地尺寸不可与人，臣何敢冒不韪之名为弃地之请？第有所得即有所失，已不过以彼易此，况所得大不偿所失，且名为得者实则毫无所得，而后患正不可知。语曰：两害相权取其轻。又曰：毒蛇螫手，壮士断腕。恋一子而全局糜烂，能棋者断不出此。至该国向汉口运货，本有长江条约可循，若口外通商纵未能拒绝，亦当公平交易，彼此如一；倘许以免税，则西北利权一网打尽，如民生何？如国计何？除详细情形应由左宗棠等就近察看筹议外，所有遵议缘由谨恭折具陈。谨奏。

光绪五年九月初五日奉旨。

总署奏琉球官员到京乞援折　附原禀

总理各国事务恭亲王奕䜣等奏，为琉球官员到京乞援，当经剀切开导，并拟资遣回闽事。

窃查日本废琉球为县一事，臣衙门曾于闰三月初五、七月二十一、八月初五等日，将密筹办理情形具奏在案。本月初八日，有琉球耳目官毛精长、通事官蔡大鼎、林世功等三人，偕同中国通事谢姓，来臣衙门求见。臣等先令总办章京接见。该琉球官等面递禀词，臣等公同阅看，内称：国遭日本侵灭，将国主世子执赴其国，迫索诏敕御书、扁额、宝印，并胁取簿册暨仓库所藏钱粮，苛责掠夺无所不至。为此薙发改装，由闽附舟北上，吁请据情奏乞天威，迅赐救存以复贡典等语。情词悚迫，臣等因令于十一日来见。该球官等俱中国服色，伏地哭拜不起，所言与禀内大略相同。臣等善言抚慰，谕以尔国之事迭经奏明设法办理，且宜静候。该球官等唯唯而出。臣等查该球官等三人改装来京乞援情形，殊堪矜悯；且闻日本曾有拿解球人之说，自宜妥为保护。该球官等并已在礼部递呈，若守候日久，诚恐别生枝节，致多窒碍。臣等公同酌量，拟由臣衙门发给川资银三百两，派弁送至天津，再由李鸿章派员护送回闽，以示体恤。谨奏。

光绪五年九月十三日奉旨：依议。

附琉球国官员禀

琉球国前进贡正使耳目官毛精长等谨禀，为国灭主执，民不聊生，号恳据情奏请天恩，迅赐救存以复贡典事。

窃敝国自遭日本阻贡，以致胁执国主，种种陵虐迭经禀明闽省督抚大宪，吁请奏闻各在案。理宜恭候天朝办理，何敢冒渎？缘八月初五、初七等日，据敝国官吏向好问、金德辉、杨逢春等来闽报称：先后奉王弟尚弼命，饰为漂风抵闽之状，再行告急。敝国惨遭日本侵灭，竟将国主、世子执赴该国，屡次哀请回国，不肯允许。乃谓现与中国互相葛藤，应俟大局已结，饬行复国。本年五月，王弟尚弼等业经特饬向廷槐等抵闽请救，举国昕夕实深盼望。讵意日人于六月十四日，率领巡查兵役，突入世子宫，先将各门紧守，迫索历朝颁赐诏敕。此乃小邦镇国之宝，虔诚供奉，岂敢轻以示人？当即再三恳说，日人不听。各官与之据理争论，日人大怒，立召巡查数十名毒打各官，直行胁去。至天朝钦赐御书、扁额、宝印，亦恐被其夺掠，百方谨护，忧虑滋深。又，近日上自法司等官，下至绅耆士庶，外而虎岛监守官、笔帖式，暨其头目、土役人等，多被日人劫至各处衙署严行拷审，或有固执忠义自刎而死者。又将诸署所有簿册，暨仓库所藏钱粮一概胁取，且驰赴诸郡迫以投纳赋税即行严责，复将所积米谷擅行封去。除此之外，首里、久米、那霸各府，被其蹂躏者，指不胜屈。又，本年六七月间，有疫疠流行，该日人在那霸地方假设医局，托言疗疾，强将染病之人带去，莫知踪迹，或有割胸取肝。呜呼！日人封豕长蛇，既吞国执主，复囚官害民，苛责掠夺，无所不至。非仰仗圣天子之声灵，迅赐救援，别无筹策等语。

长等一闻之下，肝胆崩裂，相共饮泣，业已具禀，哀恳闽省大宪据情陈奏，迅赐救难。伏念敝国累世相承，上膺册封，久备外藩，自国主以迄臣民，罔非天朝赤子。今遭倭人荼毒，竟致主辱国亡。长等误国之罪，万死犹轻，为此薙发改装，附舟北上，长跽哀号，泣血吁请。除禀总理诸位大人外，伏乞大部大人，俯怜二百年来效顺属藩，被倭陵虐，待拯孔亟，恩准据情奏请皇上，宣扬天威，迅赐救存以复贡典，则阖国感戴皇恩宪德，实无涯涘之至！再，此番进京应先禀明闽省大宪，仰候允准而后启行，只因事在急迫，救主情切，是以不揣冒昧沥情径禀。犯法之罪所不敢辞，惟求恩全，不胜激切惶恐之至！谨禀。

甘督左宗棠奏查明俄民寄居喀什噶尔并无驱逐出境情事片

左宗棠片。

再，臣钦奉谕旨：崇厚电信所称，喀什噶尔寄居俄国属民驱逐出境，及和阗有乱，住俄回民欲入喀什噶尔滋事各节，是否确有其事，著左宗棠、金顺查明具奏。钦此。臣比恭录咨行刘锦棠，查明具复，以凭复奏。兹准刘锦棠复称：查逆酋阿古柏，本安集延人，所用各头目官皆其种类；即未充头目者，亦无不倚势作威，相助为虐。西四城克复时，除著名首要各逆已经擒斩外，余随逆竖柏克胡里窜俄，其安集延丁口寄居喀什噶尔者约尚数千。刘锦棠仰体皇仁，未即骤加诛戮，咨商处置之法。臣比答以此辈若与缠回狎处，异时终启边衅，应询明愿归安集延者，仍放归故土余均择地安插。刘锦棠饬各城善后局传谕照办，其中有愿归故土，而已在各城置产者，准其估价出售本地民人为业，不准稍有抑勒。自上年春间至本年夏季，迭经各局陆续放归甚多，其偶有迁延，则皆因产业求售无主者也，然亦未尝勒限驱遣，稍事迫促。

窃查安集延本系浩罕四部之一，俄国虽并其三部，而安集延人随阿古柏窃据回疆，未为俄所兼并，固天下所共知。兹俄人既认寄居喀什噶尔之安集延为所属之人，则安集延之举动，应由其指使。何以安集延人随同阿古柏入寇回疆，俄国并不加约束？如谓我之宽宥安集延人，放其自归故土，并准其出售产业，复听其自归，不加迫促以为驱逐，姑勿论勒据回疆之安集延本非俄属，俄之代抱不平不值一哂。我之待安集延，又实法外施仁，无可复议也。此不可解者也。和阗民富而性驯，就抚以来，地方各署讼狱亦稀。闰三月内，有铁匠哎不拉为人打造腰刀二十把，托商民带赴退摆特地方发卖，居民以形迹可疑告局。局员叶自远以私造军器，事关重大，禀知刘锦棠。刘锦棠以此案牵引七人，虑有冤蔽，饬解赴行营讯结，尚未解到。纵令私造腰刀，实有异志，亦焉能为！何烦俄人代为过虑？此不可解者也。如谓误闻浮言，即以见告，足表其关念之诚，则此次窥边逆酋由俄边驱逐而来，俄官岂得诿为不知？何独无一言见告乎？再四思维，或布策辈因崇厚以诚相许，易售其欺，乘此界务、商务议论纷纭，有求必应时，更加迫促，俾堕其计中耳。既蒙垂询及之，谨据刘锦棠所陈复奏。

光绪五年九月十七日奉旨：该衙门知道。

使俄崇厚奏议结中俄交涉各事宜折

出使俄国大臣崇厚奏，为与俄国交涉未结各案现拟完结办法事。

窃查历年与俄国交涉之案层见迭出，经总理衙门王大臣与俄国驻京使臣反复辩论，迄未议结。嗣与之商及交涉伊犁之事，其使臣复坚称，中国须将交涉各案先行办结，方可商议交还等语。臣此次行抵俄都，往见其外部尚书格尔斯，允为商办各案以为交还伊犁之计，已于本年三月二十八日奏明在案。旋与中国前驻京使臣布策说明，各案五起分议照会五件于定约之前先为议结，以清积牍。查各案中，如江汉关扣留俄国轮船，及前任塔尔巴哈台参赞大臣英廉杀毙俄属哈萨克车隆，与乌里雅苏台官员责打俄人萨哈赖苏然审凶三案，所拟办法尚无出入。布策本有请将英廉革职永不叙用之说，经臣力争而止。布策将车隆另行开单请恤，现已归入恤款办理，故照会不叙。练总徐学功于劫俄商货帮一事，前据陕甘督臣左宗棠查复总理衙门函中，有将该员罚银一万两之议，故照会中即本此意立言，而仍将所罚银两一并归入恤款办理。惟察罕格根诟辱俄官一事，情节较重，格尔斯亦屡向臣辩论。该处前后所出两案，布策有期令格根至斜米尔省赔礼之请，不特无此政体，且恐另生枝节，更为不妥。查察哈格根本系获谴迁徙之员，又复不安本分，迭次生事，俄官受其欺侮有违奉旨批准和约，故照会中拟为奏参交理藩院严议，革去差使。照会俄国外部去后，接其照会复称，各节除参徐学功一案照议办理外，其余各案均期由总理衙门奏请上谕行知各处，并出示晓谕。臣将其照会钞录，咨呈总理衙门查核，奏明办理，并照复俄国外部外，谨将拟结各案办法恭折具陈。谨奏。

光绪五年九月二十一日奉旨：该衙门知道。

川督丁宝桢奏设法阻止洋员入藏游历片

丁宝桢片。

再，臣前准西宁办事大臣喜昌来咨，以马加国摄政义、奥斯图、凯来赖等，拟由青海赴藏游历，知照派拨员弁至柴木达〔柴达木〕交界迎护。当经饬知各厅营委员，派拨弁兵赴交界处迎护，业经奏明在案。嗣准该大臣及陕甘督臣左宗棠，以该洋员行至青海，见该处难以行走，因知四川至藏系驿站大道，可以无阻，复改道由兰州、秦州一路，由川入藏，咨令派护。复经札饬川境各属，派人探明迎护。兹该洋员摄政义等已于八月初十日行抵成都省城。时臣在闱监临，又值乡试，士子云集，诚恐聚集喧嚷，别滋事端，随传谕成都县妥为安置。旋据该县面禀，该洋员自称急欲进藏，定于十五日起行。臣以藏中情形现据驻藏大臣松溎来咨，以阖藏番众人等已联名具禀，出具图片，仍欲拦阻该洋员前进。兼称已经据情奏明，请俟奉到谕旨，再行遵办等情。臣惟该洋员坚欲进藏，其情断难久候，而藏番既如此违抗，将来如遇入藏，肇衅即在目前；必须设法劝阻，能得其改道前赴印度方为妥善。复传谕成都县令其代臣致意该洋员，留其小住数日，俟臣出闱，与之面谈一切，再为起程。言之再四，该洋员始肯稍为等候。臣即于二十日出闱，前往拜晤。谈论之间，该洋员坚称必须进藏，万难转移，并云：一晤之后，即便起程等语。

臣查其意甚坚，遂将藏番固执不通，于外洋人进藏即行拦阻实难理喻，并举前数次赴藏洋人及臣所派委员均被阻改道各情，剀切与言。又以川省保护亦只能至交界之巴塘为止，此外系属藏地，向无管辖，不能前进；即勉强护送，而彼此呼应不灵，亦属无益。至驻藏大臣派人迎护，自是一定办法。惟驻藏大臣在藏，亦不能尽管藏番之事，其中尚有藏王主持，且既系入藏，藏地乃该番地土，彼既不愿人前进，驻藏大臣亦岂能强以必从？况驻藏大臣所派亦只是派拨番人，今既不肯令人进藏，即派之必不能听，驻藏大臣亦属无法。请其细加详度，不可仓卒执意等语。该洋员初不相信，及臣与之辩论多时，始觉有知难之意，惟其坚执成性，不肯遽行迁就。臣当时自行筹度，此时若急于阻止遽令改道，彼必以为我等有意阻拦，将来反谓藏番一切情形皆我等主使，必多哓〔饶〕舌；不若仍促其前往，使彼知我之并非故为拦阻，以释其疑。乃特派委明干之员随同前行，密谕以彼到巴塘时，先不必用言劝阻，但将现在藏番拦阻甚力一切实情，与之言明；即请其派人会同委员，前往交界处所，一为查看，再定行止。臣料该洋员在此，经臣设法解说，已大有改道之意；若在巴塘一看藏番情势，当必废然思返。迨彼自知其难，向委员商量行走之路，然后委员乘机与言，从前各起洋人进藏，均系在此改道由云南前赴印度，请其自为斟酌，如不愿冒险，惟有仿照办理。彼时该洋员实逼处此，无可如何，自不得不从。既从之后，再为多派兵役，妥为护送，该洋员乃一无可借口。而此次能阻其不得进藏，则以后游历之员亦不至接踵而来，庶可获数年之安。此乃欲收先纵之法，臣用意如此。已密谕该委员等遵照妥办，总期不令入藏生事，庶以仰慰圣怀。现该洋员已定于二十五日由省城起程，臣已派拨弁兵人等沿途妥为护送，俟其到巴塘后如何情形，再行奏闻。谨奏。

光绪五年九月二十九日奉旨：该衙门知道。

礼部奏朝鲜国王咨报与日本商订开港事竣折　附咨文

礼部尚书恩承等奏，为据咨转奏事。

准盛京礼部送到朝鲜国王咨文一件，臣等公同阅看，系因该国与日本商酌开港地方事竣，恳请转奏。谨钞录原咨，恭呈御览。谨奏。光绪五年十月初二日。

照录朝鲜国王咨礼部文

朝鲜国王为咨报许日本开港地方事。

光绪五年四月二十四日，日本代理公使花房义质派来小邦，小邦照往年例，馆饩于阁外，宴飨于礼曹。使刑曹参判洪佑昌兼伴接官、旬检公干商酌事宜，特许开港于咸镜道德源府海口，即因丙子条约二处开港之文也。其外一处，则姑未指定，再来之期以更报为言。本年七月十七日，该日本公使竣事发还等因。窃伏念我小邦，偏荷圣朝仁覆之泽，自有日本事，干蒙总理衙门暨部堂大人先事指划，宣力周章已多年所，小邦君臣感恩颂德，曷以为报？兹将与日本商酌开港等事，略具颠末，仰尘崇鉴，烦乞礼部照验，转奏施行。

直督李鸿章奏遵议交收伊犁补救崇厚订约失败事宜折

直隶总督李鸿章奏，为遵旨筹议交收伊犁事宜事。

窃臣奉八月二十三日密寄：筹办交收伊犁事宜。钦此。伏查俄人据守伊犁将近十年，每岁收其商农之利数十万金。其平时注意开疆拓土，得尺得寸不稍退让，即迫于公论、碍于成约，不能不还我故地。然彼国上下视为奇货，藉端要挟，不厌其欲壑不止。俄人阴鸷狡诈，虽英、德等国皆视为劲敌，而惮与共事。然出使大臣宜沉毅坚忍，置得失荣辱于度外，又必统筹全局相机应付，以全力与之磋磨，乃不至堕其术中。中国士大夫风气向以出使为畏途，平时讲习俄事者尤少，而此事一出一入，关系甚巨。往者臣筹及西事，每不免鳃鳃过虑者，诚恐恢复故疆，则有名而无实，变通商务或受损于无穷也。议者初虑俄人浮开兵费，俾我力不能偿，为久假不归之计。今核计偿银二百八十余万两，尚不甚多，俄人之喜于操纵，而隐肆要求者在此。崇厚之受其牢笼，而不免迁就者亦在此。不知偿费一层，中国即多出数百万金，虽竭蹶于一时，不至贻患于事后。若界务、商务，则几微不慎，后悔难追。在崇厚或因使俄之役，以索还伊犁为重，既急欲得地以报命，而他务之利病遂不遑深计，诚未免失之轻率。

谨将议定约章详加考核，除其中不甚关轻重者无庸置议外，其第四款俄人在伊犁准照旧管业，第十款于喀、库二城设领事外，准添设嘉峪关等七处领事官，第十二款俄国在蒙古、天山南北路贸易均不纳税，第十三款设领事处及张家口准设行栈，第十四款俄商运俄货走张家口、嘉峪关，赴天津、汉口，过通州、西安、汉中运土货，回国同路。凡此俄商所沾之利，不如是不足慊其意。而伊犁亦不肯还，彼此民人杂处则界限仍未分明，添设口岸太多则办理易生枝节。其余夺华商之生计，侵官茶之引地，在彼获益不少，在我耗损已多。至分界之事，第八款塔城界址稍改，现尚未知其详。第七款中国接收伊犁后，陬尔果斯河西及伊犁山南之帖克斯河归俄属。就总理衙门寄到分界图说核之，伊犁西界割去一条长数百里，其患犹浅；南界割去一条亦数百里，跨据天山之脊，隔我南八城往来要道。细揣俄人用意：一则哈萨克、鲁布特游牧诸部新附俄邦，今复遮其四境，绝彼向化之途。一则扼我咽喉，使新疆南北声气中梗，心殊叵测。夫中国所以必收伊犁者，以其居高临下，足以控制南八城。谈形势者谓，欲守回疆，必先守伊犁也。今三面临敌将成孤注，自守尚不易图，乌足控制南路？想左宗棠碍难遵办。是界务与商务相较，界务固尤重矣。总理衙门原奏谓，收回伊犁尚不如不收之为愈，均为洞见底蕴。

查同治八年英国新约，以彼国未经批准，至今不行；同治二年，葡萄牙使臣来订约，以争论澳门设官一事，迄今未换。现修俄约既有批准后通行之语，又有西约成例可援，原可置之不行。且与《万国公法》所论，亦有相符之处。惟此次崇厚出使，系奉旨给与全权便宜行事之谕，不可谓无立约定议之权，若先允后翻，其曲在我。自古交邻之道，先论曲直，曲在我，则侮必自招。用兵之道，亦论曲直，曲在我，则师必不壮。今日中外交涉，尤不可不自处于有直无曲之地。我既失伊犁，而复居不直之名，为各国所讪笑，则所失更多。且彼仍必以分界修约为词，时相迫促，迫促不已，必生兵端。而西北路各军与俄人逼处，积不相能，约既不换，则随事易生猜嫌，亦难保不渐开边衅。中俄接壤之处约万余里，实属防不胜防，迨兵衅一开，其所要求，恐有仅照现议而不可得者。况日本探听伊犁消息，以为屈伸进止，若闻俄事不谐，或且伺隙而动。即英、法各国修约，恐亦因而生心。是崇厚所定俄约，行之确有后患，若不允行，后患更亟。中国必自度果能始终坚持，不至受人挤逼？且必自度兵备完固，军饷充裕，足资控御，乃可毅然为之。否则踟蹰审顾，只能随宜设法，徐图补救，并宜稍示含容，免使他国闻知，长其效尤之计。

窃思崇厚电音简略，其定约时如何辩议尚未尽知，若使当日明知俄人各事必俟批准后方能举办，或另有活动之语，或别有转圜之法。约计该大臣冬月可以回京，应由总理衙门王大臣密与详询，体察情势，俟换约时，能否将界务、商务酌议，更改得一分，亦获一分之益。倘实无可改易，无可延宕，将来界务应如何布置，谅左宗棠等必就近酌度妥办。至商务补救之方，大要有二：一曰立法，一曰用人。查泰西各国，彼此商人皆可随地贸易居住，耦俱无猜，由其用法之善。中俄旧约原许俄商顺便往蒙古各处贸易，今既扩充甚多，宜审各处民情地势，俾当事者督同地方官妥议章程，由总理衙门核定划一，暂为试办，以便筹商经久之道。其张家口、嘉峪关为东西两路入内地握要之处，尤宜严密稽查。凡沿途抽换、私卖、逃税等弊，分别照约罚办，勿稍含混。如果沿途不得销售包揽，则于无限制之中稍有限制。此立法之要也。惟是人存则政斯举，徒法不能治民，将来陆路通商愈广，交涉益繁，更制必益多。其安肃道及张家口监督两缺，宜与海关道员并重，新疆各城之郡县暂难改设，或择要添设道员，遴选洋务人才，设法调剂，以期办法妥协。至各路将军，持节临边，责任艰巨，必得熟谙时务、威惠交孚者，乃有裨益。似应不拘资格，满汉文武并用，以重边防而资整理。此用人之要也。以上两端，或稍可补救于万一。是否有当，谨候圣裁。谨奏。

光绪五年十月初二日。

使俄崇厚奏与俄国修约完竣回京复命请派邵友濂代理公使折

出使俄国大臣崇厚奏，为修定条约完竣应即回京复命，暂留参赞仍驻俄国署理出使大臣以固邦交事。

窃臣于八月十五日，在俄国黑海地方与俄国全权大臣格尔斯、布策修定条约，画押盖印，当即专折具奏，并将约章钞录呈览。伏查各国定约，使臣一经定约后，亲带所定约章回国，仍留参赞署理，以固邦交。臣查头等参赞邵友濂本系总理衙门帮总办章京，随同臣到俄国办理修约各事，谨慎安详，深知大体，于各国情形均能熟悉，以之署理钦差出使大臣，可期胜任。臣曾函商总理衙门王大臣，意见相同，并由电报请据情代奏在案。现在修约事竣，臣应即回京复命，将修约奏档、经费、案件、出使大臣关防交头等参赞·道员邵友濂署理，以固邦交，并照会俄国外部。谨将照会钞录呈览，理合专折具陈。

光绪五年十月十九日奉旨：知道了。

使俄崇厚奏与俄国议明交收伊犁修定约章谨陈办理情形折　附照会

出使大臣崇厚奏，为与俄国外部议明交收伊犁修定约章，盖印画押，谨陈先后办理情形，恭折具陈事。

窃臣自行抵俄国后，与外部商办各事大概情形，已于本年三月二十八日奏明，其紧要情形电报总理衙门代奏各在案。闰三月初间，外部尚书格尔斯随其君赴南省巡阅，其驻京使臣布策告假回国，奉其君之命与臣商议一切。布策在中国年久，取益之处知之有素，臣度其万难允许者细为辩论，择其尚无妨碍者量予通融。查格尔斯初次送来节略所称各节，皆系俄国君谕令外部遵办之件，臣因逐款与布策议明，每议一事动阅兼旬，并与格尔斯会商十余次，计前后晤商数十余次，辩论不下数万言，半年之久始订定条约十八条，其大端曰交收伊犁，曰兵费恤款，曰分界，曰通商。

第一条首将交还伊犁地方与伊犁分界两事提明，其所重已可概见。第二条载伊犁居民乞恩赦免，此事经臣两次具折奏请，业经奉旨将伊犁回人从宽免罪，谕令左宗棠明白晓示。第三条载伊犁居民已入俄国籍者，愿留、愿迁均听其便，照俄人一律看待。第四条载俄国人在伊犁所置产业，照旧管业。第五条载接收伊犁之大臣前已奉旨简派塔尔巴哈台参赞大臣锡纶，会商大学士左宗棠等，筹办接收各事宜，现拟俟御笔批准条约后，由左宗棠派员至塔什干城，知照俄国图尔克斯唐总督高甫满，于两月内将交收伊犁办竣。以上五条皆系指交收伊犁之事而言。

第六条载代收、代守伊犁兵费暨补恤俄人之款，共银卢布五百万元。查兵费与恤款本属判然两事，前据外部开来俄商亏款及俄人被害清单九十余案，请为补恤，嗣布策面称续查边界咨报之案尚不止此。至代收、代守伊犁八年有余，所需兵费头绪过多，外部统为核计，将两项合为一款。从前倭良嘎理〔哩〕曾向总理衙门，有俄国代收伊犁伤人费饷之语。经大学士文祥告以中国素重报施，此款谊应筹及。臣初次致外部节略，即允以筹还，以觇其意。迨再三询问，始行说明，察其所言尚系实情。此项银两议明自交还伊犁之日起，换约后一年内归完；另立专条核计金磅〔镑〕数目，匀为三起，次第归完。泰西各国通用英国金磅〔镑〕，皆有一定市价，现已核明共用英金磅〔镑〕七十九万五千三百九十三磅〔镑〕，即银卢布五百万元，约核库平银二百八十余万两。若由总理衙门转饬总税务司办理，必能核实。

第七、第八两条内载分界之处有三：一、伊犁界。前据外部送来节略，其国君首以伊犁西南界为请，注意甚坚。旋据格尔斯面称，伊犁系形胜之区，自俄国收取后控制回部声势颇壮，论者咸谓必不可还，而国君与外部敦崇睦谊，故有是举；特交还后力量不免稍弱，故不得不稍分其界，以为自固疆圉之计。臣于三月二十八日折内，业将此情奏明在案。嗣布策来议交还之事，又有交还之后，仍令俄兵暂扎绥定城，保护回民之说。事有关碍，未与定议。迨图尔克斯唐总督高甫满来，特议谓绥定屯兵两国易起争端，请将格得满岛北数村，即霍尔果斯河西南地方，分归俄国安置回民，绥定城屯兵作为罢论。伊犁八城要地均归中国，有山河为界。一、喀什噶尔果〔界〕。浩罕地方近属俄国，为费尔干省，议将界址划清，以期久远。一、塔尔巴哈台界。该处哈萨克冬夏游牧，往来无定，稽察难周，议将人地分清，永安边境。此皆外部节略声请，格尔斯、布策屡次议明，均系为两国安边起见。另备分界地图两分，画押为凭。第九条内载明安设界牌之所，应由钦派分界大臣会同俄国大臣酌定。以上三条系指分界之事而言。

第十条系为添设领事官。查伊犁、塔尔巴哈台、喀什噶尔、库伦，旧约皆准设领事两员，科布多、乌里雅苏台准设领事。嘉峪关领事地当冲要，兼管西安、汉中，商务较繁，若有交涉事件，地方官与之相商公事有益。第十一条系为领事与地方官往来礼节。查两国官员本不相统属，各国公法两国官员往来多以客礼相待，因允其遇有公事通用信函，会晤时以友邦官员之礼相待。第十二条系总论通商。第十三条系设立行栈等事。第十四条载明陆路通商行走之路。第十五条声明定章修改年分。第十六条为会定茶税之事。查俄商以贩运茶叶为大宗，分种类之高下，别价值之低昂，向有下等茶数种按上等茶纳税，俄国驻京大臣屡向总理衙门声请酌减。现拟俟批准条约后，于一年内由总理衙门会同俄国驻京大臣酌定。

查通商一端，同治八年总理衙门与前驻京大臣倭良嘎哩改订章程，行之数年。前届修约之期，布策拟出多条在总理衙门会议修改，因其所请过奢，数年未能定议。臣此次修约又申前说，头绪纷繁，相持数月，始仿照旧章议定《陆路通商章程》十七条。如俄商准由嘉峪关至汉口。查西路运茶一事，其驻京使臣屡向总理衙门声请，曾允俟关外军务肃清后方可议办。该关距汉口数千里，沿途山路崎岖，布策屡以汉中、西安为必由之路，准俄商行走为请。因援照张家口、通州、东坝旧章，准其择路行走，而仍以汉口为归宿。又，俄商准由张家口、嘉峪关运货入内地。查海口通商总例，本许洋商入内地买卖，该关口现既作为通商处所，自应按照总例办理，以免偏枯。又，俄商由尼布楚暨由科布多过归化城进张家口，本系蒙古地方俄商贸易之所，准其行走，俯顺商情。另附清单开列过界卡伦。查中俄沿边万余里处处接壤，过界之路过多，若不定明卡伦，无从稽查。现定两国边界官查明后，报由总理衙门与俄国驻京大臣核办。

第十七条系更正旧约之语。乾隆五十七年《恰克图市约》载明盗窃之物加倍罚赔。至咸丰十年北京定约时，俄文改为不加倍赔偿，汉文翻译为不管赔偿，以致遇事争论。今特为声明拿贼追赃官不代赔，以符总例。其商务之另立专条者，松花江行船一事。咸丰八年《爱珲和约》内开松花江准俄国行船并准贸易，嗣经该处地方官禁止俄人前往松花江上游行船贸易。布策将约内松花江添写上游字样，臣以上游之地直至吉林，所包太广，再三辩论，仅允其至伯都讷行船贸易，议立专条。其余约章所载，或变通办法，或推广旧章，第有便于商情，要无妨乎大体。

窃念两国邦交之重，万里连界之遥，在伊犁之交还，固大局所攸关，而约章之定明实伊犁之所系。前者大学士左宗棠督师西下，将士用命，转战多年，将天山南北路全境肃清。人心望治，今出水火而登诸衽席，休兵息民诸事可从容布置。臣迭承恩命指授机宜，统筹中外之情形，审慎事机之轻重，惟愿我国家收回伊犁，安边民以副苍生之望，允开商路睦邻国以宏怀远之谟。所有与俄国外部商定约内紧要各条，声明统俟御笔批准后开办施行，缮就汉文、俄文各两分，另备法文两分以资考证。俄国外部尚书格尔斯随其君主至黑海地方，离俄都四千余里，臣乘火轮车至该处，于八月十七日与格尔斯、布策将条约、章程盖印画押。谨将议明交收伊犁等事条约一分、《陆路通商章程》一分、卡伦单一件、专条两件，钞录呈览。谨奏。

光绪五年十月十九日奉旨：该衙门议奏。并著咨行李鸿章、左宗棠、沈宝〔葆〕桢一并妥拟具奏。

附注：查本案所附《交收伊犁条约》、《陆路通商章程》、卡伦单及专件等，业经分载光绪六年二月二十二日总署奏俄国分界通商折，并七年闰七月初九日总署奏中俄换约折内，兹特删去，以免重复。

照录崇厚致俄国外部照会

为照会事。

本大臣奉命前来通好修约，承贵国大皇帝、外部笃念友邦，讲信修睦，本大臣感谢之至。今将约章定妥，本大臣亲带条约应回本国复命。现留头等参赞·二品衔即选道邵友濂署理钦差出使大臣，仍驻俄京，务祈贵外部推诚相待，优礼有加。此本大臣所厚望也。相应照会贵外部王大臣查照，须至照会者。

总署奏遵议崇厚与俄定约损失国权折

总理各国事务恭亲王奕䜣等奏，为遵旨议奏事。

出使俄国大臣崇厚奏，议明交收伊犁，修定约章先后办理情形一折。光绪五年十月十九日奉旨：该衙门议奏。并咨行李鸿章、左宗棠、沈葆桢一并妥议具奏等因。钦此。钦遵由军机处钞交到臣衙门，除由臣衙门遵即分咨李鸿章等妥议外，查崇厚原奏内称：自行抵俄国后，本年闰三月间，外部尚书格尔斯随其君赴南省巡阅，其驻京使臣布策告假回国，奉其君之命与臣商议一切。臣度其万难允许者力为辩论，择其尚无妨碍者，量予通融，半年之久始订定条约十八条。其大端曰交收伊犁，曰兵费恤款，曰分界，曰通商。其商务之另立专条者，松花江行船一事。布策欲添写上游字样，臣仅允其至伯都讷行船贸易。其余约章所载，或变通办法，或推广旧章，第有便于商情，要无妨乎大体，声明统俟御笔批准后开办施行。谨将议明《交收伊犁等事条约》一分、《陆路通商章程》一分、卡伦单一件、专条两件，钞录进呈等语。

臣等伏查此次崇厚与俄国议办交收伊犁一事，以偿费、通商、分界为三大端。本年七八月间，迭接崇厚将所议分界情形暨条约款目，先后摘要电报臣等。当经详加复核，利害兼权，先将最难允者分界一层等语电复崇厚，并请饬下李鸿章、左宗棠、沈葆桢等，各将与俄国新定界务、商务各条款，分别酌核，密折复陈。并以界务尤关紧要，由左宗棠、金顺、锡纶等统筹全局，一并核议等因。奏奉上谕：着左宗棠等分别详细密陈等因。钦此。嗣据沈葆桢、李鸿章先后复陈，沈葆桢以俄人要挟太甚，应将所议作为罢论。李鸿章以通商各款耗损已多，分界之事心殊叵测，业经定议，惟有竭力补救各等语。十月初四日奉上谕：李鸿章所奏各节，著左宗棠一并妥议具奏等因。钦此。

今据崇厚将详细条款具奏前来，臣等查俄人代收伊犁八年有余，前据崇厚电报，中国允还卢布银五百万元。今专条内载明：此款自换约之日起一年内归完，议定匀作三次，约共库平银二百八十余万两，此项系归还代收、代守伊犁兵费，并补恤在中国境内被抢受亏俄商及被害俄民家属之款。偿费一端，综计尚不为多，似可照议。通商一端，前据崇厚电报，俄商运俄货，走张家口、嘉峪关、天津、汉口，过通州、西安、汉中，运土货回国同路。嘉峪关、乌、科、哈密、吐鲁番、乌鲁木齐、古城酌设领事。凡设领事处及张家口准设行栈。俄商在蒙古、天山南北路贸易，均不纳税。其由尼布楚、归化城运货行走，今于《陆路通商章程》内叙入。以上各条，惟嘉峪关通商以便茶运由楚达陇，左宗棠前曾议及，其余运货、设官、免税、设栈各条扩充既广，流弊易滋，且亦有碍华商生计。俄国使臣布策等前在中国议论修约屡以为请，臣等均未允许。今崇厚已与议定列在约章，其应如何补救之方，据李鸿章复奏以立法、用人为要，是否确有把握，应由左宗棠等懔遵谕旨再行妥办。分界一端，据崇厚声称，俄君首以山南之地为请，注意甚坚，前次电报陬尔果斯河西及伊犁山南之帖克斯河归俄属云云，但约略言之。今条约内详载伊、塔、喀分界之处，而山名、地名多与中国图册不符，无凭稽核。崇厚所寄伊犁分界图内称由俄国兵部舆图摹出，并有俄国从前占去东西七百余里、南北三百余里，今收回者除去西南之帖克斯川外，南北宽处二百四十五里，窄处一百七八十里等语。臣衙门均已随时函寄左宗棠等详细确查在案。查伊犁等处分界关系回疆全局，若任俄人侵占要隘，是名为收还伊犁，而准部与回疆形格势禁，反不如不收还之为愈。左宗棠等久在西陲，情形洞悉，必能通盘筹画，何者尚可通融，何者实多窒碍，权其轻重利害，一一分晰具陈。

窃维伊犁各城俄人占据多年，此次崇厚衔命西行，原为商办交收之事。今俄人允还伊犁，崇厚以为复我旧疆不虚此行，故于分界不免轻率与之定议，而于通商等事亦未免多所迁就。现在钦奉谕旨，由李鸿章等妥议，自必权衡得失，直陈所见。应俟李鸿章复奏到后，再行折衷定议，以昭慎重。除将崇厚先后所寄地图两张恭呈御览外，所有臣等遵议缘由，理合恭折密陈。谨奏。

光绪五年十月二十七日奉旨。

清季外交史料卷十七终

清季外交史料卷十八

光绪五年十一月至十二月

使俄崇厚奏与俄定约后由南洋回京折

出使俄国大臣崇厚奏，为定约回俄都后，择日起程由南洋回京复命事。

窃臣行抵黑海，与俄国全权大臣格尔斯、布策将约章、图说盖印画押，业于八月十八日专折奏明在案。格尔斯于十七日定约后奏明其君，嘱臣于次日未刻进见。届时，率同头等参赞邵友濂偕往，格尔斯、布策前导，翻译官孟第传话，其君立而相见；臣致词毕，随令邵友濂同见，应对如礼，退至别馆与格尔斯等辞别。仍乘坐火轮车于二十二日回抵比德堡城行馆，当将奏档及出使大臣关防等件，交代邵友濂署理，并留三等参赞·知府用同知蒋斯彤、随员员外郎德明、塔克什讷、郎中桂荣、九品官福建州同王锡赓、盐大使石汝钧、守备李永春、同文馆教习俄人官干，随同邵友濂仍驻俄都。臣即率同随员员外郎衔主事庆常、庆禧、主事纯锡、光禄寺署正奎文、中书陈允颐、八品官赓善、守备常有泰、把总齐树敬，整理归装，于二十六日自俄国乘坐火轮车起程，过德国，由法国海口上轮船，取道南洋回京复命。所有臣定约后，自俄国起程日期，谨缮折具陈。谨奏。

光绪五年十一月初三日奉旨：知道了。

甘督左宗棠奏遵议伊犁交涉应付事宜折　附上谕

督办新疆军务陕甘总督左宗棠奏，为遵旨复陈事。

窃奉八月二十三日上谕：总理衙门奏，崇厚与俄国商办交收伊犁事宜，轻率定议画押，当经谕令左宗棠筹画密奏。本日据左宗棠奏复陈边务一折，所陈界务、商务大略及妨民病国各条，虑深思远，洵属老成之见。特崇厚现已定议画押，事机已误，惟有亟筹补救，设法挽回。著左宗棠懔遵昨日谕旨，将商务、界务如何办理，始臻周妥之处，或约章必不可允，边防一切如何布置，始无患生肘腋之虑，详细筹度，妥议具奏等因。钦此。

窃维国家建中立极，东南滨海，西北以昆仑支干为界画，向与俄罗斯不相联接，以蒙部、哈萨克、布鲁特、浩罕为之遮蔽间隔也。近日，俄人日迫，诱胁日众，哈萨克、布鲁特各部落多附俄人。俄又取浩罕三部落，拓其边圉。于是俄与中国边境毗连，无复隔阂矣。适中原兵事方殷，未遑远略，俄人乘间占据伊犁，藉称代我收复为要索计，并照其国法按灶科赋以充兵费，亦称厌足矣。朝廷重念邦交，既予以代我收复之名，并允给偿款卢布五百万圆。光绪三年，西洋新闻纸载，俄国议愿得俄元二百五十万交还伊犁，海上传播未必无因。此次偿款忽议增五百万圆，其挟诈相尝已可概见。至界务与商务，两者相因，西北与东南事体各别。道光中叶以后，泰西各国船炮横行海上，闯入长江，所争者通商口岸，非利吾土地也。亦谓重洋迢递，彼以客军深入，虽得其地终无所用，战则势孤，守则费巨，合从之势既成，独据则启争，分肥则利薄也。中国削平发、捻，兵力渐强，制炮造船已睹成效。彼如思逞亦有戒心，而渝约称兵，各国商贾先失贸易之利。苟可相安无事，其亦知难而息焉。

若夫俄与中国则陆地相连，仅有天山北干为之间隔。哈萨克、安集延、布鲁特大小部落从前与准、回杂处者，自俄据伊犁，渐趋而附之，俄已视为己有。若此后蚕食不已，新疆全境将有日蹙百里之势，而秦陇燕晋边防且将因之益急。彼时徐议筹边，正恐劳费不可殚言，大局已难复按也。夫陆路相接无界限可分，不特异日无以制凭陵，即目前亦苦无结束。若不及时整理，坐视边患日深，殊为非计。且俄人专尚诈力，不以信义为重，其情易变屡迁，与泰西各国不同，断难望其守约而持久。即如占据伊犁之始，谓俟我克复乌鲁木齐、玛纳斯，即当交还。比官军连下各城，并克复南疆，而俄不践前言，稳据如故。方且庇匿叛逆，纵其党类四出窥边。如今春陕回及布鲁特汗、安集延条勒入犯时，官军获生贼讯供，搜有俄官路票。昨次布鲁特、安集延诸贼，由俄境阿来地方出窜，经官军剿洗殆尽，漏网数十人仍逋匿俄境。据活贼口供，亦由俄官驱遣所致。四次纵贼犯边，官军追贼均未越俄界一步。我之守约如此，彼之违约如此，尚何信义之可言？当崇厚与俄官议交伊犁时，俄人首以恩赦为请，并以晓示难于遍及为虑。崇厚奏奉谕旨饬臣照办，臣遵旨并会同金顺，出示晓谕伊犁汉、陕、缠、土各回民等，宣布皇仁以安反侧。金顺即派提督殷华廷，赍示前赴伊犁张贴。俄官七河巡抚忽变前议，将殷华廷挡回，不令贴示，藉称应候图尔齐斯坦总督回信。比金顺二次遣殷华廷复往探询，七河巡抚竟派人阻之伊犁境外，不准复入。似此任意把持，不独违慢朝旨，并置其君与外部诸臣成议于不顾，其悖谬又如此。

俄之占据伊犁也，将大城西北三城庐舍隳为平地，迤东清水河、塔尔奇、绥定三城均毁弃，以居汉回。芦草沟、城盘子等处均弃而不守，而取各城堡木料于大城东南九十里金顶寺，营造市廛几二十里。臣上年十月二十二日复陈折内已略言之，兹接金顺、锡纶所言伊犁情形亦同。察俄人用心，盖欲据伊犁为外府，占地自广，借为养兵之计，久假不归，布置已有成局。我索旧土，俄取兵费巨资，于俄无损而有益，我得伊犁只剩一片荒郊，北境一二百里间皆俄属部，孤注万里，何以图存？况此次崇厚所议第七款，接收伊犁后，陬尔果斯河及伊犁山南之帖克斯河归俄属。无论两处地名，中国图说所无，尚待详考；但就方向而言，是划伊犁西南之地归俄也。自此伊犁四面俄部环居，官军接收堕其圈内，固不能一朝居耳，虽得必失，庸有幸乎？武事不竞之秋，有割地求和者矣。兹一矢未闻加遣〔遗〕，乃遽议捐弃要地，厌其所欲。譬犹投犬以骨，骨尽而噬仍不止。目前之患既然，异日之忧何极？此可为叹息痛恨者矣。金顺、锡纶之拟缓收伊犁，而以沿边喀什噶尔、乌什、精河、塔尔巴哈台四城，宜足兵力、浚饷源、广屯田、坚城堡，先实边备，自非无见。惟伊犁现无定议，谋新疆者，非合南北两路通筹不可。现在伊犁界务未定，则收还一节，自可从缓计议。喀什噶尔、乌什规画已周，毋庸再议；其塔尔巴哈台、精河急须加意绸缪，应由金顺、锡纶自行陈奏请旨外，所有崇厚定议画押十八款内，偿费一节业经奉有谕旨。

第八款所称塔城界址拟稍改，照同治三年议定界址，尚只电报，应俟崇厚奏到再议。第十款于旧约喀什噶尔、库伦设领事官外，复议增设嘉峪关、乌里雅苏台、科布多、哈密、吐鲁番、乌鲁木齐、古城七处。十四款并有俄商运俄货，走张家口、嘉峪关，赴天津、汉口，过通州、西安、汉中，运土货回国，均经总理衙门奏奉谕旨指驳外；第二款中国允即恩赦伊犁居民，业经遵旨照办，被俄官截阻赍示委员，不准张贴。第三款伊犁居民迁居俄国入籍者，准照俄人看待，意在胁诱伊犁民人归俄，而以空城贻我，与截阻赍示委员同一用心。第四款俄人在伊犁准照旧管业，虽伊犁交还，中外商民杂处，无界限可分，是包藏祸心，预为再据之计。至商务，允其多设口岸，不独夺华商生计，且启蚕食之机。总理衙门原奏筹虑深远，实已纤细毕周，谕旨允行则实受其害，先允后翻则曲仍在我，应设法挽回以维全局。

窃维邦交之道，论理而亦论势。本山川为疆索，界画一定，截然而不可逾，彼此信义相持垂诸久远者，理也。至争城争地不以玉帛而以兵戎，彼此强弱之分，则在势而不在理。所谓势者，合天时人事言之，非仅直为壮，曲为老也。俄据伊犁在咸丰十年，同治三年定界之后，旧附中国与中国民人杂处各部落被其诱胁，俄官即视为所属，藉以肆其凭陵。俄之取浩罕三部也，安集延未为所并，其酋阿古柏畏俄之逼，裹其部众陷我南疆。我复南疆，阿古柏死，逆子窜入俄境，俄乃认安集延为其所属，藉为侵占回疆腴地之根。现冒称喀什噶尔住居之俄属，本随帕夏而来之安集延余众，俄之无端冒为己属，实与交还伊犁仍留复据地步，同一用心。观其交还伊犁，而仍索南境、西境属俄，其诡谋岂仅在此数百里地哉？此界务之必不可许者也。

俄商志在贸易，本无异图。俄官则欲藉此为通西于中之计，其蓄谋甚深，非仅若西洋各国只争口岸可比。就商务言之，俄之初意只在嘉峪关一处，此次乃议及关内，并议及秦、蜀、楚各处，非不知运脚繁重无利可图，岂非欲借通商，便其深入腹地，纵横自恣，令我无从禁制耶？嘉峪关设领事庸尚可行，至喀什噶尔通商一节，同治三年虽约试办，迄未举行，此次界务未定，姑从缓议。而乌里雅苏台、科布多、哈密、吐鲁番、乌鲁木齐、古城等处广设领事，欲因商务蔓及地方，化中为俄，断不可许。此商务之宜设法挽回者也。

此外，俄人容纳叛逆白彦虎一节，崇厚曾否与之理论，无从悬揣。应俟其复命时，请旨确询，以凭核议。臣维俄人自占据伊犁以来，包藏祸心为日已久，始以官军势弱欲诳荣全入伊犁陷之以为质，继见官军势强难以久据，乃藉词各案未结以缓之。此次崇厚全权出使，嗾布策先以巽词餂之，枝词惑之，复多方迫促以要之。其意盖以俄与中国未尝肇起衅端，可间执中国主战者之口，妄忖中国近或厌兵，未便即与决裂以开边衅；而崇厚全权出使便宜行事，又可牵制疆臣免生异议。以是臣今日披沥上陈者，或不在俄人意料之中。当此时事纷纭主忧臣辱之时，苟心知其危，而复依违其间，欺幽独以负朝廷，耽便安而误大局，臣具有天良，岂宜出此？

就事势次第而言，先折之以议论，委婉而用机。次决之以战阵，坚忍而求胜。臣虽衰庸无似，敢不勉旃！除乌里雅苏台、科布多边务，应请旨饬下该将军、大臣预筹布置以臻妥慎外，所有新疆南北两路军务，臣既身在事中，自当与各将领敬慎图维，以期有济。现调南疆立功后告假回籍、饬令赴喀什噶尔军营换防之题奏提督·陕西汉中镇总兵谭上连，挑带旧部一营，并统杨昌濬所练关内三营赴肃，俟明春冻解，先赴喀什噶尔，仍归刘锦棠总统外，并催记名提督·甘肃宁夏镇总兵谭拔萃、记名提督·甘肃巴里坤镇总兵席大成、骑都尉·世职额尔克巴图鲁戴宏胜，由籍挑选旧部，到甘分统杨昌濬所练之关内各营，驰赴喀什噶尔，均归刘锦棠总统，以厚兵力而资分布。臣率驻肃亲军增调马步各队，俟明春冻解，出屯哈密，就南北两路适中之地驻扎，督饬诸军妥慎办理。所有进止迟速机要应秘密者，即据所见缄商总理衙门核酌，务期内外一心，坚不可撼，维持大局，仰副宸谟。现将军械先运哈密，诸凡布置已有端绪。其军饷最关紧要，臣与杨昌濬往复筹商，如果各省关三年以内能符原议，每年解足五百万两，而各省应解金顺、锡纶、张曜、金运昌各专饷又归有著，不致分臣饷力，则此次应用、应增之费，尚可于臣军饷内腾挪挹注，毋庸另请增拨。恳饬军机处、户部复催各省应协各款，迅即大批起解以速补迟，庶甘肃、新疆大局可期无误。时事之幸，亦微臣之幸也。谨奏。

光绪五年十一月初五日奉上谕：左宗棠复陈交收伊犁事宜一折。俄人包藏祸心，蓄谋已久。此次俄人与崇厚所议约章流弊甚大。左宗棠所奏洞澈利害，深中窾要。刻下崇厚计将回京复命，所有原议各条应准、应驳，朝廷自当权衡办法。俄人所求不遂，启衅自在意中。该督所称先之以议论，决之以战阵，自是刚柔互用之意。所有新疆南北两路边防事宜，即着预筹布置。所虑者吉林、黑龙江一带，均与俄境毗连，不无防范难周之处，将来操纵机宜，该督必宜通筹全局，谋定后动也。现在伊犁界务未定，所有塔尔巴哈台、热河等处应如何加意绸缪之处，并着与金顺妥商筹办。至乌里雅苏台、科布多两城饷绌兵单，力难自固，该督亦宜兼顾统筹以维全局。所请饬催协饷一节，着户部查明各省应协左宗棠及金顺、锡纶、张曜、金运昌各专饷，严催大批速解，毋稍延误。

甘督左宗棠奏遵议李鸿章对俄交涉意见折

督办新疆军务陕甘总督左宗棠奏，为遵旨议复事。

窃臣于十月十六日，承准军机大臣密寄，光绪五年十月初四日奉上谕：李鸿章奏遵议交收伊犁事宜一折，据称，议定约章，通商各款耗损甚多。至分界之事，伊犁西界划去数百里，其患犹浅；南界划去亦数百里，跨据天山，隔我南八城往来要道，心殊叵测。惟崇厚业经定议，若不允准，又恐因此启衅，惟有竭力挽回，并于立法、用人二者认真筹画，或可稍资补救等语。此事前已两次谕令该督悉心筹议，本日李鸿章所奏各节，着左宗棠一并妥议具奏。钦此。臣细阅李鸿章原折，持论明通，于界务、商务言之确凿。其中如彼此人民杂处则界限仍未分明，添设口岸太多则办法别生枝节，两端尤为握要。臣于十月二十一日折内，已将愚见所及举以入告，其未尽事宜，则于总理衙门书中言之。

区区之愚，窃以俄自窃据伊犁以来，无日不以损中益外为务，蓄机甚深，此次崇厚出使，乃始和盘托出。若仍以含糊模棱之见应之，我退而彼益进，我俯而彼益仰，其祸患殆靡所止，不仅西北之忧也。譬犹人患痞块，本非和甘平淡诸药所能为功，庸医但顾目前，不敢投以峻利之剂，则痞症与人相终始，无复望其有病除身壮之一日。今日中俄之势何以异此？伏望于崇厚复命之日，将所议各款下军机大臣、总理衙门、六部、九卿及将军、督抚臣会议，孰准孰驳，各本所见条举以闻，其所不知，或知之不详，则听其阙焉。俾得各抒其靖献之诚，以达其竭忠尽力之意，于我固为有益。近数月来，钦奉密谕及总理衙门各疏，微言大义，深切著明，足令外人心折，应宣示者亦予宣示，谟谋者天下之大公，何庸秘密？亦足令新闻小说，不致淆惑视听。愚昧之见，谨并陈之。谨奏。

光绪五年十一月十四日。

翰林院侍读学士黄体芳奏崇厚专擅误国请议罪折

翰林院侍读学士黄体芳奏，为使臣专擅误国请饬廷臣议罪事。

窃惟朝廷遣使外国，意在安边，失辞不可，专擅尤不可。史册所纪及历届奉使诸臣，未有荒谬误国如崇厚者也。查崇厚奉使俄罗斯，畀以全权，隆以优秩，宜如何筹画万全以副委任。俄人愿归伊犁，酌予犒师之费尚属可行，奈何不顾全局，不虑后患，通商、划界任意定约。因索地而弃地，欲弭衅而招衅。行之则商税日亏，要害尽失；不行则俄人有辞，更烦唇舌。其心但知畏敌国，而不畏皇太后、皇上。于重大事件，不请谕旨，擅自许人，不候召命，擅自归国；更复于上海等处，节节逗留，欲伺上意渐解，再图入见。并闻其既抵都门，敢潜往他处，不速到京请安。论奉使则不忠，论复命则不敬。不忠不敬，邦有常刑。伏望特伸威断，敕下廷臣会议，重治其罪，以为人臣专擅误国者戒。谨奏。

光绪五年十一月二十一日。

谕出使俄国大臣崇厚先行交部议处所议条约等件着各臣工妥议具奏

上谕：都察院左都御史崇厚，奉命出使，不候谕旨，擅自起程回京。著先行交部严加议处开缺，听候部议。其所议条约、章程及总理衙门历次所奏各折件，著大学士、六部、九卿、翰詹科道妥议具奏。

十一月二十一日

总署奏俄署使凯阳德因议处崇厚谕旨提出抗议折　附节略

总理各国事务恭亲王奕䜣等奏，为奏闻事。

窃臣衙门筹议交收伊犁各事，业经先后奏明在案。本月二十三日，俄国署使臣凯阳德至臣衙门，面询二十一日交议谕旨是何用意，并云：似此情形，与两国交涉事件大有关系。中国上年饬派钦差前往俄国通好，俄国亦为和好起见，所以诚心商办各事。现在中国如此办法，不能不报知本国，本国见此谕旨必不信中国真心和好。当经臣等答以旨意将条约发交大学士、六部、九卿、翰詹科道会议，原因中国遇有大政事，无不饬下臣工会议，无非询谋佥同之意。此系中国向来办法，且系中国内政，并与俄国无涉，即泰西各国亦有议院会议之事，与此正属相同，不必疑惑。凯阳德复云：若将此事报知本国，不但疑惑，一定以为中国不是真心和好，一定是不照办。既是中国内政，俄国使臣在此无事可办，只可就走。遂即艴然而去。

臣等当于二十五日前往凯阳德寓所，告以前日未尽之言应再详说，以免误会。凯阳德云：官面话彼此皆不必说，现有心中实在数语相告。自到中国已逾数年，所有中俄交涉各事无不周知，俄国遇事每有和好之意，中国遇事每有拦阻之心。从前中国边界官办理交涉事件，俄国国家多不满意。迨中国饬派钦差到俄，俄国以为中国有和好意，将从前不满中国之处姑置勿论，派员与中国使臣商办各事，所让中国之处不少。凡俄国官民及泰西各国均以为不应让与中国者，俄国国家因欲与中国永远和好，所以特排众论，将不应让与中国之处全行相让。岂知愈让愈不见好，俄国并非无力量，至条约准与不准在俄国总是一样等因。臣等当答以边界交涉各事，前经迭次辩论，现可不提。今但就饬议条约而论，中国前与各国议立条约，均系各国使臣前来中国议定，当彼此商议时，朝廷可以随时咨询中外臣工，所以毋庸饬议即行批准。此次中国使臣前往俄国议定条约，所有条约内议立各款，中外臣工均未周知，自应饬下臣工会议以昭慎重。且中国使臣前在俄国，曾与俄国外部暨驻京使臣布策言明，商办定约之权在崇厚，定办之权则在朝廷允准，即条约亦载有恭候批准，一年为期之语。现在既经饬议，应俟会议复奏，再行定局。且议奏在臣下，而折衷则仍在朝廷，无论将来如何定局，总与两国睦谊无损。恐翻译不能详尽，另有节略可以细阅。凯阳德云：虽如此说，俄国国家得此信息，必以为中国有藐视俄国之心，现惟看中国有无和好实据各等语。余与二十三日所言大略相同。

臣等伏思二十一日谕旨本为集思广益起见，乃凯阳德遽欲藉此生衅，臣等惟有随时相机剖辩，详慎办理。谨钞录凯阳德节略一件，恭呈御览。谨奏。

光绪五年十一月二十七日奉旨：着归入前次交议各折片，交大学士等阅看，单并发。

附总署面交俄国署使凯阳德节略

本月二十三日贵署大臣来署，面询二十一日谕旨是何意思。兹与贵署大臣详言之。本谕旨之意，其头一层系崇钦差不候谕旨擅自回国，所以交部严加议处，原与条约之事无涉。至将条约发交大学士、六部、九卿、翰詹科道会议者，凡中国遇有大政事，无不饬下臣工会议，即与泰西各国议院会议之意相同。从前中国与贵国及各国所立之条约，均系各国钦差前来中国议定。当彼此商议之时，中国国家可以随时咨询中外臣工，所以不必饬议即行批准。今崇钦差系在贵国议定条约，所以条约内议定各款，中外臣工均未周知，自应饬下廷臣会议，无非询谋佥同之意。查崇钦差所记问答节略内，载有本年三月二十五日在贵国与格尚书、布大臣面谈，崇钦差云：商办定约之权在我，定办之权则在朝廷允准。即条约内亦载有恭候批准，一年为期之语。现在朝廷既经饬议，应俟所议如何，再行定局。总之，中国素敦睦谊，上年饬派崇钦差前往贵国，贵国外部暨布大臣与崇钦差商办各事，彼此皆为和好起见。此次谕旨将条约饬下大学士等会议，系中国照例办理之事，并无他意。两国和好多年，无论将来如何定局，均须与贵国和衷商办，实于睦谊无损，贵署大臣不必因此疑惑，实为幸甚。

十一月二十七日

总署奏定内港江河行船免碰及救护赔偿审断专章

第一项　行船章程

一、华洋行海轮船、夹板船，均照美、英、德国通行免碰新章，置备各色玻璃灯、响器，按时动用为号。其驶入内港江河，仍须照章一律举行，无庸另议。至中国篷船在内港江河行驶，夜间必点白色玻璃灯一盏，以为号灯。其穷苦小船无力购备者，准以常用白纸灯笼及别项有亮光、有响声之物为号，务使别船有所见闻，防避免碰。

一、华船夜行所点号灯，即白玻璃灯，或白纸灯，遥见来船，即将号灯举起。如欲往右避，将灯举向船左，来船即向其灯左行。如欲往左避，将灯举向船右，来船应向其灯右行。

一、两船相遇，左边水宽，则在左之船往左避让；右边水宽，则在右之船往右避让。如两边水面相同，则均推舵向左，彼此往右避让。倘大船与小船，或轻船与重船相遇，一面水浅，一面水深，则小船、轻船均应向浅处避让。

一、华船遥见轮船号灯吹响，即应防避，如因风急、水溜、沙浅等项，不能避让，则轮船总当设法缓行，或停轮，或退走，相机让华船行过。

一、行船应让停船，后船应让前船，快船应让缓船，轻船应让重船，小船应让大船，顺风船应让逆风船，顺水船应让逆水船。

一、两船一来一往，对面遥见，彼此即应举灯，或放响为号，以便预先留心防碰。

一、转湾之处华船与轮船相遇，如轮船之头向右，则华船应紧靠左边行驶；如轮船之头向左，则华船应紧靠右边行驶。

一、遇雾、雪黑暗行船，对面不能望见之时，应放响声为号，彼此徐行。

一、轮船凡遇华船挤塞水道不能行驶，应暂停轮，等待华船疏通再走，不准强驶硬碰。倘从聚泊华船之处经过，必须放响徐行，以免碰撞。

一、行船凡遇转湾及过桥、过断，均应预先放响，通知来船，以免碰撞；并须鱼贯而行，不准争先挤碰。

一、轮船、大船、重船有深阔水路可行，不准贪图近便，驶入浅狭小港，致多阻碍。

一、小船一人驾驶，遇有来船，只能喊让，不及兼顾举灯、放响等事，应由来船察看情形，相机设法避碰。

第二项　停船章程

一、泊船应靠河身直处傍岸停泊，前后抛锚使船身与岸一顺，不得仅下头锚使船尾随波上下，以致船身横亘河中。其渔船及各项小舟，并无尾锚，或两锚俱无者，应用缆绳系妥，不准有碍河路。

一、转湾及江心并水面狭窄，暨深水行船往来之处，一概不准停泊。

一、停船夜间应挂号灯一盏，如船靠右岸，其灯置于船左。倘船靠左岸，其灯置于船右。若遇数船排泊一处，外面之船已挂号灯者，里面之船免其悬灯。如果船中无灯可挂，则当敲更、鸣〔鸣〕锣使来船闻声避让。

一、河身切近河湾，轮船转湾船头可以射及之处，不准抛锚停泊。

一、渔船张网捕鱼，停泊守候，其船不准横亘水中，须择近岸水浅之处暂泊，并挂灯为号。倘值油烛缺乏，不能点亮之时，应吹响为号。

一、泊船如遇水面宽阔之处，船头向岸、船尾在外者，其灯应挂船尾，使别船望见避让。但水面狭窄之处，只准一船将船身傍岸暂停，不准数船排泊。总之，停船必须让出别船往来水路，庶免梗阻碰撞。

第三项　救护章程

一、凡遇两船碰后，两船船主互相细查情形，如彼船伤重可危，此船尚能兼顾者，则当尽力救援彼船。倘见危不救，疾驶图逃，告官罚办。两船相碰之后，船主应各将船暂停，彼此互看，各无损伤，无庸救护，方可各自前驶。

一、碰船后，两船各将己之船名、牌号、船主姓名，并其船向在何口、现从何处来、应往何处去，彼此详细告知备查。

一、两船相碰，甲船沉没，乙船不救，转将甲船之人致死灭口，希图免赔者，告官究办。

一、轮船行驶浪涌波翻，如有华船未被碰撞，为余波泼沉者，轮船亦当停轮救援。

一、行船失事，船货将沉，如有附近小船及居民人等前往救护，所获货物全数缴官，给还原主。倘有私运入己及乘危强抢者，告官分别追究。

第四项　赔偿章程

一、两船相碰，一船有错，一船无错，自当专令有错之船赔补。如两船均各有错，彼此无庸赔偿。若碰船之事，因人力难施，则两船之人均为无错，亦彼此免赔。

一、两船相碰，或船货均沉，或船伤而货无损，或货损而船无伤，均视碰船情形，何船有错，即由何船船东照例将所损船货估价赔偿。

一、碰船致毙人命，每名给恤银一百两。受伤未死者，每名给养伤银五十两。若因伤重殒命，加给恤银五十两。倘系官员，另议加给。

一、碰船情形不同，有此船碰彼船，而彼船复碰别船，接连相碰多船者，如果错在此船，则彼船、别船、多船被碰受损，皆应此船赔还。

一、碰船赔款，应由船东、船主措交，惟赔偿银数，总以本船所变价值加以此次所得水脚数目为限，此外船东家产与此无涉，不能令其并抵。

一、碰船与两船货主无干，不能责令货主分赔，若船上雇用引水之人，此次碰船系由引水人之错，可令引水人分赔。

第五项　审断章程

一、碰损之船无论即时沉没，或逾时沉没，总以沉由被碰为定，碰船之时情形变幻不一，必须详细查讯因何碰撞，按照中外通行免碰章程，辨别何人之错，酌量断赔。

一、断赔船货应由官核实确查估计，不以船主开报数目为凭。

一、碰船赔款，如船东、船主实系无力，缴不足数，无可再追者，中外官员会查明确，酌议减赔，以示体恤。

一、偏僻处所贫愚乡民驾驶小船，未悉中外行船免碰定章，或无力置备号灯、响器，致被碰撞失事者，事告到官，应即秉公审讯原情，断给赔偿抚恤，不得责以违章置不准理。

一、救获碰船货物，由官查明捞救难易情形，按照所获货价酌断赏项，分给捞救之人酬劳，其货给还失主，仍在应赔船货之人名下追缴赏项。

一、捞获碰船所失货物，全行缴官，并未入己，而失主昧良逞刁指为隐匿，或诬以强抢图赖酬劳，妄索赔还者，照诬告例治罪。

一、行船路见别船有相碰之事，出力救援者，由官从优酌赏以昭激劝。倘别船因碰涉讼，则从旁救援之船可以到官作证。

一、无人处所两船相碰，甲船沉没，乙船不救，转将甲船之人推入水中淹毙灭口，图绝告发免赔者，为首起意及同谋之人，均应严拿治以死罪；倘有据实报官首告者，免罪给赏。

一、两船相碰，如均系华人自置之船，应由华官讯断。如均系洋人自置之船，应由洋官讯断。如一系华人自置之船，一系洋人自置之船，应由中外官员会审。如洋人之船并无洋官在华，可由华官邀同有约之国领事一二员，帮同会讯商断。若该洋人之船不服所断，听其自赴外国控告，由各该管之国办理。

一、洋人入中国内地游历、通商，雇用内地华船，如与华船相碰，则两船皆系华人，应归华官审断，洋人不得插身帮讼。若有碰失洋人货物应赔者，由华官会商洋官酌议妥办。

十一月二十七日

司经局洗马张之洞奏要盟不可曲从宜早筹御侮折

司经局洗马张之洞奏，为要盟不可曲从，御侮宜筹早计，谨熟权利害，披沥上陈事。

窃臣近阅邸钞，因俄国定约，使臣辱命，奉有廷臣集议之旨。所有条约传闻大概，臣窃不胜愤懑，谨将此约从违利害缕晰陈之。

新约十八条他姑勿论，其最谬妄者，如陆路通商由嘉峪关、西安、汉中直达汉口，秦陇要害、荆楚上游尽为所据，码头所在支蔓日盛，消息皆通，边圉虽防，堂奥已失。不可许者一。东三省，国家根本；伯都讷，吉林精华。若许其乘船至此，即与东三省全境任其游行无异，陪京密迩，肩背单寒，是于绥芬河之西，无故自蹙地二千里。且内河行舟，乃各国积年所力求而不得者，一许俄人，效尤踵至。不可许者二。朝廷不争税课，当恤商民，若准、回两部、蒙古各盟，一任俄人贸易，概免纳税，华商日困犹末也。以积弱苦贫之蒙古，徒供俄人盘剥；以新疆巨万之军饷，徒为俄人委输。且张家口等处内地开设行栈，以后逐渐推广，设启戎心，万里之内首尾衔接。不可许者三。中国藩屏全在内外蒙古，沙漠万里，天所以限俄人，即欲犯边，迤北一面总费周折。若蒙古台站供其役使，彼更将捐重利以啗蒙人，一旦有事，音信易通，粮运无阻，势必煽我藩属为彼先导。不可许者四。条约所载，俄人准过卡伦三十有六，延袤太广，无事而商往，则讥不胜讥；有事而兵来，则御不胜御。不可许者五。各国商贾从无明言许带军器之例，今无故声明人带一枪，其意何居？假如千百为群闯然径入，是兵是商谁能辨之？不可许者六。俄人商税种种取巧，如各国希冀均沾，洋关税课必至岁绌数百万。不可许者七。同治三年，新疆已经议定之界，又欲内侵，断我南通八城之路，新疆形势北路荒凉，南路富庶，争硗瘠弃膏腴，务虚名受实祸。不可许者八。伊犁、塔尔巴哈台、科布多、乌里雅苏台、喀什噶尔、乌鲁木齐、古城、吐鲁番、哈密、嘉峪关等处准设领事官，是西域全疆尽归控制，有洋官则有洋商，有洋商则有洋兵，初则夺我事权，既则反客为主，驯至彼有官而我无官，彼有兵而我无兵。且各国通商通例，惟沿边、沿海准设外邦领事，若乌里雅苏台、科布多、乌鲁木齐古城、哈密、吐鲁番、嘉峪关乃我境内，今自俄人作俑，设各国援例，十八省腹地将遍布洋官。不可许者九。名还伊犁，而三面山岭内卡伦以外盘据如故，据高临下，险要失矣。割霍尔果斯河以西、格得满岛以北，屯垦无区，畜牧无所，地利尽矣。金顶寺久为俄人市廛，既与约定俄人产业不更，交还是伊犁一线，东来之道必穿俄巢，出路绝矣。寥寥遗黎，彼又尽迁以往，人民空矣。掷二百八十万有用之财，索一无险要、无地利、无出路、无人民之伊犁，将安用之？不可许者十。

俄人索之可为至贪至横，崇厚允之可谓至谬至愚。皇太后、皇上赫然震怒，谴使臣，下廷议，可谓至明至断。上自枢臣、总署王大臣以至百司庶官，人人知其不可，所以不敢公言改议者，诚惧一经变约，或召衅端。然臣以为不足惧也。必改此议，未必有事；不改此议，不可为国。请言改议之道，其要有四：一曰计决，二曰气盛，三曰理长，四曰谋定。

何谓计决？无理之约，使臣许之，朝廷未尝许之。崇厚误国媚敌，擅许擅归，国人皆曰可杀者也。伏望拿交刑部明正典刑，治使臣之罪即可杜俄人之口。按之《万国公法》，既有不准违训越权之例，复有可否仍在朝廷之条，正与崇厚不遵密函、不请谕旨之罪相合。耆英之狱成宪昭然，故立诛崇厚则计决。

何谓气盛？俄人欺我使臣孤懦，逼胁画押，施一偿百，意犹未厌。不料俄罗斯靦然大国乃至出此，不特中国愤怒，即环海万国亦必皆不直其所为。至俄使不待定议声言归国，外洋亦无此例，况凯阳德系署理公使，岂能擅归？其为恫喝无实情状显然，尽可听其去留，不必过问。莫若明降谕旨，将俄人不公不平、臣民公议不愿之故布告中外，行文各国，评其曲直；并属各国会堂，将我国家情理兼尽之处刊入新闻纸，明谕边臣整备以待，据众怒难犯之情，执国敝不从之志。俄国虽大，自与土耳其苦战以来，师老财殚，臣离民怨，近岁其国主屡有防人行刺之举，若更渝盟犯顺，图远劳民，必且有萧墙之祸，行将自毙，焉能及人？故明示中外则气盛。

何谓理长？种种要约皆由伊犁而起，若尽如新约，所得者伊犁二字之虚名，所失者新疆二万里之实际。而每年尚须耗四五百万饷需，以供边师防军建城开屯之用，是有新疆尚不如无新疆也。索伊犁而尽拂其请则曲在我，置伊犁而仍肆责言则曲在俄。况使臣画押未奉御批，未钤御宝，一如载书未歃，岂足为凭？俄人理屈词穷焉能生衅？故缓索伊犁则理长。

何谓谋定？俄人而讲信义，兵端可以不开。若俄人必欲背公法，弃和好，设防之处大约三路：一新疆，一吉林，一天津。左宗棠席屡胜之威，兵力素强，金顺、刘锦棠、锡纶、张曜亦皆健将，以静待动，俄人必败。联络喇嘛棍噶札拉参遏其归路，彼将只轮不返。若出吉林，边地辽敻，林谷丛杂，其地去俄都二万余里，悬军深入，馈饷艰难，不能用众。如特简兼资文武之将帅，授以重权，资以的饷，分南北洋海防经费之半，为经略东三省之资；命左宗棠、金顺选拨籍隶东三省之知兵将官数人东来听用，招集索伦、赫津打牲人众，教练成军；其人素性雄勇，习与俄斗，定能制胜，即小有挫衄，坚守数月必解而去。天津一路，逼近神京，然俄国兵船扼于英、法公例，向不能出地中海，即强以商船载兵，而亦非西洋有铁甲等船者比。李鸿章高勋重寄，岁糜数百万金钱，以制机器而养淮军，正为今日。若并不能一战，安用重臣？伏请严饬李鸿章，谕以计无中变，责无旁贷，及早选将练兵，仿照德国新式增建炮台，战而胜则酬以公侯之赏，不胜则加以不测之罚。设即以赎伊犁之二百八十万金，雇募西洋劲卒，亦必能为我用。俄人蚕食回疆，吞并浩罕，意在拊印度之背，不特我之患，亦英之忧也。李鸿章若以此开悟英使，辅车唇齿，当可同仇。近年立功宿将，如彭玉麟、杨岳斌、鲍超、刘铭传、善庆、岑毓英、郭松林、宋庆、喜昌、彭楚汉、郭宝昌、曹克忠、李云麟、陈国瑞等，或现任，或退间，或处废籍，如酌量宣召来京，令其详议筹策，分驻京、通、津、沽及东三省，以备不虞。山有猛虎，自可建威销萌。故急修武备则谋定。

臣非敢迂论高谈以大局为孤注，惟深观事变日益艰难，西洋挠我榷政，东洋思灭琉球。今俄人又故挑衅端，若更忍之、让之，从此各国相逼而来，至于忍无可忍、让无可让，又将奈何？无论我之御俄本有胜理，即或疆场之役利钝无常，臣料俄人虽五战不能越嘉峪关，虽三胜不能薄宁古塔，终不至掣动全局。旷日持久，顿兵乏食，其势自穷，何畏之有？然则及今一决乃中国强弱之机，尤人才消长之会。此时猛将、谋臣尚可一战，若再阅数年，左宗棠虽在而已衰，李鸿章未衰而将老，精锐渐尽，欲战不能。而俄人则已城于东，屯于西，行栈于北，纵横窟穴于口内外，通卫藏，胁朝鲜。不以今日捍之于藩篱，而待他日斗之于庭户，悔何及乎？要之，武备者，改议宜修，不改议亦宜修。伊犁者，改议宜缓，不改议亦宜缓。崇厚者，改议宜诛，不改议亦宜诛。此中外群臣之公言，非臣一人之私言也。辅谋在疆臣，作气在百僚，据理力辩在总理衙门，而决计独断始终坚持则在我皇太后、皇上。事关宗社大计，坐视不能，缄默不敢，仰恳将臣此疏发交廷臣会议，不胜忧愤迫切之至。谨奏。

光绪五年十二月初五日。

谕出使俄国大臣崇厚着革职拿问交刑部治罪

上谕：吏部奏遵旨严议，请将前都察院左都御史崇厚，照违制例议以革职等语。崇厚奉命出使，并不听候谕旨，擅自起程回京，情节甚重，仅予革职不足蔽辜。崇厚着先行革职拿问，交刑部治罪。

十二月初六日

直督李鸿章等奏遵议崇厚所订俄约应准应驳及各条利弊折

直隶总督李鸿章等奏，为遵旨会议将条约分别准驳事。

十一月二十一日内阁奉上谕：都察院左都御史崇厚奉命出使，不候谕旨，擅自起程回京，着先行交部严加议处，开缺听候部议。其所议条约、章程及总理衙门历次所奏各折件，著大学士、六部、九卿、翰詹科道妥议具奏等因。钦此。臣等遵将条约、章程及各折件公同阅看，窃谓交邻之道务在持平，谋国之方贵于虑远。臣等通筹全局，岂敢故持高论，使总理衙门独为其难？惟检阅崇厚所定条约，其不可许者，约有四端：曰伊、喀、塔各城定界，曰新疆、内外蒙古通商，曰运货直至汉口，曰行船直至伯都讷。敢就筹画所及，为我皇太后、皇上陈之。

新疆二万里，北路形胜全在伊犁，所以控制外藩，联络回部。条约所载第七条将伊犁西边及帖克斯川一带归俄国管属。查伊犁向设八城以金顶寺为咽喉，以帖克斯川为脉络，以霍尔果斯河为大渠，以海弩克台为沃土。今阅图内所划红界，西面紧逼伊犁，南面自乌宗岛山向东而南而西，至罕颠葛里山一带，将南通回部之路截断，伊犁形势不全，膏腴尽失，难以自存。又，第三条，居民愿迁者，酌予限期，携带财物；第四款，俄人置有产业者照旧管业；将城为中国之城，而民为俄民，土为俄土，必至官如赘疣，事多掣肘，有交还之虚名，无收复之实际。其他如改定喀城界址，及第八条塔尔巴哈台交界处所，其所举山川与满蒙还音之字不甚同，臣等无凭指拨。惟查塔尔巴哈台于同治三年，经明谊与俄臣杂哈劳将界议定；旋于同治九年，经立界大臣奎昌建立牌博各在案。理应永远遵守，毋相侵越，何以此次又改界址？得寸思尺，殊失友邦之谊。喀什噶尔向有安集延、浩罕为屏蔽，与俄国本不接壤。今俄人既吞并浩罕设立省会，自应定界以息争端。但准情酌理，只应就浩罕本境划归俄国，亦未便越我瓯脱，占我藩篱。此界务碍难允许之实在情形也。

通商一节，固在彼此交利，尤在彼此相安。如第十条之嘉峪关等处遍设领事，第十二条之俄国在天山南北、内外蒙古贸易均不纳税，无论华商失业、榷税全亏有妨中国政治，即论中外交涉，幅员既广，照料难周。市廛杂处，既虞因争竞而启衅端；沙漠荒凉，更恐疏保护而酿巨案。在我固属失利，在彼亦未必无害。此商务碍难允许之实在情形也。

俄商运货由嘉峪关取道汉中、西安，以达汉口。查所定《陆路通商章程》第十七条，于俄商有益之事处处力争，于俄商不便之事处处规避。率行议准，南洋之弊窦丛生，西路之隐忧更迫。此运货直至汉口碍难允准之实在情形也。

咸丰八年《爱珲和约》内，一条系乌苏里、黑龙江、松花江居住两国所属之人，令其一同交易；一条系黑龙江、松花江、乌苏里河只准中国、俄国行船。详译原约，贸易专指居民，行船各在本境，文义明显，何致讲解纷歧？今俄国率欲添写上游字样，崇厚即允其至伯都讷并与沿江一带居民贸易，殊与定约不符。似此节节阑入，其意何居？此行船直至伯都讷碍难允许之实在情形也。

臣等悉心酌度，伊犁地方既经俄国代收、代守，自应酌偿经费。如俄国将伊犁人民、土地全境交还，分界、通商各事均作罢论，所议兵费恤款银二百八十余万拟请俯准，如数偿给，分起归还，以敦和好，以重报施。至伊、喀、塔各城定界，新疆、内外蒙古通商及运货直至汉口，行船直至伯都讷各端，现值御批未准之先，据理剖辩仅系口舌之争；若于条约一允之后，枝节蔓延，即成肘腋之患，彼时百变环生，大局将不可问。惟有仰恳饬下总理衙门王大臣决意坚持，剀切辩论，收目下转圜之效，杜日后启衅之由，不可专顾一时致误全局。总之，臣等所议，理所可许者无不曲从，势所难行者未便迁就。明知中俄修好有年，邦交宜固，而欲全信义须泯诈虞，若阳为归地寻盟，阴则恃强罔利，俄国当不其然。总理衙门王大臣公忠谋国，共济时艰，必能相机筹办，以抒宵旰而杜要求，谅无待臣等再三之渎。臣等尤愿皇太后、皇上修明政治，整顿边防，以奋中外之人心，以巩祖宗之基业，天下幸甚！谨奏。

光绪五年十二月初十日奉旨。

司经局洗马张之洞奏驭俄之策宜先备后讲折

司经局洗马张之洞奏，为驭俄之策断宜先备后讲，详筹边计以定宸谟事。

窃臣于本月初五日曾上一疏，备论俄约从违利害，朝廷既一再下廷议矣。臣前疏之意，要以急修武备为重。窃揆朝廷之意，亦未尝不以修备为是，而似不免以修备为难。

岂非洞见二十年来边备一无可恃，遂觉中国大势断不足以御强邻，故不免长虑却顾，不得已而出于讲耶？臣愚以为，无备则不能战，无备则并不能讲。及今而言备，尚有可备之兵，尚有可备之饷，尚有可备之人。敢就前疏未尽之意详切胪陈，唯圣明垂察焉。

备之法曰练兵，曰筹饷，曰用人。练兵如何？首练蒙古兵。蒙古各盟与圣清累朝同休戚，与今日中华同利害。雍乾间征讨准、回各部，均资其兵力以集大勋。近年各藩无才，日就贫弱，俄人乘机阑入，乌梁海南北受其牢笼，喀鲁伦河东西寖为田牧，渐且尽夺膏腴，杂居无限。一旦有事，卡伦、鄂博直如虚设，彼将径叩边墙。拟请特命蒙古王大臣，随带晓习边事文武数员，同历各盟，体察土谢图等四汗所属情形，息耗强弱，诸王台吉才智高下，缕晰以闻。布告各盟，晓以俄人叵测，意在蚕食蒙疆，激励所部讲求牧政，简练成军，创办之始酌给饷需。蒙人以畜牧为耕凿，若多发帑金，市其战马，配给边军。蒙人得金，我军得马。边军多马则兵强，蒙马易售，则蒙人因富而亦强。设俄人内犯，我坚守边墙，蒙人截其辎重，击其惰归，其师必尽。蒙古强则我之屏蔽也，蒙古弱则彼之鱼肉也。出入之间，利害不可以道里计矣。

其次练回兵。沙漠荒寒，驰骤搏击，南人十不敌北人一，关内人十不敌边外人一。刘锦棠之军名为湘军，实多陇西壮士、关外流民，以故所向有功。额鲁特种人性质强悍，阿拉善之部内向练有喇嘛兵数千，亦甚可用。若推广于西北各部喇嘛，择其桀〔杰〕出者，假以呼图克图名号，必能号召约束，执殳前驱。哈萨克虽为俄人所胁，逃出归化者不少，若令锡纶招徕此辈，加以训练，庶湘营之势不孤，以后屯戍之役，更不烦征调南军矣。

其次练东兵。黑龙江人素朴勇，古有满万无敌之称，国朝名将多产其间，将军得人则尽人皆为劲旅。吉林金匪盘据日久，党类繁多，必欲剿捕驱除，尽空其地，断无是事，莫若抚之使为我用，免为俄人所诱，转致多树一敌。

又其次练北洋兵。李鸿章新购蚊子船颇称便利，惜为数不多，而其价尚廉，似宜向欧洲续造数十艘，专派统领，分屯北洋大沽、营口、烟台三处，一方有警两口赴援，伺敌登岸围其舟而焚之，敌无归矣。惟舟师海战，淮人十不敌闽广人一，请敕闽广督臣，择熟悉海战将弁数人，招募闽广精卒来津听用。水陆之备既完，如更密谕曾纪泽结英图俄，攻所必救，以掣敌势，此亦一奇也。

筹饷如何？北洋所需本有海防经费，新疆所需本有西征专饷，东三省饷项向于南洋海防经费或各关提存二成内酌拨。惟整顿蒙军及沿边重镇，如科布多、乌里雅苏台、归化城、库伦、张家口诸处，虽系次冲，如从容布置，亦须增兵、增饷。窃思各省营勇除津防、西征两军外，现存不下数百营，节腹地之虚糜，即可供边军之腾饱。拟请敕下各督抚酌量裁撤，大约汰四存六而边饷出矣。此外，若倍征洋药税，岁可得数百万；酌提江广漕折运脚，亦可得二三十万；整顿淮纲，但能专折商私，所得亦不下数百万。钱流地上，得人斯理耳。

用人如何？蒙古部当以蒙古主之。科尔沁亲王伯彦诺谟佑世笃忠贞，廉仆勇敢。若令其总统各盟，副以大臣分防乌里雅苏台、库伦两路，当能远追超勇亲王策凌之英风，近绍忠亲王僧格林沁之余烈。刘锦棠前敌大将，若假以重权则声威益振。锡纶现扼塔尔巴哈台为极边。张曜可使备科布多为后路。均宜重其任，厚其兵，裕其饷，使三军相与掎角，则俄属不敢西牧矣。至东三省内抚外攘，断非长才不办。现任各将军才皆不逾中人，恐不足以备缓急，可否于京外大员中遴选数人，特降谕旨，令将经画关东方略条议以闻，就中察其实有条理、器闳志壮者，授以东方之任。若夫综揽九边指挥诸将，一如问耕问织，当责之素习之人，似宜密谕左宗棠，将各路战守机宜明白条上。设异日俄人败盟，必开兵端，即令左宗棠别荐老成属以陇事，而身自来朝入阁，以备庙堂咨访筹策，亦无不可。昔范仲淹自请行边，识者以为措置西事当在中书，可见运筹决胜不在自将临边镇一方，何如策全局乎？其筹饷事理，尤在度支得人。侍郎阎敬铭长于综核，理财有效，朝野咸知，今虽养疴山居，并非笃老。阎敬铭之心何尝一日忘天下哉？若蒙温旨宣召，动以时艰，谕以大义，该侍郎岂忍坚辞？得阎敬铭以理度支，朝廷当不复忧馈饷矣。

此外，文武之才储备宜广，拟请敕李鸿章、左宗棠切实荐举，以备录用。边才本属专门，方今京外通弊冗员多而真才少，不索何获？不学何能？即如李鸿章、左宗棠等，若非中原多事，久历兵间，何由而成？何由而见？伏望敕下各部堂官、各省督抚就属员中访求志节可造之人，有愿讲求边事者，即令奏请发往东西两边以资练习。隐逸之士及未仕者，亦许一体列荐。数年之后，人才辈出，安知不更有驾李鸿章、左宗棠而上之者？何至令朝廷西顾东瞻，思不得颇、牧之叹哉？出使绝国汉有专科，必如陆贾之辩，苏武之节，傅介子、陈汤之权略，常惠、班超之勇，方称斯职，并请谕令疆臣，亟为物色，备行人之选，庶可与谋臣、战士相辅为功。有备如此，可以战矣。

然臣知国家之意非欲战也，即臣之言亦非求战也，必实有战心，实有战具而后可以为讲之地也。则请更筹讲法：

一曰责以义。自我圣祖以来，与俄国久通盟聘，不以藩属畜之，并不以外夷目之，我兵围雅克萨城，俄人穷蹙，圣祖不忍，舍而弗攻。前有徐元文之碑，后有察毕那之案，载在盟府，炳若日星，是我之有德于俄一也。迭次所获罗刹宜番等百余人，不加诛戮，赐居京师编为佐领，是我之有德于俄二也。世宗时，俄国官生来学，于是建俄罗斯馆，于是立俄罗斯学，学医则遣蒙古医往，学喇嘛经典则遣托波尔番僧往，是我之有德于俄三也。恰克图开关互市以利俄商，纵茶、黄出口以活俄民。乾隆间，俄人渝约犯禁，我高宗如天之度不加以兵，因其悔罪，仍许通商，是我之有德于俄四也。我有四德，俄不知报。咸丰八年，乘我方有兵事，绐奕山而攘我乌苏里江东之地五千里，又诳我沿边常住卡伦以外之地万余里。文宗念旧盟，重邻衅，悯两国生灵，因而界之，环海四洲莫不以俄为曲。今又乘我天子冲龄，边圉甫定，挟小惠以徼大利，俄之君臣独不畏罹违天不祥之咎乎？

一曰折以约。陆路通商不便，原许酌商，不得节外生枝，则有咸丰十年之续约第十四条在。有紧要妨碍之处，尚未满限，立即议改，则有同治八年改订之约第二十二条在。界牌永无更改，他地并不侵占，则有咸丰十年之续约第一条在。边界既定，登莱绘图，两国永无此疆彼界之争，则有咸丰十年之约第九条在。张家口不设领事、不立行栈，则有同治八年改定之约第四条在。京城、恰克图二处公文准用台站，站费两国共之。今云在蒙古地方、天山南北行路寄信概用台站，新约有，旧约无。准设领事，向止伊、塔、喀三城，今又增乌鲁木齐六处，新约有，旧约无。入边道路止恰克图，近边码头止张家口，今又取道关陇以达汉口，新约有，旧约无。松花江行船至伯都讷，与沿口一带居民贸易，新约有，旧约无。俄人来路向出北道，尚免西防，今由科布多过归化城运货前往天津，新约有，旧约无。蒙古贸易或准或未准，今忽以中国蒙古并蒙古各盟已设官、未设官之处括之，新约有，旧约无。不纳税者向止两国边界百里内为然，今云在中国蒙古地方、关外天山南北概不纳税，新约有，旧约无。通商总例向完正税、子税，今云陕、甘、汉口不纳子税，新约有，旧约无。交易原须两利，华商岂可偏枯？今云准以货物抵帐〔账〕，新约有，旧约无。通商许人带兵器一件，未言火器。查洋枪、洋炮、洋火药向为禁物，今云人带一枪，新约有，旧约无。领事官向止与地方官平行，自不得与大宪抗礼。今云领事与大宪往来用信函，会晤用友邦礼，新约有，旧约无。就臣所指驳者，固已如此其多，其他或自相矛盾，或影射欺蒙。若总理衙门更按各国条约，参酌比例，并检俄国历届照会，逐细研求，可驳者更复何限？以此诘俄，俄其何辞？

三曰怵以势。俄人慑于义，箝于约，善矣。若犹不听，则请说之曰：俄逞威贪利，将谓中国仁让不能胜也。我守已固，我军已蒐，闭关绝市，茶、黄不出，东结混同江思归之义民，而收哈萨克、布鲁特反正之旧部。俄西犯，则我以一将军袭尼布楚；东寇则我轻骑以破浩罕，复伊犁。俄人万里孤军，长城前，戈壁后，士卒顿，刍粮绝，俄军必歼。即我军不克，我力不支，则我犹出下策，掷孤注。西委阿里以赐英吉利，使之越里海以取土尔扈特旧牧地；东捐台湾山后以赐日本，使之复库页岛以断东海口；激土耳其以宿憾使仇俄；啖日耳曼以重利使绝俄。兵连祸结，俄之精锐竭于外，俄之乱党起于内，恐彼德罗堡国都非俄有也。俄人自命大国，比年收纳难民，代采军糈，其心亦颇欲市义沽名。今见我有备，而又参理势兼刚柔以动之，蔑不听矣。至使臣缓急变通，则当更求操纵之法。或新约不许，而增兵费、恤款之数以易伊犁。或新约不许，而令左宗棠划穷边荒远无关要害之地数百里与之，使尽归伊犁山川要隘，是我弃一石田而得完伊犁也。新约不许，伊犁不归，则令归我罪人白彦虎，我仍以偿款酬之。此一役也，俄有所得，既足以戢戎心，我除遗孽亦足以存国体。此三者为奇兵，为活着，临事相机是在使臣之善应矣。

综而论之，备为主，讲为辅，操纵为变化。我苟无备，俄人知我虚实，肆其恫喝，虽有辩士将不得言，言亦不信。虽然修备之道，并非朝廷颁一诏书、疆吏办一复奏已也。窃念自咸丰以来，无年不办洋务，无日不讲自强，因洋务而进用者数百人，因洋务而糜耗者数千万，冠盖之使交错于海邦，市舶之司日增于腹地，屈己捐爱，将曰待时。事阅三朝，积弱如故。一有俄事，从违莫决，缙绅束手，将帅变色，即号忧国持高论者，亦徒吁嗟太息，而不能知其所以然，泄泄悠悠，委其忧于君父。今犹中兴时也，不知十余年后，又将何以处之？有七年之病，而不畜三年之艾，此古来志士仁人所为扼腕而叹恨者也。伏愿自今日始，君臣上下卧薪尝胆，戒鸩毒之安，惕肘腋之患，专心求贤才，破格行赏罚。如仍有以含垢姑安、养晦纵敌之说进者，一切斥勿用。然后修备始非虚文矣。昔者晋无失德，苻坚恃强而伐之，渡淮而坚灭。宋无乱政，完颜亮恃强而伐之，临江而亮亡。天眷所在，虽偏安之朝，犹足以胜强敌。况以国家德泽之深，疆域之广，物力虽绌而未穷，人才虽稀而不尽，如谓修德修政，竭禹迹九州之全力，而不能与一邻国抗，殆亦数千年来史册所未有者也。仰恳皇太后、皇上将臣此疏交再议之，王大臣等一并议奏，以备采择。谨奏。

光绪五年十二月二十六日交总理衙门、詹事府，本日军机大臣面奉谕旨：前因王大臣在总理衙门会议事件，降旨令洗马张之洞前往，嗣后王大臣等有应行咨商之处，著该衙门知照该洗马前往。钦此。相应传知贵衙门钦遵可也。此交。

伊犁将军金顺奏遵议崇厚议约失败补救办法折

伊犁将军金顺奏，为遵旨密陈事。

窃奴才于十月初一日，接奉军机大臣密寄光绪五年八月二十三日奉上谕：总理衙门奏筹办交收伊犁事宜，请饬疆臣严议一折等因。钦此。奴才谨就管见之所不便与时事之所亟宜行者，敬为皇太后、皇上缕晰陈之。细阅条款所载，其毋庸议置者十一，其必不可允者七。

一则伊犁民人迁居俄国入籍者，准照俄人看待。自通商以来，中国奸民久倚外国为逋逃薮。况新疆夙鲜居民，自大兵戡定而后，强者蒙诛，悍者走险。今其寄居伊犁者，非懦弱之良民，即逆回未经惩创之余也。若复允其所请，则伊犁之民其谁？不解体，势将举伊犁而空之。苟无人，何有土？且逆回骄悍成性，必倚俄人滋生事端，俄且暗纵之使扰我边鄙，显问之则佯为不知，如去岁俄人所收陕回之窜扰，其明证也。事固有似微而实巨者，此类是也。

一则俄人在伊犁置有财产，准其照旧管业。夫俄人之财产何所庸置？彼自居伊犁而后，九城之内谁非其有？兴修创造莫敢谁何？若如第四款所议，则伊犁岂复有我驻足之所？不但此也，设要隘之地、形胜之区彼皆预为占据，诡托置产。将驱而去之耶？抑将忍而受之耶？驱而去之是为背约，忍而受之是谓养痈，二者之中无一而可，是自困之道也。

一则接收伊犁后，伊犁之陬尔果斯河及山南之帖克斯河，均归俄属，并塔城界址亦拟稍改。查陬尔果斯河即霍尔果斯河，帖克斯河即特克斯河。夫我与俄人壤地本不相接，中间隙地原所以处哈萨克诸部。自同治三年定约以来，藩篱之地尽为俄有，而哈萨克亦遂为俄属民，致塔城一隅去俄镇仅三十里，聚九州铁铸此大错。若如左宗棠之议，作为瓯脱之地，彼此不居，尚可挽回于万一。必如俄人之请，则霍尔果斯河去伊犁大城九十余里，特克斯河为通南八城要路，而塔城尤独当其冲，一旦割为俄境，岂独弱己以强敌，彼且扼我吭而拊我背矣。此界务之必不可允者也。

至如第十款，旧约喀什噶尔、库伦设领事官，现准嘉峪关、乌、科、哈密、吐鲁番、乌鲁木齐、古城酌设领事。第十三款设领事处及张家口准设行栈。第十四款俄商运俄货走张家口、嘉峪关，赴天津、汉口，过通州、西安、汉中，运土货回国同路。自古驭外之法，不贵乎我之所能往，而贵乎彼之不得入。盖不入则内闻无自而生，外闻亦无自而乘，我之所以欲得伊犁者，以其为中土屏蔽也。夫俄人于中国常存耽耽逐逐之心，彼之所以迟迟而发者，诚以言语不通，情伪不悉，患取之而不能守耳。若允其通商之议，则民之情伪彼得而知之，地之险要彼得而据之，逆回之反侧彼得而煽之，奸民之蠢动彼得而乘之。种种弊端实难枚举。是我得伊犁一弹丸不守之地，荡然自隳其中外之防，直不啻举全土而畀之。议者乃谓有病于华商生计犹后也。此尤商务之必不可允者也。

总之，代收、代守、交还，从古无此事理，彼非有大欲乎其中，必不肯轻以相就，固不待智者而知之。奴才之不敢遽议减兵者以此，奴才之屡以饷项为虑者亦以此。盖兵减则势单，无以慑其奸志；饷绌则势涣，无以戢我军心。以目下之兵力而论，置边防则兵分而力弱，取伊犁则兵合而势强，且防不胜防，将来难以收局，诚如圣心所虑。况中国自用兵以来，已三十余年矣，元气本未尽复，加以水旱频仍，倘边衅一开，内地设有他虑，其事实难设想。顾索还而贻后患，殊失戎机；畏难而不索还，亦伤国体。夫立国者不患敌之强，而患不能自强；辟土者不患取之难，而患守之不固。我自定新疆以后，人民未尽复业，田地大半芜莱，善后事宜诸多未举。据奴才愚见，复以另议之文令总理衙门，或由左宗棠，反复与之辩论，我则于喀什噶尔、乌什、精河、塔尔巴哈台，分设重兵，严密而为之备，其乌、科两城亦应及时筹备以防不虞，移饥馑之民以实边，选材智之士以教战，广屯田以足食，兴废利以生财，内以复已耗之元气，外以觊进止之机缘。难不自我而发，约不自我而背。彼以越境窥伺，则勒兵以痛击之，静以制动，逸以待劳，庶乎可发可收，可进可退。其能就我范围交还伊犁也，固可相遇而安；其不就我范围交还伊犁也，亦可相机而动。此奴才所以前此有急者缓之，虚者实之之议也。此又时事之亟宜行者也。奴才身膺疆寄，非不知进可图功，所以虑出于此者，实以朝廷之全局攸关。其究应如何办理之处，伏候圣裁。谨奏。

光绪五年十二月二十九日奉旨：览奏均悉。所陈新约必不可允各节实能洞见利弊，此事现经王大臣会议，亦与该将军意见相同。所有该处边防仍着懔遵前旨妥为筹办。

清季外交史料卷十八终

清季外交史料卷十九

光绪六年正月至二月

礼亲王世铎等奏军机处等会议崇厚与俄所订约章专条窒碍难行请遣使前往转圜折　附懿旨

礼亲王世铎〈等〉奏，为遵旨会议具奏事。

光绪五年十二月初十日钦奉懿旨：前有旨，将崇厚所议条约、章程及总理衙门迭次所奏各折，交大学士、六部、九卿、翰詹科道妥议具奏，兹据大学士等遵议复奏各折片，着一并交亲郡王、御前大臣、军机大臣、总理各国事务王大臣、大学士、六部、都察院堂官，再行详细妥议具奏，醇亲王亦一并会议具奏。十三、十四、十五等日，军机大臣先后面奉谕旨，肃亲王隆勋、检讨周冠、御史李蟠、洗马张之洞等各折片，着交会议之王大臣等一并议奏各等因。钦此。

臣等公同查阅，各折片虽措词不同，而用意不外崇厚所定约章、专条不可许，并应治崇厚之罪、筹战守之策三端。除崇厚应得罪名，已于十二月十六日钦奉谕旨，交刑部治罪，应俟刑部定拟具奏时，恭候宸断，其战守事宜，容臣等详细妥筹，另折具奏外，至崇厚在俄国定议约章、专条各件内，界务一节，总理衙门迭次具奏，均声明有碍全局，必不可许等语，自是不能照议；偿款一节，系为还俄国代收代守伊犁兵费，并补恤在中国境内被抢受亏俄商，及被害俄民家属等款，俄国如允还伊犁全境，似可照办，现亦无庸置议；商务一节，有循照旧约者，有仿照各国总例者，皆俄国与各国约章所已行；此外，如设领事，开行栈，推广运货地〈方〉于西路、北路、西安、汉中等处，大半皆俄国使臣布策在京辩论多年，求而未得之款，若允照办，轇轕正多，流弊滋大，且碍华商生计，总理衙门前亦奏明在案。松花江行船，载在《爱珲条约》，至伯都讷贩运各货，则逾边界百里内限制，实为旧章所无，应与通商各条均请无庸置议。

缘俄国与崇厚所议各节，先以交收伊犁为词，并因修约届期肆意要求，冀得饱其所欲，崇厚堕其术中，率与定议画押。此时若将界务不能照议，偿款无可再议，通商各条分别准驳，照会其驻京使臣，揆诸事理无论其不能就范也，且现在俄国驻京之凯阳德系署理使臣，亦无办〈理〉此事之权。中国署出使大臣・道员邵友濂驻扎俄京，权分较轻，又未必能与俄国外部商办事件。臣等再四熟商，此次崇厚本在俄京与其外部定议，现既不能照议，可否另行遣使前往，将崇厚所定约章、专条如何违训越权，及中国内外大小臣工不能议准缘因，斟情酌理，与俄国君臣剀切言之。其是否愿与再商，或允再商而仍多要挟，虽均难以逆料，惟就刻下情形而论，似以遣使前往较为得体。且在我既属情理兼尽，在彼或可以藉此转圜。如蒙俞允，应请特简熟悉洋务大臣一员，亲赍国书，前往俄国，将此事窒碍原委详细剖辩。无论以后伊犁允否交还，总不得轻率定议，再为贻误。

再，洗马张之洞亦于二十六日遵旨赴总理衙门，将各折件阅讫，臣等并将现在拟办情形与之会商，意见大致相同。惟另行遣使一层，据称似可稍缓，先由署理出使大臣邵友濂将未能照准缘由向其外部转达，察看情形，再行斟酌办理。谨奏。

光绪六年正月初十日奉懿旨：崇厚所议条约、章程违训越权，经王大臣等会议意见相同，其大小臣工所奏，均称事多窒碍。着曾纪泽前往再行商办一切，妥慎将事。

又奉上谕：一等毅勇侯·大理寺少卿曾纪泽，著派充出使俄国钦差大臣。

大清国大皇帝致俄国声明崇厚所议条约违训越权窒碍难行国书

大清国大皇帝问大俄国大皇帝好！朕诞膺天命，寅绍丕基，眷念友邦言归于好，曩者朕特简吏部左侍郎崇厚为全权大臣，出使贵国，面谕以如何商议一切事宜。乃崇厚在贵国所议条约、章程、专条各款，朕亲加校〔披〕阅，多有违训越权之处，并经内外大小臣工一再会商妥议，佥谓事多窒碍难行，朕深为惋惜。第念两国和好二百余年，朕恐大皇帝因此或疑中国有渝和好之意，是以再行特简一等毅勇侯·大理寺少卿曾纪泽，为出使贵国钦差大臣，亲赍国书代达衷曲，以为真心和好之据，并将前议各款窒碍难行原委，分别缕陈，即希大皇帝派员，与该大臣和衷商办。朕知曾纪泽和平通达，熟悉中外交涉事件，务望推诚相信，俾尽厥职，以永敦睦谊，共享升平。谅必同深庆幸焉！

光绪六年正月初十日。

少詹宝廷奏使事宜慎请饬曾纪泽来京请训折

詹事府少詹事宗室宝廷奏，为使事宜慎，请将国书及改议条约仍饬会议王大臣公同酌拟事。

窃本月初三日奉懿旨，派曾纪泽前往俄国，将应办事件再行商办。曾纪泽为人，奴才夙未深知，今奉命使俄，是否由英径达俄国，抑仍来京请训？懿旨未经明白宣示。奴才窃以为，出使之命不可太迟，而使臣赴俄，则不必太速。崇厚之约荒谬，即因遣使不慎。一之为甚，断不可再。应令来京请训，谋定而往，庶免有误。若但寄谕使臣，俾其商办，朝廷深意，使臣未必深知。设复违训越权，诛不胜诛，改不胜改，事同儿戏，必激之使和而后已。或谓曾纪泽由英回京，由京赴俄，周折太多，时日太缓，不知中国边备非仓卒所能修成，使臣往议正以稍缓为妙。事关重大，不厌求详，总理衙门王大臣不过数人，情形虽称熟悉，谋画恐有未周，似不若参以众议较为周匝。总理衙门办事素喜秘密，措词素喜游移，贻误如此，应知改计。恭亲王小心谨慎，不敢稍有专擅，当此大事，必乐于集思广益，有裨国家。拟请旨将此次国书应如何撰拟，条约应如何驳改，仍饬会议王大臣等会同总理衙门，详慎酌拟奏明，恭候裁定。如饬曾纪泽来京面授大略，固为妥善。若恐迟延贻误事机，径令由英赴俄，则必当详切寄谕，严饬恪遵办理；并慎选精明公正之员，与会议王大臣、总理衙门商议明确，面承圣训，恭赍国书、寄谕，往交曾纪泽祇领，随同参赞，匡其不逮。仍饬曾纪泽随时请旨，不得专擅。总理衙门寄信时，亦不得含混其词，致使臣得以藉口。将来改约定盟诸臻妥协，则总理衙门与该使臣同功。设因草率贻误，〈则〉总理衙门与该使臣同罪，庶下无违训越权之弊，上收安边息民之效矣。谨奏。

光绪六年正月初十日奉旨。

庶吉士樊增祥奏崇厚使俄违训越权请亟正典刑折

翰林院庶吉士樊增祥奏，为使臣罪无可逭，请亟正典刑，以儆行人而谢敌国事。

窃臣伏见崇厚使俄违训越权，经廷臣交劾逮系论罪。昨读邸钞，已钦派大理寺少卿曾纪泽往俄，另行商办，又以崇厚情节重大，特命亲王大臣、部院堂官会同定拟，仰见皇太后、皇上诛罪殛奸，至明至断。夫条约既烦更定，则订约之人不得不诛；行人苟可不诛，则所定〔订〕之约不能不许。势无中立，事无两全。会议诸臣既知条约之万不可许，即知崇厚之万不能生，盖外国之所谓违训即违悖诏旨之谓也，外国之所谓越权即专擅误国之谓也。往者耆英之狱成宪昭然，而况崇厚目无君父，贻害国家，其罪甚于耆英百倍。有臣若此，除论斩之外，本无他条可援。而臣犹虞其未决者，则以崇厚自办夷务以来，于通商各国百端取媚，我朝虽以为罪而外国皆利其奸，一旦加诛，不惟俄人不平，即他国亦必为之称枉，恐王大臣瞻顾全局，议罪不免从轻。臣以为，苟出于此，则是亵上国之天威，隳臣民之锐志，使俄人益得有辞而曾纪泽无从另议。留一至愚极庸、忘君媚敌之崇厚，而挠国宪，启戎心，卒使新约归于必行，狡谋终于得遂，此忠臣、志士所为先事寒心者也。

夫曾纪泽虽曾国藩之子，而韩门出绛，张氏生均，平日倾心泰西，吐弃周孔，过庭之诚扫地无余。此次朝廷简命，不过谓其于彼中语言文字粗能通晓，又奉使欧洲，赴俄较近。论其读书嗜古，容非安心卖国者流。特其见解既偏，总谓西人百倍于中朝，西法远逾乎孔教，充此一念，虽使腹地遍布洋商，边陲尽为俄有，彼将视为固然，而不复与之争论，此其为害何可胜言？故崇厚不即加诛，则曾纪泽以为得罪于俄国，恐遭非礼之侵凌，得罪于本国，转有幸逃之法纲，是使俄国得一忠臣，为崇厚添一护法，其于国事究竟何裨？况崇厚一误可令曾纪泽往，若曾纪泽再误，庸可再更、再讲乎？欲令曾纪泽使不辱命，惟杀崇厚足以儆之，欲俄人不执前议，亦惟杀崇厚足以谢之。

不特此也，崇厚所许各条约，中国臣民共知其谬。彼虽不慧，亦何至全无心肝？所以敢于违悖，敢于专擅者，诚见今之大势以夷务为急，凡涉通商换约事宜，但有隐忍迁就之情，决无谴及使臣之事。用是不惜土地取媚俄人，以为但得敌国之欢，即不复畏朝廷之法，纵或偶干天怒，而总署诸臣既与同舟，谊均休戚，亦必能为之斡旋，为之免死。有此成见在胸，故能悍然无忌，此则崇厚之心之犹堪寸磔者也。夫以居心若此，犹令逃刑，则凡后之办理洋务者，其视国家利害，全不与一身之休戚相关，谁复肯力折强邻，保全边境，则一计及后来之事犹可动色惊心？伏愿皇太后、皇上速伸乾断，立置重典，以伸公愤，以儆将来，则后之出使诸臣，纵不爱国，亦当爱身，既知畏敌，岂不畏死？庶几鉴于覆辙，罔蹈前车。臣诚愚诚贱，不足以知大计，第见拿问崇厚之时，俄国使臣巴咆哮于总署，而上海洋报复故为疑讽之词，足见崇厚之与外人久已联合一气，此际求生念切，保无乞救西人，属其以好语转圜，以危言要挟，皆于边事有碍，于国体有关。总恃皇太后、皇上内断于心，勿为所夺。天下幸甚！谨奏。

光绪六年正月十七日奉旨。

礼亲王世铎等奏曾纪泽使俄议约应随时请旨遵行片

世铎等片。

再，光绪六年正月初十日准军机处交片称，本日军机大臣钦奉懿旨：詹事府少詹事宝廷所奏一折，著交会议事件之王大臣等，一并会议具奏。钦此。钦遵钞交原折前来。臣等查，原折内称：本月初三日钦奉懿旨，派曾纪泽前往俄国，将应办事件再行商办，拟请旨将此次国书应如何撰拟，条约应如何驳改，仍饬会议王大臣等会同总理衙门，详慎酌拟奏明，恭候裁定。如饬曾纪泽来京面授方略，固为妥善。若恐迟延贻误事机，径令由英赴俄，则必当详切寄谕，严饬恪遵办理；并慎选精明公正之员，与会议王大臣、总理衙门商议明确，面承圣训，恭赍国书、寄谕，往交曾纪泽祗领，随同参赞，匡其不逮等语。

臣等公同酌核，曾纪泽现在奉派出使俄国，一俟国书寄到，即可由英前往。至曾纪泽此次赴俄，应先将崇厚所议约章如何窒碍难行之处详细告知。俄国如何情形，及约章等件如何酌改，此时无从悬揣。应由曾纪泽抵俄国后，察看情形，随时奏明，请旨遵行。所颁国书，应仍由军机处撰拟进呈，恭候钦定。俟用宝后，即由总理衙门寄交曾纪泽祇领，再行赴俄。查俄国现有头等参赞邵友濂在彼驻扎，该少詹事所请另派参赞一节，应毋庸议。至洗马张之洞，臣等亦与咨商，意见相同，合并声明。谨奏。

光绪六年正月二十一日奉旨：依议。

旨寄左宗棠李鸿章曾国荃刘坤一等伊犁事俄国多所要求着筹备防务　计七件

旨寄左宗棠等：本日据王大臣等会议筹备边防一折，此次俄国与崇厚所议章程多所要求，断难允准。惟该国不遂所欲，恐其伺隙起衅，必须有备无患，以折狡谋。新疆防务紧要，左宗棠熟悉边情，老于军事，即着将南、北两路通盘筹画，务臻周密。本日有旨，令刘锦棠帮办新疆军务，刘锦棠、金顺均在前敌，尤为吃紧，并着其会商左宗棠，妥为布置。锡纶现驻塔城，兵力太单，且与俄人逼处，宜策万全，如能就地选募边人、招徕藩属，亦可壮我声威，着与左宗棠商酌办理。棍噶札拉参久在边疆，向为俄人所惮，该呼图克图前经续假三年，着锡纶传旨，令其销假赴营，统带所部，以为犄角。左宗棠前有移营哈密之奏，究竟移扎该处，能否联络气势，有裨前敌，是否于后路不致悬隔，可以兼顾？该督当斟酌情形，妥筹进止。至练生军以防师老，足粮食以计久长，联兵势以顾后路，均属目前要着，并着悉心经画，于一月内具奏，以慰廑系。

正月二十一日，下同

旨寄李鸿章等：本日据王大臣会议筹备边防事宜一折，此次俄国所议条约多所要求，实难允准，现已另派曾纪泽前往再议。而该国心怀叵测，诡计万端，不可不先事防范，用折狡谋。天津屏蔽京师，关系全局，李鸿章筹防有年，所有建筑炮台、购备战船等事，现已粗具规模，即著将现有兵力认真整顿，一面备齐战舰，于烟台、大连湾等处择要扼扎，以固北洋门户。奉天、营口本属北洋所辖，该处与烟台海防，即责成该督统筹兼顾，庶几呼应较灵。至现在水师不足，仍宜注重陆师，以期有备无患。李鸿章所部淮军，久经战阵，亦宜有威望素著之宿将统带。在籍提督刘铭传，应否调赴天津，着李鸿章奏明办理。湖南提督李长乐，如其才尚可用，亦着奏调赴津，以资倚任。北路绥远城、张家口均属近边，已调刘连捷一军往〈驻〉绥远。其张家口一路，亦宜有兵屯扎。李鸿章所部淮军，现扎山东张秋镇者人数尚多，着该督酌调此军，派得力将领统率，前赴该处，分扼要隘；并着景丰、祥亨，将现有额兵认真操防，并本地近边，无论旗人、蒙古，一体酌募训练，以联声势。该处附近围场地方，弥望沃壤，亦可募兵屯田，以为省饷实边之计。现在时势多艰，边防孔亟，务令在事诸臣悉心筹办，以收实效，不得敷衍了事，徒托空言，致糜饷糈，于防务终属有名无实。李鸿章倚畀最深，责任尤重，即当力肩巨任，宏济艰难。所有一切应办事宜，并着于奉旨一月内迅速具奏。

旨寄刘坤一等：本日据王大臣等会议筹备边防一折，俄人与日本相交，踪迹诡密，上年日本已狡焉思逞，若俄人此次暗嗾日本生事，狼狈为奸，必将滋扰洋面。南洋地境辽阔，必须严密设防，方能有备无患。着刘坤一、何璟、张树声、吴元炳、谭钟麟、裕宽、勒方琦、谭钧培，懔遵迭次谕旨，将沿海沿江一带防务，妥筹布置，务折诡谋。福建台湾、厦门等处，江苏吴淞、长江等口，尤扼要吃紧之区，该督抚当各就地方情形，悉心区画，务策万全，并须简练陆军以补〔辅〕水师，为未雨绸缪之计。长江水师，着彭玉麟、李成谋认真整顿，加意巡防，以期周密。现在水陆设防需费甚巨，台湾后山办理多年，迄未就绪，着即酌行停止，腾出饷需，以作海防之用。应如何屯扎兵勇，弹压抚绥，俾番族相安无事，着何璟、勒方琦悉心筹画，奏明办理。

旨寄曾国荃：绥远城近边要隘防范宜严，曾国荃前调刘连捷一军驻扎山西，该省现尚静谧，着饬令该军移扎绥远城，以资扼守。

旨寄涂宗瀛：奉天根本重地，沿海各口关系紧要，必须有大枝劲旅居中填扎，方足以资保卫。宋庆一军现在豫省，该处边境静谧，着涂宗瀛饬令该提督，统率所部，迅即前赴奉天、营口等处，扼要驻扎，以固边防。

旨寄乌里雅苏台将军吉顺、署乌里雅苏台参赞大臣那逊绰克图、乌里雅苏台参赞大臣车林多尔济、科布多参赞大臣清安、帮办大臣桂祥、库伦办事大臣奕详、那木济勒：现在俄人狡谋叵测，乌里雅苏台、科布多、库伦地方皆与俄境毗连，北路边防紧要，现已选派土谢图汗、车臣汗兵各二千驻扎库伦，三音诺颜兵二千驻扎乌里雅苏台，札萨克图汗兵二千驻扎科布多，各派统带一员分往扼要防守，仍归该将军、大臣节制调遣；并由神机营选派官兵，分往各城，认真训练，俾成劲旅，并饬令内外蒙古，联络声势，屏蔽沿边。均应及时讲求屯垦，以足兵食。库伦可耕之地甚多，科布多官屯尚有余地，乌里雅苏台所属推河亦有屯田旧迹，岂可任其荒废？亦应认真督办，冀臻富庶，以实边防。

旨寄李鸿章、岐元、铭安、丰绅等：东三省为根本重地，吉林、黑龙江两面与俄接壤，俄人近在海参崴地方着力经营，已成重镇，其意存窥伺可知，尤应规画防守，备预不虞。奉天沿海最关紧要，现已调宋庆一军前往扼扎，该省所有制兵，并着岐元与该提督随时会商，认真训练。至金州海口应如何筹防之处，着李鸿章、岐元会筹办理。吉林、黑龙江兵丁夙称勇敢，果能选择知兵将领，训练策厉，足成劲旅。此外，如招集打牲索伦部落，及办理垦荒、榷税各事宜，为就地取材之策。金匪人众强悍，如能抚而驯之，当不致为敌所诱。富和熟悉边省情形，着铭安督饬该副都统实力操练，并令吴大澂前往吉林随同帮办。松花江久为俄人窥伺，应如何制造战船、添练水师，黑龙江应办边防练军各事宜，均着悉心经画。已革总督〔兵〕陈同瑞，前在军营颇有成绩，现在黑龙江戍所，是否堪以起用，着丰绅据实具奏。

谕出使俄国大臣崇厚着定为斩监候

上谕：已革都察院左都御史崇厚，着照礼亲王世铎等议，定为斩监侯〔候〕。

正月二十三日

谕曾纪泽到俄后必须力持定见妥慎办理以全大局

上谕：前因崇厚与俄所议《交收伊犁条约》等件，俄人占我伊犁，其理甚曲，崇厚奉命出使，任其要求，遽与定约，殊出意料之外。曾纪泽到俄国后，察看如何情形，先行具奏，此次前往另议，必须力持定见，慎重办理。现已颁发国书，由总理衙门递寄，并令该衙门将条约、章程等件详细酌核，分别可行及必不可行之款，奏准后知照该京卿，以便与俄人另行商办。纵或一时未能就绪，不妨从容时日，妥慎筹商，总期不激不随，以全大局。特此谕令知之。

二月初一日

川督丁宝桢奏伊犁事件关系大局自请赴俄交涉折

四川总督丁葆〔宝〕桢奏，为接收伊犁事件关系安危甚大，谨就微臣愚见所及，据实直陈事。

窃臣前得之传闻，以俄人退还伊犁一事，均谓出使大臣崇厚与该国议明定界、通商各款，中国失利甚大，贻害甚远，现在多有议驳等情。蜀中距京太远，臣未得其详，亦无从探悉。然以此事既允复翻，关系极重，未可轻率用事。日夕焦思，至忘寝食。嗣接阅邸钞，有钦奉上谕，将崇厚所议条约、章程及总理衙门历次所奏各折件，着大学士、六部、九卿、翰詹科道妥议具奏。又以何金寿奏请推广会议人员，奉上谕：所有此次会议事件，中外臣工如有所见，自行具折，据实直陈。钦此。臣愈以揣知此中事机必有难于措置者，是以上烦宸廑若斯之甚也。臣自维受国厚恩，当此时势万难，宵旰忧劳之日，若以事非己责，缄默自容，心中实有所不安。然第托诸空言，无裨实事，而有误大局，则仍无以上解君父之忧，居心不堪自问。日来彷徨中夜，有不得不越分而沥陈其愚者。

窃惟俄人恃其富强，虎视鹰瞵，凭陵中国，其事非一端。从前该国占据伊犁，以情事而论，曲本在彼，中国念切睦邻，不惟不责以乘乱攫取之阴谋，而特派大臣前往与之从容议论，归还疆土，且偿以兵费，实为仁至义尽。乃俄人贪饕无义，欲壑难盈。而崇厚忽于一时，未能通顾大局，力持定见，且怵于俄之力，但冀为国家求目前之粗安，而顿忘事后之隐患，诚为可惜。然此事机已定，亟应慎密图维，为补牢之计，未可再事轻忽也。查此时之事，所议者不外准驳两端，而现在议准、议驳均有为难。准则得陇望蜀，通商则华俄不分，日后之为害实大。况各国和约均定有同沾利益之条，今见俄人获利甚厚，觊觎效尤，实在意中。此议准之难也。议驳则俄人必责我以背约。背约之事，外洋所重。俄方以大国雄视泰西，今〈以〉已成之局忽焉中变，心既不甘，又恐贻笑于外洋，势必临我以兵，力图挟制。即各国见利必赴，亦将以失信在我，阴煽俄人以与我为难，希冀事成而坐收渔人之利。此议驳之难也。又或议以整饬防务为战争之地者，所论诚为正大。然俄人自恃强大，胁之以兵势，恐难俯就牢笼。既不就我牢笼，则兵端必开。夫兵端开而仅在西路，则现在之防，犹可谓有备也。臣窃计俄人之与我为难者，将来恐不在西路而全在东北，则黑龙江以东沿海之防，较之西路尤形吃紧，自须即时筹备。而值此兵饷两缺，骤兴万里之防，究将从何著手？又况此时布防亦有缓不济急之势。此议战之又难也。又有议以筹饷练兵为自固之计者，亦属正论，然只可为事后之缓图，非所语于目前之急务也。现在诸臣筹议若何，臣不得而知，特以情事度之，大约所主者，惟议驳与备御两途耳。惟议驳则我有负约之名，备御则东北之防全虚。时势至此，一举一动，亟宜精审而出，非可以空言抵制也。臣愚谓为今之计，无论议驳、议战，均须求一实在办理之法，而后事乃有济。且议驳则战即因之，亦势所必然，尤须先为腾挪时日，而战事可次第兴办。

大要在于此时先择一二真能任事之人，置死生祸福于度外者，再履俄人之庭，与之重申前言，设法辩论。惟俄现责我以背盟，其气甚怒，使臣一入俄境，势将拒而不纳，要不为其所屈，而发端务审夫机宜。及其与俄官会议，议而不合，俄必以威相胁。要不为其所撼，而持论益务为坚忍，而又察平日之举动，以与为周旋，审其临事之机变，以相为因应。但能虚与委蛇，强忍力争，百折弥固，彼俄人既以大国自居，或且顾惜名义，而可期转圜。如稍得有机缘，能将崇厚所与议定各条约争得一分，中国即得一分之益，而国体与全局亦不至大亏。至于敌情莫测，使臣虽强于辩论，期于有济，万一俄人坚执不回，亦可乘此余隙，将内地、东北、沿海一带防务妥筹速办，庶期计出万全，不驯至于仓卒坐困，一误而复再误也。

夫以我国家设官养士二百数十年，值此时势危迫之秋，自必有二三忠诚效命之人饮恨椎心，出而为朝廷分忧任患者，伏维皇上慎重遴选，急于任使，不可再行迁移，以致事逾〔愈〕久而变愈多，以后更难措办。倘一时或无其人，则事变当前岂容坐视？臣本极庸劣，何足仔肩大事？然受恩深重，理难自全，蝼蚁愚忱，窃愿以犬马微躯，一登俄人之堂，稍效涓埃之报。至臣在川三年，诸事已渐就理。即盐务责任较重，现届二次奏销。臣日来查核收数甚畅，除边计额引已及八成，即滇岸数十年额引不行之地，去年办理甫十阅月，额引亦已全销，转瞬奏销，到部自可一览而知。查看此时情形，已成复淮之局。是盐务一事局势已定，以后但能坚持定见，而专任唐炯，再为经理一二年，不令局外阻挠，自必益臻完密。臣此外并无未完事件，正可及此报效，惟愿圣明及早定议。现在内有总理衙门相为维持，外有直隶、陕甘各督臣相为策应。而臣凭此一身，刚柔并用，与之周旋，以冀顾全大局，不令遽起兵端，但能上纾主忧，虽万死亦何所惜。区区之愚，如蒙俯允，俟奉到谕旨，臣即星驰北上，与总理衙门王大臣及直隶督臣妥商办法，以速事机，即行起程，不容稍涉迟延。谨奏。

光绪六年二月初四日奉旨：览奏。虑远思深，于办理此事情形极为透澈。所陈另派使臣一节，与朝廷之意正相符合，业已有旨令曾纪泽前往商办，边防亦已预为布置。川省一切事宜正资整顿，该督惟当悉心经理，以副委任。

总署奏巴西遣使来华议约请饬南北洋大臣会商折

总理各国事务恭亲王奕䜣等奏，为巴西国遣使来华议约，照案请饬南北洋大臣就近会商办理事。

窃臣衙门于光绪五年四月间，接出使英、法两国大臣曾纪泽函称，巴西国驻英使臣白乃多曾与述及，该国愿与中国换约等语。当由臣衙门用电信复该大臣设法阻止，去后，嗣接曾纪泽函称，巴西国决意遣使来华立约，并注意招工一事各等语。臣等以该国之来，若为修好通商立约，自有成案可援。至招工一节，实为中国之害，断难应允。已将此情迭次缄致出使英、法大臣，及函知南北洋大臣、闽广督臣在案。本年正月二十九日，臣衙门接曾纪泽函称，巴西国派使臣喀拉多、副使穆达、翻译官微席业①，于年前启行赴华换约，乘坐本国兵船，巡游海上，由印度洋直通香港，计二三月间可抵上海等语。是巴西国使臣来华之期，当亦不远。查向来无约各国来中国立约者，均由外省会

① 有时称“微席叶”。

商，历经办理有案。此次巴西使臣来华，由上海而天津，自应由各省大吏与之就近商办，未便听其贸然至京，转费周折。相应请旨饬下南北洋大臣，派员探明该国使臣行至何处，即由该大臣一面截留，一面察看情形，能不立约最好，如必须议约，即由该大臣奏明请旨办理，以符向章。谨奏。

光绪六年二月十四日奉旨：依议。

总署奏与德国议修条约请旨派全权大臣折

总理各国事务恭亲王奕䜣等奏，为奏闻请旨事。

窃查，德国条约系于咸丰十一年互换，约内载有满十年再行筹议之语。迨同治十一年，德国前驻京署使臣安讷克，即照会臣衙门请修条约。嗣使臣巴兰德来京后，复于光绪二年五月间照请开办，当经臣衙门复以修约之事，须于两国有益，并不相妨碍者，方可商定。自是以后，往返辩论。巴兰德旋因修约未成，于三年四月出京，上年闰三月又由德国来京请再续商，业经先后奏明在案，计今四年之久。臣等与之逐款商议，几至舌敝唇焦，刻下略有端绪。查向来与各国定约，均经特派全权大臣议定，画押盖印，并于约内载明，彼此将所奉全权大臣上谕公同校阅等语，此次德国续修条约自应照办。现巴兰德已将其国令作全权大臣之谕，送与臣等阅看，相应请旨派出臣衙门堂官二三员，以便将来议定条约，彼此公同画押盖印，俾昭信守。除臣奕䜣照案不开列外，谨将臣宝鋆等衔名缮具清单，祇候钦派，理合缮折具陈。谨奏。

光绪六年二月十四日奉旨：派沈桂芬作为全权大臣，与德国使臣商办续修条约。

塔尔巴哈台参赞锡纶奏密陈应付俄边机宜折

塔尔巴哈台参赞锡纶奏，为密筹机宜以维边局事。

窃奴才自奉派接收伊犁，分定边界之后，遵旨与大学士·陕甘总督左宗棠、伊犁将军金顺会商者月余，立意以缓收伊犁实修边备为主，联名致函，由左宗棠酌定具奏，奴才遂于九月杪北旋。嗣于十月初九日在额敉勒河营次，承准军机大臣密寄光绪五年八月二十三日奉上谕：总理衙门奏，筹办交收伊犁事宜，请饬疆臣核议一折等因。钦此。奴才跪读之下，忧愤实深！彼时与金顺所商函致左宗棠者，尚未接左宗棠答复，因思现在挽救之法，奴才愚见所及，舍前论实别无良策，故奉旨日久未敢率尔有所陈对。兹于本年十一月二十九日接准左宗棠密咨奏稿及信函，知前论已由左宗棠采取入奏，是奴才等意见皆同。其界务流弊之深，左宗棠所陈已至详尽。至于边防之备，奴才因纾〔抒〕愚见，有当详陈者：

今边防受弊之处，首在卡外隙地既弃与俄人，而沿边诸部又被侵占，两界之间既失屏蔽，又无瓯脱，势遂迫蹙，如轮之无辐，所以难守。而现有之各城及蒙古诸部又内地之辐也，安得而不急为之备哉？查边疆之毗连俄境者为喀什噶尔，为乌什，伊犁未收则为精河，为塔尔巴哈台、阿勒泰山，为科布多，为乌里雅苏台，为喀尔喀土谢图汗部、车臣汗部，为黑龙江，为吉林。其喀什噶尔、乌什，经左宗棠增兵添饷，规画筹密，来函已云有备无患。精河为伊犁咽喉，则有金顺重兵现扎库尔喀喇乌苏，相去不远，足资分扼。塔尔巴哈台一城，西与北两邻俄，西南沁达兰卡伦为通伊犁之间道，东南有径可至乌鲁木齐、古城，东面则科布多、乌里雅苏台直达京师之驿路也。而阿勒泰山一带，据额尔齐斯河之上游，得地之利，实为俄所必争。即如此次条约第八款言，同治三年界约所定交界有不合宜，拟将此界改定等语。其称奎峒山地名未详，额尔齐斯河源固尔图大岭之阴，有地美水草称奇屯越木者，近似其地，系科布多所属，容当细考。其称喀巴、布尔崇二河，即哈巴、布尔津，近在棍噶札拉参呼图克图所建承化寺西数十里。黑伊尔特什河，即额尔齐斯河。萨乌尔即赛里堪叠尔雷克，或作肯德尔列克，水在赛山之阴，现为旧吐尔扈特亲王游牧人垦种之所，东南去布伦托海仅一日程。果如所指，则阿勒泰山之地利尽失，塔城隔绝在西，亦成孤注，其必不可许，应与伊犁陬尔果斯等处情形相同。以此观之，形势所关，较之精河等处为尤要，独无重兵足饷，此奴才所以深惧者也。

左宗棠奏明令奴才加意绸缪，自行陈奏请旨。来函亦云：塔城边防如何密为布置，应联络蒙部与否，及饷事如何筹画，亟应奏明办理，道远难于会衔等语。是塔城之边防势难延缓，而奴才之职守责无旁贷。兵单饷绌情形，屡经奏明，仰邀圣鉴，无待琐陈。现在应添兵队，容奴才与左宗棠、金顺筹商，设法添调。其饷俟拨兵有着，再行陈请。旧有各省应协常饷，连新定步勇、马队之款，每年共十八万两，应恳恩饬下户部认真严催，务期源源接济，切勿再似从前拖欠。至于修建城堡、仓库，扼要所在，增筑营垒。兵食最要，必须广辟屯田，转运既多，亦应添备驼马。应举之事实多，应需之款甚巨，数不能预为悬拟，而届期陈请又虑道远，缓不济急。请饬部先为筹拨现款三十万两，赶紧起解前来，俾奴才早作布置，有余、不足，临事随时再由奴才奏明办理。伏思此次边防东西万余里，一处有瑕则全局无用，其科布多迤东直至吉林等处，尤望我皇太后、皇上遴简边才，一律整备，方期万全。夫俄夷狃诈为心，实德化之不知感，岂信义之所能联？贪顽狡猃，不祸不止。古人云：无厌之欲，衅之所自生。不平之气，祸之所由成。察几审势，出自睿虑。故曰伊犁之收宜缓而边防之备不可不亟也。谨奏。

光绪六年二月十四日奉旨：户部速议具奏。

塔尔巴哈台参赞锡纶奏统筹办理接收伊犁事宜片

锡纶片。

再，奴才前因奉派接收伊犁，分定边界差使，应行预为备办各事，当经奏明，遵旨与金顺等筹商，嗣与金顺晤面时统筹全局机宜，致函陕甘总督左宗棠酌定。金顺以为接收伊犁既以从缓为宜，所有奴才出差预备各事，当听候谕旨再定进止。伏思奴才出差，应行预为备办之事实非一端，现在一无所有，诚恐届期仓猝莫办，贻误匪轻。此次与外国交涉事件，不可无信守。塔尔巴哈台参赞大臣之印，办理地方事件势有不能携带。查从前分界将军明谊等所用关防一颗，现存乌里雅苏台，拟请调用。接收分界事宜，出入关系綦重，随带文武人材，必须遴选、征调，以收指臂之助。出差一切动支各款，先拟经费银五万两，应请饬发速解。应需驼马宜筹款及早采办。应酌带兵队宜早定拨派。此次分界远至浩罕大岭，往返有稽时日，塔城参赞大臣责任綦重，未便久悬，应请委员接署。以至转馈粮饷，往来文报如何递送，后路之声势如何联络，种种应行布置者，尚不可枚举。此时事体已有变更，所有前项出差各事，是否仍应预备之处，奴才未敢擅便，理合附片陈明。谨奏。

光绪六年二月十四日奉旨：现在事机未定，所有出差各事宜暂缓预备。

川督丁宝桢奏俄约多不能准请筹东北边防片 附上谕

丁宝桢片。

再，接收伊犁一事，臣已谨就管见据实陈明。惟思崇厚所议各条多不能准，而俄人恃强，一经议驳，恐启兵端，必然之势。臣前折所陈，请再行遣使前往，与之重申辩论，亦冀据理力争，或可将前议挽回一二，以全大局，不令遽启兵端。如万有不济，与之言战，可藉此为缓兵之着，以布东北之防，护卫京畿，俾免临事仓猝，庶计出万全，此微臣之用意也。第此时东北之防远近约数千里，欲布防则必须兵饷，而此时兵饷筹措匪易，即拨之各省亦恐旷日需时。臣之愚见，拟请遴派诚实将弁，先行在直东一带，选募精壮勇丁五六千人，就直东交界处驻扎操练，以备缓急。其五六千人之饷，约计一年必需银三十万上下，臣拟即由川省筹拨解济，期于布置一处，即得一处之益。惟募兵一层，若由臣自川遴派将弁前来，恐其距臣太远，督察不能周到。拟请将此项饷银，拨解直隶督臣李鸿章查收，由李鸿章拣委将弁，妥为招募。即就近驻扎天津一带操练，则督饬较严，稽查较密，数月之后，可期得力，以助一臂，且于京师声势亦壮。但此项饷银，川省司库协拨过多，亦难筹措。现在官运局盐务销甚畅旺，收数亦多，臣拟将此项饷银，即专由该局拨解接济，毋庸再向司库筹拨，庶可各路兼顾。如蒙俞允，臣即赶紧照办，并请敕下直隶督臣李鸿章，迅速查照办理。臣为谋定后动起见，谨附片具陈。

光绪六年二月十七日奉旨：东北防务已谕令李鸿章等预为布置，需用经费业经户部筹议指拨，四川亦有应拨之款，既据该署督奏称盐务畅销，收数亦多，着即将奉拨京协各饷照数筹解，毋稍延欠。所奏拨银三十万两解交直隶添募勇丁之处，着毋庸议。

司经局洗马张之洞奏谨议改使改约办法片

张之洞片。

再，此次宝廷奏请另派参赞一节，经王大臣等议驳。查参赞既无众论推许之人，自属无从另派。至廷议之意，拟俟曾纪泽到彼，察看情形，随时奏明请旨，此时无从悬揣，条约未能议及。窃谓崇厚既经获罪，所定条约自应作为废纸。惟曾纪泽此次所奉之命既以另议妥议为辞，自应实有另议妥议之事，既须授方略于请旨之后，必当议方略于请旨之先，此事关系重大，仅使总理衙门议之，不如兼使廷臣议之，而后能集思广益。听廷臣议之，不如兼使疆臣议之，而后可实见施行。拟请此时即敕下总理衙门王大臣，将如何另议之方迅速妥筹，有利于中国者争之，有害于中国者避之。一面敕李鸿章、左宗棠，亦将另议之策详筹速奏，俟总署及两督臣议上时，仍敕王大臣等会议，即谕知曾纪泽遵办，务使从违有准，抵制有方，操纵有法，庶几询谋佥同，不致一误再误。会议之日，臣谓不派参赞一节意见相同，唯使臣另议之方，亦宜预为筹及，管见拟另行陈奏，曾向沈桂芬等详细声明，伏乞圣鉴。谨奏。

光绪六年二月二十一日。

司经局洗马张之洞奏请改致俄国国书词句片

张之洞片。

再，此次所拟国书，大致自系仿照旧式。俄为盟聘之国，措词原宜和平，惟中间称俄国君主之处，似可于大皇帝三字上，冠以大俄国字样，语气较为相宜，且与篇首称谓本属一律，并非更改旧式，显为抑扬，彼亦无从挑剔。至其中有惋惜一语，想系援照与英国通书之式。窃思前次所谓惋惜，乃指马嘉理被戕而言，施之此事，似未相符。恐彼国翻译不得其解，转致疑问，似不如直以行人失辞立言，较为光明磊落。管见所及，是否有当？伏乞圣鉴。谨奏。

光绪六年二月二十一日奉旨。

总署奏俄国分界通商各事经审订签注拟议办法折

附签注条约陆路通商章程专条附议专条及约章总论

总理各国事务恭亲王奕䜣等奏，为俄国分界通商各事，权其轻重利害，分别拟议事。

窃查，崇厚与俄国所议约章各件，前经王大臣等会议奏称窒碍难行，奉旨派曾纪泽为出使俄国大臣。旋于二月初一日钦奉上谕：曾纪泽到俄国后，察看情形，先行具奏；并令该衙门详细酌核，分别可行、不可行之款，奏准后，知照该少卿商办等因。钦此。伏查曾纪泽此次衔命赴俄，重议约章，挽回已然之局，而收未竟之功，其责倍重，其势尤难。正月间，据少詹事宝廷奏称，曾纪泽若由英赴俄，必当严切寄谕，恪遵办理；又据洗马张之洞奏称，曾纪泽奉命另议各事，须授方略，请饬将另议之方迅速妥筹会议后，谕知曾纪泽遵办各等语，均为慎重使事起见。臣等查，崇厚所拟约章、专条既多窒碍，自属毋庸置议。惟此次曾纪泽赴俄，在我固以索地为重，在彼必藉修约为词，其所注意要求者，仍不外约章、专条内数端。臣等因权其轻重利害，再三酌核，其中有必不可行者，有尚属可行及旧章已行者，分别拟议，逐款申说，并拟总论七条，附议专条，虽俄国能否就范，尚难逆料，而曾纪泽于辩论时，或较得所依据。谨将总论七条并条约、章程、专条，分别可行、不可行，及附议专条，分缮清单，恭呈御览。可否饬下原议王大臣等阅看，伏候圣裁。一俟复奏钦定后，臣衙门当即转寄曾纪泽，遵照办理，仍令随时请旨遵行，以昭慎重。谨奏。

光绪六年二月二十二日。

签注中俄条约十八条

第一条　大俄国大皇帝允将一千八百七十一年，即同治十年，俄兵代收伊犁地方交还大清国管属。此约第七条所载，伊犁西边及帖克斯川一带地方，应归俄国管属。

查同治十年俄国代收伊犁时，即经前使臣倭嘎良哩〔倭良嘎哩〕知照，并声称，荣全如到伊犁，应与廓尔帕柯斯克依将一切办理章程商量妥协等语，是交还伊犁当时原有成说。惟交收必须全境，如藉词于自固藩篱，而将伊犁之地揹留割据，则阳居归地之名，阴蹈自利之实。况所挖去地方，隔绝我南北往来之路乎！夫犬牙相错，虽古有之，未闻疆界本自整齐，而特欲使之华离交错者。布策云，国君欲割此地以壮声威耶？所称西边及帖克斯川一带，归俄管属，势不可行。又查同治三年勘办西北分界大臣明谊与俄国杂哈劳在塔城议定记约十条，自沙滨达巴哈起，至浩罕之葱岭止，顺山岭、大河，及中国常住卡伦为界，其地方山名、河名详载约内，并绘画地图，以红线标记。此分界记约，原包乌里雅苏台、科布多、塔尔巴哈台、伊犁、喀什噶尔在内。嗣经将军荣全、大臣奎昌，先后会同俄官，于乌里雅苏台、科布多、塔尔巴哈台三处，设立分界牌博，惟伊犁、喀什噶尔两处为回匪所据，未经建立。今议交收而定分界，自应照同治三年原议，红线以内归中国，红线以外归俄国，方昭平允。

第二条　大清国大皇帝，允将伊犁扰乱时及平靖后，该处居民所为不是，无分民教，均免究治，免追财产。中国官员于交收伊犁以前，遵照大清国大皇帝恩旨，出示晓谕伊犁居民。

查中国宽大之政各国所共闻，伊犁居民既往不咎，即无俄国之请，亦必无究治之理。此事已于五年闰三月二十四日奉旨允准，其恩赦告示业由左宗棠、金顺派员赍赴伊犁，惟闻俄国边界官有拦阻情事。今办交收，临时再行出示晓谕，自无不可。

第三条　伊犁居民，或愿仍居原处，或愿迁居俄国入俄国籍者，均听其便。应于交收伊犁以前，询明其愿迁居俄国者，自交还伊犁之日起，与一年限期，迁居携带财物，中国官并不拦阻。其已入俄国籍之人，将来至中国地方贸易、游历等事，凡有两国条约许与俄民利益之处，亦准一体均沾。

论伊犁居民既办交收之后，自应全归中国管属。但中国宽大，向无抑勒胁制之事，其有甘居域外者，可听其携财物迁居俄境，即宽与限期，亦无不可。惟所载已入俄籍之人，至中国贸易、游历，凡与俄民利益之处，亦一体均沾，势不可行。查西北边外皆安集延、布苏特、哈萨克各种，而陕回亦羼其中，若纵令悉照俄人准其入界为商，则人众且杂，边卡碍难究诘，流弊不可胜言。此条约后半，其已入俄国籍之人云云，必须删去。

第四条　交收伊犁后，俄国人在伊犁地方置有产业者，应准照旧章管业。

查俄国代收伊犁已经八年，俄人在彼置有产业者，自不乏人，准其照旧管业一层，谅系照中国民人纳税、应差一律办理。但华俄杂处，究难保其不滋生事端。今议令其迁回本国，若为产业所累不能迁回，即应归中国管辖，作为中国人民，方能永远相安。否则，将产业给价入官，令其携资回俄，亦一办法。应俟交收后，斟酌办理。

第五条　两国特派大臣一面交还伊犁，一面接收伊犁，并遵约内关系交收各事宜在伊犁城会齐办理施行。该大臣遵照督办交收伊犁之陕甘总督、图尔克斯唐总督商定次序开办。陕甘总督奉到中国御笔批准条约，将通行之事派委妥员，前往塔什干城，知照图尔克斯唐总督。自该员到塔什干城之日起，于两月内，应将交还伊犁之事办竣。

会办交收各事宜无可议。

第六条　大清国大皇帝，允将大俄国自同治十年代收、代守伊犁所需兵费，并将补恤在中国境内被抢受亏俄商，及被害俄民家属之款，共银卢布五百万元，归还俄国。自换约之日起，按两国所定次序，一年归完。

查伊犁如果全境交还，自可如数付给。惟查卢布五百万元，系合代收、代守兵费及补恤俄人之款在内。其补恤之款，又分俄商亏款及俄人被害恤款二端。前据崇厚函送俄国外部开送清单，计一百零九案，内除补恤尸亲九案并未开列银数，其余一百案载明，统共合卢布三十二万九千八百五十四元四十戈比零五云云。至未经声明数目九案内，徐学功一案，伤毙商人较多，系俄商不听拦阻，前往有贼之地，致被劫杀，彼此辩论多年，经左宗棠议给恤银一万两，曾与布策提及。此外八案，为数自必不多，应由俄国分晰开列。即如徐学功与车隆等四案，经俄国外部照会崇厚议结，业已奏明由总理衙门办理。凯阳德前经函催，应将恤款议定办结。

第七条　中国接收伊犁地方后，其伊犁西边及帖克斯川一带地方，归俄国管属，以便入俄国籍之民在彼安置。今将两国交界明定如左：

两国交界，自别珍岛山，顺霍尔果斯河，至该河入伊犁河，汇流处，再过伊犁河，往南，至乌宗岛山廓里札特村东边，顺阿克不尔塔什山岭上，即帖克斯川北分流之处，往东，其哈拉凯及察普察勒等山口归俄国属。过帖克斯河，仍顺阿克不尔塔什山岭，至廓克苏打湾山口。自此往南，至艾什克巴什山。再往西南，顺天山之哈雷克岛、罕颠葛里、萨雷雅萨、库库尔特留克、廓克山、喀拉帖凯等山，至苏约克山口。

从前浩罕地方，即今俄国属之费原干省，与中国喀什噶尔等处地方交界明定如左：

由苏约克山顶此山口应归俄国属往南，顺［有］阿来廓勒及萨乌业尔得二山口之山脚，至业精与那格拉察勒得二卡中间之地，由此往伊尔克什唐卡东之齐吉勒苏河，再往南至玛里他巴尔山。

查伊犁分界，应照明谊议定界图，以红线为界，已详第一条。其喀什噶尔分界，应酌改另议。盖从前喀什噶尔一处，与俄接壤者仅正北一面，其正北迤西为安集延所居，故当时议界只指葱岭一隅而言。近年俄国既据有安集延故地，而中国收复克城，凡阿古柏所有之地，亦已并入版图。据刘锦棠所报，阿古柏与俄人画地而守之时，其设卡处所尚有形迹可据，自宜按照办理。所有正北及西北各边分界，应与俄国议定，方可永远遵守。此条载，由苏约克山顶往南，顺阿来廓勒及萨乌业尔得二山口之山脚，至业精与那格拉察勒得二卡中间之地，由此往伊尔克什唐卡东之齐吉勒苏河，再往南至玛里他巴尔山等语。查阿古柏当日旧界，在怯底尔库尔尽头，其地在苏约克山再北一日程，不能由苏约克山划地也。又阿来廓勒迤北一日程，曰乌依塔拉，阿古柏曾造卡房于此，不能以阿来廓勒划界也。又喀城正西，由乌苏克怯提外卡西行三十里，为那格拉察勒得卡，又西三十里为业精卡，又西六十里为伊尔克什唐卡，再西一日程至利壳苏，即齐吉勒苏河，阿古柏曾掘长坑为界，今应仍其旧。至迤南一带所称玛里他巴尔山，既查无其名，自应仍照现在以黑子尔拉提达坂为界。

第八条　一千八百六十四年，即同治三年，塔城界约第一、第二两条所定交界有不合宜，拟将此界改定如左：

两国交界，自奎峒山，顺喀巴、布尔崇二河中间山岭分流之处，过黑伊尔特什河，至萨乌尔岭内堪迭尔雷克河源。此条及前条所定各界，在此约所附图上用朱笔作线，注以俄国字母。

查塔城分界，于同治九年，经参赞大臣奎昌，会同俄官，自玛呢图噶图勒干起，至哈巴尔苏止，均已建立牌博，今自毋庸纷更。惟两国所属哈萨克，应于此时一并划分清楚，以免淆杂滋事。查黑宰哈萨克一种，本归塔尔巴哈台管辖，每年冬深雪大，准入外卡过冬。自塔城变乱，该哈萨克遂潜据内卡，而又遥附俄国，自称俄属，与中国之克里哈萨克互相劫杀，至蒙汉种族骚然。如照人随地归约章，现在该哈萨克应仍归塔尔巴哈台管辖，如俄国不欲清还，而该哈萨克又甘为俄属，中国亦不相强，但当令其迁出卡外，不得再据我内卡寻隙生端也。此外，尚有哈萨尔、布鲁特等各种族之附俄国者，近亦纷纷内徙，或占据土尔扈特旧区，或占据布伦托海游牧，并应逐加清厘，以明界画而复旧制。似可于条约中声明大致，其详细节目，应由边界大员与俄官，随时随地，相度情形，再行定议。至分界之外，应留隙地若干，彼此不居，作为瓯脱，以泯争端，最是古来妙法，亦应议及。

第九条　以上第七、第八两条所定两国交界地方，及从前未立界牌之交界各处，应由两国派大员勘定，安设界牌。所有应行分界立牌之处，分定几段，分行派员勘定，安设界牌。各大员等会齐地方、时日，应由两国酌核定拟。

俟议定交收后，自应分界，安置牌博，一定办法，可毋庸再议。

第十条　俄国照旧约在伊犁、塔尔巴哈台、喀什噶尔、库伦设立领事官外，准在嘉峪关、科布多、乌里雅苏台、哈密、吐鲁番、乌鲁木齐、古城设立领事官。其哈密、吐鲁番、乌鲁木齐、古城四城，共准设领事官二员。其嘉峪关领事兼管甘肃、陕西通商事务，照依一千八百六十年，即中国咸丰十年《北京和约》第五、第六两条，应给予所盖房屋、牧放牲畜、设立坟茔等地。以上应设领事官各处，亦准一律照办。领事官公署未经起盖之先，地方官帮同租赁暂住房屋。俄国领事官，在蒙古地方及天山南北两路，往来行路，寄发信函，比照《天津和约》第十一、《北京和约》第十二两条，可由台站行走，地方官妥为照料。

查设立领事，各国总例载明，议定通商口岸方可准设，其余非指定通商口岸，及经过地方，皆不准设，已详见章程内。至给予可盖房屋，旧章载明专为指定通商处所而言，如系议定通商处所，自然照办。今除嘉峪关一口准设外，其余皆毋庸议。至往来行路，寄发信函，由站台行走，旧约只有恰克图入边一路。今议准添尼布楚、科布多两处入口，又添伊犁、塔尔巴哈台、喀什噶尔三处亦作为入口之路，则此五处准其发寄信函，不能发寄物件并不能由台站行走。

第十一条　俄国领事官驻中国，遇有公事，分别情形，或与本城地方官，或与地方大宪往来，均用信函，画押盖印；彼此往来会晤，均以友邦官员之礼相待。两国人民在中国地方贸易等事致生事端，应由领事官与地方官公同查办。如因贸易事务致起争端，听其自行择人从中调处。如不能调处完结，再由两国官员会同查办。两国人民为预定货物、运载货物、租赁铺房等事，所立字据，可以呈报领事官及地方官处，画押盖印为凭。遇有不按字据办理之人，领事官及地方官令其照依字据办理。

查领事与地方官会办一切事宜，与旧章大致相同，可以议准。与地方大宪往来均用信函一节，应驳。查咸丰八年《天津条约》第五条载，领事官与地方官有事相会并行文之例，皆照外国通商总例办理等语。又查三国条约，领事与道台同品，又查法国条约第四款，法国大宪与中国京外大宪俱用照会，二等官员与中国省中大宪公文用申陈，中国大宪用札行。是各国总例如此，不能率更旧章。且中国官与外国官员往来会晤，虽分等级，亦均以友邦官员之礼相待，未尝轻慢，何必纷更。

第十二条　俄国人民准许在中国蒙古地方贸易，并不纳税。其蒙古各处及各盟设官与未设官之处，均准贸易，亦不纳税。并准俄民在伊犁、塔尔巴哈台、喀什噶尔、乌鲁木齐，及关外之天山南北两路各城地方贸易，均不纳税。以上所载中国各处，准许俄民出入，贩运各国货物。其买卖货物，或以钱易货，或以货换货，俱可。并准以各种货物抵账。

查纳税、不纳税一层，已于章程内议明。是其以货抵货并抵账一层，查元年《塔尔巴哈台定章》原不准赊欠，至北京定约，始有相信赊欠明文。今改为换货抵账，自系由于彼此情愿，若一涉勉强，自有择人调处、官为和解专条，似无大出入，拟准。

第十三条　俄国应设领事官处及张家口准俄民建造铺房、行栈，或在自置地方，或照一千八百五十一年即咸丰元年《伊犁塔尔巴哈台通商章程》第十二条办法，由地方官给地盖房，亦可。

查张家口只准留货，与通商地方不同，亦与伊犁塔尔巴哈台定章议定贸易地方不同，照总例皆不得设领事、行栈，只准租房堆货，已于章程内议明。

第十四条　俄商自俄国由陆路贩货入中国内地，准许经过张家口、嘉峪关，前赴天津、汉口，并准在张家口、嘉峪关、通州、西安府、汉中府各等处销售，或由各处运往内地销售，俱可。俄商在以上各城、各口及内地贩买货物，亦准由此路经过张家口、嘉峪关运往俄国。

查准赴嘉峪关销售，照天津办理。准路过之哈密、巴古里坤城〔巴里坤、古城〕等城指定一处留货，照张家口办理，并运俄货入内地、贩土货回国，均删去西安、汉中字样，俱于章程内议明。

第十五条　俄国人民在中国内地及关外地方陆路通商，应照此约所附章程办理。其约内通商各条及《陆路通商章程》，自奉到御笔批准换约之日起，于五年后会议酌改。如五年限满前六个月内未经知照酌改，应仍照行五年。俄国人民在中国沿海通商，准照各国总例一律办理。如将来总例有应修改之处，应由两国会议酌改。

查同治八年改定《陆路通商章程》第十二款载有，试行五年，或有欲酌改之处，应于限满前六个月内照会，如限满未经知照，仍展至五年后酌改等语。又第九款载有，俄商在议定各口贩卖土货，由水陆出口、进口，及由俄国贩洋货由水陆进口、出口，仍照各国总例办理等语。此条大致相同。惟查各国通商条约，声明修改有十年者，有十二年者，各国本自不同。其实章程既无不便，原应历久遵行，似此时修改，往复辩论，徒滋纷更之弊。今约章既经订明，自无不便之处，尽可永远遵守。否则，或十年、二十年，再议酌改，有何不可？五年后会议酌改数语，应删。其俄国人民在中国沿海通商，准照各国总例一律办理，如将来总例有应修改之处，应由两国会议酌改数语，可准。至关外地方四字所包甚广，易致牵混，亦应删。

第十六条　将来俄国陆路通商较旺，出入中国货物如要定立税则，较为合宜，应由中俄两国会议定立。进口、出口货物，均按值百抽五纳税。惟未定税则之前，先将现照上等茶纳税之各种下等茶之税，酌减定拟。应由中国总理衙门，会同俄国驻北京全权大臣，自批准换约后一年内，会商酌定。

查定立货物税则，按值百抽五，系各国通例。税则有未尽妥协者，随时厘定，以昭公允，自无不可。至所云未定税则之先，先将现照上等茶纳税之各种下等茶税，酌减定拟，亦尚可商。查汉口茶砖之案，近年来迭次辩论，迄未定议。缘茶砖系花香制成，向来出口时，各关既征正税，并令完一子税，历办已久，税则却未著有明文。近年俄商以花香已完内地厘税，不应于砖茶出口再交子税为词，由驻京大臣照会请免。经总理衙门与关道等复以花香、砖茶实系两物，譬如蚕茧、丝绸、棉花、布匹，均各按税则纳税，自不得以花香之税抵作砖茶。俄商则谓，砖茶系花香压成，即在汉口买自华商，非由内地运出，照约无应交子税之例。询之总税务司赫德，亦称，出口土货若未经由内地关卡，即不应完子税；凡洋商置买棉花织成布匹出口，亦不完子税；此项砖茶只应查明是否粗茶，若系细茶，可以议加正税，亦不应完子税等语。是此项砖茶纳税，尚未十分妥协，现虽仍以同治十三年俄商车厘班成案为据，拟令完纳，而终无以折服其心。且砖茶种类不一，有茶末、茶须、茶灰等名目，并有红茶粗梗不能作砖、仅捣成团者，究竟孰粗孰细，迄未考察得实，辄使一律征税，自未平允。今请酌减粗茶税，则事出有因。将来能将茶之粗细，分出等第，酌中定税，一昭公允，不特使洋商无所借口，亦未始非一便也。

第十七条　一千八百六十年，即咸丰十年，北京所定和约第十条，至今讲解各异，拟将此条声明追还牲畜之条其意应作为：凡有牲畜被人偷盗诱取，一经获犯，应将牲畜追还。如无原物，作为向该犯追偿。倘该犯无力赔还，地方官不能代赔。两国边界官应各按本国之例，将盗取牲畜之犯严行究治，并设法将自行越界及偷盗之牲畜追还，其自行越界及偷盗之牲畜踪迹，示知边界兵并附近乡长。

查咸丰十年《北京条约》第十条载：遇有牲畜逸越边界，或被诱取，该处官员一经接得照会，即派人寻找，或系被抢，查出牲畜，俱依照会之数将失物寻获，立即送还。如无原物，即照例计赃定罪，不管赔偿。本甚分明！乃俄官谓，洋文作应赔偿字样。于是遇有抢劫之案，或该犯无力，辄复哓哓辩论，必欲议赔。而西北各边哈萨克盗中国马匹亦间有赔偿银两之事，此或彼国旧例，责成头目人分赔，故能办到。中国势不可行。今声明汉文不能代赔字样，此系订正旧约中洋文之不符，较为妥善详明，可免讲解之误，应准。

第十八条　此约两国御笔批准后，各将条约通行晓谕各处地方遵照。将来换约应在比德堡，以一年为期，能于期内互换亦可。两国全权大臣将此约议定，备汉文、俄文、法文各两分，画押盖印为凭。三国文字校对无讹，遇有讲论，以法文为证。

查互换条约办法妥善，无可议。

签注中俄陆路通商章程

第一条　两国分界在百里内，准许中俄两国民人任便贸易，均不纳税。其如何稽查贸易章程，任便两国各按本国所定边制办理。

同治元年八月两次定章，此条文义皆同，专为限制边界贸易而设，东界久已照行。今将限制二字改为边制，去一限字，尚无碍，缘有百里内明文可以遵守也。

第二条　俄国商民，前往蒙古及天山南北两路地方贸易者，但能由章程所附清单内指明卡伦过界，该商应有本国边界官所发中俄两国文字并译出回文、蒙文执照。汉文照内，可用蒙古字，或回回字，注明商人姓名、货色、包件数目若干。此照应于入中国地界时，在附近边界中国卡伦呈验。该处查明后，卡伦官盖用戳记为凭。其无执照商民，任凭中国官员扣留，交附近俄国边界官，或领事官照例惩办。遇有遗失执照，货主应报明附近领事，或地方官，以便请领新照。其运到蒙古及天山各处之货，有未经销售者，准其运往张家口、嘉峪关，或在该关口销售，或运往内地，其征收税饷，发给运货执照，查验放行等事，均照以下章程办理。

查旧章，此条专为蒙古贸易而设。元年只准小本营生前往蒙古贸易不纳税。俄国迭以限制本银为不便，往复辩论，至八年改章时，始允删去小本营生四字。近年常有大帮买卖前往各盟，均不纳税。又咸丰元年，伊犁将军奕山奏定《西疆贸易章程》，准俄商在伊犁、塔尔巴哈台设立贸易圈，与中国商人交易，亦不纳税。查设官、不设官之蒙古地方，已统内外蒙古在内，所有库伦、乌里雅苏台、科布多三处大臣，皆辖蒙古者也。庚申约内试行贸易，又有喀什噶尔在内，即在天山之南，伊犁、塔尔巴哈台即在天山之北。今拟准其路过之巴里坤、哈密、古城等城，指定一处，留货销售，连已准之伊犁、塔尔巴哈台、喀什噶尔贸易地方，是天山南北两路已有通商地方，何必统天山南北而言，为一网打尽之计？拟删去天山南北两路六字，改为西路二字，庶几截清界限。且华商赴俄界贸易者，百里外无不纳税。近日库伦大臣咨报，俄人加税有案。其拟准路过之哈密、古城、巴里坤等城，指定一处，本系中国内地，并非蒙古，又非边界，既准留货销售，应照张家口纳一正税，实为至情至理。旧章此条内有无执照商民将货入官，照被逃之法办理。光绪元年布策与总理衙门议约时，坚称被逃字面不光彩，请为删去。今不特将被逃句删去，并罚货入官一句，亦改为扣留惩办，未免太宽，致查验皆成具文。拟将被逃之法句照删，仍添入罚货入官四字，方昭平允。再，入边卡伦，旧章只有恰克图一路准其行走，前年布策议添入边之路单开二十一处，经库伦大臣拟定四处，未经照允。前年面与布策说过，添开卡伦、设官稽查、保护三者，所费不赀，故不能多添。今开清单三十六处，声明可以酌减，自应俟交收定议后，由各边界官会商再定。此有驳有准可与商议者。

第三条　俄商由恰克图、尼布楚运俄国货前往天津者，应由张家口、东坝、通州行走，如由科布多过归化城，运货前往天津，亦由此路行走。其由俄国运货，经过伊犁、塔尔巴哈台、喀什噶尔，前往汉口者，应由嘉峪关赴西安府，或汉中府行走。该商应有俄官并中国该管官盖印执照，内用两国文字注明商人姓名、货色、包件数目，沿途任凭各关口中国官员迅速点数、抽查、验照、盖戳放行。抽查之时，如有拆动之处，仍由该关口加封，并将拆动件数于照内注明，以凭查复。该关查验，不得逾一个时辰。其照限六个月在天津、汉口关缴销。如商人以为限期不足，应预先报明该处官员。倘有商人遗失执照，应行报明原给执照之官，请领新照，注明补给字据。一面至就近关口报明，查明所报是实，暂给凭据，准其执此前行。如查所报货色、件数与原照不符，该商有隐匿沿途私卖货物，或希图逃税情事，应照第八条章程罚办。

查旧章，俄商运俄货进口，只准由恰克图，过张家口、东坝、通州，直抵天津一路。其查验之法，设有三联执照，注明货色、包件，沿途不准销售。今于东路添出尼布楚一路，北路添出由科布多过归化城一路。查俄人向来只有恰克图一路入边，则在东路、北路之俄商，相距各有数千里，道路纡回，多添脚费，欲由尼布楚一路入边，已向总理衙门争之数年，皆驳斥有案。若止因过路起见，沿途查验得法，则由尼布楚与由科布多过归化城，仍归于张家口，事尚一律，流弊亦少。至运货赴嘉峪关一层，光绪元年俄国议改章程第六款内指出，由古北、杀虎等口并嘉峪关等处入中国，迭经驳斥有案。后据左宗棠来函，以俄官过兰州时，谈及由嘉峪关运茶一事，尚无大损，将来肃清后可以商办，并奏明在案。昨又函称，华商囤积茶箱太多，若俄商运货至关，再向华商买茶回国，实为两利。如能只准其运俄货至嘉峪关为止，似与前议相符。其入边时，即照恰克图办理，经过之哈密、巴里坤、古城，指定一处，即照张家口办理；到嘉峪关时，即照天津办理。则路途一贯，防弊尚易。其余领照查验之法，与旧章无异，自可照准。至于赴西安府，或汉中府行走，前往汉口等语，是扰及陕甘两省，山路崎岖，运行不易，必至百姓惊疑，时多口舌，难行保护之责，万难准行。

第四条　俄商运来之货路经张家口、嘉峪关，任听将货酌留若干于口销售，限五日内在该关口报明，交纳进口正税后，中国官发给卖货准单，方准销售。

查元年定章以后，俄商屡欲在张家口多留货物，屡经辩驳，以此处并非指定通商处所，不能多销货物。由二成加至四成，八年改章时加至任听酌留若干。并声明无庸设立领事官及行栈，因张家口系路过之地，只准留货销售，并非议定通商口岸可比。十余年中，俄国屡以无处存货为言。再三设法，只准租房存货，不得悬挂字号，以符定章。今酌留字样，尚与旧章相同，惟删去无庸设立领事及行栈字样，直以此为通商口岸，各国必闻风而至，实于俄商不利。此处拟仍照旧添写无庸设立领事官及行栈字样。若准由伊犁、塔尔巴哈台、喀什噶尔，过哈密、古城、巴里坤等城，指定一处到嘉峪关，则此款内，应将路经张家口、嘉峪关字样，改为路经张家口及哈密、古城、巴里坤等城，指定一处字样，并凡俄商经过之地，皆可照此办理，无庸设立领事官及行栈。此条内，删去无庸设立领事、行栈，不能照办。

第五条　俄商由陆路运货物至天津、汉口，应纳进口税饷，照税则所载正税三分减一交纳。

查元年定章，运俄货至天津以及张家口，留二成货，皆纳税三分减一。八年改章，张家口改为酌留，因而交一正税。此条运至天津之货纳税三分减一，与旧章相符。汉口二字拟改为嘉峪关，其纳税即照天津三分减一，亦无不可。惟运货物应照旧章注明运俄国货物字样，方免混淆。此可以照办者。

第六条　如在张家口酌留货物，已在该口纳税，领有税单，而货物有未经销售者，准该商运赴通州或天津销售，不再纳税，并将在张家口多交之一分补还俄商。该关于张家口所发执照内注明，其在嘉峪关未经销售货物，准运往西安府、汉中府或汉口销售，其税饷照张家口一律办理。

查此条前半系八年章程内所有，后半添出，其在嘉峪关未售货物运至西安、汉中、汉口，照张家口一律等语。今若准以嘉峪关照天津办理，经过之哈密、古城、巴里坤等城，指定一城，照张家口办理，则此条后半，即应改为其在哈密、古城、巴里坤等城，指定一处，完过正税之货，有未经销售者，准其运至嘉峪关销售，其税饷照张家口办理。将在哈密、古城、巴里坤等城，指定一处，多交之一分补还俄商。再查三分减一，章程原因俄商陆路运费较大，与别国水路来者不同，故定此章程以示体恤。今既拟添嘉峪关一口，照各国总例，洋货进口自应完纳正税，亦是正理，援照减一之例，实已格外体恤。再，此次若议定以嘉峪关照天津办理，经过之哈密、古城、巴里坤等城，指定一处，照张家口办理，是经过之地只留货并酌留几成，均不得作为口岸，不得设立领事官及行栈，如能载明，方免混淆。

第七条　俄商如欲将所运俄国货及洋货，由张家口、嘉峪关运赴内地销售，照各国总例，除已交正税之外，应再交一子税即正税之半，该关口发给运货执照。此照应于所过各关卡呈验。如无执照者，则逢关纳税，遇卡抽厘。

查各国总例，洋商运洋货到通商口岸，交过正、子各税，领有税单，方准运赴内地销售，即张家口未销之货，只准运赴天津，不准径运内地。此条所称由张家口运赴内地等语，是货未运到通商口岸，在经过地方，即可四通八达，各国均无此例，亦俄国元年、八年两次章程所无。应改为俄国货由天津运赴内地销售，除补足正税外，再交一子税，方与旧章第八款相符。嘉峪关既照天津办理，则此条内由张家口、嘉峪关字样，拟改为由天津、嘉峪关运赴内地，交足正税外，再交一子税，方与各国总例相符。此照改后可以照准者。

第八条　俄商运俄国货至天津、汉口，除报明酌留张家口、嘉峪关之货外，查有原货抽换，或数目短少，与执照不符，即将所报查验之货全行入官。但沿途实系包箱损坏必须改装，装毕行抵就近关口报明，如查验原货包相符，即于单照内注明，方可免其议罚。倘有沿途私售，一经查出，其货全行入官。如仅绕越捷径，不按第三条之路行走，以避关卡查验，一经查出，罚令完一正税。如系车脚运夫作弊，有违以上章程，货主实不知情，该关应体察情形，分别罚办。其罚令入官之货，如果商人情愿将原货变价交官，自应与中国官妥商，按照原货从公估价交官亦可。

查旧章，运俄国货至天津，报明张家口酌留之货，其查验罚办之法皆与此相同。今既不准运至汉口，只准运至嘉峪关，应将汉口二字改作运至嘉峪关，其酌留嘉峪关字样改为酌留哈密、古城、巴里坤等城指定一处之货。其罚办之法，旧章只有罚货入官，今添出货主不知情、分别罚办二语。查海口通商，常有船夫作弊，货数不符，一经查出，推为货主不知情，不肯照罚，极费唇舌。在俄国商人海口买卖无多，何必添出此二语？势必致各国皆援一律均沾之例，在海口任意作弊，是虽有罚办明文，皆为虚设。且俄国两次定章皆无此二语，此次俄国实不必为各国开方便之门，损中国无限之税，关系甚大。此二语不能照办。

第九条　俄商如由天津、汉口运俄国货及洋货，由水路赴议定南北各口，则应按照各国税则，在天津、汉口补交原免三分之一税银，俟抵他口不再纳税。如由天津、汉口及他口入内地，均应按照各国税则，再纳一子税。

查此与旧章第八款相同，惟不准运俄货至汉口，只准运俄货至嘉峪关，应将如由天津、汉口运俄国货及洋货由水路云云，删去汉口二字，并及洋货三字，改为由天津运俄货由水路云云。其由天津、汉口及他口运入内地，删去汉口及他口字样，改为由天津、嘉峪关运入内地。此可以照准者。

第十条　俄商在天津、汉口贩买土货回国，应由第三条所载张家口、嘉峪关行走。俄商运货出口，照各国税则交出口正税，如在他口全税交完，至此不再重征。如在天津、汉口贩买复进口土货，该商交税后在一年内出口回国，将在天津、汉口所交复进口半税仍行给还。俄商贩货回国，领事官发给两国文字执照，注明商人姓名、货色、包件数目若干，各该关盖印。该商务须照货相随，以凭查验放行。其缴销执照限期并遇有遗失执照等事，均照第三条章程办理。该商应照第三条之路行走，沿途不得销售。如违此章，即照第八条所定章程罚办。沿途各关卡查验货物，应照第三条办理。

查此贩买中国所产土货回国章程也，旧章第十款、第十一款所载，运回国之土货，并贩运复进口之土货，一切办法皆与此相同。惟既不准由汉口陆路回国，应将在天津、汉口字样改为天津、嘉峪关。其由张家口、嘉峪关行走字样，改为由张家口及哈密、古城、巴里坤等城指定一处行走。载明俄商在天津、嘉峪关贩买土货回国应由第三条所载张家口及哈密、古城、巴里坤等城指定一处行走云云，其如在天津、汉口句改为天津、嘉峪关。将在天津、汉口句改为将在天津、嘉峪关。此可以照办者。

第十一条　俄商在通州、西安、汉中贩买土货，由陆路经由张家口、嘉峪关回国，应照各国税则完纳出口正税。如在张家口、嘉峪关贩买土货出口，应纳一子税。如该商由内地贩买土货，运往通州、西安、汉中、张家口、嘉峪关回国，照各国在内地办理土货总例，再交一子税，由各该关口收税发给执照。其在通州买土货回国，应预先报明东坝，由东坝收税发给执照。其运货出口发给验货〈单〉等事，应照第三条所载章程办理。

查旧章第十一款，在天津、通州买土货回国，完一正税，领有税单执照，沿途不得销售。十四款，在张家口买土货回国，交一子税。十三款，在通州买土货，在东坝完一正税。今并为一条。应删去西安、汉中字样，改为在通州、嘉峪关贩买土货，由陆路经由张家口及哈密、古城、巴里坤等城，指定一处回国云云。如在张家口、嘉峪关字样，改为如在张家口及哈密、古城、巴里坤等城，指定一处贩买土货回国云云。其如该商由内地贩运土货，运往西安、通州、汉中字样，改为运往通州、嘉峪关、张家口及哈密、古城、巴里坤等城，指定一处回国云云。再，回国土货照内均须载明沿途不得销售一语，方与旧章相符。此旧章所有，可以照办者。

第十二条　俄商在天津、汉口贩买别国洋货由陆路回国，如别国已交正税、子税，有单可凭，不再重征。如别国只交正税，未交子税，该商应按照各国总例，在该关补交子税。

查此与旧章第十五款相同，惟多汉口二字，应将汉口二字改为嘉峪关，载明俄商在天津、嘉峪关贩买别国洋货，由陆路回国云云。此与旧章相同，可以照办者。

第十三条　俄商贩运洋货土货出入中国，应照各国税则，及同治元年议定俄国续则纳税。如各国税则及续则均未备载，应照各国值百抽五总例纳税。

查此与旧章第十九款相同，惟添出入中国四字，语意太觉宽廓，易滋流弊。如能照旧写俄商贩运土货、洋货出口字样，较为周密。此与旧章相同，可以照办。

第十四条　凡有金银、外国各等银钱、各种面、砂谷、米面饼、熟肉、熟菜、牛奶酥、牛油、蜜饯、外国衣服、金银首饰、搀银器、香水、碱、炭、柴薪、外国蜡烛、外国烟丝、烟叶、外国酒、家用杂物、船用杂物、行李、纸张、笔墨、毡毯、铁刀利器、外国自用药料、玻璃器皿，以上各物，由陆路进出口，通商各口皆准免税。倘由章程所载各海口及各城运往内地，除金银、外国银钱、行李三项仍毋庸议外，其余各货，皆每百两之物完纳税银二两五钱。

查旧章第十六款内载所有各国税则，第二款所载俄商由陆路贩货亦按照一律办理。八年改章，第十七款仍照旧。今照各国总例第二款内全文录出，与旧章同意，此可以照准者。

第十五条　凡有违禁货物如火药、大小弹子、炮位、大小鸟枪并一切军器等类，及内地食盐、洋药，以上各物概属违禁，不准贩运进出口。敢违此例，所运货物全罚入官。俄国人民前往中国，准许自备军械护身，填入执照，每人各带鸟枪或手枪一杆。又硝磺、白铅均为军前要物，应由华官发给准单，方准洋商运进口，或由华商特奉准买明文，方准销售。中国米、铜钱不准运出，外国米谷及各种粮食皆准贩运进口，一概免税。

查旧章第十八款内载，俄商如有偷漏及挟带违禁之物，如各国税则第三、第五两条所载各物件，均应将货入官。揣其文义，似单指违禁之物而言，此次不知何以将总例第三、第五两款逐字钞录。左宗棠来函谓，此条恐别国借以运洋药入关。查俄国陆路独专之利他国不能援引，俄国商人向不贩卖洋药，所言似属过虑。然能照上两次旧章囫囵一写，更无流弊。末言每人各带兵器一件，与旧章相同。查各国由轮船运货进口，所带器械枪炮，向无定数。因与俄国边境毗连，俄商由陆路入口，故立此条以示限制。此可以照准者。

第十六条　俄商不得包庇华商货物运往各口。

查此与旧章第二十款全同，可以照准。

第十七条　凡有严防偷漏诸法，任凭中国官随时设法办理。

查旧章第二十一款内载，凡有严防偷漏诸法，按照各国总例，任凭中国官随时设立办理。两次皆同，今删去按照各国总例字样，应令照旧添入，以符定章。此可以照办准行者。

签注中俄爱珲专条

按照一千八百五十八年五月十六日，即咸丰八年，中俄两国爱珲定约，准许俄民在松花江行船，并准与沿江一带地方居民贸易。嗣因《爱珲条约》讲解各异，致生阻难。今欲免去阻难，不废原约本意，两国全权大臣彼此商酌，意见相同，议定如左：

《爱珲和约》准其行船贸易仍旧全留不改，今欲遵照此章，如有开办行船贸易等事，于两国未经商定之前，准许俄民在松花江行船至伯都讷，并与沿江一带地方居民贸易，或运货前往，或由该处贩运各种土产货物亦可，中国官员并不阻止俄民与该处居民贸易。此专条，均应进呈，恭候两国御笔批准，彼此知照。今两国全权大臣将此条约画押、盖印为凭，各存一份。

查《爱珲城条约》载：黑龙江、松花江左岸为俄国属地，右岸为中国属地，两国交界之间作为两国共管之地。黑龙江、松花江、乌苏里河，此后只准中国、俄国行船，别国船只不准行走。又载：两国所属之人，令其一同交易各等语。并未限制以何处为界。自元年定有百里内一条，外间遵行已久，稍示限制。上年黑龙江买粮案内设法通融，饬商人运粮至百里交界，以便俄人前来承买，不致显违定章。近年每因外间分别上下游界址，俄人不服拦阻，公然闯越。若竟见之明文，则章程第一条百里限制即为无用，且东三省后患堪虞。是行船至伯都讷，与章程相背，不能照准。拟与言明：与中俄公共之江面自应准行无碍，其为中国独管之江面，自有元年百里内之约。此条不能照准。

签注兵费及恤款专条

按照中俄两国全权大臣此日所定条约第六条内载：中国将俄兵代收代守伊犁所需兵费及补恤俄民之款，共银卢布五百万元，归还俄国。此款自立约之日起，一年内归完。今将此项归款，由两国全权大臣会商，拟定归还次序如左：

以上银卢布五百万元议定分作三次归还：第一次归完与交还伊犁同时，第二次自交还伊犁之日起六个月归还，第三次自立约之日起一年归完。俄国将此项银卢布五百万元，转令伦敦城内拉得别林格银号代收。按条内所定次序，每次中国应还英金磅〔镑〕二十六万五千一百三十一元，三次共还英金磅〔镑〕七十九万五千三百九十三元，共合银卢布五百万元整。此专条与载明此日所定约内无异。此条由两国全权大臣画押、盖印为凭。

查归完俄国代收、代守各费办法次序，如果全境交收，自可照准。

附议专条

西疆各城收复以后，逆首白彦虎等逃入俄国，据左宗棠奏报，以官兵未便入俄境追捕。光绪四年二月间，经总理衙门照会俄国驻京大臣布策。旋准照复称：已咨报本国，仍须左大臣照会图尔其斯坦总督云云。嗣经往复辩论，无非推诿延宕之词。迨崇厚到俄商办交城，并未深论此事。濒行，与其外部大臣格尔斯议及，格谓：国君已谕地方官严加禁锢，不致再行出外滋事，不忍置之重典等因。查庚申条约第十条内载：如有越边逃人，一经接得照会，即设法查找，找获时送交近处边界官员等语。今俄国容留中国逆首白彦虎等，已无可解免。及屡向索取，又复迁延不交，仅以空言搪塞，不特显背约章，抑且有乖睦谊。此事自与交收并重，无论将来办到如何地步，总应向其理论，相机酌办。

中俄约章总论七条

一、俄人代守伊犁后，俄国使臣倭良嘎哩与总理衙门往返辩论，始议定一面交收伊犁，一面商办各事。乃去年开办，布策坚欲先办各事，意在合办为利。其时若能分开，无论如何居奇，或不至此无理议办商务，即令减去若干，已为从来修约所无。恐彼族又以分办为利，然在我总宜合办，方不吃亏，且可借以抵制。

一、现在商务内议准各条，皆照交还伊犁全境办理。查锡纶函内称，俄人于金顶寺修理长街二十里，每年收税百万。果尔，是无全还之理矣。此次议办，如能全还伊犁固好，否则彼此损益之间务须悉心较量，不可卤莽从事。

一、应全境交还方与通商利益，如嘉峪关通商，哈密、巴里坤、古城等城指定一处留货，及东路由尼布楚，北路由科布多，比之二百年来只走恰克图一路，可省脚费数千里，皆俄国求之多年不得者，若非全境交收，此等利益岂能轻许？

一、他国重洋之隔，止于谋利，俄则三面毗连，时怀蚕食。中国历来办法，每宽于商贾，而严于界址。故章程第一条立百里之限，二条罚无执照商民，三条限一定行走之路，设立三联执照。而税项则三分减一，又免复进口半税，以示体恤。俄国每以限制商路为言，故此次和盘托出，有伊犁、塔尔巴哈台、喀什噶尔三处分界，及松花江上游行船等条款，自皆不能松劲。

一、俄若专议修约，已推宕十年未办之事亦难拒绝，自有光绪元年、三年总理衙门照会并四次问答节略在，自可重理前说。向来修约不过小占便宜，如现拟之汉口茶叶减税等事所损无多。其余大端，自可援不准节外生枝一条以驳之。

一、向来章程，凡进口俄货，出口回国土货，皆凭三联执照查验，沿途不准销售，恐妨华商生计，故逐款载明。从前屡与辩论，布策答以写在一款与写在各款无异。此等小节似不值与争，然有此一句，外间查验得法，究竟尚可补救。

一、伊犁全境交还是一办法，不能交还是一办法，此外如条约十条之非通商口岸设领事及由台站行走发寄物件，十一条之领事与地方官用信函，十二条之不纳税，十三条之张家口设领事、行栈。章程二条之天山南北贸易，不声明照被逃之法办理并罚货入官字样，三条之由西安、汉中行走，四条之设领事、行栈，七条之由张家口、嘉峪关赴内地销售，八条之货主不知情分别罚办。专条之松花江行船至伯都讷。各节关系既大，窒碍尤多，虽将伊犁全境交还亦不可行。总之，曾纪泽此次办法自以全收伊犁为是。否则，仅议条约，酌予通融。倘能就绪，尚是中策。若俄国不能全交伊犁，且执与崇厚所议约章、专条妄事争辩，或于崇厚所议外横生枝节，不能就我范围，则惟有随时随事请旨遵行，宽其时日，缓以图之。缘曾纪泽奉命前往，其难较崇厚十倍，约章等件如何与议，固不可使之无所依据，亦不敢谓执此一成不变之说，能于数万里外操纵咸宜，使俄国君若臣遽尔心折也。

谕醇亲王等：所有总理衙门议奏折单各件，着阅看，毋宣泄。

清季外交史料卷十九终

清季外交史料卷二十

光绪六年三月至四月

总署奏德国修约已成谨将前后办理情形专折具陈折 附条约善后章程及照会凭单

总理各国事务恭亲王奕䜣等奏，为德国修约已成，谨将前后办理情形，及现定章程数条，专折具陈事。

窃照德国修约一事，于二月十四日奉旨：着派沈桂芬、景廉作为全权大臣，与德国使臣商办续修条约事宜。钦此。钦遵在案。所有条款、章程，经臣桂芬等会同德国使臣巴兰德，续行议定，于二月二十一日公同盖印画押讫。

伏查此事，自开办之初，巴兰德送来条约十八款，后又改为十七款、十二款不等。其中紧要节目，无非添开江海口岸、长江添设码头、德船入内河、德商入内地贸易等事。其所最注意者，尤在大孤山开口一条。臣衙门亦开送十条，首两条即以洋、土各货加税，与巴兰德所请作抵。巴兰德谓，加税之事各国难以会商，而于原开各款仍坚请不已。臣等以中国所开，德国既未能照办；德国所请，中国亦难以允行。嗣后或文信往还，或觌面辩论，颖秃唇焦，迄未就绪。巴兰德以所请各节概未允准，遂大肆要求，谓各国船钞应尽数归公，谓洋货厘金宜概行减免，此外争论礼节，退还照会，种种刁难。臣等于修约未允各款，仍坚持如故。巴兰德计无复之，遂于三年五月间负气出都，作另起波澜之势。经李鸿章在天津劝令回京，嘱以和平商办，巴兰德复从天津折回，由臣等先后奏明各在案。巴兰德回京后，知修约之事难望速成，爰遮拾旧约中未尽事宜，多方吹求。臣等申明旧章以折之。至四年夏间，巴兰德又送来条约十八条，将从前所讲各款大半删除，而大孤山添开口岸、鄱阳湖拖带轮船、吴淞口上下客货及洋商入内地贸易等事，犹开列在内，臣等驳之如前。巴兰德见势不能行，旋托病回国。臣等随时钞录往来文函，及迭次酌拟条约并问答节略等件，知照出使大臣刘锡鸿等，向其外部理论，为釜底抽薪之计。此以前条约未成之情形也。

光绪五年夏间，巴兰德由其国来京，又以续商新约为请。臣等以所请窒碍犹多，若不设法箝制，未必就我范围。若不略予转圜，亦恐终无结局。因择条款不甚关出入者，酌开条约十款、章程十二款，与巴兰德复议，数月后渐有端倪。从此大孤山、鄱阳湖及洋商入内地等事，不复再行渎请；并仿照英国新约办法，彼有一款，我即有一款相抵，订为条约十款、章程九款。嗣又斟酌于字句之间，于本月十九日彼此将各款酌定。兹缮就汉文四分、德文四分，由臣桂芬等与巴兰德公同盖印画押，以昭信守；并声明俟一年内御笔批准后，再行互换。除俟订明互换时请旨批准外，谨将条约、章程分缮清单，恭呈御览。谨奏。

光绪六年三月初四日奉旨：知道了。

中德续修条约

大清国大皇帝，大德国大皇帝兼布国大君主，今欲将咸丰十一年七月二十八日所定《通商条约》《章程》益臻恪守，因案查前定条约第四十一款内载：日后德国若于现议章程条款内有欲行变通之处，应俟自章程互换之日起，至满十年为止，方可再行筹议等语。兹彼此循照前约量加修增，是以大清国大皇帝特派总理各国事务・协办大学士・兵部尚书沈、总理各国事务・户部尚书景，大德国大皇帝兼布国大君主特派钦差驻扎中华便宜行事大臣巴，各将所奉全权大臣便宜行事之上谕，互相校阅，俱属妥当，现将会议修增各款开列于后：

第一款　一、中国允，除在湖北宜昌、安徽芜湖、浙江温州、广东北海前已添开通商口岸，并沿江安徽之大通、安庆，江西之湖口，湖广之武穴、陆溪口、沙市等处，前已作为上下客货之处外，现又允江苏吴淞口一处，德国船只暂准停泊，上下客商货物，一切由江海关道等自行妥议章程办理。

一、德国允，中国如有与他国之益，彼此立有如何施行专章，德国既欲援他国之益，使其人民同沾，亦允于所议专章一体遵守。其咸丰十一年七月二十八日所立条约内第四十款，特为言明，仍遵其旧。嗣后，中国所有施于他国及他国人民各利益，德国人民如欲照第四十款之意一体均沾，则亦应于彼此订明专章一律遵守。

第二款　一、中国允，德国船只已在中国完纳船钞者，如往中国通商各口，或往各国口岸，在四个月限内，均不重征。再，德国夹板船在中国口岸停泊十四日以外者，则自第十五日起，即于应交正数船钞减半。

一、德国允，凡德国各处准各国领事官驻扎者，中国亦可派员驻扎，按照待各国官员最优之礼相待。

第三款　一、中国允，凡中国通商各口，由该监督等酌量情形，如系众洋商情愿，无碍地方者，该监督等妥议章程，自行设立关栈。

一、德国允，德国船只进中国进〔通〕商各口，其货物清单须将货色、件数开明，内有舛错处，准于十二时限内改正礼拜、节期不计。倘有漏报、捏报之事，除将该货物充公外，仍应罚该船主，惟所罚之数不得过五百两。

第四款　一、中国允，凡德国商人装运中国土煤出通商各口者，应完出口正税，银两定为每吨三钱，并允如有某口前定不及三钱者，将来仍照不及三钱之数征收。

一、德国允，凡无照冒充各国船只引水者，即应议罚，惟所罚之数每次不得过一百两；并允妥速会定约束水手章程。

第五款　一、中国允，凡德国船只，或在通商各口内口外受损应行修理者，准由该口海关查明日期，扣算该船应完之钞项。

一、德国允，中国商民自备各项船只，不准张挂德国旗号，德国船只亦不准张挂中国旗号。

第六款　一、中国允，凡德国损坏船只，有在中国通商各口内拆卖该船各料者，准其不另征进口税银，惟起岸时，仍须照各货一律赴关请领起货准单为凭。

一、德国允，德国人等，如未领领事所发中国地方官盖印执照，赴中国内地游历者，除准该地方官将其人解交附近领事官管束外，仍应议罚，惟所罚之数不得过三百两。

第七款　一、中国允，凡德国商船厂应用杂物准其免税，由总税务司将应行免税进口各物名目，颁发清册晓谕。

一、德国允，凡德国人等运洋货入内地，及入内地游历，所领单照，自发给之日起，均以十三个月为限均照中国月日计算。

第八款　一、中外官员审办交涉案件，以及商人运洋货入内地，及洋商入内地买土货，如何科征，又中外官员如何往来一切事宜，此三节应归另议。今两国暂先订明，彼此均允妥商。

第九款　一、咸丰十一年七月二十八日两国前定条约，除现修条款未改旧章者，均经特为言明仍旧恪遵外，其有变通旧章者，均照现修各款办理。

第十款　一、现修增各款恭候两国御笔批准，仍自画押之日起，限一年内，在大清国京师互换，并经言明，所有各款，自互换之日起即行遵办。现两国钦差大臣，将汉文、德文条约章程各四分，校对无讹，先为亲笔画押，盖用关防图记，以昭信守。

中德续修条约善后章程

现将续修条约再行酌定章程，俾得申明，以昭周备。所有后开各章程，两国官民应与条约一同遵守。为此，两国大臣盖印画押，以昭信实。

第一款　一、江苏吴淞口一处议准通融办法，如有德国船只欲在该处载卸客商、货物，或由他处运来上海，或由上海运往他处，均听其便。由江海关道等自行设法，严定偷漏税课及防各项弊端章程，中外商民一体遵守，仍不准德国商民在该处起造码头，设立行栈。

第二款　一、中国通商口岸如可设立关栈，先由上海试办，即由该监督会同总税务司酌量情形，妥议章程，由该监督等自行设立。

第三款　一、凡德国船只，有应领海关准单方准起下之货物，而清单未开明者，无论船主有无画押收据在先，均为漏报。

第四款　一、德国船只，或在中国通商各口内外受损应行修理者，其修理日期扣算在免钞期内，准中国官前往查明办理，如查系饰词偷漏者，即照该船图免吨钞之数加倍议罚。

第五款　一、中国人等自备各项船只，不准张挂德国旗号。如有可疑之迹，中国管官知照德国领事官，查明实系不应挂德国旗号之船，当将该船及船上华商之货，即行解交中国地方官办理。倘有德国人等知情通同舞弊者，即将船内所有该德国人货物全行入官，仍将其人按例惩办。德国船只如张挂中国旗号，即将其事由中国地方官查明，如实系不应张挂中国旗号之船，当将其船并船上德商货物，即行解交德国领事官办理，并将舞弊之人由领事官照例惩办。倘查明有德国货主人等知情，通同舞弊者，即将其人船上货物交中国全行入官，其船上华人货物，可由中国地方官即行入官。

第六款　一、凡德国损坏船只，有在中国通商各口内拆卖该船各料者，如有将船内装运各项货物影射偷漏者，除将漏报货物入官外，仍照应完进口税银加倍议罚。

第七款　一、德国人等运洋货入内地，或入内地游历，所领单照，均自发给之日起，以十三个月为限均照中国月日计算，逾限作为废纸，仍呈本关缴销。如游历道路太远，不能一年为限者，发照时，即将此节在照内由地方官会商领事官批明。倘未缴销，在补缴之前不准再行请领。倘或遗失单照，无论限内限外，即向就近中国官员据实报明，由该官员设法查办，以杜假冒。如查系捏报运货者，货物入官，游历者解交附近领事官惩办。

第八款　一、德商船厂应用杂物，实系修理船只者，方准免税进通商口岸，一面由关派员进厂，将其如何使用各物之处，眼同阅看，如系制造新船，其进出口税则内所载之货照税则办理，其未载明之物，均照值百抽五例征税，令该商赴关补纳。至开船厂者，必先赴关领照此照并无关费，并具保结。结内所注明各节，悉由该关妥议酌办。

第九款　一、所有续修条约内各罚款，仍照咸丰十一年七月二十八日所定条约第二十九款办理。

附总署致德使照会

总理各国事务恭亲王等，为照会事。

查此次修约第二款内称：德国夹板船在中国口岸停泊十四日以外者，则自第十五日起，即于应交正数船钞减半等语。此节现经两国大臣订明先行试办，如有窒碍难行之处，可由两国从新另议。特此声明。须至照会者。

二月二十一日

附德使复总署照会

大德国钦差入华便宜行事大臣巴，为照复事。

顷，接来文内开：此次修约，第二款内称，德国夹板船在中国口岸停泊十四日以外者，则自第十五日起，即于应交正数船钞减半等语。此节现经两国大臣订明先行试办，如有窒碍难行之处，可由两国从新另议等语。披阅之余，本大臣均无异议，嗣后彼此即应遵照施行。特此备文声明可也。须至照会者。

二月二十一日，即一千八百八十年三月三十一日

附凭单

大清国总理各国事务衙门大臣，大德国钦差入华便宜行事大臣，为公立文凭事。

案照两国特派钦差大臣，于光绪六年二月二十一日，即一千［即］八百八十年三月三十一日，续修条约末后第十款内所载，自画押之日起，限一年内互换一条，现议将期限改在光绪七年十月初十日，即一千八百八十一年十二月初一日互换。除此款外，其余以上议定各款概不更改。现经两国钦差大臣，将汉文、德文约章各二分，校对无讹，先为亲笔画押，盖用关防图记，以昭信守。须至文凭者。

大清光绪六年七月十六日，大德一千八百十八〔八十〕年八月二十一日。

甘督左宗棠奏遵复中俄外交事宜并边防布置情形折 附上谕

督办新疆军务・陕甘总督左宗棠奏，为遵旨复陈事。

窃臣于二月初四日，承准军机大臣密寄正月二十一日奉上谕：本日据王大臣会议筹备边防事宜一折等因。钦此。窃维俄国与崇厚所议恣其要求，崇厚擅行应允，诚非意料所及，朝廷改命使臣前往再议，词严义正，自可折其奸谋。曾纪泽上禀宸谟成议而返，庶几息事安边，事有结束，彼此画疆而守，善后诸策但以固圉为先。倘其始终狡执，论辩竭而衅端开，非合南北两路全力慎以图之不可。

按伊犁辖境千数百里，北倚天山，本葱岭北出之干，首起西荒，尾插东海，山阳水入中国，山阴水入俄部归西海，乃中俄天然界画也。其由葱岭中出者为天山，山北诸流东行，迤北为伊犁河，天山北路至此而止，与葱岭北出大干不相联附，故伊犁干山为北边尽处，究不得指为天山北路也。至喀什噶尔北境，旧与浩罕所部安集延南境相接，自俄罗斯占据浩罕旧都塔什干城，并其三部，浩罕遂亡。安集延北境亦为俄有，逆首阿古柏由南境纠其余众，窜据回疆八城及吐鲁番，乃与俄约，将南境之地并入回疆，自为一部。此次大兵既定天山北路，引兵而南，连克吐鲁番及南八城，阿古柏种灭，安集延亡，其南境又归于我，即喀什噶尔西北卡处外之地也。虽辟地无多，而以山川条列言之，葱岭北出大干水北流者为俄属，南流者为新疆天山，介居其间，南北两路诸城错落布置，皆吾旧土也。至喀什噶尔卡外安集延所遗南境之地，本非俄境，又在伊犁界外，

官军乘胜穷追，得之叛竖之手，与俄无涉，自无所藉口以与我争。夫中国与俄近虽壤地相接，然此疆尔界本有天然形势可凭，但使坚持定议，于伊犁界务概以同治三年所定为断，其未定之喀什噶尔卡外，即照阿兴迷与俄所拟前约定局，如此山川条列，朗若列眉，以守则固，安集延、布鲁特余众，亦可断其勾结，相庇以安，诚数世之利也。

至不得已而用兵，自应熟察彼己情形，与前敌诸军详为商榷。窃谓俄据伊犁，毁大城不居，而以大城迤东清水河、塔尔奇、缓〔绥〕定三城故墟居汉回，而与大城东九十里金顶寺营造街市几二十里，俄官、俄兵及各处商贾、客土各回错处其中，烟户萃聚。上年虽议交还，而催收银粮如故，种人怨忿，莫敢谁何。现拟复伊犁，东路宜严兵精河一带，扼其纷窜，伊犁将军金顺主之。中路由阿克苏冰岭之东，沿特克斯河径趋伊犁，计程一千二百五十里，本商货往来之道，广东陆路提督张曜主之。西路取道乌什，由冰岭之西，经布鲁特游牧地，约七站抵伊犁，计程一千二百五十里。此路久经封禁，道光初，那彦成、德英阿奉敕复陈，指为换防官兵往来捷径者也，通政使司通政使刘锦棠主之。三路兵力本不为单，然据伊犁之俄兵来去靡常，未知确数。而俄官安置清水河、塔尔奇、绥定三处汉回，诇知约尚有三四千之多，俄人已将其眷属送归俄境，胁为其用。土回闻伊犁有交还之说，凶恶者惧为官军所不容，携带逆眷投入俄境，其留伊犁人数无从稽考。此外，旗营除伤亡外存者寥寥，而锡伯一旗虽尚有八九千之多，然心怀两端，非但难期得力，并须防其内讧。是三路之军战守相资，非厚集其势不可也。

按刘锦棠驻西四城，总统马步二十五营旗，计弁丁八千五百七十名，马队一千五百骑，内步营应换防者颇多。臣前饬题奏提督・陕西汉中镇总兵谭上连，选募旧部将弁、勇丁七百余名，并统杨昌濬挑练三营余丁百数十名，赴刘锦棠营补换缺额，已于二月初三日出关，约五月初旬可到喀什噶尔。至檄调之记名提督・宁夏镇总兵谭拔萃等五营，尚无到兰确信，已催其迅速成行，俟到齐后，刘锦棠始可分军出乌什，以图进取也。张曜驻阿克苏之军，步队四千五百有奇，马队五百余骑，以之径取伊犁，兵力未免单薄。张曜拟增募皖北步队千名，挑选旧土尔扈特马队数百骑同进。臣饬拨步队四营、马队一营，归其节制调遣，并拟令提督易开俊，率所部步队填防后路。金顺函商增募湖北、四川步队、河南马勇，臣以新军既需整饬，又路远未能克期必到，不若先就近分拨皖军卓胜营马步，可期得力。拟饬提督金运昌分所部马队五百、步队一千五百助之，其如何布置，仍听金顺调度。塔尔巴哈台地介穷边，与俄逼处，锡纶兵力既单，诚如谕旨，非选募边人、招徕蕃属不可。顷接其正月十二日来函，商调乌鲁木齐等处土勇。按乌鲁木齐土勇，即徐学功、孔有才旧有振武、定西营勇丁，内挑出二千零六十名原备复立制兵者，嗣陆续汰革归并，共只存一千一百余名，已拨归都统恭镗、提督博昌分统。兹既咨商赴调，则绥来、昌吉一带，应饬金运昌派队填防。金运昌所部既饬分马步二千，赴前敌归金顺调遣，应即调还驻古城、奇台、阜康各处步队，以备填扎原防；其古城、奇台、阜康，应俟臣到哈密后，分营填扎，始臻周密。此规复伊犁三路布置大略情形也。

就现在局势言之，俄之官商，俄之兵力，既归重金顶寺各处，距精河一带较近，金顺止宜坚扼要隘，遏其纷窜，不必以深入为功。中路阿克苏之军，径指伊犁大城，断金顶寺归路。俄之官商，与俄之兵力，及陕汉土各回之思投俄境者，不肯弃其货财辎重，一意东趋，即分起侵轶，人数无多，金顺一军加拨皖军，尚可协力御之，再能分堵精河西北内窜狭径，则屏蔽更宽。塔尔巴哈台且无西顾之忧，所应防者，斋桑、斜米窜托布伦托海之路已耳。刘锦棠如由乌什冰岭西路，径指伊犁大城，则俄图援伊犁来路可断。如此路亦难进兵，则屯兵喀什噶尔外卡，遥张深入俄境之势，亦使知内患堪虞，时勤狼顾，不敢复为豨突矣。虽兵事利钝非所逆料，然慎以终始，其要无咎，合理与势观之，固有不待再计决者。此筹拟战守之大略情形也。

出塞之军向以转馈为难，兹则天山南北连岁有秋，关内外粮料、柴草均设局购备，支应师行，衽席之上，将弁踊跃争先。如前出塞时，天时和煦，渐与内地相近，非若从前凛冽景况，尤堪仰慰宸怀。臣俟部署周妥，暮春之吉当率马步各营出屯哈密，与南北两路诸统领筹议，再上方略。奉谕于一月内迅速具奏，谨先撮举大概，为我皇上陈之。

至关内善后事宜，经杨昌濬随时商榷办理，诸臻妥协。阶文赈务照常料理，未敢稍形忨愒。巴燕戎格及西路河湟番回，均安恬如故。前此伺路抢夺匪徒，均次第捕治。计匪徒在逃未获者，不过十数，仍按名缉捕。四民各安其业，较从前气象，更觉蒸蒸日上矣。臣移军哈密，可联络诸军，于关内吏事、防务，亦可随时与杨昌濬商办，不虑疏失。近饬肃州加募新兵三百名，加意训练，复增调防军填扎旧垒，以资镇抚而利关键，兼司运解饷需。合并陈明。谨奏。

光绪六年三月初八日奉上谕：左宗棠奏遵筹布置情形一折。俄约既须另议，将来如何归宿尚难逆料，目前事机未定，兵端固不可自我而开，然一切布置，自宜先事图维，以期有备无患。左宗棠拟以金顺所部扼扎精河一带，张曜一军由阿克苏前进，刘锦棠一军由乌什前进，规复伊犁大城。此三路官军，即着金顺、刘锦棠、张曜，不动声色，预为整备，如果事得转圜，固可不烦兵力；设使衅自彼开，即可迅赴戎机，不致堕其诡计。塔城兵力较单，锡纶拟调乌鲁木齐等处土勇前往协助，即着该参赞大臣妥为布置，以资防守。左宗棠定于三月内出扎哈密，着于到防后，将三路官军及后路扎填各营，相度机宜，与金顺等妥商调度，并随时侦探伊犁情形，慎密筹办，以免疏虞。

前粤督刘坤一奏遵议与俄国交涉失败后防守事宜片

刘坤一片。

再，臣于新宁县原籍，先后接准署两江督臣吴元炳、兼署两广督臣裕宽密咨，光绪五年十二月十七日奉上谕：此次崇厚出使俄国议办条约、章程，俄人多所要求，势难允许，崇厚率行画押，擅自回京，现已降旨将崇厚革职拿问，交刑部治罪，并将此事交王大臣等会议，现在尚未复奏。惟念俄人挟制多端，心怀叵测，此时虽事机未定，不可不亟筹防务，预备不虞，所有兵饷两端及布置之法，着各将军、督抚等预为筹画，妥慎办理，务须不动声色，毋得稍涉张皇。此外一切机宜，俟定议后再降谕旨等因。钦此。仰见朝廷廑怀边备，防患未然，跪诵之余，莫名钦佩！臣尚未抵两江新任，未知兵饷情形如何，顾有管窥蠡测之愚，不敢不仰渎宸听。

查我朝定鼎以后，与俄从未交兵，然俄为封豕长蛇久矣，志图荐食，力强为我劲敌，地广与我毗连，必须策出万全，不可轻于一试。陕甘有督臣左宗棠及通政使臣刘锦棠，直隶、山西有督臣李鸿章、抚臣曾国荃，自足支拄。惟东三省系我朝龙兴之地，而〔向〕为俄人垂涎，如有侵轶之虞，未审左宗棠、李鸿章等能否兼顾？该三省境内，有无久经战阵之猛将精兵，缓急足以自固，不专恃旗、绿各营，此则大局之亟宜绸缪者矣。兵之强弱，视将之勇怯，亦视将将者能否识拔真才。臣愚以为，现在西北沿边将军、督抚，宜用亲历戎行、胆识并茂之员，以期折冲御侮。儒臣不识武备，资望无济时艰，诚恐贻误于万一也。至西北既须戒严，则东南不可复生波折。日本于琉球之事似须设法弥缝，毋使乘间蹈瑕，与俄合而谋我。前福建抚臣丁日昌曾言，宜责日本不能字小之义，以示大公而激众怒，而于灭我藩服不必苦争，俾易转圜，所言未始无见耳。日本终为我患，令人每饭不忘，第目前不可遽启衅端，以免受其牵制。英、法、德、美诸国，虽于东南各口棋布星罗，只求传教、通商，别无觊觎之意，即遇事不免刁狡，亦在地方官抚驭有方。臣与诸国交涉多年，颇能知其委曲，目前决不至有决裂，上贻宵旰之忧。况英、德等国与俄猜忌日深，必不愿俄逞志于我，其应如何结为声援，以拟俄人之后，使之不敢并力东向，庙谟广运，自已神而明之。经费出入有常，惟须移缓就急。前议购买外洋蚊船一项，每只约需十数万金。丁日昌及闽浙督臣何璟等均谓，此船有利，亦复有弊。应请查照广东抚臣裕宽前奏，责成福建船政局，及江南、广东等省之制造机器各局，自行改造，量行变通，挪出此项大宗，以为西北边防之用。此外，如台湾开山之役倘无成效，应即饬停。各省修筑炮台，以及购制洋炮、洋枪、轮船等项，均应认真勾稽，核实办理。挹彼注此，积少成多，似亦不无裨补。否则，生财只有此数，抑将何术掘罗耶？遣使一节，为和局成败、国家荣辱所关。乃或庸懦无能，为敌威所慑，而惟命是从，甚至乖张任性，与同事相攻，为外洋所笑，已在圣明洞鉴之中矣。此后如有应遣使臣，可否即于总署得力司员及各海关监督详加遴派，若有紧要事件，先与王大臣等议而后行。该员等熟习各国条约与外人性情，而又有所遵承，庶几操纵得宜，刚柔互济，堪以扬休命而畅皇猷。臣耿耿于中，宁使言而无当，断不敢知而不言，伏候采择。谨奏。

光绪六年三月初八日。

前兵部侍郎郭嵩焘奏俄人构患已深遵议补救之方折 附上谕

前兵部左侍郎郭嵩焘奏，为俄人构患已深，当筹补救之方，遵旨直陈所见事。

窃臣恭读光绪五年十二月初四日上谕：此次会议事件，中外臣工及在籍大臣如有所见，均可据实直陈等因。查前左都御史臣崇厚在俄定立条约十八款，不察山川扼要之形胜，不明中外交接之事宜，种种贻误，无可追悔。然西洋各国遣派使臣，相与议定条约，原应由各国核准施行，是此案准驳之权，仍制自朝廷。所遣派驻扎各国使臣，但系两国交涉事件，应责成料理。总理衙门但一谕饬驻俄公使，转俄国外部，伊犁条约暂难核准，权听俄兵驻扎伊犁，以俟续议，俄人虽甚猖獗，亦不能违越万国公法，以求狂逞。只此权应之一法，可以稍戢俄人之志，即在我亦稍有以自处。臣谨将前后情事，为我皇上分别陈之：

一曰收还伊犁应由甘督核议。乾隆年间，堪定准回各部，设立各城，驻扎兵弁，外设屯卡，与各属部画分疆界。百余年来，哈萨克、布鲁特诸部日以衰微，其地多为俄人侵占，又西灭浩罕诸部，与西域壤地紧相毗连。而自回疆畔乱二十余年，屯卡毁弃殆尽，即令俄人缴还伊犁一城，清理疆界极费推求。陕甘督臣左宗棠，平日讲求地理之学，经营西域已逾十年，形胜险要悉能详知，万非数万里外遗〔遣〕一使臣可以凭空定议之事。臣所谓收还伊犁应由甘督核议者，此也。

二曰遣使议还伊犁，当径赴伊犁会办。俄人占据伊犁时，但以保护疆界民商为言，原约中国平定西域仍行退还，是收还伊犁并无他虑，惟虑俄人索取兵费太多，此须至伊犁相度情形，乃可置议。左宗棠以战功平定西域，不肯居赎回伊犁之名，拣派大员会议，着紧亦专在此，无舍伊犁而径赴俄会议之理。即令议办已有端绪，应遣使赴俄定约，亦必须由肃州取道伊犁，兼与左宗棠商定一切。臣在伦敦闻，日本遣使恩倭摩的赴俄，议据库页一岛，即所称虾夷岛也，在该岛争持多年，乃遣使赴俄计议，其使臣即由库页岛径达黑龙江，取道伊犁，绕乌拉岭赴俄，为其水陆交通、险隘形胜及其兵力所注，非身亲考览无由知也。俄酋高福满驻扎伊犁，兼统浩罕诸部。其与崇厚议还伊犁，于二万里外调高福满回国会办。此在中国关系绝大，而在俄人则进退皆利，无关得失之数，而其任劳核实如此。臣所谓遣使议还伊犁，当径赴伊犁会办者，此也。

三曰直截议驳《伊犁条约》，当暂听从驻扎，其势万不能急速收还。臣查，天山南北两路，所以号称肥饶者，正以河道纵横、灌输便利之故。俄人所据西伯利部一万余里，并属荒寒之地，近年侵夺塔什干、浩罕诸部蓄意经营。前岁见俄国新报言，其提督斯哲威尔探寻巴米尔朗格拉湖一带，报称喀拉库拉湖至河〔阿〕克苏，有通长不绝河源，深入俄国荒漠之地，为历来人迹所未到，举国相为庆幸。其睨视西域，蓄谋已深。

伊犁一城尤为饶沃，自伊犁河以南曰哈尔海图，产铜；曰沙拉特和齐，产铅。其北山曰空鄂尔峨博，产煤；曰辟里箐，产金；曰索果，产铁。往时河南有铜厂、铅厂，并近距特克斯河，而办理不甚如法。山北煤、铁各厂则尚未开采，西洋人群视为上腴之地。伊犁所属九城，专以驻兵弁。此膏腴并在河南、山北。西至霍〈尔〉果斯，亦设有一城，距伊犁不逾百里，所设额尔格、齐齐罕诸卡皆在五百里以外。今划分霍尔果斯河属之俄人，则伊犁一河已截去四之三，而五百余里之屯卡皆弃置之矣。画分特克斯河属之俄人，则旧设铜、铅各厂亦与俄人共之。而特克斯河横亘天山以北，其南直接库车、拜城，声气皆至阻隔，所设屯卡直达特克斯河源，皆弃置之矣。塔尔巴哈台距伊犁东北尚在千里以外，闻亦有划归俄人之地，以一城孤悬如寄，尽割置其膏腴之地，名为收还伊犁而实弃之。此时置议，较之从前，其难万倍。当据万国公法，由国家径行议驳，无可再行商办之理。以此时捐弃伊犁与收还伊犁，其势并处于两穷。惟有申明权听驻扎，以杜其狡逞之心，而仍谕以从缓计议，稍留为后图，庶自处于有余之地，而亦有余地以处俄人。臣所谓直截议驳《伊犁条约》暂听俄人驻扎者，此也。

四曰驻扎英、法两国公使，不宜遣使俄国。西洋各国互相联络，各视其国势缓急轻重与其恩怨以为权衡。数百年来，攻伐兼并，事变百出。而目前大势，则英、法两国为私交，俄、德两国为私交，德与法仇憾方深，英与俄尤为累世积怨。其心意所向背，即其喜怒好恶亦皆随之转移。臣尝论英、法共一公使，俄、德亦当共一公使。凡为公使驻扎，非但以虚名通两国之好而已，实有维持国体之责，与商办事件之权。遣使会议当在伊犁，而其难通之情，与其两不相下之势，则由驻俄公使达之俄国朝廷，以持其平而分其责，此亦万国公法所当准情据理、通论其节要者。似此加派使臣，改议已定条约，恐徒资俄人口实，以肆行其挟制之术。俄国新报已言，《伊犁条约》由英播弄翻悔，亦可窥见其用心矣。臣所谓驻扎英、法两国公使，不宜遣使俄国者，此也。

五曰定议崇厚罪名，于例本无专条，亦当稍准万国公法行之。臣查，崇厚贻误国家，原情定罪，无可宽免。然推其致误之由：一在不明地势之险要。如霍尔果斯河近距伊犁，特克斯河截分南北两路，均详在图志，平时略无考览，俄人口讲指画，乃直资其玩弄。一在不辨事理之轻重。其心意所注专在伊犁一城，则视其种种要求皆若无甚关系，而惟惧收还伊犁之稍有变更。一在心慑洋人之强而丧其所守。臣奉使出洋时，以崇厚曾使巴黎就询西洋各国情形，但言其船炮之精、兵力之厚以为可畏。崇厚名为知洋务，徒知其可畏而已。是知其势而不知其理，于处办洋务终无所得于其心也。一在力持敷衍之计，而忘其贻害。臣在巴黎与崇厚相见，询以使俄机宜，仅言伊犁重地，岂能不收回？颇心怪其视事之易，而亦见其但以收回伊犁为名，于国事之利病、洋情之变易皆在所不计。故常谓，与西洋交接，亦当稍求通悉古今事宜、中外情势，而后可以应变。是以崇厚之罪，人能知之，而能言之，而当定议条约之时，崇厚不能知也，携带参赞随员亦皆不能知也。置身数万里之遥，一切情势略无知晓，惟有听俄人之恫喝、欺诬，拱手承诺而已。朝廷以议驳条约加罪使臣，是于定约之国明示决绝，而益资俄人口实，使之反有辞以行其要挟。崇厚殷实有余，宜责令报捐充饷赎罪，而无急加刑以激俄人之怒，即各国公论亦且援之，以助成俄人之势。臣所谓定议崇厚〈罪〉名，当稍准万国公法行者，此也。

六曰廷臣主战只是一隅之见，似宜斟酌理势之平，求所以自处，而无急言用兵。臣查，西洋构患以来，凡三次用兵，广东因禁烟，宁波、天津因换约，皆由疆臣处置失宜，以致贻患日深，积久而益穷于为计。然其时中外之势本甚悬绝，一切底蕴两不相知，徒激于廷臣之议论，愤然求一战之效。至今日而信使交通，准情理处，自有余裕。俄人之狡焉思逞，又万非比英、法各国专以通商为事。衅端一开，构难将至无穷。国家用兵三十年，财殚民穷，情见势绌，较道光、咸丰时气象又当远逊。俄人蚕食诸回部，拓土开疆，环中国万余里，水陆均须设防，力实有所不及。即使俄人侵扰边界，犹当据理折之，不足与交兵角胜。何况以伊犁一城遣使与之定议，准驳应由朝廷，纵彼以兵力要挟，亦可准度事势之宜，从容辩证，何为贸然耀兵力以构衅端，取快〔决〕廷臣之议论？臣所谓廷臣主战，只是一隅之见者，此也。

窃以为国家办理洋务，当以了事为义，不当以生衅构兵为名。名之所趋，积重难返，虽稍知其情状，亦为一时气焰所慑，而不敢有异同。臣之愚昧，直以为今日之急务，固不在此。应恳天恩，饬令驻俄使臣，转达俄国外部，以伊犁一城为天山南北两路关键，中国必待收还，而此次崇厚所定条约万难核准，所有俄兵驻扎伊犁，应暂毋庸撤退。从前喀什噶尔曾经与俄通商，应否照旧举行之处，由陕甘督臣左宗棠与俄国督兵大臣会商核办，以期妥善，无得轻易率请用兵，致失两国交谊。开诚布公，正辞明辩，责成督臣妥为经理，或冀幸挽回于万一，以后与俄人交涉，亦可于此稍得其端倪，关系大局实非浅鲜。臣以庸愚奉使无状，万口交谪，无地自容。积年以来，心气销耗，疾病日增，里居逾岁，足迹未尝一出门户。自分衰病余生，无复犬马图效之望。而轸念时艰，重以崇厚之昏庸，贻误多端，几至无可补救。臣于洋务粗有所识，知一时公论于此必多触牾，然求之事理，征之史策，准之国家之利病，验之各国之从违，允宜及早断行，以免多生枝节，为时愈久，议论愈烦，则益难于处理，是以不敢避诟讥而终甘缄默，谨略献其愚忱，上备圣明采择。谨奏。

光绪六年四月初五日奉上谕：本日据郭嵩焘奏，俄人构患当筹补救之方一折，不为无见。前经总理衙门奏明，将俄国约章分别可行、不可行，咨行曾纪泽遵照妥办，原就已定之约，权衡利害，以为辩论改议之地。第思俄人贪得无厌，能否就我范围，殊不可必。此时若遽责其交还伊犁全境，而于分界、通商各节未能悉如所愿，操之太蹙，易启衅端。若徒往返辩论，亦恐久无成议。曾纪泽前往俄国，当先将原议交收伊犁各节关系中国利害，碍难核准之故，据理告知，看其如何答复。如彼以条约不允不能交还伊犁，亦只可暂时缓议，两作罢论。但须相机引导，归宿到此，即可暂作了局。惟不可先露此意，转致得步进步，别有要求。至旧约分界、通商事宜及应修约章，本与交收伊犁之事不相干涉，俟事定之后，当再令左宗棠及总理衙门分别办理，此意亦可向俄人告知也。郭嵩焘折，著摘抄给与阅看。

试用道王之春条陈俄事折

江苏试用道王之春奏，为勉竭愚忱，统筹全局，以纾宸廑而固边防事。

窃闻有备无患者，经国之远图；好谋而成者，行军之要务。伏见近日俄约未成，边防吃紧，皇上圣谟广运，远略勤求，搜访人才，广开言路，凡在草莽争献刍荛。然欲主战则恐饷绌兵单，难操目前之胜算，主和则养痈留毒，终贻他日之隐忧，要皆于实际无裨，则徒托空谈何益？臣则以为能守而后能战，能战而后能和，请得而毕其说焉。

伏查，咸丰年间，俄以洋枪等物求易鸭绿江外地，当时许之，遂启其攘伺伊犁之端，盖其积虑处心已非一日。今欲允其界务，而边疆孤立何以固存？欲允其商务，恐各国效尤又将起衅。且俄人不尚信义，贪得无餍，见我有得过且过之心，更作得步进步之想，故不能战而徒言和，和约终不可恃，必能自守而后言战，战事或可潜销。何则？俄之强悍，欧洲各部皆惮而忌之，总〔纵〕使我势均力敌，胜负犹未可知。况环顾兵力、饷糈、军械、船炮，均有轩轾之势，而欲与之角逐于疆场，争雄于海岛，成败之机，殊未敢必。为今之计，惟宜坚忍固守，使彼无懈可击，无隙可乘，徐俟其变，以图有功，期于万全之策。而所以能守之道厥有四端：

一曰调停、互市，以联合从。查通商条约内载：别国与中国不和，中国止应禁阻不和之国，不准来口贸易，其大合众国人前来各口，中国认明旗号，便准入口。是俄事一旦决裂，各国之船入口如故，则我国之海防掣肘必多，虽约内有大合众国商船不得私带别国一兵，及听受别国贿嘱换给旗号之言，能保俄之不假冒别国旗号蒙混入口乎？且俄与泰西各国状貌、衣服不甚悬殊，仓卒之间不能认识，一有误伤，后悔何及。道光年间粤东之役，误伤美国一船，前鉴具在。是则守约反以失和，亟宜设法调停，从新计议者也。拟请旨饬总理衙门，与各国驻京公使反复熟商，婉达其窒碍之情，明告以利害之势，如中俄有事，请将兵船、商船，及寄居中国各口之人暂行远避，或湾泊我海外，不准入口。倘有愿为我助者，亦在各海口外代为守御。事平之日，出力者许即重偿兵费，而各国通商如故。否则，令其设法自行保护。恐我国百姓同伸公愤，倡举义旗，渠等皂白不分，误加伤害，倘池鱼殃及，玉石俱焚，不得索我赔偿，以伤和好。方今门户洞开，中外一家，万一败约，敌人瞬息即至，燕砆和玉，鱼目混珠，分辨为难，势多轇轕，乌得不预为之计哉！况和约载有，别国有何不公轻藐中国之事，一经照知，必须相助，从中善为调处，以示友谊关切一条。假令我布告各国曰：俄为不道，背弃盟言，占我伊犁，纳我叛逆，率我蟊贼，以来摇荡我边疆。我不敢盟约之寒，遣一介使臣，相与修睦，俄乃要索无餍，心殊叵测，自今以后不得以玉帛相见而以兵戎。凡我同盟，鉴其凭陵，共宜相助。美国与我素睦，各国皆有切肤之痛，必将从中排解，俄允其请则言归于和，不允其请则实府其怨。语云众怒难犯，俄独无惧乎？且俄外逞兵威，内多变乱，君臣离德，父子猜嫌，土耳其、阿富汗、日耳曼皆环伺其后，待隙而动，即英、普各国尤忌其强，而思有以抵隙蹈瑕，俄即耽耽思逞，其能无跋前疐后之虑乎？是各国之从，不必决其真为我助，而在俄已树多敌矣。此以夷制夷之法也。

一曰厚集兵力以固根本。俄之侵我，水师则有二道：一由日本入我南洋之南关，以犯天津、烟台各处；一取道朝鲜，入我大连湾，以直达东三省各口。陆路有三：西则新疆，中则张家口，东则东三省。使必处处设防，则备多力分，非有十数万兵勇，不足以资分布。况敌多方以误我，亟肆以疲我，或声东趋西，或击虚避实，彼但以偏师牵缀，我必竭全力筹防，损一趾则全体皆僵，牵一发而全神〔身〕俱动。计惟有斟酌情形，分别缓急，以为抵驭〔御〕。俄罗斯疆界与西北毗连，犬牙相错之处类皆沙漠荒旷，山路崎岖，数千里劳师远袭，不独馈运维艰，水草匮乏，而奔走疲惫，我尽可以逸待劳。昔圣祖之策准夷有曰：我师远攻，其困在我；贼若远来，其困在贼。其后准夷果以此致败。是陆路边防，似尚可从缓措置。况新疆有金顺、刘锦棠所部各军大兵云集，左宗棠策中布置，自可纾西顾之忧。奉天现有宋庆所部豫军九营，而李鸿章复调鄂省数营，驻扎山海关以内。张家口有铭军马队各营，屯扎各处防范，尚不为单。所虑者，沿海各小口处处皆可登岸，诚属防不胜防。敌人以船为家，固不能不回顾归路。然使袭英人故智，舍舟登陆，而后以全力夺获海口，则近畿一带必至震惊。纵大沽各口布置较前周密，当无他虑，而上下游随在皆可上岸。窃恐京师戒严，事多牵率瞻顾，虽神机营近年训练娴熟，步伐整齐，第恐未临大敌，终不免胆怯心虚，守则坚定有余，战或勇敢不足。明臣戚继光有言：士卒先练胆，次练心，次练耳目，而后练技艺。盖胆须经历而始壮，心须联络而始齐，非若耳目、技艺可操练于旦夕间也。拟请旨简派知兵夙将，调集敢战劲军，距近畿数十里适中之地，分布驻扎，与天津之盛字全营、保定之练军，鼎足犄角，如唐三辅之制，内以资其拱卫，外以藉为游击，以壮声威而为神机营之辅。所谓根本之宜固者，此也。

一曰多购水雷以防冲突。俄之长技不在陆而在水，其铁甲、蚊子船、碰船坚固无比。破之之法，舍水雷别无长策。除南洋之南关外，北洋之大连湾两处水深地险，山势回环，为敌船所必经必争之地，当以水师全力据此要隘，而以陆师佐之，以成夹击之势。其余如天津之大沽、山东之烟台、闽之厦门、粤之虎门、江南之吴淞及各海口，似均宜多购水雷，讲求命中之法，操演精熟。尤须于每水雷之前后各设假水雷，盖敌船之头，均设有机捩预先挑拨水雷者，务使其机触动假水雷，而真水雷即于其间燃放轰击，令其挑不胜挑，无所施其趋避，或亦疑而不敢闯入海口，幸逃而去矣。目下大沽之水雷操演施放颇为灵捷，各口亟宜仿照购设，并须招募渔船蛋户之流，能入水数时不出者，与以蚱蜢小船供其驾驶，用火箭、火球仰射敌船之篷顶。近闻土尔其烧沉俄之铁甲船一，即用此法，是亦以小制大之策也。

一曰倡集义团以遏乱萌。岛夷逾越数万里，深入重地如履无人之境者，曷尝真知我虚实，先探我险要哉？奸商、莠民贪其利贿而被其裹胁，尽以实情输之也。庚申年之御英也，筑炮台于大沽，以重兵守之，而于北塘入口数十里，遍埋地雷，诱敌以入，冀以剿之于陆，向非潮勇、土匪预先挖去，敌将聚而歼旃，片甲不返矣。然则欲敌外寇必先靖内奸，欲靖内奸非倡集义团不可。英人之犯广东，土团一歼之于三元里，再歼之三山村，而新安武举庾某以火焚其一双桅船，佛山义勇则从陆路上风纵毒烟以迷夷目，毙贼数百，英人始帖然就款，故洋人之畏百姓甚于畏官兵。官兵虽多，要有额数。百姓倡率，聚如河沙。官兵私其身家，人各一心，莫有斗志。百姓顾其田里，万众一志，各有戒心。拟请诏令各省督抚臣，严饬郡县，兴办团练，以靖内奸；并于扼要处所多埋地雷，而派官督团勇守之，毋得使奸人私挖；且悬示赏格于沿海州县，有能破敌一船者赏若干，有能协同官兵守护地方者赏若干。我朝深仁厚泽，洽于人心，凡有血气之伦皆明敌忾之谊，乘机而利导之，必有智谋之人出而奋发报效者。但使地方官勿苛绳其细故，勿攘夺其大功，俾得便宜从事，贤于调募兵勇千万矣。至八旗、蒙古部落，尤多忠义勇敢之士。苟得一威望素著、情谊惬洽之员前往东三省倡率联络，以之靖金匪内乱固绰然有余，即率之以御外侮，其突骑之纵横，弓矢之铦利，亦俄之所畏而不敢犯者也。

以上数条，或为未雨之绸缪，或为衣袽之戒虑，而要皆可措诸施行，行之而有利无害。至于一时难以骤办，日后必当举行者，则铁甲船不可不多购，制器不可不求精。将才非数年造就不成，必平时预为储择。操练以西人教习为善，宜厚禄以广招徕。且各国消息灵通，千万里情形如在庭户。而我之文报迂缓，数百里驿递动需时日。苟当军情紧急之时，窃恐通报迟延，事机不免贻误。拟请诏令各省，创设电报。现在直隶督臣李鸿章在天津设有电报，以达大沽，每里需费若干必有定数，各省分办，款亦易筹。查日本近年开办电报，与火车相辅而行，每年获利甚多，盖官民联为一气，综民间信栈之利，免官家驿递之劳，惠而不费，诚善法也。财匮则源宜开，当急筹夫矿务。民穷则国亦弱，当急塞夫漏卮。际此时局艰难，务必事求切实，伏望宸谋独断，定议坚持，勿以寇势方张为群言所震撼，勿因敌已就款幸无恙以从容。从来事业每误于因循，富强必基于振作。而小臣献替微忱更有望于异日者，兴灭继绝则天下归心，救亡固存本贤臣明训。琉球臣事我朝极为恭顺，若使徒怆下国之艰难，故宫之禾黍，则铜驼荆棘，宫殿灰尘，殊可为太息痛恨者也。去年两江督臣沈葆桢委臣驰赴日本，察其情形，窥其虚实。臣归而沈葆桢已因病开缺，因以所得诸见闻者，条为十可败、五难胜之说，禀陈署南洋大臣吴元炳及北洋大臣李鸿章，颇以臣言为不谬。当兹俄事方殷，自未暇议及于此。倘和议能就我范围，则兵威可徐伸挞伐。数年之内，陆续先遣统兵之员，潜附轮舟，分起游历，窥其险隘，得其要领，徐议兴师。不必直趋日本，远与争锋，但宜规复琉球，宣明大义，逐去日本之守臣，而仍立中山王以主社稷，则琉球无君而有君，中山王失国而复国。救邢存卫，桓公所以取威定霸也。日本恃其强悍则必出而与我争，而我逸彼劳，我主彼客，兵法所谓致人而不致于人也。兼弱攻昧，书有明言。倘一战而胜，则我兵之气自雄，我兵之胆益壮，胜于操演多矣。日本虽图自强，现在君臣不睦，人心解体，且民穷财困，二三年内图之可操必胜之券，此机宜之不容失者也。夫暹逻、缅甸为英所窥，越南大省为法所占，不乘此时力图振奋，以雪耻而报雠，臣恐朝鲜界近日、俄，不旋踵而蹈琉球之辙，而我之藩服无一存焉。辅车相依，唇亡齿寒之谓何？安得不思攘外以安内，而图所以自固哉！谨奏。

光绪六年四月三十日。

清季外交史料卷二十终

清季外交史料卷二十一

光绪六年五月至六月

使美日秘国陈兰彬奏由西班牙起程赴秘鲁日期折

出使美、日、秘国大臣陈兰彬奏，为现由日国起程，前往秘鲁，恭折具陈事。

窃臣自到日斯巴尼亚国以来，查得该国入款以古巴糖税为大宗，而糖寮出息又以华佣多寡为盈绌关键，故该国上下无不注重招工。去年秋间，臣派委总领事·户部候补主事刘亮沅等前往古巴试办，深虑积弊已久，整理万难，是以臣仍驻扎此间，以便与该国外部随时辩论。迄今数月，迭据该领事报称：开办以后，华民喜色相告，纷纷请领执照，冀得自由。遇有应办事端，该岛地方官尚肯相商，不形扞格。十二月间，该国驻华使臣伊巴里到岛一个月，与该总领事等亦无违言。察看现时情形，似能遵照条约办理。仰赖圣主威福，华民在岛渐得安便谋生。该总领事节次函件，均经陆续钞寄总理卫〔衙〕门备查。臣因古巴略有端绪，应即接办秘鲁事宜。虽秘鲁与智利国构兵，尚无停战消息，亦未敢再有稽延，谨择于三月初九日恭赍国书，携带关防，率同参赞·刑部学习郎中陈嵩良、刑部学习主事曾耀南及随员、翻译等，共十一人，由日国起程，前赴秘鲁。臣离日都后，使署一切事宜，暂交驻日参赞·江苏候补直隶州知州黎庶昌代管，仍饬遇事禀报核办。当刊交木质关防一颗，文曰大清代办钦差关防，俾资行用。该员练达和平，臣所素悉，兼经派留随员·中书科中书衔黄宗宪、翻译·候选从九品吴礼堂、洋员法国人禄塞随同办公，可期周妥。谨奏。

光绪六年五月初四日奉旨：知道了。

总署奏崇厚获罪英法德等国使臣来函请加宽免折

总理各国事务恭亲王奕䜣等奏，为奏闻请旨事。

前因会议俄国约章一事，上年十二月，据英国使臣威妥玛、法国署使臣巴特讷、美国使臣西华、德国使臣巴兰德同日来函，大致以中国派使，皆谓从此和好，乃因定约不便依议，即将使臣拿问严办，各国均不以为然云云。臣等复以现经遵旨会议，虽办法未定，总期折衷至当等语。本年二三月间，义国使臣卢嘉德、奥国使臣何福尔，先后来函照会，其意与威妥玛等前函略同。其时，崇厚业已议定罪名，臣等当以遵旨定议，折衷至当，并从严惩办答之。四月初一、初六等日，总税务司赫德因公来臣衙门，据称：俄国现派兵船来华，如何主意却不得知。又称：俄国现有十余船到中国，又有十余船在图们江地方，本欲封中国港口，因各国通商恐其扰及，故拟在中国各海口收税。据英国人说，曾纪泽到俄国亦不能商量，日斯巴尼亚国派兵船来，亦是趁此机会云云。臣等以赫德所称，固不可遽信，或亦非无因，当即函致南北洋大臣李鸿章等。

去后，四月十二日，据李鸿章函称：津关税务司德璀琳送来密函，译录赫德所接西国电信，与在臣衙门面谈大略相同。适英国使臣威妥玛来津密谈俄事，谓：接本国电信，奉君主谕令，转求臣衙门奏陈大皇帝宽免崇厚之罪，恐臣衙门谓此事与英无涉，君主面上亦不好看，是以至今未向臣衙门陈及。曾纪泽抵俄，俄人必不与议事。闻俄国添调兵船多只来华，又欲勾同日本、日斯巴尼亚、葡萄亚诸国，与中国为难。又称：今须先与俄国说明中国本不愿失和，但必显出不愿失和之凭据，倘蒙朝廷特恩，将崇厚宽免斩监候罪名，即可电复英廷，以大皇帝暗准君主之情，转请俄廷接待曾侯，妥商更改约章，俄国不致激怒，各国亦不至〔致〕播弄生事等语。臣等以事关大局，函令李鸿章据实奏闻。十六日，据李鸿章函复，请威妥玛照前议叙述一函为证，以便酌核入告。据威妥玛云：各国交涉皆以都城外部为总汇之地，若函商外省，与体制不合，亦不便回复君主。既须作函为证，即专函径呈臣衙门等语。李鸿章遂将威妥玛原函并德璀琳函钞寄，臣等当函复威妥玛以承英国代谋，自当妥商等语，函交李鸿章，转给威妥玛。二十日，据李鸿章函复，威妥玛谓臣等意在延缓，颇形悻悻。二十六日，李鸿章函称：二十三日，两江督臣刘坤一至津密谈时事，遂将各节告知，刘坤一谓，此系转圜好机会，不可错过。二十四日，法国新任使臣宝海过谒，道员马建忠先往拜晤，宝海谈及此事，与威妥玛意见略同。五月初二日，据李鸿章函称：三十日，威妥玛来晤，谓德使巴兰德与俄国署使臣凯阳德亲密，甚欲怂恿战事，从旁取利，请电致曾纪泽，少缓起程。法国署使臣宝海意尤关切。李鸿章并将道员马建忠与威、宝等问答节略先后录寄。适两江督臣刘坤一到京，力陈李鸿章前说，谓与意见皆同。初四日，刘坤一将李鸿章所复密函封送臣等阅看，较致臣等历次各函言尤激切。

伏查，此事关系重大，现据李鸿章、刘坤一往返商论，所见相同，臣等未敢壅于上闻，伏候谕旨遵行。谨奏。

光绪六年五月初八日。

总署奏变通废约即不足抑俄实足结英法之好片

奕䜣等片。

再，前因崇厚所议新约万不能行，是以改派曾纪泽使俄，另行商议。在中国本无与俄失和之意，数月以来，采阅外国新闻及接出使诸臣函报，佥谓：泰西各国议论此事，于废约一节不以中国为不直，即于崇厚罪名亦知中朝宪法应尔，非有他意。惟各国交涉最重使臣，崇厚使俄，曾与其国君觌面论事，今以不职而获重罪，似即所以辱俄国者，始则浮议纷纭，近益讹言四起。臣等以曾纪泽尚未赴俄，传闻之辞未足深信，不敢遽以上闻。现在英国使臣威妥玛，既以此事言之李鸿章，并述其国主之命，函致臣衙门，大致谓：新约不准，俄国已觉失望；崇厚治以死罪，俄人尤以为大辱，恐曾纪泽此去，俄人必不接待，衅端将自此而开。深愿先有以解俄国之辱，俾得从中调停，共保大局等语。臣正与李鸿章往返筹商间，适法国新换使臣宝海到津，亦以此事为言，与威妥玛正相符合，并谓德国使臣巴兰德实从中挑唆，必欲中俄失和，以便于中取利。反复言之，其情甚切，其势甚迫，颇有合力助我之意。臣等统筹中外大势，再四密商。英、法与俄并峙泰西，各不相下。若谓我允英、法之请，则英、法合谋必能事事强俄就范，揆之情势，诚未必然。惟该二国既出而与闻此事，英且重以其国主之请，我若坚持初见，置之不理，将始以我为辱俄者，继且以我为并辱英与法矣。以我为并辱英、法，则英、法必转而向俄。我与英、法联，俄人不能不有所顾忌。英、法与俄联，则我以一事而召三敌，加以各国从而生心，将来变局不堪设想矣。因思就中国朝政而论，治臣下以应得之罪，诚与外人何干？惟事关交涉，实有不能不权其利害而因时以制宜者。且今日之事出自与国之请，情非挟制，谊在邦交，无论如何办理，生杀之权仍操自朝廷，尚于国体无伤。若言者不察，必且交章争论，执常理以相绳，臣等固无所逃罪。然国家安危所系，万一事至不可收拾，论者反责臣等以失此机会不早转圜，区区身家固不足惜，如国事何？总之，俄事不可测，此举即不足以伐俄人之谋，实足以结英、法之好。不为取益计，但为防损计，即使他日变端迭出，但不致各国环而相向，孤立无援，则大局犹可措手。臣等以此事关系至重，迭次与李鸿章往返函商，适刘坤一到京，亦与臣等密商及之〔此〕，彼此意见相同，其情词尤为激切。除另折胪陈大意外，不揣冒昧，据实附片密陈。谨奏。

光绪六年五月初八日。

少詹黄体芳奏不宜徇各国之请轻释崇厚折

詹事府少詹事黄体芳奏，为轻释罪臣徒长敌骄而辱国体，请饬枢臣妥筹审处，以免流弊事。

窃臣闻英、法两国使臣恐国家与俄寻衅，请释崇厚之罪，从中调停，南、北洋大臣均以为然，恿怂〔怂恿〕总署诸臣入告。臣闻之，始而愤，继而幸，终而不能无疑。臣等查，议防备战，责重疆臣，乃平日则耗饷购船，张皇声势，一旦有事，惟冀幸与国之讲解，免起兵端，其不能胜疆寄、荷时艰，已可概见。此臣之所窃愤者也。英、法使臣果能忠于我朝，解纷排难，将帷幄重臣不劳筹策，封疆将帅不讲戎兵，罪人一出，成约顿改，诚为二千年来驭外之捷径。此臣之所窃幸者也。罪崇厚为俄国之辱，释崇厚独非中国之大辱乎？去年治使臣之罪，两集廷议，屡颁谕旨，环海内外谁不闻知？甫经数月，忽然赦免，一经宣播，天下臣民必至惊异骇愕，众论哗然，将以九重之震怒为不足畏，国家之刑章为不足凭，草野黎庶从此皆有玩视朝廷之心，纲纪荡然，何以立国？其弊尚不止外洋之藐视已也。况英、法空言调处，至于能否改约，亦无把握，徒损国威，并无实济。中外大臣何至视为转圜妙策，汲汲赶办！此臣之不能无疑者也。伏乞饬下枢臣，详酌妥筹，再为办理。事关安危大计，亦不争此三两日之间，不可张皇失措，过于急迫。若发之太骤，稍涉轻率，以后倘有流弊，反汗为难，御侮之谋更将无从措手矣。臣焦思迫切，谨缮折密陈。

光绪六年五月十一日。

太仆寺少卿钟佩贤奏陈处分崇厚罪名意见折

太仆寺少卿钟佩贤奏，为会议折内未尽之意恭折再祈圣鉴事。

本日，臣列衔会奏，通商衙门请减崇厚罪名，以顾大局一折，权衡时势，固属不得不然。臣所虑者，我之曲徇法、英二国所请，为其可解俄国之辱，结英、法之欢也，为其从此可令调停俄国废罢前约，不启兵端也。倘我曲赦崇厚之后，英、法二国竟以难于调停复我，或二国佯为调停，而俄国坚持前约不改，或将不甚紧要之条罢议一两事，而于万不可行者仍强我以必行，此皆情事之所有。设至于此，岂能保兵端之不启？兵端既启，推原召衅之由，崇厚之罪实无可逭。欲治崇厚之罪，英、法必出而言曰：中国既许我赦免矣，今何又治其罪？是治罪，则俄人之局未了，英、法之隙又开。不治罪，则既屈我法，并受彼愚，使外国之人无端而操中国生杀之柄，何以为国？臣愚熟思，崇厚倘蒙恩宥，应先由通商衙门密示威、宝二使，云：中国以尔国能调停俄国废罢前约，故曲意允从。倘俄国仍执前约，强中国以不可行之事，是俄国有意失和，彼时，中国仍治崇厚之罪，尔国不可再为乞请。如此预占地步，庶可杜其异日之藉词，亦似稍存国体。外国情态变诈不可知，中、俄终能和好与否尤不可知，非尽可以理喻。此事一言一动，总宜虑及将来。谨奏。

光绪六年五月十六日。

内阁侍读学士胡聘之等奏请俟俄约挽回就绪再赦崇厚折

内阁侍读学士胡聘之、国子监祭酒王先谦奏，为会议事宜筹虑宜周事。

本月十二日，钦奉懿旨发下总理衙门各折件，命臣等会议具奏，臣等遵于十四日前赴内阁，公同核议。窃惟崇厚前因奉命出使，不候谕旨，擅定条约，几致贻误大局，所以朝廷重治其罪。今据英、法等国使臣从中转圜，并据英使述其国主之命，请宽减崇厚罪名，以全俄国颜面，即可另议新约等语。如果于事有济，朝廷原不惜贷崇厚一死，以弭边衅而固邦交。惟此时俯如所请，将来条约能否更定，尚难确有把握。设崇厚已从宽贷，而俄事毫无转机，于国体大有关系，似不可不预为筹虑。拟请明降谕旨，将崇厚暂免死罪，仍行监禁，俟曾纪泽到俄另议条约，定有章程，再行酌量办理。倘俄事竟可挽回，即加恩崇厚，尚足以服人心。如条约终难更定，再从严治罪，亦可以谢天下矣。谨奏。

光绪六年五月十六日。

醇亲王奕譞奏请乘英法调停之际以赦崇厚为条件挽回俄约折

醇亲王奕譞奏，为钦遵懿旨会议，谨就管见复陈事。

窃奉懿旨会议总理衙门现办事宜，遵于十四日至内阁，将该衙门奏折等件并宝廷等条陈折件详细阅看，悉心会商。除由该王大臣等另折陈奏外，伏查，臣前此遵议崇厚罪名时，原以洋人常因护惜体面，藉端饶舌。此次所求既未满欲，诚恐该国自知需索太奢，于理未协，或将诸约搁起，专以崇厚藉口，谓辱其体面，与我构衅，殊属不值。是以折内即请经权并用，为羁縻之计。初未料及俄人煽惑日本等国，助彼为患，亦未料及英、法两国出而调停也。当今时势，允其请，则彼将合力调处，而俄谋为之沮。拂其请，则彼将别思挑激，而我势为之孤。此固夫人皆知之理。第体制攸关，纪纲所在，允之之法，诚不易言。臣悉心思索，统计全局利害得失，窃谓既值非常事局，即不必但泥常规。既已中外喧传，即不须仍前秘密，似可乘此特降明诏，大致谓，崇厚于交涉要件草率擅拟，其违训越权之罪本应立正刑诛，只以两国素敦和好，是以从宽监候，复派曾纪泽前往另议。今据英国使臣威妥玛、法国使臣宝海均请宽免崇厚死罪，该使臣为邦交起见，原不妨竟允其请。惟曾纪泽尚未将另议条约复奏，暂将崇厚免去斩罪，仍牢固监禁，俟条约议妥，再行加恩。设因此两国或致失和，竟出于战，则崇厚实为启衅罪魁，必当立予骈首，以正国法。臣愚见如此，诚以乞免之举苟出于俄，迹近要挟，实难允准。今系从旁调停，固不应曲徇其心尽允所请，亦当维系其心，莫使觖望。况彼不过藉一罪囚为言，我又何难持此生杀之权，隐为箝制之计哉！

抑臣更有请者，英、法助我另议条约原为甚好机会，然以臣之愚，尚有鳃鳃然过虑者。诚以外洋彼此侵伐，固为常态，而独于中国交涉彼必合力朘削。即偶事调停，亦从无强抑彼族，偏护中国之事。设我前议不准各条，英、法必欲勉从数端，以为调处之资，和好之据，彼时将何以应之？如我仍坚执前说，是于俄国之外又添二国之衅。倘竟迁就允准，则不惟不足对天下万世，且亦不足服崇厚之心。况前此俄之谓我易与者，不过崇厚一人，若经廷臣议准，是举朝之人皆成崇厚伎俩，益令外洋窥我底蕴，继此再有要事，朝廷将何所倚畀？此则关系甚大，较之崇厚生死，其轻重有不啻天渊之别者。要在严饬任事诸臣，详审机宜，勿贻后悔，方为妥协。至外洋之论我中国，率以局势危险相慑，臣实不胜愤懑。伏思海内土地之大，人民之众，苟晓以大义，设法提倡，安见其弱于外洋？果俄人煽惑他国与我为难，英、法若仍从中调处，自当别论。否则，万不可倩其说和。除谕令各省保护和好各国商民外，当将俄之恃强无理，他国之倚势生事，明白昭示天下。南、北洋大臣自有专责。此外，如彭玉麟、岑毓英、鲍超诸人，均令统率兵勇，分御敌寇，而以左宗棠、金顺、曾国荃等统兵，分道袭取俄境；吉林、黑龙江、张家口及西北各处，亦令该将军、都统大臣等，先将其商贩行栈扫荡罄净，然后酌量深入，以分其扼御之势。陈国瑞虽性成桀骜，然年力尚强，声望有素，用以御敌，正可及锋而试。八旗官兵，受恩深重，蓄锐有年。自去岁俄事初起，街谈巷议，无不以一战为快。人心如此，实为可恃。倘有驱策之处，王大臣等必能激励所部，为国宣威。臣虽退闲，当此时事，亦复何嫌可避？如蒙皇太后不以臣为不肖，尚欲从事其间，以申积悃。总之，有必战之心，然后战无不胜。有必胜之势，然后事无不成。反中国积弱之弊，消俄人蚕食之谋，慑外洋觊觎之心，振志士奋发之气，未尝不在此举也。谨奏。

光绪六年五月十六日。

修撰王仁堪奏崇厚不宜减罪疆臣宜图奋勉折

翰林院修撰王仁堪等奏，为罪臣不宜减死，吁请严饬中外大臣，各殚血诚，共维全局事。

窃自去年治崇厚之罪，圣怒赫然，命筹海防，命举人才，纪纲为之一振，即俄人亦莫测中国之浅深。乃日来复以总署有代英使臣为崇厚乞恩之讲，特敕廷臣会议。臣等窃维中国睦邻自有分际，朝廷刑赏岂外人所可持其权？崇厚辱命误国，已蒙宽大，仅予斩监候罪名，天下臣民佥谓不足蔽辜，若再因旁观游说遽为减死，是刑人众弃之权。中国且不能自主，为人臣者人人得援外交以自固，又何以伸国法而系人心？即令崇厚今日减死，俄人明日改约，臣犹以为古今无此政体。况俄人尚无改约之说，死囚遽蒙宽宥之恩，万一崇厚已从末减，俄人执约如前，将重收而罪之乎？抑置而不问乎？将并坐乞恩诸臣而罪之乎？抑听其要挟，徇庇于前，而束手坐视于后乎？试问诸臣何以自解？朝廷纪纲一隳不可复振，良足惜也。自正月议防至今数月，练兵筹饷，半属空言；议战、议和，两无可恃。乃借强邻之恫喝，即指为转圜之机，究竟结局若何，则亦毫无把握。谓非诸臣处心积虑，图脱崇厚于诛殛，夫谁信之？制诏已下，集议廷臣皆前次会议之人，当不至首鼠两端，顿更初辙，但恐怵于危论，误会圣心，委曲迁就，徒蒙反汗之讥，将蹈噬脐之悔。伏愿皇太后、皇上独伸乾断，明示中外，以崇厚罪案万无可翻，严饬枢臣，实筹补救，勿存图便徇私之心；严饬疆臣，修防边圉，预为有备无患之计；严饬曾纪泽，速赴俄邦，反复辩论，更定修约，毋稍怯懦。中外一心，共维全局，不致开罪臣苟免之门，启邻人轻侮之渐。天下幸甚！谨奏。

光绪六年五月十九日。

礼亲王世铎等奏遵议崇厚罪名应徇外使之请予以减免折

礼亲王世铎等奏，为钦遵懿旨会议具奏事。

本月十二日，军机大臣面奉慈安皇太后、慈禧皇太后懿旨：总理衙门所奏各折片，及詹事府少詹事宝廷、黄体芳所奏各一折，着王公、大学士、六部、九卿、翰詹科道会同妥议具奏，醇亲王着一并议奏。钦此。十三日，军机大臣面奉懿旨：着御前大臣一并会议具奏。同日，又奉懿旨：着翰林院侍读张之洞于会议日前往，以备谘商各等因。钦此。片交到阁，臣等将原折片公同阅看。现在英国使臣威妥玛、法国使臣宝海以中国拟改条约原无不可，惟崇厚曾充全权大臣，系与俄主觌面定议，今中国治以斩监候罪名，俄国以为大辱，中国虽改派使臣前往，势必不理，即启衅端。威妥玛奉其国主之命，为中国转圜，谓必先减崇厚死罪，以全俄国颜面，方能再议条约，伊可从中调停。宝海所言，亦大略相同。且据出使诸臣先后电信，均言俄国以治崇厚斩罪为辱，是英、法使臣之言尚属可信。臣等窃思，政刑者，国家之大柄；生杀者，皇上之大权。崇厚应得之罪，本与改议条约不相干涉。况朝审时或勾或免，出启圣裁，亦非臣下所应拟议。宝廷、黄体芳折内所称，崇厚罪名不宜轻减，自是正论。惟此次所议，系中外全局所关，既据威妥玛奉其国主之命，与宝海出而代谋，自系见好中国之意。朝廷以休兵息民为念，何惜贷罪臣之一死以固邦交？权衡轻重，尚非势有窒碍必不可行之事。可否仰恳天恩，俯如所请，将崇厚罪名量予减等，以示法外之仁？如蒙俞允，已足释外国之嫌，以后改议条约总期事有把握。应请饬下总理衙门，商令英、法两国使臣，自始至终极力调停，于前约不可行者悉为更改，以全大局而弭衅端。所有臣等会议缘由，谨合词恭折密陈。

光绪六年五月十九日。

翰林院侍读学士张之洞奏陈经权二策应付俄事折

翰林院侍读学士张之洞奏，为生杀威福宜顾国体，敬陈经权二策，以备圣裁事。

窃自冬春以来，俄事初起，臣屡次上疏，大意不外修备筹防，以为操纵之地。悠悠数月，军容阒然。今者，俄人恫喝，英、法居间，首以赦免崇厚为请，而南、北洋大臣张皇入告，枢臣不再计廷议无深谋，既无能战之人，安有万全之策？睹此时局，不胜愤惋！然臣谓，当此难于着手之时，尤不宜仓皇失措。谨筹二策，为皇太后、皇上陈之。

守正之策曰：必诛无赦，以存国权。在请免崇厚者，不过曰使臣不诛，则俄人不怒，俄人不怒，则兵端不开。臣愚以为不然。英、法之调停，但保接新使，不保翻旧约。俄人以罪使为辱，必更以翻约为辱。若我必欲翻约，兵端不仍开乎？谬约不能翻，罪臣不能杀，是俄再胜，而我再辱也。从此，赏罚不信，威令不行，听命敌人，受制诸国，贼臣有护符，奸民无忌惮，纪纲荡然，何以立国？且即使条约之无关紧要者，略改数条，俄人见我甘受要挟，不待数年，一修约，而十八条仍尽许之矣；再修约，而十八条之外又加十八条矣。故既不能正崇厚之罪，而谓能改崇厚之约，此必无之事也。为今之计，惟有善言以复英、法，婉词以谢俄人，明谕中外，谓我自治罪臣，并无侮辱邻国之意。令邵友濂先行达知，或将英、法二使赏给宝星，酬其厚谊，托以转圜，属其致书俄邦，先告以伊犁可缓，偿款可给，俾俄人知我之另议条约，但欲除其窒碍，并非一味翻驳，以此作为和好实据，自然接待使臣矣。与其屈法而仍无把握，何如持正而别图转机？昔晋文公不肯弃信取原，何况刑赏大柄非止一诺之微乎？宋华元不受楚人之鄙而杀楚使，卒之宋亦不亡，何况中国非如宋之小弱乎？诸葛亮不肯废法而诛马谡，何况崇厚非谡之有用乎？此古来谋国之常经，兼是非权利害，而并非迂阔难行者也。

变通之策曰：赦此罚彼，以示不测。如俄怒必不敢撄，英、法之请必不敢拒，崇厚必不敢诛，则莫如明诏昌言，径赦其罪而姑驱策之，勒令捐银百万，以充边饷，责令仍往俄国，交曾纪泽差委，戴罪自效，更议条约。如条约不改，边衅终开，即令曾纪泽在彼处将该革员即行正法。盖使过弃瑕，恩犹自上。畏邻贷死，转属无名。至北洋大臣李鸿章、南洋大臣刘坤一，身为干城，甘心畏葸，不能任战以解君父之忧，但恃曲赦以为侥幸之计，致令慈安皇太后深宫旰食，慈禧皇太后扶病临朝，何以为心？何以为颜？如果欲释崇厚，则必南、北洋大臣立加严谴，仍责令戴罪急修水陆防务。枢臣等职司筹笔，亦宜训谕督责，饬令实心捍患，战守兼权，无得专恃迁就为长策。一赦一罚，势如张弛相资，必须并用。诸大臣身受厚恩，为国任过，当亦有所不辞。若不能用臣之言而遣疆臣，即亦不必因臣之言而赦罪臣。海外各国见中朝刚柔互用，恩威不测，死囚虽赦而名尚正，排解虽听而气尚不挠，敌不怒邻，而御侮之备不弛，报人之志不衰，则彼莫测我之浅深，或犹长虑却顾而不敢逞。此英主应变之权略，或不得已而用之也。

由前之策正也，由后之策变而犹不失其正也。若犹豫不决，既无斗志，又昧机宜，是为无策。总之，今日国家大势，中原无事，金瓯屹然。溯自咸同以来，发、捻、苗、回之变乱，寇虽多而难卒平，燕、秦、晋、豫之旱荒，灾虽深而民不变。比年绥丰成象，时阳时雨，有祷必灵，良由列祖列宗之泽厚仁深，皇太后、皇上之至诚求治，上苍眷佑，福应昭然。方今虽似有才难之叹，积弱之形，而中外将吏正不少智勇兼备之才，草野士民未尝挫忠义激昂之气，天命如此，人心如此。即使四邻窥伺，果其将相得人，或刚或柔，相机维持，大局断可无虑。惟望两宫皇太后宽怀颐养，万勿过于忧劳，但使慈闱安健，餐卫日强，万几之繁，从容措置，自可徐图修内攘外之方，此则薄海臣民之大愿也。臣悬悬愚忱，谨抒一得，以为因时补救之计，伏乞圣鉴。谨奏。

光绪六年五月十九日。

旨寄曾纪泽着将崇厚暂免斩罪知照俄国并应修条约妥慎办理

旨寄曾纪泽：前因崇厚出使俄国，违训越权，所议条约诸多窒碍，经廷臣会议，罪名定以斩监候，实属罪有应得。乃近闻外间议论，颇以中国将崇厚问罪有关俄国颜面，此则大非朝廷本意。中国以俄国和好二百余年，实愿始终不渝，不失友邦之谊。崇厚奉命出使，于中国必不可行之事并不向俄国详切言明，合拟定议，罪由自取。朝廷按律惩办，以中国之法，治中国之臣，本与俄国不相干涉。第恐远道传闻，于中国办理此案缘由未能深悉，或因谬言而启猜嫌，未免有妨睦谊。兹特法外施仁，崇厚暂免斩监候罪名，仍行监禁，候曾纪泽到俄国后办理情形如何，再降谕旨。曾纪泽接到此旨后，即将崇厚暂免斩罪知照俄国，并告以中国与俄国和好之据，即此可见。其应修条约，着仍遵前旨，妥慎办理。将此密谕知之。

五月十九日

谕李鸿章等此次宽免崇厚之罪实因海防不足恃嗣后务当各就地方情形预筹备御

上谕李鸿章、刘坤一、吴元炳：前因总理衙门奏，英、法使臣请宽免崇厚罪名，以解俄国之辱，先后与李鸿章、刘坤一密商，意见相同，请旨遵行。当交廷臣会议，昨据王大臣等复奏，已将崇厚暂免斩监候罪名，仍行监禁，密谕曾纪泽知照矣。南、北洋筹办防务已历数年，迭谕该大臣等认真布置，力求实际。果有把握，遇事自可操纵由我。如仍有名无实，徒以了事为念，势将任其要求何所底止！此次宽崇厚之罪，实因海疆防务毫不足恃，是以曲从其请。言念及此，殊堪痛恨！此次议改条约，事关重大，必有万难迁就之处，难保不启衅端。李鸿章身膺畿疆重寄，任事最久；刘坤一、吴元炳既办南、北防务，均属责无旁贷，务当各就地方情形，预筹备御，以纾宵旰之忧。倘敢因循粉饰，坐误事机，则责有攸归，恐该督等不能当此重咎也。现在崇厚免罪尚未明降谕旨，务宜慎密，不得漏泄，是为至要。将此由五百里密寄知之。

五月二十日

直督李鸿章奏巴西遣使来华议立通商条约折 附上谕

直隶总督李鸿章奏，为巴西国遣使来华议约，已抵天津会晤，请旨遵行事。

臣前据出使英、法大臣曾纪泽函称，巴西遣使来华立约，先在英、法国会商该大臣，求为转致，并着意招工一事，该大臣已切实劝阻。据该使喀拉多密谈云：中国既不许提招工之事，巴西即缘中法通好之约赴华订定等语。旋准总理衙门咨钞，本年二月十四日具奏，巴西遣使来华议约，请饬南、北洋大臣就近会商办理一折，奉旨：依议。钦此。钦遵知照前来。巴西使臣喀拉多等，于五月初间行抵上海，据江海关道刘瑞芬禀报，接晤该使，商请在沪久住，如有商办之事，候禀请南、北洋大臣与臣处核示，不必赴津。该使坚欲北上，即于六月初一日抵津，初三日送来照会，巴西愿与中国实心友睦，因特简该大臣来华，商办一切事宜，明定条款，酌立和约，并请示期往谒等因。臣当即函复，令于初五日巳刻来晤。是时，该正使喀拉多、副使穆达率同参赞李诗圃、翻译官微席业①等四人至署，接见，词意甚为恭顺。经臣再三开导，两国相隔太远，欲联邦交自可共敦和好，不必遽立条约，俟该国以后商船来华，生意兴旺，然后再议约章。该使坚称：奉命前来通约合好，总以条约为凭，若议不成，有失该国体面。且前在法国已向曾纪泽商明，专为议约而来，务求转奏大皇帝，俯准照办等语。察其来意诚恳，似难固拒。诚如总理衙门原奏，该国若为修好，通商立约自有成案可援，至招工一节，断难应允。该使既远道来此，欲循西国通例，议立通商条约，并未提及招工，揆度理势，不能不允。惟在相机辩论，查照各国约章，酌议变通。应否请旨特派议约全权大臣，就近会商妥办，以免该使臣等来京渎求。所有该使递呈照会一件，照录恭呈御览。

光绪六年六月初八日奉上谕：李鸿章奏，巴西使臣来京议约，请派大臣会商一折，

① 有时称“微席叶”。

已另有谕旨派李鸿章为全权大臣矣。事关通商立约，该大臣务当悉心筹画，按照各国约章，酌议变通，总期周密妥善，免致将来室碍大局。简派全权大臣谕旨一道，一并发往，如该使索看照据，即着李鸿章恭录给与阅看。议俟订事毕，此旨仍缴还军机大臣备查。

使俄曾纪泽奏谨就收回伊犁事宜敬陈管见折

出使俄国大臣曾纪泽奏，为敬陈管见事。

窃奉二月初一日上谕：前因崇厚与俄国所议交收伊犁条约、章程等件，经王大臣等会议，诸多窒碍难行，业经降旨将该革员治罪，并派曾纪泽为出使俄国钦差等因。旋承总理衙门将国书封寄前来。臣现在伦敦，祇候该衙门将条约、章程等件详细酌核，分别可行及必不可行之款，奏准后知照到臣，即当赶紧启程，恭赍国书，取道巴黎，前赴俄国。除届时另折恭报启程日期，及抵俄以后情形，容臣随时陈奏，并恪遵奏准之条，妥慎办理外，所有收回伊犁一切事宜，谨先就管见所及，敬为我皇太后、皇上详陈之。

窃惟伊犁一案，大端有三：曰分界，曰通商，曰偿款。筹办之法亦有三：曰战，曰守，曰和。言战者谓，左宗棠、金顺、刘锦棠诸臣拥重兵于边境，席全胜之势，不难一鼓而取伊犁似也。臣窃以为，伊犁地势岩险，攻难而守易，主逸而客劳。俄人出坚甲利兵，非西陲之回部乱民所可同日而语，大兵履险地以犯强邻，直可谓之孤注一掷，不敢为能操必胜之权也。不特此也，伊犁本中国之地，中国以兵力收回旧疆，于俄未有所损，而兵端一启，后患方长。是伊犁虽幸而克复，只可为战事之权舆，而不得谓大功之已蒇。俄人恃其诈力，与东西各国争为雄长，水师之利推广至于东方，是其意不过欲藉伊犁以启衅端，而所以扰我者固在东而不在西，在海而不在陆。我中原大难初平，疮痍未复，海防甫经创设，布置尚未悉周，将来之成效或有可观，第就目下言之，臣以为折冲御侮之方实未能遽有把握。又况东三省为我根本重地，迤北一带处处与俄毗连，似有鞭长莫及之势，一旦有急，尤属防不胜防。或者谓，俄国多内乱，其君臣不暇与我为难。臣则以为，俄之内乱实缘地瘠民贫，无业亡命者众也。俄之君臣喜边陲有事，藉侵伐之役以消纳思乱之民，此该国以乱靖乱之霸术，为西洋各国之所稔知。凡与之接壤者，因是而防之益严，疑之益深，顾未闻有幸其灾而乐其祸者，职是故耳。又或者谓，连结欧洲各邦，足以怵俄人而夺其气，是固欲以战国之陈言复见诸今日之行事。不知今日泰西各国之君非犹是战国时之君，各国之政非犹是战国时之政也。各邦虽不尽民主，而政则皆由议院主持，军旅大事尤必众心齐一始克有成。今日之使臣，虽有辩如苏、张，智如陆、贾，亦不能遍诣各国议院之人而说之，即令激之以可怒，动之以可欲，一旦奋兴，慨然相助，试思事定之后，又将何以餍其求？曩者，俄土之役，英人助土以拒俄，大会柏灵，义声昭著，卒之以义始者实以利终。俄兵未出境，而赛卜勒士一岛已入英人图籍矣。况各邦虽不外和内忌，各不相能，而于中华则独有协以谋我之势。何也？一邦获利，各国均沾。彼方逐逐眈眈环而相伺之不暇，岂有显违公法出一旅以相助？是战之一说，刻下固未易言也。

言守者则谓，伊犁边境一隅之地耳，多予金钱，多予商利以获之，是得边地而溃腹心，不如弃之，亦足守吾固有。伏维我朝自开国以来，所以经营西域者至矣！康熙、雍正之间，运饷屯兵，且战且守，边民不得安处，中原不胜劳敝，而我圣祖世宗不惮勤天下之力以征讨之者，良以西域未平百姓终不得休息耳。迨至乾隆二十二年伊犁底定，西陲从此安枕，腹地亦得以息肩。是伊犁一隅固中国之奥区，非仅西域之门户也。第就西域而论，英、法人谓，伊犁全境为中国镇守新疆一大炮台。细查形势，良非虚语。今欲举伊犁而弃之，如新疆何？更如大局何？而说者又谓，姑纾吾力以俟后图。然则左宗棠等军将召之使还乎？抑任其逍遥境上乎？召之使还，而经界未明，边疆难保无事，设有缓急，不惟仓卒无以应变，即招集亦且维艰。任其久留，无论转饷浩繁不可以持久也，夫使岁费不赀而终归有用犹之可也。若竭天下之力以注重西陲，历时既久，相持之势渐有变迁，典兵者非复旧人，将帅之筹画不同，兵卒之勤懈不一，诚恐虚糜饷粮仍归无用，而海防之规模亦因之不能逐渐开展，则贻误实大。此固廷臣、疆臣所宜见及，今统筹全局，不可视为日后之事而忽之也。

我皇太后、皇上悯念遗黎，不忍令其复遭荼毒，遣派微臣，思有以保全二百年以来之和局，则微臣今日之辩论仍不外分界、通商、偿款三大端。三端之中，偿款固其小焉者也。即就分界、通商言之，通商一端亦似较分界为稍轻。查西洋定约之例有二：一则长守不渝，一可随时修改。长守不渝者，分界是也。分界不能两全，此有所益，则彼有所损，是以定约之际其慎其难。随时修改者，通商是也。通商之损益不可逆睹，或开办乃见端倪，或久办乃分利弊，或两有所益，或互有损益，或偏有所损，或两有所损。是以定约之时，必商定若干年修改一次，所以保其利而去其弊也。中国自与西洋立约以来，每值修约之年，该公使等必多方要挟，一似数年修改之说，专为彼族留不尽之途，而于中华毫无利益者。其实彼所施于我者，我固可还而施之于彼。诚能深通商务之利弊，酌量公法之平颇，则条约之不善，正赖此修改之文，得以挽回于异日，夫固非彼族所得专其利也。

俄约既经崇厚议定，中国诚为显受亏损。然必欲一时全数更动，则虽施之西洋至小极弱之国，犹恐难于就我范围。况俄人桀骜狙诈，无端尚且生风，今于已定之约，忽云翻异，而别出于一途，以为转非圣朝所以敦信义以驭远人之道也。俄人本以夸诈为能事，若此时逐条驳改，日后又不得已而允之，则将益启其狡谲之谋，且使西洋各国从而生心。诚恐此次伊犁约章，所挽回者无几，而从此中外交涉之务，议论日以滋多。臣所言分界之局，宜以百折不回之力争之，通商各条则宜从权应允者，盖以准驳两端，均当有一定不移之计，勿致日后为时势所迫，复有先驳后准之条。此臣愚昧之见也。事体如此重大，本非一人之见所能周知，请旨饬下总理衙门王大臣及大学士、六部、九卿原议诸臣，详细酌核。臣行抵俄都，但言：中俄两国和好多年，无论有无伊犁之案，均应遣使通诚。此次奉旨前来，以为真心和好之据。至辩论公事，传达语言，本系公使职分，容俟随时接奉本国文牍，再行秉公商议云云。如此立言，则入境或不至遂见拒绝。至于约章如何辩论，计原议诸臣此时必业经奏定准驳，知照前来。惟军国大政，所关实非浅鲜，似不厌再三详审，精益求精。当俟廷臣细行商定之后，由总理衙门咨行到臣，始敢与该国平情争论。若臣言力争分界、酌允通商之说稍有可采，则在廷诸臣自必考究精详，斟酌尽善，乃定准驳之条。即臣说全无是处，通商各条必须全驳，臣俟接准总理衙门文牍，自当恪照指驳之条，逐一争辩。臣自惟〔维〕驽下，勉效驰驱，际此艰难，益形竭蹶，惟有懔遵不激不随之圣训，殚竭愚忱，冀收得尺得寸之微功，稍维大局。所有微臣管见所及，谨缮折驰陈。谨奏。

光绪六年六月十五日奉旨。

使俄曾纪泽奏缓索伊犁并非退让请照西例交嗐噜太司特公议片　附上谕

曾纪泽片。

再，臣于四月十七日接准总理衙门密致电报云：到俄先告以难准之故。如因条约不准，不还伊犁，大可允缓，能将崇厚原议两作罢论，便可暂作了局，意在归宿到此。惟勿先露旧约，通商、分界俟后商办亦可告知。初五日有寄谕：先电闻等因。臣答电谓：缓索伊犁是最后一着，须说明是暂缓，非径让，此亦西例也等因。去讫。窃思俄人趁我索还伊犁恣意要挟，索之愈急，挟之愈多。暂置不论，自系权衡利害轻重，而明绝其觊觎之心。查西洋各国每因辩论之事，两国争持未能平允，而又不愿轻于用兵，于是知照该国，且布告各与国，谓某事本国未经应允，特以不欲用兵，姑从缓议，英人名此法曰嗐噜太司特。无论强横无礼之国，见有嗐噜太司特文牍，即应将所议之事作为暂缓之局，暂缓少则数日，多则数年、数十年，并无期限。遇有机会，仍可将前事提出商论，此固西人办理交涉事件之通例。而中国于伊犁、琉球等案，皆可仿而行之者也。臣折中以伊犁换界不可稍让，全境转可尽让为疑，如用嗐噜太司特办法，自可免弃地之嫌。惟是伊犁一域实我要区，暂置不论，终系未了之案。况旧亦有通商、分界诸事虚悬未定，是暂置伊犁，而争论仍不能遽息者，在我本有万难遽息之势也。臣以为，缓索伊犁，姑废崇厚所订之约，总理衙门所谓意在归宿到此者，自系专指目前局势而言，至于将来之归宿，似仍宜办到通商稍予推广、伊犁归还乃可真为了局。臣未赴俄都，并非受俄人之挟制而妄进通融之说，徒以揆度敌情，熟权事势，稍有所见，不敢不言，请旨饬下原议诸臣妥议具奏。臣到俄之后，即当恪遵奏定准驳之条，硁硁固执，不敢轻有所陈，不敢擅有所许，啮雪餐毡，期于不屈而已。谨奏。

六年六月十五日奉上谕：曾纪泽奏筹办伊犁事宜各折。前谕该少卿以伊犁一事如无成议，只可两作罢论，原是暂时归宿。兹据奏称，分界宜以力争，通商似可酌允等语。伊犁系中国土地，从前只称代收代守，尚不敢公然居侵占之名，中国向其索还旧疆，本是名正言顺。至通商一事，自当权其利害轻重，予以限制，其不可行者，未可遽然从事，致贻后患。前经王大臣等将约章等件，酌核可行、不可行，奏准咨行照办，此时计已接到。该少卿当就原议各节，妥慎办理。如有应行量为变通之处，仍当随时察看情形，奏明请旨。该少卿请将所陈管见饬廷臣议奏之处，着毋庸议。

总署奏日本废灭琉球一案美国前总统拟加调停事已中变请派大员商办折

总理各国事务恭亲王奕䜣等奏，为奏闻请旨事。

窃查，日本废置琉球一案，臣衙门与出使大臣何如璋等，先后照会其使臣并外务卿，反复辩论，及面与争执各情，迭经奏报在案。上年四月间，美国前统领格兰忒游历来京，欲前往日本，臣等及李鸿章先后与之谈及此案，格兰忒允为设法调处。去后，臣等接何如璋报，晤美国驻日使臣平安，称格兰忒拟一办法：球地本分三岛，议将北岛归日本，中岛还琉球，南岛归中国，似此事可了，亦两国有光。又称，格兰忒将大局说定，然后回国云云。臣等方谓事有可商，于上年七月二十一日奏闻。旋接李鸿章寄到格兰忒致臣奕䜣及该督各一函，译出详阅，大意谓，应将何如璋前给日本照会撤销，由两国另派大员商办，始有结局；并有中国肯宽让日本，日本亦愿退还中国，其本心不愿与中国失和等语。臣等以其与何如璋所报不符，知事又一变，疑所拟三分之说或日本不愿遵照也。且格兰忒手书声明曾给日君美加多阅看，毫无实词，似以只能照函中语意办理。当于上年八月初五日具陈一切，奉旨：依议。钦此。臣衙门即遵旨照会日本外务卿，请其派员会商。九月间接其照复称：琉球事系其厘革内政，屑屑问难，非邻好之美。若派员会商，果系消嫌寻好，固所愿也等语。仍系躲闪之词。臣衙门又办给照会谓：既经美前统领解劝，从前辩论暂置弗提，愿照美前统领信内所称，次第办理，如贵国亦愿照办，即希见复云云。宍户玑来臣衙门晤谈，再四辩论，始明言，要中国先撤何如璋所给照会。臣等以此格兰忒原议，但原议内中国所应办者只此一事，其余皆贵国应办之事，须待派员会商可以办到。如何分际，定议之后，中国先〔再?〕撤照会，方是正理。宍户玑无词而退。本年二月十九日，接外务照复则称：从前辩论置而弗论，谅以为惬。美前统领劝解之意务保和好，亦所同愿云云。仍是空言搪塞。其时，适李鸿章函报：该国外务密遣竹添进一赴津谒见，述其执政之意，愿将南岛归于中国，而欲更改约章，增内地通商各款；并称，此来只是私相探问，不算公事，如中国可以俯允，再遣使来议等语。臣等思南岛归我，是格兰忒原议，而抹去中岛复球一层，与中国欲延球祀之命意不符，且无端议改从前屡请未许之条款，均属不可行。与李鸿章往返函商，意见相同。李鸿章遂严词拒之而去。乃外务卿照复后，及宍户玑均不提一字，可谓狡狯之极。臣衙门于三月十一日又经照会彼外务，询以意见相同，现派何员前往先行知照等语。六月二十日，接其照复内称：先撤行文及派员二事贵国既不喜，敝国以保全和好为旨，必不要求贵国所不喜。今将商办事宜任之宍户玑，希秉公曲恕与之商议，使两浃洽等语。又准宍户玑照会称：议球事件现归办理，请问贵国派何员于何地方等因前来。

臣等查，琉球案议论已越年余，迄无端绪，日本辄指为彼之属国，而以废置为其内政，经格兰忒从中调处后，彼外务卿易井上馨，与何如璋会晤，词气较为和平。此次照复各语与格兰忒原议尚无不合，惟彼族心怀叵测，此事有无可商实未可知，应否特派大员会同该使臣商办，抑或即派臣衙门堂官会同办理之处，臣等未敢擅便，伏候圣裁。谨奏。

光绪六年六月二十日。

总署奏探访俄国情形意在启衅折

总理各国事务恭亲王奕䜣等奏，为探访俄国情形，意在启衅，恭折密陈事。

窃俄约一事，自集议以来，迄今半年有余，俄国初无举动，虽外国新闻时有论述，亦皆悬揣之词，无足为据。本年五月间，英、法使臣威妥玛、宝海谓，事机孔迫，请宽免使臣罪名，以便调处。经臣衙门具奏，于十九日钦奉寄谕，当即恭录电知曾纪泽钦遵办理，并经臣衙门照会俄国署使臣凯阳德，并示英使臣威妥玛、法使臣宝海知悉。威妥玛、宝海先后屡来臣衙门会晤，俱称暂免而仍监禁，恐俄国不惬于心，未足解嫌释怨，虽经电报本国，亦难得力。宝海旋来臣衙门，请再奏免崇厚之罪，臣等以不便照办却之。六月十三日，接曾纪泽电复称：英外部谓，俄未满意，切属再为乞恩。答以不能朝令夕更，须候机会云云。威妥玛、宝海又称：此案始末缘由，可办一节略，以备传布各国，使知中国理直。臣等许之。连日威妥玛来，又谓：事已过迟，不易转圜，恐俄将派员来华，以兵挟制，深为可惜。此臣等现办之情形也。惟近日各路新闻、电报络绎而来。十九日，臣衙门接署出使大臣邵友濂电报称：俄官璞志来辞行，云，特随其海部尚书勒专乌斯机，带兵船二十三只往日本、上海等处；又云，布策约七月间回华等因。似各路所报及威妥所称，均非无因。臣等查，此事关系重大，既有是闻，不敢避张皇入告之嫌，致有贻误。谨奏。

光绪六年六月二十四日。

总署奏闻俄国将以四铁甲船十余兵船封锁辽海片 附函报及上谕

奕䜣等片。

再，臣衙门于本月二十日接据李鸿章密函，内称：顷，驻津法国水师副将福禄诺函称，在东洋晤俄提督，有铁甲船四只，兵船十余只，约八九月将封辽海等语。福兵官向极要好，似非诳言。现饬海防各营加意防备，惟兵力甚单，殊多焦虑云云。臣等查，北洋津海、山海二口均为近畿门户，津海一口现有李鸿章驻扎，自应饬令预为严密防范。惟俄人既有将封辽海之谋，该处仅有宋庆带兵三千屯扎，诚如李鸿章所称兵力甚单，殊为可虑，应否另行调集得力大枝劲旅前往防卫，并简放知兵大臣一员，将所有驻扎该处防军统归节制之处，伏候命下遵行。谨奏。

光绪六年六月二十四日。

摘录各处函报俄国添兵调舰及日本未与联合情形

五月二十三日，据两广总督张树声函：探闻俄国最坚大铁甲名弥泥者，可容数百人，已由新加坡往日本。又有一船名阿西阿未者，可载二百余人，由香港而去。

五月二十三日，接北洋大臣李鸿章咨：据江海关道刘瑞棻禀，转据驻扎日本长崎理事官余瓗函报，此项船只已于初六、十五等日驶抵长崎，有一船即入坞修理。其船长大，与中国扬武轮船仿佛。其米宁大铁甲船系新式，比亚细亚船似胜数倍。查米宁即弥泥，又名眉年。五月二十七日，接北洋大臣李鸿章咨，据招商局道员徐润禀，据新加坡董事报，眉年大铁甲容六千吨，记里沙容千三百三十吨，约往长崎。又俄国由里海驶到兵船四只，一名马士达，容一千六百九十三吨，闻往珲春。一名新彼打士巴铁甲，容二千六百四十八吨，闻往汉口。一名尼希那哥力，容一千八百十七吨，闻往高丽左边海岛。一名威拉士物多，容六百七十八吨，闻往珲春。又有兵船十五只来华，归提督彼打谷管辖。闻尚有铁甲一只，名刁阿手依顿者，亦归该提督统带，尚未驶到。

六月初四日，接李鸿章函，法国领事过谈，奉其使臣宝海命来密告：中俄失和已定，俄国于伊犁、黑龙江添调兵将，并添铁甲兵船十余只东来，明为恫喝，暗为预备，皆意中事。又称，布策即日前来。六月十六日，接出使日本大臣何如璋函，日本外务卿意在见好，谓得有俄国消息随时关照，大约示不与俄合纵之意，送其驻俄使臣信稿来阅，内有俄执政语，称：待新使到后，看其所言再作区处，惟前崇厚所定之约决不再让一步，如新使要改议，断不能接待，应令我们使臣在北京理说云云。末又有观此国动静，一面在打失犬地方调拨兵马，一面在伯德府打点海兵，日夜不息等语。

同文馆译出外国新报：俄国故意将此事缓办，无非欲黑龙江兵备添足，以便攻取北京之意。其南境既派船十二艘，装兵一万二千，往东海沿岸屯扎。又闻其北境各处入边之路均经拨出罗布修整。俄国现派兵一万二千屯伊犁，一万二千屯黑龙江。俄船政派出大队兵船内极大铁甲一艘，容九千六百余吨，载有四十吨大炮四尊。俄派托得尔边为威尔纳省总督，筹备海参威〔崴〕及黑龙江一带，现在运送甚多。

俄国西悉毕尔添兵一万五千，东悉毕尔添兵三万，太平洋添兵二千。俄国现调兵船分布水面各处，需煤甚急，已专人赴新加坡购办。六月初六日，新加坡又到俄国兵船一只，烟台亦到有俄国兵船。俄国所调兵船大半泊海参威〔崴〕，大半泊日本，今又添帆船五六只。

上谕：总理衙门奏，探访俄国情形，意在启衅，摘录各处函抄另单呈览，山海关一带请添兵防守各折片。俄国因崇厚罪名有关颜面，由英、法使臣之请，已将崇厚暂免罪名，仍行监禁。乃据英外部卿云：俄人仍未满意，此案不易转圜。并闻俄国纷纷调派兵船暂驻日本，情形实为叵测。惟意固挟制是其惯技，而似此举动难保不启衅端。着李鸿章等将沿海防兵加意整练，一切防务格外严密备御，以期有恃无恐。吉林、黑龙江所添各军亦当赶紧训练，该将军等并随时约束营伍，弹压地方，衅端断不可自我而开，而防御则不可一日松懈。李鸿章现驻天津津海一口，该督责无旁贷。惟山海关一带相距较远，兵力尚嫌单薄。本日已谕令曾国荃督办该处防务，统带刘连捷一军择要扼扎，并命李瀚章、彭祖寅、裕禄，分饬刘维桢、郭宝昌挑选勇队各二千名北来，及宋庆一军统归曾国荃节制。该抚到后，着李鸿章、岐元遇事妥商，布置防御周密。刘维桢、郭宝昌两军及刘连捷一军，均于八月以前赶到防所，陆路行途纡远，皖、楚两军自应乘坐轮船北上，李鸿章、刘坤一等即饬招商局妥为预备，毋稍延误。闻俄国勾结日本乘机滋事，现在球事未定，台湾一带，着何璟、勒方琦先事预防。

六月二十四日

同日，奉上谕：铭安等奏，吉林防务紧要，请将宋庆一军预筹咨调一折。前因总理衙门奏，俄国意在启衅，请添兵防守山海关一带等情。当谕令曾国荃督办该处海防事宜，宋庆所扎营口各营均归节制调遣。近日各路新闻、电报，均有俄国派员来华，以兵挟制，并调拨兵船，约八九月将封辽海之信。山海关一带防务未可稍松，宋庆所部兵力尚恐不敷，是以添调刘连捷、刘维桢、郭宝昌等营，以资厚集。现在珲春、宁古塔、三姓等处，均有俄国轮船驶往，并于俄人伯力地方添修衙署、兵房，添设总督，其窥伺松花江之意显然可见。吉林地方紧要，自应预筹布置，以备不虞。刻下宋庆一军势难移调，铭安、吴大澂惟当就地募练，妥筹布置，随时侦探，实力防守，不可稍有疏虞。该处枪炮、铜帽、火药等件需用甚急，着李鸿章、岐元转饬沿途迅速解到，毋稍迟误。宋庆各营应如何预筹调派，着曾国荃懔遵前旨，与李鸿章、岐元妥密筹商，以期缓急可恃。曾国荃未到防以前，宋庆一军，李鸿章、岐元酌度情形，择要扼扎。

清季外交史料卷二十一终

清季外交史料卷二十二

光绪六年七月到八月

少詹宝廷奏外患渐迫乞召知兵重臣入朝以定危疑折

詹事府少詹事宝廷奏，为外患渐迫，乞召知兵重臣入朝，以定危疑而规全局，披沥直陈事。

窃国不虑有外患，而患谋国之无人。从古驭夷之策，战有战法，和有和法。自去冬会议至今半载有余矣！谓枢臣主战耶，何以沿海防务不闻大加振作，知名宿将不尽召用，其来者又复置之散地？谓枢臣主和耶，何以寄国书，寄方略，事事迁延，并未将中国不愿失和之意早达于俄，以致使臣淹留，俄人疑怪？深谋远虑，不知何在？岂必待俄船至海口然后议和、议战耶？近日外间传闻俄船将至日本，讹言不一而足，虚声恫喝，虽未必果至于战，然或和或战，我必先有成谋，而后和不至辱，战亦不至于危。迩来事机日迫，南、北洋战备未完，枢臣亦束手无策。虽皇太后、皇上忧勤于上，恭亲王尽瘁于下，若无知兵重臣主持大计，恐未足仔肩危局。今日之事决非现在枢臣数人所能胜任，必得如寇准、李纲者或可挽回一二。奴才历观中外臣工，实罕其选。纵有才智较胜者，未经盘错，亦未敢深信。惟大学士左宗棠老成硕望，功业昭著，虽性情未必无偏，而才识迥出凡庸，方之古人未知何如，而以视今之士大夫实鲜出其右者。不揣冒昧，拟乞降旨宣召入朝，使其筹画方略，与恭亲王同心赞治，当必有以解朝廷之忧。或谓，西陲防务正紧，不可遽离。不知时有缓急，事有轻重，西陲支〔肢〕体也，京师腹心也，若俄人乘我无备直迫津沽，重蹈庚申覆辙，即新疆巩固亦复何裨？况左宗棠在西不能兼顾根本，在内实可遥制边防。宗棠前在肃州调度关外诸军，相隔皆数千里，若在京亦不过再远数千里耳。事权在握，指挥当更易矣。或谓，俄事如果决裂，启衅当在秋间，远召宗棠，深恐缓不济急。然辽人闻中国相司马光，戒边吏无得生事。诚召宗棠入朝，邻邦必且悚然，俄谋亦将自沮。且俄船即使深秋大集，议和、议战，辗转需时，及今召用，尚未为晚。就令此事英、法居间，俄人渐就范围，而中国不亟任贤臣，将来恫喝之端，要求之计，正恐层出不穷。与其病久而求医，何如先时以蓄艾乎？伏乞皇太后、皇上速定大计，召宗棠来朝，以备顾问。无论主和、主战，必存国体而杜敌谋。应请将现在俄事情形详细谕知，令其一面部署边事，荐妥人自代，迅速启程；一面先将如何修战备，议和约，通筹全局，迅速奏闻，以纾宸廑。如边事孔棘，接代乏人，万难闻命即行，亦令其先陈方略，荐举贤才迅速来京，以备缓急之用，俟边事部署妥协，随后入朝。宗棠忠诚明决，深晓事机，必〈能〉详酌中外缓急轻重，固不敢轻掷边事，使西陲已成之局败于末路，亦不忍畏难观望，但重边事而置根本之地不顾也。或虑宗棠威望素著，性复刚正，枢臣将忌之、畏之，恐其不便于己，必藉词以沮之。奴才窃谓，枢臣受恩深重，当此时艰，必乐得宗棠为助，以济危难，断不能因私废公，蔽贤误国也。奴才春间即有请召宗棠之意，因事关重大，未敢造次。今则俄事益急，待无可待。且宗棠年将七十矣，及其精力尚强，使尽心辅我皇太后、皇上数年，将安内攘外事宜布置周详，规画久远，建自强之策，立不拔之基，以为他日廷臣规随之地，是则奴才所日夜隐忧不敢忘于心，又不敢出诸口，至今仍不得不披沥一陈者也。奴才庸懦无才，不能为国宣力，又未敢谬采虚声，妄引新进，致滋贻误。惟念宗棠才能、功业夙为朝廷所知，且为中外臣工及外洋各国所共知，用敢昧死上陈，不胜迫切悚惶之至！谨奏。

光绪六年七月初二日。

总署奏俄国未立新约以前交涉未结各案择要商办完结折

总理各国事务恭亲王奕䜣等奏，为俄国未立新约以前，交涉未结各案现拟先行择要商办完结事。

窃俄国与中国毗连地方甚宽，边界事件较繁，往往一案未结一案又至。历年以来，彼此未了之案甚多，俄国使臣总以积案未经办结为词，迭次催迫。如前任哈尔巴哈台参赞英廉杀毙俄属哈萨克车隆案，练总徐学功所属练丁抢去俄商货物案，乌里雅苏台问官责打俄人案，喇嘛察罕格根诟辱俄官案，江汉关扣留俄船案，共五起，尤为俄国前驻京使臣布策屡请办结之件。上年崇厚赴俄后，以积年旧案亟应办结为请，经崇厚与布策商拟，徐学功两案，归于补恤案内办理；乌里雅苏台案，将官记过示罚；察罕格根案，情节较重，奏交理藩院严议，革去差使；江汉关扣船案，行文该关道。嗣后遇有交涉案件，均照约妥办，分案照会俄国外部，作为完结。旋接俄外部照复，当经复以由臣衙门奏明办理。奉旨：该衙门知道。钦此。查俄外部照复内称：所拟办法虽属可行，尚未周备。徐学功案照办外，其江汉关案情，将申斥该道各缘由，札行现任关道及地方官，勿再任意妄为。至察罕格根、乌里雅苏台及杀毙车隆三案，均将所奉谕旨行知各该处，出示晓谕，并请于奏结之先知照俄国驻京使臣，始能作为完结。因复经崇厚照复俄国外部，应由臣衙门查核、奏明，办理、咨报前来。臣等查，车隆案，曾经臣衙门将英廉办理不善情形奏明议处在案。徐学功案，经左宗棠议，以罚银作为偿款。至乌里雅苏台、江汉关二案，情节本轻，办理较易。察罕格根案，经崇厚与之迭次辩论，始以请旨交理藩院严议，革去差使定议。以五案均与新约无涉，即使不定新约，此五案亦须随时办结。至车隆、徐学功案，均有补恤之款。俄国所开清单，徐学功案内据载抢去货物价值尚有成数，而补恤车隆尸亲虽亦并列〈入〉恤款，并未载明数目，当时又归俄人代收代守伊犁偿款统算，未经分别议明，故本年正月间，王大臣会议约章声明：应将恤款由俄国分晰开列，议定办结。至察罕格根，即棍噶札拉参呼图克图，前经左宗棠奏请，罚俸一年，本系获谴之员，相应请旨饬下理藩院严议，革去差使，以便归并办理，俾免久悬。所有臣等拟结车隆等五案祇候命下，当由臣衙门一面分别咨行，一面将五案知照俄国驻京使臣，转俄外部查照完结，以清积牍而免轇轕。谨奏。

光绪六年七月初三日奉旨：依议。

总署奏俄国派兵增舰拟赶办车隆等五案与大局不无裨益片

奕䜣等片。

再，臣衙门曾于本年六月二十四日将各处函报俄国派兵、派船情形奏明在案。旬日以来，各国使臣及各处新闻纸尤言之凿凿。正拟往晤俄国署公使凯阳德面询，适接李鸿章函称，以德国使臣巴兰德赴津，谈及俄人多方预备，几成莫解之势；并闻另派使臣来京，曾纪泽至俄国未必肯与商量，迨至俄国使臣到京，此事更难收拾；总理衙门若将不欲失和之意，及未立新约以来积年交涉未了之案，确实与凯阳德先行议结，嘱其速报回国，趁俄国未经另派使臣，尚赶得及，断不宜迟等语。署出使俄国大臣·参赞邵友濂亦报称：俄国外部照会，详饬中国边界官，于两国民人所出各案及边界事宜，务须会同俄国边界官查办，万勿推辞等因。臣等查，上年十二月间，新约甫经交议之时，凯阳德即来臣衙门提及，条约虽议定，若将崇厚在俄与其外部所议车隆等五案先行奏结，亦可作为中国真心和好凭据。此次巴兰德与李鸿章所谈各节，查德、俄两国使臣之交素密，凯阳德既有成言在先，且证之邵友濂所报外部照会，更非无因。臣等当即拟就节略，公同前赴俄馆，与凯阳德面晤，告以车隆等五案一面由臣等与之商办，一面由凯阳德报知俄国，以为两国和好之据。谈次，凯阳德于俄国调兵派船事虽难尽讳，而于臣等拟办车隆等五案尚为属意，并请将所拟办法备一节略送阅，俟来臣衙门会商。巴兰德旋由天津回京，与臣等接见，述及前事，亦以为然。巴兰德并称：中国与俄国能将积案先行办结，以后诸事较易商量等语。臣等再四筹思，若以寻常交涉事件论，似此五案不妨从容酌核。现值俄国调兵派船，凶焰方张，曾纪泽甫往俄都，正拟与之商办各事，若不乘机将此数案赶紧办结，予一可以转圜地步机会，似属可惜。虽俄人谲诈成性，能否因此即与曾纪泽商办各事，原无把握。惟事机不可坐失，旧案本应结清，因势利导，或于大局不无裨益。除此外，边界新旧各案，由臣衙门谆嘱左宗棠等转饬，会同俄官查办外，所有臣等现拟赶办车隆等五案缘由，谨附片密陈。谨奏。

光绪六年七月初三日。

谕左宗棠现在时事孔艰俄人启衅着来京陛见以备朝廷顾问

上谕：左宗棠现已行抵哈密关外，军务谅经布置周详。现在时势孔艰，俄人意在启衅，正须老于兵事之大臣以备朝廷顾问。左宗棠着来京陛见，一面慎举贤员，堪以督办关外一切事宜者，奏明请旨，俾资接替。此外带兵各员中，有才略过人，堪膺艰巨，秉性忠勇，缓急足恃者，并着胪列保荐，用备任使。

七月初六日

谕鲍超俄国派兵来华着募勇成军于天津山海关两处适中之地择要驻扎

上谕：前因俄国议约不易转圜，闻有派兵来华藉端挟制，并调拨兵船约八九月间将封辽海之信。当经谕令李鸿章等妥慎防范，并令曾国荃督办山海关一带海防事宜，以期周密。因思沿海地方辽阔，防不胜防，非有大枝劲旅居中握要驻扎，相机策应，不足壮濒海之声援，为京圻之翊卫。湖南提督鲍超久历戎行，声望素著，即着于湖北、湖南等处选募得力勇丁万人，克日成军，由该提督统带，乘轮船北上，限八月以前驶到。此军到后，应于天津、山海关两处适中之地择要驻扎。着李鸿章、曾国荃、鲍超会商妥筹，奏明办理。鲍超新募之军应需军火枪械等件，着李明墀于湖南机器局所存洋枪、洋炮尽数拨给，其余军火，并着酌量调拨，以资应用。所有该军起行应用饷项，即着李瀚章、彭祖贤、李明墀在部拨边防经费项下如数支给，俾利遄行。到防后，月需饷银，着户部筹给应用。

七月初六日

谕崇厚加恩开释着曾纪泽妥议条约

上谕：前有旨将崇厚暂免斩监候罪名，仍行监禁。谕令曾纪泽将应议条约妥慎办理。前〔兹〕据总理衙门接到曾纪泽电报，现在商办一切，恳为代奏施恩等语。崇厚着加恩即行开释，该衙门知道。钦此。

七月初七日

谕金顺奏拟诱致白彦虎一节不可轻率从事

上谕：金顺奏西路近日情形，并拟诱致白彦虎，及请将领队大臣留营各折片，据称：提督方春发等所统各营驻扎精河，均已到防，俄人添兵分扎伊犁等处，并于各山口盘查往来行人甚严等语。现在事机未定，该处防务固不可稍涉疏虞。惟衅端不可自我而开，该将军当约束兵勇，毋得逾越边界，滋生事端，一面不动声色，密筹防备，候旨遵行。白彦虎素极狡狯，俄人又盘查甚严，诱致一节殊未切中事情，恐于事非徒无益。该将军务当加意慎重，毋稍轻率。倘白彦虎率众窜入边境，自当痛加剿戮，若狃于诱致之说，转致别生枝节，有妨大局，惟该将军是问。萨凌阿，着准其留营。乌鲁木齐领队大臣，即着咨行恭镗，拣员奏请署理。

七月初八日

右庶子张之洞奏解释俄约条文请寄曾纪泽为辩论之助片

张之洞片。

再，改约各节，曾纪泽自必力为辩论，然其中关系极要之条犹须坚持定见，期于必行。窃谓界务、商务两大端，形迹则界务重，隐患则商务重，商务中以陕楚陆路通商一条特为尤重。缘俄商运茶出洋，及由天津改行陆路回国，道途纡远，以致俄之茶价每较他国为昂。西北一路若通，运捷利重，俄人必以全力争之。惟穿行三省流弊太多，彼若肯改，固善。设万不肯改，惟有于两难之中曲谋挽救。查左宗棠原议，本拟招徕华商，由汉口贩运至关，俄商就关外市买，惟其不便有二：一则由鄂达陇，道阻且长，商货不旺，零星贩到之茶多少无常，不足以供俄商之购买。一则迭经关卡，例纳税厘，成本渐重，市价仍昂，俄人必仍不愿。窃谓，若令江汉关监督于汉口广劝股分，创设运茶公司，起运之地援洋商成例，但完正、半税即不再重征，源源贩往，不使缺乏。关外茶多价贱，而俄商又省跋涉之劳，揆以人情，或可转圜。如此，则惟稍减西陲之榷税，而可绝腹省之隐忧。轻重权衡，显然易见，伏望朝廷裁夺。如以为可，即将此条发交曾纪泽酌办。

至松花江行船一条，查咸丰八年爱珲约载：由黑龙江、松花江、乌苏里河此后只准中国、俄国行船。又载：黑龙江、松花江左岸由额尔古讷河、松花江海口为俄国属地，右岸顺江流至乌苏里河为中国属地。详译约文，乃由黑龙江顺流至松花江会处，由松花江顺流至乌苏里河会处，皆系两国分界，故连文总言由黑龙江、松花江、乌苏里河准中国、俄国行船。公法有云：江河夹二国之间者，以中流为界，二国同享其利。是约中所指松花江，系专就夹于二国之间一段江流而言。若松花未与黑龙江会流以前，本系中国地方，约中但言准俄国行船可矣，何必又赘言准中国行船耶？参考约法，词义甚明。此条可否亦寄知曾纪泽，以为辩论之助，伏祈圣鉴。谨奏。

光绪六年七月初十日。

右庶子张之洞奏因俄事条陈应防各要地事宜片

张之洞片。

谨将应防各要地事宜胪陈管见，仰恳敕下沿海督抚酌量筹办：

一、天津重兵不宜全聚海口。聚兵一处，设炮台有失，敌人阑入遂无阻遏。天津之兵宜分数层扼扎，大沽、北塘为头敌，新城为二敌，紫竹林为三敌，三岔河北为四敌，预先择要筑垒，诸军守老营，半赴前敌接战，即或不行，仍有退步。敌虽登岸，不能长驱深入。

一、芦台宜屯重兵。天津东北一带海滨，小口歧路虽多，皆以芦台为总汇之路。旧制通永镇驻此，是有深意，宜选健将专屯重兵于此。

一、天津内河宜扼守。天津海河大铁船不能驶入，果能节节阻遏，较之海口尤易。

一、烟台、旅顺诸岛宜急筹固守。庚申之役，洋人据此为窟穴，可以接济煤水，休息兵士，急宜设法坚守，宜责成山东巡抚亲驻烟台防扼，无令敌人得之，则彼后路终有不便。

一、营口海口难守，宜专备陆战。营口地势平迤，船可近岸，宜于陆地早筹可扼处所，勿致临时仓皇惊溃。

一、大沽、营口宜备水师，以为奇兵。虽无战舰，宜速调闽、粤熟习海战之将，厚募习水死士，即用沿海渔船分泊浅处，相机围攻，焚毁其船。船小而散，彼之巨炮失其所长，虽击沉数船，无损于我，可以往来自如。铁甲船虽坚，寻常兵轮船仍可毁也。即或敌已深入，若毁其船，彼安归乎！

一、天津、奉天沿海处所宜办团练。非谓民团能与洋人持战也，但能处处有团，不与交通，彼运械、买粮等事自多窒碍，藉此亦可少清汉奸。彼若与民团为难，将成众怒，尤我之利也。

一、盛京将军宜择人。营口距盛京太近，将军岐元未经兵事，战守恐非所长，可否量移他处，别选八旗知兵大员往代，以固陪京。

一、江防宜专派重臣督办。此时宜令彭玉麟、杨岳斌亲驻吴淞、江阴等处，及早筹备江防。

一、上海卖煤与俄宜禁阻。闻俄人近在上海煤行购定煤数千万斤，此后若源源购买，敌船将更游行无忌。宜令上海道密查，设法牵掣。

一、日本宜速和，以伐其后。俄人远来，专恃日本为后路，宜速与联络，彼所议办商务可允者，早允之。但得彼国中立，两不相助，俄势自阻。

一、吉林金匪宜招抚以为我用。既无剿捕禁绝之方，不如化私为官，抚而用之，亦可藉以御侮。

一、宜发《海防新论》，令各营讲习。近年西人著有《海防讲论》一书，经上海道译印通行，于外洋争战、防外海、防内河种种得失利钝，辩论至详。京师洋书肆现有其书，拟请先购数十部，发交东三省，一面令沿海各督抚向上海多购，分发诸将领，细心讲求，触类引伸，必有实效。

综而论之，欲御洋人，宜以讲陆战、扼内河、截后路三者为要义。伏乞圣明裁度施行。谨奏。

光绪六年七月初十日。

总署奏议复定边将军春福拟设科布多卡伦折

总理各国事务恭亲王奕䜣等奏，为遵旨议奏事。

〈据〉定边左副将军春福等奏，酌拟复设卡伦，以卫边卡一折。光绪六年四月初三日军机大臣奉旨：该衙门议奏，图并发。钦此。钦遵发交前来。据原折内〈称〉：科布多所属昌吉斯台、霍呢迈拉扈八卡官兵，于同治七年经前署伊犁将军・乌里雅苏台参赞大臣荣全等，因该八卡侍卫官兵等被俄人逐撵，聚集乌克克，与迤东卡伦官兵并归一处，人多势重，难保不别生枝节，是以将八卡官兵暂行撤去；并将昌吉斯台、霍呢迈拉扈两卡侍卫，暂移乌克克附近一带驻扎，由索果克所属卡内分拨官兵驻守此处，俟与俄人分定限界之后，相度地势，择其隘口，随时奏添等因，奉旨允准在案。嗣每年由索果克所属卡内，分拨官兵三十名派往巡查。现在各项哈萨克越界强据，不服拦阻，且所辖地段过长，所拨官兵不敷分布，自应酌量添派，以免边卡虚悬。原设昌吉斯台等八卡地面已经分给俄人，其添设伦卡〔卡伦〕处所，应择要隘分段安置。查自乌克克起，由沁达盖图、乌尔鲁向西南，至玛呢图嘎固勒干止，与塔尔巴哈台卡伦相接，共一千数百里之遥，适中要隘均与俄国接壤，亟应早为添设，以卫边卡。复查原撤协理台吉二员，四等台吉八员，兵三百六十名，今拟仍设八卡，每卡各设四等台吉一员，兵十名，八卡共设协理台吉二员，各管四卡，以专责成，统计共设协理台吉二员，四等台吉八员，兵八十名，仍由原撤官兵各旗均匀分派，即自光绪六年七月初一日为始，按照每年各卡换班之期如数到卡，交该两卡侍卫管辖，分拨八卡驻扎。所有按年由索果克拨派官兵三十名，俟新兵到卡即行停止，仍归本卡当差。其各卡官兵应领钱粮，向由山西省应解乌、科两城经费项下发放，相应请旨饬下山西抚臣，按年如数报解，以资散放。理合酌拟复设卡伦官兵处所，绘图贴说，恭呈御览等语。

臣等查，科布多所属昌吉斯台、霍呢迈拉扈等处，分别八卡官兵等常川驻扎。自被俄人逐后，聚集乌克克，恐滋事端。前署伊犁将军荣全等奏请将八卡官兵暂行撤去，由索果克所属卡内分拨官兵驻守，原系一时权宜之计。近来哈萨克迭有越界强据情事，实与蒙古游牧有碍。若仅以官兵三十名防守各卡，诚有不敷分布之处，自应酌量情形，随时增补。惟原设昌吉斯台等八卡地面已经分给俄人，今需添设卡伦处所，应择要隘分段安置。查阅原图，自乌克克起，由沁达盖图、乌尔鲁向西南，至玛呢图嘎图勒干止，绵亘千余里，均与俄界接壤，形势逼近，所设卡伦均为要隘之地。该将军等为防卫边卡起见，应照所请办理。至原撤协理台吉二员，四等台吉八员，兵三百六十名，今拟仍设八卡，每卡各设四等台吉一员，兵十名，八卡共设协理台吉二员，各管四卡，以专责成，统计各设协理台吉二员，四等台吉八员，兵八十名，系照原数酌核办理，仍由原撤官兵各旗均匀分派，即自光绪六年七月初一日为始，按照每年各卡换班之期如数到卡，交该两卡侍卫管辖，拨八卡驻扎。均与旧制相符，应请一并照准。该将军等又称，各卡官兵应领钱粮向由山西省应解乌、科两城经费项下发放，应请俟奉旨允准后，饬下山西抚臣，查照成案，妥速筹解，期于边防有裨。谨奏。

光绪六年七月十九日奉旨：依议。

总署奏德国续修条约展期互换折

奕䜣等片。

再，德国续修条约第十款内开：自画押之日起，限一年内互换。本年二月二十一日，臣等与德国使臣巴兰德，将议定条约公同画押，曾经奏明在案。六月三十日，又准巴兰德照称：德国国法，凡议立条约必须先问国会，国会约在明年，所议光绪七年三月初二日互换约章一款，请将期限改为光绪七年七月初十日等语。臣等公同商酌，巴兰德此举或另有他意，亦未可知。但就事论事，似难遽行议驳，当即允其所请。又与巴兰德各立凭单，声明除换约日期准其展限外，其余议定各款概不更改，于七月十六日将凭单盖印画押，彼此互换，以昭信守。谨奏。

光绪六年七月十九日。

使俄曾纪泽奏报赴俄日期折

出使俄国大臣曾纪泽奏，为恭报起程日期事。

窃臣于光绪六年三月初九日奉上谕：派充出使俄国钦差大臣。钦此。谨择于六月初七日恭赍国书，搭附火车，由伦敦起程，前赴俄都。其间经过巴黎，须留驻经旬，料理法国公务，兼候总理衙门续电。经过伯灵，亦须留连数日，与出使德国大臣李凤苞面商肄业学生之事。如总理衙门别无要务商嘱展缓行期，则六七月之交可抵森比德堡。谨奏。

光绪六年七月二十四日。

谕李鸿章等闻俄国兵船至大连湾着严防海口边界

上谕：闻俄国现有兵船由烟台至大连湾，并闻俄人注意松花江行船至伯都讷一节，中国如不见允，即拟三路进兵，一系由大连湾，一系由日本海口，一系由黑龙江各等情。虚实虽未可尽信，而先事预防实万不可缓。曾国荃已报起程，此时事机至迫，即着督带亲军，迅速前往山海关一带，妥筹布置，暂且无庸来京，俟防务稍松再行奏明请旨。刘鸿年一军取道大同、昌平一路，并着檄催刻日到防，毋稍稽缓。前调郭宝昌一军，据裕禄奏称，已选调步勇二千名，俟该总兵到皖即行起程。惟刘维桢一军已否成行，尚未据该督抚奏报，即着李瀚章、彭祖贤、裕禄催令郭宝昌、刘维桢，迅即督队乘坐轮船北来，听候曾国荃调遣，不得迟延干咎。大连湾海面宽平，三面环山，靠水贴岸，冬不封冻。俄人若据此为窟穴，水陆两路皆扰及牛庄。应如何扼要堵御之处，着李鸿章、曾国荃、岐元妥密筹度，及早经营，以期有备无患。吉林珲春、三姓一带最关紧要，吴大澂现赴三姓察看地势，设立水关，想已次第布置。乌里雅苏台参赞大臣喜昌平日带兵得力，着即日驰赴吉林，会同铭安、吴大澂，将该省防守事宜和衷商办，以固边陲。遇有边防事件，即着会衔具奏。黑龙江防务，着定安懔遵历次谕旨，整军经武，严密防维，不得稍涉大意。烟台为敌国兵船往来海道，周恒祺务将该处防务实力筹办，毋稍疏懈。

七月二十六日

总署奏接曾纪泽电俄以兵船挟华遵照前约请谕曾纪泽与俄交涉要旨折　附电及上谕

总理各国事务恭亲王奕䜣等奏，为奏闻请旨事。

七月二十七日，臣衙门接据曾纪泽电报，内称：闻俄派海部为公使，以兵船挟华照前约。现容泽商，试泽刚否，如泽太刚，彼必不在此处议事。泽恐其在华无理取闹，故未将驳议全露，宽以縻之，乞婉奏。现用柔实非得已，如不谓然，恳严电明示，泽可改而用刚。松花专条本在约外，现尚未提。提，则设词请其缓议，不能据理直驳。汉口既有运商能夺俄利，何不将西安、汉中慨允？俄行久之，渠将废然而返等语。臣等窃维曾纪泽此次使俄议废崇厚所订之约，其办理情形本不易易，现在甫经开议，办法自有次第，立论亦不在过刚，但期事有转圜，于原议之必不可行者，内持定见而外示婉商，不随不激，斯为得之。松花江及西安、汉中通商两事，实为约章中最要关键。曾纪泽所称缓商、慨允两层，施之此二条，将来办理殊多窒碍。相应请旨饬下曾纪泽，将［来］条约、章程统权轻重，相机因应，勉为其难，总期足弭衅端，无伤大体，是为至要。谨将电报录呈御览。

再，接曾纪泽电：已于本月十七日见俄君，呈递国书。合并声明。谨奏。

光绪六年七月三十日奉旨。

谨将曾纪泽电报录呈御览

张之洞所陈者理，俄恃强则不甚顾理。且订约理易伸，改约理难伸。昨见外部，谈驳数端：一索伊犁全境，一塔嘎①界各派大臣面定，一嘉峪关领事外暂不添设，一哈巴古仅许一处留货，一关外西路不全免税。格已艴然。今日送节略仍照昨谈大端，且看答复如何。闻俄派海部为公使，以兵船挟华照前约。现容泽商，试泽刚否，如泽太刚，彼必不在此处议事。泽恐其在华无理取闹，故未将驳议全露，宽以縻之，乞婉奏为感。泽意国事为重，身名为轻，且所议终须衙门电允乃定。现用柔实非得已，如不谓然，恳严电明示，泽可改而用刚。松花专条本在约外，现尚未提。提，则设词请其缓议，不能据理直驳。汉口既有运商能夺俄利，何不将西安、汉中慨允？俄行久之，渠将废然而返等语。谨代奏。

七月二十七日

上谕：总理衙门奏，接据曾纪泽电报与俄国开议情形一折。此次曾纪泽与俄人辩论，自应先以索还伊犁全境为言，然彼既占据已久，未必遽肯全还。目前统筹全局，所重者尚不专在此节。着曾纪泽察看情形，如此事急切未能定议，即遵照四月初五日谕旨暂行从缓。至通商各条，原因索地起见，不能不量予从宽。如伊犁既从缓商，则通商各条中之必不可允者，亟应据理相持，多争一分，即少受一分之害。内如松花江行船至伯都讷及西安、汉中通商两条，尤为约章最要关键，勿得稍涉迁就，该少卿务须力持定见，与之辩驳。俄人欲以兵舶来华，兼图挟制，亦在意中。惟当刚柔互用，以期事可转圜，无伤大体，方为妥善。并着总理衙门，先将此旨大意，由电信知照曾纪泽遵办。

七月三十日

① 后文又作“喀”。

总署奏美国修约使臣来华请派大员与之商议片

奕䜣等片。

再，美国所派驻扎中国之使臣安吉立于本月初四日到京，另派修约使臣帅腓德、笛脱克二人尚在烟台，前由臣等附片奏明在案。嗣经安吉立照会臣衙门，以伊等三人前来中国，与大清国大皇帝特派之全权大臣商议事件，伊等亦均有修定条约、章程等件之权，即希奏转请特派全权大臣共相商办，并将伊等所奉文凭译称附送前来。查美国《续增条约》，同治七年蒲安臣等在彼都所立，其第五款内有两国人民任便往来，得以自由等语。近来，金山土人深嫉华人夺其工作，不能相容。上年曾有限制华人之议，经其总统据约批驳。去年彼处新开议院又议苛待华人，经副使臣容闳照会外部，言其与约不符，始将此例停止。是华人在彼得有保护者，惟恃《续增条约》之力居多。上年，其前使臣西华曾与臣等续增条约，议禁拐诱、逃亡、娼妓、有疾四项人等不准前往彼国，臣等与之返晤商，议而未定。闻其国议院人员犹以西华所议为未足，其总统俯徇众意，又派使臣来华，虽如何立议尚未发端，深恐有删改《续增条约》之意。相应请旨特派臣衙门堂官数员，以便与美国使臣安吉立等公同商议。臣奕䜣照案不开列外，谨将臣宝鋆衔名缮单恭候钦定。谨奏。

光绪六年七月三十日奉旨：着派宝鋆、李鸿藻作为全权大臣，与美国使臣商议条约事件。

右庶子张之洞奏陈与俄议约迫促急图补救折

右春坊〈右〉庶子张之洞奏，为议约迫促，急图补救，以免始终贻误事。

窃维曾纪泽抵俄已久，计目前正与俄议崇厚之释。中国既已示弱，曾纪泽未及议事先为乞恩，将来约章已可想见。窃就议约一端谨抒管见，敬为我皇太后、皇上陈之。

一、责使臣以羁縻。固不宜率尔决裂，更不可率尔允定，理正词婉，何至遽激敌怒！总须时日稍宽，朝廷方能详酌。若凭曾纪泽一人定议，所见一偏，更将不可救药。窃谓不必以强争必行责之，但当以羁縻勿绝，责之不得藉口决裂任意允许。

一、条约应驳改处宜全数达知彼国。发出准驳章程，所欲改者必应一气告知俄人，则彼之意向所在，孰重孰轻，自然可见。敌情既得，我方有以应之。万勿嗫嚅不吐，陆续辩驳。不然，彼将谓我随口增长，我将不得尽其辞矣。

一、辩驳宜先重后轻。我已事事迁就俄人，彼碍于情面，或于末节略改一二处，聊以搪塞。若先以全力争论轻者，彼既应允，我岂能再与之争重者乎？

一、先诘俄人无故遽发兵船，商令撤回。俄船久泊日本，近又驶至北洋，愈近我境。夫无故发兵，俄原不直。我释罪臣，彼撤兵船，如此方是两国和好实据。此时宜令曾纪泽以此诘问，缓议改约，先议撤兵。兵撤以后，辩论即可从容。此实紧要关键。如彼不认发兵来华，而以自防俄境海面为辞，则他日定议后，不能藉口索取兵费矣。

一、责他国使臣以调处。英、法、德诸国公使所请，我已无求不应，若俄约全不容商酌，威妥玛、宝海、巴兰德诸人岂能置身事外？应请饬总理衙门以此诘问，令其调处挽回，即曾纪泽在彼稍有争执龃龉，该使臣亦可托各国转圜。

一、最要数事宜百计挽回，以顾国体。陕甘陆路通商至汉口，一也；松花江行船至伯都讷，二也；张家口设行栈，三也；伊犁未还全境，四也。原约之有害者甚多，而此四条则害尤大者也。能改固善，即或万难径改，无论如何设法抽换抵制，总以挽回为期。不然，使命再劳，一无救正，不惟后患太深，于国本亦太损矣。

一、约如不改，惟有诛崇厚，以存国权。崇厚本无可赦之理，朝廷本无愿赦之心，不过藉此睦邻，冀改原约。设万不能改，请饬曾纪泽与俄人商论，谓和约定后，中之与俄愿全邻好，事事曲从。惟崇厚实因不候谕旨，犯我律条，绝不与俄国相涉，中国必须诛之，俄国不必过问。如此，则虽无补于覆辙，尚可示儆于将来，中国不失其自主之权，他日或尚有自强之望。若曾纪泽此行兵不能撤，约不能改，崇厚亦不能诛，三者一无所得，徒［贸］贸然发一乞免罪臣之报，恐人将以议崇厚者议其后也。宜令曾纪泽熟思审处，无贻咎戾。前数条为目前入手之事机，末两条为万一无可挽回之退步。谨于万难之际勉效维持之力，仰恳敕下总理衙门，严切电致曾纪泽，详慎办理，无得意为轻重，终误大局。是否有当，伏乞圣鉴。谨奏。

光绪六年七月三十日。

右庶子张之洞奏闻崇厚不知杜门悔罪请予防范片

张之洞片。

再，臣闻崇厚之家于本月初三日即已知有奏请开释之信，延请星士占问何日可奉恩旨。查曾纪泽电报初六日始到，何以崇厚之家先期得知？此事显系外国人在俄与曾纪泽商有成说后，即有人先用电信报慰崇厚。崇厚办理洋务多年，家本巨富，与各国使臣厚相结纳，以故交情甚深。观其羽翼如此之广，消息如此之灵，此日难保不胸怀怨怼，将中国虚实输情外国，从中播煽，务使原约不改，更加要求，以掩其前此所办之罪。且虽蒙贷死，正宜杜门齰舌，省愆悔罪。乃出狱数日，即在各城内外拜客，车马煊赫，贺客盈门，不知谢绝，可谓毫无愧耻，毫无畏慄。当俄人兵船正在海上之际，尤恐其造言恫喝，摇惑人心。其应如何防范禁绝之处，伏候圣裁。谨奏。

光绪六年七月三十日。

总署奏据曾纪泽电称俄外部拒绝交涉另派使赴北京商订折 附原电及上谕

总理各国事务恭亲王奕䜣等奏，为奏闻请旨事。

八月初三日，臣衙门接据曾纪泽电报，内称：接外部复文，大致谓，伊犁割地，推广商务，均须照办。嫌泽节略将要务全驳，无可和衷，已派使速赴北京商订等语。臣等查，前据曾纪泽电报：七月十七日见俄君，嘱将要务商之外部，外部订次日晤谈。及见外部，谈驳数端：一索伊犁全境，一塔喀界各派大臣面订，一嘉峪〈关〉领事外暂不添设，一哈巴古仅许一处留货，一关外西路不全免税。嗣送节略，仍照所谈大端等因。当经臣衙门具奏。七月三十日钦奉上谕：着电知曾纪泽遵办。又据张之洞奏陈办法各条，八月初三日奉旨：一并电知曾纪泽各等因。钦此。臣衙门均由电报发寄。今据曾纪泽电报，外部复文有无可和衷，派使赴京云云。是曾纪泽甫经谈论数事，尚未将各条如何窒碍、如何商改之处详细议及，而俄外部已作拒绝之词。其办理棘手，已可概见。且查六月间据邵友濂电报：俄派海部尚书勒专乌斯机，带兵船赴上海、日本等处，布策约七月间回华。曾纪泽前次电报，又有闻俄派海部为公使，以兵船挟华照前约之说。今俄外部复文所称派使赴京商订，是否即曾经驻京之使臣布策前来，抑系带兵船之海部兼充使臣，均未可知。惟是曾纪泽奉命使俄，专为商订约章一事。未到之前，英、法驻京使臣威妥玛、宝海等，均以减免崇厚罪名始可商议为请。当经奏奉谕旨：着暂免斩监候等因。钦此。德国驻京使臣巴兰德，又以须由臣衙门与俄国署使臣凯阳德，将边界各旧案议结，以显和谊。臣等即于七月初三日奏准，各案均照原议完结，照会凯阳德，转报其国外部。初六日据曾纪泽电报到俄日期，并恳免崇厚罪名。初七日奉上谕：着加恩即行开释等因。钦此。臣等窃计免罪、结案两事均已照行，所有约章各条曾纪泽谅可与俄外部从容商议，渐有归着。乃我之使臣甫到，而彼之使臣忽来，是其有意龃龉，殊多叵测。第商议约章之事，曾纪泽是其专责，何以俄有派使来京之言遽行诿卸？应请饬下该大臣，懔遵历次电寄办法，向俄外部妥速与商，以维大局。仍由臣衙门一面电知该大臣查照办理，一面知照凯阳德，转达其外务部，与曾纪泽商议各事，如有应与臣等面商者，即可由凯阳德就近晤商，毋庸另行派使来京，致多枝节。至英、法、德各使臣所请减罪、结案两事，均经照准。其能否阻止俄国派使之处，即由臣等商之各使，以冀设法转圜。至参赞邵友濂，既据曾纪泽电称熟悉情形，应由臣衙门一并电知该大臣，饬令暂留俄都，随同商办。谨将曾纪泽电报录呈御览，伏乞训示。谨奏。

光绪六年八月初五日。

谨录曾纪泽电报恭呈御览

接外部复文，大致谓，伊犁割地，推广商务，均须照办。嫌泽节略将要务全驳，无可和衷，议改前派头等钦差所定，中国既视为不足重，且举动情形难堪，俄因受累。惟各案已饬妥办，尚属好意，故约章不强中国概允，已派使速赴北京。倘各案业经办结，可即在京和衷商订。顷，案其大意照复四端，并询俄使衔名等第及已否赴华，请其复示，谨录前节略，今照复，另由北路电闻。吾华释崇、结案，占理十足，俄虽横，署中自能应付也。邵道熟悉情形，饬赶回京备问。恳代奏。

上谕：总理衙门奏，接据曾纪泽电报，俄人以要务全驳，无可和衷，派使速赴北京商订一折。览奏不胜诧异！此次曾纪泽与俄人论驳，仅及数事，因外部作拒绝之词，遂思诿卸，并未将各条如何窒碍详细商改。所论数事，如松花江行船至伯都讷及西安、汉中通商等最要之件，均未议及。该少卿将听其派使赴京，竟嘿尔而息，置身事外耶！商议约章是曾纪泽专责，前允该少卿所请，将崇厚开释罪名，原为改约地步。乃曾纪泽因外部一言龃龉，遂不能设法转圜，与之从容商议，岂开释罪名仅以呈递国书遂为了事？且据称，释崇、结案，占理十足，该少卿何不即与辩论？种种情节，殊不可解！着懔遵迭次电寄办法，与其外部从容商办，以维大局。不得因彼有派使来华之信，不候谕旨，擅离俄国，致生枝节。邵友濂既熟悉情形，着留于该处，以资襄办，毋庸饬令回京。并着总理衙门先将此旨大意由电知照曾纪泽遵办。将此密谕知之。

八月初五日

直督李鸿章奏与巴西使臣议立通商条约竣事折

直隶总督李鸿章奏，为遵旨与巴西使臣议立通商条约，现已事竣，恭折仰祈圣鉴事。

窃巴西国正使哈拉多①、副使穆达于六月初抵津，经臣接晤开导，该使坚求循例议立通商条约，并未提及招工，当将情形奏报，请特派议约全权大臣就近会商妥办。钦奉七月初八日上谕：已另有旨，派李鸿章为全权大臣，事关通商、立约，该大臣务当悉心筹划等因。钦此。臣以津海关道郑藻如熟悉洋情，办事精核；候选道马建忠，游学西洋多年，于各国交涉事例探讨极熟。遂督同郑藻如、马建忠悉心筹酌，与该使喀拉多等往复会议。查中西互市以来，立约十有余国，因利乘便，咸思损我以自肥。如不设法维

① “哈拉多”亦作“喀拉多”，保留原貌。

持，逐渐收回利权，后患殊多。此次巴西议约数易其稿，几于笔秃唇焦。嗣以秘鲁条约为底本，删去招工各条，并参用别国一条约，定为十六款。该使旋以第七款间有文义重复，请酌删字句。因无甚紧要，亦即允行。其关系中国权利者，皆力与辩论，变通酌订，如：

第一款，两国人彼此皆可前往侨居下，添入须由本人自愿一语，即寓禁阻设法招致之弊。

第三款，设立领事官，必须奉到驻扎之国批准文凭，方得视事。如办事不合，可将批准文凭追回。本系西国通例，其立法之善有二：一则其人或非平素公正，或与我国向不浃洽，我皆可以不准；一则通商口岸或系新添，人情未安，不欲领事骤至，我亦可以不准。至办事不合，追回文凭是予夺之权，我亦得而操之。从前，中国与各国立约，因不知西例，皆未议及此层。是以各国派来领事，我竟不能过问，中国派赴各国领事则须该国准认乃得充当，殊于体制有碍。今特于巴西约内添入，俟开办时，拟由总理衙门即将批准文凭咨送南、北洋大臣，发交各关道转给，俾示维系。惟变法之初，未可过于严峻。以后他国换约、修约咸知办理近情而又逼于公法，或可冀其仿行，不致相率坚拒。

第四款，游历执照一节，洋人游历各处，多由领事自填执照，送请关道用印，几若内地往来全凭领事作主。今改为领事照会关道，请领印照，可稍助地方官之权。

第五款，遵守专章一节，即是德国新约第一款之义。查均沾二字，利在洋人，害在中土，设法防弊，实为要图。前阅日本近与各国议改约稿，于优待别国，提明出于甘让及互相酬报字样，则必彼国有利益予我，而后我国以利益酬之。即遇强国从权予以利益，彼强国亦必有益我数事，以副酬报之名。曰甘让，则必彼此重在交谊，而非屈于势力。果能坚守此义，则凡希冀同沾者，非先允遵守酬报之专条，我可不准。或其酬报之专条不能一体尽遵，我亦可以不准。或我所让与别国之利益非出甘心，则局外虽欲援例同沾，我仍可以不准也。今参用此义，特为声明，嗣后如有优待他国利益，彼此须将互相酬报之专条，或互订之专章，一体遵守，方准同沾优待他国之利益，似较周妥。

第六款，本拟照德国新约，酌用漏报、捏报办法。惟巴约系仿秘鲁约，本无通商详细章程，若仅添漏报一层，转恐挂〈一〉漏万。今定为两国商人、商船凡在此国通商口岸，即应遵从此国与各国原议、续议通行商务章程办理。既有续议字样，不特德国捏报、漏报、充公、议罚之章，巴西理当遵守，即后再有商务新章，巴西亦应照办，似更包括。

第九、第十、第十一、第十二等款，皆指问案之事。查西国案件俱由地方官讯断，领事不得干预。惟中西律法悬殊，各国不能听地方官审办，于是领事遂有其权。此次本拟参酌西国公法，问案专归地方官，而科罪则各照其国。巴西使臣以不肯首先改章，致招各国之怨。适德国公使巴兰德过津，从旁酌商，乃定为被告所属之官员专司讯断，各照本国律例定罪。盖被告多系华民，前因会审掣肘，吃亏不少，兹由被告所属之官讯断，当可持平办理。其华民在各口行栈、商船佣工者，大都恃洋人为护符，遇有犯案，不听传唤。虽照会领事转交，而洋人转为庇匿，藐法养奸，所关匪细。兹于第十项内议明，听中国官员派差径往拘传审理，以免庇纵。

又第十一款内，将来另议中西交涉公律，巴国亦应照办一节，虽公律骤难定议，究为洋务紧要关键，特倡其说，以作权舆。

以上各节，皆臣按照各国约章酌议变通，期归妥善。该使喀拉多等初甚狡执，径欲照英、法旧约办理，反复争辩两月之久，始就范围。今既遵允，势固不能中悔。将来各处循照议定条款妥慎办理，凡紧要枢纽，勿任略有通融，冀可渐收利权。至洋药一项，虽非巴西出产，惟中土受害滋深，今议令该使知会该国外部，察酌禁止巴商贩卖，先由该使另备照会送臣存案，臣亦给予照复。现将议定条约配用中国文、巴文、法国文各四纸，校对无讹，即于八月初一日在公所会同画押钤印，彼此各存正、副本二分，以便届时互换。谨奏。

光绪六年八月初六日奉旨：该衙门知道。

总署奏中俄换约日期已届请饬曾纪泽和衷商办片

奕䜣等片。

再，中俄换约日期已届，日久未接曾纪泽电报，臣等正深焦急。十四日，赫德面称：上海至港电线于八月初六日中断等语。臣等查，本月初八日沥陈办理情形，吁请电旨，原因扣至八月十七日为原订一年换约之期，能于期内商定办法，或不致启俄人以爽约藉口，遽尔失和。不料，电线中断，十七日以前曾纪泽恐不能奉到。事机之阻出于意外，转瞬间布策挟兵船而来，必且于十八条之外更多无理要求。应之则贻患尤甚，拒之则兵衅立开，深恐大局不可收拾。臣等再四筹思，前次电旨，曾纪泽无论何日奉到，总当遵旨办理，如能多争几条，固可藉以转圜。万一十八条竟不能挽回，无论如何定议，较之布策来华多方挟制，势仍处于不得不允，其利害轻重又复大相悬殊。臣等冒昧之见，倘曾纪泽与之妥议尚在十八条之内，将来奏到时应请尤予批准。倘竟于十八条之外别有要挟，仍不得擅许，总须请旨遵行。臣等统筹安危大局，事至今日，不敢不披沥上陈。如蒙俞允，臣等一面遵旨电知曾纪泽遵照妥办，一面照会凯阳德，告以本日系一年换约之期，已有旨令曾纪泽和衷妥议，因近日电报中断，是以照会先行立案云云。冀可免其藉口爽约，遽启衅端。谨奏。

光绪六年八月十七日。

总署奏接曾纪泽电称俄已派布策来华应俟其到日再议片 附懿旨

奕䜣等片。

再，臣衙门前因日久未接曾纪泽电报，恐逾原订一年换约之期，俄人有所藉口，是以于十七日沥陈奏请训示遵行。十八日，钦奉两宫皇太后懿旨：命醇亲王等会同议奏。旋于未刻接到曾纪泽初十日电报，知俄国已派布策来华商办，曾纪泽无可再议。目下情事业已不同，臣等公同商议，只可俟布策到后力与辩论，届时察看缓急情形，请旨办理。现在事机已迫，惟有将各路防务赶紧筹办，以备不虞。所有曾纪泽电报及臣等十一、十八日寄曾纪泽两次电信，谨一并钞录，恭呈御览，并请饬交醇亲王等公同阅看。谨奏。

光绪六年八月十九日奉懿旨：现有应议之件，醇亲王、军机大臣、大学士、六部、九卿、翰詹科道及左庶子张之洞会议，醇亲王一并与议。

八月二十日又奉懿旨：既据曾纪泽电报，目前情事不同前事，着毋庸议。俄使到后，应通筹应付之方，着醇亲王等妥议具奏。

左庶子张之洞奏陈俄使将来预筹应付办法折

左庶子张之洞奏，为遵议奏陈事。

本月二十日钦奉皇太后懿旨，以俄使将来，令廷臣通盘筹画，顾全大局，妥议具奏。窃谓，布策未来，俄人意旨如何，莫从悬拟。然而谋国御敌之道，有须待临机因应者，有必当审定于先者。不然，或游移不决而误事，或一时惶恐而乖方，非计也。查俄国外部来文，有要务全驳、无从和衷议改等语，是未尝不可驳也；又有和平商办等语，是未尝不可商也。臣谓，布策此来固是危局，亦未必非事机缘。曾纪泽多执己见，在彼定议亦属无益。从古敌国交际之事，谋战为本，辩论为末，形势相禁制为上，婉词恳请为下。计其到来尚须一月，即或决裂，又须兼旬。及此之时，惟有急修边备，静以待之。布策来时，自上海、烟台、天津一路入京，沿海兵备皆在目中。若知我实有必战之心，则十八条之中必可商改。若见我实无能战之具，则十八条之外必多要求。俄人必欲来华定议，诡谋不过如此。若虑要挟过横，其听命于人，不若求之在我。至于议约一节，亦须预定等差，胸有成算，方可临时操纵。谨分别备法、讲法另片胪陈。

伏思去冬诏议俄约以来，至今十阅月矣。臣不揣愚陋，迭有奏陈，猥荷圣恩，屡与咨议。第一次疏请缓索伊犁，即西洋所谓布鲁太斯特[1]办法也。若使总署当时照此电，俄国何至兴此波澜？此一误也。上年十二月，总署会议，臣奉旨咨商，即面向王大臣言之，请毋庸遣使，可即令邵友濂与商。原以邵友濂昔为参赞，今署使臣，本系崇厚议约时事中之人，俄人不能拒不与议，则俄之或可或否早有回音，我之或战或和早可定计。何至迟至目前并不知俄人准驳确信？此二误也。正月初，会议边防，正崇厚罪〈名〉。臣于上年十二月二十五日即向王大臣面陈，请调李鸿章来京与议。如该大学士灼知边备万不可恃，自能造膝密陈，早思转圜之计，何至崇厚已定罪名复来请赦，致辱国体？此三误也。上年十二月，臣即疏请宣召左宗棠、鲍超、刘铭传、郭宝昌、喜昌诸臣。若当时即召，召来即用，早已内有运筹，外有折冲，何至此时仓卒无备？此四误也。上年十二月，臣曾疏言东三省将军不足以备缓急。正月初会议，臣复力向沈桂芬言之，谓东三省将军如暂难破格，或派大臣巡历，或派良将训练，公折曾列此条入奏。若早请简派，何至曾国荃至今尚未到防？铭安、喜昌之军至今两〔尚〕无军火？此五误也。五月内议免崇厚罪名，臣疏言既无能战之人，即宜电邵友濂，告知俄国，缓索伊犁，不给偿款，其余各款并非一味翻驳。若不专待曾纪泽，早将此数条达知，何至中使赴俄，俄使赴中，两相错迕，成此紧迫之局？此六误也。上年十二月，臣第二疏，曾请购造战船，分屯大沽、营口、烟台三处，调募闽广将卒。正月总署会议，拟陈各条复切言之。七月上疏，又请征调粤将邓安邦率领所部北来。若使早有水师、战船，何至明知敌人欲入辽海、旅顺、烟台，无法拦截？大沽、北塘无术牵掣？此七误也。

种种失机，悔之已晚。臣每逢会议之期，恭亲王颇为虚心咨访。止以臣人微言轻，枢臣等成见过重，总觉书生之见无当机宜，又复存希冀无事之心，不欲兴兵动众。用将则刻意吹求，筹兵则靳惜巨饷。心既以战为不然，又不敢痛切力陈，早为准约退兵之策，进退无据，以至斯失。事至今日，臣亦不忍归咎枢臣，自矜先见。惟往不可谏，来犹可追，不得不披沥上陈，惟望饬谕枢臣等博采群言，早谋速断，勿致始终铸错。恭亲王、醇亲王国之懿亲，休戚最切。枢臣等身任秉钧，责无旁贷。伏恳皇太后懿旨，将臣此次折片发交恭亲王、醇亲王及军机大臣妥商速办。如别有良策，亦望早为谋定施行。天下幸甚！谨奏。

光绪六年八月二十四日。

工部尚书翁同龢奏俄事交涉步骤折

工部尚书翁同龢奏，为敬陈管见事。

---

[1] 卷二十一为“嗜噜太司特”。

本月二十日交议之件业经醇亲王等照折复陈，臣已列衔具奏。惟查曾纪泽此次电报不甚详明，布策之来并无月日，若兵船先到而布策后来，挟制情形在所不免。然臣愚以为，布策果来，则战事尚不遽起，但商办之中必须有次第，有节目，先定一到底结局办法，然后从容镇定而出之，庶足弭此巨衅。不揣愚陋，略陈数端。

何谓次第？十八条之准驳是也。前者，曾纪泽业将摘出五条备文与商，彼虽艴然不准，我必仍申前说，为开谈第一节，所谓争得一条是一条也。彼如不允，然后缓索伊犁，仍给恤费一节，作此事最大关键，竭力辩论，为第二着。再不允，略许新疆免税等条，为第三着。此而不从，则集各国公法〔使〕，将〈不索〉伊犁仍给巨款之处宣布皇仁，使各国公论评定，为第四着。若竟不允，即令各国从中说合，劝我允准各条，而仍酌改数条，转关结局，为第五着。总之，此事滴滴归源，终须一转。所难者，预筹善转之法与能转之人耳！

何谓节目？则办理此事须有重臣担当也。查布策此来，一则直入国门观众动静，一则逼近辇毂事取上裁。臣愚以为，平时诸事皆当请旨，独此一事不宜动辄请旨。设今日议事而明日上闻，一达宸聪便无退步，彼时再交廷议，已同筑室道谋。况彼俄国君臣尚以黑海避暑故作曲折，岂天朝体统独无堂高廉远之等级乎？宜饬总署诸臣一力担当，必议有定局再行入奏，庶朝廷尊严不致为所窥测。即恭亲王亦不必数与布策接晤，留将来转圜之地。臣迂谬无知，区区下忱，不敢自默，具折渎陈。伏乞圣鉴。谨奏。

光绪六年八月二十五日。

礼部奏朝鲜国王咨明遣使驻日本折　附咨文

礼部尚书恩承等奏，为据咨转奏事。

准盛京礼部送到朝鲜国王咨文一件，臣等公同阅看，系该国与日本以礼交聘，差修信使等情，恳为转奏。谨钞录原咨，恭呈御览。谨奏。

光绪六年八月二十七日。

附朝鲜国王咨文

朝鲜国王为遣使日本事。据议政府状启：日本公使课岩藏专来，其在交邻之谊，合有回礼之举，修信使即着礼曹参议膺选等因。具启。据此，窃照小邦与日本既敦夙好，以礼交聘，今于公使屡到之后理宜有答。兹以差修信使礼曹参议金宏集，已于光绪六年六月二十五日束装发船。除将各项事理谨具咨申，烦乞礼部照详转奏施行。

编修许景澄奏俄事应先筹定讲约事宜以保和局折

翰林院编修许景澄奏，为俄事渐迫，请先筹定讲约事宜，以期速断而保和局事。

伏闻本月二十日会议具奏：请俟俄使到后，由总理衙门会同廷臣，斟酌缓急情形，请旨办理。臣维今日事势莫亟于备，而枢纽则全在于讲崇厚所订条约窒碍甚多。现在讲法只能择最要数端专力辩论，其间经权操纵又多有差等。据理直争，删除全条，此以驳改为讲也。就彼约文，去其太甚，此以调停为讲也。至于万不得已设法抵持，略寓限制，此以补救为讲也。凡此数者，皆当就各条情事妥筹实在办法，然后临事相机随敌，使缓急之情为我操纵之准。总理衙门有讲约专责，此次俄事关系安危大局，自当博谋廷臣集益广思，以免一误再误之失。顾臣以为，议于俄使既来之后，不若议于未至之先，议于开讲条约之时，不若议于筹讲之始。溯中外通商以来，其平常交涉事件，利用敷衍延宕以减其欲。若两国重事，安危所争，利在审定窍要，当断即断，以杜后衅。同治十三年，台湾事起，日使大久保利通来京，迨议及偿费，文祥以三日了之。光绪元年，云南事起，英使威妥玛烟台会议，李鸿章以便宜行事了之。若待临时集议，则辗转稽延，或致坐失机会。现在俄使未至，正可详筹讲法，预为归宿之地。乞将条约应争何条，并若何调停补救之策，再饬下廷议详筹大概情形，恭候宸断折衷，即专责成总理王大臣，于讲约时遵照办理。若有端绪，迅速定议，庶先机有慎重之图，而临事无牵掣之误。天下幸甚！谨奏。

光绪六年八月二十九日奉旨。

编修许景澄奏拟将俄约择要驳改及补救条陈片

许景澄片。

再，讲论条约，必须分别新旧，权衡轻重，究明照行何条实致何弊，则须斟酌一切实办法。查崇厚所订十八条，如第一条提明交还伊犁，第五条、第九条、第十五条、第十八条系办理条约事例，第六条偿给兵费，恤款前经议准。以上六条均可照行。第二条赦免伊犁居民，第十一条领事与地方大宪改用信函，第十七条声明追还牲畜旧约。以上三条尚属无甚流弊。又第七条，附议喀什噶尔交界，第八条改定塔城分界，所指山河无可考核。该处地处极边，尚非要隘，均可无庸另议。其余诸条及另议专条虽轻重不同，各有致弊之处，其间应择要驳改及兼筹调停补救各策，谨逐条拟陈，伏乞圣鉴。

一、第七条，伊犁西边及帖克斯川一带地方，归俄国管属。查伊犁自同治三年立约定界，边境已蹙。今西境至霍尔果斯河为界，则拱宸城外即为敌境。南境至帖克斯川北分流为界，则伊犁河以南皆为俄有，赴南路阿克苏军台正站并被遮断。此条之弊必至徒糜偿款，虽得伊犁，不足自守。考诸公法，诸国自有之原权莫要于自护。伊犁割去要壤，是使中国失其自护之权，自当据理争驳。此为正办。其次，则于议定偿款外加给数十万为市此两地之费。又其次则但指南境帖克斯川一带商与互市。若俄使坚执不从，则伊犁终难保守，拟请暂将接收伊犁事宜缓办，以为讲办通商诸条腾挪之地，斯乃不得已之下策也。

一、第十条，准在嘉峪关、科布多、乌里雅苏台、哈密、吐鲁番、乌鲁木齐、古城设立领事官。查各国总例，于通商口岸驻扎领事，皆有护商兵船。嘉峪关诸处若准设官，即不能禁其屯兵护商。西北边界处处与俄毗连，与南北洋口岸不同，此条之弊必至边防侵轶，喀尔喀蒙古诸部尤虞蚕食，应择要议删。科布多、乌里雅苏台、乌鲁木齐三处冀有限制。其次，则删乌里雅苏台、乌鲁木齐二处。又其次，则但争乌里雅苏台一处，聊为蒙古自固之计。再，约中载，领事官往来行路，寄发信函，比照天津、北京两次和约，由台站行走。查旧约系指明公信物件，今以往来行路含混其辞，恐启俄官行走台站之例，应俟开办时，据此条比照二字声明，照旧约办理。

一、第十三条，应设领事官处及张家口准建造铺房、行栈。查各国总例，领事官所驻即系通商地方，其议建造铺房、行栈自可照行。张家口系属内地，同治元年、八年迭次订明禁止。此条之弊必致行栈不已，增设领事于将来边防有碍，应据旧约驳改。其次，则据改订通商章程增入无庸设立领事官字样，以杜后弊。再，约内所议系照伊塔第十三条办法，查原约专指住人、存货而设，应俟开办时声明，使他事不得援例。

一、第十四条，准俄商贩货经过张家口、嘉峪关，前赴天津、汉口，并在通州、西安、汉中销售。张家口一路系旧定章程，无庸更议。嘉峪关通商汉口，俄人系为运茶起见。此条之弊必至夺内地商民生计。且初辟之地，民人见闻未习，易滋事端。闻左宗棠拟招华商运茶至嘉峪关，令俄商就彼通市，不入内地。应用此法商改，为因势利导之计。其次，则准开此道，另与议开办之始，仿华商在天津关代领俄商运茶执照，由汉口代运至哈〔恰〕克图办法，试令华商代运，俄商暂缓行走，冀纾目前之弊。其次，则令俄商专就汉中取道，以达汉口，删去西安府一路，此亦不得已之下策也。

一、专条准松花江行船至伯都讷。查咸丰八年爱珲城立约分界，松花一江有为一国专属之地，有为两国共属之地，自长白山发源，流经吉林伯都讷、三姓，至黑龙江会流处，为中国专属之江。又自此至入海处，为俄国专属之江。爱珲之约曰：由黑龙江、松花江、乌苏里河准中国、俄国行船。详译约文，证以舆图，乃知此一路江河适当两国交界之地。曰由者，顺行船之道言也。并举中国、俄国者，就交界共属言也。是原约所准，松花江行船系指两国共属之江，与中国专属之江不相朦混。谨绘图帖说，恭呈御览。今条内有《爱珲条约》全留不改，今留起首开办准俄官〔民〕行船至伯都讷等语。

此条之弊必至沿边界岸渐被侵占，并预为上驶吉林省城地步，理应据原约驳改。此为正办。其次，则令行船至三姓为止。又其次，则准行此约，声明系就原约本意推广，删去起首开办字样，以杜后弊。再，土耳其与俄立约，曾有准行商船，不得驶入兵船之例，似宜援照声明，以备一策。

一、第十二条，准蒙古、新疆各处通商免税。蒙古地方贸易免税本系旧章，今复推广新疆等处。查税则总例，完纳正、半税外，概不重征。新疆既不纳税，其运入嘉峪关内之货仍在该关纳税。所免者，只系新疆就地销售货税，流弊尚不甚广。应援同治元年章程，指定小本营生分别办理。若不能从，亦可通融照行。

一、第三条，准伊犁居民迁居俄国，其弊恐至接收伊犁诸城后人户稀少，难以招集。应先照约准行，再俟交收时由伊犁将军查明，有不愿迁居为俄官强迫者，仍可据理辩论。其已入俄籍之人，应凭有俄国执照办理。若伊犁缓收，此条亦可一律缓议。

一、第四条，俄人在伊犁置产照旧管业，其弊恐与土著产业日久轇轕。查约中所指俄人有为欧洲本籍，有为布、哈诸部新入籍之人。其产业有散处各城及聚集金顶寺、固尔札两处之异，应先完约准行，再由锡纶接收伊犁时分别酌办。若伊犁缓收，此条均一律缓议。

一、第十六条，酌减下等茶税。查茶叶与洋药、丝经并为税入巨款。洋药每百斤纳税三十两，丝经百斤纳税十两，茶叶百斤纳税三两五钱，向不分等定，则其弊恐至减税以后，洋药及丝经成色皆有高下，皆可援例求减，于税款有妨。应先照约准行，再俟议减时声明，比照丝经税则，另定四川黄丝之例，以杜援附。

一、《通商章程》十七条，与同治八年改订章程大略相同。第四条留货报关，增三日为五日。第十五条准备军器，指明鸟枪、手枪名目，核与旧章无甚矛盾。第三条由尼布楚往天津一路，由科布多过归化城往天津一路，系旧章所无。惟查内外蒙古久准通商，尼布楚入边，按过界卡伦单，系经行蒙古边界科布多一路，均在蒙古境内，尚非弊上加弊。所有新议章程，应俟条约议〈定〉后，分别核对酌量照行。

一、俄商过界卡伦单可以更改裁减。查卡伦开列三十二处，属蒙古边界者二十余处。喀尔喀部边防久弛，日虞逼处，应将自治尔格台至金吉里克七处卡伦删裁，俾土谢图、札萨克图两部边界不启俄人阑入之路。其余诸处，应俟开办时酌量议定。

以上诸条，以前五条为最要，第十条乌里雅苏台增设领事，专条起首开办伯都讷行船，关系边防，为弊尤甚。各条办法，或用其经，或用其权，或用其权中之权，总以先事筹定，随时应付，冀可为转圜之计。谨奏。

光绪六年八月二十九日。

清季外交史料卷二十二终

清季外交史料卷二十三

光绪六年九月

直督李鸿章奏朝鲜讲求武备恳准该国工匠来津学造器械折 附函

直隶总督李鸿章奏，为朝鲜讲求武备，遵旨妥筹密陈事。

窃臣承准军机大臣字寄八月二十九日奉上谕：礼部奏，据朝鲜国王咨称，该国讲究武备，恳为转奏请旨，俾该国匠工学造器械于天津厂等语，钦此。仰见圣谟广运，眷顾东藩至意，钦佩莫名。

查朝鲜僻处海隅，向于外交之道、御侮之方漠不介意。日本窥其孤弱，胁以兵威，先与立约通商，实则隐图侵逼。去年七月，臣密奉谕旨，查照前福建巡抚丁日昌所陈各节，致书朝鲜原任太师李裕元，劝以密修武备，慎固封守，与英、法、德、美诸邦逐渐立约，藉以牵制日本，即可备御俄罗斯；并告以熟悉西国商情，军火利器不难购办等语。已将原稿抄呈御览。是年十月，朝鲜贡使入都，道出永平。据前永平府知府游智开密禀，李裕元给伊另函，谓该国本意不欲与伊国来往，牵于众议不敢主持，惟该国舆论拟仿古外国入学之例，咨请礼部拣选明干人员，赴津学习练兵制器之法。臣谓，果有成议，未始非该国自强之基，曾密属游智开详告该使。本年二月后，由游智开递到李裕元去冬复函，大致谓，泰西之学，素所深恶，不欲有所沾染，又以该国贫瘠不能多容商船为词。已将原函抄给总理衙门存案。窃思地球诸国，惟朝鲜风气最晚，该国士大夫囿于见闻，昧于时势，墨守成法，闭拒忠谋，虽日即于危弱而不顾，此殆有气运主之，非人力所能为者。今该国既以讲武为请，正可因其一线之明，迎机善导，增彼军实，固我藩篱。

惟是该国练习此事，即使始终勤奋，其收效亦在数年之后。就目前事势而论，则有迫不及待者。自去冬以来，中俄和约未定，积有违言，俄之铁甲快船、兵船二十余只，陆续东驶，并厚集陆军，分布吉林海滨之海参崴、摩悃崴一带，预储煤粮军火甚富。六月间，有美国水师总兵萧佛尔赴朝鲜议约被拒，旋来京与臣会晤。据称，美国尚无用兵逼勒之意，但俄人已费巨饷，遣将调兵，势必不肯中止，若不图中华，恐遂吞并朝鲜。八月间，德国水师提督瞿贝赉过谈，谓：探闻俄海部尚书里沙士几之意，欲赴珲春，攻夺朝鲜海口，陆则断奉、吉之右臂，水则扼北洋之襟喉，规画甚为雄远。又谓：朝鲜东界海口形胜，为东方之最，俄故欲取之，以与珲春、海参崴等处犄角。其余各处探报及新闻纸所论，大致相同。盖俄人所据之海参崴、绥芬河、图们江各境，皆与朝鲜东北接壤，彼既占东海口岸为巢穴，自必渐图开拓。若吞并朝鲜，即拊我东三省之背，使中国岌岌不能自安。是朝鲜与我中国，实有唇齿相依之势，不能无休戚相关之情。当此兵饷两绌，中国沿海各口尚未能处处团防，断无余力兼顾藩服，似只能就其力所逮者而利导之。万一俄事稍纾，俾朝鲜得于数年内力扩新机，整军经武，保卫东隅，未始非中国之幸也。

惟该国匠工来津学习机器，此中亦有繁难之处。查天津初设机器局，不过仿造洋火药、铜帽等项，厥后迭次扩充，添购机器、火药多出数倍，自造士乃得、林明登后膛枪子、克鹿卜、格林后门炮子、蚊船大炮子之属。光绪元、二年间，亦会自制后门枪，因工费甚巨，较购自外洋者价几逾倍，即经停止。各军所用枪炮专向西洋定购，但源源供给子药零件。今朝鲜匠工来学，即使娴习各法，闻该国所用土枪，仅与中国绿营之抬枪、鸟枪相等，其制造机器及新式枪炮仍须购自外洋，是无其器而不能用也。西洋枪炮其准线、口令、步伍，非操演数年难以纯熟，是无其人而不能用也。臣愚以为，既准该国来习机器，将来又须代为购器，代筹练兵，皆事之连类而及，缺一不可者。又该国匠工言语不通，来局之后，应如何设法教导，俾获渐窥门径。拟请敕下礼部，拣派通事人员，伴送该国使臣卞元圭到津，由臣督同局员与之熟商办法，再行奏明请旨施行。至该国王原咨内所称，简选解事人员，或于边外习教及来学往教等语。文义似未甚明晰。臣就事理度之，今于中国派员往教，该国既无机器，匠工又无现成枪炮，断难获益，自应先由该国挑选匠工来厂学习，并选聪颖子弟来津，分入水雷、电报各学堂，俾研西法，本末兼营，较有实际。至练兵一事，将来或选派熟悉员弁往教，或由该国派队来从我兵操演。购器一事，或乘中国订购之便，宽为筹备划付，均〈应〉随时酌度情形，妥商办理。

臣比接李裕元来书，颇知戒备不虞，兢兢于讲武购械，并致送礼物甚厚，想因所图之事关系颇重，意在预联情谊。从前李裕元以该国边事与臣通问，每附土仪数种。臣据古人赠带献衣之义，兼仿盛世薄来厚往之经，必为加倍酬答。此次礼物较多，未敢擅便，谨将原函及礼单钞呈御览，应否收受由臣加倍酬答之处，伏候圣裁。至朝鲜与西人通商一节，实系谋国要图，与练兵制器相辅而行。其李裕元来函，俟奉谕旨后，即当裁复。臣仍拟不惮苦口，善为开导，冀其或有转机，庶免为他国所兼并。所有朝鲜讲求武备，遵旨妥筹缘由，恭折密陈。谨奏。

光绪六年九月初六日奉旨。

谨将朝鲜国致仕太师李裕元来函缮单恭呈御览

文华殿大学士・肃毅伯爷爵前：

本年季春贡使回，得永平游太守书，盛传爵前仁政布于寰内，威名施诸海外，莫非遵主庇民，有辞千秋。小邦黎庶咸思沾溉之恩，非不欲种种恭探钧节，山海漠漠，界疆有限，末由展诚景仰结辖，曷有其极！秋凉骤至，钧体度对时万康，警铎不动，卫戟凝瑞，瞻望津云，若拜床下。小邦与日本之人稍似讲好，德源开港，商舶来往，江户送使，书契修谢，姑无圭角，实赖爵前左右之力，实遵爵前指教之方。而忽于春夏间，佛国及米国书来自莱馆，要其送纳，小邦以非约条中事措辞退却，盖他国书之自日本籍送不得施行，曾有文钤而然也。若有意外层节，则不得不仰告于爵前。更蒙乙亥冬斥退森有礼之泽，此举国之所仰望也。小邦国王此际忧虞，宵旰靡弛，文而崇行〔儒〕重道，武而讲戎整械，先选六条之士，广开百技之门，惟我上国是则，亦惟我爵前是倚，派定别咨官卞元圭前往京都，赍文陈白于礼部，未知回施之如何？而上年因游太守言已知爵前之微意，故敢将咨草先从永平以为转达。伏维慈惠之念必有周全，若或准可，则下次事无巨无细专仰爵前禀定，而不以卑鄙随处戒饬俾有实效，奚特一邦之幸，亦获藩屏之固矣。小生依旧在林泉逍遥之间，老聩转甚，无足相问，而今于兹事不敢辞为张皇诉衷。兼奉礼单，庶或亮收不备，谨呈直隶总督伯爷爵前。

庚辰七月初九日

左庶子张之洞等奏俄事机有可乘宜筹抵制折

左庶子张之洞、右庶子陈宝琛奏，为俄事机有可乘，宜善筹抵制之法，以期两利俱存事。

窃维俄事大端，界务以伊犁全境为最重，商务以西、汉通商为最重。前此廷臣所以请缓索伊犁者，以俄人不还帖克斯川伊犁无出路故也。今经曾纪泽反复辩论，若伊犁南境或有可商，则西、汉重而伊犁亦未尝不重，取一弃一，非计也。臣愚以为，今日之计，彼既有可乘之机，我亦宜出两全之策。伊犁南境如可让还，即当据为铁案，不必更动。西、汉一条，当别筹相抵之方。或令曾纪泽商之俄人，令其别议一款，与之相抵，或于伊犁原议偿款之数酌量加增，以之相酬。洋人唯利是视，必可照行。盖无路之伊犁则可舍，而有用之伊犁则不可弃。无名之兵费当拒，而挽回谬约之偿款则不当惜。夫西、汉一条实为商民生计、形势要害之所关，我皇太后、皇上重义轻利，损上益下，岂有为民生、为险要而吝此区区钱财者？岂有因吝此区区钱财而遂至捐有用之疆土、掷已返之侵地者？本末得失之间，稍一失算，不亦重可惜乎？伏望敕下曾纪泽，速与设法商议，两条并争。如虑限期将满，即请一面电寄曾纪泽，一面告知凯阳德，属其飞达本国，但令照会俄使在本月晦前，彼自不得以逾限藉口。臣等私忧窃议，同此拳拳。谨奏。

光绪六年九月初十日。

帮办新疆军务刘锦棠奏新疆边防情形折　附上谕

帮办新疆军务刘锦棠奏，为遵旨密陈新疆西路各城边防情形事。

窃臣于三月十三日，承准军机大臣密寄，正月二十一日奉上谕：本日据王大臣等会议筹备边防事宜一折等因。钦此。窃维俄国前乘回变攘窃伊犁，迨官军廓清天山南北，又复数我逋逃，不行缚送，血气之伦固已同深愤懑。此次因退还伊犁多所要挟，界务、商务各条枝节横生，居心尤为险谲。现在曾纪泽衔命往俄，再与辩议，该国知前约决难允准，或者稍抑狡谋，俯首以从，亦未可定。惟戎心叵测，凡在边疆将士，自应先事预防，以期有备无患。若果兵衅一开，则天山南北两路均关紧要，自非合力图之不可。

臣承准督办军务・大学士・陕甘督臣左宗棠咨送二月二十三日拜发折稿，以精河一带坚扼要隘之任责之伊犁将军金顺；以塔尔巴哈台防务责之参赞大臣锡纶；而派广东陆路提督张曜率师由阿克苏冰岭径趋伊犁；派臣分兵取道乌什西，绕布鲁特游牧地，亦指伊犁，以断俄人图援伊犁之路；如此路难进，则屯兵喀什噶尔外卡，遥张深入俄境之势，使知内患堪虞。

臣查，乌什绕赴伊犁，从前本有换防官兵往来捷径，果能由屯直达大城，则避实击虚、出奇制胜，洵为兵家上策。惟该处布鲁特向属内地，是以官兵往来如行衽席之上。自同治年间回疆不靖，该布鲁特即为俄人诱往服属。现在北行二百余里，出拜代理达坂即系俄境，今昔情形倏然迥异。乌什地势偏北，由喀什噶尔前往该城已十余站，再向前进又十余站，与臣现驻之回疆西路四城相距穹远，难于兼顾，此乌什之西未便进兵之实在情形也。回疆幅员宽广，缠回、土回、布鲁特种族繁多，民志未定，控制安抚本未易言，而喀什噶尔、英吉沙尔、叶尔羌、和阗四城尤有甚难者。按阿克苏拜城一带与伊犁相直，以地势考之，西路四城斗出伊犁几二千里，沿边卡伦，与俄国图尔齐斯坦总督所驻之塔什罕、七河巡抚所驻之阿里木台均不甚远；而纳林桥托和玛克窝什、阿来等俄城，在在紧邻，伏读谕旨，尤为吃重等因。仰见圣明洞烛无遗，下怀莫名钦服。臣自肃清新疆，逐日训练士马，如临大敌。而四年之九月十月、五年之正月八月，陕回、安集延、布鲁特等逆四次犯边，幸仗天威随时扑灭，其不可一日弛备已可概见。再查，喀什噶尔，由伊斯里克小路出卡，至俄地之亦特木梭，计程一千二百余里，与乌什往伊犁之路相会，较乌什前去约多七百余里，而可省绕乌什之十余站，似进兵稍为便利。惟由喀什噶尔启行，三百四十里至铁勒克达板〔坂〕下，亦即俄属布鲁特各部，若以孤军深入，不特运道必有疏虞，即军行亦难畅达。臣现部马步万人，防守玛喇尔巴什以至和阗各城，绵长三千里，差敷分布。如分队涉历俄境，远图进取，就现在兵力实属有所未逮。且所部将士久从征役，疲病颇多。上年咨商陕甘督臣左宗棠，派队出关，以资换补，已经左宗棠奏明，调派题奏提督·陕西汉中镇总兵谭上连，记名提督·宁夏镇总兵谭拔萃等，统率前来。虽饷项奇绌，军数未能多增，而挑补生军，裁汰疲弱，仍可以足成万人原额。拟俟陆续到齐，加以整顿，可期士气常新。将来天山北路一有举动，或须抽拨队伍分屯喀什噶尔外卡，以张深入俄境之势，自应遵照左宗棠原奏妥慎办理。至侦探敌情，本属要务，惟该国稽察严密，必使夷类前往，方不致滋生事端。臣于四月夏间商明左宗棠，招募有身家之布鲁特两哨充当马队，并令该头目出具切实保结，俾其轮班扮作商民，往俄侦探，较易得力。遇有俄国确实举动，仍随时咨报左宗棠，以便代为驰奏，仰慰宸廑。所有一切机宜，臣才识短浅，何敢率陈？缘钦奉谕旨于一月内迅速具奏，谨将西路四城防务情形，撮举大概恭折密陈。谨奏。

光绪六年九月十三日奉上谕：刘锦棠奏，复陈新疆西路各城边防情形一折，所陈进兵及侦探敌情各节尚为详尽，该京卿所部现在防守玛喇尔巴什以及和阗各城，地段辽阔，务当就现有兵力严密布置，以期有备无患。喀什噶尔等城边境多与俄境毗连，尤宜不动声色，勤加侦探，随时咨商左宗棠，相机防范，毋稍疏虞。

左庶子张之洞奏挽救俄约折 附上谕二件

左春坊左庶之〔子〕张之洞奏，为议约不慎，此局全亏，必须挽救万一，迫切沥陈事。

臣闻俄使已经东来，曾纪泽要之使回，重与订议，廷臣皆喜，臣独以为不然，何也？俄使为我追回，若不开诚决计，速为定局，令其挟忿重来，是怒敌国也。既无分别轻重、简约易行之策，又无不畏决裂、准备一战之语，徒令使臣吐茹不得，刚柔皆非，是窘使臣也。然使臣多执成见，但论界务，不争商务，若不予限制，不授机宜，必致逞臆率定，一翻不能再翻，是误国事也。夫使布策到京，总署自可从容另议，果能持以坚忍之心，辅以变通之法，或可争回要议数条。今曾纪泽再议，必承该使臣五条上文而言。查原议五条本有难解，内止索还伊犁全境一条为要务，为实争，其余已属次等措词，又甚浮游。如领事暂缓一条，既言暂字，终归必设，是名争而实不争也。如天山两路不全免税一条，将来新疆各城但纳税一两处，即算如约，是争其所不必争也。如塔、喀边界派员议定一条，空言议定，并未言分界限以何处，是竟以不争强称为争也。如哈、巴、古三城一处留货一条，尤为琐屑，本非十八条之一，是虽争尚不如不争也。试思伯都讷、西安、汉中既许通商，张家口既许设栈，内地近畿畅行无阻，而于关外沙漠计较留货之区，亦颠倒之甚矣。

大抵曾纪泽之意，既苦俄人强横，又复偏执己见，于最要者，止争伊犁全境一条，而以四条或不关紧要，或并非实争者，搪塞充数，名为五条，实止一耳。虽俄人慨允，我已大失便宜。况布策追回，譬如贾人出门，我复招之使返，必须增价无疑，可知曾纪泽此次必至降格相就。据彼外部来文，伊犁割地，俄志甚坚，即使布策十分通融，准改其四，亦必不允其一，然则伊犁全境终不可得。夫曾纪泽有五条不权轻重之上文，失言于前日，又有总署八月初八日漫无限制之电寄，横亘于胸中，将来转圜结局，不过新疆俄商稍有一两处纳税而已。夫以中外大局扰攘近一年，征调半天下，九重怒，群臣争，再遣行人，六下廷议，而究竟止归于争得边外区区一两处税银而止，以言实则大伤，以言名则不正，天下万世将谓之何？

臣谓，彼既不强其概允一言，正可就此与之力争要着，此时必宜速饬曾纪泽扫除前文，从新另议，注意界务，专力筹商。除其他各条应由使臣相机辩驳外，窃谓西、汉通商一节，尤为大利大害之所关。臣上年十二月第一疏已经备陈，而大学士左宗棠复奏疏中，病国、病官、病商、病民诸说，尤为详尽。至于目前维持，臣已两疏陈有减税招商中俄两利之策，此时与俄人辩论，但当以华商生计为言，盖新疆贾贩本皆西商，今准俄商免税，则山西、陕甘数省之商民于关外已无所获，何忍并此而夺之？查张家口、恰克图一路，旧有茶商二十八家，利息丰盛，自咸丰季年俄商盛行，今存者止三家耳。西、汉若引入俄商，吾民生计尚堪设想哉！捐关外之利予俄商，留关内之利予华民，可谓极宽、极让、极和、极平，俄人于他条所得已多，于此条亦复有利，何至决裂？就令敌国不顾情理，使臣何忍不一启口乎？

尝读同治六年九月故大学士曾国藩《复奏预筹修约疏》有云：总就小民生计与之切实理论，自有颠扑不破之道。如果洋人争辩不休，尽可告以即使京师勉强应允，臣等在外，亦必以全力争回。即使臣之〔工〕勉强应允，而中国亿万小民穷极思变，与彼为仇，亦断非中国官员所能禁止。中国之王大臣为中国之百姓请命，不患无辞置辩，甚至因此决裂，而我以救民生而动兵，并非争虚仪而开衅，上可以对天地列圣，下可以对薄海苍生，中无所惧，后无所悔等语。又云：害我百姓生计，则当竭力相争，不设抵制之词，不用严峻之语，但以诚意动之，始终不可移易，彼知理直不可夺，众怒不可犯，或者至诚所感，易就范围等语。纵枢臣以臣为书生之见，独不思左宗棠固尝连篇累牍而上陈乎？纵使臣以臣为不晓洋务，独不思其父曾国藩固尝腐心切齿而力争乎？伏请敕取左宗棠、曾国藩两疏上呈御览，令诸臣等一再思之。

至如松花江行船一条，曾纪泽本有提开缓议之说，即不能争亦当姑置勿议，免致说断无可转移。如伊犁全境一条，即不能争，亦当与俄人婉商，酌分南境，为中国留一南通八城之路，免致弃伊犁孤城为绝地。如领事一条，则乌里雅苏台、科布多两处尤要，我之防兵稀少，一设洋官，数千里蒙古尽为彼用。即不能全争，亦当择此切迫者实力阻止，免致以一暂字自伏祸胎。即或智穷势迫，此三端必不能争，而西、汉一节断不可让。闻曾纪泽之意，目前着重专在伊犁全境。然臣谓万一彼此相持，和议难成，中国可为商民生计而兴兵，亦不值为伊犁属地而决裂，轻重之权，此亦易晓者也。窃惟事势至此，补救将穷。限期一展不能再展，敌使一追不能再追。枢臣因惶惑而全无定衡，使臣执己见而不度利害。使臣既以当争者为不必争，枢臣又不肯筹一审敌情、箝敌口之法，以指授使臣，则虽争亦如不争。若再不乘此数日未定之转关，力争此一线实在之利害，臣不知枢臣、使臣谆谆渎请颁国书、释崇厚、结五案、展限期，卑逊包荒，无微不至，所为者果何事也？臣诚迂陋，亦知相时势，谅使臣独以区区愚诚，既蒙厚恩，使与咨议，有见不敢不争，有言不敢不尽，惟圣明垂察焉。谨奏。

六年九月十五日。

左庶子张之洞奏陈西防东防津防事宜以备采择片 附上谕

一、左宗棠内召，刘锦棠素为军锋，该大学士自必荐为西帅。惟是刘锦棠勋绩虽多，资望非左宗棠之比，张曜百战之将，名位相埒，恐怀觖望之心，致成不相下之势。西陲兵冲，岂可令将领自生疑忌？臣闻张曜才兼文武，智略老练，实非一介武夫，似宜予以帮办之名，庶几益加鼓舞，彼此和衷，自于边事有益。

一、闻曾国荃之意，欲驻扎山海关。窃维关外形势，营口为前敌，锦州为重镇，统帅宜驻于此，方可左右策应。今日海防情事，敌船若入辽海，必趋营口。设由此登岸，必就近东窥奉天，决无西突关门，自断后路之理。彼若欲扰畿疆，则径犯津沽矣。然则宜备者奉天也，非山海关也。统帅不出关，备营口则鞭长莫及，援奉天则着着落后，似无大益。至宋庆、郭宝昌、刘连捷、刘维桢四将之军，分相敌而情不相浃，且湘、楚、皖、豫饷之厚薄不同，共处相形，必怀嗟怨，轻则有逃溃之忧，重则有私斗之患，尤须主帅较近，方能施镇抚调护之方。曾国荃近颇衰病，神识销减，大为可忧，朝廷宜预筹替人，方免临时失措。总之，即使俄人与我无衅，恐亦将逞志朝鲜，以后辽防势不能已。伏冀庙谟广运，于东防将士早为筹画周密，以固陪京。再，目前应急之计，止可征调南军。若计久长，则关外征防总以选练北将、北兵为上，客兵断不相宜。臣前此具疏、具说贴屡经沥陈，惟望圣明留意。

一、鲍超不日到津。该提督功高气盛，必须位置得宜，方免主客参差。既不能受李鸿章节制，又难骤假重权。窃谓若使调补直隶提督，则不亢不卑，自然形迹默化。即使俄事初定，以后各国修约等事，无年无之，防将防军，断难遽罢。而畿甸之间，犹须有大将重兵，方免受人要挟。临事征召，又蹈后时之悔。霆军皆系楚人，北边、东陲皆不相宜，自以屯驻畿辅为便。直隶年年水患，苦于无力修治，将来防务之暇，即以兼供浚河开渠之用，亦未尝非一举两得之计也。

以上三条，关乎将帅之乖和，即系乎近〔边〕疆之利害。臣愚私忧过计，不能默然，是否有当，伏候圣裁。谨奏。

光绪六年九月十五日奉上谕：詹事府左庶子张之洞奏，敌船入辽海，必趋营口，今日海防，宜备者奉天，非山海关。关外形势，营口为前敌，锦州为重镇，统帅宜驻于此，方可左右策应。宋庆、郭宝昌、刘连捷、刘维桢四军，分相敌而情不相浃，且湘、楚、皖、豫饷章厚薄不同，尤须主帅较近，方能镇抚调护等语。所奏是否合宜，着曾国荃与李鸿章会商，妥筹具奏。将此由四百里各密谕知之。

使俄曾纪泽奏谒见俄皇呈递国书折

出使俄国大臣曾纪泽奏，为微臣谒见俄罗斯国君，呈递国书日期事。

窃臣于六月二十四日行抵俄国都城，曾将接印日期，于七月初四日恭折奏明在案。比即恭录国书，照会俄国外部，订期呈递。旋晤其外部大臣吉尔斯，暨俄国驻华公使布策，辩论多时，最后该外部大臣乃允代奏国君，请示期日。其时，俄国君正在城外阅兵，未能接见各国公使。直至七月十四日，乃接外部照会，订于十七日未刻，俄君在城外萨尔斯克行宫接见。届日，臣于巳刻恭赍国书，率同参赞随员刘祺祥、法文翻译官庆常，由森比德堡使署登行。至火轮车栈，俄署礼部尚书达微多福，暨其参赞等官，在栈迎候，同坐轮车，行五十里，至萨尔斯克车栈，遂至行宫朝房。坐候一时许，该署尚书奉俄君之命，设宴相待。是日为西洋礼拜袄神之日，俄君赴袄〔祆〕堂行礼，未初回宫，〈达〉微多福导臣经过正殿，直入殿傍小阁，俄君治事之厅。国君当门而立，臣行三鞠躬礼，手捧国书，宣读颂辞，俄君受书答辞，皆由外部之华文翻译官孟第传译。俄君致辞礼毕，送臣出自殿庭，自作英语与臣问答数句，慰劳甚殷。旋至外殿，接见刘祺祥、庆常等员，复作法语与庆常问答数句，回身入阁，臣等乃退。

窃臣自抵俄都，两旬有余，细察俄人相待之情，颇有前倨后恭之象，直至呈递国书之日，始有输诚修好之言。此皆由皇猷盛播，威惠交孚，帝德诞敷，刚柔互济，丝纶讲信，贤于数十万众之甲兵，玉帛寻盟，保此二百余年之和好。观初端之礼节，尚属顺成，冀再议之约章，犹能补救。理合飞章入告，仰慰宸廑。谨奏。

六年九月二十五日奉旨：知道了。

谕李鸿章关于俄国议约发曾纪泽电信着先奏闻

上谕：前据曾纪泽电中有西、汉、松花，前北洋电言可许等语，与总理衙门所发电信不符。嗣后，该大臣发与曾纪泽电信，凡关系俄国议约一事，均着先行奏闻，以免两歧。将此谕令知之。

九月二十五日

总署奏日本废琉球一案已商议办结折

总理各国事务恭亲王奕䜣等奏，为日本废球一案，臣衙门现与日本使臣宍户玑商议办结事。

窃臣衙门前奉上谕：詹事府右庶子张之洞奏，俄人恃日本为后路，宜速联络日本，所议商务可允者早允，但得彼国两不相助，俄势自阻等语。着总理衙门王大臣酌度办理等因。钦此。当经臣等于七月十九日具奏，现在与日本使臣宍户玑会商，随时察度情形，奏明请旨在案。嗣宍户玑来臣衙门面递节略，大意欲照各国一体均沾之例，酌加条约，而割琉球南部宫古、八重山二岛以属中国云云。

臣等查，日本废琉球一事，臣衙门与出使大臣何如璋等，先后照会其使臣并外务卿，反复争论，迄无端绪，本年六月，始据其外务省照复臣衙门，将商办事宜任之宍户玑等语。今宍户玑请以二岛属中国，南洋大臣刘坤一谓：以南二岛重立琉球，俾延一线之祀，庶不负存亡继绝初心，且可留为后图。北洋大臣李鸿章谓：南部两岛交还，已割琉球之半，此事中国原非因以为利，应还球王驻守，就此定议，或不至于俄人再树一敌。若球王不复，南岛枯瘠，不足自存，中国设官置防，徒增后累各等语。持论各有所见，而皆以存球祀为重，与臣衙门争论此事本意相同。虽两岛地方荒瘠，要可借为存球根本。况揆诸现在事势，中国若拒日本太甚，日本必结俄益深，此举既已存球，并已防俄，未始非计。臣等因与宍户玑议定专条，载明分界以后，彼此永远不相干预，庶以后中国如何设法存球，日本无从置喙。并与宍户玑议明，以光绪七年正月交割此地，及彼此派员如何会办，开列专约之后。

宍户玑请加一体均沾之条。臣等查，各国约内，俱有此项明文，当时李鸿章与日本订立条规，力持此条未允，办理颇费苦心。其后，日本使臣屡以为言，臣衙门均经照约驳复，转瞬修约届期，必来哓渎。今因琉球一案，遂举其蓄意多年者，请为加约。缘各国皆准在中国内地通商，日本条款第十四、十五两款载明，两国商民不准出入内地，日本商民不如各国得沾中国利益之多，故愿照各国例，加入一体均沾之条，以抽换十四、十五两款。臣等揣其情形，若仍照前坚执不允，球案必无从办结。惟日本条规逐条皆从两面立论，今虽稍予通融，仍应预防流弊。且既一体沾受其益，必须一体遵守其章，将来办法庶归一律。至此条特为了结球案允准，应俟二岛定期交割以后开办。

以上各节，皆为最要关键。臣等与宍户玑往返辩论，始定为加约。第一、第二两款，宍户玑初议，以该国现与西洋各国商议增加关税、管辖商民两事，美国已经应允，请一并加入条约。臣衙门前据出使大臣何如璋等函述，大略相同。日本既与各国商议，中国岂能独不与闻？因与宍户玑议明另立凭单，声明俟日本与各国订定后，再行彼此酌议，无庸并入加约。以上均系有关商务之事，臣等分别缓急，如一体均沾一条，其势不能不允者则允之；如加关税、管商民两事，其势尚可从缓者则缓之。凡此皆为顾全大局，联络日本起见。谨将所拟球案专条一件、加约条款一件、凭单一件，一并照录，恭呈御览。所有议结琉球一案各缘由，是否有当，伏乞皇上圣鉴训示。谨奏。

光绪六年九月二十五日。

总署奏琉球南岛名属华实属日不定议无以善后片

附球案条约凭单拟底

奕䜣等片。

再，臣衙门现与日本商办球案，并拟议加约各情形，业经另折奏明在案。查琉球共计三岛，〈北岛〉久为日本占去。至中岛系琉球国王所居之岛，现亦专归日本。南岛土产，据北洋大臣李鸿章函称：询诸琉球国臣向德宏云，每岁出谷不过两万石；并云，琉球自属日本以来，所产各物日人肆行取纳，或随人口增税，与日人言皆举大约之数等因。是不独北岛久为日人所据，即中岛、南岛亦均归日本收税，琉球之隶中国其名，而属日本其实，此时若不与定议，亦无策以善其后。兼之俄国兵轮现均停泊东洋海岛，球事不定，恐俄人要结日本，又将另树一敌。臣等再四筹商，虽以南岛存琉球一线之祀，地小而瘠，将来亦不易办，而名义所在，与辩论初衷尚无不合。臣等愚见如斯，是否有当，恭候圣裁。谨奏。

光绪六年九月二十五日。

谨将球案条约拟底恭呈御览

大清国、大日本国以专重和好故，将琉球一案所有从前议论置而不提。

大清国、大日本国公同商议，除冲绳岛以北属大日本国管理外，其宫古、八重山二岛属大清国管辖，以清两国疆界，各听自治，彼此永远不相干预。

大清国、大日本国现议酌加两国条约，以表真诚和好之意，兹大清国总理各国事务王大臣、大日本国钦差全权大臣勋二等宍玑户〔宍户玑〕，各凭所奉上谕，便宜办理，定立专条，画押钤印为据。现今所立专条应由两国御笔批准，于三个月限内，在大清国都中互换。光绪七年正月交割两岛后之次月，开办加约事宜。

谨将加约拟底恭呈御览

大清国、大日本国辛未年所订条约，允宜永远信守。惟以其内条款有须一二变通，是以大清国钦命总理衙门王大臣、大日本国钦差全权大臣勋二等宍户玑，各遵所奉谕旨，公同会议，酌加条款，所有议定各条开列于左：

第一款　两国所有与各通商国已定条约内载予通商人民便益各事，两国人民亦莫不同获其益。嗣后，两国与各国如有别项利益之处，两国人民亦均沾其惠，不得较各国有彼厚此薄之偏。但此国与他国立有如何施行专章，彼国若欲援他国之益，使其人民同沾，亦应于所议专章一体遵守。其后另有相酬条款施与特优者，两国如欲均沾，当遵守其相酬约条。

第二款　辛未年两国所定修好条规，及通商章程各条款，与此次增加条项有相碍者，当照此次增加条项施行。

现今所立加约，应由两国御笔批准，于三个月限内，在大清国都中互换。

谨将凭单拟底恭呈御览

两国通商事宜，有与他通商各国随时变通之处，彼此预为言明。嗣后，此国有将与他各国现行条约内管理商民查办犯案各款，暨海关税则，更行酌改，俟与他各国订定后，再行彼此酌议。因此，预订凭单，画押为据。

右庶子陈宝琛奏琉案日约不宜遽订折

右春坊右庶子陈宝琛奏，为俄事垂定，日案不宜遽结，日约不宜轻许，勿堕狡谋而开流弊，恭折沥陈事。

臣闻日本使臣，近因俄约未定，乘间请结琉球一案，啗我以南岛，而不许存中山之祀，复欲改约二条。总署惑于联日防俄之说，办理已有成议。臣闻之，且疑且愕，以为分琉球一误也，因分琉球而改旧约又一误也。分岛之误，近于商于六〈百〉里之诳；因分岛而改约之误，近于从井救人之愚。中国受其实害，而琉球并不能有其虚名，五尺童子犹不肯堕其术中，堂堂大朝奈何出此？窃谓俄、日沓至，总署当持以镇定，朝廷当示以权衡。俄，强国也。日，弱国也。驭俄人宜刚柔互用，而日则可刚不可柔。处俄事已不能过缓，而日则宜缓不宜急。敢抉其利弊，权其情势，为我皇太后、皇上缕析陈之。

日本既与我立约通商，无故擅灭琉球，虏其王，县其地，中国屡与讲论，则创为两属之说横相抵制。彼即以上腴归我，而中国意在兴灭继绝，尚未可义始而利终。况所割南岛皆不毛之地，置为瓯脱，则归如不归。若用以分封尚氏苗裔，则贫不能存，险无可守，他日必仍为日本所吞并。此分割琉球之说断不可从者也。琉球中、北诸岛日本全据之，若为持平之论，日本应听我择有利于中、无损于东之事加入约内以相偿抵。而今所改之约则大不然，道路传闻谓止改约二条，一曰利益均沾，一曰旧约与加约有碍照加约行。其居心叵测，无非欲与欧洲诸国深入内地，蝇聚蚋嘬以竭中国脂膏。况此外又有管辖商民，酌加税则，俟与他国定议后再与中国定议等语，则是二条之外又增二条，且故为简括含混之词，留一了而不了之局，以为他日刁难地步。此酌改条约之说断不可从者也。

论者谓，速结琉球之案，即可联日以拒俄。愚殊不谓然。夫中国所虑于日本者，接济俄船煤、米耳，以长崎借俄屯兵耳。然日人畏俄如虎，中国之力终不能禁日本之通俄，日本之亲我与否亦视我之强弱而已。中国而强于俄，则日本不招而自来。中国而弱于俄，虽甘言厚赂与立互相保护之约，一旦中俄有衅，日本之势必折而入于俄者，气有所先慑也。万一中国为俄所挫，日人见有隙可乘，必背盟而趋利便者，又势有所必至也。夫利害所关，形势所迫，虽信义之国不能保其必守盟约，而况贪鄙龌龊如日本者乎？使日本而能守约则昔岁无台湾之师，近年无琉球之役也。此二事皆显背约者也。然则琉球一案与日本之和不和何涉？日本之和不和，又与俄事之轻重利害何涉？而目论之士动谓结琉案即以联日交，联日交即以分俄势，亦可谓懵于事理者矣。

况极其流弊，琉球案结则祸延于朝鲜，日本约改则势蔓于巴西诸国。何以言之？俄人遣海部，派师船，麇集于长崎，蚁屯于海参崴，成师而出，必不虚归，若我为弦高阻秦之举，则俄必为孟明灭滑之谋。朝鲜之永兴湾久为俄人所垂涎，犹冀中俄盟成，朝鲜为我属国，彼时可令与各国立约通商，藉以解纷排难，而俄亦鉴于中国力庇琉球，贪谋或戢。昔布以宗人王罗马，首败巴黎新约，各国置若罔闻。于是，俄始问津黑海，英人责之，俄反诘英何以恕布仇俄，英人语塞。今我若轻结琉球之案，则俄人有例可援，中国无词可措。以俄兵取高丽如汤沃雪，而其势与关东日逼非徒唇齿之患，实为腹心之忧，祸延朝鲜而中国之边事更亟矣。自道、咸以来，中国为西人所侮，屡为城下之盟，所定条约，挟制、欺凌大都出地球公法之外。惟日本、巴西等国定约在无事之时，亦值中国稍明外事，曾国藩主之于前，李鸿章争之于后，始将均沾一条驳去。既藉此以为嚆矢，未尝不思乘机伺便，由弱国以及强国潜移默转于无形也。今日本首决藩篱，巴西诸国必且圜视而起，中国将何以应之？势蔓于巴西诸国，而中国之财力更竭矣。

就日本近事而论，政府萨、长二党不和，民党又倡国会之议以与政府相抗，广张匿名揭帖，欲伺外衅而动，其君臣惴惴，朝不谋夕，内事之乱如此。通国经制之兵才数万人，分布六镇，数益单薄，以之弹压乱民尚且不足，兵力之绌如此。比年借民债三千余万元，借英债二千余万元，近又以关税、铁路抵洋债三百万元，不能骤得，财力之匮又如此。结之不足以助我攻俄。若我中国大势内政清明，将士辑睦，与日霄壤，固不待言。即论兵力、〈财力〉，以之拒俄，或当全力支柱，以之拒日，是〔实〕为恢恢有余。现因俄事筹防，南北洋征军调将所费不赀，既欲与俄乘便转圜，即可留以为防日本之用，是我失诸俄而犹得诸日也。虽目下铁舰、冲船尚未购齐，水师未成，沙线未习，犹未能张皇六师以规复琉球，为取威定霸之举。而我不能往，寇亦不敢来，莫如暂用羁縻推宕之法。彼去年以此法待我矣，今我不急与议，彼又何辞？而我则专意俄事，俟定约后，拥未撤之防兵，待将成之战舰，先声后实，与日相持。如日人度德量力，愿复琉球，守旧约，是不战而屈人也；如其不应，则闭关绝市以困之。日商以海鲜为大宗，专售中国，岁食其利，若中国禁其互市，势必坐困。华商在东亦停贸易，则彼榷税顿绌，纸钞不销。且虑华商蜂聚煽变，内顾不暇，必急求成。如此犹不应，则仗义进讨以创之。三五年后，我兵益精，我器益备，以恢复琉球为名，宣示中外，沿海各镇分路并进，抵隙攻瑕，师数出而日必举。此中国自强之权舆，而洋务转捩之关键也。不然，案已结则琉球之宗社斩矣，约一改则中国之堤防溃矣。俄以伊犁饵吾改约，日本又以一荒岛饵吾改约，是我结欢以防俄而重受其绐，倭乘俄衅以挟我而坐享其利也。一月之内，既辱于北，复蹙于东，国势何以支？国威何以振？臣所由拊膺扼腕而不能不痛切上陈者也。伏乞一面饬下总理衙门，与日本使臣暂缓定议，一面将臣疏密寄李鸿章、左宗棠等，详议以闻。谨奏。

光绪六年九月二十五日奉旨。

右庶子陈宝琛奏俄事既可坚持日事无庸迁就片

陈宝琛片。

再，臣闻新疆谍知俄人于夏间屯兵数千，于喀什噶尔西南千里之阿来筑城治道，颇觉仓皇。盖彼都讹传我将进攻，故为自保计耳。又布哈拉与英吉利合攻俄属回部克其科拉、普赫思尔二城，逃民奔至安集延一带。如果属实，是我固张皇，俄亦未能整暇，其劳师在远，显系恫喝要挟，非决欲构衅可知。俄事既可以坚持，日事益无庸迁就矣。谨附片上陈。

光绪六年九月二十五日奉旨。

直督李鸿章奏议复朝鲜派匠来学制造事宜折　附上谕

直隶总督李鸿章奏，为遵旨询问朝鲜一切情形，妥筹学习制造及练兵购器事宜，恭折复陈事。

窃臣前奉上谕：李鸿章奏，遵筹朝鲜请派匠工学造机器一折等因。钦此。旋准礼部遵派通事，伴送朝鲜赍奏官卞元圭，于九月十六日抵津。臣即委令津海关道郑藻如、永定河道游智开，及办理机器、军械各局候补道许其光、刘含芳、候选道王德均等，先行会同传询一切。该道等连日与之笔谈，稍知该国大概情势。复导往机器制造局、军械所，及西法储备火器、火药各库，遍加观览，俾识端绪。臣旋于九月二十二日传见卞元圭，亦与笔谈良久。该使臣颇留心时局，非囿于一隅、拘执成见者可比。玩其辞旨，甚有忧国之志，亟欲整练士卒，购造利器，以备不虞。其怵于外侮迫不及待之情，与倚我声援切求保护之意，时于言外见之。兹督同郑藻如等，就时地之宜与该国力所能逮者，酌拟办法：盖制器必求用器之人，则与练兵相连；而练兵所用之器，有非仓卒所能自制者，则又与购器相连。今为该国筹画制造一事，当择宜办而急需者行之。如子弹、火药及修理军械之机器，必须酌量购备。朝鲜王城现兵三万，应分炮队、马队、步队为用器之则，炮队拟购克鹿卜后膛钢炮，马队拟购前、后膛枪各半，步队以三分之二用前膛枪，其余间用后膛枪，而沿海要隘之需及水雷、电机之学，在该国循次量力而行。

至来学、往教两层，该国君臣初意重在往教。查朝鲜义州，与奉天新设之安东县仅隔鸭绿江，彼意欲取机器，邀往教师，由中国拣派明干人员，即在安东设局，传习制器、操兵之要，仍不时遣人到津，通声息而便观摩。惟机器购之西洋，非经年不能运到，应由该国先选聪颖艺徒来津，就现成之器，师工之巧，可以事半功倍。俟其粗得门径，然后器、匠同归，即教者亦易为力。此制造之宜来学而后往教也。枪炮操法不同，若先派数员往教，恐言语不通，即步代整齐，口令手法呼应不灵。若先选该国弁兵数十人来津，分隶各队，朝夕操演，耳濡目染，所得较多。俟枪炮到，然后随同所派之员归同帮教，庶可递相传授。此练兵之宜来学而后往教也。

该道等将此数端与该使臣往复筹议，拟具节略，均甚周妥。惟举办之迟速，购器之多寡，视乎该国经费之优绌，非该使臣所能预定，应俟归报国王与其大臣妥商定议。臣饬局先选来福前膛枪十杆，酌配子药、铜帽各项；毛瑟后膛马枪十杆，连后门子二千个，交该使臣携带回国，俾该国观其式样，稍知梗概。除已饬卞元圭回京候旨外，谨将拟具来津学习制器、练兵各条，钞呈御览，拟请敕下礼部，咨照该国王，相度便宜，自行酌办。李裕元寄臣书函，亦即妥为恭复，俾知领会。谨奏。

光绪六年九月二十九日奉旨：所奏制器、练兵各条，及另片所议该国来学员弁章程四条，本日已谕令礼部，咨照朝鲜国王酌办矣。另，片一件、单三件，留中。

直督李鸿章奏朝鲜学员令其自备资斧暂从海道不得多派从人片　附章程笔谈清折

李鸿章片。

再，臣督同津海关道郑藻如等，询议朝鲜制器、练兵事宜，拟定大概规模，已专折具陈在案。据该使臣卞元圭呈称，朝鲜兵备早宜讲求，所以迟至今日者，实因外藩私购戎器有干例禁，迨时势既迫始敢吁请，犹恐缓不济急。又称，该国义州距营口仅六百里，由营口附轮船直达天津，不过数日；或自津门航海东驶，可经〔径〕泊该国黄海道之长渊、丰川两府，将来领运器械、来学员弁当从海道为便捷等语。虽格于定例，而军需紧要，未便过涉拘泥，转阻其向化之诚。因饬郑藻如等，与该臣酌议章程四条，于通融中略示限制。查外藩派人来华习武本属创举，自应因时变通。如选派人员一条，令其自备资斧，以免供亿之烦，仍许借给住房，用示绥怀之谊。往来道路一条，惟来学之员弁兵匠及领运器械，准其暂从海道。此外朝贡及常行公事，仍须恪遵成宪，斟酌于经权之中，似尚无甚流弊。给发凭票一条，所以备稽查而便约束。至从人不必多派，亦不得私带商贩货物，关税可免短绌。公文分咨一条，若循向例，朝鲜来文须由礼部转行。然练兵、学艺、购器诸务，皆属刻不容缓，设事事由礼部核转，在该部既滋烦琐，兼恐有误机宜。今令该国分咨礼部及臣衙门，以免迂折而求迅速，仍由臣随时奏明办理。凡此四端，皆已再三筹画，不厌精详，谨将拟议来学章程钞呈御览，谨附片具奏。

光绪六年九月二十九日。

谨将卞元圭与郑藻如拟议该国员弁来学章程录呈御览

一、拟选派三十八人，分入东、南两局学习制造，以两员分管之。通事、传语者，东局用二人，南局用一人。又选派精明强壮弁兵四十人，分隶亲军枪炮营内，学习操练，亦以两员分管之。通事、传语者二人。以上共以八十七人为额，资斧、火食等项，皆朝鲜国自备，惟住房由中国借给。

一、朝鲜国朝贡、信使往来所经道路，自必永遵成宪。惟此次派人来学，系属破例之举，若得经〔径〕从海道更觉便捷。且制造、操练等事，一二年内当可探讨门径，为期不至过久，拟请酌量变通，奏咨立案，暂由海道来往，不在朝请、常行公事之例。除来学之弁兵、学徒、委员、通事、从人而外，别人别事不得援照办理。至朝鲜国请中国代购军械、机器等件，俟购到后，由中国咨照朝鲜，方可派员从海道前来领运。

一、委员、弁兵、学徒、通事人等，由北洋大臣衙门给发空白凭票，交朝鲜国按名填给，并造名册，呈送北洋大臣衙门及礼部备查。到中国后，遵守中国规矩，专心听教。倘或不遵约束，由中国官发交派来委员查核办理。至随从之人，敷用为止，不必多派，亦按名给予凭票，附列册末，一体遵奉约束，不得私带商贩及一切货物。

一、凡属练兵、学艺、购器、军务公文，由朝鲜国王分咨礼部及北洋大臣衙门，以归便捷。

谨将接见朝鲜赍咨官卞元圭笔谈问答钞呈御览

问：该国相臣何名？

卞答：领议政李最应，六十六岁，今王叔父，宗亲，封君，初为兴宣君。

问：议政亦犹中朝之军机大臣否？其人中外政务、兵事均洞悉否？

卞答：议政即古之丞相、中书令、平章事也，中外诸务均得与闻。

问：与日本通商两口曾设关否？岁曾收税项若干？

卞答：东莱口已有关，德源口方设关。东完税额，尚未一定。

问：东莱开口已数年，何以税额尚未定？闻日本轮船常至，岂能有货无征？

卞答：两口俱完工程，行将一并定税。

问：中国初设洋关，未知西国通例，按货值百抽五。贵国定额拟值百抽几？

卞答：此在两国论定，庙堂必有成算，而陪臣位小无由预知，敢问抽几可得中？

告以泰西各国大率入口税重，出口税轻。土货出口税轻，所以恤吾民生，利吾物产也。又分别货之贵贱，销之畅滞，酌定等差，有每百抽二三十者，有每百抽十数者，故岁入较多。中国初不知此例，为西人所蒙，进、出口概定为值百抽五。条约既定，至今一成不可易，虽贩运内地加半税二五，然吃亏实多。贵国甫开通商，税额必须加重，可以自主。否则，各国援例而来，必有后悔。

卞答：出、入口税参酌轻重，实维硕画指教，敬当据以归告，思所以恤吾民，利吾产，仰副德意之万一。

问：吾去年七月致李太师密函劝与西国通商，盖稔知各国见日本开埠必有继往求索者，贵国主意须早自定。若不得已而与各国通商，重加税则利可在我，妥定条约，害亦有限。不图贵国众议不以为然，而各国觊觎终无已时，兵力又恐不能自守，为害甚大。

卞答：此国之大事，陪臣虽位下人微，亦有所闻矣。非不知前秋密函下示备极忠告，而时因与彼有怨未便遽和，谨将尊教一一归告。

问：所谓与彼有怨，想指法、美两国前事而言。闻法、美尚不欲遽加兵，但求通商而已。俄界逼近，实欲在东海开拓口岸、土地，目下兵船麇集海参崴、图们江一带，与贵国击柝相闻，贵国何以备之？又闻贵国民人，在俄界贸易、工作者甚多，彼得藉以侦察虚实，贵国官府向与有文书往来否？

卞答：俄之为虞，浮于法、美，小邦之北陲即庆兴、庆源等地，虽愚蠢逐末之类，每每逸去为其雇佣，则侦探虚实想亦必然之势也。但犯此者为本国所获，则法不容贷，故辄一往不返。边民有争桑之渐，边臣或有文书开解，而非有按例往来。

问：德源永兴海口，闻各国艳称，形势险固，为东海之最，俄人有意图之。贵国于该处已有炮台、兵船否？吾于此甚为焦系，请以实告。

卞答：海口要害虽有船、炮，然船是木板，炮皆旧制，用是憧憧。从前小邦之事，全仗中堂维持，今当艰危之秋，愿更加倍留念，仰纾重宸东顾之忧，俯慰褊陬北拱之诚，无任祈恳愿祝之至！

问：俄人诡诈异常，吾曾询有此意否？答云，无之。然各国从旁窥探，谓其实有是谋，但尚未发动。明春必须谨防。若届时彼之大队兵船竟回，贵国须早留意。

卞答：《武经》云，知彼知己，百战不殆。所以寡君忧深虑远，另加侦刺来咨，有疆邻窥觇之语，即谓此事也。苟非中堂视均一室，谁肯明教而代筹其将来耶？伏乞速加询探，而亦或有镇压、排解之道，更愿随机方便，保无他患，千万至祝！固知早蒙关垂，无待陪臣缕白，然情穷势迫，安得不琐渎乎？庶可原其心而宥其罪矣。

问：鄙意永兴口既准日本通商，倘俄人遽以兵船闯入，或先礼后兵，贵国须派委员与之接应，相机酌允通商、议约，如何议法，权仍在己，此即排解之道。若待运兵后议约，吃亏甚矣。

卞答：敬当一一归告，而镇压之要在乎中堂，伏愿特垂终始之惠焉。小邦咸镜道，即国祖康献王肇基之地也，四世仙寝于是乎安，且五金之类于是乎产，其民勇而无谋，习于骑射，堪称北方之刚。惟是德源元山为陆海咽喉，所以小邦多年靳持，究竟万不获已而许其开埠矣。倘或有事于此地，则咸镜一道非我之所有。何则？扼其喉，则呼吸岂能通乎？握管焦心，不知所裁。

告以中国陆军尚可自立，水师仿造兵轮船多只，仅能自护口岸，剿办土寇，或与他小邦角胜。若俄水军强盛，目下吾力尚未足与驰逐大洋，其势实未便远顾东海，即未敢云镇压贵土永兴一带也。俟数年后铁甲快船稍备，鄙意令其出巡，偶泊贵国海东各口，聊作声援。盖本大臣北洋辖境与贵邦海岸毗连，谊若一家，本无畛域，现今力量万难兼营。若俄意不测，贵国委蛇待之，羁縻勿绝，亟图练兵、制器自强之策，犹可为善国也。泰西通例、公法无无故称兵夺人土地者。若坚拒固闭，彼得有词，不可不熟虑之。

卞答：先礼后兵，先兵后礼，固当相敌为资，未可预料。而德源埠头之役已自春间经始矣，今忽添筑炮台，多排大炮，则日本之人必将藉为口实。若束手坐待，尤非御侮之策。伏乞明赐指教，俾有率从，千万祈恳！

告以东西各国通商口岸未有不坚筑炮台以自防护者，日本似不能藉口。果相诘问，答以此系我国自主，万国通例但须约束弁兵不得滋事耳。

卞答：谨承明教，辞旨郑重，披露无隐，忝在下风，曷任感激！数年之后，辖境巡泊，威声所被，想足震慑。而目下忧虞，靡所止届。寡君智勇仁明，谅有以善后，而陪臣漆室之见，自不免憧憧。窃有邻邦滋惑之事，琉国为日本侵夺，即公法所不许也，天下各国其将公议而兴亡继绝乎？

告以日本之于琉球，自谓前明中叶即为藩属，并球后以新闻纸遍告各国，各国亦轻信之。公法乃泰西所订，东土未必照行。但各国通商公共之口一国不能独占，占之则必群起而争，故去秋密商贵国，酌允各大国通商，亦虑俄、日之将有事于朝鲜也。

卞答：无论巨细，归候寡君斟酌。

问：贵国所求派人学习制器、练兵各事业，令诸位道台与之妥议数日，昨呈略折，大端已甚详晰，贵官能遵允否？

卞答：此事系前古所未行，素意所不蓄，乃敢咨请者，仰恃大朝之于小邦有吁必从、无愿不遂之德，意亦维我中堂眷庇之惠泽，如有所教，敢不奉遵！

告以兹有节略草稿一本，望携回细阅，条议具复。或有疑难，再与诸道酌商转禀。

卞答：各条周密精核，无庸更议。若有事时，乞从海道往来，前布告于诸位道员，谅蒙鉴烛。

告以朝贡、信使来往，必须恪遵成宪。此系破例之举，若径从海道，自更便捷，仍令诸道会商妥议章程、凭票等事，呈候具奏，请旨定夺。

卞答：陪臣前日仰请本自如此，而不必今日、明日随便裁处，惟图济事。

九月二十二日

谨将朝鲜派人来学制器练兵分条拟折恭呈御览

制造一事，所包甚广，不可不分别难易缓急。中国创立各厂十有余年，费用饷项约数千万，得入门径，知有必须自造者，有不必自造者。兹为该国筹画，当在择易办而急需者行之。如枪炮既购办矣，而子弹须源源接济，若专恃购办，必有缓急难恃之虞。此必自行制造者，一也。军械常有损坏，修理必藉机器。此必自行制造者，二也。盖行远必自迩，登高必自卑。所用机器，除造后膛炮子须全分机器，此外不必全藉汽机，应以人力运动者为宜，可择汽机小者，购一二具，以运车床、刨床、钻床而已。军械之中，火药为最要。西药佳处，全在硝矿提净压至结实。碾工与臼舂之工无异，机器碾盘似可省也。仅购提硝器具，压水机器皆用人力者，则省费约十之六七。至于造枪子铜壳，非购全副机器不可。如购办各种军械器具之议既定，则择该国年十五六以至二十岁者数十人，分入两局，学习各种技艺。其选择之人，除画图、汽机而外，应于该国素业铜、铁、木各工匠内，心思灵巧者，选派来学。如欲骤然奏效，恐亦不能，缘制造之学无穷尽也。俟期年后略得要领，及器具购到，则随之回国，自有把握，庶不致茫然无从下手矣。

一、画图，本诸算学，为制造之根源，须择年十五六、聪明而有悟心、能通文义者四人，分隶学习。工师之才，由此出焉。其学无止境。

一、木样厂，凡制一物，必须先做木样，应择该国木工有心思、年二十内外者四人，分隶学习。

一、翻沙厂，此种工夫较易学习。惟熔化铜、铁，习练眼力，分别火色，配合料作，亦非易事，须择年力精壮、有膂力、有心思者四人，分隶学习。

一、枪子厂、卷铜厂，机器繁多，应送四人专入东局学习。

一、机器厂，须宽为选派，应择年十五六者四人，按照车床随师教导。但车床工夫是以机器制器，能知换用车刀、分配齿轮便入门径，惟执锤、用凿、用锉以手制器工夫较难，修枪工夫亦应学习。此四人应分隶两局学习。

一、汽机锅炉厂，须选年二十上下者四人，分隶学习汽机煤炉之事。

一、熟铁厂，须择该国素业铁工者四人，分隶学制锅炉。该国熟铁工匠原不乏人，有样自可仿造，惟于锅炉钉铁工夫未易学习。

一、火器厂，须择年十五六者四人，分隶学习配合拉火、暴药各料。

一、电气房，须择年二十以内者二人，专隶南局，学习电引、电机、电表各种技艺，为水雷引电之用，盖电学理极精微，机关奥妙，深造最难，应择该国聪明过人者学之，亦可渐入门径。

一、制火药，向习此艺者三人专隶东局学习，不必年轻，为其已入门径，自知慎重，则进益较易。

一、制镪水，应择年二十内外、聪明者一人，专隶东局学习。

以上共约计三十八人，分入两局学习。居住之处，两局各有工匠住房，无庸赁买。练兵、购器两事，该国赍咨官书称，王城现兵三万，马兵居其一，步兵居其九。此时既拟练兵，应分炮队、马队、步队为用器之则，除马队三千已有成额，则步兵二万七千之中应分三千为炮队，炮可少用而炮兵不可少练也。马兵三千应备马枪，若用后膛则经费太巨，不用后膛则御侮无资，拟以前膛后膛各半。后膛用德国毛瑟枪，前膛用英国恩费尔来福枪。其余步队二万四千，以四千人分执杂器，应以二万人执枪。即或用一半后膛，其经费已恐难筹，应以三千杆为后膛枪，一万七千杆为前膛枪，费用较省，由渐而入，力或能支。炮位一项，专宜求精，与其购买英、法之前膛炮，不若专购德国克鹿卜后膛钢炮。该国沿海要隘无从悬拟，若以行使论之，至少亦须四磅窄轮后膛炮十八尊，过山后膛炮十八尊，连子弹价值费用已须六七万两，合前膛枪枪子铜帽各款，已约二十余万两，而沿海要隘之需仍不在此数之内。是在将来循次量力举行，更及水雷、电机之学。至于练兵，似宜先来学而后往教，枪队、炮队操法各有不同，若先派数员往教，不但目前无器可习，即步伐整齐、口令手法殊难遍及。且言语莫通，事事倚仗通事，是则教者之情难以周达，而学者之心志亦无所适从。必须先选该国精明强壮之弁兵数人，分隶天津枪队、炮队，朝夕专习。俟枪炮购到亦将期年，而一年之中该弁兵耳闻目睹，志求心得，必能粗有规模。然后随同所派之员带器同归，分司帮教，则教者易教，而学者易学矣。此练兵一层必须先来学而后往教者也。

谨将约议代购枪炮经费附开于后

拟派三千人为炮兵，用克鹿卜四磅后膛炮十八尊，连车架，每尊约价银一千五百两，计银二万七千两。每炮配子三百个，共五千四百个，每个约价银一两，计银五千四百两。用克鹿卜两磅过山后膛炮十八尊，每尊配子三百个，价与前相等。

拟以三千人为马兵，用后膛马枪一千五百杆，每杆约价银六两，计银九千两。每枪配子五百粒，共七万五千粒，每千粒约价银二十二两，计银一万六千五百两。用前膛马枪一千五百杆，每杆约价银三两六钱，计银六千五百四十两。

拟以二万人为洋枪步兵，用后膛枪三千杆，每杆约价银九两，计银二万七千两。每枪配子五百粒，共一百五十万粒，每千粒约价银二十二两，计银三万三千两。用前膛枪一万七千杆，每杆约价银三两，计银五万一千两。共配用铜帽一千七百万粒，每万粒约价银八两，计银一万三千六百两。

以上共计银二十二万一千四百四十两。

直督李鸿章奏朝鲜与西人通商系谋国要图亦为盛吉直鲁之屏蔽片

李鸿章片。

再，朝鲜与西人通商一事，系其今日谋国要图。臣前奏明，俟复李裕元函，仍拟善为开导，冀有转机。惟李裕元致仕家居，虽尚得与闻朝政，而一切谋议设施，究由该国君相主持。此次赍奏官卞元圭来津谒见，臣与笔谈良久，触类引伸，俾徐悟保邦之大计。即臣上年七月致李裕元一函，彼亦知为忠告，因与开诚布公，迎机善导，剀切而详示之。闻朝鲜与日本通商数年，尚未收税。彼并不知税额重轻，臣告以西洋各国通商通例，令勿为日本所蒙，且知重税之有裨国计。朝鲜与法、美有怨，虑其见侵，臣告以法、美志在通商，并无用兵强逼之意。而俄人则窥伺甚急，朝鲜东北海口与俄接界，防御太疏。臣告以德源永兴口既准日本开埠，倘俄人以兵船闯入，或先礼后兵，应派员相机接应，酌允通商议约，免致动兵后格外吃亏。朝鲜欲在德源埠筑台置炮，恐为日本藉口，臣告以东西各国通商各口，未有不筑炮台以自防护者，乃系自主之权。凡此皆所以破其惑而使之自强，开其意而使之自悟。该使似闻所未闻，中心悦服，一切俟归报国王妥为酌度，当不至如从前之杆〔扞〕格。查朝鲜三面环海，其形势实当东北洋之冲，而为盛京、吉林、直隶、山东数省之屏蔽。其民人能耐劳苦，物产亦非甚绌，五金煤铁之矿未经开采。倘为俄人占据，与吉林、黑龙江俄境势若连鸡，形如拊背，则我东三省及京畿重地，皆岌岌不能自安，关系甚重。日本近与开埠，阳为各国先容，而阴嗾朝鲜坚拒，其意亦甚叵测。兹欲杜俄、日之隐谋，惟有与泰西各国一律通商，尚可互相牵制，孑然常存。然闻见以阅历而始广，风气由倡导而渐开，该国于制器、练兵既知加意讲求，商务一端或终有扩充之望。谨照录臣与卞元圭笔谈问答节略，恭呈御览。谨奏。

光绪六年九月二十九日。

清季外交史料卷二十三终

清季外交史料卷二十四

光绪六年十月至十二月

左庶子张之洞奏琉球案宜审缓急折 附上谕

左春坊左庶子张之洞奏，为邦交宜审缓急，驭远宜有限制事。

窃惟日本擅灭琉球，中国屡行责问，彼遂赂我两岛，而因以推广商务、改立新约为请。近闻其使臣屡催总署，迫我速结，臣以为此不可不审也。七月初十日，臣为俄事所上边防一疏，曾有联日本以伐交，商务可允者允之，使彼中立不助俄势等语。所云联日本者，专指商务，且必可允者方允，与球事无涉也。既允商务，则必与之立约，中俄有衅，彼不得助俄为寇，济饷屯兵，非无故而曲徇其请也。盖商务所争在利，方今泰西诸族麇集中华，加一贫小之日本亦复何伤？夫中国不过分西洋诸国之余沥，以沾溉东洋，而藉此可以联唇齿之欢，孤俄人之党，此所谓不费之惠，因时之宜，臣所以敢为朝廷请者也。若球案率结，寥寥荒岛，即复封尚氏，终难自存。我不能庇累朝臣仆之琉球，复不敢抗蕞尔暴兴之日本，从此环海万国接踵效尤，法据越南，英袭缅、廓，俄吞朝鲜，数年之后屏藩尽失。他国犹缓也，朝鲜一为俄有，则奉、吉两省患在肘腋之间，登莱一道永无解甲之日矣。窃念俄事扰扰，将及一年，庙堂无欲战之心，将相无决战之策，将来结局大略可知。夫惧俄犹可言也，畏日不可言也。情见势绌，四裔交侵，其能堪乎？此则臣所不能不为国家深忧者也。从古来诸国角立之世，大率须审邻国之治乱强弱，于我之远近缓急分别应之，固无一律用武之道，亦无一概示弱之理。经传所称度德量力，史策所谓远交近攻。故与俄战，则不得不与日和；与俄和，则不妨与日战。此谋国不易之策也。臣愚以为，此时宜酌允商务以饵贪求，姑悬球案以观事变，并与立不得助俄之约。俄事既定，然后与之理论，感之以推广商务之仁，折之以兴灭继绝之义，断不敢轻与我绝。设必不复球，则撤回使臣，闭关绝市。日本甚贫，华市一绝，商贾立窘。严修海防，静以待之，中国之兵力、财务纵不能胜俄，何至不能御日哉？相持一年，日本穷矣。臣闻，近日外间文武将吏，语及日本，皆谓可讨。台湾生番一案，志士扼腕太息，以为失计。比者自俄警以来，征兵选将，沿海骚然。今日移防俄者以防日本，即借慑日本者以慑外洋各国，计孰有便于此者？倘此举再误，则中国安有振作之日哉？若夫出师跨海，捣横滨，夺长崎，扫神户，臣雅不欲为此等大言。至于修防以拒之，绝市以困之，此亦平实而甚易行者矣。臣所争者非琉球之存亡，所计者乃国家之利害，仰恳庙谟裁断，将商务择其无弊者允行，球案抽出缓办。如圣意不决，即望饬李鸿章、左宗棠速议具奏，庶免仓卒定约，日后追悔。即或总署诸臣难于峻拒，但使封疆重臣执奏不允，即可拒以为辞。昔宋真宗欲徇辽人所请，而寇准以为不可，卒改前议，此等大计亦不可不令疆臣与议也。窃恐朝廷不察臣七月初十日上疏之本意，而又蹈生番一案之故辙，不得不缕晰恳切言之。谨奏。

光绪六年十月初一日奉旨寄：总理衙门议结球案一事，陈宝琛奏，不宜遽结，经醇亲王等议照总理衙门办理，业经降旨允准。现据张之洞奏，商务可允，球案宜缓结，复经醇亲王等奏，以日本与俄相结，又与闽、浙相近，若更动成局，日本人未必甘心等语。着李鸿章统筹全局，迅速复奏。

直督李鸿章奏日本议结琉球案牵涉改约暂宜缓允折

直隶总督李鸿章奏，为日本议结球案，牵涉改约，暂宜缓允，遵旨切实妥筹事。

窃臣承准军机大臣密寄十月初四日奉上谕：前据总理衙门奏，议结琉球一案，又据右庶子陈宝琛奏，琉案不宜遽结，旧约不宜轻改，当经醇亲王等酌议，宜照总理衙门所奏办理，业经允准。旋据左庶子张之洞奏，日本商务可允，琉案宜缓。复经醇亲王等议，以日本与俄深相要结，又与福建、江浙最近，今若更动已成之局，未必甘心；且恐各国从而构煽，卒至仍归前说，或并二岛而弃之，益为所轻等语。自为揆时度势，联络邦交起见。惟事关中外交涉，不可不慎之又慎。李鸿章系原议条约之人，本案情事素所深悉，著该督统筹全局，将此事应否照总理衙门原奏办理，并此外有无善全之策，切实指陈，迅速具奏。总理衙门折片各一件、单三件，陈宝琛、张之洞折各一件，均着钞给阅看等因。

查从前中国与英、法两国立约，皆先兵戎而后玉帛，被其迫胁兼受蒙蔽，所定条款吃亏过巨，往往有出地球公法之外者。厥后，德、美诸国及荷兰、比利时诸小国，相继来华立约。斯时，中国于外务利弊，未甚讲求，率以利益均沾一条列入约内。一国所得，诸国安坐而享之；一国所求，诸国群起而助之。遂使协以谋我，有固结不解之势。同治十年，日本遣使来求立约，曾国藩建议，宜将均沾一条删去，及臣与该使臣伊达宗城往复商订，并载明，两国商民不准入内地贩运货物，限制稍严。嗣后该国屡欲翻悔，均经驳斥，自是秘鲁、巴西立约亦稍异于前。诚以内治与约章相为表里，苟动为外人所牵制，则中国永无自强之日。近闻各国驻京公使每有事会商，日本独不得与，其尚未联为一气者，未始不因立约之稍异也。至内地通商，西人以置买丝、茶为大宗，资本较富，稍顾体面。日本密迩东隅，文字、语言略同，其人贫窘，贪利无耻。一开此例，势必纷至沓来，与吾民争利，或更包揽商税，为作奸犯科之事。明代倭寇之兴，即由失业商人勾结内地奸民，不可不防其渐。此议改旧约尚宜酌度之情形也。

琉球原部三十六岛，北部九岛，中部十一岛，南部虽有十六岛，而周回不及三百里，北部中有八岛早被日本占去，仅存一半。去年，日本废灭琉球，经中国迭次理论，又有美前总统格兰忒从中排解，始有割岛分隶之说。臣与总理衙门函商，谓中国若分球地，不便收管，只可还之球人，即代为日本计算，舍此别无结局之法，此时尚未知南岛之枯瘠也。本年二月间，日本人竹添进一来津谒见，称其政府之意，拟以北岛、中岛归日本，南岛归中国，又添出改约一节。臣以其将球事与约章混作一案，显系有挟而求，严词斥之，不稍假借，曾有笔谈问答节略两件，钞寄总理衙门在案。旋闻日本公使宍户玑，屡在总理衙门催结球案，明知中俄之约未定，意在乘此机会图占便宜。臣愚以为，琉球初废之时，中国以体统攸关，不能不亟与理论。今则俄事方殷，中国之力暂难兼顾，但日人多所要求，允之则大受其损，拒之则多树一敌，惟有用延宕之一法最为相宜。盖此系彼曲我直之事，彼断不能以中国暂不诘问，而转来寻衅。俟俄事既结，再理球案，则力专而势自张。近接总理衙门函述日本所议，臣因传询在津之琉球官向德宏，始知中岛物产较多，南岛贫瘠僻隘，不能自立。而琉球王及其世子，日本又不肯释还。遂即函商总理衙门，谓此事可缓则缓，冀免后悔。此议结球案尚宜酌度之情形也。

臣接奉寄谕，始知已成之局，未便更动。而陈宝琛、张之洞等又各有陈奏。正筹思善全之策，适接出使大臣何如璋来书，并钞所寄总理衙门两函，力陈利益均沾及内地通商之弊，语多切实。复称：询访球王谓，如宫古、八重山小岛另立王子，不止王家不愿，阖国臣民亦断断不服；南岛地瘠产微，向隶中山，政令由其土人自主，今欲举以畀球，而球人反不敢受，我之办法亦穷等语。臣思中国以存琉球宗社为重，本非利其土地，今得南岛以封球，而球人不愿，势不能不派员管理，既蹈义始利终之嫌，又为日人分谤。且以有用之兵饷，守此瓯脱不毛之土，劳费正自无穷；而道里辽远，音闻隔绝，实觉孤危可虑。若惮其劳费，而弃之不守，适堕日人狡谋；且恐西人据之经营垦辟，扼我太平洋咽喉，亦非中国之利。是即使不议改约，而仅分我以南岛，犹恐进退两难，致贻后悔。今彼乃议改前约，倘能竟释球王，畀以中、南两岛，复为一国，其利害尚足相抵，或可勉强允许。如其不然，则彼享其利，而我受其害，且并失我内地之利，臣窃有所不取也。

谨译总理衙门及王大臣之意，原虑日本与俄要结，不得不揆时度势，联络邦交，洵属老成持重之见。然日本助俄之说，多出于《香港日报》及东人恫喝之语。议者不察，遂欲联日以拒俄，或欲暂许以商务，皆于事理未甚切当。查陈宝琛折内所指，日本兵单饷绌，债项累累，党人争权，自顾不暇。日人畏俄如虎，性又贪狡，中国即结以甘言厚赂，一旦中俄有衅，彼必背盟而趋利，均在意计之中。何如璋节次来书，亦屡称日本外疆〔强〕中干，内变将作，让之不能助俄，不让亦不能难我，洵为确论。盖日本近日之势，仅能以长崎借俄驻兵船，购给煤、米。彼盖贪俄之利，畏俄之强，似非中国力所能禁也。岂惟日本一国？即英、德诸邦，及日斯尼亚、葡萄牙各国，皆将伺俄人有事，调派兵船，名为保护商人，实未尝不思乘机渔利。是俄事之能了与否，实关全局。俄事了，则日本与各国皆戢其戎心；俄事未了，则日本与各国将萌其诡计。与其多让于日，而日不能助我以拒俄，则我既失之于日，而又将失之于俄，何如稍让于俄，而我因得借俄以慑日？夫俄与日本强弱之势相去百倍，若论理之曲直，则日本之侮我为尤甚矣！而议者之谋若有相反者，此臣之所未喻也。

至若江苏之上海、浙江之宁波、福建之福州、厦门，均系各国通商口岸，日本即欲来扰，既无此兵力、饷力，亦必不敢开罪于西人。惟台湾孤悬海外，地险产饶，久为外人所窥伺，苟经理得宜，亦足控蔽东南。应请庙谟加意区画，渐收成效。中国自强之图，无论俄事能否速了，均不容一日稍懈。诚以洋务愈多而难办，外侮迭至而不穷，不可不因时振作。臣前奏明南、北洋须合购铁甲船四号，其数断难再减。所有请拨淮商捐项一百万两，仅准户部议拨四十万，不敷尚多，应请旨饬令全数拨济。各省关额拨海防费，前经奏明严定处分章程，仍未如额筹解。倘再延玩，尚拟请旨严催。水师电报各学堂业已陆续兴办。数年之后，船械齐集，水师练成，声威既壮，纵不必跨海远征，而未始无其具日本嚣张之气当为之稍平，即各国轻侮之端，或亦可渐弭。

又总理衙门虑及，日本于内地运货蓄意已久，转瞬修约届期，彼必力请均沾之益，或只论修约，不提球案，恐并此南岛而失之。臣愚以为，南岛得失无关利害，两国修约，须彼此互商，断无一国能独行其志者。日本必欲得均沾之益，倘彼亦有大益于中国者，以相抵，未尝不可允行。若有施无报，一意贪求，此又当内外合力坚持勿允者也。臣再三筹度，除管理商民、更改税则两条尚未订定，应俟后日酌议外，其球案条约曾声明，由御笔批准，于三个月限内互换。窃谓，限满之时，准不准之权，仍在朝廷。此时宜用支展之法，专听俄事消息，以分缓急。俟三月限满，倘俄议未成，而和局可以预定，彼未催问换约，或与商展限，或再交廷议。若俄事于三个月内即已议结，拟请旨明指其不能批准之由，宣示该使，即如微臣之执奏，言路之谏诤，与彼之不能释放球王，有乖中国本意，皆可正言告之。此臣料日人未必遽敢决裂，即欲决裂亦尚无大患。明诏既责臣以统筹全局，切实指陈，臣不敢因朝廷议准在先，曲为回护；亦不敢务为过高之论，致碍施行。若照以上办法，总理衙门似尚无甚为难之处。谨奏。

光绪六年十月初九日。

谕各督抚俄国议约请展限其意叵测着及时布置严密备防

上谕：俄国议约前以九月为期，该国现请展限两月，意殊叵测，恐其有意延缓，俟来春开冻后，以兵船来华恫喝，冀得遂其所求。各处防务前经谕令该将军、督抚等，严密备御，现在为日稍宽，正可及时布置。该将军、督抚等务当实事求是，悉力经营，总期缓急足恃，不得稍形松懈。将此由四百里密谕李鸿章、曾国荃、岐元、铭安、定安、刘坤一、何璟、张树声、吴元炳、谭钟麟、勒方锜、周恒祺、裕宽、喜昌、富升、鲍超，并传谕吴长庆、吴大澂知之。

十月十二日

总署奏美国修约提出限制华工条款折

总理各国事务恭亲王奕䜣等奏，为美国修约拟定华工限制，臣等酌议条款，开单具奏事。

窃本年七月间，美国使臣安吉立来京，照会臣衙门，请奏派全权大臣，续商条约。当经臣等奏明，奉旨：着派宝鋆、李鸿藻作为全权大臣，与美国使臣续商条约。钦此。九月间，又将美国修约使臣帅腓德、笛锐克到京日期，及修约开办情形，奏闻各在案。伏查，臣衙门前接出使大臣陈兰彬等迭次来函，内开：上年美国议院立有苛待华工之例，经其总统批驳。本年正月间，金山埃里士党人，又议例禁公司雇用华工，一唱百和，几酿事端，经美国派兵弹压，始就安贴。是华工在彼与土人已成冰炭，美国方极力设法调停，总恐非长久之计。查美国续约第五款，两国人民准其任便往来，又指明游历、贸易、久居等人，独无华工字样。近因安吉立等面递修约节略，内称：华工分住各口，不下十万人，实于本国平安有损，现提出整理、限制、禁止三层办法，请臣等酌夺前来。当询以三项办法如何分别，据称，整理系属空言，至限制、禁止两层系专为华工而设，其余各项人等不在此例。臣等以禁止一层，与旧约不符，万难迁就；惟限制一层，尚可酌拟章程，以期有利无弊。安吉立等以此项章程须由本国议院酌定，此时虽派三人来华，只求中国一言，准其自行定限等语。伏念金山等处华工，美国尚能照约保护，与古巴、秘鲁不同。近因人数太多，与伊国不无窒碍，自系实在情形。此时若坚持旧约，不与变通，将来华人日往日多，万一激成变故，不但以后去之华工累及在彼之华工，且恐以华工之故，累及贸易别项等人，转失保护华民之本意。似不如就中华之人续往承工者立定条款，约定限制，与旧约相辅而行，当于两国均有裨益。现与安吉立等往返熟商，定为四款，凡传教、学习、贸易、游历人等，仍听往来自由；其已在美国华工，亦仍照旧约保护，惟续往承工之人，或限定人数、年数，准其由伊国随时察看情形，妥订章程，知照中国，必与华民无损，始准照行。并声明此项条款，应候两国御笔批准，再行互换。所有臣等与美国使臣修订条约各缘由，理合缮具清单，恭呈御览。谨奏。

光绪六年十月十四日奉旨：依议。

总署奏华商船往美额外征税应与美使及时议定片　附条约二件

奕䜣等片。

再，臣衙门于本年九月间，接准出使美国大臣陈阑〔兰〕彬先后函称：招商局和众轮船由檀香山前往美国金山，所有船钞、货税均额外加征。遍查英、法各国条约，载有彼此商船两无加增之语，而美国条约只载美船到华利益，未载明华船到美如何纳税。当此美国派人来华议约，此节亦所应议等语。旋准美国使臣安吉立两次照询：中国征收美国各船税钞，与征收中国及别国船税钞是否相同？又中国在常关纳税钞之船，是否均与新关纳税钞之船相同各等语。其意以为，中国所待美国船，若与中国及别国船不同，或常关、新关税钞稍有不同之处，则华船前往美国，即可额外加征。虽经臣衙门分析照复，而美国条约既无明文，今昔情形不同，若不与另立条款，嗣后华船到美彼必任意加征，略无限制。至洋药一宗，本为中国漏卮，不特中国久欲禁止，即泰西各国近亦多有后议。只以英国印度地方岁入洋药税项不少，不肯遽停贩运，利之所在，各国因亦效尤。美国系属公举之国，尚讲体面，彼若先停贩运，各国或可逐渐观感，以为将来地步。臣等正与安吉利〔立〕等商办间，适接李鸿章来函，亦称以上两事，亟应与美国使臣及时议定。臣等复与逐细熟商，安吉立等尚无过拒之意，惟欲两国商民贸易有益之事，将来可以彼此商议，并于两国商民争讼申明观审办法，请将此两款一并列入作为四条。臣等查，商民贸易一款，原有随时商办之事，因嵌以两国均属有益，及彼此公同商议两语，庶将来议办不至偏枯。至观审一款，本属《烟台条约》所载，此次详细申明，与原议尚无出入。藉此定议，将税钞、洋药两事订明，在中国尚属有益无损。因与议定，前后分列四款，仍候两国御笔批准，再行互换。除将条款缮具清单恭呈御览外，理合附片具陈。谨奏。

光绪六年十月十四日奉旨：依议。

中美条约　其一

大清国大皇帝、大美国大伯里〔理〕玺天德，现因两国条约尚有未备之处，大清国特派全权大臣宝、李，大美国特派全权大臣安、帅、笛，公同商定，另立条款，附于条约之后：

第一款　中国、美国将来益敦和好，所有两国商民贸易等事，于两国均属有益之处，可以彼此公同商议。

第二款　中国与美国彼此商定：中国商民不准贩运洋药入美国通商口岸，美国商民亦不准贩运洋药入中国通商口岸，并由此口运往彼口，亦不准作一切买卖洋药之贸易。

所有两国商民，无论雇用本国船，或为别国商民雇用贩运洋药者，均由各本国自行永远禁止。再，此条两国商定，彼此均不得引一体均沾之条讲解。

第三款　中国允，美国船只在本国通商各口，无论该船载美国货物与别国货物，其进口、出口及由此口进彼口之税，与其所纳之钞，均照中国船只一律征纳，并不额外加征，亦不另征他项税钞。美国允，中国船只，或由中国通商口岸及他国各口进美国各海口，或出美国各口，前往他国各口，及回中国通商各口，无论载中国货物与别国货物，均照美国船只及各别国于美国船只不额外加税之国，一律征纳进口之税与其应纳之钞，并不额外加征，亦不另征他项税钞。

第四款　倘遇有中国人与美国人因事相争，两国官员应行审定。中国与美国允，此等案件被告系何国之人，即归其本国官员审定，原告之官员于审定时可以前往观审，承审官应行观审之礼相待。该原告之官员如欲添传证见，或查讯驳讯案中作证之人，可以再行传讯。倘观审之员以为办理不公，亦可逐细辩论，并详报上宪。所有案件，各审定之员均系各按本国法律办理。

以上条款缮写汉文三分、洋文三分，先由两国大臣盖印画押，俟大清国大皇帝、大美国大伯理玺天德御笔批准后，彼此互换，以昭信守。

中美条约　其二

大清国大皇帝、大美国大伯理玺天德，前于咸丰八年即一千八百五十八年议定和约，及同治七年即一千八百六十八年续增条约，允宜永远信守。今大美国因华工日往日多，难于整理，尚欲彼此商酌变通，仍与和约条款不致相背。是以大清国大皇帝特派钦差全权大臣宝、李，大美国大伯理玺天德特派钦差全权大臣安、帅、笛，各将所奉谕旨公同阅看，就其可以变通之处，彼此商酌变通，特列条款于左：

第一款　大清国、大美国公同商酌，如有时大美国查华工前往美国，或在各处居往〔住〕，实于美国之利益有所妨碍，或与美国内及美国一处地方之平安有所妨碍，大清国准大美国可以或为整理，或定人数、年数之限，并非禁止前往。至人数、年数总须酌中定限，系专指华人续往美国承工者而言，其余各项人等均不在限制之列。所有定限办法，凡续往承工者只能令其按照限制进口，不得稍有凌虐。

第二款　中国商民如传教、学习、贸易、游历人等，以及随带并雇用之人，兼已在美国各处华工，均听其往来自便，俾得受优待各国最厚之利益。

第三款　已在美国各华工及他项华人等，无论常居、暂住，如有偶受他人欺侮之事，美国应即尽力设法保护，与待各国人最优者一体相待，俾得各受按约应得之利益。

第四款　两国既将以上各款议定，美国如有时按照所定各款妥立章程照知中国，如所定章程与中国商民有损，可由中国驻美钦差大臣与美国外部公同妥议，中国总理衙门亦可与美国驻京钦差大臣，公同妥为定议，总期彼此有益无损。

以上续修条约各款，现在大清国、大美国各大臣同在中国京师议定，缮写汉文、洋文各三分，先为画押盖印，以昭凭信。仍候两国御笔批准，总以一年为期，在中国京师互换。

祭酒王先谦奏俄人在华购茶自运茶商多歇业请以轮船运货出洋片

王先谦片。

再，俄人在中国购茶，向由上海轮船运至法境登陆，由英达俄。旋因运路穹远，英、法收税极重，该国改由天津至通州登陆，运至张家口及恰克图囤栈接运。从前张家口有西帮茶商百余家，与俄商在恰克图易货。及俄商自运后，华商歇业，仅存二十余家。且华商税则每箱纳四两数钱，俄商税则每箱仅二两数钱，故华商不能办运。然俄人自运，得茶亦属艰难。前津海关道员黎兆棠，欲按照通商章程准由华商运货至外国交易之条，拟请招商运茶，由张家口至恰克图，往俄国交易，其税银亦照俄则办理。此议若早行于北，推广于西，则俄人乐茶货之流通便利，当不更有各处通商之请。又前闻黎兆棠议立宏远公司条约，其意以为轮船之利，仅就各省码头装运而未及外洋，故各国所需势不能不来华购运，口岸、条约由此日增。若令华商以轮船运货出洋，则洋商可以少至，暗中消弭无数事端。其时有前开设怡和洋行之外国商人闻有此事，传播外国，赞为盛举，咸愿助成。至天津商议数日，回国候信，旋因黎兆棠去任回籍，未及举行。臣每思之，窃服其用意深远。夫外洋不能不有求于中国者，其本意要图，专在养命之需，与贸易之利。至于种种后虑，系办理不善之流弊，要不得谓商务即戎机也。处今日局势而思利导之策，须商情大通，斯外衅易弭。第任洋人之垄断，必匮中国之利源，惟商船运货出售洋地，实寓操纵循环妙用，且不拂洋情，不费国帑，有利无弊，何惮不为？可否饬下南洋大臣，咨商船政大臣黎兆棠，如及今尚能举行，即先于上海及英、法各国设立公司，仍按原议条款，斟酌损益，凑集商股，作速开办。其三口及北口可否一律举行，并令咨商北洋大臣，酌核定议，及令会商可否于西口一并及时开办之处，伏候圣裁。臣愚以为，外洋逼处以来，中国兵气既隳，商力亦困。自船政聿修，兵商二者略有凭藉，尚未得行用实益，必兵船出洋，然后中国之军威可振；商船出洋，然后中国之利权可收。居今而策富强，未可视二者为缓图也。谨附片具奏。

光绪六年十月二十六日。

江督刘坤一奏球案宜速结日约宜慎重图维折

两江总督刘坤一奏，为球案宜妥速议结，日约宜慎重图维，外杜纷纭，内严防范，遵旨密折复陈事。

窃臣于光绪六年十月二十三日，接准军机大臣密寄光绪六年十月十六日奉上谕：前据总理衙门奏，议结琉球一案，此事关系全局，自应博访周咨，以期妥协，着刘坤一悉心妥议，切实陈奏等因。查球案与日约本系两事，直隶督臣李鸿章与右庶子陈宝琛、左庶子张之洞所言，日约不宜更张附益，以免另生枝节，诚为有见。至谓球案宜缓以及支展之法，无非欲俟中俄定局，勒令日本全退球地，重立废主，以张义声而绥藩服，则似未将是非利害深维始终、权衡轻重也。

夫琉球与高丽、越南、缅甸等国，同列外藩，中国之所以怀柔之者，亦略相等。究之该国之于中国是否相关，既有名实之判；中国之于各国能否兼顾，亦有难易之殊。盖外藩者，屏翰之义也。如高丽、越南、缅甸等国与我毗连，相为唇齿，所谓天下有道，守在四夷，而高丽附近陪都，尤为藩篱重寄。臣屡函致总理衙门及李鸿章，与出使日本大臣何如璋，务劝高丽结好泰西，以杜日、俄窥伺。该国万一有警，中国亦应明目张胆遣兵赴援，为该国策安全，即为中国固封守，与英国之保土国情形相同。即臣前在粤督任内，于叛镇李扬才窜扰越南力主进剿，责令广西提督冯子材擒贼自效者，亦恐越南不支，必借师于法人，以后为其所制，而两粤之外障益隳，此外藩之必须极力扶植者。至于琉球则与高丽、越南等国迥别。琉球臣事中国数百年，朝贡极其恭顺，向风慕化，诚属可嘉！然与中国远隔大洋，得失无关痛痒。且琉球臣中国只假我声灵，琉球臣日本实奉其号令。平日无端剥削，无故拘囚，一任日本所为，琉球未尝赴诉中国，中国亦未尝过问。一旦夷为郡县，指挥即定，而欲中国强与之争，务使日本俯首听命、琉球吐气扬眉，乌可得哉！

如张之洞所言，中国闭关绝市，摈斥日本，不复与通，原为计之至善。沿海筹防有年，自不如前明之受其蹂躏。然谓此即足以制日本而复琉球，则未必然。如陈宝琛所言，中国声罪致讨，跨海东征，以今日之整练水师，亦决无元初覆军之惧。然以日本二千余年之国，此举未必扫穴犁庭。倘使设伏以邀我，固守以老我，彼熟我生，彼主我客，悬军深入，大属可虞。即使日本惧我兵威，一战而败，请受约束，许复琉球，而琉球近在日本卧榻之侧，我能留兵守之否？归而复夺之，岂能再为出师以蹈波涛之险？竭中国而事外夷，自古以为诟病，况今日中国于琉球乎？我朝定鼎之初，经略西南各国，独置琉球于度外，今日乃为之致死于日本乎？张之洞、陈宝琛二策既不可行，则李鸿章所谓支展者，将来仍以口舌持之，或以虚声胁之，以日本之崛强未必有济。且支展之法，日人未必不知，知则必附俄与我为难，势所必至。臣前在京邸，日本使臣来见，屡陈鹬蚌相持之戒，原有所为而言，然于琉球有骑虎之危，而于中国有夺牛之惧，安得不思铤险以纾祸？目前俄得日本推波助澜，可以东西牵制，蜂虿有毒，曷若与之讲好释嫌，纵不拒俄，亦不助俄之为愈也？是支展之策，亦属无益有损。

夫琉球之于中国，鸡肋可投；中国之于琉球，马腹难及。中外莫不共晓，第以字小之仁，不忍视同蛮触之争，听其堙灭。今我为索还南岛，俾有所归以守先王之祀，亦足以对琉球而示天下矣。齐桓存三亡国，然于卫则迁之楚邱，于邢则迁之夷仪，今之南岛亦琉之楚邱、夷仪也。尚氏不能守先人成业，亡国之余等于杞宋，以图一线之延，尚何择乎肥瘠？臣前在两广任内，适琉球之八重山五十余人，遭风漂至廉州，护送到省，经臣传见该头目等，与之笔谈数纸，察看其人甚属循良，并闻悉其境长一百八十余里，如于该处择立尚氏，加以宫古之地，亦足以为附庸。现在泰西七十余国，有百余里、数十里者，南岛犹未为甚小也。传曰：疆场之事，一彼一此。尚氏果能发愤为雄，则夏之一成〔城〕，楚之三户，失可复得，弱可转强。如其不能有为，只凭中国覆翼，即使尽复故物，亦若幕燕釜鱼。盖寇在门庭，而援在天末，何能有恃不恐，耦俱无猜？臣意非欲弃球，实欲存球。顾以今日事势，无论中岛决不可得，即使得之，而有日本逼处之忧；不如退居南岛，尚可守此一片干净土地也。唯是新造之邦，中国之所以佽助之者，正非易易。且日人狡狯之技，必须先与申明，即以南岛重立尚氏后，日人仍由其君自主，并与共立保护之约，一面宣示尚氏与该南岛，务期永远相安，各无翻复。日本倘有异词，或尚氏不愿郁郁居此，而南岛亦无推戴之忱，中国受此南岛，如获石田，冒不韪之名，受无穷之累，不得不作罢论。此则球案之亟宜斟酌，不可稍涉犹豫者。

如虑俄人觊觎高丽，诚所难免。然谓其视球案为进止，则法人之侵越南，英人之侵缅甸，亦何不可以藉词？高丽立国不同琉球，高丽与俄亦不同琉球之于日本，以彼夙无嫌怨，俄人何出无名之师？即使突启兵端，高丽亦属有险可守，而我东三省马步诸军，星驰电赴，与之犄角，俄人亦未必唾手得之。中国之于高丽，向系视同内地，赈饥则不惮转输，讨贼则不靳爵赏，固非与琉球一例。现在强邻耽视，举国寒心，如何为之弥缝，如何与之联络，庙谟广运，是必迎机导之，借箸筹之。高丽在隋唐时亦称劲敌，今其土地、人民犹是，但得中国左提右挈，使之整军经武，未始不足自固其圉，为我辅车。

至于中日换约自有定期，与球案毫无牵涉，球案如此议结，日本所获实多，岂可志在居奇复图进步？据理与辩，彼复何辞？其利益均沾与入内地一条，将来换约亦难轻许。万不获已，则如总理衙门大臣及李鸿章所议，必须一体遵守，彼亦以便于我者相偿，方为平允。届时或力持前议，或量为变通，自可彼此会商，期归妥协，不得与琉球一案相提并论也。倘日本贪求无厌，强我难从，不得已而用兵，沿海各省似尚可以支持。惟台湾孤悬巨浸，福建督抚与船政大臣应已预为绸缪。臣承乏南洋，自当力扼江苏，以固上游五省门户。虽长江深阔洋船可以通行，不如天津之节节阻碍，然如圌山、关焦山等处，亦属天设之险。臣与前兵部侍郎臣彭玉麟等，逐一部署，以遏其冲，决不任其长驱而前入我腹地，以撼东南大局。御日如是，即御俄亦如是。臣职在封疆，责无旁贷。第以修攘之术，论是非，亦计利害。琉球式微可悯，要非我所得全。日本虐耗已形，亦非我所能取。琉球即无恙，不如高丽等国捍我边陲。日本即逞强，不似俄罗斯国占我疆土。究其始终，较其轻重，则是竭华以争球，让俄而抑日，谓为远交近攻，取威定霸，非臣所敢闻矣。谨奏。

光绪六年十月二十八日奉旨。

江督刘坤一奏东三省缓急有备俄无能为片

刘坤一片。

再，臣统观今日中外各国事势，不独日本之夺琉球不足害我，即法人之侵越南，英人之侵缅甸，亦未能为长蛇封豕，以图荐食中华。盖越南、缅甸，非英、法所能骤亡；且去法国、英国远隔重洋，不能联属也。俄人与我接壤，得寸则寸，得尺则尺，彼厚而此薄，不可不以全力维持。高丽为俄垂涎，尤当设法保护。议者谓，可让于俄，而取偿于日本。为货财乎？为土地乎？俄人如还伊犁，自可酌赔兵费。倘于此外任其需索，则如割肉以啖豺狼，肉不尽不止也。日本瓯脱之国，非我所能瓜分，且其贫瘠不堪，更有刲羊无血之喻。若为声威起见，恐屈于俄而伸于日本，亦不足以示武耳。臣前在京邸，随同总理衙门请释崇厚之罪，盖不欲因一人而重俄人之怒，失英、法之欢，以杀使臣而辱与国，归曲于我，并非谓中俄条约可以迁就，以示弱于各国，而贻患于将来。俄人虽强，亦无常胜之局，但得东三省缓急有备，则沿海防务均有规模，俄之兵轮几何，谅亦无能为厉也。谨奏。

光绪六年十月二十八日奉旨。

甘督左宗棠奏陈中俄交涉方针及防务情形片

左宗棠片。

再，交邻之道，以修睦为先；制和之权，以力战为急。非熟审彼己强弱情形，冒昧从事，则言战或以损威，而言和翻以启侮，诚不可以不慎也。俄罗斯内乱方滋，黩武不已，实具败征。此次扬言兵船二十三只，由黑海、阿非利加驶至中国洋面，图封辽海，意在胁和以索兵费，勿论是否虚声恫喝，其先肇衅端已属有目共睹。以理论之，彼自蹈不韪，于我无尤。以势言之，彼兵船二十三号，尚不敌福建船政一局所造之多。以人数言之，轮船至大配装人数多不过千，小者仅容数百，非不胜指数也。以器械言之，彼国制造向不甚精，自为土尔其败后，向德国购制大小枪炮历时未久，存储亦必不裕。其所以敢肆披猖者，不过以西俄腴地为质，举国债五千二百万两，济恶有资耳！而实则挖肉医疮，久之疮未敛口，而肉亦垂尽，亦何能救其倾危乎？

中国自平发逆、捻逆、回逆以来，制兵虽未足额，而习战之勇丁、骁壮之将领，随地选募，尚易成军；炮械虽未充盈，而制造之匠师、采购之洋制，专供调发，当无短绌。藉使俄人深明彼己真实情形，计或不出于此。今居然称兵肇衅者，因息借国债暂足其挥霍，妄思取偿于我，一也。习闻东北为根本之地，备御空虚，思出不意而蹈我之瑕，二也。至泰西各国，不肯与之显然树敌者，虑其反颜相向，自启兵端；又虑中国近已转弱为强，若此次与俄战胜，更不免启蔑视各邦之渐。其愿从中居间者，本为见好而起意，似殷勤而实则仍持两端，不肯为之尽力也。朝廷廑念吉林、黑龙江兵单势孤，业经征调各军驰往援应，兵力既厚，自可恃以无虞。虽利钝非所逆睹，纵事机未顺，亦断未宜因之过怀顾虑，顿改胜筹。即如削平发逆、捻逆、回逆诸役，自用兵以至底定，先后各十数年。当其凶焰倏张，其势岂不十倍俄国？而究之禽狝草薙，种灭无遗，则庙谟素定天定人和之效，固昭然可睹也。臣昨与刘锦棠详加商榷，所见略同。刘锦棠颇悉外情，亦谓此时局势，固非决之战胜别无善策也。

臣此次奉诏北行，遄速就道，固无须多带兵勇随行。惟俄情既肆鸱张，近畿重地，似须久历训练弁兵以资调援；兼之近接乌里雅苏台咨报，有俄兵陆续到界，扬言九月内开仗，而伊犁、阿克苏、喀什噶尔外卡屯驻之俄兵，据报逐渐撤减，或系改趋东北，亦未可知。臣与刘锦棠商议，应调臣所部亲军营步队，合差官大旗共一千四百余名，精善马队五起六百余骑，俟臣登程后，饬营务处补用知府王诗正等率领，十一月内入关，取道平番，趋归化城，径赴张家口驻扎。俟臣抵都，再移驻近畿，聊资调遣。臣陛见后，亦可入营亲加训练，以赴戎机，庶北方一面兵力有增。而刘锦棠一军兵力尚厚，调营防哈仍属有余，彼此均期兼顾。至此军马步行资月饷，应仍由西征粮台支领，将来专款报销，无须请领部饷。合并声明。谨奏。

光绪六年十一月初四日奉旨。

浙抚谭钟麟奏琉球案宜速结对日须战守均有实力折

浙江巡抚谭钟麟奏，为遵旨筹议切实密陈事。

窃臣准军机大臣密寄十月十六日奉上谕：前据总理衙门奏，议结琉球一案，此事关系全局，自应博访周咨，以期妥协等因。臣维日本一案，论事理，诚宜与绝；揆时势，宜姑与之联。此总理衙门本意也。陈宝琛一折言事理也，不惟拒之，必当伐之。然跨海远征，劳费百倍，自揣数年之内，力恐有所未能。李鸿章支展之计，亦审时度势，有不可遽绝之意。第总理衙门既与定议矣，旋与之而旋拒之，似乎中国所议，事事不足取信于人，不特日人不服，俄人将援为口实，而所议必不成，此不可不审也。臣愚窃谓，球案以速定为要，改约于商务无损，我不能与之绝，不妨姑从所请，为尚氏谋一线之延。

盖琉球之废已两年矣，其君民日喁喁然，冀中国有以拯之。而乃瞻顾徘徊，迄无定策，球民知所望终绝，不得不附日以求安，年复一年，民忘旧主而球祀斩矣。趁此修约之时，与商存球之策，彼能归还中岛，复其故国，固国人之幸；否则，暂以南岛为球王栖息之地，他日我之力诚足以声罪致讨，悉令反所侵地，不致师出无名。与其迁延而绝球人之望，不若迁就以慰球人之心。此球案之宜速结也。

至于条约所争在均沾利益一语，泰西各国和约皆有之。中国之利被西人占尽，多一沾者不见绌，少一沾者不见盈。若强者任意要求而辄许，弱者欲稍分润而不能，不足以服其心。日本前约，虽有商民不入内地贩运货物一条，而近来日人之游历者踵相接。其为商为民，曾否贩运货物，无从稽考。况〈华〉商之黠者，且假西人联票肆行内地而莫之禁，岂日人狡狯不知出？此名曰不准沾而沾者如故。曷若明载条约，俾之一体均沾？极其流弊，不过海口多一日商，于中国无损也。日本之附俄，非心服也，迫于势也。臣前接使臣何如璋函，述其外务卿谈及俄事，有不平之意。此辈诡谲，原不足信，而其情可见矣。彼无故而灭人之国，自知不容于公论，何常〔尝〕不虑中国日夕有以图之？宍户玑之请归两岛，未必非藉此为尝试。姑与周旋，以遂其释怨交欢之望，当不至助俄以扰我。东南无事，可分饷力以济东北，两全之策也。醇亲王等恐因此构衅，江、浙、闽、粤各口未可深恃，洵老成持重、统筹全局之见。窃谓，今日所患者贫耳，诚使府库充盈，数万勇士可立致，以御强敌如摧枯拉朽，何有于日人？浙洋与日本接近，轮船数日可至。臣数月以来，密为布置，未敢张皇。虽海口分歧，不免备多而力分。现已募足勇丁二十营，择要扼守。激励将士，敌忾同仇，虽无必胜之权，咸有敢战之气。臣忝膺疆寄，有地方之责，彼侵我疆，惟有战耳！既不敢希冀和局，稍懈一日之防；亦不敢创为异议，以快一时之论。既奉谕旨，令臣悉心妥筹，切实陈奏，谨就管见所及，缮折密陈。谨奏。

光绪六年十一月十六日。

粤督张树声等奏球案不必急议日约未便牵连折

两广总督张树声、广东巡抚裕宽奏，为球案不必急议，日约未便牵连，宜缓允以求无弊，遵旨切实复陈事。

窃臣于光绪六年十一月初七日，承准军机大臣密寄光绪六年十月十六日奉上谕：前据总理衙门奏，议结琉球一案，又据右庶子陈宝琛奏，琉球案不宜遽结，当经醇亲王等酌议，宜照总理衙门所奏办理等因。钦此。仰见宸谟柔远，不辞刍荛之询，务出万全之策，钦服曷胜！

窃维日本贪狡无赖，虐球畏俄，其力不足以助寇，其性不可以恩结，李鸿章、陈宝琛诸臣言之详，计之审矣。至割岛以结球案，结案而涉改约，则理势明而利害见，皇太后、皇上可端拱而决策者也。琉球，自明初尚巴志灭山南、山北，并有中山，服事中国维谨，一姓相承，至今无改。宫古、八重山，皆南夷荒岛，亦于洪武间始属中山，不过岁修贡职，与三省属府之近隶宇下、衣租食税者不同。今中山残灭，别援尚氏之后，置之两岛之间，与土人则枝指骈拇，不相附丽；言立国，则甲兵、赋税无可经营。日伺其旁，颠危可待。其君既为中国所树，仍中国不了之事，目前暂图收束，后患正自无穷。夫日本无故灭球，中国以大义与之争论，彼曲我直，我不与彼决裂，彼难与我启衅。争论虽无就绪，终存光复之基。割岛不能自存，即斩中山之祀。此仅割两岛议结琉球案之非，计其理易明也。

《日本通商章程》第三十二款，两国现定章程，嗣后若彼此皆愿重修，应自互换之年起，至十年为限，可先行知照，会商酌改。今已将届十年，原可知照商改，但我以利益与彼，彼亦当以利益偿我。若一国欲专其利，即与修约之义相违矣。况琉球一案与中日通商，如风马牛之不相及。彼既虏球君，县球土，因中国责言，始以无足重轻之两小岛来相搪塞，中国何负于日？日何德于中国？顾欲责偿于中国之改约耶？彼则鲸吞蚕食之不已，复欲乘我之危机，我则兴灭继绝之未能，转又予彼以利益，五洲万国盖不经见。此球案、改约二事，断不能牵连并议，其理又易明也。

从前洋务初起，与各国订立和约，其时在事臣工多未谙外事，重以承平日久，武备空虚，所定条款皆由欺诳挟制而成，盖多非理所有，而束缚于势者。自时厥后，中国请求交涉利弊，造船筑台，练兵简器，所以力求自强者，非一朝夕矣。度德量力，虽不能争雄于欧土，亦何至受制于日人？且俄以伊犁饵吾立约，犹曰代中国收已失之地，今举而还之，中国不可无报称之谊也。日以球案要吾改约，将何说之辞？无说而从之，恐不免短中国之气，生西人之心。此即舍理言势，而割岛改约之不可曲从，尤易明也。自古列国相交，往往以机智诈力相胜，恒视乎所以应之。日人灭球已涉两年，屡与力争，迁延不决。今当俄事未定之秋，亟相催促，窥其隐私，未尝不虑中国或与俄修好，可乘备俄之力问罪于日。是其借端以逞大欲，或亦时急而后相求，如曰姑徇所请，联络邦交，虑适中其狡计。究其流弊，必有如陈宝琛所言，祸延于朝鲜，势蔓于巴西诸国；张之洞所言，环海万国接踵效尤者。当时李鸿章与日本订立《修好条规》，于一体均沾之条力持未允，诚如王大臣等所云，办理颇费苦心。此次巴西立约，亦多中国力占地步之处。此后各国修约辩论有据，未尝非返弱为强之本。区区日本乃欲一旦决而去之，从此眈眈逐逐，相逼而来，外国尽争利便，中国无不吃亏，民安得不穷？国安得不困？日日自强而不足，一事自弱而有余，此利害枢机，不可不深长思也。

总理衙门及王大臣等量敌审时，持重应变，诚老成谋国之经。臣等忝领疆圻，亦不敢卤莽灭裂。特念俄、日强弱相去悬殊，俄约转圜，中国亦当有自处之道，苟其一意孤行，诛求无厌，恐亦难必以玉帛而不以干戈。今日之议结球案也，揆理度势，中国均无自处之道，熟权利害，似有未可迁就者。总之，日本视俄事为转移，俄局果变，日必不因球案既结，而顾惜信义；俄衅不开，日亦未必因球案不结，而遂起戎心。倘有万一之虞，或竟狡焉思逞，以北洋之力制之，固当恢恢游刃。粤省海口虽以经费支绌，备御多虚，然以之御俄，则诚略无把握；以之御日，必当勉与支持。现在俄约尚在未定，与日人用支展之法，无可疑者。伏愿圣主审俄事之机宜，以为球案之操纵。其现定球案条约及加约各款，限满虽当互换，批准权在朝廷，或届时未能斥绝，再集众思于廷议，博采舆论于疆臣，均无不可。英国戊辰新约，因商会议阻，至今未经交换；《烟台条约》议定已越四年，亦尚有未经批准之条。事有成例，执此无可致诘，拒之不患无词也。至于中国筹防，自兹以往，不可一日复弛。惟望圣谟广运，统筹全局，中外一心，务令边海岩疆裕其度支，宽其余力，责以简练营伍，造就人材，整齐船械，皆有屹然不摇之势，则所以复球者在此，所以服日者在此，即所以驾驭泰西各国者，亦无不在此。所有臣等遵旨妥议日本议结球案不便与改约，并议宜缓允以求无弊缘由，谨恭折密陈。谨奏。

光绪六年十一月二十五日。

直督李鸿章奏在英订购兵轮派员管带来华片

李鸿章片。

再，臣于去冬饬总税务司赫德，由英国阿摩士庄商厂订造碰快船两号，约明年春夏工成来华，业经奏明在案。查前购各蚊炮船，系赫德、金楚干由英国雇觅水师弁兵，包送来华，不特需费较多，且沿途风涛沙线情形，驾驶要诀，以及洋面如何操练，机器如何使用，中国弁兵均未曾亲历周知，殊非造就将材之道。今新购碰快船两号，据赫德迭次呈称，船坚炮巨，实为西洋新式利器。臣已取名超勇、扬威，亟宜自派妥员，前往英厂考察验收，并选带弁兵、水手管驾，添募洋弁数名，一同讲求所得。各处洋面，随事习练，庶回华后驾轻就熟，可期得力。臣已派督操北洋炮船记名提督丁汝昌、总教习洋员葛雷森总理两船事宜，督同管驾官林泰曾、章斯敦、邓世昌，及弁兵、航水人等二百余员名，于十一月初航海赴沪。丁汝昌、葛雷森先于月内搭船赴英，料理一切。其余员弁、水手等先在吴淞官轮操练，从丁汝昌等察看船成，预寄电信到沪，即令自行驾驶招商局轮船，出洋驰往英伦，升换中国龙旗，管带来华。一面咨会总理衙门，暨出使大臣曾纪泽、李凤苞，互相照料；并属赫德，转饬伦敦税务司金楚干，随时与丁汝昌等会商，筹备一切。至出洋员弁、兵丁，应需加支薪粮、盘费、号衣等项，饬局于海防经费项下从优筹发。其船只自英回华，沿途烧煤、食用各件，由赫德、金楚干照案妥备，俾免缺乏。将来该员弁等接带碰快船后，如果沿途办理妥协，操练熟悉，再由臣察核，援照出使各国人员优保之例，据实奏请奖励，以昭激劝。所有派拨官弁赴英验收，管带新购碰快船回华缘由，理合附片具陈。谨奏。

光绪六年十一月二十九日奉旨：知道〈了〉。

御史萧韶奏请严禁各国轮船凡不挂旗者不准入口折

福建道监察御史萧韶奏，为各国兵船入口，请饬议循照旧式，张挂旗号，以杜混冒事。

查向来各国船只在洋俱张挂旗号，俾易辨认。乃臣风闻本年九月间，突有兵船赴闽，径抵罗星塔停泊，并无旗号。经闽安协副将上船查问，答云，俄国兵船来此载茶者。该副将见其言语诡谲，细访由来，乃知该船曾入宁波，被守口兵勒住，是以由浙赴闽。该副将当将前由禀知该省督抚，亦无主张，听其自去。窃思此事看似无关紧要，而兵机之得失，关系实非浅鲜。朝廷竭天下之全力筹办海防，非防海面也，防海口耳。海口设防周密，彼船虽利不得入口，即技无所施。若并无旗号，听其自去自来，名为设防，其实门户洞开矣。彼若于无事时混入口内，据我要隘，是我防守户庭敌已深入堂奥，海防之设虽千万人如无一人也。臣愚以为，防海莫要于稽察海口，稽察海口莫要于标识船只，标识船只必须与各国画一旧式，俾疆臣有所遵守。彼族虽横，断无胁我海口弛禁、任人长驱直入之理。且标识分明，彼此省事，于商务亦两有裨益。不然，守口弁兵之责，逐船盘诘，易启猜嫌，殊非长保睦谊之道。咸丰八年十二月，英国照复内称，如有船艇擅竖英旗，必应查究。可见彼族亦甚以旗号为要也。拟请旨饬下总理衙门，照会各国，凡兵船入天津大沽口、上海吴淞口、宁波定海口、福建芭焦口、山东烟台以及广东各口岸，船上必张挂旗号，先在口岸报明，方准入口。无旗号者，不得擅入。议定之后，行文沿海各将军、督抚，一体遵照办理，庶可以伐诡谋而严防务。谨奏。

光绪六年十一月二十九日。

库伦办事大臣奕榕等奏俄人经商库伦者颇多请于张家口外扼要驻兵折

库伦办事大臣奕榕等奏，为边防紧要，筹画不厌精详，敬密陈管见事。

窃奴才等前于九月初九日具陈，库伦防务吃紧，兵力太单各情形，请旨饬下直隶督臣李鸿章，或仍拨宣化练军二百五十名，或酌调营步队兵一二千名来库一折。嗣于十一月二十日，接到直隶督臣李鸿章来文，咨称该处各军现时俱已调备海防，万难抽调，已经奏复等因前来。在该督臣以保卫内地为重，具有深心，并虑边路迢遥，粮饷难济，委系实情，奴才等亦常深虞于此。惟是受恩深重，谬守边疆，凡有裨于防务者，敢不竭尽愚忱，为未雨绸缪之计，以图万全。窃思兵事变动靡常，地方情形今昔互异。近年俄人来往经商，络绎不绝，内地情形极为熟悉，断不可以远塞荒边，视为无足深虑。况逆首潜匿邻国，行踪叵测，偶一失和，分路相侵，恐有顾此失彼之虑，此奴才等所以深为隐优者也。查库伦为北边之要塞，诸路之咽喉，实与张家口有唇齿相依之势，迤南一带直接张家口，其间约有三千余里，一望沙漠，路路可通。若不设兵扼要驻扎，设一旦告警，不但张家口震动，即归、绥等城亦必为之戒严，其有关于塞北大局者，实非浅鲜。且库地孤处塞上，非若乌、科等城相距不远，设遇军情紧急，既可遥为声势，亦可彼此相援。而库伦则仅恃此四千甫经教练、未经战阵之蒙兵，外援无助，恐难恃众志以成城。再四思维，惟有吁恳天恩，饬令直隶督臣，遴派晓畅戎机之员，驰赴张家口外一带，随路量察地势何处握要，可为库伦及乌、科等城接应之处，酌拨数营出口，择适中之地，相机扎营戍守，不但距库较近，遇事可以征调，即蒙兵素性胆怯，得此后援以助声势，亦必勇增百倍，敌忾自生，庶张家口与库伦联络一气，则张家口可藉为犄角之势，而库伦亦可收策应之功。如此筹防，是兵不劳远涉而两处交受其益，乌、科等城亦可倚为声援，于防务不无裨益。谨奏。

光绪六年十二月初十日。

清季外交史料卷二十四终

清季外交史料卷二十五

光绪七年正月至闰七月上

总署奏朝鲜宜联络外交变通旧制折

总理各国事务恭亲王奕䜣等奏，为体察朝鲜近日情形，亟宜联络外交，拟请变通旧制，以便相机开导事。

窃臣衙门于光绪五年七月初四日，曾将朝鲜与各国交涉情形，密筹办法，附片具陈。奉上谕：总理衙门片奏，泰西各国欲与朝鲜通商，李鸿章查照丁日昌所陈各节，作为该督之意转致朝鲜等因。钦此。当经李鸿章钦遵，函致朝鲜前任太师李裕元，密劝朝鲜与泰西各国立约通商各情，由该大臣具折奏明在案。旋据李裕元函复李鸿章，称不愿与泰西各国通商，良以朝鲜闭关自守，成见未易破除。六年八月间，礼部奏据朝鲜国王咨称，该国讲究武备，恳为转奏，俾该国匠工于天津厂学造器械等语。业由李鸿章遵旨妥筹具奏，该国渐图自强之转机，当由此始。上年冬间，出使大臣何如璋等函电内称，朝鲜近日朝议渐知变计，商与美国立约，请由中国代为主持等语。业经臣等函商李鸿章，以朝鲜联络外交诚于大局有益，但由中国代为主持，恐生疑虑，且多窒碍，只可密为维持调护云云，电复何如璋等查照。嗣于十二月、本年正月迭准何如璋函称，朝鲜密探委员卓挺植谒见，称朝鲜近状，前任太师李裕元等不无异议，惟现在俄事迫切，国主与执政大臣皆决意外交，未敢遽发，若中国肯为劝谕，事必能成。又接朝鲜前修信使金宏集函，有众论虽未通悟，不比往时，仍望赐教之语。该大臣拟请由臣衙门寄书朝鲜，劝令外交等因。

臣等查，朝鲜久隶外藩，实为我东三省屏蔽，与琉球孤悬海外形势迥殊。日本侵灭琉球，气焰日张，难保无窥伺朝鲜之意。而与朝鲜逼处者，俄为尤甚。俄人上年分遣兵船，于黑龙江、海参崴等处往来游弋，或谓其不能得志于中国，必将逞威于朝鲜。臣等默揣时势，似较日本之患为更迫。朝鲜势孤力弱，本非俄敌，中国兵力暂难兼顾。而其于泰西各国深闭固拒，积习相沿，牢不可破。今其国恐惧审处，幡然变计，未始非天牖其衷，此实该国全局安危所系也。近日，英国使臣威妥玛来臣衙门面称：俄国交界朝鲜，最近难保不乘衅动兵。为朝鲜计，惟急与各国通商，庶可补救。拟请由中国礼部行知该国，准西洋有约各国，遣员到朝鲜境，查看通商情形，再与定约云云。臣等当告以事关朝鲜大局，须该国自行定议，中国惟有因势利导，俾决所从。窃思朝鲜通商一事，英、法、美等国蓄意已久，朝鲜现既愿与美国立约，各国即可由此推广。业经何如璋将利害关头剀切告知，时〔特〕以该国议论纷歧，未能决计，欲藉中国劝谕之力，以释其疑，而坚其信。臣等再四筹思，朝鲜果否愿与西国通商，本非中国所能强，惟事机所在，自应开诚晓谕，冀可破其成见。查属藩定制，公牍往来，职属礼部，不特有需时日，且机事亦易漏泄。嗣后遇有关系洋务紧要之件，可否由北洋大臣及出使日本大臣，与该国通递文函，相机开导，仍将随时商办情形，知照臣衙门，以省周折，庶蕞尔之壤，得借外交为联络。朝鲜安则东三省之屏蔽益固，所系诚非浅鲜。事关变通旧制，臣等未敢擅专，如蒙俞允，即由臣衙门行知北洋大臣及出使日本大臣，钦遵办理。谨奏。

光绪七年正月二十五日奉旨：依议。

桂抚庆裕奏越南王请代递奏疏沥陈边务情形折 附奏疏

广西巡抚庆裕奏，为越南国王请代递奏疏，沥陈边务情形，谨照录，恭呈御览事。

窃奴才前于本年八月十六日，接越南国王阮福时咨呈，边地积年诸匪，如陆、覃、翁、叶等，内外勾结，势难独办。去冬，李逆授首，提督凯撤，恳酌留兵勇数营，不获允准。现在李、陆余党窜扰如故，实为边患。兹因使臣诣阙进贡，下国业具疏题奏，倘得体谅转达，获戴天朝讨叛靖藩之德，衔感无既等因。当经臣〔奴才〕附片陈明，候越南贡使赍奏到日，再照录进呈在案。兹据该贡使阮述等将国王阮福时奏疏赍到，求为转递，并准该国王钞录原疏底本，咨呈前来，谨另照录，恭呈御览。除原疏照章咨送礼部存案外，理合恭折具奏。

光绪七年正月二十八日奉旨。

谨将越南国王阮福时呈递奏疏照录恭呈御览

越南国王臣阮福时谨奏，为将边务迫切情形恭折具奏事。

窃以臣下国忝列藩服，累世相安，而不为人所侮者，赖有天朝怀柔为可恃也。光绪四年，李扬才叛窜，积年诸匪，如陆、覃、翁、叶等，内外勾结，扰掠边地，其情最为吃紧，而其势有难独断。臣心焦急，不知所为，业以事托叩天阍，极知冒渎，仰蒙垂轸，奉准广西提臣冯子材督师会剿；又蒙准悬重赏，购拿陆之平，诚仰见救灾恤患之仁，不忘遐壤，臣拜捧恩言，私自感激！靖敌以安边，方盼得此机会也。去冬，李逆授首，提臣亦凯告，而李党未尽殄灭，陆匪尚在逋诛。臣经咨呈提臣与西抚臣，恳留兵数营会办，以期蒇事，而均不获允。现下李、陆余党分〔纷〕扰如故，而左江之何明英、谢福喜，右江之黄三、潘如林，新投合伙，日就鸱张，荼毒更甚。且臣国边地，自同治七年吴亚终据聚，寻而梁天锡、黄崇英、苏国汉等继之，至今十年余，逸匪无日不在边，兵粮无日不征发。以臣国小遭此多艰，天朝再三助剿不惜烦劳，而臣节次筹边，谓彼失脚当为之所，则给米赐银，量地以处，本欲安之，而屡逞狼子野心之态。谓彼残暴当胜以威，则山多径路，匪以万千，独力何能穷索？而旧党未除，新党又至，亦难胜前门后户之防。剿抚两难，终无胜算，故边患未有了期，狼烟未靖，雁宅未安，念此一方，何至此极！虽封疆之责，下国敢作旁观？而覆帱之恩，天地岂容有憾！况外藩报警，则内奥需防；滇路未通，则法商见责。非独臣下国之不利也，亦其势之不得苟了也。倘得尽心筹边，如原督臣刘坤一，遥为调遣，又得尽心助办，如原道臣赵沃，管带弁兵四五营，往臣边地驻压，商同剿抚诸寇，下国又索赋以随，则天威所及，群动惕息，何难灭此小丑，以奠边氓而至于屡渎圣听乎？忧深望切，辄敢冒昧沥陈，遥瞩宸居，不胜翘企！谨因陪臣诣阙展觐，并委赍疏附奏以闻，伏候圣聪洞鉴。谨奏。

直督李鸿章奏朝鲜委员来津请示斟酌答复折

直隶总督李鸿章奏，为朝鲜委员来津，请示斟酌答复，相机开导事。

窃上年九月间，朝鲜赍奏官卞元圭来津，奉旨令臣妥筹该国学习制造、练兵各事，业经详晰复陈在案。嗣接出使日本大臣何如璋函称，朝鲜外交一事，近日廷议渐知变计；又准总理衙门函商，随时设法维持调护；并奏请，嗣后遇有关系洋务紧要之件，由臣与该国通递文函，相机开导等因。奉旨：依议。钦此。钦遵密行知照前来。适有朝鲜国王委员李容肃，随今届贡使来京，于正月二十赴津禀谒。据称，专为奉办武备学习事，并赍呈该国请旨节略一本，内载有领议政李最应奏章，颇悔去年六月坚拒美国来使为非计，末则归重于及今之务，莫如怀远人而安社稷等语。又闻他日不得已与各国相交，请告筹防之策；又索中国与各国修好立约通商章程税则，带回援照。是何如璋所称，朝鲜国王与执政大臣决意外交，而未敢遽发，固已确有明证。臣因其节略咨商事件繁琐，先令津海关道郑藻如等，传询一切，拟议大概，旋准李容肃进见，与之笔谈良久。

该国军额极虚，饷力极绌，诚虑无以自立，而所据形势，实为我东三省屏蔽，关系甚重。现其君相虽幡然变计，有联络外邦之意，国人议论纷歧，尚难遽决，自应乘机开诚晓喻，冀可破其成见，固我藩篱。惟该国于外交情事生疏，即与日本通商五年，尚未设关收税，并不知税额轻重，设再与西国结约，势必彼此欺朦，无益有损。臣因其来牍有披露腹心、愿一一开诲硕画之语，出于至诚，遂令前在西洋学习交涉事宜之道员马建忠与郑藻如等，参酌目今时势及东西洋通例，代拟朝鲜与各国通商章程底稿，预为取益防损之计，交李容肃赍回，俾该国遇事有所据依，不至多受朦蔽。又闻该国君相已渐回〔悔〕悟，惟原任太师李裕元等不无异议。臣于光绪五年七月间，曾送密谕转致李裕元详切开导，嗣接复书，尚未敢遽尔信从。此次李裕元来书，似仍有不欲远交之意。臣复函又加敦劝，使不至从中作梗。此后，无论何国再派人往朝鲜议约，当无坚拒之理，但未便由中国强为驱迫耳。至其节略所询各条内，惟答复日本国书称谓一节，倘稍涉含混，即于属邦体例有碍。臣查，西洋各国，称帝、称王，本非一律，要皆平等相交。该国王久受我朝册封，其有报答日本及他国之书，应令仍用封号，而国政则由其自主，庶不失中国属邦之名。除将朝鲜寄呈节略及代拟通商约章、李裕元来往函稿，抄送总理衙门查复外，谨将酌复朝鲜询问各条，照缮清单，恭呈御览。谨奏。

光绪七年二月初四日奉旨：该衙门知道。单并发。

军机大臣左宗棠奏办理琉球案说帖 附上谕二件

二月初二日，在军机处敬阅发下总理衙门折片，暨醇亲王等奏片，李鸿章、张树声、吴元炳、何璟、谭钟麟各折，刘坤一、陈宝琛、张之洞各折片，得悉拟结球案及日本所谓商务详细情形。窃维各折片，均在中俄和局未定之先，故内外议论纷纭，尚未衷诸一是。而日本使臣宍户玑觉所欲难遂，即谓由我自弃前议，悻悻而归，词意决绝。兹据曾纪泽所发电报，商务、界务渐有成说，和议可谐，似出日本意料之外，将遂敛手待命乎？抑溺人必笑，仍思一逞？未可知也。就废球一事言之，日本与琉球共处一方，由来已久，球之为日本属国与否，中国无从详知。至琉球之累代请封积年入贡，久为我中国不侵不叛之臣，史册昭彰，固天下所共知者。即使琉球内附中国兼属日本，为日本计，尤宜加意抚辑，俾其相庇以安，庶于字小之义有合。何乃率意径行，事前并不相闻问，遽迁其国王，并其土地，废其禋祀，迫其民人，虐视之至此？中国频相诘问，日本任意自如。美国总统格兰忒闻之，不远数万里而来，代为调处，遂主分地之说，图解其纷，与中国复琉球成禋祀本怀有合。但使琉球速复，邦人得所，中国亦又何求？姑妄听之，尚非不可。惟日本所划两岛，是否足为琉球立国，久远相安，非详加考察，无以慎许与而请御批，即无以重商务而昭划一。宍户玑乃以自废前议诿过于我，悻悻而去，何耶？近见疆臣查复，琉球原本三十六岛，旧为三部：北部九岛，其中八岛早为日本所占。中部十一岛。南部名虽十六岛，周围不及三百里，地瘠产微，以界琉球何能立足？复球之案不能拟结，日本且自绝于中国，尚何睦谊之可言？睦谊中乖，尚何改约一体均沾之足云乎？宗棠窃拟宍户玑此去，在中俄和议未谐之先，兹闻事体顿殊，或要求之意亦缓，应将不能批准之由明白指示，看其如何察复。一面请旨饬下海疆各督抚、提镇，密饬防营，预为戒备，静以待之。大约以防俄之法防日，蔑不济矣。至跨海与战，先蹈危机，断不宜轻为尝试，亦无取扬言远伐，以虚声相震撼。俟其窥犯深入，一再予以重创，自可取威而彰远略。近闻日本造小铁甲船两只，可驶入长江，亦宜留意准备，免为所乘。台湾瘴疠最甚，地险易防，或免致寇。惟定海一厅，四面环海，宜增调闽造轮船，以助浙防。又俄之兵船久泊日本长崎，军火、粮食多屯于此，将来或藉以资寇，应预为察禁。愚见所及，合并声明，以备采择。

二月初四日，左宗棠谨具。

初六日奉上谕：前据总理衙门奏，与日本国商议琉球一案，降旨令南、北洋大臣等妥议。日本使臣宍户玑于未经议定之先，即自异前议，悻悻而去，其所请各节，于中国存球之意尚未尽善，未能即予准行。该国不遂所求，尤难保无藉端要挟情事。所有沿海各省防务，自应严行戒备，着李鸿章、刘坤一、何璟、张树声、吴元炳、谭钟麟、勒方锜、周恒祺、裕宽，督饬各营妥为备预，不动声色，静以待之。闻日本造小铁船两只，可以驶入长江，并着彭玉麟、李成谋加意筹备，毋为所乘。定海一厅，四面环海，应增调闽省轮船以助兵力，并着何璟、勒方锜、谭钟麟、黎兆棠会商办理。

同日奉上谕：前因总理衙门奏拟办球案一折。商务一体均沾，为日本约章所无，今欲援照西国约章办理，尚非必不可行。惟此议因球案而起，中国以存球为重，若如所议划分两岛，于中国存球之意未臻妥善。着总理衙门王大臣，再与日本使臣悉心妥商，琉案妥结，商务自可议行。

帮办吉林军务吴大澂奏苏城沟等处拟设官理事片

吴大澂片。

再，海参崴之北有苏城沟、绥芬河等处，绥芬一名翠峰，皆隶俄国界内，旧有中国民人居住，渔猎耕农，不下数千户。该处乡民刘贵等，闻宁古塔、珲春均已设防，疑有战事，遂举行团练，制造器械，欲与官兵联络声威，暗中协助。俄官恐其为患，因于各隘口派兵船盘诘，到处搜查。刘贵等纷纷逃匿，颇不自安。窃思该处民人，既不归吉林管辖，又不听俄官箝束，势同瓯脱，情亦向隅。在俄人必欲强令服从，严加迫胁，万一铤而走险，激生事端，必又疑中国官员为之庇护，枝节横生，徒贻口实。臣愚以为，各国商民在中国通商口岸，皆设领事官，管理一切商务及诉讼事宜。中国商民在俄界居住者，亦可由中国派员，在海参崴一带设立公所，仿照领事官之例，遇有商务及诉讼事宜，由该员就近经理，或会同俄官秉公商办，庶华民有所依赖，彼此相安；似亦俄人所乐从，非有窒碍难行之处。可否饬下总理衙门，与俄国在京公使妥商办法，核议施行？如蒙俞允，该处设官理事并无成案可稽，非熟习洋务之员，不能与俄官共事，应否归北洋通商大臣遴派妥员，奏明办理，出自圣裁。臣为安民和众、因地制宜起见，谨附片具陈。

光绪七年二月初九日奉旨：着李鸿章议奏。

使俄曾纪泽奏中俄改订条约盖印画押折 附上谕

出使俄国大臣曾纪泽奏，为与俄国外部改订条约章程，遵旨盖印画押，谨将先后办理情形，恭折具陈事。

窃臣于七月二十三日，因俄国遣使晋京议事，当经专折奏明，并电报总理衙门在案。八月十三日，接准总理衙门电称：奉旨：着遵迭电与商，以维大局。次日，又接电称：面奉谕旨：俄事日迫，能照前旨争重让轻固妙，否则就彼不强中国概允一语，力争几条，即为转圜地步，总以在俄定议为要各等因。钦此。臣即于是日往晤署外部尚书热梅尼，请其追回布策，在俄商议。其时俄王正在黑海，热梅尼允为电奏，布策遂奉召回俄。嗣此往返晤商，反复辩论，迭经电报总理衙门，随时恭呈御览。钦奉密谕，令臣据理相持，刚柔互用，多争一分，即少一分之害，圣训周详，莫名感悚！臣受恩深重，目击时艰，统筹中外之安危，细察事机之得失，苟获稍酬高厚，敢不勉竭庸驽！无如上年条约、章程、专条等件，业经前出使大臣崇厚盖印画押，虽未奉御笔批准，而俄人则视为已得之权利，臣奉旨来俄商量更改，较之崇厚初来议约，情形难易迥殊，已在圣明洞鉴之中。俄廷诸臣多方坚执，不肯就我范围，彼各有忠于所事之心，亦无怪其然也。

自布策回俄后，向臣询及改约诸意，臣即按七月十九日致外部照会大意，分条缮具节略付之。布策不置可否，但允奏明俄君，意若甚难相商者。臣屡向热梅尼催询各条，彼见臣相逼太甚，遂有命海部尚书呈递战书之说，不得已乃遵总理衙门迭次电报，言可缓索伊犁，全废旧约。热梅尼又欲臣具牍言明，永远不索伊犁，经严词拒绝，而微示以伊犁虽云缓索，通商之务尚可与商。旋接外部照会，除归还帖克斯川外，余事悉无实际。爰据总理衙门电示，分列四条照复外部，又与之事事面争。热梅尼等嫌臣操之太蹙，不为俄稍留余地，愤懑不平。布策又以通州准俄商租房存货，暨天津运货准用小火轮船拖带两事，向臣商论。臣直答以原约之外，不得增添一事。虽其计无可施，而蓄怒愈深矣。臣日夜焦思，深恐事难就绪，无可转圜。适俄君自黑海还都，谕令外部：勿使中国为难，于无可让中再行设法退让，但经此次让后，即当定议云云。外部始不敢固执前议，于十一月二十六日送来照会两件、节略一件。第一照会言，此次允改各条，中国若仍不允，则不得在俄再议，再将外部许臣商改之事，全行收回。第二照会言，交收伊犁办法三条。节略中则历叙允改之事，约有七端，臣请逐款详其始末：

第一端曰交还伊犁之事。查原约中伊犁西、南两境，分归俄属。南境之帖克斯川，地当南面通衢，尤为险要。若任其割据，则俄有归地之名，我无得地之实。缓索之说，诚属万不得已之举。否则，祖宗创业艰难百战而得之土地，岂忍置为缓图？臣奉命使俄后，通盘筹画，必以界务为重者，一则以伊犁、喀什噶尔两境相为联络，伊犁失，则喀什噶尔之势孤，此时不索，再索更待何时？一则以伊犁东、南、北三界，均与俄境相接，缓索后不与议界，恐致滋生事端；若竟议界，又嫌迹近弃地，而又虑其得步进步，伊犁虽已缓索，而他事之争执如故也。嗣因挽留布策，非将各事略为放松不可，遂舍西境不提，专争南境。相持不下，始允归还。然犹欲于西南隅，割分三处村落，其地长约百里，宽约四十余里。臣检阅舆图，该处距莫萨山口最近，势难相让，迭次厉色争辩，宜将南境一带地方全数来归；其西南隅，允照前将军明谊所定之界。

第二端曰喀什噶尔界务。从前该处与俄接壤者仅正北一面，故明谊定界，只言行至葱岭，靠浩罕界为界，亦未将葱岭在俄国语系何山名，照音译出，写入界约。今则迤西安集延故地尽为俄据，分界诚未可缓。崇厚原约所载地名，按图悬拟，未足为凭。愚以为，非简派大员，亲往履勘不可。吉尔斯必欲照崇厚原议者，盖所争在苏约克山口也。臣答以已定之界宜仍旧，未定之界可另勘。吉尔斯踌躇良久，谓：此事于中国有益，非俄所求，既以原议为不然，不妨罢论。臣虑界址不清，则衅端易启，特假他事之欲作罢论者，相为抵制。布策又称，原议所分之地，即两国现管之地。臣应之曰：如此，何妨于约中改为照两国现管之地勘定乎？最后，吉尔斯乃允写各派大臣秉公勘定，不言根据崇厚所定之界矣。

第三端曰塔尔巴哈台界务。查该界经明谊、奎昌等分定有年，迨崇厚来俄，外部以分清哈萨克为言，于是议改，考之舆图已占去三百余里矣。臣每提及此事必抱旧界立论，吉尔斯知臣必不肯照崇厚之议，始允于崇厚、明谊所定两界之间，酌中勘定，专以清哈萨克为主，所称直线自奎峒山至萨乌尔岭者，即指崇厚所定之界为言也。日后勘界大臣办理得法，或不至多所侵占。以上界务三端，臣与外部先后商改之实在情形也。

第四端曰嘉峪关通商，允许俄国由西安、汉中行走直达汉口之事。总理衙门驳议以此条为最重，迭议商务者，亦持此条为最坚，盖以我之内地，向无指定何处准西商减税行走明文，此端一开，效尤踵至，后患不可胜言。外部窥臣注重在此，允为商改。及询以如何商改之处，则云须各大端商定，再行议及。臣亲诣布策寓所，告以事关全局，倘不见允，则余事尽属空谈，词意激切。布策言于吉尔斯，于是允将嘉峪关通商，仿照天津办理，西安、汉中两路及汉口字样，均允删去不提。

第五端曰松花江行船至伯都讷之事。查松花江面直抵吉林爱珲城，定立条约时误指混同江为松花江，又无画押之汉文可据，致俄人历年藉为口实。崇厚许以行船至伯都讷，在俄廷犹以为未能满志也。现将专条径废，非特于崇厚新约夺其利，直欲为爱珲旧约辩其诬。臣初虑布策据情理以相争，无词可对，故择语气之和平者，立为三策：一、径废专条；二、稍展行船之路，于三姓以下酌定一处，为之限制；三、允至伯都讷，但入境百里，即须纳税，且不准轮船前往。布策均不以为然。适奉电旨责臣松劲，于是抱定第一策立言，务期废此专条。布策仍纠缠不已，吉尔斯恐因细故伤大局，不从其言，遂允将专条废去，声明爱珲旧约如何办法，再行商定。

第六端曰添设领事之事。查领事之在西洋各国者专管商业，其权远在驻扎中国领事官之下，故他国愿设者，主国概不禁阻。臣此次欲将各城领事删去，外部各官均以为怪，遂将中国不便之处与之说明，吉尔斯谓：领事之设专为便商起见，系属宾主两益之事，中国既有不便，即仅于乌鲁木齐添设一员何如？臣因其多方相让，碍难再争，而总理衙门电钞编修许景澄折内称，科布多、乌里雅苏台、乌鲁木齐三处毋设领事，其次争乌鲁木齐、乌里雅苏台两处等语。臣乃复见布策，恳其商改，节略内始将乌鲁木齐改为吐鲁番，余俟商务兴旺时，再议添设。

第七端曰天山南北路贸易纳税之事。新疆地方辽阔，兵燹之后，凋敝益深。道远则转运维艰，费重则行销益滞。招商伊始，必限以行走之路、纳税之章，商贩实多未便。阅总理衙门来电，曾言收税为轻，臣因将原约内均不纳税字样，改为暂不纳税，俟商务兴旺再订税章。查西例，纳税之事，本国可以自主，日后商情果有起色，即伊犁等处，亦不妨逐渐开征，以充国课。以上商务四端，臣与外部先后商改之实在情形也。

此外节略所叙则又有偿款一端。凡商改之事，益于我则损于彼。热梅尼、布策等本有以地易地之请，臣称，约章事只可议减，不可议增。彼遂谓，中国各路征兵，显欲构衅，俄遣船备边以相应，耗费卢布一千二百万圆，向臣索偿。且有如谓，未尝交绥无索兵费之理，则俄正欲一战，以补糜费等语。臣答以胜负难知，中国获胜，则俄国亦须偿我兵费。彼之言虽极恃强，臣之意未为稍屈。旋总理衙门电复，嘱臣斟酌许之，至多不得逾二百万两。又电言如无别项纠缠，统计约五百万两偿款，即可商定云云。臣与吉尔斯、热梅尼等始则争易兵费之名，继则争减代守伊犁偿款之数，久之，热梅尼谓：迟一年收回伊犁，又加还帖克斯川，以代守费论，至少亦须加卢布四百万圆。臣照会中但允加代守费卢布二百五十万圆，若并归伊犁西境，犹可略议增加。吉尔斯不谈西境，仅称连上年偿款统算，非卢布一千万圆不可。臣嫌为数过多，吉尔斯笑曰：俄国岂以地出售者？果尔，则以帖克斯川论之，岂仅值五百万圆乎？不过改约多端，俄国一无所得，面子太不光彩，假以此〔此以〕自慰耳。臣察其意甚决，乃言：热梅尼所说仅四百万，何得又增百万？吉尔斯无词，故节略内仍以添偿卢布四百万圆定数。查上年崇厚所议兵费偿款卢布五百万圆，合银二百八十余万两。此次俄国认出自华至英汇费，则金磅〔镑〕之价较贱，合前后卢布九百万圆而统算之，约计银五百万两以内。

臣综观界务、商务、偿款三大端，悉心计较，与总理衙门来电嘱办之意大略相同，而摘录照会、节略大意，电请总理衙门代奏；并与外部说明，俟接奉电旨后，再行画押。一面与布策先行商议法文条约、章程底稿，逐日争辩，细意推敲。稍有龃龉，则随时径赴外部详晰申说，于和平商榷之中，仍示以不肯苟且迁就之意；且以有益于中国，无损于俄人等语，开诚布公而告之。于崇厚原订约章字句，陆续有所增减：如条约第三条，删去伊犁已入俄籍之民，入华贸易、游历，许照俄民利益一段。第四条，俄民在伊犁置有田地，照旧管业，声明伊犁迁出之民，不得援例。且声明：俄民管业既在贸易圈外，应照中国人民一体完纳税饷。并于第七条伊犁西境安置迁民之处，声明：系安置因入俄籍而弃田地之民，以防迁民虽入俄籍，而有占据伊犁田土之弊。第六条写明所有前此各案，以防别项需索。第十条吐鲁番非通商口岸而设领事，暨第十三条张家口无领事而设行栈，均声明他处不得援以为例，以杜效尤。第十五条修约期限改五年为十年。章程第二条货色、包件下添注牲畜字样，其无执照商民照例惩办，改为从严罚办。第八条车脚运夫绕越捷径，以避关卡查验，货主不知情，分别罚办之下，声明：海口通商及内地不得援以为例。凡此增减之文，皆系微臣与布策商草法文约稿之时，反复力争而得之者，较之总理衙门三月十二日所寄廷臣奏定准驳之议，虽不能悉数相符，然合条约、章程计之，则挽回之端，似已十得七八。此臣与吉尔斯、布策等商量条约、章程底稿，于节略七端之外，又争得防弊数端之实在情形也。

十二月十七日，接准总理衙门电示，奉旨：览来电均悉。该大臣握要力争，顾全大体，深为不负委任，即着照此定约画押。约章字句，务须悉心斟酌，勿稍疏忽。余依议。钦此。臣告知外部，转奏俄皇。此邦君臣仰慕皇仁，同深钦感。俄皇谕令外部，允废崇厚原定约章，另立新约，又饬催布策速行缮约画押。臣因节略七端之外，所争诸条字句尚未周妥，日夜与布策晤谈而笔削之。直至光绪七年正月初九日，始将法文约章底稿议定。又彼此商订汉文、俄文条约章程，各缮二分，而将先订之法文缮正二分，以资考证，逐条参酌，校对无讹。于正月二十六日，与外部尚书吉尔斯、前驻京使臣布策公同画押、盖印讫，电请总理衙门代奏，仰慰宸廑。伏念臣以菲材膺兹重任，深惧措施失当，上负天恩。幸蒙皇太后、皇上指授机宜，不责以强争必行，但责以羁縻无绝，更喜总理衙门王大臣平心体察，艰巨周知，遇事提撕，遵循有自，纵絜长较短仍不免顾此失彼之虞，而酌理准情尚不悖争重让轻之义。除钞录臣与吉尔斯、热梅尼、布策迭次问答节略，咨呈总理衙门存查，并将条约、章程各一件、专条一件，派驻俄头等参赞官·二品顶戴·道员邵友濂，赍回京师，进呈御览，请旨饬下总理衙门核议，恭候圣裁外，谨将条约、章程底稿先行钞录，咨呈总理衙门察核。谨奏。

光绪七年二月十五日、十六日奉上谕：曾纪泽折件交醇亲王会同王大臣等复奏。同日，醇亲王奏，此次改订约章办法妥协，请旨批准，交曾纪泽届期互换。十七日奉旨：此次与俄国改订约章业已批准，着派曾纪泽届期互换。

使俄曾纪泽奏中俄改约情形折

出使俄国大臣曾纪泽奏，为改订俄国条约，办事艰难情形，关系甚重，恭折密陈事。

窃臣与俄国外部改订条约，遵旨盖印、画押，业于本日缮折驰奏在案。伏念西洋大小各邦越海道数万里以与中华上国相通，使臣来往于京城，商舶循环于海上，实为数千年来未有之奇局也。交涉愈久，历练滋深，是在总理衙门王大臣、南北洋通商大臣、出使各国大臣遇事留心，尽言勿隐，稍有纤毫关系，即不敢壅于上闻，庶几九重因应酌轻重以咸宜，四裔扰驯仰恩威而胥服。臣于定约之折虑须宣示内外臣工，甚或流传海外，是以未敢将委曲难言之隐据实奏明，然办事之难与寻常出使情形迥不相同，有不能不沥陈于圣主之前者。

西人待二等公使之礼远逊于头等，而视定议复改之任实重于初议。原约系特派头等全权便宜行事之大臣所订，臣晤吉尔斯、布策诸人，咸以是否头等、有无全权相诘，臣答以职居二等，不称全权大臣。乃彼一则曰：头等所定，岂二等所能改乎？再则曰：全权者所定尚不可行，岂无全权者所改转可行乎？臣渥承眷遇，岂复希非分之宠荣？且西洋公法，凡奉派之公使，无论头等、二等，虽皆称全权字样，至于遇事请旨，不敢擅专，则无论何等莫不皆然。前大臣崇厚，误以私心自用，违旨擅行为便宜行事之权，盖考之中国之宪章、各国之成例，无一而合者也。俄人亦未尝不腹诽之。及至与臣议事，稍有龃龉，则故以无全权、非头等之说折臣，每言：使者遇事不敢自主，不如遣使前赴北京议约，较为简捷等语。臣亦知其藉此词以相难，非由衷之言也。但彼国既以无全权而相轻，臣即不免较崇厚而见绌。此其难一也。

按之万国公法，使臣议约从无不候本国君主谕旨，不与外部意见相合，而敢擅行画押者，间有定而复改之事，亦不过稍有出入，从无与原约大相径庭者。往岁，崇厚急于索地，又急于回京，遽定、遽归，诸多未协。外部见臣照会将约中要领痛行驳斥，莫不诧为奇谈。屡以崇厚违旨擅定之故晓之，奈彼闻所未闻，始终不信。此其难二也。

原约所许通商各条，皆布策驻京时向总理衙门求之多年，而不可得者，崇厚甘受其绐，求无不应。一经画押，彼遂据为已得之权，再允熟商，彼即市其莫大之惠。吉尔斯贤于布策而不明中俄商情，经臣剀切敷陈，彼仍茫然不解。此其难三也。

泰西臣下条陈外务，但持正论，不出恶声，不闻有此国臣民诋及彼邦君上者。虽当辩难分〔纷〕争之际，不废雍容揖让之文。此次廷臣奏疏势难缄秘，傅〔传〕播失真之语，由于译汉为洋，锋棱过峻之词，不免激羞成怒，每谓：中国非真心和好，即此可见其端。若于兹时忍辱改约，则柔懦太甚，将贻笑于国人，见轻于各国等语。臣虽饰词慰藉，而俄之君臣怀憾难消。此其难四也。

自筹兵、筹饷迭见邸钞，而俄之上下亦惴惴焉，时有戒心，遣兵船以备战，增戍卒以防边。臣抵俄时，彼已势成骑虎。若仍在俄议事，则前此之举动为无名，故欲遣使晋京议约，以归功于海部。无怪一言不合，俄使即以去留相要。维时留之则要挟必多，不留则猜嫌滋甚，更恐留而仍去，适示怯而见轻。此其难五也。

俄皇始命布策向臣询明中国意向，予限一月。限满之时，经臣援引总理衙门照会驻京署使凯阳德展限三月之意，复请外部婉奏，俄皇乃许添展两月，与臣议事。我皇上因俄事日迫，意在转圜，一切情形，许臣由电径达总理衙门，代奏请旨，已属破格施恩。而事势之无常，日期甚促，有时于立谈之顷须定从违。臣于未经请旨之条既不敢许之过骤，然既有转圜之旨，又不敢执之过坚。良由自沪至京无电线以资迅速，故虽由电请旨，非旬月〔日〕所能往还，敌廷之询问益多，专对之机权愈滞。此其难六也。

犹幸我朝与俄罗斯通好二百余年，素无纤芥之嫌，未肇边疆之患。俄国自攻土耳其后，财殚力竭，雅不欲再启衅端。加以圣明俯纳臣言，释放崇厚以解其疑，办结各案以杜其口，故其君臣悦服，修好输诚。布策诸人虽坚执各条，不肯放松，而俄国皇帝与其外部丞相吉尔斯实有和平了结之意，故得从容商改，大致就我范围。此则列圣以来怀柔之效，而我两宫公溥慈祥之德，有以感动之也。臣之私心过虑，诚恐议者以为，俄罗斯国如此强大，尚不难遣一介之使，驰一纸之书，取已成之约而更改之，执此以例其余，则中西交涉更无难了之事，斯言一出，将来必有承其弊者。窃以为，兵端将开而复弭，关乎生民之气数，而气数不可以预知。条约已定而可更，视乎敌国之邦交，而邦交不可以常恃。臣是以将到俄以来办事艰难情状，据实直言，不敢稍存隐饰。请旨密饬海疆暨边界诸臣，仰体圣朝讲信修睦之心，至诚以待邻邦，息事而全友谊，庶几遐荒悦服，永协止戈为武之休，海宇清平，益臻舞羽敷文之盛。不胜恳切瞩望之至！谨奏。

光绪七年二月十五日。

粤督张树声奏拟订中外交涉行文仪式以资遵守片

张树声等片。

再，光绪六年十二月初三日，承准总理衙门咨，以现接英、法各国大臣照会，酌议各国官员与中国外省官员会晤行文仪式，已由总理衙门与英国使臣威妥玛商定节略，照会各国使臣查照等因，咨行转饬知照，并将仪式节略咨送前来，当经札行广东藩、臬二司，通行各属遵照在案。查前项《中外往来仪式节略》内开：寻常交涉公务，领事照会道员，由道员转申督抚，即可札行道员，由道员照会领事。此系彼此经行文件，若事关紧要，彼此无论品级大小，概用照会往来等语。

臣等窃查，粤东通商日久，交涉事件本较他省为繁，通省通商口岸共有四处，广州口岸即在省城，潮州则在汕头，琼州则在海口，廉州则在北海。向来各国驻粤领事遇有交涉事件，潮州则照会惠潮嘉道，琼州则照会雷琼道，就近办理，如事关紧要者，始行申报臣等查办，与新定仪式大意相同。其广州一口，系属省会地方，只有粤海关监督，并无关道。向来遇有洋务，无论巨细，领事皆系径达督抚，并无由道转申之事。而于督署交涉尤繁，各领事等或申陈请办，或书函催促，或请谒面陈，一月之中，少则百数十事，多或至数百事，几于日昃不遑。廉州北海一口，则高廉道远驻高州，相距凡数百里，遇有交涉事件，均由廉州府就近查办，其紧要者方始转申督抚。此系广州、廉州两处向来实在情形，与总理衙门现定道员转申督抚之新章，均未能悉合。洋人性情最急，广州一口，向既径申督抚，今改令由道转申，文牍往还，未免转滋周折。广州交涉事件向归该府办理，且与道员治所相距甚远，若拘泥新章，遇事由道转申，似亦不无格碍，不能不就新定仪式稍为推广变通。现经臣等再四筹商，窃拟嗣后汕头、海口两处遇有寻常交涉事件，仍由惠潮嘉道、雷琼道照旧办理。其广州一口，即派督粮道专办。该道为省垣首道，事务亦颇纷繁，拟再于候补道府中，择其熟习洋务者一二人，会同办理。遇有各国寻常交涉事件，领事照会该道等，即由该道等分别转行饬办，一面申报臣等备查。廉州北海一口，则仍由廉州府就近办理申报。虽与由道转申之新章未能尽合，但前项仪式节略内，既已明言彼此无论品级大小，概用照会，则令领事照会知府，外人当亦无词。其事关紧要者，仍由臣等自行妥办。似此公事既分次第办理，不致稽延，而于现定仪式节略新章，仍无杆〔扞〕格。臣等当经函商总理衙门核明示复，兹接复函，饬将实在情形自行奏明，请旨办理等因。谨即据实附片具陈。谨奏。

光绪七年三月十五日奉旨：该衙门知道。

朝鲜国王致礼部遣使日本咨请转奏文

朝鲜国王为遣使日本事。

议政府状启：准判中枢府事申櫶等启开，日本使臣黑田清隆等说称：交邻之谊，先察规制、风俗，然后方可两相便宜。贵国先事解送人员，详察物情，则我国之为此修好积费心力，自可洞悉，且我国人民十分孚信等情。准此，臣等窃念日本使臣来款修好，复请信使，其在讲信修睦之道允宜准许，依其愿差遣信使，仍将所据情实具咨转报上国等因。据此，窃照小邦既与日本重寻宿好，理合交聘，特差修信使·礼曹参议金绮秀，拟于开月束装发送。而凡干事情不容不上闻天朝，合行移咨，请转奏施行。

光绪七年三月十五日。

总署奏檀香山设领事片

奕䜣等片。

再，臣衙门前于光绪五年二月间，据出使美、日、秘国大臣陈兰彬函请，拟给发现住〔驻〕山域冶埃兰即檀香山国商董陈国芬谕帖，约束在彼华民等情，当经据情具奏请旨办理，并声明，檀香山与中国并未立约，即由出使大臣陈兰彬饬令商董陈国芬，随时稽查该处华民若干，有何章程，限一年内禀由陈兰彬酌核办理等因。奉旨：依议。钦此。咨行该大臣钦遵办理在案。兹据出使大臣陈兰彬、容闳咨称：转据驻檀香山国商董陈国芬禀报，试办一年期满，请派委员接替。又据陈兰彬致臣衙门另函内称：檀香山国虽未与中国立约，但未与该国立约之俄罗斯等国，皆有领事在彼驻扎。今陈国芬试办一年，尚无贻误，人地亦属相宜，似应奏改领事，即以该商董承充。至该商董试办期内原有翻译、文案各一人，所需用费委系自行捐给，嗣后可否由出使美国经费项下，定明每年酌拨银二三千两，以资办公各等语。臣等查，泰西有约各国，如英国之新加坡、美国之旧金山各处，现均设有领事官，原为保护华民在外贸易、佣工起见。檀香山虽与中国未立和约，而该处本为华民出洋要冲，又为美国金山后路，且系秘鲁来华中站，华民往彼谋生者日多一日。近又有中国招商局和众轮船在彼常川往来，华商亦可陆续赁船赴彼贸易。若不设领事官妥为保护，诚恐华民聚集该处，土人浸滋疑忌。既据陈兰彬函称，俄罗斯等国皆有领事在彼驻扎，可否将现驻檀香山商董·同知衔陈国芬，改为领事官，以资约束？如蒙俞允，即由臣衙门咨行该大臣，转饬遵照。至该领事官应需薪俸等项，应由出使大臣陈兰彬，在出使美国经费项下每年酌拨二三千两，归出使美国经费案内，造报臣衙门核销，以凭查核。谨奏。

光绪七年三月十六日奉旨：依议。

谕喜昌着酌带新军赴库防边

上谕：现在俄国事虽已定议，惟念中国边境与俄毗连，宜为思患预防之计。吉林之三姓、宁古塔、珲春等处，防务尤关紧要。该将军驻扎吉林省城，相距尚远，恐难兼顾。所有三姓、宁古塔、珲春防务，即着责成吴大澂督办，并将各该处屯垦事宜妥为筹办。铭安身任将军，亦宜认真讲求，力图振作。至库伦为俄人往来冲途，关系尤重，本日已有旨将喜昌补授库伦办事大臣，着将所部新军酌带一千人前赴库伦，督率该处原有宣化马队，勤加操练，以备不虞。

四月初八日廷寄。

新疆督办刘锦棠奏向俄索交白彦虎折　附上谕

督办新疆军务刘锦棠奏，为首逆逋诛，请饬行使臣向俄理论，解送惩办，以靖后患事。

穷逆酋白彦虎，与其党马壮及安夷阿古柏之子克胡里等，久为叛逆，关内新疆连被蹂躏。迨大军痛剿，穷窜入俄，因敦睦邻之谊，始未加兵，一切情形经左宗棠奏报在案。四年二月二十二日，钦奉谕旨：总理衙门奏，新疆首逆逃入俄界。现与俄国使臣理论情形一折等因。钦此。左宗棠与臣先后钦遵行查，而俄官以收养难民饰词见复。上年，崇厚使俄，所议条约又未载明，臣等正深疑虑，因已另简使臣未即论列。昨承准总理衙门来缄，知使臣曾纪泽已换新约，奉旨准其画押。所议若何，臣不得其详，既蒙俞允，何庸再为顾虑。惟白逆等如何交出，仍未闻议及。愚昧之见，有不能不详陈于圣主之前，以备刍荛之采者。

夫通和事关久远，利弊必须熟筹。当此定约之初，正可理论之际，商务则宜防其收罗外部遂彼浸广之谋，累华商而扰地方犹其后矣。界务则宜防其占据要冲，予我孤注之地，失巨费而得空城犹其小矣。至索取逆酋，则尤当务之急，不可度外置之者也。白逆等负其豺狼之性，济以剽狡之谋，倡乱历年，党羽景附，其余各处之军情形势，又无不亲历而周知。当其逆焰方张，固有众莫敢撄之势，及其力穷出窜，亦未忘致死于我之心，数年来引奸出亡，啸党入犯之案层见迭出。现在饷项奇绌，亟宜酌量裁勇以节縻费，亦因此而不能一日解严。当天威远震之时，大军压境犹频有边警。若数年之后，防军凯撤，边备稍松，该逆党羽之散处内地者，尚怀往日乐乱之情；其随从窜俄者，亦有思归故土之念，窥隙伺便，起而乘之，即不必俄人诱使，不必白逆躬为，而内之奸民，外之黠掳，亦或有借以为资而起者。虽小丑不能有为，而师动费随，不免重烦宸廑。且各将士之与该逆角战各地方之被该逆残害者，无不欲得而甘心。若与俄通和之后，即该逆不复为乱而昂然出入，藐我将吏，虐我民人，坐视其横则难消积怒者之愤，追诛前罪则易启左袒者之嫌，不惟天讨莫伸，亦虑边陲多故。至其为叛人之逋薮，启外部之戎心，因事而构间是非，输诚而教敌战阵，斯又弃刑章而养边寇，事在意中者矣。自古通款寻盟必弭虞诈，苟有收亡纳叛岂为睦邻？溯查咸丰十年所议条款内载：凡有重罪人犯或入境内，一经行查，即将该犯送交本国按律治罪等语。今白逆彦虎之为重犯，人所共知，成约具存，岂容收纳！况此枭獍之徒饱飏饥附，在我则为法无可宽之大憝，在俄则为材无可取之匹夫。若违约庇奸，又示下以背叛之道，想亦俄人所深恶也。臣仰荷殊恩，忝司边役，不敢缄默于此日而贻后患于无穷。乘此和议初更尚堪补救，惟有仰恳圣明仍饬总理衙门，与彼国驻京公使执约理论，或令曾纪泽向俄言明，务将白彦虎等解回，或就近押交臣与金顺、张曜营中，恭候明谕，再行惩办，以彰国法而快人心。其随该逆窜入俄境者，亦悉令押回分别办理，则边境永安而邦交益固矣。至此外如何通商，如何划界，使臣当已拟定，无从置喙。谨奏。

光绪七年四月十七日奉上谕：刘锦棠奏，首逆逋诛，请饬使臣向俄理论，解送惩办一折。刘锦棠以曾纪泽与俄国另立新约，白逆等如何交出未闻议及，急应执约理论，不可置之度外等语。白彦虎一事，前于二月间，据曾纪泽电寄总理衙门，询及办法，当以此事自须论及，应否即议，或俟换约后再议，由曾纪泽审量办理。俟曾纪泽奏到时，再行谕知刘锦棠遵照。

谕刘锦棠等着办理中俄界务

谕寄刘锦棠、金顺、张曜、升泰、锡纶：中俄约章互换后，伊犁分界事宜，俄国派有大员，约定在何处交收，即着锡纶懔遵前旨，驰往会晤；并着添派升泰一同前往，按照曾纪泽所订条约及所绘界图，妥慎办理。此事关系甚重，当与刘锦棠、金顺、张曜详加筹度，总期界画分明，永昭信守。

五月十六日

总署奏请将续修美约钤用御宝折

总理各国事务恭亲王奕䜣等奏，为上年续修美国条约现今赍递来京，请钤用御宝，以凭互换事。

窃光绪六年七月间，美国使臣安吉立照会臣衙门，请奏派全权大臣，续商条约，当经臣等奏明，奉旨：着派宝鋆、李鸿章作为全权大臣，与美国使臣商议条约事宜。钦此。九月间，美国修约使臣帅腓德、笛锐克到京，与臣等往返熟商，拟定续约四款。其有未尽事宜，另立四款。并声明，俟一年内两国御笔批准，再行互换。十月十四日，由臣等缮具清单，恭呈御览，奉旨：依议。钦此。臣宝鋆、臣李鸿章，于奉旨后，将缮就汉、洋文约本共三分，与安吉立等公同盖印、画押，以一分收存臣衙门，其二分由帅腓德、笛脱克赍回本国候批。本年六月十三日，据美国使臣安吉立照会内称：去年续修新约已由本国批准，派员赍送至京，请奏明办理等语。相应请旨，将上年续修美国条约，钤用御宝，作为批准。仍请由臣宝鋆、臣李鸿章，会同美国使臣安吉立，订期互换，理合恭折具陈。谨奏。

光绪七年六月十六日奉旨：依议。

总署奏中俄新订条约请预筹以备开办折

总理各国事务恭亲王奕䜣等奏，为中俄新订约章各款，拟请分别预筹，以备届期开办事。

查中俄改订约章各件钦奉恭用御宝后，于五月初一日，派员赍送出使大臣曾纪泽恭办在案。查条约、章程各件所载端绪纷繁，其中以分界、通商、偿款为三大端。界务一节，除接收伊犁外，塔、喀二处亦须重加勘定，已奉旨派锡纶会商金顺相机筹办。商务新添嘉峪关一口，声明完纳税饷等事，照天津一律办理，自有定章可循。惟嘉峪关既经添设通商口岸，所有经征税课、一切交涉事件，非有专管监督不足以资经理。查从前新设宜昌、芜湖、瓯海各关，均以本属地方道员兼充监督。嘉峪关通商伊始，可否请旨，以甘肃安肃兵备道兼充嘉峪关监督，遇有交涉事件，责成办理，以期呼应较灵；并比照各海关成例，遇有缺出，以记名海关道员，与各部院京察一等记名道府人员，一并请旨简放之处，出自圣裁。至各关洋税，向由该监督督饬税务司办理。嘉峪关系属陆路，与各口情形稍殊，应否添设税务司之处，应请饬下陕甘总督，察看情形，奏明办理。至嘉峪关、吐鲁番设领事，张家口设行栈及茶税各节，均系换约后通行之事，应于换约后分别试办。至偿款卢布九百万元，约合银五百万两，两年内匀作六次归还，应如何预为筹备，应由户部速议，以便换约后按期拨给，免致贻误。谨奏。

光绪七年五月二十八日奉旨：依议。

总署奏俄国新君嗣位寄到国书片　附国书

奕䜣等片。

再，臣衙门前准俄国署使臣凯阳德函称：今奉本国朝廷恭送致大皇帝之书，请定期赴署面交转递等因前来。臣等订于五月二十六日在署会晤，经该署使臣凯阳德呈出洋文信函一件，附译出汉文一件。臣等公同阅看，大致通问修好，并叙述新君嗣位，现仍派布策充全权大臣，请加以信任等语，与各国呈递之国书大致相同，当即允为代递。臣等查，俄国新君即位前，已由臣衙门拟撰国书，请用御宝，与新定约章，交同文馆学生庆全，赍送出使大臣曾纪泽承领，即行赴俄面递在案。此次该国王寄到书函，自可毋庸另行办复，理合附片奏闻。谨奏。

光绪七年六月十六日奉旨：知道了。

谨录俄国译汉国书恭呈御览

大俄国大皇帝自专主阿列克三得尔第三，问大清国大皇帝好！

天降不测之祸于俄国，我先皇阿列克三得尔尼廓拉叶威赤，于本年三月初一日遽尔薨逝。初，教匪屡谋弑逆未遭毒手，乃卒致此大变。遭家不造，惨苦难言。猥以分属当立，今嗣位，波兰、芬兰君主仍归统辖而不分立。是用奉告，谅大皇帝重念两国友谊，于心有同戚焉。尤冀永敦和好，无异于初，本国亦必如此相酬。今特简第五级大员布策，为驻扎贵国钦差全权大臣，务望一是推诚相信，必能代达衷曲。

一千八百八十一年三月初十日，即阿列克三得尔第三建元元年在彼得堡交。

总署奏会同俄国大员接收伊犁折

总理各国事务恭亲王奕䜣等奏，为接收伊犁事宜亟应克期举办事。

窃奉五月十六日上谕：约章互换后，俄国派有大员约定在何处交收，即着锡纶懔遵前旨，驰往会晤，并着升泰一同前往，按照曾纪泽新订条约及所绘界图，妥慎办理。此事关系甚重，当与刘锦棠、金顺、张曜详加筹度，总期界划分明，永昭信守，不得稍涉轻心，致贻后患等因。钦此。惟查新约第五条内开，两国特派大臣遵照约内关系交收事宜，在伊犁城会齐办理，该大臣遵照督办交收伊犁事宜之陕甘总督，与土尔吉斯坦总督商定次序开办。陕甘总督奉到批准条约，将通行之事派委妥员前往塔什干城，知照土尔吉斯坦总督，于三个月内，将交收伊犁之事办竣各等因。现在陕甘总督曾国荃尚未到任，署甘肃布政使杨昌濬护理督篆，与从前情形不同。臣等公同商酌，拟请旨饬下伊犁将军金顺，督办交收伊犁事宜。锡纶作为特派大臣，仍与刘锦棠、升泰等详细妥筹，会同俄国所派大员，在伊犁城商定次序开办。责成金顺派委妥员，前往塔什干城，知照土尔吉斯坦总督，将交收伊犁各事，照约如期办竣。至分界事宜，拟请饬下锡纶、升泰，懔遵前旨，与刘锦棠、金顺、张曜随地随时详加筹度，妥慎办理。谨奏。

光绪七年闰七月初九日。

总署奏中俄换约日期折　附改订条约陆路通商章程及卡伦单

总理各国事务恭亲王奕䜣等奏，为中俄新定约章接准电报业经互换事。

窃查中俄改订条约、章程各件，钦奉批准恭用御宝后，派员赍送出使大臣曾纪泽遵办。旋据曾纪泽电报，七月十二日祗领到批准约章，十七日由法国启程，二十日行抵俄国等因。兹复接曾纪泽电报，内称：本日换约礼毕，电闻以便安排头批偿款收地，想早派人索白逆，牍已具，迟数日即发等语。伏念此次订立约章，办理数年，始克就范，其中应行开办各条款，在在均关紧要，臣等已奏请分别议筹等因。奉旨：依议。钦此。现值互换事竣，除由臣衙门将应办事宜分别奏咨，次第办理外，谨将换约日期，专折具奏。谨奏。

光绪七月〔年〕闰七月初九日奉旨：知道了。

中俄改订条约 光绪七年七月二十五日互换

大清国大皇帝，大俄国大皇帝，愿将两国边界及通商等事，于两国有益者，商定妥协，以固和好，是以特派全权大臣会同商定。大清国钦差出使俄国全权大臣・一等毅勇侯・大理寺少卿曾，大俄国钦差大臣・参政大臣・署理总管外部大臣萨那特尔、部堂格、参议大臣・出使中国全权大臣布，各将所奉全权谕旨互相校阅后，议定条约如左：

第一条　大俄国大皇帝允，将一千八百七十一年，即同治十年，俄兵代收伊犁地方，交还大清国管属。其伊犁西边，按照此约第七条所定界址，交归俄国管属。

第二条　大清国大皇帝允降谕旨，将伊犁扰乱时及平靖后该处居民所为不是，无分民教，均免究治，免追财产。中国官员于交收伊犁以前，遵照大清国大皇帝恩旨，出示晓谕伊犁居民。

第三条　伊犁居民或愿仍居原处为中国民，或愿迁居俄国入俄国籍者，均听其便。应于交收伊犁以前询明其愿。迁居俄国者，自交收伊犁之日起，予一年限期，迁居携带财物，中国官并不拦阻。

第四条　俄国人在伊犁地方置有田地者，交收伊犁后仍准照旧管业。其伊犁居民，交收伊犁之时，入俄国籍者，不得援此条之例。俄国人田地在咸丰元年《伊犁通商章程》第十三条所定贸易圈以外者，应照中国民人一体纳税饷。

第五条　两国特派大臣，一面交还伊犁，一面接收伊犁，并遵照约内关系交收各事宜，在伊犁城会齐办理施行。该大臣遵照督办交收〈伊〉犁事宜之陕甘总督与土尔吉斯坦总督商定次序开办。陕甘总督奉到大清国大皇帝批准条约，将通行之事派委妥员，前往塔什干城，知照土尔吉斯坦总督。自该员到塔什干城之日起，于三个月内，应将交收伊犁之事办竣。能于先期办竣，亦可。

第六条　大清国大皇帝允将大俄国自同治十年代收代守伊犁所需兵费，并所有前此在中国境内被抢受亏俄商及被害俄民家属各案补恤之款，共银卢布九百万圆，归还俄国。自换约之日起，按照此约所附专条内载办法次序二年归完。

第七条　伊犁西边地方应归俄国管属，以便因入俄籍而弃田地之民在彼安置。中国伊犁地方与俄国地方交界，自别珍岛山，顺霍尔果斯河，至该河入伊犁河汇流处，再过伊犁河往南，至岛宗岛山廓里札特村东边，自此处往南，顺同治三年塔城界约所定旧界。

第八条　同治三年塔城界约所定斋桑湖迤东之界，查有不妥之处，应由两国特派大臣会同勘改，以归妥协，并将两国所属之哈萨克分别清楚。至分界办法，应自奎峒山过黑伊尔特什河，至萨乌〈尔〉岭划一直线，由分界大臣就此直线与旧界之间酌定新界。

第九条　以上第七、第八两条所定两国交界地方，及从前未立界牌之交界各处，应由两国特派大员安设界牌。该大员等会齐地方、时日由两国商议酌定。

俄国所属之费尔干省，与中国喀什噶尔西边交界地方，亦由两国特派大员前往查勘，照两国现管之界勘定，安设界牌。

第十条　俄国照旧约在伊犁、塔尔巴哈台、喀什噶尔、库伦设立领事官外，亦准在肃州即嘉峪关及吐鲁番两城设立领事，其余如科布多、乌里雅苏台、哈密、乌鲁木齐、古城五处，俟商务兴旺，始由两国陆续商议添设。俄国在肃州及吐鲁番所设领事官，于附近各处地方关系俄民事件，均有前往办理之责。按照一千八百六十年，即咸丰十年《北京条约》第五、第六两条，应给予可盖房屋、牧放牲畜、设立坟茔等地。嘉峪关及吐鲁番亦一律照办。领事官公署未经起盖之先，地方官帮同租觅暂住房屋。俄国领事官在蒙古地方，及天山南北两路往来行路，寄发信函，按照《天津条约》第十一条、《北京条约》第十二条，可由台站行走。俄国领事官以此事相托，中国官即妥为照料。吐鲁番非通商口岸而设立领事，各海口及十八省、东三省内地不得援以为例。

第十一条　俄国领事官驻中国，遇有公事，按事体之关系、案件之紧要及应如何作速办理之处，或与本城地方官，或与地方大宪往来，均用公文。彼此往来会晤，均以友邦官员之礼相待。两国人民在中国贸易等事致生事端，应由领事官与地方官公同查办。如因贸易事务致启争端，听其自行择人从中调处。如不能调处完结，再由两国官员会同查办。两国人民为预定运载货物、租赁铺房等事，所立字据可以呈报领事官及地方官处，应与画押盖印为凭。遇有不按字据办理情事，领事官及地方官设法务令照依字据办理。

第十二条　俄国人民准在中国蒙古地方贸易，照旧不纳税。其蒙古各处及各盟设官与未设官之处，均准贸易，亦照旧不纳税。并准俄民在伊犁、塔尔巴哈台、喀什噶尔、乌鲁木齐，及关外之天山南北两路各城贸易，暂不纳税，俟将来商务兴旺，由两国议定税则，即将免税之例废弃。以上所载中国各处，准俄民出入，贩运各国货物。其买卖货物，或用现钱，或以货相易，俱可。并准俄民以各种货物抵帐〔账〕。

第十三条　俄国应设领事官各处及张家口，准俄民建造铺房、行栈，或在自置地方，或照一千八百五十一年，即咸丰元年，所定《伊犁塔尔巴哈台通商章程》第十三条办法，由地方官给地盖房，亦可。张家口无领事，而准俄民建造铺房、行栈，他处内地不得援以为例。

第十四条　俄商自俄国贩货，由陆路运入中国内地者，可照旧经过张家口、通州，前赴天津，或由天津运往别口及中国内地，并准在以上各处销售。俄商在以上各城、各口及内地置买货物，运送回国者，亦由此路行走。并准俄商前往肃州贸易，货帮至关而止，应得利益照天津一律办理。

第十五条　俄国人民在中国内地及关外地方陆路通商，应照此约所附章程办理。此约所载通商各条，及所附《陆路通商章程》，自换约之日起，于十年后可以商议酌改。如十年限满前六个月未请商改，应仍照行十年。俄国人民在中国沿海通商，应照各国总例办理。如将来总例有应修改之处，由两国商议酌定。

第十六条　将来俄国陆路通商兴旺，如出入中国货物必须另定税则，较现在税则更为合宜者，应由两国商定。凡进口、出口之税，均按值百抽五之例定拟。于未定税则以前，应将现照上等茶纳税之各种下等茶出口之税，先行分别酌减。至各种茶税，应由中国总理衙门会同俄国驻京大臣，自换约后一年内，会商酌定。

第十七条　一千八百六十年，即咸丰十年，在北京所定条约第十条，至今讲解各异，应将此条声明其所载追还牲畜之意作为：凡有牲畜被人偷盗诱取，一经获犯，应将牲畜追还；如无原物，其〔作〕价当向该犯追偿；倘该犯无力赔还，地方官不能代赔。两国边界官应各按本国之例将盗取牲畜之犯严行究治，并设法将自行越界及盗取之牲畜追还。其自行越界及被盗之牲畜踪迹，可以示知边界兵并附近乡长。

第十八条　按照一千八百五十八年五月十六日，即咸丰八年，在爱珲所定条约，应准两国人民在黑龙江、松花江、乌苏里河行船，并与沿江一带地方居民贸易。现复申明，至如何照办之处，由两国再行商定。

第十九条　两国从前所定条约，未经此约更改之款，应仍旧照遵行。

第二十条　此约奉两国御笔批准后，各将条约通行晓谕各处地方遵照。将来换约应在森比德堡，自画押之日起，以六个月为期。

两国全权大臣议定，此约备汉文、俄文、法文约本两分，画押盖印为凭。三国文字校对无讹，遇有讲论，以法文为证。

光绪七年正月二十六日，订于森比德堡都城。

专条

按照中、俄两国全权大臣现在所定条约第六条所载，中国将俄兵代收代守伊犁兵费及俄民各案补恤之款，共银卢布九百万圆，归还俄国。自换约之日起，二年归完。两国全权大臣议将此款交纳次序办法商定如左：

以上银卢布九百万圆，合英金磅〔镑〕一百四十三万一千六百六十四圆零二希令，匀作六次，除兑至伦敦汇费毋庸由中国付给外，按每次中国净交英金磅〔镑〕二十三万八千六百一十圆零十三希令八本士，付与伦敦城内布拉得别林格银号收领，作为每四个月交纳一次，第一次自换约后四个月交纳，末一次在换约后二年期满交纳。此专条应与载明现在所定条约无异，是以两国全权大臣画押盖印为凭。

中俄改订陆路通商章程

第一条　两国边界百里之内，准中、俄两国人民任便贸易，均不纳税。其如何稽察贸易之处，任凭两国各按本国边界限制办理。

第二条　俄国商民前往蒙古及天山南北两路贸易者，只能由章程所附清单内指明卡伦过界。该商应有本国官所发中、俄两国文字并译出蒙古文或回文执照，汉文照内可用蒙古字或回回字注明商人姓名、随人姓名、货色、包件、牲畜数目若干。此照应于入中国地界时，在附近边界中国卡伦呈验。该处查明后，卡伦官盖用戳记为凭。其无执照商民过界者，任凭中国官扣留，交附近俄国边界官或领事官从严罚办。遇有遗失执照，货主应报明附近领事官，以便请领新照，一面报明地方官暂给凭据，准其执此前行。其运到蒙古及天山南北路各处之货，有未经销售者，准其运往天津及肃州，或在该关口销售，或往内地，其征收税饷，发给运货执照，查验放行等事，均照以下章程办理。

第三条　俄商由恰克图、呢布楚运货前往天津，应由张家口、东坝、通州行走。其由俄国边界运货过科布多、归化城前往天津者，亦由此路行走。该商应有俄官所发运货执照，并由中国该管官盖印，照内用中、俄两国文字，注明商人姓名、货色、包件数目，任凭沿途各关口中国官员迅速点数查看，验照盖戳放行。查验之时，如有拆动之件，仍由该关口加封，并将拆动件数于照内驻〔注〕明，以凭查核。该关查验不得过一个时辰。其照限六个月在天津关缴销。如该商以为限期不足，应预先报明该处官员。倘有商人遗失执照，应报明原给执照之官，并呈明日期、号头，请领新照，注明补给字样，一面至就近关口报明，查验相符，暂给凭据，准其运货前行。如查该商所报货数不符，查该商系有隐匿，沿途私卖货物，希图逃税情事，应照第八条章程罚办。

第四条　俄商由俄国运来货物，路经张家口，任听其〔将〕货酌留若干于口销售。限五日内，在该关口报明，交纳进口正税后，由中国官发给卖货准单，方准销售。

第五条　俄商由俄国运来货物，自陆路至天津者，应纳进口税饷，照税则所载正税三分减一交纳。其由俄国运来货物至肃州者，所有完纳税饷等事，应照天津一律办理。

第六条　如在张家口酌留之货，已在该口纳税，而货物有未经销售者，准该商运赴通州或天津销售，不再纳税，并将在张家口多交之一分补还俄商，即于该口所发执照内注明。俄商在张家口酌留之货，已在该口纳税者，如欲运入内地，应照各国总例，再交一子税即正税之半，该口发给运货执照，应于沿途所过各关卡呈验。如无执照者，则逢关纳税，过〔遇〕卡抽厘。

第七条　俄商由俄国运来货物至肃州，欲运入内地者，应照章程第九条天津运货入内地之例，一律办理。

第八条　俄商由俄国运来货物至天津，除报明酌留张家口之货外，如查有原货抽换，〈或〉数目短少，与原照不符，即将所报查验之货全行入官。但沿途实系包箱损坏必应改装者，该商行抵就近关口报明，如查验原货相符，即于执照内注明，方可免其议罚。倘有沿途私售，一经查出，其货全行入官。如系绕越捷径，不按第三条所载之路行走，以避沿途关卡查验，一经查出，罚令完一正税。如系车脚运夫作弊，有违以上章程，货主实不知情，该关应体察情形，分别罚办。惟此办法，系专指俄国陆路通商经过各处而言，各海口及各省内地遇有以上情事不得援以为例。其罚令入官之货，如商人愿将原货作价交官，准其与中国官按照原货估价交官亦可。

第九条 俄商自俄国由陆路运至天津之货，如由海道运往，议定通商各口应按照税则，在天津关补交原免三分之一税银，俟抵他口，不再纳税。如天津及他口运入内地，应按照税则交一子税，照各国总例办理。

第十条 俄商在天津贩卖土货回国，应由第三条所载张家口等处之路行走。俄商运货出口，应交出口正税。若在天津贩买复进口土货，〈及在他口贩买土货〉，经津回国，如在他口全税交完，有单可凭，至此不再重征。该商交税后，在一年限内，出口回国，将在天津所交复进〈口〉半税仍行给还。俄商运货回国，领事官发给两国文字执照，注明商人姓名、货色、包件数目若干，由该关盖印。该商务须货照相随，以凭沿途各关口查验放行。其缴销执照限期，并遇有遗失执照等事，均照第三条章程办理。该商应照第三条所载之路行走，沿途不得销售，如违此章，即照第八条所定章程罚办。沿途各关卡查验货物，应照第三条章程办理。至俄商由肃州贩运该处所买土货，及在内地所买土货，运往该处回国者，所有完纳税饷等事，均照天津一律办理。

第十一条 俄商在通州贩买土货，由陆路出口回国，应照税则完纳出口正税。其在张家口贩买土货出口回国，应在该口纳一子税。俄商由内地贩买土货运往通州、张家口回国者，照各国在内地买土货总例，应再交一子税，由各该关口收税，发给运物执照。其在通州买土货回国者，应在东坝报明收税，发给执照，沿途不得销售，应于执照内载明其由。以上各处运货出口，发照、验货等事，应照第三条所载章程办理。

第十二条 俄商在天津、通州、张家口、嘉峪关贩运别国洋货，由陆路出口回国，如该货已交正税、子税有单可凭，不再重征。如只交过正税未交子税，该商应按照税则，在该关补交子税。

第十三条 俄商贩运货物进口、出口，应照各国税则及同治元年所定俄国续则纳税。如各国税则及续则均未备载，再照值百抽五之例纳税。

第十四条 凡进口、出口免税之物，如金银、外国各银钱、各种面、砂谷、米面饼、熟肉、熟菜、牛奶酥、牛油、蜜饯、外国衣服、金银首饰、搀银器、香水、胰碱、炭、柴薪、外国蜡烛、外国烟丝、烟叶、外国酒、家用杂物、船用杂物、行李、纸张、笔墨、毡毯、铁刀利器、外国自用药料、玻璃器皿，以上各物，由陆路进口、出口，皆准免税。惟由章程内载，各城及各海口运往内地者，除金银、外国银钱、行李三项，仍毋庸议外，其余各物，皆按每值百两完纳税银二两五钱。

第十五条 凡违禁之物，如火药、大小弹子、炮位、大小鸟枪，并一切军器等类，及内地食盐、洋药，均属违禁，不准贩运进口、出口。如违此例，即将所运违禁之物全罚入官。俄国人民前往中国者，每人准带鸟枪或手枪一杆护身，填入执照。又硝磺、白铅须奉中国官发给准单，方准俄商运进口内，如华商持奉准买明文方准销售。中国米、铜钱不准贩运出口。外国米谷及各种粮食，皆准贩运进口，一概免税。

第十六条　俄商不准包庇华商货物运往各口。

第十七条　凡有严防偷漏诸法，任凭中国官随时设法办理。

俄商前往中国贸易过界卡伦单

中国卡伦	俄国卡伦
一、胡柏里志呼	一、斯他罗粗鲁海图斯基
二、则林图	二、查罕额罗业甫斯基
三、毛葛子格	三、克留车甫斯基
四、乌梁图	四、库鲁苏他业甫斯基
五、多罗洛克	五、查苏车业甫斯基
六、霍林纳拉苏	六、杜鲁勒古业甫斯基
七、呼拉查	七、托克托尔斯基
八、巴扬达尔噶	八、原稿无地名
九、阿深嘎	九、阿深金斯基
十、呜孳	十、们森斯基
十一、乌阿勒嘎	十一、沙拉郭勒斯基
十二、库达拉	十二、库达林斯基
十三、恰克图	十三、恰克图
十四、哈拉呼志尔	十四、博齐斯基
十五、治尔格台	十五、热勒都林斯基
十六、鄂尔托霍	十六、哈拉采斯基
十七、伊勒克池拉穆	十七、哈木聂斯基
十八、乌尤勒特	十八、克留车甫斯基
十九、贝勒特斯	十九、欢金斯基
二十、赛郭鄂拉	二十、额庚斯基
二十一、金吉里克	
二十二、攸斯提特	
二十三、苏鄂克	
二十四、查罕鄂博自此卡伦以下两国同名	
二十五、布尔葛苏台	
二十六、哈巴尔乌苏	
二十七、巴克图	
二十八、喀普他盖	
二十九、阔克苏山口	

三十、霍尔果斯

三十一、别叠里山口

三十二、帖列克第山口

三十三、图鲁噶尔特山口

三十四、苏约克山口

三十五、伊尔克什唐

单内所开过界各卡，可俟中国边界官及俄国领事官，体察情形报明后，由中国总理衙门，会同俄国驻京大臣，商议酌改，将查明可裁之处，分别删减，或以便商之处酌量更易，亦可。

清季外交史料卷二十五终

清季外交史料卷二十六

光绪七年闰七月下至十二月

谕刘锦棠等着办理中俄伊犁分界事宜

上谕刘锦棠等：据总理衙门奏，接收伊犁分界一事，前已派锡纶、升泰往办。惟原约系派陕甘总督督办，现曾国荃未能到任，着派金顺督办交收事宜，锡纶作为特派大臣，以符原约。该将军等与刘锦棠会同俄官商办，金顺派员往塔什干城，知照土尔吉斯坦总督，照约办竣。其分界事宜，锡纶等与刘锦棠等妥办。

闰七月初十日

直督李鸿章奏巴西修约情形折　附条约及节略

直隶总督李鸿章奏，为巴西使臣商结增删原订条约，经臣酌量相机议办事。

窃臣于光绪六年六月间，遵旨与巴西国使臣喀拉多、穆连议立通商条约，已于上年八月初一日定稿本画押钤印，专折具奏，并将条约正、副本及照会稿，分送军机处及总理衙门备查在案。臣因从前中国与各国立约，多仓猝定议，又未谙西洋通例，受损颇多，是以与该使往复驳辩，按照各国约章酌量变通，冀可收回权利；亦乘巴西有求于我，先就一国稍倡其端，将来各国续来议约，即可逐渐设法转移。该使等遵允画诺，喀拉多于去年九月出都回国，方谓条约已定，计期即可互换。讵本年三月十九日喀拉多自沪至津，据称：接伊国电报，禁贩洋药已允照办，请即添入条款，并酌拟增删原约各节：第一款与别国民人句，请改为与相待最优之国民人字样。第十一款案内华巴民人有未甘服，应听照会复讯一节，恐两国民人藉此拖延，滋讼案难了结，务求准删。臣以已定之约，向不能于未换以前另议删改，惟彼国既愿将禁贩洋药添入条款，似与中国有益。该使复声请原约第三款，领事官不得以商人兼充，拟改作商人亦可兼充。第四款，游历印照须照会关道请领，拟改照各国条约仍由领事发给，地方官盖印。臣查，当日订约，此二款原为防弊起见，断难允改。其第一款、第十一款无关紧要字句，未始不可酌删。喀拉多旋即回沪。

五月杪〔杪〕，该使复派翻译官微席叶来谒，谓：穆连回国后，议院查出原约第十款内华人有本身犯案或牵涉被控，凡在巴人会馆、寓所、行栈、商船，皆均听中国官派差径往拘传，此与中国条约照会领事官交出者，显有区别。去冬，美国条约在巴国定约之后，美约并无此议，巴西碍难独遵，力恳改照布约第三十二款，以全巴国体面等语。臣思华民在各口行栈、商船佣工者每恃洋人为护符，遇有犯案不听传唤，虽行文领事官饬交，往往庇纵成习，由于前此立约未妥，一时骤难更改，以致流弊甚多。今欲藉巴西议约，渐收中国自主之权，于约内声明，派差径往拘传，具有深意，坚不允行。微席叶去后，喀拉多函托津海关税务司德璀琳屡来恳商，均已严词拒绝。七月二十日，该使自沪来津，面递辩论第十款节略一纸，谓出自该国朝廷之意，若不准改，必将该使调回，另行派员来华，从新议约，情词甚为迫切。臣反复开导，该使总谓此条不改，全约俱作罢论，该国绝不肯互换，并引中俄新约改订为词，坚执不改，即索一答复节略回国复命。臣于闰七月初一日拟具答复四条节略面交，毫未松口，该使遂于初二日来署辞行，势将决裂。臣因思巴西已成之约，照西国各约挽回不少；今又允将禁贩洋药添入约款，洵于大局有裨。彼既出于甘让，我亦当略为酬报。所议增删各节，尚觉无甚关系。惟第十款末款稍重，若遽改照各国条约，华犯由领事交出，何能渐收自主之权？若全不通融，如沪、津等处各国租界早定，巴人当必借寓。倘华官径往拿犯，巴官虽不敢阻，他国领事必出头阻抗，则华、巴两面均有关碍。且公馆、商船皆有巴西国旗号，巴人可以自主，亦未便不知照巴官，径往拿办。况第三款已声明，领事等官，必须奉到中国批准文凭，方得视事；如领事官办事不合，可将批准文凭追回。此层最为紧要关键。倘巴官庇纵华犯，尚可照约追回文凭，是操纵仍属在我，似未便因拿犯一事，致将全约所得便利尽行废弃。遂与该使商改，由地方官，一面知照领事官，一面立即派差，协同设法拘拿，不得庇纵稍留等语。较各国约款文义稍变，盖由地方官派差，仍不失中国自主，知照领事官，则巴国体面亦可无碍。该使允即照改，并将禁贩洋药照美国新约全文，添作第十四款，共成十七款。此臣与巴西使臣喀拉多酌议，稍改原约之情形也。喀拉多已于初三日回沪，据称，电复本国，俟接回信，于三礼拜后来津，誊写约本，另与订期，画押专用喀拉多一人衔名。其前次已定条约正、副本即作为废纸。事关改订条约，于原议微有参差，而大致无甚出入，亟应先事具奏。谨照钞巴西改订约款，分别粘签贴说，并照录该使喀拉多面递节略，及臣答复节略，恭呈御览。谨奏。

光绪七年闰七月初十日奉旨：该衙门知道，单二件并发。

谨将改订巴西国通商条约恭呈御览

大清国、大巴西国会订《和好通商条约》。大清国大皇帝、大巴西国大皇帝切愿敦友睦之谊，俾两国均获利益，公订《和好通商行船条约》，是以大清国大皇帝特派钦差全权大臣·太子太傅·文华殿大学士·直隶总督·一等肃毅伯李，大巴西国大皇帝特派钦差全权内大臣·勋赐佩带罗斯并土尔基墨基地嗳各等宝星喀，各将所奉上谕互相阅看，均属妥善，即经议定条款如左：

第一款　嗣后大清国与大巴西国暨厥人民永存和好，永敦友谊，彼此皆可前往侨居，须由本人自愿，各获保护身家、财产，并一体与相待最优之国民人同获恩施利益。

第二款　此次定约以便嗣后往来通好，大清国大皇帝可派使臣驻扎巴国京都，大巴西国大皇帝亦可遣使臣驻扎中国京都，各准两国使臣并眷属、随员人等，前往彼此京城，或常川住居，或随时往来，一遵本国之旨。两国使臣在公署时享获种种恩施，与相待最优之国使臣无异。

第三款　两国于彼此通商口岸，设立总领事、领事、副领事并署领事等官，均听其便。惟此等官员，必须奉到驻扎之国批准文凭，方得视事。其临时彼此交发文凭，均无费用。所派领事官必须真正官员，不得以商人兼允，亦不得兼作贸易。各口倘未设领事官，或请别国领事兼代，亦不得以商人兼充，或即由地方官照现定条约代办。两国领事官享获种种恩施，与彼此所待最优之国领事官无异。至商民交涉事件有与本地官民龃龉者，领事官均不得任意争执。如领事官办事不合，彼此均可按照公例，即将批准文凭追回。

第四款　中国民人在巴国，如安本分，但能不违巴国律例、章程，无论何处，任便游历。巴国民人亦准前往中国内地游历，须由领事官照会关道，请领印照前往，回日缴销。其印照缮写中、巴两国文字。所经过地方如饬交出执照，即应随时呈验。该民雇人、雇船、雇车装运行李，不得阻拦。如其照内有误，以及查出沿途或有不法情事，即送交就近领事查办，惟于途中止可拘禁，不得凌虐。如在通商各口出外游玩者，地在百里之中，期在五日之内，可以无庸请照。至于船上诸色人等，不在此例。如有上岸，应由地方官会同领事官，另定章程，妥为弹压。

第五款　中国民人准赴别国民人所至之巴国通商各处，往来运货贸易；巴国民人准赴别国民人所至之中国通商各口，往来运货贸易。嗣后，两国如有优待他国利益之处，系出于甘让，立有专条互相酬报者，彼此须将酬报之专条，或互订之专章，一体遵守，准同沾优待他国之利益。

第六款　两国商人、商船，凡在此国通商口岸，即应遵从此国与各国原议、续议通行商务章程办理。至进出口税则，亦不能较相待最优之国或有加增。

第七款　两国兵船，可以赴别国兵船所至口岸。彼此接待与相待最优之国无异。一切买取食物、烟煤、甜水，修理船只，各无阻碍。该兵船进出口一切税钞，俱不输纳。巴国兵船管驾官，中国地方官与之平行相待。

第八款　两国商船，准在彼此通商各口往来运货贸易，彼此相待与别国商船无异。倘两国船只遇有天灾，在彼此沿海地方失事，该处官员自当设法相帮。所有未遭失险之货物，如不欲出售，自应不纳税银。遇险船只，两国均与待别国船只一律。

第九款　巴国人民在中国，遇有控告华民事件，皆应先禀领事官查明根由，先行劝息，使不成讼。华民有赴领事官控告巴国民在中国者，领事官亦应一体劝息。间有不能听劝者，无论原告或系华民，或系巴民，皆专由被告所属之员公平讯断。

第十款　巴国民人在中国，有被华民违例相欺，准地方官查拿照例审办。华民有被巴国人在巴国违例相欺，巴国官亦按例查拿究治。总之，两国民人交涉、财产、犯罪各案，俱由被告者所属之官员专行审断，各照本国律例定罪。惟逋欠案件，应由欠户所属之官员勉力设法，使其偿还。窃盗案件，应照被告者之国律例办理，两国官员均不能代偿。至中国人民遇有本身犯案，或牵涉被控，凡在巴人公馆、寓所、行栈及商船隐匿者，由地方官一面知照领事官，一面立即派差，协同设法拘拿，不得庇纵掯留。

第十一款　巴国属民在中国，有自相控告案件，不论人产皆归巴国官查办。设与别国有事在中国涉讼，应由巴国领事与该国领事办理。以上案内如牵涉中国人，仍应按前两款办理。若将来中国与各国另行议立中西交涉公律，巴国亦应照办。

第十二款　凡两国船只驶至通商口岸，本船诸色人等，如上岸滋事，各照两国常例拿办。至巴国船只，或在中国沿海通商口岸，有与本地船只相碰互控情事，可由被告所属之官员，查照各国碰船现行章程审理。倘未甘服，应听原告所属之官员照会审理之员，秉公复讯，核断了结。

第十三款　中国民人在巴国有控告事件，听其至审院控告，应得名分与巴国民人及与相待最优民人无异。

第十四款　中国与巴国彼此商定，中国商民不准贩运洋药入巴国通商口岸，巴国商民亦不准贩运洋药入中国通商口岸，并由此口运往彼口，亦不准作一切买卖洋药之贸易。所有两国商民，无论雇用本国船、别国船，及本国船为别国商民雇用贩运洋药者，均由各本国自行永远禁止。此系两国公同商定，不得引一体均沾之条讲解。

第十五款　此次所定条约系用中国文、巴西文、法国文各四纸，业经公同译校，各相符合，毫无讹误。嗣后如有彼此不明之处，除各用本国文字外，兼以法文为正。

第十六款　日后两国若于现议条款内有欲行变通之处，应俟自互换条约之日起，至满十年为止，先期六个月，彼此备文知照，如何酌量更改，方可再行筹议。若未曾先期声明，仍照此次议定条约办理。

第十七款　今将以上议定条约，由两国钦差全权大臣先行画押盖印，用昭凭信。一俟两国御笔批准，或在上海，或在天津，彼此即行互换后，再刊刻通行，使两国官民咸知遵守。

大清钦差全权大臣李。

大巴西钦差全权大臣喀。

光绪七年八月十一日，即一千八百八十一年十月初三日。

谨将巴西使臣喀拉多面递辩论第十款末节四条节略并答复该使臣四条节略照缮清单恭呈御览

巴西使臣喀拉多面递节略

两国条约载有巴国民人遇有词讼案件，并不归中国地方官审办，仅归其本国官员办理，故此巴国人民房屋、栈房、商船等处，中国官役不得强入一事，不过系条约上之意。推而论之，巴西国家之欲如此者，不过欲巴国民人之在中国者，比之凡与中国有和约之国，其看待民人地位不得较轻。

又巴国无论何国民人在巴国所沾之利益，已准中国人民一体均沾，然中国看待巴国人民，欲有异于看待凡与中国和约之国之人民，未免有辱于巴国，此生事之根也。不如先时除去，以保将来永远和睦。

又中国与他国公同立定条约，其商订之地，无论或在天津，或在中国京都，中国之意宜归一律。然德国及美国近修条约，已奉大清国大皇帝允准，内中并无中国官员凭其差役至该国民人房屋查拿犯人一款。况且美国修约在巴国定约之后，明显中国所准他国得沾之利益，不准巴国一体均沾，则中国未免于公平有碍矣。

又中国欲禁止贩运洋药一事，乃紧要大有关系之事。巴国知此事有益于中国，立即允许。是巴国大有功于中国也，则第十款内所载，凡在巴人公馆、寓所、行栈、商船等处者，均听中国官员派差，径往拘传审理等语，亦可除去矣。

答复巴〈西〉使臣节略

一、约内定〔订〕明，巴国民人案件，并不归中国地方官审办，可见中国绝未径传巴人。至第十款载，中国民人本身犯案，是专指中国人犯中国法者言之，中国有自行拘传审理之权，与巴人毫不相涉，实无所谓轻待也。

一、巴人来中国通商，中国必视同凡有和约之国民人无异，约内第一款已载明，与相待最优之国民人同获恩施利益。至在行栈、商船传人与否，所传乃系中国之民人，无关于巴国商务。如以行栈、商船听中国自传本国犯罪之人为有辱巴国，则在行栈、商船藏匿中国罪人，巴国先自取辱矣。巴国肯列此条，足见与中国倍敦友睦，何至因此生事？

一、各国每遇修约之期，均系择要先修，不能将各条一时全改。德、美两国近来修约，虽未议及此节，日后再遇修约，未必不载入约内。况美国此次在总理衙门修约，专为华工一事而来，因及洋药、商税等条，其余尚未全改。盖议修多年已成之约，与创立向来未有之约，情形本自不同。即以禁运洋药而言，贵大臣上年不肯于约内载入此条，以为多有窒碍，而美国竟肯首先载入，则将谓美国自弃其利益乎？如美国亦谓贩卖洋药系中国所准他国得沾之利益，必欲一体均沾，此条恐终无列入约内之日矣。运洋药为有碍中国民生之事，美国肯列约严禁，洋商行栈径行传人，为有关中国政令之事，巴国不肯照行，较之美国之待中国，恐亦未可谓公平也。

一、禁贩洋药一条，上年贵大臣未即允定，今见美国列入约内，始允照添，并非立即允许。此次议定画押之约，本大臣已准通融改易不少，与禁贩洋药一款亦足相抵，未便再将第十条末节删除。

总署奏接曾纪泽电法人谋越通滇拟预筹办法折

总理各国事务恭亲王奕䜣等奏，为接据出使大臣曾纪泽电信，法人谋占越南北境，并欲通商云南，现拟预筹办法，以弭衅端事。

窃查，越南一国向隶藩属，为中国滇、粤两省屏蔽。自西贡一带为法占据后，越南日就孱弱，北境仅存。同治十三年，法又强与越南订立条约。法人觊觎越南，蓄志已久。本年秋间，据出使大臣曾纪泽电报：法海部筹款添置兵船，往越南东京捕盗，谋由红江通商云南，议院许之等语。嗣曾纪泽屡与法外部言：云南通商非中国所愿，从前法越立约，中国不认。法如仅整顿商务，中国犹有宽容越私立约之失，全法颜面。若另谋进步，则负中国保全友谊之心云。并将照会法外部文咨送前来。

查法人占越南南境，久割膏腴。此次添船筹款，虽以捕盗为名，其叵测已可概见。越之积弱，本非法敌，若任其全占越土，粤西唇齿相依，后患堪虞。且红江为云南澜沧江下游，红江通行轮船，则越南海口旬日可至云南，此事关系中国大局。现经曾纪泽力与辩诘，固属义正词严。第争以空言，必须见诸实济。臣等接前任福建抚臣丁日昌函，请密商广西抚臣、提臣，以查办土匪为名，驻扎关内，与越王或亲信执政速商自强事宜，及联络外交之法。并密商滇省督抚，于南粤入滇交界，多设关卡，阻止法人由此路通商，或峭壁恶溪，必由之道，设法堵塞。又或预定税则，由越运到之货，较由内地运到之货，税饷加重，使无利可图。曾纪泽函称：中国水师渐有起色，如拨数艘移近南服，使敌人有所顾忌，并自据红江以为控制。否则力助越南，保守该江，不使他国据以逼我各等语。所言俱不为无见。适北洋大臣李鸿章来京，商及此事。李鸿章谓，近年招商局轮船运米越南，往来甚熟，或添派兵轮同往游弋，藉壮声威；并另派明干得力之员，往越严密侦探现在情形，晤其国王大臣等，将通商、自强各事宜，随机开导，或可稍纾彼患，即可藉固吾圉。臣等再四筹商，目前办法止有如此，除电复曾纪泽与法外部坚持前议外，请饬南、北洋大臣，两广、云贵总督，云南巡抚，遵照臣等以上筹商各节，商同密为妥办。其丁日昌、曾纪泽函称云云，一并参酌办理。仍将办理情形随时详陈，庶几未雨绸缪，冀可弭衅端，而安边境。谨奏。

光绪七年十月十五日。

总署奏越南积弱已甚中国为藩篱计不能置之度外片　附上谕

奕䜣等片。

再，越南自法割西贡与立条约后，疆圉日蹙，内乱时起，法之添船往越，难保非乘机侵占之萌。前据曾纪泽电称：宜密传谕越王，无论有何要务，切不可乞助于法，致成开门揖盗之灾。此次法人发兵前去，必由将帅私带一约到越，胁令画押。应嘱越王切勿与法轻立新约云云。查越南界连广西，前年李扬才闯入越境，经广西抚臣派兵往剿。越有军务，中国本无不助剿之理。若必明告以勿求法助，则越将事事求助于中国，亦属势难为继。至法越前立条约，越非禀命中国而行，中国现尚不认此约。若密嘱越南以后勿再与法另立新约，设法人临之以兵，彼时越南既无抵制之力，中国亦鲜因应之方，此不能不谋定后动者也。总之，越南积弱已甚，为中国藩篱计，实不能以度外置之。臣等惟有审势量力，中外合谋，以期保全大局。其应如何措置之处，仍当随时请旨遵行。所有前折未尽事〈宜〉，理合附片密陈。谨奏。

光绪七年十月十五日奉上谕：总理衙门奏，法人谋占越南北境，并欲通商云南，拟筹办法各折片，览奏均悉。越南向隶藩服，为滇、粤两省屏蔽。法人据西贡一带，现复以东京捕盗为名，添置兵船，并欲由红江通商云南，计殊叵测。该国积弱已久，若任其侵削，则滇、粤藩篱尽为他族逼处，后患不可胜言。总理衙门所奏与李鸿章筹商办法，即着李鸿章、左宗棠、刘坤一、张树声、刘长佑、庆裕、杜瑞联，商同密为妥办。其丁日昌、曾纪泽函致该衙门各节，一并参酌办理。合力图维，庶可弭衅端而安边境。曾纪泽屡与法国外部辩论，仍着坚持前议，相机肆应，期于大局有裨。

谕张树声等着预防李玉墀为法图越

上谕：刘坤一奏，已革湖北同知李玉墀与法人最密，每代法人画策，专与越南为难。同治十二年，法国兵轮驶入越南，李玉墀时在法船，托言运送云贵军装，一过险隘遂肆披猖，东京由是失守。光绪三年，李杨才[①]窜扰越南六省，并法兵接仗情形，言之娓娓。此次法人图占越南东京，诚恐李玉墀逞其鬼蜮等语。中国不逞之徒，如为外国所用，贻患实深。着张树声、裕宽、庆裕，不动声色，暗地访查，设法诱致；并咨该革员原籍督抚，一体密查实在下落，妥筹办法。将此密谕知之。

十一月初九日廷寄

① 前文为“李扬才”，第三十卷为“李杨材”。

直督李鸿章奏朝鲜陪臣金允植密陈该国王议商外交情形相机开导折　附朝鲜密书语录及上谕

直隶总督李鸿章奏，为朝鲜陪臣金允植，密陈该国王议商外交情形，相机开导事。

窃奉上谕：总理衙门奏，泰西各国欲与朝鲜通商，着李鸿章查照丁日昌所陈各节，作为该督之意，转致朝鲜等因。钦此。当经臣钦遵函致朝鲜前任太师李裕光，密劝其与泰西各国立约通商，以牵制俄、日各情，并饬钞函具奏在案。本年正月二十五日，总理衙门因屡接出使日本大臣何如璋函，述朝鲜近日渐知变计，商与美国立约，请由中国代为主持，拟变通旧制，嗣后遇有朝鲜关系洋务紧要之件，由北洋大臣及出使日本大臣与该国通递文函，相机开导等因。奉旨：依议，钦此。专函知照前来。五月间，适有美国水师总兵萧孚尔来津面称，该总兵上年乘兵船赴朝鲜投递国书，欲与结约通好，朝鲜坚拒不纳，今奉国主密谕，求臣为之转达，并出示该外部原函。臣知朝鲜廷议尚未甚洽密，属萧孚尔留津缓待机会。六月间，朝鲜委员・副司直李应浚赍文来津，臣即令津海关道郑藻如缮具节略，力劝朝鲜派员赴津，就便与美总兵萧孚尔商议，俟有头绪，再奏派大员同往，面订条约各等情，交李应浚带回，已由郑藻如于七月间，在京密致总理衙门王大臣矣。

兹朝鲜国王派领选使金允植，带领学徒来直，又别遣去冬使员卞元圭同赴保定谒见。据称：李应浚带到密谕，该国王深相契合，奈国中论议不一，有难调停，总求大皇帝作主，先期宣谕，则诸般难办之端自归妥帖。旋据金允植呈递密书一件，详布原委，并以联美之计，日、俄及本国人所不乐闻。拟请明降诏旨，于明春贡使之回，踵遣派员，协议美约，该国得以凭仗皇灵，随宜酌办等语。情词虽甚恭顺，究于事体非宜。臣与笔谈，开诚晓解，以向来中国于外交各事，必由大臣等与各国商定，然后请旨遵行。若事未办而先奉旨，转予外人以挟持之柄。汝国王此谕，似未深知驭外情势。郑藻如前议该国借学生赴津为名，派员协同前来，与美总兵商办，尤无痕迹。况昨接何如璋十月杪由日本函称：朝鲜近遣使臣赵秉镐、李祖渊赴日修改通商章程，议立税则，日本不允，业经辞归。若于明年三四月奉使来津，与美总兵萧孚尔晤商，如能与美国结一善约，日本亦可仿照定议，与臣所见相同。幸萧孚尔经臣留住，或者其事易成。该陪臣等闻知，均尚领会，谓此行不专在学徒一事，面承国王密谕，深以此事为重，专望臣设法方便，随机指教。卞元圭拟即由津回国，禀商该国王酌办。金允植亦赴津，照料学徒，静候本国消息。

臣维朝鲜久隶外藩，实为东三省屏蔽，与琉球孤悬海外者，形势迥殊。今日本既侵灭琉球，法国又割剧越南沿海六省，中国已有鞭长莫及之势。我藩属之最亲切者，莫如朝鲜。日本胁令通商，复不允订税则，抑勒把持，计甚阴狡。非先与美国订一妥善之约，则朝鲜势难孤立，各国要求终无已时。东方安危大局所系，中朝即不必显为主张，而休戚相关，亦不可不随事维持，多方调护。保兹属土，即以固我藩篱。除俟卞元圭回国后，该国如何筹派明春〈使?〉臣到津后，美总兵如何进止，再行察办具奏外，所有朝鲜陪臣金允植密书，谨照钞恭呈御览，并臣与相机开导各缘由，理合缮折密陈。谨奏。

光绪七年十二月初四日。

谨将朝鲜陪臣金允植投递密书照钞恭呈御览

朝鲜国领选使·吏曹参议金允植，谨再拜上书于中堂爵前：

伏以小邦情形，惟中堂烛照纤悉，胜于小邦之自知。前后代筹时宜，提撕警觉，无所不用其极，非智明仁深，何以至此！我寡君深感中堂之德，钦诵靡已。此次专差陪臣前赴天津，恭听指使。允植辞朝时，承寡君面谕，谆复郑重，使之代达景仰之忱。且曰罄陈衷私，无有所隐。允植受命以来，不遑安居，夙夜遄程。既到京城，即闻驻节保省，逶迤前进，敬致国书。仰蒙中堂慰藉备至，诲谕拳拳，蔼其如春，顿忘羁旅之苦。然初筵赐接，严畏在心，敬胜于情，辞不能达，恐负寡君面命之意，兹敢书陈所怀，仰尘崇览，伏愿垂察焉。

小邦山川险隘，闻见局滞，往在罗丽时，疆场不靖，颇尚武备。自小邦开国以来，境内乂安。民至老死，不闻金鼓。或数百年一见兵革，而辄复忘废。现今玉库所存，皆数百年前无用之器。而国人犹恃而自壮，曰：何苦费财劳众，远学新制？夫器仗犹不欲学，遑欲交远人乎？往者，法国阴遣教士，煽布邪学，其为教大抵渎伦废祭，惟利是趋。小邦立法严禁，诛夷相续，犹不灭息。国中士民，莫不痛心疾首，誓不与此夷共戴一天。伊后西势日旺，气运大变，治兵护商，滂洋天下。察其意趣，不专在行教一事。设为条约，网罗四海，入者相与，出者孤立，互相连合，如七国之时，此与往日局面又大不同矣。

夫有国有土者，惟以保存宗社、奠安生民为务。春秋二百四十年之间通聘会盟，殆无虚日。不第诸夏衣裳之会，即蛮越鳞介之国，玉帛相踵，此岂不知义理而然哉！惟小邦则不然，不问时势可否，惟以守经为正理，斥和为清议，与其通洋而存，不如绝洋而亡，语涉交际，辄以邪学目之，为世所弃。自丁卯以后，日本报书求好，朝议以为，近日日本变用洋制，通倭即通洋之渐，却而不受。及乙亥秋，日本兵船入江华，众论沸腾，几致生事。我寡君静镇于上，故相臣朴珪寿调停于下，复修旧好，立约通商，国受和平之福。而论者犹至今咻咻，上自朝廷缙绅，下至岩穴草茅，以及市井屠贩之流，所见皆同，以为不必交邻，恐纳侮也；不必讲武，恐滋事也。闭境自守，无如我何。惟我寡君超然远览，卓然不惑，念孤弱之不可久支也，知凡愚之难与虑始也。又虑众论之殆难力胜也，抚循含容，默运独断，交邻、练兵等许多事务，次第筹度，将欲举以措之。昨年秋，令中外广荐人才，量加收用。今年春，设总理衙门，分治机务；又令择文武子弟年少者，使习语、学兵技；今又选徒远赴，学习制造。我寡君之有猷有为，宵旰忧念，欲保民社之苦心，断可知矣。奈独劳于上，而无将顺之人，虽有一二臣工，而无老成镇物之望，是以寤寐英贤，托情远交。

乙亥春，相臣李裕元奉使入都，得达姓名于棨戟之下，中堂为陈保邦固圉之道，赐以手书。李相归献寡君，一见契悟，倾慕不已。自后连年书币，皆出寡君之意。然李相亦不无赞襄之事，渐见清议不与，阴为自贰之计，露出中堂密函，播人耳目，私相讥侮，传及于日本往来之人。今年有悖儒，投进斥和之疏，其中并论李相不当与中堂往复。李相急于自明，顿改前见，自附清议。寡君赫然发怒，即日窜逐于岭南之巨济府。且念中堂为我谋忠，以德取怨，并致日人之憾，不胜慨惋。分送朝士，游历于日本，语及书函事，必令到底发明，无使贻累于中堂。朝士之回，果奏日人详闻其事，几释初憾。寡君犹为之憧憧不安，临朝屡叹。今年八月，又有逆臣安骥泳等，聚不逞怨国之徒，托言伐倭，实谋犯阙，事发鞫治。渠魁虽已就戮，余党迄未尽除，以致领选之行，派定已久，而国内多故，不能即程，遂至奄迫深冬者也。

窃念小邦处环海之中，尚孑然特立于万国之外，久为众手所指，观其成败。而北俄东日，形势相逼。燕雀之处堂，犹未足以喻其急也。从前每有缓急，悉仰上国，若今日骇机一发，水陆电信，四面受敌，所谓虽鞭之长，不及马腹。所以中堂屡示警告，丁宁〔叮咛〕反复，使之先事周旋，冀或纾东顾之忧者也。虽然小邦积弱之余，急难自振，纵云通商、练兵，非可时月见效。为今之道，惟有择邦善交，讲信修睦，从以弥缝疏失，以备阴雨，庶几为目下之急务。而东西诸国中，久闻美邦国富兵强，心公性和。国富则少贪，兵强则可恃，心公则处事平，性和则执礼恭。且闻近日颇艳慕华风，购买书籍，周孔之道，未必无西被之理。先通美国，公平立约，俾嗣后来款者一遵成式，无害我自主之权，此又急务之所当先者也。凡此数端，皆不出于中堂之成算，辛勤牖迷，若恫在己，使小邦之人，幸得一二开悟者，实中堂之赐也。

虽然，邦人之最恶者，洋人也。我寡君重违民情，故未尝显言通洋。若美船一朝来泊，则美亦洋也，国内横议，必将归咎于寡君，迎接之际，事事掣碍，反有起衅之虑，观于安骥泳之事可知矣。欲倚中堂之重，以镇服群情，则中堂威著四裔，谁不景慕！独小邦愚俗，不知畏惮，观于李相之事亦可知矣。今此小邦联美之计，环瀛各国不应不许，而惟日、俄及本国人，所不欲乐闻者也。日、俄若知其机，则必忮害阻挠，事未可知。国人若知其机，必哗然蠢动，功难顺就。此事宜速不宜迟，宜密不宜疏，事体重大，弹压国人之心，宜名正言顺，以消狡邻之谋。惟有我皇上明降诏旨，先期晓谕，于明春年贡使之回，踵遣派员，协美议约，则寡君得以凭仗皇灵，随宜酌办。保合东洋，永固藩屏，庶其在此。惟愿中堂默运元机，与神为谋，俾事成之后，浑然无形迹之可寻，如泰山乔岳，不见运动，而功利及人，使小邦愚民获福而不自知，岂非盛德之事乎？嗣后凡于事务更烦指教，克图有终，亦惟中堂之惠，我寡君深有望焉。允植受命专来，不敢不尽其所蕴，言所难言，张皇冒渎，死罪死罪！拙手自书，辞冗笔荒，伏望鉴察，尤增惶恐！

领选使·吏曹参议金允植谨白。

光绪七年［七月］十二月初四日奉旨：览。

谨将酌复朝鲜询问各条照缮清单恭呈御览

第一条　小邦今与日本开港通商，然小邦素昧商规，恐被欺压，上下胥愿。倘邀上国商人来会开港诸处，互相交易，情志既孚，依赖必大云。而又有黄参赞策略，即奏请推广凤凰厅贸易，令华商乘船来开港各口通商，以防日人垄断之句语。此论未知如何？伏候亮教。具咨仰请，而措词主何妥当乎？并望训示。

答：朝鲜向无海道贸易之例，现拟与外国通商，则华商前往贸易，亦所不禁。至于黄参赞策略，防日人垄断之语，果能与各国通商，日人自无从垄断。将来如欲华商前往贸易，应由国王将实在情形咨请核奏办理。

第二条　敢问小邦他日有不得已与各国相交之际，自主自强利权在我，不为他要挟，且不失先后早晚之策。

答：此条已于上年九月二十二日，曾与赍奏官卞元圭详晰言之，当必于回国之时面陈，总宜先事预防，自主之权操之在我。兹有马道台所拟与外洋《通商约章节略》一册，交付带回，以资采择。

第三条　小邦釜山、元山两港定税，既蒙大人训示，敢不即速议定！第伊言非全权委任，不可举拟。若值全权之来议，值百抽几，当恪遵指挥，随机图之。各国修好立约，通商章程、税则〈税〉额条款、税〈关设官〉凡例，伏想已有印行文字，愿蒙赐下各一件，谨当带回援照。

答：釜山、元山两港定税，宜由国王委任妥员，予以议税全权字据，俾与彼国使臣互换观看，以资取信，此乃各国遣使议事之通例也。至税则值百抽几，不必援中国所定通商税则为例。缘前者中国于外国情形尚未深知，仅为体恤商民而设，进出口各货皆系值百抽五。若洋货运入内地，再抽二五子口税。其实未可执一而论，上年亦面告赍奏官卞元圭矣。若外洋抽税，皆视货物之畅滞，以定税则之多寡，竟有值百抽三十，以至值百抽百者。若以各物统扯论之，大约不在值百抽十五以下。今朝鲜国拟与外洋通商，倘各货畅滞未能预知，则值百抽几亦难预定。不若定一试办统例，进口货估价值百抽十，出口货估价值百抽五，至食用等物数满十件者，亦照则例抽税。如此试行三五年，货物之畅滞可知，即则例之多寡可定，然后与外洋各国重定税则，洋人决无不从之理。盖和约与商约有异，在我不背和约，决无开衅之端。在我欲修商约，断无兴戎之举。不然欧洲瑞士、比利时，蕞尔弹丸，介于诸大国之间，将商约不修，税则不加，而国不足为国矣。至中国各口税关，或设监督专办，或饬巡道兼管。从前初开通口岸，华人罕谙洋文、洋语，收税事件雇用洋人司理，仍归监督、巡道节制。今朝鲜拟与各国通商，日本窥知朝鲜未谙西洋语言、文字及税务事宜，难保不以管税一职自荐充当。但日本、朝鲜仅隔一水，往来商货必多，且闻通商五年，尚未收税，吃亏已甚。倘雇日人司理税务，尤恐滋弊。只有暂雇西人之明白税务及兼通汉文者，令其随同朝鲜所派管关官员料理收税，较为妥当。并一面速选聪颖子弟，从所雇西人学习语言、文字、税务事宜，学成之后，自无容再用西人矣。日本初与各国通商，于暂雇西人料理税务兼司教习一节办理甚妥，是以该国现在税务辞退西人，已能自行管理。兹将中国所有通商章程、税则税额条款饬津海关道，检交该员带回，以资考证。

第四条　北洋咨式，似依礼部咨式书呈，而内书北洋督署大臣，外书一体缮写，恐未知如何？

答：北洋咨式，应与咨礼部相同，内外衔称，应书钦差北洋通商大臣衙门字样。

第五条　伏见礼部咨示中有委员、弁兵、学徒、通事人等，由北洋大臣衙门给发空白凭票，交该国按名填给之语，空白凭票，伏望许令此次带回，以为随用之地。

答：据关道等面询，称系先派学艺人来，业由该道等详情给发凭票十张，交该员具领带回呈收。如学艺人分起前来，应按每起填用一张，交管领之员执持，以凭查验。

第六条　学习人徒来往，既蒙径从海道，自更便捷之教，恐是赁乘汽船吉利涉海，当自何处赁船，可以无碍？亦蒙公文，不致盘诘。

答：据关道等面询称，由朝鲜进凤凰厅边门，计程一千一百余里，再到牛庄、营口，约三百余里，即从营口或附轮帆船来津，较为便捷。应于进边门时，将凭票呈东边道衙门查验，于到营口时，将凭票呈奉锦山海道衙门查验，均候加戳放行。若遇有交涉事件，仍由地方官约束讯断。

第七条　小邦船舶，本无旗标，今将议造。而黄参赞有奏请袭用中国龙旗之论，敢问中国船上旗身画样，而小邦则用某色某画，是否有当乎？

答：凡西国商旗式，皆系国主之旗，因海上往来，俾知为某国船只。今贵国王自用之旗，据称画龙方旗，亦与中国龙旗相仿，自可以画龙旗为国旗，即作为船舶旗标。应于定用之先，将龙旗尺寸、颜色绘具图式，咨明本大臣衙门，以凭核奏咨行。

第八条　卑职未渡鸭绿，闻日本使花房义质赍其国书而来。敝朝以为，条约中曾有我礼曹与伊外务省书契往来而已，无国书往来之规，今何遽变条约乎？以此难之。彼云：现升办理公使，不可持外务书契；且各国皆有国书，然后益加亲睦。力恳不已。国王特念邻谊，亲临便殿，召接彼使而受之。书辞敬白等句，颇恭非慢。至若皇帝字、朕字极涉碍眼，上下俱为不妥；且书中所请驻扎，最难应从；彼言仁川开港，亦不可轻许。廷议，仁川开港，强许以迁就几年，驻扎则欲因仁川事弥缝。然彼之从否，姑未可知。国书不可不答，而称他曰帝，实所不愿。至于自称，又无援照往复之际，如何撰措，庶不失国礼，而免笑于各国乎？彼国之意望，又在专价修答，非徒物力不敷，随请随行，岂不损弱乎？大人既垂厚念，视均一室，故兹敢誊上彼之国事与口奏，伏乞俯鉴，指赐良策，使我东藩，得以固圉全安焉。

答：使臣驻京，西洋各国皆同。盖既通商，必有交涉事件，公使之驻京，犹之领事之驻口岸，非此不能遇事互酌，以联两国之谊，以平两国之争，实有益而无损也。特东西风气相殊，猝议驻京，鲜不意存顾虑。中国从前初与西国通商开口时，情形亦然。揣度事势，既经立约通商，断难始终拒绝。与其勉从于后日，似不如概允于目前。况日本使臣驻京一节，查光绪二年贵国与日本立约，业于第二款载明。现彼据约而求，倘不允许，即为背约，其曲在己，未免授人以隙。至仁川一港，系由海道达王京必由之路，如已允开，即践守前诺，似亦无碍。至所云自称又无援照，往复之际如何撰措，庶不失国体，而免笑于各国等语。兹日本遣使赍奉国书，将来贵国答以国书，乃两国礼尚往来之义，答书如何措词，想贵国自有讨论而润色之者。至于国书内所称名号，历查西洋各国书籍内所载，聘问国书，译其称谓，本非一律，如德意志、俄罗斯、奥斯马加等国主，皆自称为帝；意大利、日斯巴尼亚、瑞典等国主，皆自称为王，间有译汉文为君主及君王者。英吉利国主男则称王，女则称后，追前六年，始加印度皇后之号。如称王之国致书于［于］外洋称帝之国，彼此亦各从其本称，未尝以称帝为尊，称王为小也。贵国久受中国册封，如有报答日本之书，理应仍用封号。将来传闻各国，衡以西洋通例，当无笑贵国为失礼者。

上谕：李鸿章奏，朝鲜陪臣密陈该国王议商外交情形一折。据称：美国欲与朝鲜结约通好，该大臣劝令朝鲜派员赴津，与美总兵萧孚尔商议，现在该陪臣回国酌办等语。朝鲜久隶藩属，自应随时维持调护，即以固我边陲。该国必与美国订约，则他国不至肆意要求，于大局实有关系。着李鸿章随时相机开导，妥为筹办。该国联美之计，为日、俄各国所不愿，该大臣亟应加意慎密，毋贻口实。

直督李鸿章奏朝鲜匠徒学习制器情形折　附咨文二件及名单

直隶总督李鸿章奏，为朝鲜委员率领匠徒来津学习制器，现已分派各局事。

窃朝鲜恳请派人来津学习制造，及练兵、购器事宜，前经臣督同委管军械制造各员，妥议节略章程，于上年九月具奏请旨，饬由该国相度便宜，自行酌办。本年三月，该国王拟派陪臣赵龙镐带匠徒赴津，先遣副司直李应浚赍咨来谒。旋据李应浚呈称：赵龙镐在该国复有事耽误，九月间，始据改派陪臣吏曹参议金允植等，率领学徒人等共六十九员名，先行学习制造器械，因值海道封冻，仍从旱路入关，业由礼部奏明在案。十一月廿八日，据朝鲜陪臣金允植等来保定禀到，赍呈该国王咨臣文件，颇能洞悉时艰，讲求武备，以图自强之计。经臣传见金允植、卞元圭等，详询一切。令将带来随员、徒匠〔匠徒〕同赴天津，分派机器、制造两局，查照前次议定章程条规，认真学习；并饬各局委员，督饬工匠，尽心教导，以便技艺速成，俾得回国转相传授。仍由金允植等约束各匠徒，务须恪遵局规，讲求制造，不得出外滋事，及稍有懒惰荒误。除咨总理衙门、礼部〈查照〉，并咨复该国王知照外，谨照录朝鲜国王两次来咨清单，恭呈御览。谨奏。

光绪七年十二月初四日奉旨：该衙门知道，单并发。

谨将朝鲜国王两次来咨照钞恭呈御览

朝鲜国王为咨报事。光绪六年十一月初一日，承准赍咨官行副司直卞元圭，回自京师，赍到礼部咨，照得传宣圣旨，制器、练兵，曲纡筹策。窃伏念敝邦僻处鲽域，厚沐鸿造，每荷覆帱之仁，遍被陶甄之德。今兹津厂利器，即系武库密〔秘〕藏，特令选士而来学，继许派员而往教，当职与一国臣庶北望攒颂，已于节价之行，略伸叩谢之忱。而学造一款，不容少缓，现差陪臣吏曹参议赵龙镐，领率匠工，送赴天津外，专差司译院副司直李应浚，赍咨前往，探察海道，转诣天津，预讲奠接之方。为此，先行咨报，烦乞贵衙门照详转奏施行。须至咨者。

七年三月二十九日发，六月初一日到

朝鲜国王为派选匠工赴厂学造事。上年冬，赍咨官卞元圭之回自京师，传宣皇旨，颁降节略、章程等件，许令酌办。微私孚达，隆渥诞敷，北望攒颂，陨越于下！窃念敝邦至诚事大，厚蒙字小，亦惟中堂大人推广圣朝均视之德，善谅友邦同仇之义，先事而虑，当务之勉，虽使敝邦自为之谋，无以及此。寤寐衔感，思有以举而行之。而就事审势，又不容不执其要，而先其急。顾今所患戎备之疏，由于器械之不利；而器械之不利，职由工技之无学也。故现在之兵，无器可习，已购之器，有坏辄弃，是以举国之论，咸谓：选工学造，为今务之最要而宜先者也。用是专差陪臣吏曹参议金允植，率领匠员，前赴贵衙门，恭听指挥。烦乞转达天陛，尽赐施行，区区幸甚！一行人员数目，另具别录外，合行移咨请照验，转奏施行。须至咨者。

朝鲜国委员学徒通事随从等名单

领选使金允植、从事官尹泰骏、官弁白乐伦、译官崔性学、医官柳钟龠、伴倘朴泳钰、尹泰驿。

学徒：高永喆、朴台荣、尚澐、李熙民、李昌烈、赵汉根、李苾善、秦尚彦、高永鉴、金光炼、金台善、赵台源、安昱相、李章焕、李南秀、李璜、崔圭汉、金声、郑在圭、金元永、韩得俊、黄贵成、金兴龙、金泰贤、河致淡、金圣元、张荣焕、崔同顺、朴奎性、皮三成、洪万吉、宋景和、安应龙、崔志亨、金成孙、朴永祚、全德鸿。

通事：郑麟兴、李文熙、崔志华。

随从：顺德仁、锡学甫、长孙善基、万吉根、成龙、成兴福、在吉公、禄千万、寿、凤学、祚贞哲、同伊仁、石石、伊汉杰。

别遣堂上卞元圭、堂下李根培。

七年九月二十六日发，十一月二十八日到

伊犁将军金顺奏接俄土尔吉斯坦总督回文定期交还伊犁折

帮办军务大臣伊犁将军金顺奏，为接准俄国土尔吉斯坦总督回文，定期举办交还伊犁事。

窃奴才前遵新约第五条，派伊犁协领额尔柯本驰赴塔什干情形，由驿驰奏在案。兹于本年十月二十九日，准土尔吉斯坦总督回文，内称：派出之协领额尔柯本于诺雅普哩月十一日抵塔什干城为始，照约扣足三月，限期举办交还伊犁，并有另行拟议之事，该国全权大臣施含玛勒伏与额尔柯本，同来奴才行营商办等语。伏查，俄国诺雅普哩月十一日，即中国十月初一日，扣足三月，计期在明年正月初一日，即俄人斐必哩月十一日也。又额尔柯本于十一月初十日转抵营次面称：此次协领由伊犁起程，道经俄台沿途派兵护送，即土尔吉斯坦总督亦相待以礼。俄官施含玛勒伏与额尔柯本，于本月二十七日由伊犁同行，该俄官在达坂俄卡小有耽延，约迟二三日即可到营等情。奴才揣度时势事机尚称得手，仰邀圣主咸〔威〕福怀柔远人，或可无意外之要求。惟参赞升泰取道巴里坤西来，雪厚难行，计抵库尔喀喇乌苏，当在二十前后。一俟俄官施含玛勒伏到营，奴才遵守约章，总期先收城，次分界，次通商，妥慎将事。抑或施含玛勒伏稍留时日，候升泰前来和衷商榷。究系如何商定举办，届时自当缕陈一切，以抒睿系。除将土耳吉斯坦总督原文，照钞咨呈总理衙门查核外，所有接准俄国定期举办交还伊犁城，并额尔柯本差旋情形，谨恭折由驿驰奏。

光绪七年十一月二十日奉旨：交收一切事宜，务须查照约章，慎重办理，勿稍得〔得稍〕涉大意。

伊犁将军金顺奏接收伊犁并分界事宜折　附上谕

伊犁将军金顺奏，为筹办接收伊犁暨分界善后诸事宜，吁恳天恩饬拨库款，以资经始事。

窃奴才遵旨督办接收伊犁，派员驰赴塔什干城，知照土尔吉斯坦总督，业经驰陈在案。自维庸愚，膺兹艰巨，深恐无以胜任。谨将应行举办各事有不可缓者三，有亟宜兴复者五，敬为皇上陈之：

所谓不可缓者何？接收应以安插回民为先务。回情顽梗，虽蒙恩赦，其心未尝向化，若不亟为安置，俾有恒产而有恒心，则肘腋为患，噬脐堪虞，一也。接收之后，分界随之。沿边卡伦，宜于分界时一面即为设复，不便视为两事，免致分界后又有枝节。其旧卡地址有分归俄境者，宜随时择地另设，二也。按此次曾纪泽所绘舆图，以霍尔果斯河、廓里扎特村等处为界，是将索伦右翼屯堡、额鲁特上三旗游牧之地，均已分归俄境，如不能争回，则索伦右翼、额鲁特上三旗人众，亟应另择善地安插，三也。

所谓兴复者何？伊犁九城，将军、参赞旧驻惠远城，城西南当伊犁河流之冲，承平时，每年筑坝防护，十余年来，西南两面城垣均已被水冲坏，城内仓库、官厅、兵房荡然无存。巴彦岱、霍尔果斯两城，均系同治年间被贼攻陷，城垣坍塌尤甚。以上三城，亟宜另筑。绥定、塔勒奇、瞻德三城，现在回民居住，房舍虽有存者，城楼、女墙均已损坏，城垣亦多坍塌之处。熙春、广仁两城，现在汉民居住，城垣、楼橹坍塌不堪。以上五城，虽无庸另筑，亦应大加修补。官厅、兵房为栖止之所必有，坛庙、仓库尤建置之所当先，非仅复旧规而事严密，实所以资完固而重边防，一也。满洲锡伯、索伦、察哈尔、额鲁特各营官兵，奴才接任以来历经整顿。除满营俟抵伊犁后，再为筹调补额外，其锡伯、索伦、察哈尔、额鲁特官兵缺额无多，该各营人丁不少，挑补尚易。绿营现在奴才行营当差者二百六十余员名，亟宜补足原额，以便分拨营堡，各守要隘。满蒙各营，分任台卡各差，以重边卫，二也。伊犁旧设屯田颇多，现皆一片荒芜，鞠为茂草，桥梁、渠道，年久失修，亟宜开辟，修治如旧，不独目前可佐军食，实为永远根本，三也。伊犁汉民虽属无多，然民为邦本，应给牛、种、农具。并满蒙各营流离在外者，亟宜收抚，以免失所，四也。军台、塘站有关边报缓急，驿骑、邮亭在所必需，五也。

凡此皆举大端而言，其余应兴、应复各事宜，俟参赞升泰到后，再为妥商次第举办。伏思安插回民，必先给以耕凿之资：设立卡伦，必先给以修建之费；迁徙索鲁特人众，亦应给以居止之需。此三者为必不可少之款。而分界应带人员、兵役川资薪水，并俄使往还饩廪，所用较此尤亟。加以建城垣、复营制、开屯田、抚流亡，在在需款甚巨。各营营制既复，俸饷亦不能不为支放，器械、马匹不能不整顿一新。当此库款支绌，奴才曷敢稍存侈念，遽复旧制？第以边陲重镇，关系中外全局甚大，土宇虽云复旧，奸回尚处藩篱。和好纵无他虞，强邻实据心腹。内而缠回，外而哈萨克、布鲁特环伺于境。定危疑而规久远，不能不慎怀永图。奴才军饷竭蹶，久在圣明洞鉴之中。若再兼筹善后，实系力难分顾。且伊犁地处遐荒，久罹兵燹，非如内地省分，有款可筹者比。不日前往接收，事在必举，而款无可筹。况需用在即，若由各省关妥筹，势必延缓；零星报解，断难济急。用是焦灼沥情直陈，可否仰恳天恩，俯念边陲紧要，经始维艰，敕部每月由库款筹拨银六万两，作为善后经费。三年为期，每年分四季请领，撙节支用。事竣专案报销，不与军饷牵混。如能先期竣事，随时奏明停拨，以免糜费。谨奏。

光绪七年十二月初九日奉上谕：交收伊犁事宜，前派金顺督办。因思伊犁土著汉回人数不少，虽经有旨免其前罪，咸与谁〔维〕新，惟当中外交收之际，仍恐众心不无疑畏，不可不加意慎重。金顺进驻伊犁，务须约束部伍，申明纪律，不准回众扰界；并将该处回众妥为抚循，各安生业，庶几人心大定，不至别生事端。此于大局关系甚重，该将军毋得稍涉大意。

桂抚庆裕奏法人谋占越南北境遵旨预筹办法折　附上谕

广西巡抚庆裕奏，为法人谋占越南北境遵旨豫筹办法事。

窃奉十月十五日上谕：总理衙门奏，法人谋占越南北境，并欲通商云南，拟筹办法各折片等因。钦此。伏查，越南政治不修，国势日弱，法人自据其西贡各省，复在其北圻地面之海阳、南定、东京、清化、北宁等省各建洋楼，传教惑众，包藏祸心。本年七月内，奴才接据左江道周星誉，及统带边防各营提督黄桂兰探报，有法国人游历越南之谅山省文渊州，直抵镇南关外等处，察看地势，测绘地图，仍折向越南芁葑、牧马等省而去，居心叵测。当经奴才饬行黄桂兰，随时密加查探，设法严防，并约束营勇，不得构衅生端。旋又据黄桂兰密报，奉督臣张树声密札，闻法人有筹议用兵越南之说，遵即派弁密赴各处侦探。法国在越南，建设洋楼、聚集法人之多，以海阳、东京地方为最，即富春城为越南根本之地，亦被法人于对河地方建设洋楼多座，声势甚大。法人用兵之计东京等处，时有谣传。越南各官亦知其诡谋，但恐一有变动，则该国都亦难保守，不得不姑为隐忍。而法人迟迟未发，则碍于刘永福固守上游，惩于昔年之败，故一时尚未轻动等情。查所谓刘永福者，本系内地民人，在越南谋食。值彼处贼匪扰乱，刘永福遂集众自树一帜，附从日众，据地自雄。经越南国王招之归附，授以官职，令其驻河内等省。同治年间，法与越斗，被刘永福歼其狡猾之兵头及悍卒多人，致有戒心。惟越南积弱已甚，恃一敢战之刘永福所部数千人，亦难抵法国之众。当饬黄桂兰留心确探飞报，以凭随时奏明办理在案。

兹钦奉上谕：着照总理衙门所奏办法。遵即将奉发原奏折片细加体会。此时既未便明言发兵相助，以杜法人侵占，又未可徒张虚声，毫无实际，再四筹维，越南之谅山、高平、芁葑、牧马等省，及驱骡①、文渊等处皆为粤西屏障。各该处多有曾被贼据，而为我军收复者，历次遇有警报，边防各营无不驰往扼守。现在亦尚有酌留营哨驻扎之

① 有的地方为“驱驴”。

处，拟即扬言，风闻该国积匪有勾结海盗，欲据越南北圻等省，以窥边关，亟应严防，于现扎有勇之处加派哨队，未扎勇之处，即于防营酌拨驻扎；并明谕刘永福，有警互相接应，内地已预筹精兵，多办军火、粮饷，以备不虞。如此大张声势，法人有所顾忌，得弭衅端，实为厚幸。倘仍逞其狡谋，一闻警报，奴才惟有将腹地地方营队，先其所急，酌量调往关外谅山等处，布置严防；发文照会法人，以越南本系我之藩服，谅山等处，又系用我兵力、粮饷收复之地，为粤西边境屏障，断不能轻易与人，慎勿相侵，以敦和好；一面密谕刘永福，预为决战地步，仍添募营勇，驻扎腹地，免虞空虚。虽值库款竭蹶，经费无资，事关大局，亦不得不竭力以筹。诚如总理衙门所论，越南为中国藩篱，不能以度外置之也。奴才已将酌筹办法，密致黄桂兰查照妥办，并函达督臣张树声，再加商酌，以期尽善。法兵由红江入滇，应如何堵截，及派兵轮事宜，相距较远，未能深悉情形。已将粤西拟办缘由，密函详述李鸿章、刘长佑等查核。如云南一路亦可慑之以兵，与粤西两相呼应，更足以壮声威。至派员晤越南王大臣等，将自强各事宜随机开导一层，易露痕迹，难于遣派。现有越南护贡使臣回途将抵粤省，奴才拟于待茶接见之便，传进内厅，与之笔谈，令其星速赶程回国，转述该国王，较为妥贴。谨奏。

光绪七年十二月十三日奉上谕：庆裕奏，法人谋占越南北境，现饬提督黄桂兰，以严防该国积匪为名，于现在酌留营哨之处，加派勇队驻扎，以张声势，所筹尚属周妥。其谕令刘永福有警互相援应一节，刘永福既恐未可深恃，且虑形迹太露，转致枝节横生，该抚尤当加意慎密，不可稍涉大意。总之，彼族觊觎越南已非一日，中国不能不设法防维，惟虚实缓急之间，措置最宜审慎。着庆裕随时探明情形，妥为筹画，仍与张树声会商办理。另片奏，法人近于南、太等府建堂传教，现令地方官密察，不许贪利之徒潜行卖地建堂，有欲租屋传教者，亦婉辞谢绝等语。着庆裕密饬地方官相机办理，毋任滋生事端。

总署奏厘定奖给洋员宝星章程折 附章程

总理各国事务恭亲王奕䜣等奏，为厘定宝星章程，请旨遵行，以昭慎重事。

窃臣等奏请赏给英国使臣威妥玛等宝星折内声明，再由臣等厘定等第，酌拟章程奏明，奉旨后制造颁给等因。奉旨：依议，钦此。查泰西各国行用宝星，大抵视品级之崇卑，定礼文之隆杀。约言其制，则有四端：一曰名目。各国张挂旗帜制度各有不同。中国之旗帜，向例以绘画龙文为识。现拟仿照此例，于宝星之上錾以双龙，即命曰双龙宝星。自头等第三以下，皆于上面錾大清御赐四字。其头等第一、第二系特表优异之典，不得率行滥请。一曰等第。各国之宝星，有为国君自行佩带，因赠予与国之君者，有颁赐臣下，而推及于与国之臣下者，分际迥殊，等威不一。现拟将宝星分列五等，并于头、二、三等中每等再分三级，计次序之数共十有一，即于宝星上錾刻清文，注明等第字样。自国君以至于工商人等，各如其品以相酬，庶名器不至滥邀，而更免畸重畸轻之弊。一曰藻饰。我朝之有品级，定例綦严，故上自王公，下及生监，向以顶戴别尊卑。现拟参用此意，于宝星上镶嵌珠宝一颗，分其颜色，以示区别。一曰执照。各国每遇发给宝星之时，除应行之文书外，另备执照一纸，给本人收执，以为凭。现拟于宝星执照内，前半恭允准厘定宝星之谕旨，后半填写承领执照之人姓名、籍贯，叙明因何给予之故，暨给予之年月日。其头等第一、第二未便加用执照，应由臣衙门知照各国外部大臣，分别转赠移送。其头等第三以下，应用执照，则盖用臣衙门关防。此后本人若有劣迹，经本国斥退者，仍将宝星执照一律追缴。其余尺寸之大小、绦带之短长，亦各随等第以判低昂。以上所拟各条，考之各国崇尚宝星之例，立法虽异，立意则同，要皆因时制宜，以期折衷至当。谨开单绘图，恭呈御览。嗣后凡遇颁赏，头、二等宝星，奉旨后均由臣衙门制造颁给；其三等以下宝星，何处奏请颁赏，即由何处照式制造颁给，仍知照臣衙门，盖用关防，发给执照，以备稽核。如蒙俞允，应由臣衙门照会各国使臣，暨知照南北洋大臣、各省督抚、出使各国大臣，一体遵照办理。谨奏。

光绪七年十二月十九日奉旨：依议。

谨将宝星章程开列清单恭呈御览

头等第一，专赠各国之君。头等第二，给各国世子、亲王、宗亲、国戚等。头等第三，给各国世爵大臣、总理各部大臣、头等公使等。

二等第一，给各国二等公使等。二等第二，给各国三等公使、署理公使、总税务司等。二等第三，给各国头等参赞、武职大员、总领事官、总教习等。

三等第一，给各国二、三等参赞、领事官、正使随员、水师头等管驾官、陆路副将、教习等。三等第二，给各国副领事官、水师二等管驾官、陆路参将等。三等第三，给各国翻译官、游击、都司等。

四等给各国兵弁等。五等给各国工商人等。

头等应用赤金地法蓝双龙，第一中嵌珍珠，金龙金红色带。第二中嵌红宝石，第三中嵌光面珊瑚，俱银龙大红色带。二等应用赤金地银双龙，中嵌起花珊瑚，黄龙紫色带。三等应用法蓝地金双龙，中嵌蓝宝石，红龙蓝色带。四等应用法蓝地银双龙，中嵌青金，绿龙酱色带。五等应用银地法蓝龙，中嵌砗磲，蓝龙月白带。头等宝星式尚方，计营造尺长三寸三分，宽二寸二分。二等以下宝星式尚圆，二等径二寸七分，三等径二寸五分，四等径一寸九分，五等径一寸六分。其上皆有环首，头、二等带均长一尺三寸，宽一寸五分，两头有穗丝绳束结。三等带长一尺三寸，宽一寸五分。四五等带均长五寸，宽一寸一分。

清季外交史料卷二十六终

清季外交史料卷二十七

光绪八年正月至四月

直督李鸿章奏请派员与巴西换约折 附上谕

直隶总督李鸿章奏，为请旨钦派大臣与巴西国互换条约事。

窃查，巴西国前派使臣喀拉多、穆达等来华议约，于光绪六年六月内奏奉谕旨，派臣为全权大臣，与该使臣等会议商订。嗣因原订约款内有应行商改之处，复于光绪七年八月内，经臣遵旨与喀拉多，将两国和好通商条约会议，增改画押盖印；并于约内第十七款载明，俟两国御笔批准，或在上海，或在天津，彼此即行互换，迭经专折奏明在案。兹准巴西国使臣喀拉多照会，两国条约，今奉本国外部电咨，业经批准，拟度本国约本不日可到，照请订明互换条约宜在何处等情前来。臣溯查，同治九年间，丹、荷、比、义、奥等国先后遣使来华，均蒙钦派全权大臣在天津议约。嗣奉御笔批准，有在上海互换者，随时请旨遵办。兹查，喀拉多现在上海，应否特派大员即在上海与之互换，抑应饬令来津，恭候钦派大臣互换之处？臣未敢擅拟。应据情请旨，伏候命下，即由臣照复该使臣钦遵办理，并由总理衙门将此案条约原本，发交换约之员祗领遵办。除照录巴西使臣照会，恭呈御览外，所有拟请派员互换条约缘由，理合恭折具陈。谨奏。

光绪八年正月初六日奉上谕：李鸿章奏请派大员与巴西互换条约，现该国使臣喀拉多已在上海，即派谭钧培，将李鸿章上年与该国使臣会议所订增改公同画押条约，与该使臣互换。条约原本，即着总理衙门发交谭钧培祗领遵办。本日谕旨一道一并发往。如该使臣索看凭据，着谭钧培另行恭录给与阅看。俟换约事毕，此旨仍缴还军机处备查。

使俄曾纪泽奏白彦虎窜入俄境俄国允加禁锢折

出使俄国大臣曾纪泽奏，为逆酋白彦虎等窜入俄国境内一案，现接该国外部复文，允为严加禁锢事。

窃臣于光绪七年六月二十五日承准总理衙门咨开：光绪七年四月十七日奉上谕：刘

锦棠奏，首逆逋诛，请饬使臣向俄理论，解送惩办一折。刘锦棠以曾纪泽已与俄国另立新约，白逆等如何交出未闻议及，急应执约理论，不可置之度外等因。钦此。七月二十八日照会俄国外部，请其按照成约，将该逆犯刻日交还，并于闰七月初三日附片陈奏，声明俟接该国确实复文，再行据实复奏，请旨定夺。兹接该国外部复称，白彦虎等犯系属公罪，不在条约所载之列，虽该犯所为之事本国已深恶之，然不得不认各国容留公罪之例。惟本国亦不得不认其责成，设法防范，以杜越界谋为不轨情事，是以本国饬将白逆彦虎禁锢于距离中国边界较远之地，严加管束。如此办理，谅贵国国家洞悉原委，必以为然。而本国设此严防，免致白彦虎等再滋事端，系为宁谧中国边疆起见，务望鉴察此情，当必惬意等语照复前来。臣前于本年七月初间，未经赴俄换约之先，曾经函告总理衙门，声明西洋公例于寻常命盗各犯立有条约者，莫不互相交还，独于称兵之逆首则公罪目之，谓称乱者众，为之首者非一人之私，故各国从无交还之事。再四思维，于索还白逆等犯，不敢谓据〔遽〕有把握。嗣接该衙门函复，以西洋既有此公例，诚恐难与争辩，但期真能禁锢，永不令为边患等语。此次俄国外部照复，与总理衙门所言情势尚属相同，应否请旨饬下督办新疆军务大臣刘锦棠等，将此案作为了结之处，伏候圣裁。除将俄国外部照会译汉钞稿，咨呈总理衙门查核外，谨恭折驰陈。谨奏。

光绪八年正月十八日奉旨：该衙门知道。

伊犁将军金顺等奏预筹西北边界分段查勘折

帮办军务大臣・伊犁将军金顺、伊犁参赞大臣升泰奏，为预筹西北边界，亟宜分段查勘，吁恳天恩，添派大臣，分任其事，以期妥速事。

窃奴才等于光绪七年十一月二十六日承准总理衙门咨：准俄国凯署大臣照称：自塔尔巴哈台起，至纳林止一段，派署七河巡抚格李索伏斯奇与参赞铁克咩捏伏俱作为该处分界大臣。其自纳林西南至本国境边交界一段，派霍罕省巡抚咩登斯克及副将噶纳伏俱为该处分界大臣。相应将此电报行知等因。准此，奴才等伏思，分界事宜关系久远，非亲身周历查勘难期详审。况中外交涉又不容稍缓时日。边地冬雪深厚，春暖较迟，三四月间始能消化，一年之中惟夏秋两季山路方觉可行。计塔尔巴哈台至纳林，自纳林至喀什噶尔，延袤数千里，其间曲折湾环险峻、难行之处尚多。奴才升泰独任其事，诚恐赶办不及，稍有迟误，彼族藉口难保不枝节旁生。奴才等再四熟商，伊犁、塔尔巴哈台、喀什噶尔三处界址，非各分地段不能迅速蒇事。奴才升泰届时先赴伊犁接收后，俟三四月间雪消路出，即会同俄官，自伊犁迤北，与塔尔巴哈台毗连之哈布塔盖、沁码兰等山起，迤逦西南，直至纳林一段，按照舆图，将沿边界限详细勘分。其塔尔巴哈台、喀什噶尔两处，可否仰恳天恩，俯念中俄界务关系綦重，迅赐添派分界大臣二员，各按地段，会同俄国所派分界大臣，查勘分划，以期无误。如蒙俞允，再由奴才等按照总理衙门绘寄舆图，另绘二分，咨送该大臣等遵照，妥慎办理。谨奏。

光绪八年正月二十二日奉旨。

新疆督办刘锦棠奏俄商来新贸易应遵章查验不得行销中国土货折

督办新疆军务刘锦棠奏，为俄商来华往新疆贸易，应遵查验，不得行销中国土货，以符约章事。

窃臣前准总理衙门递到中俄和约，当经分别咨行遵办在案。近准伊犁将军臣金顺咨称：现议交收伊犁，俟收城后，划界、通商当次第举行等语。大凡商务所关，固应早为议定，通饬谕知，俾两国皆有遵守。一经开办，庶几免触禁令，弭衅端，即以固和好，是亦重邦交之道也。臣维新疆各城久已设局抽收税厘，商货出入必须查验，始准销售。今俄商运货进卡，如至新疆有税局地方，自应呈请查验，于货包上盖用查过戳记，方可行销。如未销完应赴别处，亦应将销过货物开注单内，呈局查明，盖戳放行。续至有税厘局之处，均应照此办理。倘货照不符，即送交俄官区处，以杜包庇贩运情弊。约章载有专条，在中国顺事恕施不过略增繁费，而俄人甫经入市讵必尽悉约章。若待临时分辩，致起争执，不如由俄官早自传知，务使各遵成约，迨至进卡即踵而行之，以是为固然而无所迟阻，于行商岂不甚善！条约又载，俄商办运中国土货，由恰克图及新疆回国，特将回国二字标明，则在中国途间，只书经遵查验，以防夹带私货，原无准其行销之理。就令已运出卡，亦不得由陆路复运进卡。详考旧章，有由江海办运中国土货复运内地销售之说，而无自俄贩运中国土货，由陆路复进口内销卖明文。凡新约所未改者，皆可仍旧照行。而俄国边界商民皆不知此，往往将中国土货复运进口，虽经在事各员频令折回，似仍于义未晓。此事于华商大有关碍，所以然者，华商完厘次数多而成本重，俄商完厘次数少而成本轻，故未可任其运销，致妨华商生计耳。俄官应将和约宣告该国官商，于办货时加意斟酌，遇有此等土货，幸勿错误再行购买，贩运前来，则可免其阻滞折耗，为益实不少也。合无仰恳饬下总理衙门，照会俄国驻京使臣，移知该国官员，一律照办，以符约章而保商本。谨奏。

光绪八年正月二十七日奉旨：该衙门知道。

吉林将军铭安等奏朝鲜贫民占种吉林边地妥议复陈折

吉林将军铭安、帮办吉林边务大臣吴大澂奏，为朝鲜贫民占种吉林边地，遵旨妥议复陈事。

窃准军机大臣字寄光绪七年十一月二十四日奉上谕：前据铭安、吴大澂奏，朝鲜贫民占种吉林边境，恳准一体领照纳税，当谕令该部议奏等因。钦此。遵旨寄信前来。奴才等查，礼部原折内申明定例，历引道光七年、道光二十二年、同治六年、光绪三年严禁朝鲜民人越界成案。此次该国官员禀给执照，纵民渡江开垦，诚如圣谕，宜令该国王尽数招回，设法安置，重申科禁，方为正办。惟奴才等窃闻该国禁令甚严，遇有越界人犯送回本国，立正典刑。若奉严旨切责，又恐该国民人无生还之望。此奴才等所以议请边界仍求推广皇仁，与部臣秉经酌权之议，实属意见相同。礼部原折内称：如以江为界，则界址本清，毋庸再划。如就新垦之地，则我疆土日削，议将何裨？奴才等查，图们江自嘎牙河口以西宽狭不等，江流亦甚纡曲，或折而向南，则江西为吉林地，江东为朝鲜地；或折而向北，则吉林地在江东，朝鲜地又在江西。其间群山缭绕，路径分歧，兼有沟河错杂，大半无名可考，与图们江正流亦有相似之处，土人或呼为小图们江。现在朝鲜人所垦之地，其北亦有支流一道，近年愈刷愈宽。该国穷民因江南边地多被水冲，江北沙滩有新长之地，遂以支流为正流，误以传误。即咸镜道刺史所给执照，亦非有心侵占，非派员履勘详细绘图，不足以肃边界而服众心。奴才等所谓划清界址者，此也。至部臣所议，既种中原之地，即为中原之民，除领照纳租外，必令隶我版图，遵我政教，并酌立年限，易我冠服。目前姑照云、贵苗人暂从各便，一切咨明该国王知悉。如蒙俞允，准照部臣所议办理。圣恩宽大，如天之无不覆，如地之无不载。该国民人本极恭顺，怀德畏威，感激涕零，必能遵奉定章，永无二志。惟边氓本无徭役可派，似可暂从宽免。置官设兵一节，亦尚可缓。拟俟查明户籍，其在珲春境内者，即归珲春地方官经理；在敦化县境内者，仍归敦化县知县管辖。所有地方词讼及命盗案件，均照吉林一律办理。奴才从长计议，体察情形，只须边界官员不加凌虐，不患该民人等之不服箝制也。谨奏。

光绪八年二月初六日奉旨：依议。

总署奏遵议设所管理海参崴俄界华民折

总理各国事务恭亲王奕䜣等奏，为遵旨议奏事。

督办宁古塔等处事宜・太仆寺卿吴大澂奏，俄界海参崴华民众多，请派员设立公所管理一折，光绪七年十二月十八日奉旨：该衙门议奏。钦此。钦遵由军机处将原折钞交到臣衙门。据原折内称：海参崴地方约有华民六七千人，各处商民往来络绎，近因该处赌风甚炽，胡匪甚多，俄官不遑治理，以致劫案累累，并有零匪窜入珲、塔交界之青林子，边界隐受其害。本年九月，曾派知府李金镛前赴该处，与俄国将军斐尔特镐生面商。该将军以华民过多，非华官不能管理，商令会衔出示禁赌，并商办缉匪、保商事宜，颇相融洽。旋据商人等公禀，请由吉林奏派理事官保护等因。查海参崴工商民户中国人十居其八，既据俄国将军告知李金镛，非华官不能管理，是设官一节，似亦俄官所愿，恳请饬下臣衙门，照会驻京公使办理等语。

臣等查，东北各边界与俄国接壤处所，往往有华民寄居俄境，横被凌侮之事。海参崴地居沿海，华民尤众，其中良莠不齐，自相仇杀，及为俄人戕害各案，历年据吉林将军咨报者，指不胜屈。该京卿所奏，盗匪蹂躏华商，自是实在情形，如能派员前往弹压整顿，既可隐为保护，亦可免起衅端。惟此事前经该京卿函商臣衙门后，已由出使大臣曾纪泽面与俄国外部吉尔斯相商，据吉尔斯声称：该处系屯兵海口，非通商口岸可比，如允中国设立领事，英、法各国必请援照。既中国为保护华民起见，若作为办理商务之官，不提领事名目，本国仍以客礼相待，均可与地方官办事，则他国无可藉口，自可商量。但须奏明请旨，并咨询东悉毕尔总督方能定局等语。曾纪泽当即遵照此言办给照会，听候复音，并报明臣衙门有案。上年十月，臣等与俄国使臣布策会晤，亦曾询以此事，该使臣声称应俟外部复文等因。现已越数月，尚未接曾纪泽续报，不知所议如何。除由臣衙门函致曾纪泽，催取俄国外部复文，以凭核办外，吴大澂所拟海参崴设立公所，并选员请旨简派，及刊刻关防、筹备经费各事宜，应俟曾纪泽与俄国议定后，再由臣衙门奏请，饬下吉林将军与该京卿酌拟，奏明办理。谨奏。

光绪八年二月初八日奉旨：知道了。

使俄曾纪泽奏法人谋占越南北境拟筹办法折

出使俄国大臣曾纪泽奏，为恭折复陈事。

窃准军机大臣密寄光绪七年十月十五日奉上谕：总理衙门奏，法人谋占越南北境，并欲通商云南，拟筹办法各折片等因。钦此。钞录总理衙门原奏折片各一件，遵旨寄信前来。伏查，法人觊觎越南，蓄意已久。缘该国初据西贡、柬埔寨等处之时，满意由澜沧江、湄南河可以直通云南。其后见该二水浅涸，多处不能通舟，遂欲占据越南东京，由富良江入口，以通云南，添开商埠。该国图越之事，新报则议论纷纭，官场则机钤秘密，然官绅士庶论及此事，视取越南东京皆谓易如反掌。上年冬间，臣在俄议约，因闻法国有派兵前往越南之议，比即照会法国外部，并与法国驻俄公使商犀晤谈，力言越南受封中朝，久列属邦，该国如有紧要事件，中国不能置若罔闻。本年闰七月间，臣由俄换约事毕，回驻巴黎，又于八月初一日照会外部，将总理衙门历年未认法越所订条约之意剀切声明。日久乃接外部尚书刚必达复文，措词虽尚刚硬，然法廷于进取之谋似已稍作回翔之势。缘法国商人堵布益昔年往来滇越，经营贸易，即为法国西贡总督堵白蕾图占越南之线索。后因事端败露，西贡总督所派守备嘎业为越南人所杀，商人堵布益所赍成本亦致亏折数百万佛郎。该商归向法廷索取，法廷许以俟定计占取东京之时给予偿款。本年该商业已函致广东、上海旧日同伙之西人，前来巴黎领取偿款，是法廷定议占取东京之据。厥后该商伙德尔吉等来至巴黎，无款可领，失望而归。有臣处翻译官马格里之友上海载生洋行之史密德亲闻德尔吉言之甚详。是此事暂得寝息之据。微臣揣度大概情势，法国除在廷数员之外，能深明东方情形实无多人，竟有不知越南为中国之属邦者。继见总理衙门屡次声明，中国保全属国，以固边圉，不能漠视之意，该国或者畏威怀德，有所顾忌，而不敢遽发，亦在意中。惟臣处未接该外部确实复文，仍不敢谓遽有把握。总理衙门王大臣原奏所称，争以空言，必须见诸实际，实属至当不易之论。各疆臣钦奉寄谕之后，如何遵旨妥为布置，自必先后据实陈奏。臣当钦遵谕旨坚持前议，以不认法越前订之约为根据，以冀形格势禁，消弭衅端，仰慰宸廑。除将臣与法外部来往照会，分别译汉钞稿，咨呈总理衙门，并将臣所具照会稿摘要先行电达衙门查核外，所有微臣现与法国持论情形，及揣度法国大概情势，理合恭折复陈。谨奏。

光绪八年三月初三日奉旨：该衙门知道。

桂抚庆裕奏预防法人侵越一事已开导越使转达国王片

庆裕片。

再，奴才于上年十一月遵旨预防法人侵占越南北境，将筹办情形恭折密陈；并以派员晤越南国王大臣等，将自强各事宜随时开导一层，易露痕迹，现有越护国使臣回途，将抵粤省，拟于待茶之便，传进内厅，与之笔谈，令其星速趱程回国，转达该国王，较为妥帖，缕晰陈明在案。兹该使臣阮述等回抵广西省城，奴才于光绪八年正月十四日接见待茶，当经传进内署笔谈，告以法人诡谲性成，现接边报，无端添派兵船至越，居心叵测，不可不防。西省已饬统领边防各营黄提督，酌派营勇出关，分布扼扎，为未雨绸缪之计。越国更宜早图自强，勿堕法人术中。该使臣深以为然。奴才当令迅速回国，转达该国王熟思审处，防患未然，以保境土。尤宜诸臻慎密，勿露其机，致法人得以藉口，遽生变故。该使臣领悟而去，并饬护送委员趱程前进。所有晤越南使臣与之笔谈缘由，理合附片密陈。

光绪八年三月初三日。

直督李鸿章奏筹办朝鲜与美国议定约稿请派员会办折　附条约

直隶总督李鸿章奏，为遵旨筹办朝鲜与美国议约事宜，现经商定约稿，并拟请旨派员前往会办事。

窃查，美国欲与朝鲜结约通好，经臣劝令朝鲜派员赴津，与总兵萧孚尔商议。适朝鲜国王派陪臣金允慎〔植〕为领选使，带学生来津，就便筹议外交。臣于光绪七年十二月初二日奏奉上谕：朝鲜久隶藩屏，自应随事维持调护，即以固我边陲。该国如与美国订约，则他国不至肆意要求，于大局实有关系。仍着李鸿章随时相机开导，妥为筹办等因。钦此。臣于岁杪即闻美国派定水师总兵薛斐尔，即萧孚尔，为朝鲜议约全权大臣，催令今春乘兵船东驰朝鲜。陪臣金允植亦来保定谒见，谓续奉该国王密谕，求臣代为主持，速与美使商议，并寄呈该国机务大臣，拟具约稿，妥为鉴定。当即密饬津海关道周馥，设法婉留薛使，俟臣会商。

臣二月初抵津，薛使定期谒晤，先将伊所拟约稿由周馥译呈，其意欲以日本条约为蓝本。臣将两稿比较，所差甚远，且与中国属邦一节均未提及，将来各国效尤，久之将不知朝鲜为我属土。而万国公法，凡附庸小国不得自主者，又未便与各大邦立约，是彼此均有为难之处。臣嘱周馥讽示薛使，谓约内须提明中国属邦，政治仍得自主字样。臣亦与金允植等议及，该陪臣翕服无异词。与酌量增删约稿，将各项应防之流弊，应获之权利，一一包括在内，令周馥及道员马建忠密交薛使阅订。该使于各款颇有增改，大致尚无甚出入。惟于第一款声明朝鲜为中国属邦坚不肯从，意甚决绝。适美国署使何天爵在京，与总理衙门议添认明属邦一节，经总署王大臣将何天爵拟改第一款照录，专函知会前来。何天爵旋于二月二十五日来谒，乃谓：薛斐尔坚执原议，虑于两国平行体统有碍，且他日国会绅员亦必议驳。是以该署使在京，拟改第一款未能增入。臣谓：既经议定，岂可复行翻悔？该署使力称：此事本国专派薛斐尔主政，伊仅可商办。臣以该两人既未敢擅允，令先电请本国核示。该署使允为发电请示，至今尚无回报。是月二十七日、三月初一日，薛斐尔复偕何天爵来署，商订此外各款，有臣要续增而该使酌改者，有该使续增而臣要酌改者，较原本似更周密。一切取益防损之道，再三斟酌，总期与朝鲜商政有裨，将来不致为他国肆意要求，以冀仰副朝廷轸念属藩、维持调护之至意。此事与薛斐尔、何天爵晤商四五次，辩论二十余日，始有成议。所订约稿拟暂空第一款，俟美国回信再议去留。臣于稿本纸尾钤一图章，并邀薛斐尔签字画押为据，先交朝鲜陪臣李应浚，迅赍回国，以为该国另派大员与美使商办之依据；并传见金允植，谕知现办情形，告以美国若不肯将第一款添入，须于定约后，另行设法声明，以符初议。此臣迭次与薛斐尔等议办朝鲜立约之实在情形也。

今春，朝鲜续派陪臣莫允中等尚未到津，薛斐尔已赴烟台与该国水师提督会商，约于三月二十日开驶东行，谆请臣处派员偕往，而朝鲜屡次来员亦恳派员同美使前去。顷，又接朝鲜国王之叔父总理机务李最应来书，内言：美使东来，惟臣处是仰是依等语。臣反复筹维，该两国约稿既经议有头绪，若不派员同往，恐主客之间形迹隔阂，易生疑衅，或再有他人从旁唆耸，约事无成，而日、俄强邻，转得遂其离间侵凌之诡计，亦东方大局之忧，关系实非浅鲜。查有候补道马建忠，精明干练，于交涉、公法研究素深。此次臣与薛斐尔议约，该员皆在坐，详悉颠末，堪以派往，会同朝鲜国所派议约大员，相机妥办。应即请旨特派前往襄助，由臣咨明朝鲜国王知照。再，薛斐尔乘坐该国兵船前赴朝鲜。臣处北洋水师兵轮船，本〈拟〉于春夏之交饬赴东洋等处游历，藉以测量沙线，练习风涛。拟即派统领北洋水师记名提督丁汝昌，于三月望后与马建忠会于烟台，酌带兵船，偕同薛斐尔东驶，以壮声威而杜要挟。谨将议定约稿，暨臣与朝鲜总理机务丞相李最应来往函件，及与金允植笔谈底稿，照钞清折，恭呈御览。谨奏。

光绪八年三月初八日奉旨：着照所请。该衙门知道。单并发。

谨将美国水师总兵薛斐尔拟与朝鲜议办约稿录呈御览

大朝鲜国与大亚美利加合众国切欲敦崇和好，惠顾商民，是以大朝鲜国君主特派全权大臣，全权字据①，互相较阅，俱属妥善，计立条款，胪列于左：

第一款　朝鲜为中国所属之邦，而内治、外交向来归其自主。今大朝鲜国、大美国彼此明允定议，大朝鲜国主允此条约内各款，按自主公例，必要认真照办；大美国国主允定认明朝鲜国为中国属邦，嗣后永远不相干预。此款美使议明已请本国核示，俟有复信再定去留。

第二款　嗣后大朝鲜国君主、大美国伯理玺天德并其商民，各皆永远和平友好。若他国有何不公轻藐之事，一经照知，必须相助，从中善为调处，以示友谊关切。

第三款　此次立约通商和好后，两国可交派秉权大臣驻扎彼此都城，并于彼此通商口岸设立总领事等官，均听其便。此等官员与本地官交涉往来，均应用品级相当之礼。两国秉权大臣与领事等官，享获种种恩施，与彼此所待最优之国官员无异。惟领事官必须奉到驻扎之国批准文凭，方可视事。所派领事等官必须真正官员，不得以商人兼充，亦不得兼作贸易。倘各口未设领事官，或请别国领事兼代，亦不得以商人兼充，或即由地方官照现地条约代办。若驻扎朝鲜之美国领事等官办事不合，须知照美国公使，彼此意见相同，可将批准文凭追回。

第四款　美国船只在朝鲜左近海面如遇飓风，或缺粮食、煤水，距通商口岸太远，应许其随处收泊，以避飓风、购买粮食、修理船只。所有经费系由船主自备。地方官民应加怜恤援助，供其所需。如该船在不通商之口潜往贸易拿获，船货入官。如美国船只在朝鲜海岸破坏，朝鲜地方官一经闻知，即应饬令将水手先行救护，供其粮食等项；一面设法保护船只、货物，并行知照领事官，俾将水手送回本国，并将船货捞起。一切费用，或由船主，或由美国认还。

① 此处似未全。《朝美修好通商条约》载："大朝鲜国与大亚美利加合众国切欲敦崇和好，惠顾商民，是以大朝鲜国君主特派全权大臣·经理统理机务衙门事申櫶、全权副官·经理统理机务衙门金宏集，大美国伯理玺天德特派全权大臣·水师总兵薛斐尔，各将所奉全权字据……"据此，本约稿此处似漏字句。

第五款　美国民人在朝鲜居住，安分守法，其性命、财产朝鲜地方官应当代为保护，勿许稍有欺凌、损毁，如有不法之徒，欲将美国房屋业产拆毁者，地方官一经领事告知，即应派兵弹压，并查拿渠魁，按律重办。朝鲜民人如有欺陵美国民人，应归朝鲜官按朝鲜律例惩办。美国民人无论在商船、在岸上，如有欺凌、扰骚〔骚扰〕、损伤朝鲜民人性命、财产等事，应归美国领事官或美国所派官员，按照美国律例，查拿惩办。其在朝鲜国内，朝鲜、美国民人如有涉讼，应由被告所属之官员以本国律例审断，原告所属之国可以派员听审，审官当以礼相待。听审官如欲传讯、查讯、分讯证见，亦听其便。如以审官所断为不公，亦许其详细驳辩。大美国与大朝鲜国彼此明定：如朝鲜日后改定律例及审案办法，在美国视与本国律例、办法相符，即将美国官员在朝鲜审案之权收回，以后朝鲜境内美国民人，即归地方官管辖。

第六款　朝鲜商民并其商船前往美国贸易，凡纳〈货〉税、船钞并一切各费，应遵照美国海关章程办理，与征收本国人民及相待最优之国税钞，不得额外加增。美国商民并其商船前往朝鲜贸易，进出口货物均应纳税。其收税之权应由朝鲜自主，所有进出口税项及海关禁防偷漏诸弊，悉听朝鲜政府设立规则，先期知会美国官，布示商民遵行。现拟先订税则大略，各色进口货，有关民生日用者，照估价值百抽税不得过一十；其奢靡、玩耍等物，如洋酒、吕宋烟、钟表之类，照估价值百抽税不得过三十。至出口土货，概照值百抽税不得过五。凡进口洋货除在口岸完纳正税外，该项货物或入内地，或在口岸，永远不纳别项税费。美国商船进朝鲜口岸，须纳船钞每吨银五钱，每船按中历一季抽一次。

第七款　朝鲜国商民前往美国各处，准其在该处居住、赁房、买房〔买地?〕、〈起〉盖栈房，任其自便，〈其〉贸易、工作，一切所有土产，以及制造之物，与不违禁之货，均许买卖。美国商民前往朝鲜已开口岸，准其在该处所定界内居住、赁房、租地、建屋，任其自便，其贸易、工作，一切所有土产，以及制造之物，与不违禁之货，均许买卖。惟租地时不得稍有勒逼。该地租价，悉照朝鲜所定等则完纳。其出租之地仍归朝鲜版图。除按此约内所指明归美国官员应管商民外，皆仍归朝鲜地方官管辖。美国商民不得以洋货运入内地售卖，亦不得自入内地采买土货，并不得以土货由此口贩运彼口。违者，将货物入官，并将该商交领事官惩办。

第八款　朝鲜国与美国彼此商定：朝鲜商民不准贩运洋药入美国通商口岸，美国商民亦不准贩运洋药入朝鲜通商口岸，并由此口运往彼口，亦不准作一切买卖洋药之贸易。所有两国商民，无论雇用本国船、他国船及本国船为别国商民雇用贩运洋药者，均由各本国自行永远禁止，查出从重惩罚。

第九款　如朝鲜〈国〉因有事故恐致境内缺食，朝鲜国君主得暂禁米粮出口，经地方官照知后，由美国官员转饬在各口美国商民，一体遵办。红参一项，朝鲜旧禁出口，美国人如有潜买出洋者，均查拿入官，仍分别惩罚。

第十款　凡炮位、枪刀、火药、铅丸一切军器，应由朝鲜官自行采办，或美国人奉朝鲜官准买明文方准进口。如有私贩，查货入官，仍分别惩罚。

第十一款　凡两国官员、商民在彼此通商地方居住，均可雇请各色人等，襄执分内工艺。惟朝鲜人遇犯本国例禁，或牵涉被控，凡在美国商民寓所、行栈及商船隐匿者，由地方官照知领事官，或准差役自行拿获，或由领事派人拿交朝鲜差役，美国官民不得稍有庇纵措留。

第十二款　两国生徒往来学习语言、文字、律例、艺业等事，彼此均宜襄助，以敦睦谊。

第十三款　兹朝鲜国初次立约，所订条款姑从简略，应遵条约已载者，先行办理。其未载者，俟五年后，两国官民彼此言语稍通，再行议定。至通商详细章程，须照万国公法通例公平商订，无有轻重大小之别。

第十四款　此次两国订约，与夫日后往来公牍，朝鲜专用华文，美国亦用华文，或用英文，必须以华文注明，以免歧误。

第十五款　现经两国议定：嗣后朝鲜有何惠政、恩典、利益，施及他国或其商民，无论关涉海面行船、通商、贸易、交往等事，为该国并其商民从来未沾，抑为此条约所无者，亦准美国官民一体均沾。惟于优待他国利益，系出于甘让，立有专条互相酬报者，彼此须照酬报互订之专条一体遵守，方准同沾专条优待之利益。

以上各款，现经大朝鲜［国］①、大美国〈大臣〉同在朝鲜议定，缮华、洋文各三分，句法相同，先行画押盖印，以昭凭信。仍俟两国御笔批准，总以一年为期，在朝鲜互换。然后将此约各款彼此通谕本国官员商民，俾得咸知遵守。

大朝鲜国开国　年，即中国光绪八年，　月　日。

大美国一千八百八十二年　月　日。②

桂抚庆裕奏法人图占越南北圻以侵滇疆折

广西巡抚庆裕奏，为法人图占越南北圻，意在侵轶滇疆，恭折密陈事。

窃承准军机大臣密寄光绪八年正月初十日奉上谕：翰林院侍讲张佩纶奏，沥陈保小捍边，当谋自强之计一折等因。钦此。遵旨寄信前来。奴才伏查，粤省陆路边防，前奉谕旨饬筹，业经遵旨密行统带防营提督黄桂兰，于历来驻军之越南境地谅山、高平、艽封、牧马、驱驴、文渊等处，添拨哨队，扼要防守；并谕南官刘永福，有警互相接应，奏明在案。现在照常巡探严防，应再如何布置，当候督臣张树声筹商办理。惟奴才昨接

① 原书校勘记认为系衍文。

② 原文空缺。

黄桂兰函称：亲驻牧马一带，督剿陆之平等匪，随在密加察探，法人添置兵船，欲图越南北圻地面，由保胜以通云南。凡在越之内地客商每多传说，而越官则讳不敢言，似恐贾祸。保胜一路，久为刘永福扼守，兹越南国王忽给刘永福假限五个月，回籍修墓，不解何故。斯时法人尚无举动，容再确探具报等情。

奴才伏思法人图占越南北圻，该处谣传已遍，该国王无不思患预防，刘永福系扼守保胜得力之人，何以宽给假限，听其远去？以奴才愚见揣之，必该国王为法人所愚，谓刘永福阻其通滇之路，若能遣开则可永敦和好，该国王堕其术中，遂有是举；或虽明知法人诡谋，自揣力难相拒，姑从其说，冀解目前之急，遑顾日后之忧，俱未可料。法垂涎云南铜矿、煤炭之利，已非一日。其用兵越南，实注意滇疆。若保胜不复设守，使其得据上游，直达滇境，肆行无忌。洋人惟利是嗜，有何信义之可言？势必逞其狡谋，违约侵扰。彼时再与计较，则我已失先着，大费周章。倘隐忍姑容，将必效尤者众，不堪设想。是今日法人之图越南以逼滇疆，较日本之废琉球远在海外者，迥不相同。而滇防较粤防尤为紧要，不可不加意绸缪。应请敕下滇省督抚臣，速于保胜之上红江一带，预为设法堵截，以杜奸谋。即彼以通商为词，亦不宜轻许，盖洋人惯以机器、轮船夺民之利，所至之处，食力贫民皆不聊生。滇省汉、回杂处，兵燹之余，疮痍未复，再为洋人夺其生计，祸乱又将从此始矣。谨奏。

光绪八年三月十三日奉旨：该衙门知道。

谕各省督抚法越兵端已起着妥议复奏

上谕：总理衙门奏，法越兵端已起，亟宜通筹边备，以弭后患一折。据称：张树声函报，二月十四、五等日，突有法国兵船，由西贡驶至海防进口，声言攻取东京等语。越南孱弱已极，如果法人意在并吞，该国万难自全。论藩属之义，中国即应派兵救援，而在我既鞭长莫及，在彼又弱不能支，揆度情形势，难筹议及此。惟越南北圻各省多与粤、滇毗连，若法人尽占北圻，则藩篱尽撤，后患将无穷期。强弱安危，关系綦重，何可坐失事机，致成不可收拾之局？惟事体重大，应如何谋定后动、务策万全之处，着李鸿章、左宗棠、张树声、刘长佑、裕宽、倪文蔚、杜瑞联，就现在情形，参以该衙门所奏，再行通盘筹画，悉心饬〔妥〕议，迅速复奏，候旨施行。法人意在由富良江通商云南，保胜一带实为握要之地，防务极紧，着刘长佑、杜瑞联严密防维，相机因应，以杜窥伺而固边疆。广西防营现扎关外谅山等处，本为剿除积匪而设，但能保护越南境地即所以屏蔽吾圉，并着倪文蔚体察情形，妥筹办理。

三月二十五日廷寄

直督张树声奏法越交兵通筹边备折　附上谕

署直隶总督张树声奏，为遵旨通筹边备，妥议复陈事。

窃臣顷抵天津，接准李鸿章咨，承准军机大臣密寄光绪八年三月二十五日奉上谕：总理衙门奏，法越兵端已起，亟宜通筹边备，以弭后患一折等因。钦此。查法人窥伺越南北境造端于通商红江，狡谋既深，蓄志已久。自去冬以后，渐露兵机。臣在粤东迭接探报，均经随时函达总理衙门查核。窃以越南之孱弱当法人之阴悍，南圻已经委去，北圻岂易图存？而法犹迟回审顾、未遽出于并吞者，固由北圻地方险瘠，其势或难骤及，亦未尝不虑仓猝兴戎，中国必议其后，故使越南束缚驰骤于通商条约之中，乘间抵隙，坐以违约，挟以修约，即可阴收得地之实，阳谢灭国之名。彼无来犯中国之势，我无先与寻衅之理，此法谋之狡，而中国之谋越愈不可缓也。总理衙门王大臣念越南法患日深，而计及添兵救援之未逮，藩篱全撤之可忧，度势审机，虑周思远。

臣惟该国北圻各省仅而尚存，为越南宗社所式凭，实滇、粤边疆之屏蔽。频年越南副提督刘永福据守保胜一带，抽厘养勇，越之所深恃，即法之所深恶。而黄旗各股匪，闻法人又设计招致，以与永福为难。北圻大局，势殊岌岌。二月中，法兵攻破东京，事机日迫。嗣法人又将东京城池交还南官，诡谲多变，意未可量。诚恐复用占据南圻六省故智，修改新约，收北圻于掌握，迫越南以必从。事果至此，因应愈难。今日中国备边之策，惟有令滇、粤防军守于域外，仍以剿办土匪为名，藉图进步。既为我军驻守之地，或免法人蚕食之虞。至于相机部勒，设法经营，以求可久，是在专任之人体察情形，设施方略，未可遥为裁断者矣。广西边防记名提督黄桂兰所统各营，已据禀报派队进扎北宁，业与东京密迩，臣已严饬加意训练，妥为备御；并经商请广西抚臣，抽调关内勇营，层递进扎，以顾后路而厚兵力。至广东兵轮，近年以来，臣常饬令乘巡洋缉捕之便驶赴廉琼，游弋越南洋面。仍当函致署督臣裕宽，挑选较大之船，嗣后不时前往驶巡。如果事势紧急，再行奏请拨调闽厂兵船，以赴戎机。滇省近亦于边内调集兵勇，未知能否出驻越境，扼三宣之要隘，联粤军之声威，相距穹远，未能臆度。总之，红江为法所注意，北圻尤我所必争，守在四境，备在事前，越南难望其自谋，中国必不可自误。仰惟宵旰南顾，衿巩边藩。区区管蠡，无当庙算，不胜悚惶之至！谨奏。

光绪八年四月十四日奉上谕：张树声奏，遵旨通筹备边一折，法人图占越南北圻，已于二月中攻破东京，又将城池交还南官，意殊诡谲，恐复用占据南圻故智，修改新约，迫越南以必从，事机甚为紧急。张树声所奏中国备边之策，惟有令滇、粤防军守于域外，仍以剿办土匪为名，藉图进步，即当乘时合力经营，毋落后着。广东兵轮各船，应克期整顿出洋，藉壮声势。着裕宽迅将该省兵轮各船挑选齐备，即派吴全美统带驶赴雷琼一带驻扎，认真操练，作为防剿黎匪、巡缉重洋之师，仍不时驶往越南洋面游弋，确探消息，随时知照裕宽，妥筹因应之方。闽厂兵船，并着黎兆棠择其尤为得力者，迅速拨调前往，统归吴全美统带，以资厚集。黄桂兰一军现已节节前进，逼迫越南东京，办理甚合机宜。仍着倪文蔚调关内防军出关，联络声势。前谕刘长佑等增军备边，业由四川拨给饷银二十万两，俾资应用，谅已办有头绪。富良江上游、保胜一带防务最为紧要，所有筹防各军，即当选派将领统带进发，扼要分布，遥为保胜声援，毋仅作闭关自守之计。滇、粤边防佐理需人，前已有旨饬令唐炯、徐延旭迅赴新任矣。

直督张树声奏请命岑毓英经理越南南圻片

张树声片。

再，密陈者：法人通商红江，规取越南北境，命意所在，尤注滇南，诚如谕旨，云南保胜一带防务尤为紧要，一旦法逞其志尽占北圻，西南半壁处处与内地为邻，势必有欲闭关自守而不能者。及今相持未下，能多守越南尺寸之土，即多增中国尺寸之卫，而阮藩凭藉皇灵或可不至遽夷宗社。惟滇、粤边界东西绵亘，地虽辽远，势等辅车。至越南北圻各省，包络山泽，群匪如毛，民困水火。经营其地，事体繁重，非有文武威风、熟悉情形之重臣委任责成，仅恃滇、粤两省二三将领各不相谋，必不足以济事。臣比抵天津，适军机大臣·署户部尚书王文韶亦以奉命宣谕至津，仰蒙传谕垂询，示以筹办越事重在得人，当与李鸿章会晤熟商。惟有福建抚臣岑毓英，壮猷远略，英武冠时，昔在云南赤手治兵，荡平全省，滇中将吏、兵民至今犹畏威怀德。该抚臣籍隶广西西林县，于沿边要害、越南形势皆见闻所素悉，且服习水土，无瘴疠之患，经营越南北圻似舍岑毓英莫与属者。论者或疑岑毓英办理台湾事宜未能更易，然臣闻李鸿章言，现在台湾道刘璈有独当一面之才，若能查照昔年姚莹任台湾道时故事，略重事权，责以成效，则刘璈得展其才，台事亦可期就理。如蒙圣明采纳，将岑毓英量移重镇，驻扎滇边，居上流之重，收建瓴之势，并令粤省关外各军听其调度，则滇中将士既皆乐为尽力，广西亦联为一气，较之远调客军，人地不习，縻费徒增，得失之分，无待蓍蔡。岑毓英智略足以理盘错，威望足以慑殊方，驾熟就轻，必能因地因人，次第规画，宏济艰难，以仰副圣主固圉、保藩之至意。谨奏。

光绪八年四月十四日。

代理粤督裕宽奏越南与法交涉请勿预其事片

裕宽片。

再，越南积弱已久，政令不修。此次法人之谋，越人初非不知，而竟不能预为之备，目下人情恇怯，决不能再与法抗，则其势必出于和。至其既出于和，则更换新约一切，窃以为宜听越南自为之，中国不必预闻其事也。越南初与法人立约，其中条款所损实繁。此时换立约章，自必更多要挟。若中国预闻其事，势不得不代与法争。争之而不听，徒损威信，无益事机。争之而听，法人必见恩于越南而市惠于中国，甚或置越南之事而于中国别有要求，此当时之患也。法人之于越南，虽不敢遽肆鲸吞，终必徐图蚕食。而此时要盟立约，越南亦必有所不甘。揣势度情，非法人别事翻腾，即越南不能遵守，数年之内变故必生。若中国此时预闻其事，异日两相龃龉，一有违言，法人、越人俱将有词于我。一则频频呼吁，一则藉端要挟，二者皆恐因应为难，此又异时之患也。越南久隶藩服，我朝乾坤涵育，岂忍膜外视之？顾其国弱不可支，而济弱扶倾，一时苦无十全之策。若徒以域中之大，莅其城下之盟，既已无益于属藩，或且有妨于大局，则何如不预其事之为愈乎？越南自惩前失，此次如与法人更换新约，难保不吁求中国为之主持，然初与法人立约之时，未尝请命于中国，今日虽来呼吁，并不患无词以拒之也。谨奏。

光绪八年四月十六日。

总署奏新疆开埠中俄一律免税折

总理各国事务恭亲王奕䜣等奏，为新疆开办商务，恳暂免各城厘税，俾中外一律，以纾民困而固人心事。

窃中俄改订约内第十二条载：俄国民人，并准在伊犁、塔尔巴哈台、喀什噶尔、乌鲁木齐，及关外之天山南北两路各城贸易，暂不纳税，俟将来商务兴旺，由两国议定税则，将免税之例废弃各等语。伊犁地方现经收复，所有通商贸易事宜，自应按照新约陆续开办，正在暂不纳税之时。惟查新疆各城自克复以后，节次设有厘卡，征收商贩厘金，藉资军食，新疆边外各部，其浩罕安集延各种归附于俄者，方藉此条件得沾利益。其余布噶尔、爱乌罕、巴达克山、克什米尔各部落，在中国皆有羁縻勿绝之谊。至如布鲁特、哈萨克布列沿边，尤为切近，多有商贩载运货物、往来各城贸易营生者。令照依新约，凡俄民运货往来暂不纳税之处，即为各部落人及内地华商照章完厘之处，未免苦乐不均，深恐弊窦百出，如商民诡托影射，俄人包庇营私，势必空有厘税之名，仍无完纳之实。且新约内本有伊犁民人归华、归俄均听其便之议，若俄商可以免税，华人不准免厘，恐避重就轻，更有闻而生心者。臣等再三筹度，现在伊犁收复试办通商之始，商民陆路负贩本与海口迥别，且兵燹之余，边外各种人及华民谋生不易，自宜量加体恤。所有进出卡伦货物，往来新疆各城贸易者，拟令概行暂免厘税。俟一二年后，民气苏复，商务兴旺，俄商遵照条约议立税则之时，仍令华民各种人一体照旧章完纳厘税，庶中外一律，不致偏枯而边氓感激，即众志益形固结。如蒙俞允，应请特降谕旨饬令刘锦棠、金顺、张曜等一体遵照办理。所有臣等拟请暂免新疆各城征收厘税缘由，理合恭折具陈。

光绪八年四月十八日。

谕金顺等向俄索还索伦右翼四旗等地方

上谕：金顺等奏，索伦营右翼四旗地方，请饬曾纪泽与俄国商议划还一折。据称：索伦营旧制，右翼四旗地方，向在霍尔果斯河西之策集、齐〈齐〉罕、萨玛尔、图尔根等处，现在该处分入俄界，总管诺敏吉尔噶勒等，以坟茔恐被回众平毁，沥情恳请与俄国商议，收回旧地等语。伊犁界务前经特派曾纪泽前往商办，几费唇舌，始得定议，现在条约既以霍尔果斯河为界，若将河西之地仍令划还，其办理为难情形，该将军谅必深悉。惟该总管等所禀各节实属可悯，本日已寄谕曾纪泽，令将再行商议之处妥筹具奏。着金顺、升泰将索伦人众妥为抚绥，先行择地安插，毋致另生枝节。升泰前往分界之时，能否将此情节与俄官商议，着即酌度情形办理，毋稍轻率。

四月二十日

礼部奏朝鲜与英国订立修好通商条规折 附咨文约章及照会

礼部尚书恩承等奏，为据咨转奏事。

准盛京礼部送到朝鲜国王咨文一件，并和约一册。臣等公同阅看，系因该国与英国讲定修好通商条规，缮册备文，咨请转奏；并因法国亦要通好，请旨更派道员马建忠、提督丁汝昌前往商办等情。谨钞录原咨，并该国与英国所换条约等件，恭呈御览。谨奏。

光绪八年四月二十二日。

谨将朝鲜国王请转奏与英修好通商定约咨文录呈御览

朝鲜国王，为咨会事。

小邦与英国定约一折，已差副司直李应浚附扬威舰专往备达。本年四月十一日，英国水师提督韦力士乘船舰来泊仁川港。适马道员、丁提督未及回棹，接到总理衙门暨北洋大臣函内指〔旨〕意飞书相告，嗣又领选使金允植专人由陆回国报知，当职即以经理统理机务衙门事赵宁夏、金宏集充差大副官，前往商酌。乃于本月二十一日，面同英国提督韦力士讲定修好通商条规十四款，按照美约不容更易，钤印画押，用昭凭信。此莫非中朝王公大人暨北洋大臣克体皇上绥靖之眷，深轸小邦交涉之宜，维持筹画，靡不用极。并嘱马道员、丁提督仍留会办襄助协议，务底十分妥善，职与一国臣民益加感激，镌结衷曲。谨将条约册子、照会、备文等各稿，悉行钞录，谨备转奏在案，以暴小邦无事不达之忱。兹法国亦要通好，前头接应不得不预为讲究，深望部堂诸大人先赐指导，亦即请旨更派马道员、丁提督重来商办，俾小邦终始徽惠，区区幸甚！为此合行移咨，请照验转奏施行。谨咨。

谨将朝鲜与英国修好通商约章十四款录呈御览

大朝鲜国与大英国均愿敦崇和好，惠顾彼此人民，是以大朝鲜国大君主特派大官·经理统理机务衙门事赵宁夏、副官·经理统理机务衙门金宏集，大英国大君主特派水师提督·驻扎中国各兵船统领·勋锡佩带三等宝星韦力士，彼此皆系特派议约大员，互订条款，胪列于左：

第一款　嗣后大朝鲜国大君主、大英国大君主并其人民，各皆永远和平友邦〔好〕。若他国有何不公轻藐之事，一经照知，必须相助，从中善为调处，以示友谊关切。

第二款　此次立约通商和好后，两国可交派秉权大臣驻扎彼此都城，并于彼此通商口岸设立领事等官，均听其便。此等官员与本地官交涉往来，均应用品级相当之理〔礼〕。两国秉权大臣与领事等官享获种种恩施，与彼此所待最优之国官员无异。领事官必须奉到驻扎之国批准文凭，方可视事。所派领事等官必须真正官员，不得以商人兼充，亦不得兼作贸易。倘各口未设领事官，或请别国领事兼代，亦不得以商人兼充，或即由地方官照现定条约代办。若驻扎朝鲜之英国领事等官办事不合，须知照英国公使，彼此意见相同，可将批准文凭追回。

第三款　英国船只在朝鲜左近海面如遇飓风，或缺粮食、煤水，距通商岸口〔口岸〕太远，应许其随处收泊，以避飓风、购买食粮、修理船只。所有经费系由船主自备。地方官民应加怜恤援助，供其所需。如该船在不通商之口潜往贸易拿获，船货入官。如英国船只在朝鲜海岸破坏，朝鲜地方官一经闻知，即应饬令将水手先行救护，供其粮食等项；一面设法保护只船〔船只〕、货物，并行知照领事官，俾将水手送回本国，并将船货捞起。一切费用，或由船主，或由英国认还。

第四款　英国民人在朝鲜居住，安分守法，其性命、财产朝鲜地方官应当代为保护，勿许稍有欺陵损坏。如有不法之徒，欲将英国房屋产业抢劫、烧毁者，地方官一经领事告知，即应派兵弹压，并查拿罪犯，按律重办。朝鲜民人如有欺陵英国民人，应归朝鲜官按朝鲜律例惩办。英国民人无论在商船、在岸上，如有欺陵、骚扰、损伤朝鲜民人性命、财产等事，应归英国领事官，或英国所派官员，按照英国律例查拿惩办。其在朝鲜英国民人如有涉讼，应由被告所属之官员以本国律例审断。原告所属之国，可以派员听审，审官当以礼相待。听审官如欲传讯、查讯、分讯订〔证〕见，亦听其便。如以审官所断为不公，亦许其详细驳辩。大英国与大朝鲜国彼此明定：如朝鲜日后改定律例及审案办法，在英国视与本国律例、办法相符，即将英国官员在朝鲜审案之权收回，以后朝鲜境内英国人民即归地方官管辖。

第五款　朝鲜国商民并其商船前往英国贸易，凡纳〈货〉税、船钞并一切各费，应遵照英国海关章程办理，与征收本国人民及相待最优之国税钞，不得额外加增。英国商民并其商船前往朝鲜贸易，进出口货物均应纳税。其收税之权应由朝鲜自主，所有进出口税项及海关禁防偷漏诸弊，悉听朝鲜政府设立规则，先期知会英国官，布示商民遵行。现拟先订税则大略，各色进口货，有关民生日用者，照估价值百抽税不得过一十；其奢靡、玩耍等物，如洋酒、吕宋烟、钟表之类，照估价值百抽税不得过三十。至出口土货，概照值百抽税不得过五。凡进口洋货除在口岸完纳正税外，该项货物，或入内地，或在口岸，永远不纳别项税费。英国商船进朝鲜口岸，须纳船钞每吨银五钱，每船按中历一季抽一次。

第六款　朝鲜国商民前往英国各处，准其在该处居住、赁房、买地、起盖栈房，任其自便，其贸易、工作，一切所有土产，以及制造之物，与不违禁之货，均许买卖。英国商船商民前往朝鲜已开口岸，准其在该处所定界内居住、赁房、租地、建屋，任其自便，其贸易工作，一切所有土产，以及制造之物，与不违禁之物，均许买卖，惟租地时不得稍有勒逼。该地租价，悉照朝鲜所定等则完纳。其出租之地仍归朝鲜版图。除按此约内所指明归英国官员应管商民外，皆仍归朝鲜地方官管辖。英国商民不得以洋货运入内地售卖，亦不得自入内地采买土货，并不得以土货由此口贩运彼口。违者，将货物入官，并将该商交领事官惩办。

第七款　朝鲜国与英国彼此商定：朝鲜商民不准贩运洋药入英国通商口岸，英国商民亦不准贩运洋药入朝鲜通商口岸，并由此口运往彼口，亦不准作一切买卖洋药之贸易。所有两国商民，无论雇用本国船、别国船及本国船为别国商民雇用贩运洋药者，均由各本国自行用永远禁止，查出从重惩罚。

第八款　如朝鲜国因有事故恐致境内缺食，大朝鲜国大君主得暂禁米粮出口，经地方官照知后，由英国官员转饬在各口英国商民，一体遵办。惟于已开仁川一港，各色米粮概行禁止运出。红参一项，朝鲜旧禁出口，英国人如有潜买出洋者，均查拿入官，仍分别惩罚。

第九款　凡炮位、枪刀、火药、铅丸一切军器，应由朝鲜官自行采办，或英国人奉朝鲜官准买明文方准进口。如有私贩，查货入官，仍分别惩罚。

第十款　凡两国官员、商民在彼此通商地方居住，均可雇请各色人等，襄执分内工作。惟朝鲜人遇犯本国例禁，或牵涉被控，凡在英国商民寓所、行栈及商船隐匿者，由地方官照知领事官，或准差役自行往拿，或由领事派人拿交朝鲜差役，英国官民不得稍有庇纵掯留。

第十一款　两国生徒往来学习语言、文字、律例、艺业等事，彼此均宜襄助，以敦睦谊。

第十二款　兹朝鲜国初次立约，所订条款姑从简略，应遵条约已载者，先行办理，其未载者，俟五年后，两国官民彼此言语稍通，再行议定。至通商详细章程，须酌照万国公法通例公平商订，无有轻重大小之别。

第十三款　此次两国订立条约，与夫日后往来公牍，〈朝鲜〉专用华文，英国亦用华文，或用英文，必须以华文注明，以免歧误。

第十四款　现经两国议定：嗣后大朝鲜国大君主有何惠政、恩典、利益，施及他国或其商民，无论关涉海面行船、通商、贸易、交往事，为该国并其商民从来未沾，抑为此条约所无者，亦准英国官民一体均沾。惟此种优待他国之利益，若立有专条互相酬报者，英国官民必将互订酬报之专条一体遵守，方准同沾优待之利益。

以上各款，现经大朝鲜国、大英国大臣同在朝鲜仁川府议定，缮写华、洋文三分，句法相同，先行画押盖印，以昭凭信。仍俟两国御笔批准，总以一年为期，在朝鲜仁川府互换。然后将此约各款，彼此通谕本国官员商民，俾得咸知遵守。

大朝鲜国开国四百九十一年，即中国光绪八年，四月二十一日。

西历一千八百八十二年六月初六日。

谨将朝鲜国致英国照会录呈御览

大朝鲜国大君主，为照会事。

窃照朝鲜素为中国属国，而内治、外交向来均由大朝鲜国大君主自主。今大朝鲜国、大英国彼此立约，俱属平行相待，大朝鲜国大君主明允，将约内各款必按自主公例认真照办。至大朝鲜国为中国属邦，其一切分内应行各节，均与大英国毫无干涉。除派员议立条约外，相应先行声明。为此，备文照会，请烦大英国大君主查照办理。须至照会者。

右照会大英国大君主。

谨将英使致朝鲜议约大臣照会录呈御览

大英国特派全权大臣・水师提督统领韦，为照会事。

照得大朝鲜国、大英国业经立具通商条约，其有约内未及详载者三节，合于约外另具照会声明：一、英国商民通商口岸约内虽未言明，自应遵照日本现开元山、釜山、仁川三口办理。一、按照公法，各国兵船皆准驶进两国各口，兹大朝鲜国、大英国自签约之日，英国兵船于朝鲜无论何口均可驶入，凡买取食物、淡水，或须修船等事，悉听其便。一、朝鲜海滨，至今未经详细测量，驾驶极为危险，应听英国兵船，将朝鲜海岸所有岛屿、礁石水线，审其位置，测其深浅，以资应用。并于约外声明，为此，本大臣备文照会，请烦查照施行。须至照会者。

右照会大朝鲜国议约全权大臣赵、朝鲜国全权大副官金。

谨将朝鲜议约全权大臣致英使照会录呈御览

为照复事。

本月二十日，按准贵大臣照会内开，约内未及详载另行声明三节等因。准此，本大臣等查各节，既系约内未及详载之款，自应按照公法办理。其第二、第三节，应由朝鲜政府转饬沿海地方官，于贵国兵船进口时妥为照料。惟朝鲜人民向未习与他国往来，诚恐易涉惊疑，应请贵大臣嗣后于各兵船进口时，务饬兵弁格外持平，俾得互相体谅，不致意外滋生事端，实为公便。相应先行声明，为此备文照复，请烦贵大臣查照办理。须至照复者。

右照复大英国议约全权大臣韦。

直督张树声奏英商包揽洋药章程请饬总署核议折 附章程

署直隶总督两广总督张树声奏，为英商拟呈揽办洋药章程，请旨交总理衙门核议，明定行止事。

窃查，洋药增加厘税一事，迭经总理衙门与英使威妥玛熟商办法，因所拟数目不符，各国使臣又复从旁阻挠，是以久未定议。去年前任督臣李鸿章曾附片奏称：印度洋药先到香港，即在该处私销，偷漏厘税，稽查不易。莫如设立公司，专归公正殷商经办，仍听官主持一切，务使全纲在握，毫无偷漏，不但岁饷骤增，即各局卡、巡船均可裁撤，以节糜费等因。旋有英国商人沙苗持有该印度部大臣文函来津，谒见李鸿章，面称：洋药办法各节，首须无损印度税项，次须无损中国税项，并设法无令偷漏等语。李鸿章已将问答节略寄达。适总税务司赫德在津，李鸿章属令与沙苗详细筹议。并据赫德将沙苗所拟章程翻译汉文呈核。李鸿章未及酌办，移交到臣。臣复于该章程之外与赫德及沙苗酌拟数端，沙苗尚未肯遽允。惟此事是否可行，必须先有定局，然后可将应办各节逐细研求，以期周密无间。谨将沙苗所拟揽办洋药章程，及赫德所拟洋药税厘新议之节略，照缮清单二件，恭呈御览，拟请敕下总理衙门，从长核议，以定行止。谨奏。

光绪八年四月二十二日奉旨：该衙门议奏。单二件并发。

谨将赫德译出英人沙苗拟呈揽办洋药章程缮单恭呈御览

一、拟由中国特派英人沙苗承办洋药事宜。

一、拟由中国将特派英人沙苗承办洋药事宜一节知会英国。

一、拟由中、英两国议定洋药专约内载明三条。

一、两国准认沙苗为承办洋药事宜之人，并准按照沙苗所拟之章程试办五年。俟期满，若办有成效，仍可由沙苗接办。

一、英国允许，将印度属地所出之鸦片全售与沙苗，并帮助设法将他处所出之鸦片，亦售与沙苗。

一、中国允许，沙苗所购之鸦片，除按章每百斤完纳税银一百两外，无论通商口岸及内地概不重征。惟中国仍可自行饬开洋药店之商，按年缴纳税银若干。

一、所拟以上各条核准后，沙苗允办各节列后。

一、开办时，若应筹一巨款，存储两国，以为押当。此款由沙苗筹备，或现银，或银票，俱可。

一、由沙苗将孟加拉之鸦片全购，除将各小邦应留用之鸦片分送外，即将其余运送中国，随时报明起运数目，一面由各口税司稽查汇报。

一、由沙苗将莫罗鸦之鸦片，按期陆续运送中国，一体报明，断不致有此项鸦片抵华而不纳税。

一、由沙苗将波斯所出之鸦片一律购运报明。

一、由沙苗运华之鸦片，每百斤完纳银一百两，抵河〔何〕口则在河〔何〕关纳税。沙苗并允设法，倘有他人运此三项之鸦片来华，仍须一体由沙苗包纳税银一百两。

一、倘应在香港、新加坡等处，与英国官员商定何项章程，此事由沙苗自行经理。

一、俟试办五年后，由沙苗察看情形能否再加税项，若能则另定税数。

一、俟试办五年后，若两国以为应行禁止，则由沙苗议一按年递禁之法。

一、除中国筹给沙苗银二万两，作为此两年来往办理此事盘费等款外，以后毋庸由中国另行发给银两。

一、以上洋药办法仅与中、英两国有关系，与他国无涉，亦毋庸知会他国。若他国过问，则各答以贵国商人运洋药，仍按贵国条约每百斤完税三十两而已。

谨将总税务司赫德拟呈议收洋药厘税节略缮单恭呈御览

一、中国商同他国新定章程，其事近来较难，缘有约章倘一国不允从，虽其余各国均允，然所拟之章程实属碍难照办。若欲不允之国允从，必将他项益处换给，方肯准行，而其与所拟章程无涉之国更难允从。

一、即如洋药一项，其税关系中、英两国，与他国无涉，然若中国商同英国新定征收洋药税项之章，倘有他国不允，则此章不能施行。若中国商同英国定一洋药税厘并收之章，或定一加正税之章，虽其事只关系中、英两国，然若其余无涉有约各国不允，此章实属不能施行。

一、此议章难处之外，仍有遵办征收洋药税之两难：若定一厘税并收之章，则进口税重，以致运洋药物者多行图谋拒捕、走私，而征税者必多用官吏设法严防。若定一厘税分收之章，则商人避此就彼，而关、厘局对赛招徕，以致税皆受亏，而公务不成事体。

一、改拟洋药税征收如此困难，顷适英人沙苗拟呈揽办洋药章程，其章似有后开之益处。

一、中英两国能定此章，毋庸商议他国，亦不得由他国阻办。

一、按此章所得之税必较厘税分收之数多，必较厘税并收之数更有把握。

一、按此章不必由中国多用官吏严防偷漏。

一、按此章奸商无门走私，无路偷漏。

一、按此章试办后，中、英两国自能复议，或按照应税之物再定其税，按照应禁之物设法渐禁。

一、至沙苗其人来华以前总税务司未闻其名，抵华后数次遇见晤谈，始知其深明各国银钱及各处汇兑之事宜，而闻其说洋药办法之大概，其法似甚周到；且其手中有英国管理印度衙门大臣之文函，若其无品级之人该大臣必不给此文函，既有此文函必系各该大臣仰服其人，愿从其法，且知其有承办此事之本领。现在多年反复商议洋药事宜而未见头绪，总税务司以为，不若依沙苗之章定局，缘无庸商及他国，按此法可多收税项而多省事。若准照办，似必有效验。惟先应试办五年，方可定议，以期妥善。

总署奏议复英商揽办洋药事宜折

总理各国事务恭亲王奕䜣等奏，为遵旨议复事。

署北洋大臣张树声具奏英商拟呈揽办洋药章程一折，光绪八年四月二十二日军机大臣奏，单二件并发，钦此。臣等查，原奏内称：洋药加增厘税，迭经总理衙门与英使威妥玛商办，久未定议。前督臣李鸿章附片奏称，洋药偷漏厘税，稽查不易，如设立公司，专归公正殷商办理，仍听官主持一切，务使全纲在握，毫无偷漏等因。旋有英商沙苗持有印度部文谒见李鸿章，面称洋药办法各节，复拟呈揽办洋药章程。李鸿章未及酌办，列入移交。此事是否可行，必须先为定局，然后可将应办各节逐细研求，以期周密无间等语。并将沙苗所拟章程及节略各件详细核阅，如所称印度属地及各处所出之洋药，全由沙苗购运报明，每百斤完纳税银一百两，抵何口则在何关纳税；倘有他人运来，仍一体由沙苗包纳税银等语。与李鸿章原奏设立公司专归商人经办之议，大致相同，且由一人购运包纳税银，各口私销偷漏之弊较易稽查。又所称，试办五年后，两国以为应行禁止，则由沙苗拟一按年递减禁止之法等语。查英国现有禁烟会，中国即可乘机酌议章程，分年递减，将来藉以设法禁止，未始非计。又所称，中国商同英国新定征收洋药税项之章，倘有洋药之他国不允，则此章不能施行等语。威妥玛前与臣等商办此事，亦屡以为言。总税务司赫德拟呈节略，亦有沙苗此章毋庸商议他国，亦不能由他国阻办之说。该英商所拟章程，此数端尚不无可采。惟洋药税厘并征，《烟台条约》内订有此款。上年左宗棠奏请加征洋药税厘，拟并加至一百五十两，原冀洋药厘税加多则吸食者渐少，系意图补救之法，并非专为税项起见。臣等节次与威妥玛商办，仍本厘税并征之议。李鸿章议于正税之外，加征八十两，统计厘税一百一十两。威妥玛曾允加至一百两，并据照会称，已咨本国酌议，俟准回音，即行备文知照等因。是两议尚不甚相悬。若如沙苗所呈，请由中国特派该商承办，无论所拟各条未必确有把握，即使竭洋药之薮，绝偷漏之源，而先由中国令洋人揽办，是拒之不暇，反招之使来，其名不正，其事断不可行。臣等公同商酌，拟仍照会威妥玛，速催本国回音。如果英国自愿设立总商承办，届时应如何议定税厘并征确数，并妥议章程试办之处，再行奏明，请旨遵行。谨奏。

光绪八年四月二十六日。

科布多办事大臣清安额尔庆额奏俄兵入科先事筹备折

科布多办事大臣清安、额尔庆额奏，为俄人带兵潜入科境，亟宜先事筹备，以安边民事。

窃奴才等预知分界之时，俄国必派使臣入境，早经派妥委员，常川赴各卡伦密探，前者尚无消息。忽于五月十一日，据乌梁海左翼散秩大臣巴图莽乃报呈，四月十四日，有俄兵马队二百余人突至哈巴河地方，细询来由，据云，奉伊国札饬，驻扎哈巴河。又于五月初间，复来俄人五百余名，亦于斯地驻扎各等情。臣等当即饬令该散秩大臣，严饬蒙民，并传谕哈萨克头目等，一体各安生业，毋得与俄人争论，致起衅端。复据密探差员并各卡伦侍卫等先后禀报俄情，与巴图莽乃所报无异，均令随时确探呈报。又于五月十一日，接准简派分界大臣・哈密帮办大臣长顺函商臣等，选派前经办过分界熟悉情形之员，赴该大臣差次听候差遣。当即派委即补协领贵祥星驰前往，所有分界一切事宜，悉听候该大臣指示遵办。且该大臣曾任科布多参赞大臣，于地方尚称熟悉。至境内哈萨克，因逐出无所栖止，拥入蒙古地方之乌梁海等处就牧各情形，谅该大臣亦深知其详。查俄人既系分界入境，何致率领马步数百之众，纷至沓来，盘据哈巴河？其情难以窥测，但视来意似欲侵占是地耳。

奴才等查，哈巴河系科境之门户，又为塔城之屏蔽，其地水草俱好，树木极多，哈萨克向在此游牧，俄人早已垂涎。若俄人占居此地，哈夷无所栖止，必至全行移居乌梁海一带游牧。此地蒙民穷苦，惟仗牲畜养命。哈夷素来强横，杂居其间，霸占水草，彼此必至争斗，互相伤害。诚所谓酿祸之阶，尤不可不虑也。抑或无知哈夷阴为俄人煽惑，以利啖之，能保无潜徙俄疆，为钩深索隐？而彼既得其地，又得其人，哈夷牲畜又多皆被俄人所有，是剪我之牙爪而添彼之羽翼也。况哈萨克去年被棍噶札拉参索取若许之财帛、牲畜，元气尚未平复，而塔城至今亦无调回之信。奴才等两次接奉廷寄，谕令此项哈夷未经塔城调回以前，仍着妥为安抚，免致激而生变。今俄人占聚哈巴河一带膏腴之地，哈夷无所栖止，塔城又不收回，使该夷何处安身？诚非我国家一视同仁之意。窃思自古以来未有利人莫不先于利己，但能忧国莫不急于忧民，此情理之常也。今揆俄情早已垂涎于哈巴河，将来必有觊觎阿尔泰山之意。约内奎崱〔峒〕山者，系俄人诡谲，即是阿勒泰山也。此山绵亘数千里，系科境第一膏腴之地。棍噶札拉参建盖承化寺于其间。俄人意欲夺我之膏腴，为彼之利薮，此地实难分让。若听其割去，则地利失矣。

兹查，前同治三年，前乌里雅苏台将军明谊与俄国使臣分界时，已将科境膏腴之地割去甚多。所定界图红线外向系哈萨克游牧之区，既经划断归俄，姑且勿论。今只哈巴河一偶〔隅〕之地，亦系哈夷游牧土原沃壤，界未分定而俄人现已拨兵驻守，想必将此地早已算在彀中矣。又查，同治九年，经分界大臣奎昌与俄国使臣穆鲁木策傅等，自玛呢图噶图勒干卡伦起，至哈巴尔苏地方止，立界牌博十处，其中间隔疏密不一，凡人不能行走之地即为交界处，所其立定交界东南为中国地方，西北为俄国地方，两国以此次新定界址为凭，永远遵守，不可淆混等语。其图约钤印画押，彼此更换为凭，图约昭然，中外咸闻，奴才等历经遵守在案。今出使大臣曾纪泽与俄国新定条约内载第八条，有塔城界约所定齐〔斋〕桑湖迤东之界，查有不妥之处，应由两国特派大臣会同勘改，以归妥协，并将两国所属之哈萨克分别清楚。至分界办法，应自奎峒山，过里依尔特什河，至萨乌尔岭，画一直线，由分界大臣就此直隶〔线〕与归旧界之涧〔间〕酌定新界等语。奴才等细阅新约，往复讨论，虽曰约内未有科城名目，究竟所言齐〔斋〕桑湖迤东，查有不妥之处，此其中俄人暗藏阴谋已可概见，今若任其勘改，实有牵碍于哈巴河矣。既有两国大臣前经设立牌博，自应永远遵守，迄今不数年间忽又改变，则前定之界既不足为凭，而今日所定之界，又安知久而不变哉！且今之条约原因交收伊犁、分定界限而立，是与科城无相干涉。细推此议，足见俄人任意淆混，希图尝试，以启后日之渐，而出使大臣曾纪泽于边疆形势未尝亲历，致使俄人藉以愚弄。际此时艰，纵不让哈巴河，而哈夷已无地安身矣。夫哈夷不安，必累及蒙民。边圉不安，必有烦圣虑。奴才等所以恳切指陈，此皆因科境以内尺寸之地实难分让。倘以哈巴河而轻许之，将来逐渐开端，俄人贪得无厌，恐犹不止此，将来西北半壁几无宁日矣。亟应请旨密饬分界大臣长顺，将我国情理兼尽之处与之开导，亦毋使彼藉词寻衅，俄人未有不折服者也。若仍遵旧议界约，不再勘改，则国家幸甚，边民幸甚！谨奏。

光绪八年四月二十六日。

直督张树声奏朝鲜与美国立约事竣折

署理直隶总督・两广总督张树声奏，为朝鲜与美国议立和好通商条约现已事竣，恭折仰祈圣鉴事。

窃前北洋大臣李鸿章筹办朝鲜与美国议约事宜，业将商定约稿请派候选道马建忠前往朝鲜会办，并派统领北洋水师提督丁汝昌酌带兵船，偕美总兵薛斐尔东驶，以壮声势各缘由，于本年三月初六日奏奉俞允，钦遵在案。马建忠等于前二十日自烟台起碇，次日驶抵朝鲜汉江口停泊，时有日本公使花房义质已乘兵船先在该处下碇。马建忠登岸至仁川府行馆，连日接见朝鲜伴接官赵准永及金景遂、李应浚等，每与言及约事，答语支吾，意颇闪烁。花房义质来见，语气亦涉窥探。马建忠以日使意存蛊惑，朝人情近犹豫，不得不稍加权变，因为指陈大义，斥其不知推诚相待，深负大皇帝调护属邦之至意，径出行馆回舟。金景遂诸人惶恐挽留，自是王京来人趋承唯谨。二十四日，薛斐尔抵港，马建忠与议原拟约内第一条，彼坚执有碍平行体制，且本国电复未到，断难擅允，词意甚为决绝。乃议由朝鲜国王另备照会，于未经立约之前先行声明，再四熟商始行首肯。在彼则谓不列约中，尚不碍其体面，在我则先声明而后立约，是彼已认明朝鲜为我属邦，较初议立约设法声明尤有根据。二十七日，朝鲜国王所派全权大、副官・经理统理机务衙门事申櫶、金宏集登舟谒议，于此节皆无异词。次及原拟第九款米粮出口一条，申櫶、金宏集谓，于朝鲜民情有碍，坚欲议禁。薛斐尔坚不肯允。相持累日，金宏集乃议添注惟仁川口不准出米一句，马建忠复与美使重加商酌，改为惟于仁川已开一口，各色米粮概行禁止运出，较为周匝。美使急欲定约，勉强允行。其余各款，间有一二处改易数字，于大旨均无出入。计议定条约十四款，即于四月初六日在仁川港，由申櫶、金宏集会同薛斐尔钤印画押。据马建忠节次禀报，本月二十日，并准其朝鲜国王将约本及照会底稿、两国〈国〉书、全权字样钞录咨送，专差副司直李应浚赍呈请奏前来。

伏查，中西互市之初，中国罕通西例，各国所立条约，大都因利以乘便，损我以益彼，沿至今日，挽救为难。朝鲜僻在东北，近逼于日、俄两国，日人以议税未允，惟事挟制，俄人以拓地为主，尤所觊觎，其国中士大夫又多拘守常经，自安积弱，因应失当，难以图存。朝廷深惟藩卫之谊，迭谕李鸿章妥筹指引，该国与一二臣工始知幡然变计。李鸿章为该国密择邦交，先联美国，乘薛斐尔东来之机，令马建忠往莅其事，谋画经年，次第就绪。如第二款，领事必须奉到批准文凭视事，及办事不合追回一节，则于领事予夺之权，不致动与地方官龃龉，碍难箝制。第五、第六、第七、第十二等，皆商务紧要关键，自操利权，预防流弊，悉已包括无遗。第四款，审案之事，虽不能如西国案件俱由地方官讯断，亦由朝美律法不同之故，但西人通商之处，被告多属本地之人，兹定为由被告所属官员以本国律例审断，则可持平办理，朝人不致吃亏。其日后改定律例一节，尤有关系，虽一时未必办到，特存是说，可待将来。第十款，拿犯之事，各口本地民人多恃洋人为护符，犯案则领事必为隐匿，兹定有或准差役自行往拿之条，可免骩法纵奸，肆无顾忌。其第十四款，提明互相酬报专条，以救一体均沾之弊，即遇强国亦不能以势力相逼。至洋人入内地传教，朝鲜尤所深恶。近年因有教士私往，滋生事端，但朝人有必不能容之情，而公法又无专条约内明言禁止之例。现在约内不提传教一节，而于第十二款内议明应遵条约已载者，先行办理，其未载者，俟五年后再行议定，则立约后，如有洋人前往传教，朝鲜即可照约相拒，不至以民教起衅，多生枝蔓。

以上各节，均照西国通例斟酌核办，于取益防损之道实已筹虑周密。此皆凭藉皇灵，故美使迅就范围，办理尚属顺手。朝鲜守而弗失，他国续议通商，持此约为依据，可以杜窥伺而绝要求。从此讲求驭外之道，以立自强之基，庶可世守东藩，仰承圣主以大字小之盛德。除照钞朝鲜国王咨文暨约本、照会、两国国书、全权字据恭呈御览，并将马建忠节次来禀及日记笔谈各件，一并钞送总理衙门查核外，所有朝鲜与美国议约事竣缘由，理合恭折具奏。

光绪八年四月二十六日奉旨：该衙门知道。单三件、片一件并发。

谕朝鲜请派使驻京着不准行

上谕：礼部奏，接准朝鲜国王咨文，请饬会议一折。据称，该国请于已开口岸互相交易，并派使进驻京师等语。朝鲜久列藩封，典礼所关，一切均有定制。惟商民货物不准在各处私相交易，现在各国既已通商，自应量予变通，准其一体互相贸易。应如何详定章程之处，着张树声函商李鸿章妥议具奏。此后该国贸易事宜应由总理衙门核办，其朝贡、陈奏等事，仍照向例，由礼部办理，以符旧制。至所请派使驻京一节，事多窒碍，着不准行。

四月二十九日，交总署及礼部

清季外交史料卷二十七终

清季外交史料卷二十八

光绪八年五月至七月

德使致总署咨请将粤海关议订土货三联单及洋货入内地税单章程酌量核改照会　附照会六件章程二件

德使致总署照会①

为照会事。

兹将粤海关部现议联单、税单章程稿两分，并本署大臣拟易数条，一并钞呈贵衙门查照。本署大臣拟于本月初七日两点半钟，前往贵署晤谈此节，仍祈代延通晓法文者在座。是否届时得暇？即望贵王大臣示复可也。须至照会者。

五月初四日

总署复德使照会

为照复事。

光绪八年五月初四日，准贵署大臣照称，兹将粤海关部现议联单、税单章程稿两分，并拟易数条，钞呈查照等因。旋于初七日与贵署大臣逐条面议，现经照议酌改，其第六条所引改装章程，亦经查明详细核议，分别办理，均于各条之后添注明晰。至洋货税单，即照贵署大臣面商之意，仍按原议各条试办。相应开列清折，照复贵署大臣查照，即希酌复，以便转行粤海关照办可也。附清折一扣。

五月初十日

粤海关议订洋商往内地买货运往外国发给三联单试办章程

前由本国驻扎广州领事官送交粤海关部现议联单、税单两项章程，详阅一切。其所

① 本件正文与附件似有问题。第一则照会为正文，则附件照会只有五件。若以第一则照会为附件，则缺少正文。

议三联一项，实于条约未符，且与一千八百五十八年十一月初八日所定通商章程，并一千八百六十一年十月三十一日、一千八百六十六年二月初八日、一千八百六十八年五月三十一日所定各章，均皆相违，断难试办。兹将拟易数则开列于后：

第一条　一、凡商请领三联报单时，必须出具切结，或本行切结，或联名保结。由海关核定，声明遵照现定章程办理，如有不遵此章之处，分别逾限、走私，即照所请报单内载明货数该完正税若干，逾限情愿缴还十倍，走私或罚缴二十倍，或全货归中国充公。并在切结附载，如遇有事故该商不及照章全办者，听监督将货扣留，按照应完各税及加缴银数，提货变价补足清楚，方将余货及余银发给领回。倘各项完缴未清，该货不能过给别商各等语。至洋商所具之保结，应呈由本国领事官核明，盖印为凭后，由该商送税务司查存。

德使出语：查第一条，洋商请领三联，勒具切结，条约无此明文，且联名匪易，清江浦地方章程即无行保。由该关自出文凭内叙应完税银照章遵办，如有违章，即按前定条规议罚，原议罚银十倍或二十倍太多，拟以三倍即可，若走私则应全货入官。

总署出语：洋商既以联名切结为难，应令该商自出切结，加盖领事官之印，结内注明：如有违章，即按前定规条罚银五倍，若走私则全货入官。其罚款可问领事追缴，不能要领事赔偿。

第二条　一、凡商请领三联报单，由监督发〈给〉之日起，本省以三个月，出省以六个月为限。应赴内地各该处照单买货，沿途过第一关卡，将报单三联一并呈缴，倒换运照。凡逾限未经持用倒换运照之报单，即由监督查销。如请单后不赴单内所指地方置货，另往别处采买，或持已销之单仍往内地买货运口，均将该货全行入官。所请之报单如被人私行窃去，或有遗失，原请之人须得立即报明本关，以便查销。至报失以后，如有人复用已销之单办货违章，所有罚办与原请之商无涉。

德使出语：查第二条，原议过第一关卡，呈缴报单、倒换运照各节，无须勒限。如海关以为紧要，须定限期，可以十三个月为限。如仍难照行，则在本省以六个月，出省以九个月为限。至原议商人请单后，应照单内所指地方买货等语，在琼、北两关章程无此明文，可令该商报明某县即可，不必逐层指出。

总署出语：查倒换运照不能不定期限，今准照镇江章程，自监督发给联单之日起，本省予限六个月，出省予限九个月。至单内向应指定买货之地方，今可令该商报明所往某县，不必逐层指出地方。

第三条　一、凡请三联报单，所买之土货，自发给之日起，限本省以三个月，出省以六个月，到本关最近之子口。如无经过子口，即以本关码头为最近子口。如逾期限，货为〔未?〕到最近之子口，即照切结所开银数呈缴入官。惟凡有该货沿途为关卡及地方各项员弁扣留，遇有不测之事类，如水灾、贼匪，商人不能自己为力各等情事，以致期内不能将货运送到口，该商须将耽误情形，立即就近报明地方官，并报本官〔关〕查照，由监督酌量情节，改宽限期。若再逾所展之限，货不到口，方令该商照结罚缴。

德使出语：查第三条，再逾展限，货不到口，照结罚缴，此节仍难照行，缘商沿途难免屡遭风变，委非故意耽延。

总署出语：原议本有由监督酌量情节改宽限期之语，此条无须商改。

第四条　一、该土货到本关最近之子口，须由该商开具件数、货色、斤重清单报关，由关给发准单，准该货过卡，随即将货送至本关码头验明，报完子口半税后，方准将该货起运上栈。如不遵照此章办理，即照切结所开银数呈缴入官。

德使出语：查第四条所议该货过卡至起运上栈各节，其章程应指明何处为第一最近之卡，方妥。

总署出语：查最近之卡一节，可由该关预于单内指明处所，以便该商知所趋向。

第五条　一、该土货总须出口运往外国，以三个月为限。如逾限不报出口，即照该货应完出口正税银数，由监督酌量情形，罚缴十倍或二十倍，方免出口，准其就地售卖货物。卖出之后，逢关纳税，遇卡抽厘。

德使出语：查第五条，土货出口限期，应声明从完子口半税之日起，以三个月为限，然三个月限期太促。查清江浦地方章程原系六个月，可照一千八百六十六年二月初八日所定章程，以十二个月为限。至如原议逾限不报出口，罚缴十倍，未免太多。

总署出语：查土货出口限期，从到关完子口半税之日起，予限三个月。今照镇江章程准展宽三月，以六个月为限。如逾限不报出口，原议罚缴十倍、二十倍，今定为照正税罚缴五倍之数。

第六条　一、该土货于未出口之先该商欲行改装，须先开单报关，由关验明实系原货，发给改装准单，并派验货手赴栈眼同改包。如未请有准单，擅自改包，或有特意拆动抽换，由监督酌量情形，照正税或罚十倍或二十倍呈缴入官。

德使出语：查第六条原议拟行通改，可将一千八百六十六年二月初八日所定办理改装章程纳入此条。

总署出语：查一千八百六十六年二月初八日所定，即本衙门同治四年十二月十二日通行照会土货进出口章程四条，原章程系为长江各口而设，前两条均声明：复进口土货如有改装之货，斤重溢出，及未请准单私自拆包，除半税入帐〔账〕外，仍令另完纳出口正税，合计原出口之关最近子口有半税，出口有正税，是通计共缴两正税、两半税。今粤海关各商采买土货，与复进口土货已完过进口税者不同，未便援引。如有斤重溢出及未请准单私自改包情弊，应照正税罚缴五倍，其后两条可以照行。

第七条　一、该土货到口以后，如有损坏情事，该商即须赴关报明，由关委员验明实在损坏若干，核存几成好货，照减核算出口税饷。如该商因货损坏，不愿运出外国，即将沿途经过关卡应完税厘补足，方就地售卖，切结亦即销还。

德使出语：查第七条，该商如不愿出口，除将沿途所过关卡税应行补足，其正税无须完纳。如已交，仍应由海关缴还。

总署出语：查货既受损不能运往外国，应除损坏几成外，按余剩好货核算。如欲就地销售，愿纳一总税，以抵补所过关卡税厘，即令照正税三倍之数完缴。但须验明确有损坏，方准照此条办理。至该货已经卖出之后，仍须逢关纳税，过卡抽厘。

第八条　一、原请三联报单之商如欲闭歇，或迁移他处，须将所请尚未买货报单全行呈缴监督核销。若已经买货，倒换执照，尚在中途，货未运到本关，或货存栈，未报出口，该货归于别商，须由接收商人自行呈具切结，声明情愿仍照原具切结未清各节遵行。

德使出语：至第八条可照原议各节，无须酌易。

总署出语：照粤海关原议，无须更改。

第九条　一、凡有逾限、违章者，应照切结呈缴银两。至追缴未清之时，该商暂停续请报单，其已领报单听监督一并查销，运照饬令缴回。

德使出语：查第九条原议，凡有逾限、违章应行罚缴银两，至追缴未清、暂停续请报单等语，条约既无，亦属暧昧。该关必欲定章，则商人如将罚银先交海关押存，或交领事暂收，以待分理时，如欲请单，该关即应发给。

总署出语：查违章议罚之款，如未清缴，自应暂停请单。或有案情未定，该商愿将应罚银两交海关押存，续行请单，亦可通融准给。

德使出语：再，以上如有违章应罚，则可按照一千八百六十八年五月三十一日所定如何罚办章程办理。

总署出语：再，以上遇有违章应罚，其确实有据，并无可疑者，再由关道照章罚办，毋庸会讯。倘系章程所未赅载，情节尚介疑似者，可照会讯章程办理。

粤海关议订洋货入内地发给税单试办章程

第一条　一、各商请领税单运洋货入内地，必须将该货进口船名、日期并往内地何处，开单呈关查阅；并一面将货物送至海关码头，查验核明，查系原货件数斤重，均属相符，并无改包抽换等情后，由海关填发验单，交该商执赴银号完纳子口税，取回号收，随由海关发税单，即将货物放行。

第二条　一、凡请领税单运入内地之货，必须真正外国所产之洋货，方能发给。如系中国所产之土货，概不准领。

第三条　一、凡发给税单，如该货运往之地在广东、广西两省，以六个月为期；如在别省，限以一年为期。期满，该税单作为废纸，并应缴关核销。各商请领税单如不遵于限内缴销者，该商嗣后再请税单，即由海关停发。至所运之货经过各关卡，应将税单随时呈验，由关卡查明单货相符，立即放行。无论远近，沿途经过各关卡，一概免征税厘。过关卡稽查时，如查货色、件数、斤两、尺寸与原单不符，应将同类之货一并充公。该货运至单内所指之地，税单之用处已尽，即应作为废纸，立即缴销。嗣后该货再运他处，必须逢关纳税，过卡抽厘，与他项无单照之货无异。

第四条　一、凡洋货未经运进之先，该商如欲改装，须开单报关，将如何改装之处详细声明，由关验明实系原货，发给改装准单，并派验货手到栈眼同改装。如未请有准单，擅自改装者，所请税单概不发给。

以上章程应先试办一年后，如查有妨碍未尽筹议之处，即可随时增改更正。

再，以上如有违章应罚，则可按照一千八百六十八年五月三十一日所定如何罚办章程办理。

至原议洋货入内税单章程四条，现在无可更易，暂行试办。惟第三条应请声明，该货如在原报运往之地，无论置入栈房、就地售卖，均可不纳税银，惟一出口即应完纳。

除此次核议各节外，所有未经议及者，均照广东原议办理。至洋货办法，即照原议各条试办。

照录德使致总署照会

为照会事。

所有粤海关部前议土货三联一项章程，昨于五月初十日接准来文，内称：照议酌改，详阅一切，多与本署大臣意见相符。惟查第二条，可令该商报明所往某县，不必逐层指出地方等语，仍属为地无多，拟改报往某府某州。如以为难行，则令该商报往该县及附近等县亦可。再查第七条末开，该货已经卖出之后，仍须逢关纳税、遇卡抽厘一节，别手商人皆知如是，且与三联事无关，似可无庸声叙。惟此次商议各条，贵衙门和衷共济，感激曷胜！除原议已定无须再酌，此次所议二条可否允行之处，仍望酌夺见复。如以为可，即请行知粤海关照办可也。

五月十七日

总署复德使照会

为照复事。

五月十七日，准贵署大臣照称：粤海关前议土货三联单章程，接阅来文，照议酌改一切，意见相符。惟第二条，拟改令该商报往该县及附近等县亦可；第七条末开，已经卖出之后，仍须逢关纳税、过卡抽厘一节，商人皆知如是，似可无庸声叙，仍望见复等因。查第二条，系按照贵署大臣面议之意办理，既令该商报明所往某县，较之粤海关前议已属从宽，若再加入附近等县字样，未免漫无限制，此条自以仍照贵署大臣原议报明所往某县为妥。至第七条末开，该货卖出之后，仍须逢关纳税、遇卡抽厘等语，贵署大臣既称商人皆知如是，似可无庸声叙，此层可以照办。仍希酌复，以便行知粤海关部可也。

五月十八日

德使复总署照会

为照复事。

昨准来文内，以第二条加入附近等县字样，未免漫无限制，此条仍照贵署大臣原议，报明所往某县为妥等因，照会前来。本署大臣披阅之余，颇以为可，惟报明某县等字，系报明所往各县，非报明往赴一县，此节务须声明。至试办后，如有彼此不愿之处，仍可另行酌改。所有此次议定各章，及第二条内改县一节、第七条末裁撤数语，均请贵王大臣行知粤海关部，另缮刊刻出示可也。

五月十九日

总署复德使照会

为照会事。

准贵署大臣照会内开：准来文以第二条加入附近等县字样，未免漫无限制等因。披阅之余，颇以为可。惟报明某县等字，系指明所往各县，非报明往赴一县，此节务须声明。试办后，如有彼此不愿之处，仍可另行酌改。所有此次议定各章，及第二条内改县一节、第七条末裁撤数语，均请行知粤海关部等因前来。本衙门原可即为转行，无烦往返商论。惟请三联单向应指定买货地方，今照贵署大臣原议，令该商报明某县即可，不必指出村镇地名，较粤海关原议之章，已属从宽办理。该商领单时，如声明经过某县至某县购买何物，似尚无不可。倘请一单而指明所往各县，仍属漫无限制。如贵署大臣以一单仅往一县，或恐不便商情，则既请一单至此县，复再请一单至他县，亦可照准。该商不过多该一单，并无不便之处。总之，本衙门与贵署大臣此次酌议各章，但能通融，无不和衷商办。如以第二条报明某县一节为可，即祈迅为照复，以便即行粤海关部，刊刻出示可也。

五月二十日

直督张树声奏朝鲜与英德议约事竣折

署理直隶总督张树声奏，为朝鲜与英国、德国议约事竣，恭折奏陈事。

窃朝鲜与美国议定和好通商条约后，请留北洋委员候选道马建忠及统领北洋水师记名提督丁汝昌，商办其国交涉，经臣奏明，如英、法、德三国相继东往议约，仍令马建忠等襄助，以资熟手在案。伏查，英国所派使臣水师提督韦力士，于本年四月十一日乘兵船，驶至朝鲜汉口。其时，马建忠尚未起程西回，当为代达朝鲜。该国王即于十三日派经理统理机务衙门事赵宁夏、金宏集为议约大、副官，至汉江口与英国会议。韦力士初以美约略举大纲尚涉挂漏，添注数条，以期周密，又于约内注明索巨文一岛为兵船停泊之地，意在专据险要。马建忠告以初次立约向仅举其大纲，沿海诸岛照约停船，据各国公例反复开陈，韦力士之议始阻。一切照美约定拟，惟议另备照会声明约内未及详载者三节：一、通商口岸请照日本现开三口办理；二、兵船可驶入朝鲜各口；三、朝鲜海岸请允测绘。马建忠以核与约款法均无违碍，因告赵宁夏等转请国王照准。即于四月二十一日会集签押。

英约蒇事，德国亦派驻京使臣巴兰德为朝鲜议约全权大臣，来京晤商。巴兰德就美约增改数款，先以拟稿相示，臣先以峻词拒之，嗣复连日筹商，再三论辩，巴兰德乃欣然从命，允照美约，一字不易。臣仍派马建忠同往襄助，并令丁汝昌酌带兵轮偕行。五月初一日，马建忠等到汉江口，巴兰德已先至。朝鲜仍派赵宁夏、金宏集为议约大、副官，于十一日驰至。次日会议，十五日会同签押。所有约款及声明朝鲜为中国属邦照会，悉照英、美两国原稿。其间亦有两端稍异者：一、德文通晓者较少，此次约稿照中国与巴西定约故事，参用法文一册，以便校对。二、巴兰德恐朝、德换约需时，另备照会，请于他国通商时，遣德国商民先来贸易。马建忠因与约款无关出入，令朝鲜使臣即照复允行，而于文内添，未换约前，领事官来口，仅以宾礼相待，未便以公文议事一层，于通融之中仍示以确守公法之意。此英、德两国使臣先后在朝鲜定约情形也。

窃惟西人好胜性成，朝鲜与泰西各国立约通商，美人首导先路，英、德继起，若一无优异之处，其心必有不甘，或能横生枝节。今于约款一成不变，而于约外无关利害之事略得其情，彼谓立约虽后于别国，而另有微与别国不同，此则好胜之心既慰，一切遂易就范围。然以英国之领袖商务，德国之崛起争雄，而此次赴朝议约匪特妥速成盟，不致另滋轇轕，抑且鼓舞欢欣，感谢朝廷派员襄助之力，则亦由创定美约善立始基，而该委员等尚能相机操纵之所致也。至朝鲜国王咨送朝德约册，系交马建忠代为携呈，其呈英国所订约册，先由陆路赍递。兹准礼部将朝鲜国王咨文及朝鲜约册咨送到臣，谨一并钞录两次原咨及条约各件，恭呈御览。谨奏。

光绪八年五月初十日。

谕李鸿章张树声朝鲜乱党滋事着派员前往相机办理电　三件

上谕：总理衙门奏，朝鲜乱党滋事，筹议派兵援护一折。朝鲜乱党滋事，突围日本使馆，并劫朝鲜王宫。日本既有水兵七百余、步兵七百前往朝鲜，中国似宜派兵前往观察。张树声拟派提督丁汝昌、道员马建忠，前往察看情形，相机办理等语。朝鲜乱党突起滋事，既围日本使馆，兼劫朝鲜王宫，其意不但与日本为难，日本现在派兵前往，其情尚难测度。朝鲜久隶藩封，论朝廷字小之义，本应派兵前往保护。日本为中国有约之国，既在朝鲜受警，亦应一并护持，庶师出有名，兼可伐其隐谋。着张树声酌派水陆两军，迅赴事机。又兵船不敷调派，即咨南洋大臣添拨应用，并调招商局轮船运载陆师，以期迅速。该督务当悉心调度，并饬丁汝昌、马建忠相度机宜，随时禀商办理，以冀有裨时局。

六月十五日

上谕：朝鲜乱党滋事，虽经张树声派令丁汝昌、马建忠前往，恐亦无济于事。着李鸿章即行起程，驰赴天津，部署水陆各军，前往查办，以期无误机宜。该大臣秉性公忠，必能顾全大局，不致稍涉迟回也。

六月二十九日

上谕：朝鲜乱党滋事，张树声已派提督丁汝昌酌带兵船驰往查探，并添派提督吴长庆统率所部六营克期拔队东渡，所筹甚合机宜，即着饬令吴长庆相机因应，妥筹办理。昨已有旨谕令李鸿章，迅速北来，前往查办，抵津后当妥商办法，仍随时奏闻，以纾廑念。

六月三十日

直督张树声奏朝鲜援师起程并查探情形驰报折

署理直隶总督张树声奏，为援护朝鲜陆师拔队起程，并查探情形，恭折驰报事。

窃臣奏派水陆官军援护朝鲜缘由，钦奉寄谕：即着饬令吴长庆等，相机因应，妥筹办理。昨已有旨谕令李鸿章迅速北来，前往查办，近日朝鲜乱党若何情形，及日本兵船到后作何举动，该督务当确探消息，审度事机，俟李鸿章抵津后妥商办法，仍随时奏闻，以纾廑系等因。钦此。经即钦遵咨行筹办。适提督丁汝昌于七月初一日酉刻，由朝鲜驶回天津，面禀一切。查乱党之起，藉兵粮失时减斛为端，而鼓动主持者，则该国所称兴宣大院君李昰应也。该国王以李昰应之子入承国统，昰应秉政多年，悖戾贪饕，不恤国事。近年该国王深忧国势艰危，秉承天朝，缔交各国，简用忠良，共图时政，其王妃闵氏亦能力赞大计。李昰应意趣不同，既以失权为憾，谬附屏绝外交之议，阴结党类，乘间枭张，故王妃闵氏首罹其殃，该国王任用诸臣几无能免者。而日本人之被害者亦十有三名。今国王幽居宫禁，与外朝声息不通。李昰应方遍引私人为内外官，以树羽翼。丁汝昌与马建忠于六月二十七日带领兵船三艘，行抵朝鲜仁川口。日本兵船一艘亦于是日到口，日船海军官将与丁汝昌等以礼往来。二十八、九日，日本续到兵商船三艘。计三日到过四船，共载水陆兵一千数百名，尚未离船登岸。此目前朝鲜乱党及日本兵船到后实在情形也。

臣奏明咨调南洋两兵船，因须修理，复经改派。据江海关道电报，登瀛洲、威靖两船日内陆续可抵烟台。臣令丁汝昌于本月初二日，仍乘威远兵船驶赴朝鲜，并亟属吴长庆，将所部六营，分起东行，以取迅速。现接吴长庆等函报，已先亲带弁勇两营四哨，以三哨与丁汝昌同坐威远兵船，以两营一哨分坐商局镇东、汉新两船，并以泰安兵船装载粮械军火等项，于本月初四日由登州开行。抵朝后，即坚阵登岸，先就海口附近地方择要扼扎，与我兵轮水陆相依。其余各营哨即相继东渡，层递而进，一面安抚百姓，并传檄王京，使勿惊扰。俟后起兵勇抵岸，吴长庆即亲将数营向王京一路进扎。李昰应甫经专国，众志未孚。大军骤临，皇威赫濯，度其下不无震悚。倘能乘机获致，归政国王，除其凶顽，抚其良民，庶几转危为安，善后事宜乃可措手。至日本兵船均在仁川，我兵驻营之地不宜与之错处，一切应行密防各节，已由臣详致吴长庆与马建忠等，随宜因应，并当随时函咨李鸿章，筹度商办，以期慎重。谨奏。

光绪八年七月初十日。

直督张树声奏接朝鲜国王咨文乘机答复冀引就范围折　附咨文

署理直隶总署张树声奏，为接到朝鲜国王咨文，乘机答复事。

窃据津海关道周馥面禀：七月十一日，有朝鲜义州小通事朴永祚、白文彬到关，投递该国王咨北洋通商大臣衙门公文一角。面问，该通事皆居义州府，该国王咨文由驿路递至义州，复派该通事等赍送来津。问以王京情事，均不甚悉等情，并据将咨文呈送前来。臣当即拆阅，查文内声叙上月初九日乱党滋事大略情形，于起事之端则含混其语，委之兵民忽然肆怒，而以定乱之功专归国太公一人，国太公即所称大院君李昰应也。李昰应初以拒绝外交之议煽动徒党，以逞其私，一旦大权独揽，阴惧朝廷声罪致讨，为此粉饰之词，以求自固之计，此次咨文自即系李昰应所为。惟来文既托于国王，又未便骤加斥绝，臣当即备文答复，乘机措辞，藉以姑释其惧，万一能引就范围，或冀不劳而获。除密致广东水师提督吴长庆等知照，斟酌布置外，谨将该国王来文及臣答复文稿，照录清单，恭呈御览。谨奏。

光绪八年七月十三日。

谨将朝鲜国王来咨照录恭呈御览

朝鲜国王，为咨报事。

窃念敝邦往年与日本立约通商，今年丁、马两大人驶船委致美、英、德国条款次第准完，此莫非制军大人牖迷开窍之盛意，则曷敢不冒陈愚衷获遂微愿也！日本人留驻清水铺六七年，懋敦友睦，互讲交聘，教艺学技，自无衅罅。不幸本月初九日敝邦兵民始由小端忽然肆怒，前唱后和，动以万计，破家毁舍，无分崇卑，湖海之气有不可遏，乃至突入教场杀死日本教师以下三人，在路又杀四人，敝邦民人之被杀者数甚伙。继劫清水铺馆，因风纵火，馆中之人奋力杀出，炮剑所到，无不立毙，敝邦死民至二十余名。初十日，诸军劫害相臣李昰〔最〕应，仍犯王宫，豕突咆哮，王妃不幸薨逝，宰臣金辅铉、闵谦镐同时遇害。伊日光景，抚镇为急，实赖国太公亲冒锐矛，责以大义，谕以至意，遂使无知兵丁皆怀感戢，俯首缩伏，登即解散。祸虽起于仓卒，事犹幸其帖服，敢竭琐屑必陈之怀，庸愚不讳之义，谨将来由胪闻如右，冀制军大人烛谅敝邦事情转奏天陛，仍报总理衙门，不胜幸甚！为此，移请照验，转奏施行。须至咨者。

七月十一日

直督张树声奏陆师抵韩登陆情形片

张树声片。

再，臣正具奏间，接据吴长庆七月初八日朝鲜来函，该提督亲带头起营勇，于初七日辰刻行抵朝鲜。因仁川驻日本兵船七艘，陆兵一营，我师未便同处，遂泊船于相距六七十里之南阳地方，即日登岸扎营，为节节前进地步。道员马建忠与派充向导之朝鲜陪臣金允植、鱼允中密切查探，日本驻朝〈鲜〉公使花房义质于初三日带兵前入王京，该国王及李昰应均未接见，花房义质亦有反侧情形。国人闻大兵入境，无不欢跃，南阳府备船十数号在海口听差。前充议约大、副官赵宁夏、金宏集亦幸而尚存，现经国王派至南阳，料理军前各事。吴长庆与马建忠商定，初八日由建忠先带兵勇两哨，驰赴东京，相机办理。吴长庆部署略定，亦即进发。提督丁汝昌留驻海口，以顾后路。该国人心向顺，赵宁夏、金宏集既来，李昰应势力渐孤，事机或能相应。但期速致此人，则国王得以行政，内乱可定，庶不致迁延时日。今日人多生变计，枝蔓横生，除密嘱吴长庆等，妥速应机筹办，并候续报到日，随时驰奏外，所有陆师抵朝登岸情形，谨附片具陈。

光绪八年七月十六日。

前兵部侍郎郭嵩焘奏法扰越南宜循理处置折

前兵部侍郎郭嵩焘奏，为法兰西滋扰安南，求其症结所在，循理处置，不宜遽构兵端事。

窃臣光绪二年，在总理衙门见法人特拉格来游历暹罗、南掌、缅甸，以达云南、四川，记载详明，由福建抚臣翻译咨送臣。但见其《游历南掌》一册内言，南掌通中国有三路：一循湄江而上，出缅甸，通云南；一出湄江右支囊呼河，通云南；一出安南、东京两界间，通广西。知其心忮英人通商腾越，蓄意争胜，云南地产之厚，尤西人所艳称也，是以考通云南之路尤急。其后，日本毁琉球，法人因乘势与安南构衅，以为开通富良江之计。盖西人以通商为利，尤善蹈瑕抵罅，据为程式，与安南议论相持两年，而其经营发难实在乙亥、丙子之交。其指定蒙自口岸，尤擅云南之胜，以其地饶沃平衍，水陆交通，北距云南省城，西距普洱，道里适均，实远出腾越之上，其用意愈深，其求成之心必愈坚。臣愚以为，宜由朝廷权衡利病轻重，应否准与通商定计于事先，设官置防，使足以资控御，庶不至如沿海情形，令西人操通商之权，屈中国以从之。其或定计不与通商，亦当熟筹因应之宜，深审理势之归，有所据以制其胜，期收折冲樽俎之功。西洋各国因事辩争，有相持数年而始定者，即不得已而用兵，亦反复筹商迟久始决，从未闻贸然发议称兵，以相尝试。就安南事势言之，当有救援弹压之师，不当有防堵之师，明知非利害所系故也。

若论云南通商事势，所争尤在议论，决不在于用兵。臣因考自古经国之计，专务招徕商贾，无以闭关绝市为义者。《汉书·西域传》称，罽宾惟利贾市；安息临妫水，商贾车船行旁国；康居欲买市为利；大宛善贾市，争分铢，市易乃得所欲。班史不载边关市易而于四国发其例，是以《后汉书》言：武帝开通西域，商胡贩客日款于塞下。《唐书》〈言〉：开元盛时，东至高丽，南至真腊，西至波斯、吐蕃、坚昆，北至突厥、契丹、靺鞨，谓之八番税，西域商胡以供四镇，当时通商之利盖可想见。《明史》谓：唐、宋以来，行以茶易马法，用制羌戎，是以宋世熙河、秦、洮皆设茶务，不以寇掠攻守废市易。明设三市舶司，宁波通日本，泉州通琉球，广州通西洋诸国，交趾、云南皆设市舶提举司，始终未闻以市易滋乱。其后罢宁波市舶，日本海贾往来自如，转相寇乱，海上遂无宁日，见之《明史·食货志》，可以推知其利病。至于国朝控制夷狄之法，尤为旷越前代。康熙初，与俄罗斯议定疆界，听其贸易不禁，俄商络绎往来京师。三十二年，定三年一来京贸易，而库伦仍听互市。雍正五年，设沿边卡伦，始移市务于卡伦外之恰克图，距库伦且至千里，而罢京师贸易，相沿至今。其后节次割分边界，由额尔古纳河东至混同江，横约二千余里；由乌苏里河南至图们江，纵约千余里；由恰克图西至乌梁海，绕出葱岭，纵横各数千里，犹恃恰克图通商。界限由额尔古纳河，东经黑龙江以达松花江，西尽唐努山以南，界画井然，不虞侵占，诚令塔尔巴以北、伊犁以西当时设有通商市务，必能相与保全，以资守卫。臣历考古今事势，益信《明史》言驭边之要，以互市通夷情，使法禁有所施，省戍守费，诚为有利无弊，而如恰克图展至库伦千里以外，尤其效之彰明较著者也。

今沿海通商十三口，长江以上通商五口，云南通商一口，俄罗斯出入西北各口，并通行无阻。区区蒙自一口，无关中国要害。通筹始终，总揽全局，必有能辨知其得失者。至于用兵之费、筹饷之烦，与其贸焉而起，贸焉而止，及不幸而出于战，赔缴兵费之累，中外诸臣皆能深知。徒以眩于南宋以后之议论，不务考求古今事局，以上窥列祖经营抚绥之略，明通公溥，坦然以诚相示，而用其一隅之见附和清议，苟求见恕于人言。以是办理洋务四十余年，始终不得要领，而坐受人言之挟制。方今时势艰难，民困财殚，国计、吏治、人心、风俗，本源之地所忧实多，汲汲补救，犹惧不给，无故自生衅端，屡资烦费，诚谓非宜。臣老病余生，气息奄然，无所顾忌；又尝蒙被圣恩，备员总署，稍能周知中外情形，以理自信；实见法人通商蒙自，宜以时迎机理喻，使受约束，不宜率尔称兵，终至无以善其后，而滋累无穷。用敢披沥愚忱，冒昧上陈，冀荷圣意垂察。不胜战慄陨越之至！谨奏。

光绪八年七月十八日奉旨。

前兵部侍郎郭嵩焘奏请振励人心奠安朝鲜片

郭嵩焘片。

再，闻朝鲜国都有围攻日本公使一案，其始由近年通商日本，渐及西洋各国，考求西法，于是其国人民分党争胜，曰守旧党，曰开化党，各据所见，以相诘难。而人情狃于所习，而震于所创。闻守旧一党相附和者，其人数必多而益嚣，因围击日本公使，遂至侵犯王宫，肆行叛逆，此实近今未有之奇变。窃度日本旦夕必加兵朝鲜，或将朝鲜情状告知，朝廷亦颇难为酬答；或竟不告知，则朝鲜之国危，而中国之体面亦全失。臣愚以为，宜下明诏，正朝鲜乱民之罪，兴师讨之。移檄日本，以朝鲜乱民为逆，陵辱日使，非徒日廷之私愤，实亦中朝属国之巨憝。允宜兴师问罪，诛讨乱民，选立故王之后，以惩暴安乱为义，而无利其土地。日廷命将出师，亦同此义。直当同心戮力，以定朝鲜之乱。调集天津水陆之师四五千，由海道进讨，使日本犹有顾忌，以〔似〕不至狡逞，即中国亦有以自处。兵者，圣王所以诛暴乱、禁奸宄。是滇、粤各边无可用兵之机，而朝鲜在今日实有迫于不能不用兵之势。良以日本蓄谋已深，乱民乃无故激成，其势已成，不可遏抑。为国家大局计，诚有不能坐视者，此亦先发制人之术也。至论朝鲜人民之树党，其罪皆无可逭。臣子之义，利病荣辱，无可为身计者，期于利国而已，诚见其有利于国，毅然为之可也。一事之微，而有先知先觉之责，君子固当任之，不知其利而与愤争，亦无害其为正论。然而国势之赢绌，事机之缓急，要当有审几之智，其间立国有本原，推行有次第，所以通古今之变，而察本末之序，尤不可终安于不知。有官守者任其事，事所不属，无不可明其理。分党争胜，明树之的，使乱民有所藉口，而遂戕及国家。窃以为朝鲜人民之罪，无论何党，皆应一申天讨。王者之治乱，以急正风俗为先。《周书》群饮之诛，为风俗人心之无可恕也。朝鲜所谓大院君者，一日不伏诛，无以定一日之人心。此尤我国家无可推延之理，宜断自宸衷，剀切宣示，以振厉〔励〕中外人心，而求所以奠安朝鲜，镇服日本，所保全实大。臣不胜瞻望感激。谨据所见上陈，伏候圣明采择。谨奏。

光绪八年七月十八日。

直督张树声奏获致朝鲜乱首解送来津折　附上谕

署理直隶总督张树声奏，为援护朝鲜水陆将领率队径入王京，获致乱首李昰应，飞送来津，恭折驰陈事。

窃朝鲜乱党滋事，臣遵旨派兵保护，调集水陆各军，先后东渡，及抵朝登岸情形，业经节次奏陈在案。本月二十日，登瀛洲兵船回津，接据广东水师提督吴长庆、统领北洋水师记名提督丁汝昌，亦将后路部署妥帖，率水师百人前入王京。吴长庆并令调赴军营河南候补道魏纶先、副将何增珠带勇三哨继进，与先随马建忠进城之张光前所带一营，同驻城内。彼此密切筹议，证以向导陪臣金允植、鱼允中等所探，李昰应与日使龃龉，势孤气慑，本为可乘之隙。日兵已尽数出城，不虑搀越。而其乱党皆聚于宿卫之都监一营，有五千人之多，蟠据心腹，伺察王朝动静，日夜营造兵器，祸未可测。若稍事迟缓，难保不漏泄事机，别生变故。马建忠、丁汝昌乘夜至吴长庆大营，密定机宜。十三日巳刻，吴长庆率队亲入王京，先晤李昰应，以礼周旋。申刻，李昰应来营答拜。丁汝昌、马建忠皆先集城外，往复笔谈，延至日暮，先以计遣其护从，丁汝昌亲率小队以肩舆拥李昰应就道，连夜冒雨遄行。十四日侵晨至南阳海口，即上登瀛洲兵船，派该船管驾官叶伯鋆妥慎解送至津。吴长庆现饬魏纶先、张光前、何增珠等，严申纪律，守护王京，弹压巡查，昼夜防范；一面出示安抚人心，一面讨治乱党渠首及筹善后之策。商之国王，该国王以手书抵吴长庆，言乱军所居多在枉寻、利泰两村。此皆势逼近地，悍然雠国，非仗天朝雄兵难以图灭，请整饬部伍，掩其不备，执讯获丑，以泄神人之愤。吴长庆已分派队伍，亲督攻围，分别捕治。此据报七月初十至十五日谋致李昰应，及布置究捕乱党之实在情形也。

臣惟此次朝鲜内乱祸蕴萧墙，举国鼎沸，兵锋肆于宫寝，荼毒遍于衣冠。李昰应结卫士之心，居尊亲之地，积威有渐，臣庶惕息。即如金允植等素怀忠愤，迨近王京，吴长庆等与言李昰应首乱，亦不克回护，其辞重以日本之兵从旁窥伺，又多牵制之患。迭接总理衙王大臣来函，及李鸿章电信，均谓必须先获李昰应，使国王复其权政，此事始有办法。臣钦承圣谟，虽日与吴长庆等手书，往复悉心筹度，犹惴惴焉，未敢竟期即得。今吴长庆、丁汝昌、马建忠等，当该国危疑震撼之际，均能不避艰险，迅速赴机，徒御不惊，乱首斯得，皆由庙算周详，将领竭力所致，实为该国安危绝续之机。此后捕治乱党，与日人商办各事，李鸿章指日到津主持筹办，必可绥定藩服，仰慰圣廑。该文武员弁等渡海远征，卓著劳绩，其功良有可纪，应俟乱党大定，由李鸿章核明奏恳恩施。李昰应航海劳乏，精神委顿，俟调养数日，即行派员解送进京。其应如何处置之处，伏候谕旨饬下遵行。所有获致朝鲜乱首李昰应，解送来津缘由，谨恭折由驿驰陈。

光绪八年七月二十三日奉上谕：张树声奏，获致朝鲜乱首李昰应，暨添调练军东渡各折片，均悉。此次援护朝鲜，张树声督饬吴长庆等迅赴事机，获致乱首，俾国王得以复其政权，徐图善后之策，办理深合机宜。着将李昰应暂行妥为安置，俟李鸿章到津后，会同张树声，向李昰应究出该国变乱缘由及著名乱党，详细具奏，候旨遵行。现在吴长庆既派队伍攻围枉寻、利泰两村，着饬令该提督稳慎进攻，将乱党渠首迅速捕除，一面妥筹防范，镇定人心，以安反侧。所有出力文武员弁，俟事定后准其择尤保奏。吴长庆所统各营不敷分布，既已添调总兵黄全忠带队前往，将来应否添调重兵，着李鸿章等随时体察情形，酌量办理。

盛京将军崇绮奏探明朝鲜情形折

盛京将军崇绮奏，为探闻朝鲜情形，恭折驰陈事。

窃奴才于七月十一日承准密寄光绪八年七月初五日奉上谕：前据总理衙门暨张树声先后奏称，朝鲜乱党滋事，突围日使馆，伤毙人命，朝鲜王宫同时被劫，系该国王之本生父李昰应为首，并有戕害王妃及大臣多人情事。日本已有兵船前往朝鲜。朝廷顾念藩封，当饬张树声派提督丁汝昌、道员马建忠酌带兵船，又添派提督吴长庆统率所部六营驰往，相机因应，妥筹办理；并谕令李鸿章克日赴津，部署水陆各军，前往查办。朝鲜密迩陪都，特将该国变乱情形，谕令崇绮知悉。该将军接奉此旨，毋得稍涉张皇，就近探有消息，即着随时奏闻。将此密谕知之，钦此。钦遵在案。

查朝鲜国界，与奉省东边道属境仅隔鸭绿一江，节经奴才札饬道员陈本植，不动声色，设法密探。兹据该道员禀称：七月十九日，据派出侦探营官尤得胜面称：行抵中江地方，适值朝鲜国通事安邦宪、金泳浩二名同至边门，称有文件自行雇送天津。该管〔营〕官当向该通事等逐一详询，据该通事安邦宪等声称，此次兵变系因王妃侈用，库帑空虚，本年复有数月不发兵饷之事。六月初九日，兵遂鼓噪，民亦乘之，一时汹汹并起，攻杀王妃之兄带兵官闵姓等十数人。初十日，王妃遂行自尽。其时，国王生父大院君李昰应，系驻离京二十里之三清洞山下，乱作之际，群往迎归，请其主持大计。而日本人花房义质先驻王京城外，久为众怒所归，闻变逃去。兵民等寻至，尚有七人未走，故遭害。且将房屋焚毁，并非洋楼。旋经大院君遍为安抚，兵仍归伍，民悉安业，国王亦属无恙。嗣值中国丁提督、马道〈员〉率兵船三只，于二十七日驶到富平岛上游之仁川海口。其地在王京西南七十里，国中曾派大官・兵判赵宁夏、副官・护军金宏集出迎。同日，花房义质等亦带有兵船进泊仁川。七月初四日，丁提督、马道〈员〉与日本人同至王京，国中复派伴接官尹成镇迎入议事。闻日本人索金至三十万之多，以偿死者及包赔往来费用。而兵民之意，则以偿费过多，难餍其欲。且国方患贫，亦无以应。如必苛求，惟有协力拒战，以纾众愤，胜败听之。若蒙中国指挥立定，不至受日人所欺，国中臣民亦无乐于构衅之理。日本兵船此次到口，尚未上岸，实赖中国先为防护，复获粗安。其天津续往之吴提督，系七月初十日到口，现驻扎王城外十里之云现宫，亦为调处，尚未确有成说等语，禀述前来。

奴才查，该通事等声叙该国变乱缘由，及迎归李昰应各情，不免为李昰应掩饰回护，似难凭信。其所称日本之兵因中国预为防护，尚未上岸，谅系实在情形。并据东边道禀称，前闻该国有批驳美约，不允通商一节，询知安邦宪等，坚称并无其事。如果属实，是该国仅与日本抵牾，于别国尚无衅端。至奉省东边沿江一带，人心现俱安静，足以仰慰宸廑。除饬东边道调拨马步练军，扼扎各要隘，密为防范，以杜该国乱民藉端越界外，理合驰陈，谨奏。

光绪八年七月二十六日奉旨。

北洋大臣李鸿章奏官军捕治朝鲜乱党及该国派员抵津妥商善后折

署北洋通商大臣李鸿章奏，为官军捕治朝鲜乱党，大势粗定，朝鲜派员抵津，妥商善后事宜，恭折呈鉴事。

窃奉上谕：张树声奏，吴长庆等统领官军驰至朝鲜国都，将李昰应捕获，现已解送到津。着暂行妥为安置，俟李鸿章到津后，会同张树声，向李昰应究出该国变乱缘由及著名乱党，详细具奏，候旨遵行。吴长庆现派队伍攻围枉寻、利泰两村，着饬令该提督稳慎进攻，将乱党渠首迅速捕除，一面妥筹防范，镇定人心，以安反侧。吴长庆所统各营不敷分布，现已添调黄全忠带队前往，将来应否添调重兵，着李鸿章等随时体察情形，酌量办理等因。

臣于烟台行次，接据提督丁汝昌、道员马建忠十六、十八日禀报，自获送李昰应登舟后，马建忠随请朝鲜国王，由其政府将愿修其旧好之意，函达日本使臣花房义质，即派全权大臣李裕元、副官金宏集驰赴仁川港会议。其乱党之集居枉寻、利泰二村者，约数千人，世隶兵籍，跋扈难制，与李昰应勾结一气，迭为变乱。今李昰应虽已就拘，而其长子冕以大将新握兵柄，仍恐该党奉以为乱。爰于十五日傍晚先将冕诱拘南别宫，以水兵数十人守之。是夜，吴长庆调派副将张光前、何乘鳌、总兵吴兆有，率领亲兵庆字三营，往捕枉寻村乱党，穷搜巢穴，短兵巷战，直至天明，生擒一百五十余人，其余悉由屋后窜出，我军被伤者仅二人。其利泰村乱党，吴长庆亲往掩执，以地近营址已先期闻风远飏，仅获二十余人。是以共获一百七十余人。当经讯明，戮其魁首罪状较著者十人，其余概交朝鲜，酌予释放，俾胁从者知为法所不诛，藉以潜消反侧。此次天威震耆，群凶奔窜，老巢既覆，则散处四方者不难随时续捕。而李郮冕不安于位，亦即于是日请释兵柄。此朝鲜乱党已被剿散，国势粗定之大略情形也。

至日本于中国勘〔戡〕办朝鲜内乱，始终未敢搀越，尚属恪遵公法。惟与朝鲜议约以焚馆逐使为言，藉端要挟，多开条款。朝鲜既自行派员赴距京八十里之仁川议事，马建忠因朝日为多年有约之国，其交涉之案未便由中国显与主持，但将其可许、不可许各条预为指示。又适在王京与吴长庆谋靖内乱，不遑他顾。而朝鲜大臣李裕元等已于十七日与日本定议签押。核计约款八条，尚属无甚流弊，惟填补日本各费至五十万元，为数较多。该国王以外患内忧，事机危迫，特命其臣迅速了事，冀消邻衅，遂有不能不让之势。犹幸中国水陆各军声势较盛，隐有所惮，未遽将辖地开矿及陆路通商各事，强朝鲜以必从。此朝日和约既定，暂弭衅端之大略情形也。

臣抵津后，晤商张树声，以朝鲜事大致就绪，续拨黄全忠三营自可暂缓前往，稍省烦费。惟李昰应已起解赴京，旋奉暂行安置之旨，张树声派员追令折回。俟其到津，臣当会同张树声详细究问，再行奏明办理。刻下朝鲜王鉴于积弱，力图振饬，已派全权大臣赵宁夏、副官金宏集、从事李祖渊等，随同马建忠、丁汝昌，于二十五日抵津，谒商一切。查朝鲜善后各事关系重要，头绪尚繁，容臣与之悉心商度，次第酌办。日本兵船、陆军未撤之先，我应暂留坐镇，俾朝鲜有隐然可恃之资。现仍留吴长庆统率各营续捕乱党，并令丁汝昌驰回会商，相机妥办。理合会同署直隶督臣张树声恭折具奏。

光绪八年七月二十八日。

清季外交史料卷二十八终

清季外交史料卷二十九

光绪八年八月至九月

科布多办事大臣清安额尔庆额等奏科布多边界复行勘分困难情形折　附廷寄

科布多办事大臣清安、额尔庆额奏，为复行勘分科境边界，蒙、哈各民无地安身，众心惶惶，诚恐滋生事端，谨将急迫情形披沥上陈事。

窃于本年六月间，迭据乌梁海左翼散秩大臣巴图莽乃禀称：缘职地处边疆，异常瘠苦。蒙民自遭回逆蹂躏以来，元气未复，连年瘟疫，灾及牲畜，不可胜计。至旧有游牧，前已尽被俄人分割，此时仅止乌梁海所属之哈巴河、阿勒台山一带就牧，而复有哈萨克人众无地安身，全行拥挤于本游牧。蒙民正在不能谋生之际，今闻俄人又欲改分地界，若将哈巴河再行允许分让，不惟哈夷无处容身，即蒙民必无活命之日。俯念众民随地划归俄辖，虽死不从，况职世受国恩，亦稍知大义，而背顺从逆，决不忍为。现在本游牧男妇老幼终日号泣，哀痛之声达乎遍野，似此情迫，恳请酌度办理各等情，禀请前来。

奴才等披阅禀牍，见其言词哀切，俱系实在情形，深为可悯，即飞饬该散秩大臣好为抚慰，毋令惊惶，以安众心。然分疆定界，关系重大，断非边臣所敢专也。前于五月间将境内万难分让情形，业经奏明在案。俟奉到谕旨，应如何办理之处，再行酌度。当经批饬去后，适于七月初五日接准伊犁将军金顺咨开，西北边界另选大员前往勘分，请旨饬下科布多办事大臣额尔庆额，就近会同俄官，将萨乌尔岭、奎峒等山边界详细履勘，照约画分，以昭妥协，并钞稿咨会前来。续于七月初八日复准该将军咨送图约，及期订于七月十五日驰赴满图，会同俄官举办分界事宜，先后咨会前来。奴才等接阅之下，亟应商派奴才额尔庆额，束装就道，星驰前往，举办勘分事宜。无如前据乌梁海左翼散秩大臣巴图莽乃所禀各情形，随即派员星驰往查。旋据禀称：该游牧众民现闻复又勘分该处地界，竟有至死不肯分让之语，到处人情汹汹，只得据实禀明前来。奴才等详加商酌，倘至该处与俄官划分之际，众民坚不肯让，必致酿成事端，故未敢冒昧从事，不得不先行缕晰陈之。

科界早经前乌里雅苏台将军明谊，并前科布多参赞大臣奎昌，已将科地分让至十分之六。其分让之处本属沃壤，尽被俄人割去，以致哈夷无所栖止，均拥挤于蒙古乌梁海之哈巴河等处就牧，现在无地安插，此其明证也。案查，前准总理衙门咨送新约之内，并无科城名目，且数年前既定之界均皆建立牌博，永远遵行在案，岂复另有勘改之举？至本年四月间，俄人辄率马步数百之众，盘据哈巴河各情形，业经五月二十四日具奏在案。

今伊犁将军金顺咨寄图约前来，奴才细查图内奎峒山、黑伊尔特什河、萨乌尔岭等处形势，与积年新旧图说详加核对，并无此项名色，或系俄人语音错讹之所致，抑或俄人暗藏阴谋，故不肯实指其名，有意含混，均不可解。

据奴才等按照图约大致形势比较，其名曰奎峒山者，或系科属乌梁海之阿勒台山耶？查阿勒台山，形势巍然，镇压西北，与五岳相埒。其间树木林立，出产甚多，绵亘数千里，地当险峻，实为科城保障，又为塔城屏蔽，故俄人注意于此，匪伊朝夕。现在按图勘改，应于此山自何段画线勘分，又不指实其名，足见捏造名色，巧为含混，意图据高临下，扼我要隘，预为将来负隅抗拒地步。

又名曰黑伊尔特什河者，或系科属额尔吉斯河耶？查此河乃为水路，上游顺流而下，径逼俄疆，直达黑龙江。彼所虑者，恐我建设战舰为王濬楼船之势。今若占去，彼必以为运道，较陆路更为便捷，一有缓急，则援兵可以冲波而至。

又名萨乌尔岭者，或系塔属之霍博克赛哩山耶？查此山为塔城门户，与科界唇齿相依，其地最关紧要。今若分让，不惟科、塔二城声息隔绝，定必有觊觎玛纳斯、古城之势，意欲联络吐鲁番与南八城，首尾相应，即伊犁、乌鲁木齐之东路亦必断矣！

况哈巴河及布伦托海一入彀中，俄人遂可就地开垦，屯兵屯粮，无往不利。假使修铁路以驾火车，造船楫而通水道，边疆四通八达，任其纵横，则俄之声势必不可遏。今若按照图约勘改，所失虽小，而贻害最大。尚望我皇太后、皇上勿以奴才等今日之言为张大其词，盖数万里边疆将来大局安危在此一决，如昔年台湾、澳门之虞可为殷鉴。况此次所议新约，原为交收伊犁前来分界而设，与科城毫无牵连，何致复欲勘改？殊属于理不合。想科界前经定后，俄人周历各处形势，见此数处实有利于我而不利于彼者，故约内转议勘改。其中若实指其名，知我必不相从，是以捏造名色，巧为含混，已可概见。而两次出使大臣崇厚、曾纪泽等，虽未尝亲历边疆形势，亦当考察舆图，详加咨询，以重其事。只以为极边沙漠一隅之地，无关紧要，肆行擅许，不知彼既急切要求者，在夺我险要以为扼守之计，反致利于彼不利于我也。窃念国家现今收回伊犁者，原不肯失此疆土，以副列圣列祖辟地开疆之至意。今若将科境任听俄人勘改，诚恐西北半壁地利失矣！且揆乌梁海之蒙民，本属无地安身，大有济河焚舟之势，亦系出于万不得已。倘若定要勘分，必致外患未萌，内难先起，故不敢轻率前往勘分。奴才等午夜焦思，进退维谷，是以不揣冒昧，仰恳曲体下情，俯念边民无处安身，科境之地万难分让各情形，亟应请旨，迅饬廷臣妥议具奏，无任惶悚待命之至！谨奏。

光绪八年八月初三日奉廷寄：据清安、额尔庆额奏，现在分界，若将新约内之奎峒山及科属之哈巴河等处分入俄界，既失地利，而蒙民等无地容身，恐滋事端等语。所奏自系实在情形。该处界务，崇厚贻误于前，曾纪泽力争于后，既定新约，只可就原图应行勘分之处力与指辩，酌定新界。金顺等务当懔遵六月二十一日谕旨详慎商办，无庸另行交议。至图中黄线以西，蒙民、哈夷约有若干，应如何择地安插、筹款抚恤之处，并着清安、额尔庆额会商金顺、升泰，悉心妥筹具奏。惟分界期迫，一时恐难就绪，应由金顺、升泰知照俄国分界大臣，量议推展，以期勘定之后彼此得以相安，并由总理衙门照会俄国使臣，并知照曾纪泽转咨办理。

谕刘长佑等法人拟据北圻着相机因应

上谕：刘长佑等奏，藩司出省察看边防，并布置关外各军情形，览奏均悉。沈寿榕等关外水陆各营业已分布驻扎，此次唐炯酌带小队出关，前赴保胜察看情形，由川带往旧部，计日可到。着刘长佑、岑毓英、杜瑞联饬令该藩司审度机宜，妥慎办理，所有在防各将领一体听候该藩司调遣，毋误事机，并与广西派出各军联络声势，互为应援。法人意在尽据北圻，殊为叵测，着刘长佑酌度情形，相机因应。刘永福一军可为防军声援，亦应设法笼络，俾为我用，总期预杜外人窥伺，亦不致遽启衅端。如能保护北圻，即以固吾疆圉。前据吏部主事唐景崧条陈筹护藩邦事宜，已将该员发往云南，交岑毓英差遣矣。

八月十一日

北洋大臣李鸿章等奏究问朝鲜乱首李昰应情形折

前大学士・署北洋通商大臣李鸿章，署理直隶总督・两广总督张树声奏，为遵旨会同究问朝鲜乱首李昰应情形，恭折详细复陈事。

窃臣等节次钦奉谕旨：着会同向李昰应究出该国变乱缘由及著名乱党，详细具奏，候旨遵行等因。钦此。臣等连日遵旨会同传见李昰应，究问该国变乱缘由及著名乱党，语多狡展，坚不吐实。当将究问及拟议处置各情先行函达总理衙门，一面复饬津海关道周馥、候选道袁保龄、马建忠等再行详细根究。去后，兹据该道等禀称：公同传询李昰应，反复诘问，据称：癸酉以前，昰应辅政十年，各营军兵按月放饷。自闵谦镐执掌财赋，近者军米十余朔不发。六月初间，颁下一朔，米劣斗小，军兵不受。闵谦镐不思安抚，捉囚滥杀，诸军愤闹。昰应闻乱入城，挺身晓谕，乱军因杀国相、宰臣等三四人。诘以伊兄李最应既不管饷，又不管兵，何以被杀？则谓：李最应执政数年，自失人心，当日恐喝军民，以致遇害。诘以汝既能定乱，当知乱首何人？持械先入王宫是何队兵卒？环诉于汝系何姓名？则谓：初九日，军兵来诉于家，几千百人，不知其首。围逼王宫，五营咸动，不知孰先孰后。诘以初九日后汝总持庶务，罢机务衙门，改武卫营制，何以未闻捕治乱党？则谓：庶务因国王之托。乱党姓名，百方开导，绝不供指。

查朝鲜领选使金允植致周馥书云：李昰应素日结党，蓄谋图夺政柄，甲戌以来，形迹屡著。昨年，逆魁李载先即昰应之子诸囚供案，屡发昰应阴谋。国王置不欲闻，止诛余党。此次乱起之源，由于昰应激变。乃自称国太公，总揽国权。朝鲜侍读鱼允中致周馥书亦言：国政现归昰应，乱魁即是此人。金允植又曾与周馥笔谈言：李昰应秉政十年，毒虐生民，国王年长，无意反政，举国不韪。闵妃崇用亲属，以分其权，自是愤毒日增。马建忠与朝鲜吏曹判书赵宁夏笔谈，据云：今王入承国统后，李昰应总理国事，国王欲亲政务，相持许久，国政始出于王，王妃亦多与闻。至闵谦镐分给军饷之日，米不满斛。军士与胥役诘斗，谦镐拿囚军〈士〉五人，欲置于法。军人奔诉于昰应，昰应以言激之致变。初九日，杀谦镐、金辅铉，昰应入阙，晓谕诸军，即总庶务各等语。

李罡应所言如彼，朝鲜诸臣所述如此。参稽质证，此次之变，发于乱军而成于昰应，昭昭在人耳目，禀请鉴核等情前来。

臣等复加察核，该道等所禀李昰应之言，与臣等传问时所对略同。至朝鲜诸臣所述，并广东水师提督吴长庆来函，证以该国事后舆论，均无异词。此次变乱缘由，虽因军卒索饷而起，惟李昰应乃国王之本生父，昔当国王冲年专权虐民，勉强归政非其本怀，近来怨望益深，上年即有盗火王宫，及其子李载先谋逆情事。此次乱军赴伊家申诉，如果正言开导，何至遽兴大难？朝鲜臣庶皆谓昰应激之使变，实非无因。即谓此无左〔佐〕证，而乱军围击宫禁，王妃与难，大臣被害，凶焰已不可向迩。李昰应既能定乱于事后，独不能遏乱于方萌？五尺之童亦知其心叵测。况乘危窃柄一月有余，擅作威福，树置私人，顾于作乱犯上之徒，未尝一加捕治。《春秋》之义，人不讨贼，其意何居？迨臣等传旨诘责，犹哓哓归罪于被杀之宰执，绝不思军卒非可杀宰执之人。虽乱党姓名始终不肯供指，而众论确凿，遁辞知〔智〕穷，党恶首祸之情，人臣无将之义，片言可折，百喙难逃。设非朝廷命将出师，赴机迅速，则该国宗社骨肉之变将有不忍言者。惟现据赵宁夏等来津面陈，该国王欲吁求天恩，曲予宽宥。若必执法严惩，在李昰应固罪无可辞，而该国王亦情难自处。第李昰应积威震主，党羽繁多，业与国王、王妃及在朝诸臣等久成嫌衅，倘再释回本国，奸党构煽，怨毒相寻，重植乱萌，必为后患。届时，频烦天讨，宽典转不可屡邀。况兹贫弱小邦变故亦岂堪至再？是昰应不归犹可保其家，安其国，全其父子；昰应一归，则父子终伤，必至害于家，凶于国而后已也。伏查《朝鲜史略》，元代高丽王累世皆以父子构衅。延祐年间，高丽王謜既为上皇，传位于其子焘，交播谗隙，元帝流諴于吐番，安置王父，具有前事。又至元年间，焘子忠惠王名祯，亦经元帝流于揭扬县。其时，高丽国内晏然，徒以宵小浸润，远窜穷荒。今李昰应无蒙业垂统之尊，有几危社稷之罪，较諴、祯等情节尤重。惟〈处〉家人、父子之间，不能不为兼筹并顾。倘蒙圣朝宽大，特颁明诏，但责其僭称国太公自行专政，既不能于军人往诉时晓谕禁斥，又不能于入总庶务后讨捕乱党，实属谬妄，格外加恩，饬下臣等将李昰应安置近京之保定省城，永远不准复回本国，优给廪饩，禁其出入，严其防闲；准该国王岁时派员省问，以慰其私。于以弭该国祸乱之端，亦即以维该国王伦纪之变，则圣主义闻仁声，洋溢于海外矣。谨陈愚浅，以备万一之虑。是否有当，伏候采择施行。除将究问李昰应节略及金允植等函件，咨送军机处查核外，所有臣等遵旨会同究问李昰应详细情形，谨合词缮折驰陈。谨奏。

光绪八年八月初十日。

北洋大臣李鸿章等奏朝鲜派员筹商善后片　附咨文及上谕各二件

李鸿章等片。

臣再据朝鲜国王遣派陪臣赵宁夏、金宏集等来津，谒商善后事宜，臣等传见之，顷赍呈该国王咨文二件，一谢调兵援护，一为本生父李昰应乞恩释回，并称另有表奏及分咨总理衙门、礼部文件，与臣处咨文大旨相同。臣等因与笔谈，往复辩诘，赵宁夏等始称：李昰应此次秉政，非出自国王之意，论寡君私情，当以释回为是；若论公义，则不能顾私情等语。夫该国王奏咨代为乞恩，本属父子至情，义不容已。而李昰应凶徒狡险，恶迹昭著，若纵令回国，断难望其悔罪自新，亦非该国王所能箝制。朝鲜密迩陪都，关系大局，自宜妥为设法，预弭衅端，藉抒朝廷东顾之虞，以示绥靖藩服之意。除臣等拟议办法另折具陈外，谨照钞该国王咨文，恭呈御览。赵宁夏等赍呈表奏，于初八日起程赴京，由礼部转达，计尚需时。可否先赐明降谕旨，酌定安置，则该国王奏到后，批驳亦易有辞。至赵宁夏、金允植、鱼允中等人尚平正，素畏李昰应权势，兼以国王私亲，未敢显为质证。经臣等督同周馥、马建忠等再四诱之使言，始肯露李昰应罪状，然犹惧有后祸。可否于谕旨中浑括其词，俾日后该国君臣稍免猜嫌，斯所全者多矣。谨奏。

光绪八年八月十二日奉旨。

谨将朝鲜国王来咨两件照钞恭呈御览

朝鲜国王，为咨请事。

窃照小邦久仗皇灵护保藩属，迩来国势绵弱，事变层生，内难外衅，一时并凑。幸赖皇慈广覆，视同内服，亦惟制军大人曲费筹画，水陆调军，刻日东援，使小邦转危复安，群凶畏威向化，小邦君臣北望赞颂，感结衷肠。第今年七月十三日，当职本生父兴宣大院君为展修谢，出赴吴提督驻扎营中，仍与丁提督航海入朝。当职一闻此报，五内失守，椎心饮泣，如穷无归。大院君年今六十三矣，素抱疾病，近益沉绵，今者涉风涛之险，冒雾露之忧，单身远赴，谁救谁恤？伏维大皇帝至仁至慈，孝治天下，伏乞制军大人曲垂怜悯，转达天陛，亟许大院君不日回国，俾当职得伸人子之情，感戴皇恩永世无穷。不胜痛泣祈恳之至！为此合行移咨，请照验转奏施行。须至咨者。

朝鲜国王，为咨复事。

光绪八年七月初五日，承准贵衙门咨：现准出使日本大臣黎庶昌电信内开，本月初九日，朝鲜乱党突围日本使馆滋事，王宫亦同日被击，请派兵船前往镇压等因。当经本署大臣函商总理衙门，复准派委候选道马建忠、统领北洋水师提督丁汝昌，酌带兵船，驶赴朝鲜查探。该乱党胆敢聚众围打使馆，并击王宫，实属好乱犯上，亟应由朝鲜严拿为首滋事各犯，究明惩办。如敢拒捕玩〔顽〕抗，肆其猖獗，即行飞速驰报本署大臣，当奏明调拨大兵，乘轮东渡，讨除群丑，以绥藩服。除饬马道员建忠、丁提督汝昌驶赴朝鲜，查明办理，随时驰报并咨行外，相应咨会贵国王，烦请查照等因。窃维当职愚昧，自失怀绥之宜，以致军卒之乱变生仓卒，危迫呼吸。幸赖天兵东驶，用宣皇威，乱逆屏息，邦域获靖。此实我大皇帝至仁盛德，与天同大，深轸小邦单弱之势，特垂天朝宇覆之渥，扶倾济危，俾保职守；亦惟我贵署大臣仰体圣慈，曲恤藩服，先事长虑，用费纡筹。小邦君民北望赞颂，感结哀肠。现今钦派诸大人驻军王城，究明惩办，如或小邦不逞之徒怙恶不悛，再肆猖獗，谨当飞咨驰奏，以徼终始之恩。今方专价奉表恭谢，谨将此由为此合行咨复，烦乞贵衙门照验施行。须至咨者。

光绪八年七月二十日发，二十六日到。

上谕：朝鲜为我大清属国，世守藩封，素称恭谨，朝廷视同内服，休戚相关。前据张树声奏：朝鲜国乱军生变，突于六月间围逼王宫，王妃与难，大臣被戕，日本使馆亦受其害。当谕令张树声调派水陆各军，前往援剿。又以李鸿章假期届满，召赴天津，会同查办。旋经提督吴长庆、丁汝昌、道员马建忠等率师东渡，进抵该国都城，擒获乱党一百数十人，歼厥渠魁，赦其胁从，旬日之间，祸乱悉平，人心大定。采访该国舆论，咸称衅起兵丁索饷，而激之使变者，皆出自李昰应之谋。经吴长庆等〈将其〉解送天津，降旨令李鸿章、张树声究明情由具奏。李昰应，当国王冲年，专权虐民，恶迹昭著。迨致政后，日深怨望，上年即有伊子李载先谋逆情事。此次乱军初起，先赴伊家申诉，既不能正言禁止，乃于事后擅揽庶务，威福自由，独置乱党于不问。及李鸿章等遵旨诘讯，尚复多方掩饰，不肯吐实，其为党恶首祸，实属百喙难逃。论其积威震主，谋危宗社之罪，本应执法严惩！惟朝鲜国王于李昰应谊属尊亲，若竟置之重典，转令该国王无以自处。是用特沛恩施，姑从宽减，李昰应着免其治罪，安置直隶保定府地方，永远不准回国。仍着直隶总督优给廪饩，严其防闲，以弭该国祸乱之端，即以维该国王伦纪之变。吴长庆所部官军，仍着暂留朝鲜，藉资弹压；该国善后事宜，并着李鸿章等悉心商办，用示朝廷酌法准情、绥靖藩服至意。

八月十二日

上谕：礼部奏，接据朝鲜国王来咨，转奏呈览一折。该国此次乱军之变，经朝廷发兵戡定，深知感激，殊堪嘉尚。至所称衷情震迫，沥恳天恩，准令李昰应归国一节，李昰应以宗属至亲，积威震主，谋危宗社，罪无可逭，朝廷酌法准情，姑从宽减，前已明降谕旨，择地安置，优给廪饩，原属格外恩施。该国王顾念天伦，系怀定省，以李昰应年老多病，咨由礼部代奏乞恩，词旨迫切，自属人子至情。惟李昰应获罪于该国宗社者甚大，该国王既承先绪，应以宗社为重，不能复顾一己之私。所请将李昰应释回之处，着毋庸议。仍准其岁时派员省问，以慰该国王思慕之情，嗣后不得再行渎请。

八月十六日

总署奏遵议发给洋人游历内地护照请仍照旧章片

奕䜣等片。

再，臣衙门准军机处钞交山西巡抚张之洞奏，洋人游历各省，宜示限制，并护照宜专由总理衙门盖印给发等因一片，光绪八年五月初五日奉旨：该衙门议奏。钦此。

查原奏内称：洋人游历腹省，近年日渐加多。臣到任数月，接准各处咨文，已有十四起之多，并不尽由总理衙门给照，多有外省督抚但凭领事官声请，遽尔给照咨行。其中游历之地，往往并不指定一方，动称游历十八省。以后宜与约定，止准指定一两处，以便照料保护。至所执护照，似宜专由总理衙门盖印给发。即稍加推广，亦必由南、北洋大臣给照。且必须接准该国公使照会，始允其请，不得以领事官一纸为凭，免致淆杂难查，滋生事端。请饬下总理衙门，与各国公使详细办理等语。

臣等查，洋人游历中国内地，由此达彼，或不出一省，或经过数省，应于照内注明所至之处，随时向地方官呈验。近年执照往往有填写十八省者，虽条内并无限其所至之处，然浑言十八省，实属泛而难稽。若限以止准一两处，彼必不肯受此范围，其一人一事分作数照，又乌得而禁之？臣等详加酌议，嗣后洋人游历各省，由何处至何处，并经过何处，均于照内一一注明，不得泛言十八省，非独便于稽查，亦且易于保护。已由臣衙门办给照会通行各国使臣，转饬各国领事官，一体遵照办理。至该抚所称护照专由总理衙门盖印给发，或由南、北洋大臣给照一节，查英约第九款载：英人游历，执照由领事官发给，由地方盖印等语。成约通行已久，势难更改，应毋庸议。谨奏。

光绪八年八月二十日奉旨：依议。

北洋大臣李鸿章奏朝鲜与日本续订约款折 附条约

前大学士·署北洋通商大臣李鸿章奏，为据咨转奏事。

窃照朝鲜近与日本续订约款八条，及迎还王妃闵氏各情，经臣先后奏蒙圣鉴在案。兹朝鲜国王遣派司铎院副司直金在信赍到咨文，内称：该国派奉朝贺李裕元等，于本年七月十七日前赴仁川府济物浦，同日本公使花房义质办理约款，业将焚烧日馆、戕害人命之乱魁孙顺吉等枭首，以定惩办。该公使现已归国，本邦亦派修信使锦陵尉韩〔朴〕泳孝等，赍国书前往日本，钞录约款咨送。又准咨称：王妃闵氏遭难之时，潜避亲族闵应植乡舍，八月初一日遣领政洪谆穆备仪迎还，吴长庆派队护卫。皇灵攸暨，克戡祸乱，俾当职室家转危获安，北望感激，专差赍咨驰报，烦乞转奏各等情前来。除分咨军机处、礼部查照外，理合据咨转奏，并将赍到咨文、约款分缮清单，恭呈御览。谨奏。

光绪八年八月二十四日奉旨：该衙门知道。单二件并发。

谨将朝鲜与日本续订约款恭呈御览

日本国与朝鲜国为益表亲好，便利贸易，兹订定续约二款如左：

第一　元山、釜山、仁川各港间行里程，今后扩为四方各五十里朝鲜里法，期二年后自条约批准之日起算周岁为一年，更为各百里事。

自今期一年后，以杨花镇为开市场事。

第二　任听日本国公使、领事及其随员、眷从，游历朝鲜内地各处事。

指定游历地方，由礼曹给照，地方官勘照护送。

右两国全权大臣各据谕旨立约盖印，更请二个月内批准。日本明治十五年月日，朝鲜开国四百九十一年月日，于日本东京交换。

大日本国明治十五年八月三十日，日本国办理公使花房义质。

大朝鲜国开国四百九十一年七月十七日，朝鲜国全权大臣李裕元，朝鲜国全权副官金宏集。

办理条约

日本历七月二十三日，朝鲜历六月九日之变，朝鲜凶徒侵袭日本公使馆，职事人员致多罹难，朝鲜〈国〉所聘日本陆军教师亦被惨害。日本国为重和好，妥当议办，即约朝鲜国实行下开六款及别订续约二款，以表惩前善后之意，于是两国全权大臣记明盖印，以昭信凭。

第一 自今期二十日，朝鲜国捕获凶徒，严究渠魁，从重惩办事。

日本国派员眼同究治，若期内未能捕获，应由日本国办理。

第二 日本官胥遭害者，由朝鲜国优礼瘗葬，以厚其终事。

第三 朝鲜国拨支五万圆①，给与日本官胥遭害者遗族并负伤者，以加体恤事。

第四 因凶徒暴举，日本国所受损害，及护卫公使水陆兵费，共五十万元，由朝鲜国填补事。

每年支十万元，待五个年清完。

第五 日本公使馆置兵员若干备警事。

设置修缮兵营，朝鲜国任之。

若朝鲜国兵民守律，一年之后，日本公使视做不要警备，不妨撤兵。

第六 朝鲜国特派大官修国书以谢日本国事。

大日本国明治十五年八月三十日，日本国办理公使花房义质。

大朝鲜国开国四百九十一年七月十七日，朝鲜国全权大臣李裕元，朝鲜国全权副官金宏集。

北洋大臣李鸿章奏妥议朝鲜通商章程折 附章程

前大学士·署北洋通商大臣李鸿章奏，为遵旨妥议《朝鲜水陆通商章程》，以维藩服而扩利权事。

窃臣前接署北洋大臣张树声函称：承准军机大臣字寄四月二十九日奉上谕：礼部奏，接准朝鲜国王咨文，请饬会议一折等因。钦此。查朝鲜国王前遣问议官鱼允中、李祖渊等于四月初一日赍文到津，所请与咨礼部大略相同。维时臣将起程回籍，未及转奏，旋经礼部奏蒙俞〔谕〕旨。该问议官鱼允中等由京赴津，听候察核。适值朝鲜有事，前署北洋大臣张树声以派军赴援，檄令随营照料。事竣，复与朝鲜全权大臣赵宁夏、副官金宏集等偕来商办善后事宜。窃维富强之要，以整顿商务为一大端。朝鲜僻在东隅，贫弱已久，臣等前为代筹，与美、英、德各国陆续议约开埠、通商，无非欲使日臻富盛，隐以备俄而抗日，导其风气，即所以巩我藩篱。惟中国地大物博，与朝鲜尤为密迩，华货之可销与朝鲜者固属不少，即该国参、布、皮、纸亦为华人日用所需，若仍拘守旧章，不开海禁，则两国物产有无不甚相通，徒使东西洋商船获倍收转运之利，殊属非计。至内地渔船，往往在朝鲜元山镇等处违禁逞凶，臣于光绪六年七月在直督任内，曾奉寄谕，饬沿海州县遍查严禁。本年正月，又有渔船数百只前往骚扰情事。推原

① “圆”与“元”混用，保留原貌。

其故，盖由山东渔户因滨海之鱼为轮船惊至对岸，每年私至朝鲜黄海道大小青岛捕鱼者以千计。既为小民衣食所资，虽设为厉禁而势难尽行，似不如稍宽其禁，由地方官查察收税，转可束之于法令之中。从前两国边民，如越界渔猎、伐木、挖矿之案，层见迭出，虽从严惩办，而未能禁绝。此旧法之宜稍变通者也。又如朝鲜之咸镜道会宁、庆源等处，由吉林宁古塔库尔喀人等每年委员前往市易，人马、刍粮，供亿烦费。彼国官役办理不善，民不堪命，逃入俄境殆将万人。去冬，鱼允中力陈其弊，请罢斯例，以便彼国招还流民，且预防俄人陆路通商之渐。臣尝以此事询督办宁古塔等处防务吴大澂，据复称：互市所换货物以耕牛为大宗，而朝鲜牛种不如吉林本地所产，此外亦非必不可少之货，如停互市，似于吉林地方毫无所损。或近边百里内准民间自相贸易，在外藩可省浮费，而商货仍得通行等语。自系经久无弊之法。又奉天、凤凰城等处，每年春秋往朝鲜义州市易，流弊亦多，兹既拟开海禁，则此两路互市，自应另行订妥章程。此又旧法之宜稍变通者也。臣比已督饬津海关道周馥、候选道马建忠，与赵宁夏、鱼允中等再四酌议，拟定《中国朝鲜商民水陆贸易章程》八条，旋据鱼允中开送节略，有欲修改句语，经臣详加斟酌，略为改易。章程之首声明：此次所订系中国优待属邦之意，不在与各国一体均沾之列。藉此正名定分，明与两国互订之约章不同，俾他国不得援以为例。

第一条　由北洋大臣李派商务妥员前往驻扎，朝鲜亦派大员驻津，照料商务，自与寻常敕使、贡使有别。

第二条　朝鲜商民在中国各口财产、罪犯等案，悉由地方官审断，仍遵《会典》旧制，与各国约章办法稍异。

第三条　朝鲜平安、黄海道，与山东、奉天等省滨海地方，听两国渔船往来捕鱼，不得私以货物贸易。违者，船货入官。如有犯法等事，由地方官拿交就近商务委员惩办。鱼税俟两年后酌定，予以便利，束以科条，冀化其前此凶顽之习。

第四条　准两国商民入内地采办土货，仍照纳沿途厘税，较与日本相待为优。

第五条　定于鸭绿江对岸栅门与义州二处，又图们江对岸珲春与会宁二处，听边民往来交易，设卡征税。从前馆宇、饩廪、刍粮等费，悉予罢除，所以体恤藩邦，休养民利〔力〕，而商货更可流通，税项亦稍裨益。

第六条　申明严禁之物，红参一项，照例准售，应酌定税则。

第七条　派招商局轮船每月定期往返一次，由朝鲜政府协贴船费若干，既省驿道往来之烦费，并可昭迅捷而联声息。

第八条　预计增损之处随时商办。

以上各端，或变通旧章而稍除积弊，或参酌时势而务顺舆情，现已筹商妥帖，赵宁夏、鱼允中等均翕服无异词。至于典礼攸关之事，自未便轻议更张。谨将章程拟稿钞呈御览，请敕下总理衙门迅速核复，俟奉旨准后即可颁行，钦遵办理，庶与他国互订条约及由两国批准者体制有殊。除将津海关道周馥与鱼允中、李祖渊问答节略，鱼允中驳议节略，周馥、马建忠复鱼允中节略，钞送总理衙门备查外，所有拟议朝鲜通商章程，以维藩服而扩利权缘由，理合恭折具陈。谨奏。

光绪八年九月初一日奉旨：该衙门速议具奏。单并发。

谨将酌拟派员办理朝鲜商务章程缮具清单恭呈御览

朝鲜久列藩封，典礼所关，一切均有定制，毋庸更议。惟现在各国既由水路通商，自宜亟开海禁，令两国商民一体互相贸易，共沾利益；其边界互市之例，亦因时量为变通。惟此次所订水陆贸易章程，系中国优待属邦之意，不在各与国一体均沾之例。兹定各条如左：

第一条　嗣后由北洋大臣札派商务委员，前往驻扎朝鲜已开口岸，专为照料本国商民，该员与朝鲜官员往来均属平行，优待如礼。如遇有重大事件，未便与朝鲜官员擅自定议，则详请北洋大臣，咨照朝鲜国王，转札其政府筹办。朝鲜国王亦遣派大员驻扎天津，并分派他员至中国已开口岸，充当商务委员。该员与道、府、县等地方官往来，亦以平行相待。如遇有疑难事件，听其由驻津大员详请南、北洋大臣定夺。两国商务委员应用经费均归自备，不得私索供亿。若此等官员执意任性，办事不合，则由北洋大臣与朝鲜国王彼此知会，立即撤回。

第二条　中国商民在朝鲜口岸，如自行控告，应归中国商务委员审断。此外财产、罪犯等案，如朝鲜人民为原告，中国人民为被告，则应由中国商务委员追拿审断。如中国人民为原告，朝鲜人民为被告，则应由朝鲜官员将被告罪犯交出，会同中国商务委员按律审断。至朝鲜商民在中国已开口岸，所有一切财产、罪犯等案，无论被告、原告为何国人民，悉由中国地方官按律审断，并知照朝鲜委员备案。如所断案件朝鲜人民未服，许由该国商务委员禀请大宪复讯，以昭平允。凡朝鲜人民在其本国至中国商务委员处，或在中国至各地方官处，控告中国人民，各色衙役人等不得私索丝毫规费。违者，查出将该管官从严惩办。若两国人民，或在本国，或在彼此通商口岸，有犯本国律禁私逃在彼此地界者，各地方官一经彼此商务委员知照，即设法拿交就近商务委员，押归本国惩办。惟于途中止可拘禁，不得凌虐。

第三条　两国商船，听其驶入彼此通商口岸交易，所有卸载货物与一切海关纳税则例，悉照两国已定章程办理。倘在彼此海滨遭风搁浅，可随处收泊，购买食物，修理船只。一切经费均归船主自备，地方官第妥为照料。如船只破坏，地方官当设法救护，将船内客商、水手人等送交就近口岸彼此商务委员，转送回国，可省前此互相护送之费。若两国商船于遭风触损需修外，潜往未开口岸贸易者，查拿船货入官。惟朝鲜平安、黄海道与山东、奉天等省滨海地方，听两国渔船往来捕鱼，并就岸购买食物、甜水，不得私以货物贸易。违者，船货入官。其余所在地方有犯法等事，即由该地方官拿交就近商务委员，按第二条惩办。至彼此渔船应征鱼税，俟遵行两年后，再行会议酌定。

第四条　两国商民前往彼此已开口岸贸易，如安分守法，准其租地、赁房、建屋，所有土产与非干例禁之货均许交易。除进出货物应纳货税、船钞，悉照彼此海关通行章程完纳外，其有欲将土货由此口运往彼口者，于已纳出口税外，仍于进口时验单完纳出口税之半。朝鲜商民除在北京例准交易，与中国商民准入朝鲜杨花津、汉城开设行栈外，不准将各色货物运入内地，坐肆售卖。如两国商民欲入内地采办土货，应禀请彼此商务委员与地方官会衔给予执照，填明采办处所，车马、船只听该商自雇，仍照纳沿途应完厘税。如有彼此入内地游历者，应禀请商务委员与地方官会衔给予执照，然后前往。其沿途地方有犯法等事，统由地方官押交就近通商口岸之商务委员，照第二条惩办。途中止可拘禁，不得凌虐。

第五条　向来两国边界如义州、会宁、庆源等处例有互市，统由官员主持，每多窒碍。兹定于鸭绿江对岸栅门与义州二处，又图们江对岸珲春与会宁二处，听边民随时往来交易，两国第于彼此开市之处，设立关卡，稽察匪类，征收税课。其所征税，则无论出入口货，除红参外，概行值百抽五。从前馆宇、饩廪、刍粮、迎送等费，悉予罢除。至边民钱财、罪犯等案，仍由彼此地方官按照定律办理。其一切详细章程，应俟北洋大臣与朝鲜国王派员，至该处踏勘会商，禀请奏定。

第六条　两国商民无论在何处口岸与边界地方，均不准将洋药、土药与制成军器贩运售卖。违者，查出分别严加处治。至红参一项，例准朝鲜商民带入中国地界，应纳税则按价值百抽十五。其有中国商民将红参私运出朝鲜地界，未经政府特允者，查出将货入官。

第七条　两国驿道向由栅门陆路往来，所有供亿极为烦费，现在海禁已开，自应就便听由海道来往。惟朝鲜现无兵、商轮船，可由朝鲜国王商请北洋大臣，暂派商局轮船每月定期往返一次，由朝鲜政府协助船费若干。此外，中国兵船往朝鲜沿海滨游弋，并驶泊各处港口，以资捍卫，地方官所有供应一切豁除。至购办粮物经费，均由兵船自备。该兵船自管驾官以下与朝鲜地方官俱属平行，优礼相待。水手上岸，由兵船官员严加约束，不得稍有骚扰滋事。

第八条　此次所定贸易章程姑从简约，两国官民均须就已载者一体恪遵。以后有须增损之处，应随时由北洋大臣与朝鲜国王咨商妥善，请旨定夺施行。

钦差·署理北洋通商大臣·太子太傅·前文华殿大学士·直隶总督·部堂·一等肃毅伯李，督同津海关道周馥、候选道马建忠，会同朝鲜国奏正使赵宁夏、奏副使金宏集、问议官鱼允中议定。

八月二十日

北洋大臣李鸿章奏自强要图宜先练水师再图东征折

前大学士·署北洋通商大臣李鸿章奏，为自强要图，宜先练水师，再图东征，遵旨妥筹复陈事。

窃臣承准军机大臣密寄八月十六日奉上谕：翰林院侍讲张佩纶奏，请密定东征之策，以靖藩服一折等因。钦此。仰见圣主研求至计，不厌精祥，曷胜钦佩！臣昨于复奏邓承修请派知兵大臣驻扎烟台折内曾声明：跨海远征之举，以整练水师，添备战舰为要，战舰足用，统驭得人，则日本自服，球案易结等语。今张佩纶请密定东征之策，亦谓不必遽伐日本，南北洋当简练水师，广造战船，以厚其势，台湾、山东治兵蓄舰，以备犄角，与臣愚计大致不谋而合。惟中国力筹整顿既欲待时而动，则朝鲜与日本所立之约，究因毁使馆、杀日人而起，目前可勿驳正。缘朝日昔年立约中国并未与议，彼虽未明认朝鲜为我属国，而天下万国固皆知为我属国矣，似不如专论球案以为归缩之地，转觉理直而势顺也。至日本国债之繁，帑藏之匮，萨、长二党之争权，水陆军势之不胜，原系实情。但彼自变法以来，一意媚事西人，无非欲窃其绪余，以为自雄之术。今年遣参议伊藤博文赴欧洲考究民政，复遣有栖川亲王赴俄，又分遣使意大里，驻奥斯马加，冠盖联翩，相望于道，注意在树交植党。西人亦乐其倾心亲附，每遇中东交涉事件，往往意存袒护。该国洋债既多，设有危急，西人为自保财力〔利〕起见，或且隐助而护持之。然天下事但论理势，今论理则我直彼曲，论势则我大彼小。中国若果精修武备，力图自强，彼西洋各国方有所惮而不敢发。而况在日本所虑者，彼若预知我东征之计，君臣上下戮力齐心，联络西人，讲求军政，广借洋债，多购船炮，与我争一旦之命，究非上策。夫未有谋人之具，而先露谋人之形者，兵家所忌。此臣前奏所以有修其实而隐其声之说也。自昔多事之秋，凡膺大任、筹大计者，只能殚其心力，尽人事所当为，成败利钝，尚难逆睹。以诸葛亮之才略，而兵顿于关中；以韩琦、范仲淹之经纶，而势绌于西夏。迨我高宗武功赫濯，震慑八荒，然忠勤如傅恒、岳钟琪，而不能必灭金川；智勇如阿桂、阿里衮，而不能骤平缅甸。彼当天下全盛之时，圣明主持于上，萃各省之物力，挟千万巨响，荐一人无不用，陈一事无不行，犹且迁延岁月，相机了局者，时与地有所限也。日本步趋西法虽仅得形似，而所有船炮略足与我相敌。若必跨海数千里与角胜负，制其死命，臣未敢谓确有把握。第东征之事不必有，东征之志不可无，中国添练水师，实不容一日稍缓。谕旨殷殷，以通盘筹画责臣，窃谓此事规模太巨，必合枢臣、部臣、疆臣，同心合谋，经营数年，方有成效。从前剿办粤、捻各匪，有封疆之责，以一省之力，剿一省之贼，朝廷责成既专，一切兵权、饷权与用人之权举以畀之，故能事半功倍。今则时势渐平，文法渐密，议论渐繁，用人必循资格，需饷必请筹拨，事事须枢臣、部臣隐为维持。况风气初开，必聚天下之贤才，则不可无鼓舞之具。局势过大，必联各省之心志，则不可无画一之规。倘蒙圣明毅然裁决，则中外诸臣乃有所受成，似非微臣一人所敢定议也。张佩纶折有云，中国措置洋务，患在谋不定而任不专，洵系确论。治军、造船之说，既已询谋佥同，惟是购器专视乎财力，练兵莫急乎饷源。昔年户部指拨南北洋海防经费，每岁共四百万两。设令各省关措解无缺，则七八年来水师早已练成，铁舰尚可多购。无如指拨之时，非尽有着之款，各省厘金入不敷解，均形竭蹶。闽、粤等省复将厘金截留。虽经臣迭次奏请严催，统计各省关所解南北洋防费，约仅及原拨四分之一。岁款不敷，岂能购备大宗船械？今欲将此事切实筹办，可否请旨敕下户部、总理衙门，将南北洋每年所收防费，核明实数，并闽省截留台防经费，由南洋划抵外，再拨的实之岁款，务足原拨四百万两之数。如此，则五年之后，南北洋水师两枝当可有成。至台湾为日本要冲，山东为辽海门户，两省疆吏，诚不可无熟悉兵事者妥为区画，与相犄角，此又在朝廷之发纵指示矣。臣前奏，慑服邻邦，缓急机宜一疏，业已详陈梗概。所有自强要图，宜先练水师，再图东征缘由，遵旨迅速妥筹，恭折密陈。谨奏。

光绪八年九月初二日奉旨：着该衙门迅速议奏。

桂抚倪文蔚奏防军到越布置情形折

广西巡抚倪文蔚奏，为右路防军将领到防布置大概情形事。

窃前遵筹边备，分军为左、右两路出防。左路统领黄提督桂兰本驻关外，另抽五营，选派赵革道沃统带，是为右路防军，前经奏明，并将该道起程赴防日期迭报在案。

兹于八年八月十七日接据该道七月二十八日禀称：自五月初十日由省起程后，当即先派已革留省差遣副将党敏宣驰往越南，沿途侦探，相机办理。革道赵沃一面水陆兼程前赴龙州营次，与黄提督桂兰合筹妥办，并商拨各营抽防赴调，旋往各路防所相度周详。查右路一方为越南宣光、太原、高平、兴化数省交界之地，东接左路防军之太原，高平两省，西连云南之广南、开化两府，北即西省之镇安府厅，南对云南之安平厅，并毗连越南山西上游及刘永福所扎保胜各处。其间万山丛杂，袤延千有余里，匪徒最易勾结潜藏。当经再四筹维，集议将弁，以一军驻苏街，防太原之板怀、宣光之左大一带；一军驻防太原之山头庸与左丁一带，均可与左路应援；一军分扎宣光、保乐州等处，以联滇边诸军之势；一军分扎越南之国邦、那柴；一军屯驻镇安厅边境之那波地方，分防平孟、剥稔、者河、柏怀等隘，内外兼顾，兼可旁制回文、者良各处苗猺。革道赵沃率同已革副将党敏宣，督带亲兵员弁，随时周历巡视，以壮声威而固边防等情前来。

臣查，该革道赵沃等，同治年间迭次统师出关，剿办越匪，颇著威惠，于越境山川险要尤为熟悉。此次派赴右路设防，按查来禀，一切布置，核以地图、文报，尚能扼据形胜，与臣昔日面筹机要亦俱相符。犄角之势既成，因应之方素习，庶几内除奸宄，外杜觊觎，以仰副圣主保小绥边之至意。除将左、右两路防务督饬赵革道沃、黄提督桂兰随时商办，互相策应外，所有右路统领赵沃已抵防布置情形，谨缮折具陈。

光绪八年九月初八日。

桂抚倪文蔚奏法人增调师船胁越片　附上谕

倪文蔚片。

再，臣昨接关外探报，据称：法因要和未遂，增调师船，欲以兵威胁越。法轮之扎越境屯鹤地方者，已与南官交锋，法未能胜等因。查法人图占北圻，蓄谋已久，兹已窥破越人孱怯，辄敢肆意横行。今虽小受挫衅，仍将别图狡逞。我军所驻北宁之安勇一带，实据膏腴。倘彼族意存攘取，或南官力乞救援，若闭营自固，是以拒请失属国之心，将率尔兴戎，又虑失好，启连兵之隙。臣虽一面飞戒关外诸将领，仍旧扼要严扎，不许退移失势，尤不许轻动生嫌。然其间因应之难，有不得不详陈于圣主之前者。至越匪首目，以陆之平、李亚生、覃四娣、杨大加等为最著。陆逆已于松轩社就擒，二十年元凶克伸天讨，经臣同日专折具奏。李逆伙党大半就抚，不难诱致来归。惟覃、杨两逆慑威深窜，丛山歧杂，搜捕需时。现饬两路兜缉协拿，务期一网无遗，永清余孽。是两路防军尚须如前密布，未能振旅归边。将来法越主战、主和，仍俟确探续报，再行陈奏，以抒宸廑。谨奏。

光绪八年九月初八日奉上谕：倪文蔚奏，关外右路防军布置情形，藩司请暂缓出关，探闻法越现已开仗各折片，览奏均悉。道员赵沃统带各营，已抵右路防所，扼要布置，着倪文蔚饬令该员与黄桂兰妥为商办，互相策应，以壮声援。关外左、右两路防军布置就绪，徐延旭自可暂缓出关，仍着该抚随时酌量情形奏明办理。据奏，探闻法国兵船之扎越境屯鹤地方者，已与南官交锋，法未能胜等语，着该抚饬令侦探详确，即以具奏。

总署奏议复朝鲜通商章程折

总理各国事务恭亲王奕䜣等奏，为遵旨速议事。

光绪八年八月三十日，署北洋大臣李鸿章奏，遵议朝鲜水陆通商章程一折，奉旨：该衙门速议具奏等因。钦此。钦遵由军机处将原奏并清单钞交前来。臣等查，原折内开：中国与朝鲜密迩，华货之可销于朝鲜者不少。该国参、布、皮、纸亦为华人日用所需，不开海禁，则有无不相通，徒使洋船获利。至内地渔船在朝鲜元山等处违禁逞凶，实因海滨之鱼为轮船惊至对岸，故每年私至朝鲜捕鱼者以千计，为小民衣食所资，不如稍宽其禁，由地方官查察收税，转可束之法令之中。又朝鲜咸镜道等处，由吉林宁古塔库尔喀人等每年委员前往市易，供亿烦费，彼国办理不善，使民不堪命，逃入俄境，殆将万人。又奉天、凤凰城等处，每年春秋往朝鲜义州市易，流弊亦多，均宜变通旧法等语。

臣等查，从前海禁之严，盖为严防奸宄起见。今东西洋各国先后通商，轮船鳞集，局面为之一变，自不必独于朝鲜仍严例禁。至互市之举，积久弊生，实所不免。李鸿章请因时变通，自系妥筹经久之道。臣等详核所拟水陆贸易章程八条，首即声明，此系中国优待属邦，不在各国一体均沾之列，盖以预杜他国之觎觊。第一、第二条，派员驻扎及管辖民人之权，斟酌亦颇尽善。第三条，开禁捕鱼、酌收鱼税，既以便民，即可消弭争端。第四条，准入内地采买土货，较日本相待为优。第五条，准边民于交界处所往来交易，罢除一切供给，并于限制之中寓体恤之意。第六条，声明违禁之物不得贩运，酌定税则，自是通商应有之事。第七条，拨往商船，俾得附载，驶泊兵轮，俾资捍卫要，为体恤属邦而设。第八条，定章简略，随时增损，以期尽善。统合各条，大致均属妥协。又查李鸿章寄到笔谈各件，知此次章程，业与该国陪臣鱼允中等辩论数日，节经删改而成，自是因时制宜办法。应请旨饬下李鸿章，即与该国定议，遵照办理，以维藩服而广皇仁。伏念朝鲜贫弱已久，前经李鸿章代筹，与美、英、德各国定约通商，方冀其渐臻殷富，乃突遭内乱，启衅邻邦，该国宗社有岌岌将殆之势，仰赖皇仁远播，得以转危为安。此次蒙恩准予通商，在我既视同内服，在彼亦无碍外交。自定准章程之后，该国当益知感奋，力图自强，以无负我皇上怀远之至意。谨奏。

光绪八年九月十二日奉旨：依议。

总署奏议复中外税厘各事折

总理各国事务恭亲王奕䜣等奏，为遵旨议复事。

光绪八年七月二十一日，准军机处片称：本日奉上谕：御史陈启泰奏兴利除弊事宜一折，着各该衙门议奏。钦此。并将原折钞交前来。臣等查，原奏内称：为政之道在用人，尤贵理财，欲强兵必先富国等语。

其所陈重税洋药一条则称：善后条约第五款，原有洋药如何征税，听凭中国办理。上年，左宗棠议加每箱八十两，尚未明见施行。臣愚犹以为太少，内地厘金，似亦可加倍抽收等语。查左宗棠原议办法，本以洋药税为洋税，厘为华厘，税、厘判然两事，只增洋药、土烟各厘，并与各国无涉，其说诚无以易之。惟既经增厘，尤须严防偷漏。节据各直省督抚议复，均不敢谓确有把握。先是，臣衙门与英国使臣威妥玛本有厘、税并征之议，李鸿章亦主此说。臣等与李鸿章议，于每箱正税三十两外，加征厘金八十两，统计厘税一百一十两。威妥玛曾允加至百两，并据照会称，已咨本国酌议，俟准回音，即行备文知照等因。业于上年九月、本年六月间，分别奏明照催各在案。威妥玛旋接英国电咨，于七月间回国。臣衙门当将先后议办各情，分别电函知照出使大臣曾纪泽，以便与英外部随时商议。应俟该大臣咨报到日，再由臣衙门酌核奏明，请旨遵行。

又所陈收买丝、茶一条，谓：宜设立公局，招商集股，资本不足，借给帑项，归局收买，汇售外洋；入价划一定之章，出价酌分数之息，务使商人得沾余润，免堕洋商诡计等语。查丝、茶为出口大宗，洋商资本富饶，操奇计赢，独擅其利。近年华商业丝、茶者，诚不免于折阅。惟如该御史所奏，设立公局，招商则成本重而利微，借帑则度支绌而难继，〈倘〉任用不得其人，更恐浮冒中饱，流弊滋多。如华商能凑集巨资，自行设局，收买丝、茶，汇总出售，应由南、北洋大臣转饬地方官，仿照西法，保护维持，以分洋商之利。

又所陈广织呢布一条，谓：民间布帛之用，比于菽粟。通商以来，各国呢布充满寰中，绅民罔不购用，岁计縻费中国金钱难以数计，可否筹开公局，广织呢布，以济民用而收利权等语。查左宗棠前在甘肃曾经奏明，延访德国织呢师，近购买机器，在兰州设局试办，嗣称：呢已织成多匹，虽不如外洋之精致，大致已有可观。本年三月间，李鸿章奏请在上洋试办机器织布局，以扩利源而敌洋产，并延美国织布工师到沪，据称：中国棉花抽丝不长，恐织不如式，须就花性改制织机。已与订立合同，令其赴英、美各厂试织，酌购机器，来华开办。现拟十年以内只准华商附股，不准另行设局。其应完税厘酌量轻减，俾踊跃试行各等因。是呢布两项，中国业已筹议创办，拟请饬下南、北洋大臣，仍各就现办情形认真推广，庶中国之利源渐开，而漏卮可期渐塞矣。

至铁路一事，该御史以前年刘铭传奏请试办，经李鸿章条陈大利九端，甚为详尽，嗣以纷纭异论，遂格不行，应请妥议兴修，主持至计等语。查通商各国莫不以电线、轮船、铁路为足致富强之效。臣等接见各国使臣，亦往往怂恿办理。现在轮船、电线，中国业已渐开风气，惟创办铁路，自外国论之，其利固不可胜言；中国论之，其害亦不可胜计。既非人情所习见，即为事势所难行。此事所关太巨，臣等亦未敢轻于置议。除其余各条，应由各承办衙门自行议复外，所有臣等遵旨议奏缘由，谨恭折复陈。谨奏。

光绪八年九月十二日奉旨：依议。

清季外交史料卷二十九终

清季外交史料卷三十

光绪八年十月至十二月

滇督岑毓英等奏会筹越边防务折

署理云贵总督·福建巡抚岑毓英、云南巡抚杜瑞联奏，为会筹边防事务，遵旨饬令藩司唐炯妥慎办理，以专责成，及将可调各部次第入滇，拟将新募各营陆续裁并、更换情形事。

窃臣毓英于光绪八年八月二十四日，业将接篆任事日期恭折谢恩在案。光绪八年九月初一日奉上谕：刘长佑等奏，藩司出省查看边防，并布置关外各军情形，探悉法人意在尽据北圻各折片等因。钦此。仰蒙圣训周详，无微不至。伏念臣毓英自在闽奉命之后，滇边防务刻不忘怀，路经两粤，即与兼署两广督臣裕宽、广西抚臣倪文蔚先后密商，并阅法报、建议，于边务、敌情颇得详晰。嗣于黔省途次，闻署两广督臣曾国荃将次抵任，复飞函约会，共图联络。及抵滇南，又与前督臣刘长佑暨臣瑞联日加商榷。并查接管卷内，知沿边事宜节节布置，不独保固边疆，更可以壮越国声援。刘长佑老谋深虑，策画无遗，皆臣毓英所不能及。伏查，滇省临安、开化、广南三府，处处与越接壤，其间民人有汉、回、夷三种，各分党类，尤易生衅。当此外患未息，若彼族潜与勾结，为害不小。臣等以为，攘外必先安内，拟择其绅耆、长老，分类编查，严加约束。此种夷人，皆臣毓英昔年结以威信，兹复笼络为用，无事则耕凿相安，有警则各自为守，庶无内顾之虞，得以专筹御侮，于防务实有裨益。至藩司唐炯已于八月二十二日由马白汛出关，与沈寿榕会晤筹商，其沿途各营仍照前扼要驻扎。惟副将谢敬彪一营远出馆司，殊觉孤悬，已饬回河口，另筑营碉驻守，外可为保胜声援，内与新现、窑头各营犄角，以免敌人图此口岸，较前布置尤为周密。沈寿榕前因染患瘴气，旧病复发，迭请病假，只以接替乏人，未即允准。现在唐炯已到，即饬由该藩司妥慎办理，以专责成，沈寿榕自可撤回就医。此外各营员弁迭次禀报，兵练瘴故已属不少，其患病未痊者亦多。幸唐炯川中旧部两营业已到齐，臣毓英前在黔省会奏，调赴滇省之黔军头队，亦经赶到，应将新招各营练军，凡不服水土者，陆续裁并、更换，以节饷需。滇省入不敷出，专赖外饷接济，而各省报解无几，且缓不济急。惟四川唇齿相依，督臣丁宝桢素顾大局，虽可望其竭力接济，而不敷之数尚巨。至臣毓英所调来黔军队，未敢另议增饷，即将裁并各营所遗饷项拨给，节省开支，俾饷不虚糜，兵皆精锐。若果边务紧急，臣毓英即当亲往，督同唐炯相机筹办，以仰副圣主轸念边隅之至意。谨奏。

光绪八年十月初六日。

滇督岑毓英等奏据藩司唐炯禀越事出境兴师甚非长策据实密陈片　附上谕

岑毓英等片。

再，据藩司唐炯密禀：窃见越南自同治初元以来，南圻各省财赋皆法人设官征收，官民半从天主教，该国王日在其掌握。北圻各省本属穷瘠，又为李杨材[①]等蹂躏，虽经粤西屡次用兵歼除，而余孽未净，两广犯事、无业之民视为逋逃薮，所在盘据，该国王命令久不能行，其势积弱，殆不能国。越官刘永福据山西、兴化、宣光已十余年，该处官民知有刘永福，不知有越南王。又往年曾歼法人上将，彼族悬重赏购之甚急，刘永福既虑释兵为法人所擒，又虑攻击法人而滇、粤官军蹑其后，故欲悉力拒守兴化等省，为中国出力，以图自全。此越南及刘永副之实在情形也。朝廷命三省出兵，压其境上，只以越南藩服用示字小之意。但今越南与法人虽和局未定，法人于我尚兵端未开，督臣刘长佑议以滇、粤之军分扎越南各省，渐次进步，似属稳图。然悬军深入，转运艰难，水土恶劣，瘴疠甚盛，在我已非立于不败之地。法人集议，志在全据北圻，如见我分扎越南各省，举兵相向，退则示弱损威，进则兵连祸结。如谓法人占据河内，倘招纳我亡命，侵轶我边鄙，则我滇、粤不得安枕，势当收复河内，然后我武维扬。不知滇、粤相距数千里，文报动须两月始达，声气隔绝，进止不齐，迟迴之间，事机已失。即使通力合作，幸而集事，又安能长为越南戍守？一旦旋师，仍为法人所有。道光年间，英人无如我粤东，何乃以兵轮乘间阑入江南，致使海内虚耗。前鉴不远，后事之师。耗三省之力而为越南守土，在彼无丝毫之益，在我有邱山之损。窃谓出境兴师，甚非长策。现在通盘筹画，我军只宜分布边内要害，暗资刘永福以军饷、器械，使之固守，以拒法人。刘永福兵力甚精，地利甚熟，主客之形便，劳逸之势殊，法人不敢登岸与之力角。刘永福不为所并，越南势可稍延。倘法人不知变计，必以力取，是我不过岁弃四五万金，而法人终为永福所困。所谓鹬蚌相持，渔人获利，以视劳师构衅，利害不侔。而云南尤当急趁此时开办厂务，以裕生计；整顿练军，以收实用；裁革夫马，以苏民困；归并厘卡，以通商贾，卧薪尝胆，上下一心，专为固圉安边，杜绝外人窥伺，此为万全之策。

---

① 第26卷为“李扬才”、“李杨才”并用。

今军锋未交，而出关各营疾病、死亡已数百人矣。长此不已，师老财匮，民穷盗起，何以善后？是自困也。至于法人通商，注意在我厂利，我既自行开办，彼复何所觊觎？纵许其通商，亦不能安设码头。何也？烟台定约，许英人于宜昌、重庆、大理任便设立，至今五年限满，毫无举动，以宜昌货少，川江滩险，大理中隔怒夷野人，火轮不行，无利可图也。越南自兴化、宣光以上至滇南边境二千余里，陆路则万山丛杂，深林大箐，道路崎岖，烟瘴毒风终年不解，法人岂肯冒此危险？水路则黑水江、宣江滩多溜急，商贾不行。惟红江水势稍大，然自三月半以后，霜降以前，红水发时，瘴疠即作，商贾绝迹。十月以后，瘴疠渐消，而江水渐退，内地商船可以往来，彼族小大轮船亦不能驶。加以刘永福抗守甚力，必不肯让其驶上大滩，自取歼灭。云南地瘠民贫，民间终岁衣食不给，彼族之货无从销售。此与许英人大理通商事势无异。且既已许英人，则法人正未便拒绝，使彼有所藉口，别生枝节。夫事君之道，首贵勿欺。疆场之事，尤戒粉饰。务一时主战之虚名，贻将来全局之实祸。伏望将前项情形据实密告，庶朝廷知所决择。大局幸甚！云南幸甚！等情具禀前来。

查云南边务，臣等前此会商，只能内固吾圉，外壮声援，业经奏明在案。该藩司所禀，委系实在情形，臣不敢壅于上闻，谨附片密陈。谨奏。

光绪八年十月初六日奉上谕：岑毓英奏，会筹边防事务，并将新募各营裁并、更换一折，览奏均悉。滇省边防，岑毓英现拟将临安等府汉、回、夷，各择绅耆、酋长编查约束，笼络为用，并将沿边各营择要调驻。唐炯旧部两营，及岑毓英奏调之黔军，均已到滇，新招各营裁并、更换，以节饷需，所筹尚妥。即着岑毓英、杜瑞联督饬唐炯，察看关外情形，随时斟酌妥办，以固边圉。

北洋大臣李鸿章奏议复朝鲜事宜折

署北洋大臣李鸿章奏，钦奉寄谕，悉心妥议，恭折复陈事。

窃臣承准军机大臣字寄九月十九日奉上谕：张佩纶奏，请讲武以靖藩服一折等因。钦此。伏查，朝鲜积弱不振，强宗煽乱，经我国家视同内服，命将出师，检获首恶李昰应，安置保定，群情震慑，于是天下万国皆知朝鲜为我属邦，大义益明。又有吴长庆一军暂留镇抚，数月以来，水陆将帅及朝鲜陪臣自该国来津者，臣详加咨访，佥称：朝野晏然，人心大定，日本留护使馆之队为数无几，亦与民相安，该国王力图振作。臣遵旨筹商善后各务渐有端绪，张佩纶所陈六事有已经办定者，有欲筹而未及办者，谨悉心酌度，分条复陈如左：

一、理商政。原奏，当简派大员为朝鲜通商大臣，理其外交之政，而国治之得失，国势之安倾，亦得随时奏闻，预谋措置等语。查光绪六年十一月，驻日使臣何如璋致书总理衙门，内有《主持朝鲜外交议》一篇，以中国能于朝鲜设驻扎办事大臣，凡内地政治、外国条约皆由其主持为上策。又称时方多事，鞭长莫及，此策未能遽行。其次，则请遣员前往朝鲜，代为主持结约。当经总理衙门函商于臣，谓：此事我若密为维持、保护，尚觉进退裕如。倘显然代谋，在朝鲜未必尽听吾言，而各国将惟我是问，他日势成骑虎，深恐弹丸未易脱手。原系审时度势之论，该衙门曾于七年正月请旨派臣劝谕朝鲜与西国通商折内声明在案。本年春间，臣与美国使臣商办朝鲜约稿，奏派道员马建忠、提督丁汝昌前往襄助。今朝鲜另具照会，声明该国为中华属国，显定主持调护之义。嗣英、德踵往议约，朝鲜国王即属马建忠转禀臣处，选派熟悉商务、公法三员，协同办理交涉事件。该国内乱平后，复遣陪臣赵宁夏等来议善后，亦谆谆以此相属。臣虑其臣不谙外交，或致措置失宜，允俟国王咨到酌办。顷，赵宁夏航海复来，接有朝鲜国王咨文一件，谨照钞恭呈御览。其云，代聘贤明练达之士，盖欲臣荐员往助，仍隐由该国王调度，权可自彼操也。若如张佩纶所陈，简派大员为朝鲜通商大臣，理其外交，并预其内政，职似监国。向来敕使有一定体制，通商大臣当与该国王平行办事，分际既难妥洽，以后各国与朝鲜交涉事件，必惟中国是问，窃恐朝廷与总督不胜其烦矣。惟是泰西通例，凡属国政治，不得自主其权；与人结约，多由其统辖之国主政，即宗主之国可自立约，亦只能议办通商，而修好无与焉。今朝鲜与日本立约已越七年，当时约款竟认朝鲜为自主之国，在朝鲜昧于公例，无足深责，而咨报礼部转奏，并未一加驳斥。本年英、美、德三国订约，始申明中国属邦字样，日本方啧有烦言，各国尚不免疑议，将来换约时恐有饶舌。倘钦派大臣驻扎该国，理其外交之政，必将日本及美、英各约画一办理，殊非易事。若不画一，亦非政体。此目前之难也。朝鲜为东三省屏蔽，朝鲜危亡，则中国之势更急。乘此无事，派大臣往驻，以主持通商为名，藉与该国政府会商整理一切，保朝鲜即以固吾圉，与泰西属国之例相符。第其国内政治，中国向不过问，一旦阴掣其权，而风土异宜，人材荏弱，措施张弛，未必尽如我意。若其阳奉阴违，或被他人挑唆生隙，朝廷又将何处之？此日后之难也。臣反复筹维，未敢遽决此策。应请敕下军机大臣，会同总理衙门，通盘筹画，定议复奏。至张佩纶请荐曾充专使、熟悉洋情者，以充其选，何如璋上年曾发此议，若派专使，宜无如该员之熟悉情形矣。

一、预兵权。原奏，乱党杀大臣并杀日人，嗣后当由中国选派教习，代购洋枪，为之简练等语。查赵宁夏等八月初面呈该国王请示善后六条，内有整军制一条，即求中国为之设法，经臣钞送总理衙门在案。嗣赵宁夏等商恳延请教师，借给洋枪、炸炮，又经臣转饬吴长庆，拣派精熟洋操员弁，就近教练，并筹拨铜炸炮十尊、英来福兵枪一千杆，配齐药弹，分批解送吴长庆，转交该国王验收应用，业于九月二十九日附片奏明在案，与张佩纶所拟办法正同。

一、救日约。原奏，日约莫贪于索费，尤莫狡于驻兵。闻告贷北洋，安知非借中帑以款东兵？应无庸筹借。日兵屯扎王城，尤多隐患，应由吴长庆密谋箝制等语。查前据赵宁夏等面称：国无一月之储，欲借债以救急。五月间，马建忠往朝鲜为英、德议约，即禀闻该国财用窘乏，日本有借银五十万之说，该君臣恐受挟制未允。嗣花房义质又有代筹开矿扣还偿款之议，亦力持不可。转瞬设雇员及一切创举，经费实在无所筹措。该国急于求我，自系万不得已。臣仰体皇上字小之仁，未便推诿，致受日人笼络，转生贰心，因劝谕招商局员唐廷枢，于华商凑股筹借银五十万两，议明取息八厘，分年由该国关、税矿利摊还，当经拟禀分咨总理衙门、礼部在案。各国借债，本系常事，即中国亦屡向洋商认利借银。臣既为朝鲜筹议善后，劝令华商借银并非出自官帑，似亦情理所宜，况隐杜该国转求日本之渐，唐廷枢与赵宁夏等已会订合同章程，断无失信中止之理。今张佩纶疑为借中帑以款东兵，殊属误会。臣前询赵宁夏等日本偿款，该国另有指项，兹复与笔谈诘问，据称：该国向有赠给釜山日本人之费，近因通商停给，算得一年日本使馆所赠给者可抵分年偿款，日后商局借项用于何处，仍随时报查。所言尚切实可信。谨将十月初二日笔谈节略照钞呈览。至日约索费五十万元，原定五年缴清。适朝鲜派使赴日本，臣即电商出使大臣黎庶昌，劝令朝使向日本外务省商减兵费。旋据黎庶昌九月十六日电报：日本不允减款，只改为十年分缴，是每年仅缴五万元。朝鲜贫瘠，尚不至为难。此即所以救日约之索费也。日兵进扎王城，原约一年为期。吴长庆既平内乱，可刻期撤回。臣因日兵未撤，遵旨饬吴长庆督军暂驻，实密谋箝制之法。现日兵驻王城仅二百余人，决不至有他患。拟俟明年春间再令吴长庆撤回三营，仍留三营，俾资翼〔翊〕卫。俟日兵一年期满撤尽，庆军乃酌量抽撤。此即所以救日约之驻兵也。

一、购师船。原奏，陆军护王都不如水军护海口，应饬部臣迅拨巨款，先造快船两三艘，由北洋选派将领驻守仁川，较为活著等语，洵至当不易之论。臣于本年八月复奏添练水师折内声明：海防经费各省筹解仅及四分之一，请饬户部、总理衙门再拨的款，务足原拨四百万之数，尚未知部臣如何筹议。今拟防护朝鲜，即以固我门户，必须先造快船二只。查总税务司赫德送呈英厂新式大快船图说，每只约价银六十五万两，李凤苞在德国访查，新式价值不相上下。昨函询船政大臣黎兆棠，据称：该厂仿造快船每只连炮位约需银四十万两，虽不及英、德各式之精利迅速，而工料价值较减。拟请敕下黎兆棠赶筹定造快船两艘，刻期竣工，专备北洋派防朝鲜之用，并恳饬部于海防经费外，迅拨有着之款八十万两，限一年内分批解交。如解不足数，准臣檄饬江海关道，由现存出使经费项下挪拨，随时咨明户部、总理衙门知照。

一、防奉天。原奏，朝鲜日益多事，辽防亦宜预筹，请饬盛京将军抽练旗丁，归宋庆统之，与所部常满万人，以备缓急等语。自唐迄明，朝鲜皆由辽沈进京〔兵〕，从无海道济师之事，缘中国自古舟师笨滞，越国争战，鲜获利者。今日东西洋轮船盛兴，一日千里，而朝鲜形势三面滨海，更于水师为宜。轮船由烟台至朝鲜汉江口一日夜可到，由津沽亦不过三日。若辽沈陆路至朝鲜王城，须二十余日，往往缓不及事，故欲防护朝鲜，必以添练兵船为要，此时势之宜变通者。然辽防为根本至计，朝鲜后路抽练旗丁自属要图，应请敕盛京将军选将简器，认真操练，贵精而不贵多。宋庆所部现调赴金州、旅顺口设防，与兵船相依护，距沈已远，未便兼统旗营，应由该将军选派明干朴勤之员统之，庶收实效。

一、争永兴。原奏，朝鲜之永兴湾严寒不冰，俄人欲得其地驻船，应会同吴大澂妥筹，力争要害等语。查朝鲜东北永兴湾形势险固，可作船坞，西人尝艳称之。上年中俄议约，俄人调集兵舰驻海参崴，英、法各国皆疑俄欲攻夺永兴，而驻津俄国领事今升署公使之韦贝，每向臣密言，俄廷绝无此意。本年英、美、德与朝鲜议约，俄使先向总理衙门探询朝鲜与俄定界、通商，经朝鲜辩阻，迄今尚未再议，似其本意非即欲进据永兴者。永兴接近元山通商口岸，将来各国贸易互通，俄人力难独图占夺。至该处距吴大澂驻兵之宁古塔、三姓、珲春等处千余里而遥，中隔俄境，水陆异宜，山川间阻，吴大澂兵力、饷力断难兼营，似只可从缓筹议。俟朝鲜整顿军制，力能自顾，北洋铁舰、快船购练齐备，再随时酌拨，分往梭巡，以壮声援。

以上六事，皆臣近日筹画所及，但办理自有次第，理合据实具陈。谨奏。

光绪八年十月初七日奉旨：该衙门知道。

北洋大臣李鸿章奏与朝鲜陪臣妥议善后片

李鸿章片。

再，朝鲜陪臣赵宁夏等，八月初面呈该国王请示善后六条，内有充扩商务一条，云：举国上下全昧商务关系之何如，现今筑埠头、建税关日期已届，而事变后措办无方，当雇请其人而司其权，然后可得自主等语。顷，赵宁夏复赍该国王咨文来津，称：各国换约在即，一切交涉商办事件茫然不知下手，烦请酌量小邦应行事宜，代聘贤明练达之士，东来随事指导。臣已于正折内陈明颠末，并钞咨呈览在案。查该国与日本定约通商七年，尚未设关征税，来年美、英、德各国踵来，换约交涉机宜必须得人导助。查有前驻京德国领事穆麟德，和平忠实，曾在中国海关襄事五年，谙练稽征事宜，熟悉汉文、汉语，因与该国使臣巴兰德不合，辞官就幕，屡求津海关道周馥等，愿为朝鲜效用。赵宁夏等来津日久，颇相投契。兹拟为朝鲜代聘前往襄助关务，饬由赵宁夏与之妥立合同，自当恪遵该国节制，不至掣肘。惟须有华员伴往，联络商办。查有候选中书马建常，系道员马建忠之胞兄，向曾游学欧洲，谙习公法、洋情，明练耿直，前经出使日本大臣黎庶昌调充理事，适暂假来津，臣因马建忠为朝鲜君臣所信服，亦荐令同赵宁夏前往，随事襄筹妥办，可资得力。除由臣咨复朝鲜国王，并分咨总理衙门、出使日本大臣知照外。谨奏。

光绪八年十月初七日奉旨：该衙门知道。

北洋大臣李鸿章奏接朝鲜王咨文酌量答复折 附咨文等六件

署北洋大臣李鸿章奏，为接准朝鲜国王咨文三道，酌量答复事。

窃十月初八日，朝鲜派来陪臣副护军李载德、金奭准等，赍呈该国来咨，派往保定，省问李昰应，并恳〈转〉奏，乞恩释还等情。臣饬李载德等驰赴保定，并咨署督臣张树声，饬属妥为照料，准其省问。至所恳转奏天陛，亟降许还之泽，显与迭奉谕旨不符。臣面嘱李载德等，嗣后该国王务懔遵前旨，毋庸再行渎请，并于咨复文内声明，未敢冒昧代奏，以绝觊觎。臣又密询另起陪臣赵宁夏、金允植等，佥谓：该国王私情，不能不代李昰应乞恩，而其国中臣民则颇惧李昰应释还，转生内患也。又同日领选使·吏曹参判金允植赍呈该国王咨文二件：一因前派生徒在天津机器、制造各局学习，先后遘病东还，所余无几，请准撤回。另购小机器，设局国中，自行制造。臣查，该学徒远役思归，若强令久留，不能专心，更少进益，应听其便。将来代购小机器，酌派工匠往该国教导，业饬金允植随时与局员妥商禀办。一系报明吴长庆，派员教习该国兵队，已两起挑选一千人。臣分别酌量咨复，并劝令该国王及时简器练军，以图自强，仰副朝廷绥靖藩服至意。谨钞录朝鲜国王咨文并臣咨复文各三道，恭呈御览。除分咨总理衙门、礼部知照外，理合缮折具陈。谨奏。

光绪八年十月十四日奉旨：该衙门知道。

谨录朝鲜国王来咨并臣咨复文各三道恭呈御览

朝鲜国王来咨

为咨请事。

顷驰专价沥情陈暴，冀蒙本生父赐还之音，瞻望皇慈，日夕泣祝。即于使回，伏奉旨谕，日月遗照，霜雪綦严，陨越于下，益自震灼。顾念本生父七耋衰迈，素抱癃疾，天时渐寒，风土殊宜，万里孤寄，有谁救恤？焦迫郁轖，靡遑寝食。拟申具情实，鸣暴冀幸，而怵迫严威，不敢径情〔请〕。兹遣陪臣副护军李载德，前往保定，省问起居，先此咨恳。伏乞中堂大人曲谅至情，转奏天陛，特推孝治之政，亟降许还之泽，俾此骨肉聚保，永戴恩造，不胜血恳之至！为此合行移咨，请照验转奏施行。须至咨者。

九月二十七日发，十月初八日到

复朝鲜国王咨文

为咨复事。

陪臣副护军李载德等赍到贵国王咨称：使回伏奉旨谕，益自震灼，顾念本生父七耋衰迈，素抱癃疾，天时渐寒，风土殊宜，万里孤寄，有谁救恤？拟申具情实，鸣暴冀幸，而怵迫严威，不敢径情。兹遣李载德前往保定府，省问起居，先此咨恳，转奏天陛，亟降许还之泽，俾骨肉聚保等因。准此，查光绪八年八月十二十六等日迭奉上谕：特沛恩施，姑从宽减，李昰应着免其治罪，安置直隶保定府，永远不准回国，仍着直隶总督优给廪饩，准其岁时派员省问，以慰该国王思慕之情，嗣后不得再行渎请等因。钦此。仰见大皇帝酌法准情，仁至义尽，薄海臣民莫不同声钦颂。本署大臣会同署直隶总督部堂张，遵即派员，将李昰应送往保定省城旧清河道署中，妥为安置，按日优给廪饩、煤、米、薪、菜等项。两月以来，据报，李昰应在彼起居顺适，供给无缺，虽年已六十有三，精神强健，无甚疾病，尚属调护得宜，亦可稍慰贵国王之孝思，而曲示体恤矣。昨准礼部咨，李应凌赍到咨文转奏一折，十月初三日奉上谕：着传知该国王，仍遵前奉谕旨，恪守藩封，务以宗社为重，嗣后毋得再行陈请等因。钦此。业由礼部转行贵国王钦遵在案。兹准前因，当饬令李载德、金奭准等驰往保定府省问，此原系遵旨办理之事。至恳转奏天陛，亟降许还之泽，显与迭奉毋得再行渎请之谕旨不符，本署大臣实未敢冒昧代奏。贵国王当念保守宗社、振兴国事为重，不得复顾一己之私情，致碍大局也。为此合行咨复贵国王查照。须至咨者。

朝鲜国王来咨

为咨会事。

照得本年七月初二日领选使·吏曹参判金允植，奉署理北洋大臣张札饬，随军东还，缘彼时小邦有乱军之变，该陪臣仓猝回国，生徒学习等事均属未清。现蒙天朝鸿恩，乱逆斯平，该陪臣理应再赴天津，照料学徒习业。窃查，学徒等自春以来，不服水土，遘病东还者前后相踵，现今所余无几。继自闻变以后，各念室家，用志不专，难望成效，似宜从速撤还。另购小机器，设局于国中，使之温理旧业，为制造之基。兹复遣领选使金允植，禀商一切事宜，撤还学徒。烦请贵大臣将此事由转奏天陛，特赐允准，不胜幸甚！为此合行移咨，请照验转奏施行。须至咨者。

九月二十七日发，十月初八日到

复朝鲜国王咨文

为咨复事。

准贵国王咨：领选使·吏曹参判金允植回国后，学徒等不服水土，遘病东还者相踵，现所余无几。闻变以后，各念家室，用志不专，难望成效，似宜撤还。另购小机器，设局国中，温理旧业，为制造之基。烦请转奏天陛，特乞允准等因。准此，查光绪七年十一月间金允植率领员匠、生徒等，来津学习制器，业经本大臣奏明，饬赴机器、制造两局，查照议定章程，认真教导。该学徒自春徂秋，多因不服水土，遘病东归，现已所余无几。拟准金允植全数带回，以示体恤。惟贵国戎备之疏，由于器械不利，工技无学，必须另购小机器，设局国中，遴派妥员，严勤督率，讲求制造，庶军中所用洋枪、炸炮等机器，可随时修整添备，以期进益。本署大臣已饬天津机器、制造局潘道、王道等，与金允植妥商，随时代为购办，庶尽友谊。除恭折据情代奏，并各分咨总理衙门、礼部外，为此合行咨复贵国王查照办理。须至咨者。

朝鲜国王来咨

为咨会事。

照得敝邦向来僻居无事，戎备积弛。现与各国相通，港口多事，绸缪未雨，不容少缓。兹值大兵来驻，师受有资，已饬所司选集民丁，咨请吴军门派员教习。准本年九月二十三日吴军门回咨，据称：派庆字军〈营〉务处袁世凯，挑选一营五百人，名为新建亲军，督同王总兵得功认真训练；派朱提督先民，督同何总兵增珠，添选一营五百人，以便训练等因。现方课日督习，从此敝邦军制，庶有日新之效，实赖贵大臣仰体皇慈勤念藩服之至意，实深感佩。兹将选兵训练事由先行咨送，请贵大臣查照。须至咨者。

九月二十七日发，十月初八日到

复朝鲜国王咨文

为咨复事。

准贵国王咨称：大兵来驻，师受有资，已饬所司选集民丁，咨请吴军门派员教习，先后挑选一千人认真训练，现方课日督习，敝邦军制，庶有日新之效等因。准此，具见贵国王洞悉时艰，讲求戎备，以图自强之计，欣佩莫名！吴军门久经大敌，谋勇兼裕，所部将弁多熟谙枪炮操法、战守得力之员，兹既遴派督操，必能尽心代谋。本署大臣仰体圣朝廑念藩服至意，甚盼贵国军政日有起色，及时整顿保邦御侮之道，胥基诸此。为此合行咨复贵国王查照。须至咨者。

使俄曾纪泽奏中俄界务重勘情形折

出使俄国大臣曾纪泽奏，为恭折复陈事。

窃臣于光绪八年八月初五日，承准军机大臣字寄光绪八年六月初四日奉上谕：金顺等奏，索伦营右翼四旗地方，请饬曾纪泽与俄国商议画还一折等因。钦此。查该索伦旗兵等，虽已久沦异域，犹不愿隶属他邦，足征圣朝深仁厚泽，无远不孚，凡在臣民，同深感戴。臣复查，西洋各国，遇有改定疆界，则兵民呼吁之事，亦属层见迭出。要在分界官彼此婉商，妥为抚慰，以安集之，而不便重提约章，再兴辩论。此案索伦营右翼四旗官兵，分设霍尔果斯河西之策集、齐齐罕、萨玛尔、图尔根等处。其地划归俄境，该官兵等既虑无处居住，又恐所葬坟墓被汉回、缠回任意平毁。据总管诺敏、吉尔噶勒等所陈情形，诚为可悯。惟中俄约章，经臣随同总理衙门王大臣，仰秉宸谟，竭力屡争，久而后定，纵使其中有未尽惬心允当之处，亦属事势所迫，无可如何。刻下既已互换颁行，即宜彼此坚守，不生异议。至商议画还索伦营右翼四旗之地，无论由总理衙门商之驻京公使，或由微臣商之俄国外部，均属迹近改约，俄人势必不允，徒使通融商改之端自我而开，似于大体有碍。若由边界大臣于分界之时，就近婉商俄官，能以他处幅员无多之隙地，或以他项之补偿换回四旗之地，则自以收地为佳。如地界必不可收，犹可商及将该旗四旗官兵迁归伊犁境内，另行安插，而与俄官约定章程，设法保全兵民坟墓。如此由分界官立言，即使俄人不受商量，尚不致牵涉已换之约章，致俄廷之讥议。据微臣悬揣，伊犁迁出改入俄籍之民，亦当有坟墓留存伊犁等处。倘由分界大臣商之俄官，设立互保坟墓章程，俄人当亦不至全不允也。臣愚陋无知，仰蒙我皇上俯采刍荛，命臣详细酌议。窃以为，索伦营总管所恳收回霍尔果斯河西右翼四旗之地，似未便由总理衙门商之驻京公使，亦未便由微臣商之俄国外部。谨就臣管见所及，恭折复陈。谨奏。

光绪八年十月十四日。

使俄曾纪泽奏请变通边疆人随地归之例片　附上谕

曾纪泽片。

再，密陈者。查西洋各国改定边疆亦有人随地归之例，惟各国隶籍之法均不甚严。所谓人随地归者，不过视所居之地为何国所辖，即应遵守其国之法律，完纳其国之赋税而已。俄人于东北边界小国部落常以侵其土地，自拓疆场为务，所至之处亦知以要结民心为主。此次霍尔果斯河西地境未能一律收回，计俄人待彼处原住之民，当不至迥出情理之外，夺其产业，以畀他人。金顺等原奏所引鹊巢鸠居之喻，臣以为尚不至此。设法保全兵民坟墓一层，可由分界大臣商之俄官定立章程，臣已于正折中奏明。至于该族兵民人等将失故业，无处居住，无地耕种等语，皆系诺敏、吉尔噶勒等先事疑惧之词，虽异日难保其必无。然俄人如尚讲情理，尚可守公例，则此事非所应有。窃以为，占夺产业一层，即分界大臣亦不必向俄官预为提论，转令彼族从而生心。将来俄官如果有纵容新迁汉回、缠回欺凌该兵民之据，或有汉回、缠回恃强夺取该族兵民产业之事，边界密迩，不难确查情形，届时自可以理诘问也。是否有当，谨附片复陈。

光绪八年十月十四日奉上谕：据曾纪泽奏，酌议复陈各折片，据称：此事无论由总理衙门商之俄使，或由该京卿商之俄国外部，均属迹近改约。若由边界大臣于分界之时商之俄官，能以他处幅员无多之隙地，或以他项之补偿换回四旗之地，则自以收地为善。若地界必不可收，或将该官兵迁归伊犁境内另行安插，而与俄官约定章程，设法保全兵民坟墓等语。着金顺会商长顺，将曾纪泽所陈各节，酌量情形，妥为筹办。

科布多办事大臣清安额尔庆额奏中俄界务重勘情形折

科布多办事大臣清安、额尔庆额奏，派员驰赴乌梁海，安抚蒙民，并饬查图中黄线以西蒙、哈人数，核计量移，深恐人浮于地，谨将大概情形先行缕陈事。

窃奉上谕：清安、额尔庆额奏，勘分科境边界，未敢冒昧从事等情，绘图呈览，请饬妥议一折等因。钦此。自应懔遵，会同金顺、升泰悉心妥筹商办而维大局。当即选派协领贵祥等，星驰乌梁海，开导蒙民，善为抚绥。去后，兹据该员等回科禀称：蒙民佥谓，当年分界之时，已将沃壤之区任听俄人挑割。前遭回逆变乱，肆行掳掠，而蒙民逃亡亦复不少。连年瘟及牲畜不可胜数，以致穷苦万状，生计全无，不能不设法养命，即就荒滩旷野遍觅稍有不耕之土，薄种而食。更兼哈城哈夷盈千累万，拥挤于本游牧，占住水草，若与之较量，必起争端，所以忍之又忍。现又闻俄人将从前既定之界又来勘分，何其贪心不足，一至于此！彼意莫非欲绝我蒙民生路，必使将来求一托足之地而不可得，情何以堪！彼时众议沸腾，经该员等传集该处邻近之王公大臣等，共相劝免，极力安抚，并将恭奉择地安插、筹款抚恤之谕旨，剀切宣布，虽烦言稍息，而其意究未能尽皆诚服各等情。

据此，并将左、右两翼散秩大臣及哈萨克头目等，传集到科，奴才等面为开导，细询黄线以西众哈人数并地方情形，据两翼散秩大臣禀称：奉谕饬查黄线以西人数，势难审确，不过略具大概。两翼蒙民男妇老幼约计七千余名，面诉苦情，与该委员等所禀无异。并据哈萨克头目等禀称：哈民向隶塔城，现居科城者男妇老幼约计二万余人，均在乌梁海西北境内游牧，到处散居，其细数则难清查，声称实意不愿回塔，恳求收抚，听候指使。若不准如所请，纵令死于科境，亦所甘心，决不他适各等语。当将无地安插，劝谕仍回塔城，以复旧制，俾得各安生业。善言开导至再至三，而该哈夷百折不回，众口如一。此项哈夷抚之深虑无地安插，驱之惟恐激而生变。况彼族甚众，本非科辖，法亦有所难治。该夷既不归塔城，科若不准予招抚，其将何以处之？势必终归俄有，岂不更添一番边患？所幸圣虑所及，烛彻无私之照，恩膏远被，统令蒙、哈一视同仁，着奴才等择地安插，筹款抚恤，深足以贴服人心，兆民感戴，诚为社稷苍生之福。奴才等即饬该散秩大臣及哈萨克头目等仍回游牧，照旧各安本业，毋得妄生疑虑，俟安抚各事宜妥议会商具奏，候旨施恩。谕令去后，奴才等愚以为，安插边民与内地情形不同，缘内地之民居处或乡或村，原有定而不易之地，若移此而填彼，不过计其人数之多寡，择其地方之大小，自不难于办理。而边地之民向以牧养牲畜为生，牛羊驼马，千百为群，不惟占其宽广地面，兼且一年不拘远近，按时择其水草两便处所，量移牧放，忽东忽西，往来无定，只不逾其本境，诚所谓游牧者矣。窃查黄线以西之蒙、哈人数，合计三万余众，牧畜尚不知其凡几。奴才等悉心筹度，如将来安插，必须先将黄线以东之蒙、哈所居游牧体察详细，节节展移，腾出地方，始能安插以西之蒙、哈。倘不敷安插，奴才自当再行酌度设法办理。现时已届冬令，沿山遍野，冰雪所封，地方形势实难审察，必待明岁春暮夏初，方能次第举办。至接奉两次谕旨，其中用意精微之处，奴才等已详加会悟，临时自当相机办理，用昭慎重。现因派员赴乌梁海安抚蒙民，往来已稽时日，若会商金顺、升泰，列衔具奏，诚恐过迟。谨将派员抚绥饬查蒙、哈人数，及将来安插大概情形，先行奏闻。其余应办一切事宜，自当懔遵谕旨，随时会商金顺、升泰，悉心妥筹具奏，断不敢各存己见，致误机宜。谨奏。

光绪八年十月二十七日奉旨。

滇督岑毓英等奏越防换防情形折

署理云贵总督·福建巡抚岑毓英、云南巡抚杜瑞联奏，为藩司查看边防旋省，面商分兵换防情形事。

窃臣等将会筹边防事务，遵旨饬令藩司唐炯妥慎办理，并将新募各营裁并、更换各情恭折会奏在案。嗣该藩司禀称：沿边内外现尚无虞，惟藩司有总理通省吏治、钱粮、厂务之责，远驻关外，势难兼顾，自应回省，随时随事就近禀商，庶免贻误。如果边务稍紧，自当星驰往办。并据该藩司到省面述一切。臣等伏思，越南外患方殷，边防不可稍懈，前统防军之道员沈寿榕因病迭次请假，经臣奏委该藩司接统，又因本任公事紧要，不能不旋省料理，而开广距省遥远，军情变动无常，应先遴委提、镇干员分任防守。现在记名提督·开化镇总兵蔡标所带黔军一千三十三名，业已到齐；记名提督何秀林所带黔军一千三十二名，日内亦可到滇。臣等与藩司唐炯商酌，拟将开化、广南、蒙自边地分为三路，以开化镇总兵蔡标同记名提督吴永安督带黔军四营，分守开、广二路；以唐炯所部记名提督周万顺，督带安定二营，并练军二营，分扎蒙自一路，各专责成。其余各营练军，汰弱留强，分驻省城及各要隘，养精蓄锐，与边军轮流更换，以期持久不懈。倘边事紧急，臣毓英即商同藩司唐炯，亲往督办，不敢稍涉疏虞，并委帮办营务·候补道翁道鸿，会同开化镇总兵蔡标、记名提督吴永安等，驰往妥为布置。谨奏。

光绪八年十一月初四日奉旨：该衙门知道。

盛京将军崇绮等奏朝鲜边民交易严定限制折 附上谕

盛京将军崇绮、副都统松林奏，为边民交易，现改为随时往来，亟宜严立限制，并申明禁令，以固边防事。

窃准署北洋大臣李鸿章咨开，遵议《朝鲜水陆通商章程》，由总理衙门会议具奏，奉旨：依议，钦此。等因。钞录原奏，并礼部复陈先行就近会勘各折片，先后咨照前来。奴才等查，奉省地方倍关紧要，与沿海各处情形不一，诚如原奏所称，一切均有定制。现在朝鲜海禁既开，则边禁尤宜加意，自应力求整肃，思患而预为之防。谨就愚见所及，为皇太后、皇上陈之。

查朝鲜列在东藩，久承正朔，虔修职贡，岁有常经，其一切申达事宜，例由凤凰城城守尉为之承转，并于该国义州对岸之中江地方修筑台卡，驻守官兵接递公文，兼资护送该国使臣入境。以中江为首站，中设贡道至凤凰边门，计程九十里。别路概行禁止，往来必由是门。祖制昭垂，意极深远。盖边外与该国仅以鸭绿江一水为限，北自帽儿山以上之十余道沟起，南至鸭绿江口千数百里间，皆与该国平安道辖境隔江相对。每季由将军衙门派员出边统巡，夏、秋二季与该国地方官公同会哨，互相稽察。彼此人民均不得私行越界，定例极为森严，故二百年来边界略无衅隙，得以全其恭顺，历久不渝，实由于此。至两国互市一节，该国商民向系按季过江，至凤凰边门，与中国商民交易而退，其税务由中江监督照例经理，中国商民向不准擅自渡江。今定于鸭绿江对岸栅门与义州二处，听边民随时往来交易，系属量为变通，所谓鸭绿江对岸栅门，自系指凤凰边门而言。惟从前启闭以时，无庸过计。现既准两国边民随时往来，则中国边民渡江不过数里，即可赴该国义州交易，该国边民若仍至凤凰边门交易，渡江须行九十里途程，劳逸悬殊，既不足以昭平允，而地方辽阔，更不足以谨防闲。查此次变通互市旧章，实以设立关卡、稽察匪类为最要关键。若以别国民人于境内九十里之远，随时托足，聚散无常，诚恐耳目难周，变端百出。设有侦我虚实之徒，改装易服，混迹其间，关系尤非浅鲜。奴才等职司守土，自应筹及通盘之计。惟于鸭绿江对岸之中江地方，就近蹦择设立关卡，以为互市之地，核与该国义州距江远近道里适均，在彼既无烦跋涉，在我亦易于盘稽，是于体恤之中，仍不失节制之意。且惟准于鸭绿江对岸设卡处所，贸迁有无，其余地方仍应永遵例禁。即请领执照，采买土货，亦止准由凤凰边门出入，仍由贡道折回，不得肆意游行，有违成宪。又如滨海地方，虽听渔船往来捕鱼，但鸭绿江以内，与该国平安道邻近各处河口，向由盛京将军、礼部等衙门每年采办祭品官鱼，严禁民间私捕，用是沿江一带并无渔船。今当益申前禁，两国民人概不得以滨海准其捕鱼，藉口影射往来，致启侵逾之渐。况边外甫经戡定，所在伏莽犹多，倘或禁遏稍疏，难免匪徒勾结。在朝鲜久戴帡幪，原同内服，第该国近来之民俗，亦大异往日之驯良，此次内乱突生，幸赖天威，获安反侧，足为前鉴。加以该国耳目日新，难保不无煽诱。窃虑朝鲜所得至之区，即为他族所可至之地。奉省系朝廷大本，白山为风脉攸关，杜渐防微，万不能不预为筹计。所有按季统巡，公同会哨，及一切防范、稽察各事宜，应仍照旧遵行，且更宜添设重兵，严防偷越。帽儿山以下，江界毗连，凡有路径可通，如怀仁县属之通沟口，宽甸县属之长甸河等处，俱应一律筹防。而中江地方边民，既随时往来，置兵尤难暂缓。盖朝鲜近今之势，俄人拊其背，日本扼其吭，以彼贫困异常，何必垂涎若此，无非为抉我屏蔽，摇我本根。今若稍弛防维，若辈益将窥伺。要必严申例禁，慎固边防，俾思逞之徒不敢妄生希冀，则在我有先立不败之势，而声威克壮，属邦亦藉可图存矣。总之，互市之法虽变，而祖法则有所必遵，沿海之禁虽开，而边禁则有所必肃。奴才等疆寄忝膺，责无旁贷。事属大局所关，不敢不披沥陈明，以冀有裨万一。除咨总理衙门、礼部、北洋大臣，及先行派员就近会勘经理外，所有奴才等愚见所及，是否有当，谨缮折具陈。

光绪八年十一月十四日奉上谕：崇绮、松林奏，朝鲜贸易宜严定限制，申明禁令，并有关奉天事宜应咨会酌定，及中国官员与陪臣往来碍难平行各折片。据称：此次变通互市旧章，以稽察匪类为最要。拟于中江地方设立关卡，只准在设卡处所贸易，由凤凰边门出入，不得肆意游行。鸭绿江与该国邻近地方仍申前禁，不得以滨海准其捕鱼，藉口影射，致启侵逾之渐。嗣后有关奉省事宜，北洋大臣与该国王如何会商，应咨照将军、府尹，公同斟酌，再行定议。该国陪臣一切体制，仍应照旧遵行，未可与中国官员定为平行，请饬复加体究等语。《朝鲜贸易章程》前准总理衙门所议办理，兹据崇绮等所陈各节，自系为体察地方情形，并维持旧制起见，着总理衙门、李鸿章再行妥议章程，会商礼部具奏。

伊犁将军金顺等奏中俄界务重勘竣事折　附伊犁界约

伊犁将军金顺、哈密帮办·伊犁分界大臣长顺奏，为遵旨会同俄官，遵照图约，勘分伊境中段边界，逐次建立牌博，一律完竣事。

窃奴才金顺，于本年六月二十六日，将勘分中南两段界务哈密帮办大臣长顺、巴里坤领队大臣沙克都林札布由伊犁绥定起程，前往那林哈勒噶地方，会同俄官举办界务日期，由驿驰奏在案。长顺、沙克都林札布均照约定之期于七月初三日驰抵该处。奴才长顺会同分界之俄官佛哩德，自伊犁西南天山北麓那林哈勒噶山口分起，沿边履勘，逐段会同建立鄂博，迤逦伊犁之东北哈拉达坂止，已于九月中旬一律完竣。惟查距那林东北百余里之格登山山巅，有石碑一座，往查，乃乾隆二十年剿平准夷高宗纯皇帝御制铭勋碑记，恭读一过，圣训煌煌，炳如日月。奴才长顺勘分至此，深惧沦胥，考核新图，未载其名，遂检查同治三年俄人舆图，此山已归俄壤矣。遂结营山下，与分界俄官佛哩德再四相商，始允自特克斯河划格登山一隅，仍属中土，从此永垂宸翰，云汉昭明。划回之地长约五六十里，宽约四五十里。当即会同竖立界博，再无异议。复查新约第七条，所载之乌宗岛山距廓里札特村约五十余里，乌宗岛之东北皆锡伯营，屯田水源俱在上游，西南多系缠回圩子，均有关系。其始俄官欲由乌宗岛划分，未便曲就。复与俄官反复辩论，即由廓里札特村之东北、拉图村之西中间小山分界，会立鄂博，以昭公允。并由奴才金顺逐段安设卡伦，派拨弁兵护守。此即索回格登山并乌宗岛山尽属中国之情形也。

从此往西北行过伊犁河，入霍尔果斯河，悉遵总理衙门颁行约图，一一会同俄官详细复勘，划分定界，尚无争论。自那林至喀拉达坂山，共立界牌鄂博三十三处，绵长约计一千三百余里，即奴才金顺、升泰上年所奏之哈布塔盖、沁达兰起，至那林哈勒噶止，中段之界刻已一律勘分完竣。奴才长顺会同俄国分界官佛哩德，遵照条约，将已分之地设立界牌鄂博地名、数目，以及山川起止界线形势，书立约记八分，中国用满文，俄国用俄文，互相钤印画押，更换四分。奴才长顺各留其一，其余三分咨送奴才金顺，以凭分咨备考。此中段界务办理完竣之情形也。

所有中段界址，会同俄官应互换舆图。该俄官分毕，因事回阿拉玛图，尚需时日。一俟俄官送到，斟酌妥协，画押钤印，由奴才长顺再行补送，转呈总理衙门存查，用昭信守。其山川形势，设立界牌处所，先行绘图贴说，恭呈御览。奴才长顺拜折后，即率随带文武各员，驰回哈密本任，以重职守。奴才金顺即将已分地段应设卡伦逐一安设，责成该管官兵守护，另造卡伦清册，分咨查核外，至格登山御碑，俟明年夏间天暖雪消，鸠工建修亭障，俾庙谟常存，与河山并峙。除将会议约记、舆图另呈总理衙门外，所有中段界务勘分蒇事，并奴才长顺驰回哈密本任缘由，谨合词共折具陈。再，伊犁参赞大臣升泰尚未回任，未经列衔，合并声明。谨奏。

光绪八年十一月二十三日。

伊犁界约

大清国钦差勘分伊犁塔城所属边界・头品顶戴・哈密帮办大臣・恩特赫恩巴图鲁长顺，遵旨会同大俄国钦差建立界牌大臣・斜米哩叶勤柯克省巡抚・带兵大臣吉纳尔鲁诺依什达布吉纳喇勒玛玉尔佛哩德，于中国光绪八年七月初三日，即俄国一千八百八十二年阿瓦古司塔月初四日，两国钦差分界大臣在伊犁西南、天山之阴那林哈勒噶地方，按照图约商定另绘舆图，分别画出红线。查其交界地名，自伊犁西南，至俄国交界地方，应立界牌鄂博，两国大臣会同，自伊犁西南那林哈勒噶起，至伊犁东北喀尔达板止，已将界牌鄂博立完。时以两国大臣互相拟出条约，以昭信守，并将所立界牌鄂博数目、起止地方及议定之条开列于后：

第一条　自伊犁西南、天山之阴那林哈勒噶山口起，至伊犁东北喀尔达板〔坂〕止，此间共立界牌鄂博三十三处。

两国分界大臣，会同在勒林哈勒噶山口中，建立第一处界牌鄂博，因山中之水往北流，以水东边为中国地，以水西边为俄国地。

从此出山口往东北，顺水建立第二处界牌鄂博。又往东北，顺水至草野，建立第三处界牌鄂博。

从此往北行，至草野，建立第四处界牌鄂博。

从此往北行，至诺海托勒盖山，在山之上建立第五处界牌鄂博。

从此往北行，至特克斯河之南沿，建立第六处界牌鄂博。

自那林哈勒噶山口中，至特克斯河之南沿，共立界牌鄂博六处，以界牌鄂博之东边为中国地，西边为俄国地。

从此过特克斯河，顺河沿往东北行，至格登山口中所出苏木拜水流入特克斯河之地方，以特克斯河之南沿为中国地，北沿为俄国地。

自苏木拜水流入地方，逆流往北行，至格登山口中苏木拜地方，建立第七处界牌鄂博，山中所出之水，往南流入特克斯河，以水之东沿为中国地，西沿为俄国地。

从此东北行，至沙尔套山之西南断处，建立第八处界牌鄂博。

从此往东北行，至沙尔套山梁为交界，以山之东南为中国地，以山之西北为俄国地。顺沙尔套山梁往东北行，至山断处，地名康喀，其水往东南而流，在水之西沿山断处，建立第九处界牌鄂博。在东沿建立第十处界牌鄂博，以界牌鄂博之东南山水为中国地，西北为俄国地。

从此往东北，顺山梁行，至喀尔套山之达巴罕，建立第十一处界牌鄂博。

自第十处界牌鄂博，至第十一处界牌鄂博止，以山之东南为中国地，西北为俄国地。

从此往西北，顺山梁行至山高处，建立第十二处界牌鄂博。

从此往西北，顺山梁行至高处，建立第十三处界牌鄂博。从此往西北，顺山梁行至山高处，建立第十四处界牌鄂博。

从此往西北，顺山梁行至山高处，建立第十五处界牌鄂博。

从此往西北行，至沙尔诺海小山之横路北边山上，建立第十六处界牌鄂博。

自喀套山之达巴罕，至沙尔诺海小山，共立界牌六处，以界牌鄂博之东边为中国地，西边为俄国地。

从此往北，走过沙尔诺海大山之达巴罕，行至山阴，往东北略行，即在沙尔诺海、别德图二水中间之小山断处，建立第十七处界牌鄂博，以小山之东边由沙尔诺海山谷流出之水入于横海之处为中国地，以小山之西边别德图水为俄国地。

从此往西北行，至噶尔札特村之东边、玛雅村之西边两村中间，在勒奇勒干小山，建立第十八处界牌鄂博。

从此往西北行，至伊犁河南沿霍尔果斯河水流入之处，此间草野之地建立第十九、第二十、第二十一、第二十二、第二十三、第二十四、第二十五等处界牌鄂博。

自沙尔诺海山之北边，建立第十七处界牌鄂博，至伊犁河南沿，建立第二十五处界牌鄂博止，共立界牌鄂博九处，以界牌鄂博之东边为中国地，西边为俄国地。

从此过伊犁河，自北沿往霍尔果斯河，逆流往北行，入霍尔果斯河之山口，至河源，又往北行至别珍套山，又往西湾至康喀达巴罕，建立第二十六处界牌鄂博。此间以河及河源为交界，以霍尔果斯河之东边为中国地，西边为俄国地。

从此往西行，又往西北行，顺别珍套山梁，自崆郭罗鄂博往西北行，至库克乌苏山，建立第二十七处界牌鄂博。

从此往西行，至库克乌苏山之平高德木克达板〔坂〕上，建立第二十八处界牌鄂博。

自第二十六处界牌鄂博起，至第二十八处界牌鄂博止，以界牌鄂之东边北边为中国地，西边南边为俄国地。

从此往东略北而行，靠阿拉套山之达巴罕，至萨尔坎斯克山、中巴散斯克山、中库克托木索达板〔坂〕、喀尔达板〔坂〕等处，建立第二十九、第三十、第三十一、第三十二、第三十三界牌鄂博，共立界牌鄂博五处，以阿拉套山之达巴罕为交界，以山之东南为中国地，以山之西北为俄国地。

第二条　霍尔果斯河源流出之水，在霍尔果斯河之东西两沿居住民人等，愿将河水灌地者，准其灌地，即作两国公水，彼此不准争竞，以资各民得其地利。至霍尔果斯河中有洲之处，即作两国公地，两国民人不准在洲盖房、种地。将此载入条约，永以为例。

第三条　自今日分地之后，限三年，每至六月，会同将所立界牌鄂博查点一次，两国各派能干之官二员随带兵丁，一起自那林哈勒噶起查，至伊犁河南沿止，一起自别珍套山起查，至喀尔达板〔坂〕止，查其所立界牌鄂博，如有损坏之处，仍照旧章妥为补修。将此载入条约，两国永照此章程办理。是以两国钦差建立界牌鄂博大臣会同绘图，所拟条约中盖用印信并画押，将条约各四分，舆图各八分，彼此相换，各为凭据，以昭信守。

大清国钦差分界大臣长顺。

大俄国钦差分界大臣佛哩德。

大清国光绪八年九月十八日。

大俄国一千八百八十二年敖克佳巴尔月十六日。

伊犁将军金顺奏勘分科境边界事宜折

伊犁将军金顺奏，为钦奉谕旨敬谨办理事。

窃奉上谕：清安、额尔庆额奏，勘分科境边界，未敢冒昧从事，请饬妥议一折等因。钦此。当即咨商升泰、清安、额尔庆额等钦遵妥筹办理在案。伏查，曾纪泽所绘图内载有两国各派大员酌中定界，将来如能在黄线左右尚属公平之语。查图中黄线在阿勒喀别克河西，楚什喀里湖东，今两国分界大臣尚未履勘画界，而俄人派兵突扎喀巴河西，是侵占阿勒喀别克河东之地已多，应请旨饬下该处分界大臣等，力与指辩。其黄线以西，蒙民、哈夷应如何安插抚恤之处，俟清安等将该处详细情形咨复到日，即便会商，妥议具奏。至分界期迫，一时恐难就绪。现值冬令，天气严寒，雪满山谷，分界俄官均已回国，似应暂行展缓。俟明春雪消路开，再行咨会俄官，定期前往。除已咨行俄国乌木斯科总督喀尔帕科斯克依外，恭折具陈。谨奏。

光绪八年十一月二十三日。

伊犁将军金顺奏分段勘分伊境界址片

金顺等片。

再，伊境界址段落，上年十二月十三日，奴才金顺会同伊犁参赞升泰奏准，自哈布达盖、沁达兰至那林为中段，以参赞升泰勘分，业已咨行俄官在案。嗣伊犁参赞升泰因病奏请回京，商同勘分科塔边界大臣・哈密帮办长顺，先分中段，改为自那林至塔城边界止。兹长顺会同俄官佛哩德由那林起，分至哈布达盖、沁达兰。据俄官佛哩德声称，中段界务俟明春会同勘分。伊犁参赞升泰奉旨折回。奴才金顺于九月二十九日，接准总理衙门电信：科、塔界务，着升泰前往会同勘分。除分咨伊犁参赞大臣升泰、科布多参赞大臣清安、帮办大臣额尔庆额外，谨附片具奏。再，勘分南段界务大臣沙克都林札布，前于九月初间驰抵阿克苏一带，合并陈明。

光绪八年十一月二十三日奉旨。

北洋大臣李鸿章奏朝鲜国王咨请派员勘界折　附咨文二件

前大学士・署北洋通商大臣李鸿章奏，为朝鲜国王咨请派员会勘边界事宜事。

窃臣前钦奉谕旨，督同津海关道周馥等，与朝鲜陪臣鱼允中等会议《朝鲜水陆通商章程》，内第五条声明，鸭绿江对岸栅门与义州二处，又图们江对岸珲春与会宁二处，听边民往来交易，仍于开市处设立关卡，稽察匪类，征收税课，从前屋宇、饩廪、刍粮、递送等悉予罢除。至边民钱财、罪犯等案，由地方官按照定律办理。一切详细章程，应俟北洋大臣与朝鲜国王派员，至该处踏勘会商，禀请奏定等因。经臣奏交总理衙门会同礼部议复具奏。奉旨：依议。钦此。转行知照在案。旋据鱼允中面禀：拟告于本邦，明春往鸭绿江、图们二江一带察看情形，会同该地方官勘商酌行，再到津禀定等语。即经臣分咨盛京、吉林将军、奉天府尹及太仆寺卿吴大澂等，各先行就近派员，会同朝鲜官，体察情形，勘商妥议，再订详细章程。原因边民互市，虽经奏准变通，而历来法制、禁令有须互相参酌之处，非其本省派员勘商，恐难操纵合宜。昨奉十一月十四日寄谕：崇绮、松林奏，朝鲜贸易宜严定限制。嗣后有关奉省事宜，与该国王如何会商，应咨照将军、府尹，公同斟酌，再行定议，饬即妥议会奏等因。钦此。正与臣处所筹办法大略相同。其折片内陈明各节，业经臣钦遵分别妥议，准驳咨请总理衙门、礼部会核复奏矣。现据朝鲜国王咨称：拟派副护军鱼允中于明年二月初旬前往义州，四月下旬转往会宁、庆源等处，踏勘商定，望烦务派官员届期会勘，以便酌行等语。谨照钞该国王来咨二件，恭呈御览。

窃惟奉、吉地方交涉情形，及列朝法制、禁令，隔省人员人地生疏，恐其未能洞悉。此次与朝鲜定章，变通互市，实为体恤属藩，禁革积弊起见。而严杜侵越、预防后患之处，亦当熟虑深筹。自应由该将军、府尹、大臣拣派廉正明练大员，届期会同朝鲜陪臣鱼允中，踏勘妥商，各就地方情形，拟议详细章程，禀由该将军、府尹、大臣公同勘酌，咨商臣处，详慎复核定议，再行具奏，请旨遵办。合无仰恳饬下盛京、吉林将军、奉天府尹、督办宁古塔等处事宜·太仆寺卿吴大澂查照妥办，由臣分咨知照并复朝鲜国王外，理合缮折具陈。谨奏。

光绪八年十二月初十日奉旨：该衙门知道。

照录朝鲜国王咨文二件恭呈御览

朝鲜国王，为咨复事。

照得本邦于本年春间咨请于已开口岸互相交易一折，时值贵大臣奉讳回籍，未及核办。旋由礼部据分咨奏蒙俞允，应详定章程之处，着贵衙门妥议。至秋间，贵大臣勉膺谕旨，复起视务，督海关道台与问议官鱼允中等酌商，拟定两国商民水陆贸易章程八条复奏，经总理衙门会议，奉旨：依议。仍于九月二十六日，鱼允中回，准贵大臣咨行并钞录总理衙门复奏折，及两国商民水陆贸易章程，钦遵查照等因。

准此，窃本邦久列藩封，一切典礼均有定制。向赖贵大臣代筹，已与各国立约通商，而独上国与本邦商民尚拘例禁，不能共沾利益，殊非中外一视之义。所有前此渎请，乃蒙皇上广推鸿慈，亦惟贵大臣亟恢远图，因时变通，务存体恤。所订章程八条悉属公允，喜出望外，并于章程之首声明：中国优待属邦，不在各与国均沾之列等语，俾小邦感奋自强，用答我大朝怀柔之至意。此诚数百年来创有之特典，当职谨与一国臣庶北望赞颂，拟似前头使行奉表叩谢，恭伸感激之私。除先通称谢外，合行咨复，请贵大臣查照办理。须至咨者。

朝鲜国王，为咨复事。

照得贵大臣为念敝邦军变以来，器械散失，练选时急饬拨天津军械所十二磅铜开花炮十尊、英来福兵枪一千杆，配齐炸弹、木信、门火、铜帽、洋药各项，运由提督吴军门派员交付，兹遵计开验收。仰惟贵大臣克体皇朝覆帱之仁，而轸属邦急难之谊，攒手感颂，曷任衔结！现今新团勇丁率循吴军门指授练习，次第整顿，俾此无兵而有兵，无械而有械，用为保邦制治之本，思自奋发，俟有成效。嗣后情形，随当自陈，冀纾远筹，以惠终始。为此合行咨复，请照验施行。须至咨者。

总署奏法人欲与中国会商越事折　附上谕及条文

总理各国事务恭亲王奕䜣等奏，为法越交涉一事，法人现欲与中国会商，亟应先事预筹善法，以备临时会议事。

窃臣衙门前因法越兵端已起，越南之北圻各省多与滇、粤毗连，急宜通筹边备，以弭后患，当经奏明情形，请饬下南、北洋通商大臣及两广、云贵各督抚，通盘筹画，复奏候旨施行。嗣据张树声、裕宽、倪文蔚、曾国荃先后复陈，遵将滇、粤防军逐渐进驻越境。本年九月初六日，法国驻京使臣宝海向臣衙门函询：驻越官兵是否奏请前往？或仍前进？或欲撤回？请迅复，以便回报本国外部。经臣等函复以滇、粤各军，因越境土匪据险出扰，是以进扎会剿，系由该督抚奏奉谕旨办理，刻下未议前进，亦不能遽撤等语，仍照会该使臣，转达外部去讫。嗣因该使臣将出京赴津，臣等与之往来会晤，谈及法越一事，该使臣先咎其西贡总督办理不善，商及两国派员设法商办，又言越南毗连中国各省，归中国保护。臣等察其所言，似该国有欲转圜之机，或可藉图结局，以省兵力，遂将各情函致署北洋大臣李鸿章，俟该使臣宝海到津，相机因应。旋于十月十九日，接该署北洋大臣函报，来津与该使臣提及越事，据伊称：外部虽令会商，适接西贡电报，华兵已进至越南东京，谣传惊惶，法国必添兵阻扼，事局恐有变动，今惟请中国将驻越兵退回，乃可会商边界及通商事件。附录该使臣所议事宜三条，请为速复等因。臣等阅该使臣所议三条，尚是欲往合拢处办理。以其立等回信，一面函商该督抚，将驻越各军酌退若干里，以示和好，仍坚扎以防意外；一面飞致署北洋大臣，转告该使臣。续准函复，已与说妥。该使臣即日赴沪，候本国之信，并寄致臣衙门照会二件。臣等仍令复以应办事宜，总以异日两国各派大臣会议为定。十二月初二日，接该署北洋大臣函寄，该使臣接外部回电，内称：来议似可准行。兹决意设法妥静会商，请中国毋疑。已电饬法兵退守河内等语。又接署北洋大臣函称：法外部既愿妥商办法，不日必请派大员会议。所有通商口岸，是否借设保胜为宜？其分界保护一节，云南、广西兵力究能保护至越南之北圻何省？并何处为滇省保护之界？何处为粤西保护之界？中外合谋，筹有定局，议有责成，始可酌量情形，与法人相机商办，免致临时遥度，贻误事机等语。臣等公同商酌此事，中国滇、粤各省于越南毗连之处，须自揣力量，能否兼顾，预为筹议，庶会办事务稍有依据。当经据情密致滇、粤各省督抚，详细揆度，现尚未据函复。至通商口岸，是否借设保胜为宜一节。查越官刘永福现驻山西、兴化、宣光等处，将来保胜能否作为近边口岸，就津议第三条南北划分立论，以越之富良江各分保护之界，即于入界处设立总口，均须规划情形预为布置。仍候派员会议时，再行酌量定议。相应请旨迅赐饬下两广、云贵各督抚等，将以上应行筹画各节，查照臣衙门前函，详慎妥议，如何有利无害及堪资久远之处，迅速奏明，并复知臣衙门，以凭核夺，是为至要。所有臣与李鸿章筹议越事，法国现有成言，亟应预筹，以备会议各缘由，谨恭折密陈，并将李鸿章在津与法国使臣宝海所议大略办法三条，钞录恭呈御览。

光绪八年十二月初十日奉上谕：总理衙门奏，法越交涉一事，法人现经与中国会商，请饬预筹善法一折。法越交涉一事，法人愿与中国派员商办，李鸿章现与法使宝海筹议大略办法三条，滇、粤各省亟须先事妥筹，以备临时会议。分界保护一节，滇、粤兵力究能保护至越南北圻何省？并何处为滇省保护之界？何处为粤西保护之界？至通商口岸是否借设保胜为宜？越官刘永福现驻山西、兴化、宣光等处，将来能否作为近边口岸？就所议第三条南北划分之论，以越之富良江各分保护之界，即于入界处设立总口，均须规画情形预为酌度。着曾国荃、岑毓英、裕宽、倪文蔚、杜瑞联，将应行筹画各节，查照该衙门前函，详慎妥议具奏。

附法使宝海提议越事办法三条

一、倘中国将云南、广西兵现在屯扎之地退出，或回本境，或离境外若干里之遥驻扎，宝大臣即行照会总署，将法国毫无侵占土地之意，并将毫无贬削越南国王治权之谋，切实申明。

一、法国切愿设法，自海口以达滇境，通一河路。惟使此路有裨商务，自应上达中国境地，以便设立行栈、埠头等事。前有在蒙自设立口岸之说，今悉蒙自荒僻顽民聚居之处，不若蒙自下游保胜口，较为便易，且河深利于行船。倘令商船溯红江而上，以保胜为止界，则中国应视保胜如在中国境内无异，在彼立关收税，使洋货入关后，亦照中国已开各口洋货运入内地章程办理。中国亦应设法，使云南境内土货运往保胜畅行无阻，如驱除盗贼，撤去保胜境上已有关卡之类。

一、今为驱逐沿境滋事匪徒，令地面得以治理平静，中法两国国家在云南、广西界外红江中间之地，应划定界限，北归中国巡查保护，南归法国巡查保护。中国与法国互约申明永保此局，并互相立约，将越南之北圻现有全境永远保全，以拒日后外来侵犯之事。

清季外交史料卷三十终

清季外交史料卷三十一

光绪九年正月至二月

总署奏洋药厘税并征载在会议条款请饬驻英使臣与英外部商办折　附上谕

总理各国事务恭亲王奕䜣等奏，为洋药税厘并征载在会议条款，请旨饬下出使大臣与英外部商办，以专责成而免延宕事。

窃查，洋药一宗，善后条约第五款载明：一经离口，即属中国货物，只准华商运入内地，外国商人不得护送，如何征税，听凭中国办理等因。历经各省关照办在案。光绪二年七月间，北洋大臣李鸿章与英国使臣威妥玛在烟台会议条款内载：洋药与他项洋货有别。英商于贩运入口时，由新关派人稽查封存栈房或趸船。俟售卖时，洋商照则完税，并令买客一并在新关输纳厘税，以免偷漏。其应抽收厘金若干，由各省察勘情形酌办等语。当经臣衙门屡次与威妥玛商议，按照条款办理，该使臣以各省本口抽收洋药厘金多寡不同，拟并征以归画一，往返辩论，迄无成说。臣等函商南、北洋大臣，只可仍照各省本口向收厘税之数，并在新关输纳，多寡概不议加。离口运入内地，仍照向章办理。由臣衙门照会威妥玛，该使复称：已咨本国，厘税均照旧章，先在上海试办。如办不到，即将新开口岸退还中国。臣衙门当复以中国并无收回新开口岸之意，惟此事应照条款定明开办，讵屡催罔应。复经李鸿章与威妥玛面商议，于正税之外加征八十两，统计厘税一百一十两。威妥玛允加至一百两，并据照会称：仍咨本国酌议，俟准回音，即行备文知照等因。此历年议办洋药之大略情形也。

左宗棠上年奏请加征洋药税厘，拟并加至一百五十两，原冀洋药厘税加多则吸食者渐少，自系力图补救之法，并非专为税项起见。经各省关议复，钦奉谕旨，交由臣衙门会同李鸿章妥议具奏。臣等以此事仍须与英官商办，俟议有端绪，即据实奏明办理等因，先行复陈在案。威妥玛旋于去秋回国，臣衙门当将先后议办洋药各情，发递电函，知照出使大臣曾纪泽，以备与英国议论。旋准曾纪泽来电称：与威使谈，该使言，署中已许百两，泽驳之。署英使若再询税数，乞答云，已谕泽等语。臣等查，洋药流毒有年，本应禁止，惟关系中外大局，税则载明，进口税银，条约声明，离口即属中国货物，是一时虽未能议禁，而洋药如何征收厘税应由中国办理。况烟台条款内中国所允英国各条无不一一开办，洋药并征厘税乃英国允中国之款，延搁数年，迄未定议，亟应设法催办。前威妥玛在华，臣等屡商此事，总以咨报本国为词，藉作推宕地步。刻下该使臣业已回国，曾纪泽来电，曾有议院屡催，外部无以复之，英既上紧，吾华亦当妥商一定不易之章，以便因应之语，臣衙门已将应如何办法详晰电复，该大臣自可就近商酌，相机筹议。惟未奉特派办理，既无以专责成，该国外部及威妥玛，或又以曾纪泽无商办此事之权，故为延缓。臣等再四思维，洋药为五印度出产大宗，英国藉充兵费，岁计所入约二千万。若税厘太重，无论英国未能允行，转恐商人巧于趋避，偷漏必多。似以李鸿章前议一百一十两之数，并在进口时输纳，办理较有把握，商议亦易就范围。拟请饬下出使英国大臣曾纪泽，即将洋药厘税并征一事，查照臣衙门节次电函，与英外部妥为商办，使彼无可狡展，期在必成。如能按照一百一十两定议税厘，并在进口时征收，则中国税项可免偷漏，商人贩运亦可免重征。应如何酌定防弊章程、设立稽征总口之处，均由该大臣与英外部商定后，报明臣衙门，咨行南北、洋大臣，详慎拟议，仍由臣衙门核夺开办。至英国现有禁烟善会，颇以洋药害人为耻。该大臣如能乘机利导，联络会绅，与英外部酌议洋药进口分年递减专条，期于逐渐设法禁止，尤属正本清源之至计。谨奏。

光绪九年正月十二日奉上谕：总理衙门奏，请饬出使大臣商办洋药税厘事宜一折。洋药税厘并征，载在《烟台条约》，延搁数年，迄未开办。迭经该衙门与英使威妥玛商议，总以咨报本国为辞，藉作延宕地步。该使现已回国，着特派曾纪泽办理洋药税厘并征事务。该大臣洞达事体，向能力持大局，务将此事查照该衙门节次电函，与英外部妥为商办，期在必成。如照李鸿章前议一百一十两之数，并在进口时输纳，即可就此定议。仍着该大臣酌度情形，力与辩论。其应如何酌定防弊章程、设立稽征总口之处，均由该大臣与英外部商定后，报明该衙门，咨行南、北洋大臣、详议核办。洋药流毒多年，自应设法禁止。英国现在禁烟善会颇以洋药害人为耻，该大臣如能乘机利导，联络会绅，与英外部酌议洋药进口分年递减专条，期于逐渐设法禁止，尤属正本清源之至计，并着酌量筹办。

新疆督办刘锦棠奏新疆南界之贡古鲁克地方宜趁划界未定据约索还折 附上谕二件

督办新疆军务刘锦棠奏，为新疆南界之贡古鲁克地方关系紧要，宜趁划界未定，据理按约索还要津，以通南北而利边防事。

窃新疆局势，自准部戡定，回疆全入版图，辟山通道，择要安设卡伦、台站，南北一气贯注。无事则换防征调，遵率自由。有事则振旅饷军，进退如意。庙谟宏远，睿虑精详，百世莫之或易也。臣查，伊犁通南捷径有四：一自挪喇特卡伦，经朱勒都斯、察罕通格两山，以达喀喇沙尔；一由穆索尔达巴罕，渡特克斯河，逾冰岭，以达阿克苏之札木营；一出伊克哈布哈克卡伦，越贡古鲁克达巴罕，以达乌什；一出鄂尔果珠勒卡伦，逾北塔斯、巴尔珲两山，渡纳林河，以达喀什噶尔。然阿克苏、冰岭台路艰阻万状，夏月冰涣，四山坼裂，波涛流澌，峭壁森立，莫能飞渡。乱后，台站尽替，现仅阿属七台经臣照旧安设，余已咨商伊犁将军臣金顺办理，尚未接准复文。其喀喇沙尔一路，旷废已届百年，其中陵谷变迁，道路通塞，水草有无，均难悬揣，迭经行查鲜据。昨已函致金顺，请将山北情形确实查复，再议疏通。其纳林达道，早非我有，自可无庸议及。独乌什之贡古鲁克一路，地界八城之中，为南北相通第一要津，远在界线东南。新旧条约，皇朝舆地图志，班班可考也。

臣查，中俄界约大率按山水分宗，诚以山峙水流，古今莫易，故界线所至，辄指定某山之顶或水流去向以定经界，山阴属俄，山阳属中，水西流之处属俄，东流之处属中，天然界限，即若列眉，而经纬、方隅判然两截。虽地名沿革、语言文字称谓各殊，百变不能离其宗矣。谨按塔城旧约所载：伊犁南界过那林哈勒噶，由特穆尔图淖尔南边之罕腾格尔、萨瓦巴齐、贡古鲁克、喀克北山，统曰天山之顶。行至葱岭，靠浩罕界是那林迤南。约载之贡古鲁克，明明与罕腾格尔诸山连类而及，且申言天山之顶，其确指贡古鲁克山顶为言，非指乌什之贡古鲁克山麓为言，义至明也。臣前虑南路沿边地界情形，在事诸臣或者难于洞悉，特饬驻军阿克苏道员罗长祐，将图约所载地名歧异、阙略之处，遵照指示，详查细译，赍由臣详加考核，函达金顺与伊犁参赞臣升泰。所有查勘乌什西北之格根、特克斯、喀喇库勒等处，由俄通伊大小路径、远近、险易条分缕晰，悉以相告。

本年夏间，巴里坤领队臣沙克都林札布奉旨勘分南界，臣复饬罗长祐将原查情形就近详告沙克都林札布，用备采择。嗣据乌什善后局员·知县周应棻申报：本年八月十三日，沙克都林札布带同俄使，自阿克苏行抵乌什山、贡古鲁克、雅满索各卡伦，绕贡古鲁克山麓，至别叠里达坂，共立界牌二处，〈中〉、俄使各埋铜牌一面。所过山峡、卡隘、城堡逐一绘图，并将乌什城垣丈量规计，绕出布鲁特牧场，周回游历，延展四十余日，至九月二十六日始抵乌境。时帮办军务臣张曜已先期出卡，守候日久，咨报前因，请由臣理论行催。比经咨行查照，旋准张曜咨称：接沙克都林札布函，会从那林哈勒噶起程，度冰岭，由阿克苏、乌什先勘北界。十月初六日，沙克都林札布同俄使密登斯开，行抵喀什噶尔，询知阿乌边界，从罕腾格里，至别叠里山，已立界牌。其奇恰尔达坂迤西，现已积雪难行，拟俟来年五月再行勘办，并准钞录《喀什噶尔互换界约》函寄到臣。

逐细核阅，如第一条由那林哈勒噶［阿］起，过穆匝尔特达阪〔坂〕，向西天山中梁罕腾格尔顶，上接萨瓦巴齐。又从萨瓦巴齐山口卡子，以至贡古鲁克山口，绕至天山，均因达坂高险，人难越过，通指天山中梁为界。天山东南属中，西北属俄，凡天山断处，向西北流河水，不许改截源流等语，尚与塔城旧约相符，该俄使似亦知约不可背者。何以贡古鲁克山口至〈别〉叠里之达坂路两边相离二十二丈半，又复埋立中俄两国界牌鄂博耶？所称别叠里，即毕底尔。向西北流河水，当即阿克苏山上流之毕底尔河。山口达坂路，当即乌什出贡古鲁克卡以达伊犁之路也。臣维天山南北分支，千条万脉，巄崇绵亘，每由中峰以至山麓，蟠屈引伸，百里一小曲，千里一大曲。姑按北山言之，由东而西起巴里坤之松山，以至那林河源，凡数千里，统以腾格里指名。中峰由南而北，自阿克苏以至伊犁二百余里，总以冰岭达坂为中峰，中峰既定，然后分疆画界可得而言也。以故塔城旧约虽详于北而略于南，然其第三条结束，特指明罕腾格里、萨瓦巴齐、贡古鲁克、喀克善等山，统曰天山之顶一语，由辞绎义，匪特罕腾格里确指天山中干之顶为界，即贡古鲁克、喀克善各支山，罔非各指天山顶为界也。骑岭分界，则乌什边外俄界应在贡古鲁克诸山之阴，不得尽入山阳中国境地，明矣。今其所换界约，凡贡古鲁克以上各山，通指天山中梁为界，乃复于贡〈古〉鲁克山口，及别叠里之达坂路两边，相离二十二丈半，埋立中俄两国界牌鄂博，侵占至毕底尔河源，且将乌什城垣丈量。就其约章，按其举动，实属支离刺谬，自相矛盾，居心叵测，已可概见。失今不言，后将指此次会勘新界为定界，甚且于俄界之外、中界以内驻兵设卡，任意作难，忍之则有积薪厝火之忧，发之又有投鼠忌器之虑，如北路哈巴阿故事有明征也。迄今，科界黄线迤西蒙民，及哈萨克三万余众，抚绥安插，重烦宸廑，将来作何了局，尚难悬拟。若贡〈古〉鲁克，至别叠里山南达坂路所立俄界，不趁划分未定按约索还，则现隶乌什之奇里克、胡什齐两布鲁特部落，势必自撤藩篱，终归俄有。而贡古鲁克通伊犁捷径，非我所得问津，南北隔绝，即八城东西中间亦多梗阻，伊犁势成孤注，特克斯川虽得，亦犹之未得矣。微论有外患时，征兵饷馈，窒碍难行，即平时之文报往来必须绕越，隔阂孰甚焉？夫以中国固有之地，照约明载地界画畀俄人，我为主，而彼为客，如其违约越占，则曲在彼，而直在我，自有辞诘责。如哈密帮办臣长顺深明此义，以故勘分中界有得无失，且将红线迤西之格登、别珍岛诸山争为我有，抑其诡谋骄气，彼终詟服无词，办理洵为得手。向使勘分伊犁南界守辙循途，亦即免此周折矣。

臣伏读本年八月初三日谕旨：西北边界条约所指地名，必须查考核实，方免混淆，稍有迁就，出入甚大，务当详慎妥办，不得稍涉大意；又读九月二十四日上谕：新约既定，惟有就原图应行勘分之处，力与指辩，酌定新界，勿稍迁就，各等谕，圣训煌煌，无远弗烛。南路事同一律，自应恪遵办理。拟请饬下总理衙门，向俄国驻京公使据理按约与之辩论，所有伊犁南界，应照此次中界所定格登山红线，循格根河，顺喀什噶尔西边，行至葱岭靠浩罕界为界。中间应行勘分之处支节繁多，务须责成分界大臣恪遵谕旨，力与指辩，酌定新界，勿稍迁就。然后由乌什贡古鲁克出卡，以达伊犁之路，方可索还，事后不至别生梗阻。所立贡古鲁克及别叠里达坂路两处界牌，应一律拔除，凡新约越占之处悉予更正，庶足清淆混而杜觊觎。并恳天恩谕令曾纪泽，与俄国原派全权大臣原始要终，以重邦交而清边界，必期两昭明信而后已。臣明知新疆界务各有专责，何敢故越樽俎？然乌什之贡古鲁克地方被俄人影射越占，夺我南北要津，关系重大。臣忝膺重寄，未报涓埃，倘事关全疆利害，知而不言，纵邀宽大殊施，而扪心何以自问？区区之愚，实匪有他。所有乌什之贡古鲁克地方关系紧要，拟趁画分未定，请旨索还，以通南北而利边防缘由，谨会同帮办军务臣张曜据实具奏。

光绪九年正月十四日奉上谕：刘锦棠奏，新疆南界贡古鲁克地方关系紧要，请饬按约索还一折。据称：乌什之贡古鲁克为南北要津，旧约所载伊犁南界，系确指贡古鲁克山顶为言。上年沙克都林札布勘分南界，带同俄使，由贡古鲁克等处卡伦，绕贡古鲁克山麓，至别叠里达坂，设立界牌，侵占至毕底尔河源。若不趁画界未定，按约索还，南北隔绝，路多梗阻等语。着添派长顺，会同沙克都林札布，查照原奏，向俄官力与指辩，应照此次中界所定格登山红线，循格根河，顺喀什噶尔西边，至葱岭浩罕界为界。现虽［虽］勘立界牌，而划分未定，正可趁此据理辩论，设法挽回。长顺前办中俄界务甚妥，着金顺等饬令沙克都林札布与长顺妥筹办理。

上谕：前据刘锦棠奏，定中俄界约以天山之顶为限，此次沙克都林札布同俄使勘分新疆南段界务，将贡古鲁克山口至别叠里之达坂路，两边相离二十二丈半，埋立中俄两国界牌鄂博，侵占至毕底尔河源。所称别叠里，即毕底尔。向西北流河，即阿克苏上流之毕底尔河。山口达坂，即乌什出贡古鲁克卡以达伊犁之路。此路为南北相通第一要津，远在界线之外，新旧条约，班班可考。不趁画分未定，按约索还，南北隔绝，伊犁势成孤注等语。现在虽立界牌鄂博，尚未定局，着曾纪泽与俄国外部大臣详细辩论，令其传知该国分界官，与长顺等重加履勘更正，以符定约。

三月十五日廷寄

北洋大臣李鸿章奏查明常胜军旧欠美商洋行账目筹款议结折

署北洋大臣李鸿章奏，为查明常胜军旧欠美商洋行帐〔账〕目，先行筹款议结事。

窃臣于上年十一月间接准总理衙门函称：美国洋行及高桥轮船各帐〔账〕，为常胜军积年未了之事，前经两江督臣沈葆桢会商断还，而该公使西华未肯照结。现任公使杨约翰复请与臣处商办，令其参赞何天爵赴津面议，或就原索之数减成扣算，或就该国存款划数抵销，嘱由臣相机酌办，并钞案录寄到臣。旋由何天爵转该使杨约翰函，于十二月初五日抵津会晤，开送前案节略前来。臣督同津海关道周馥等详查案册，悉心考核，并与何天爵往返辩论一月有余，几于唇焦舌敝，该参赞坚索全还，不稍减让。查此案延搁已将二十年，原办道员吴煦、杨坊久经物故，中证亦多散亡。光绪三年，沈葆桢允还银四万余两系凭己意为定断，以致仍难速了。此次若不与设法清结，迁延日久，积欠愈多，势必更增轇轕，且系臣在江苏任内之事，自应设法商办妥协，以免葛藤。

检查卷内有同治二年九月吴煦与西华第二次公举金能亨、亨百里二人结算各帐〔账〕，盖印合同，声明各节，尚为切实。因与何天爵再四筹商议，将当日中人断明应还之常胜军洋行欠账先为清算，计共应给还本利银三万七千六百六十五两六钱二分八厘，饬由淮军项下，照数通融拨给汇案造销。至高桥轮船租价、卖价各欠账中，原有租价不应还之说，而西华等搜集众证，刊印成本，屡年哓渎不已，沈葆桢亦断为应还之款，自未便置之不议。惟查有广东赔款余存一项，美国另存上议院，递年生息，闻已有六十余万元，该国员绅颇有谓此款应拨还中国者。光绪五年四月，曾由天津筹赈局绅董公禀美国前总统格兰忒，批允转商议院核办，杨约翰、何天爵亦共知洋行、高桥各案清结，其赔款余存当即议还。臣筹维至再，允俟此款归还有日，再行议结高桥船帐〔账〕，以期互相抵制。嗣准何天爵照复，允准将洋行欠项一案先行照销，所有本利银两取有华洋文印收券，高桥船案并允暂缓商办，业于正月十六日起程回京。除将此案议办详细情形，函咨总理衙门查照外，理合恭折具陈。谨奏。

光绪九年正月二十二日奉旨：该衙门知道。

伊犁将军金顺奏与俄国勘分伊犁南段界务情形折　附喀什噶尔界约

伊犁将军金顺奏，为勘分南段界务现在大概情形，谨绘图贴说，进呈御览事。

窃奴才于本年六月二十六日，将勘分新疆南段界务·巴里坤领队大臣沙克都林札布由伊犁绥定起程，前往那林哈勒哈①地方，会同俄官举办界务日期，由驿驰奏在案。嗣接南段分界大臣沙克都林札布函称：俄人狡诈，必欲以萨瓦巴齐为界，现与再三辩论等情。奴才详查，萨瓦巴齐在天山之阳，距天山中梁尚远。若以此处定界，则俄人越山而下，设卡据守，毫无隔阂，举步有越境之嫌，将来贻患滋大。当经再三函嘱，详度情势，不可迁就。我纵不能越山而北，万不可令俄人逾山而南，务须妥协办理，俾其无所藉口。

去后，兹于十二月初二日接准沙克都林札布咨呈：自那林哈勒哈河会同俄国分界官咩登斯格互相履勘，过穆匝尔特达坂，向西天山中梁罕腾格尔顶，上按〔接〕萨瓦巴齐之天山至喀本、库尔图克，② 以上各达坂，险峻难越，实难埋立牌博，均指天山中梁为界。及勘至别叠里达坂，即于别叠里达坂南面陡崖人行路径，两边相离二十二丈半，埋

① 有时为“那林哈勒噶”或“纳林哈勒哈”，一律保留原貌。

② 附文为喀伊车、库库尔图克。

立中俄两国界牌鄂博，天山西北属俄国界，天山东南属中国界，凡有天山断处，从西北流过天山之河水遵照条约不许改截源流。直至别叠里山、阿克苏、乌什所属之边界止，逐段履勘，山险路危，迂曲绕越，虽人迹罕到之境，莫不亲至其地。及至别叠里达坂埋立牌博后，行抵乌什之乌奇地方，风雪连朝，天寒地冻，俄国分界官坚请停勘，屡催罔应。无可如何，当经约会俄官，于十月初六日齐至喀什噶尔，将一切界务事宜面商帮办军务·广东陆路提督张曜，再与俄官议定互换文约四条，注明光绪九年五月初五日再行举办，其已行之地，绘图一纸。俄官即由该处回国等因前来。

奴才按图详细查阅，界定天山中梁尚可藉资屏蔽。该大臣逐段履勘，靡不亲至，于萨瓦巴齐一段再三力辩，始得俾为我有办理，尚属妥协。惟因雪大天寒，俄官坚请停勘，已由沙克都林札布会同俄官，定约于明年五月初五日再行举办。所有别叠里达坂迤西一带界务，应由臣〔奴才〕咨催沙克都林札布，并照会俄官，明年务必如期会齐举办，毋任延缓，庶免别生枝节，以期均臻妥协，仰副朝廷慎重边圉之意。谨照现分之界恭绘舆图，进呈御览。至分俄官互换之约图尚未寄到，先由沙克都林札布钞来文约舆图，另行照钞绘图，咨送总理衙门查核外，所有勘分南段界务现在大概情形，谨恭折具奏。

光绪九年正月二十八日奉旨。

附喀什噶尔界约

两国分界大臣会面，各于大清国光绪七年七月二十五日，即俄国一千八百八十一年飞巴拉里月二十四日，大清国、大俄国互在俄国都京，遵照约章拟定大清国所属喀什噶尔天山西北俄国属界，互由那林哈勒哈河口起至别迭里[①]达坂止。今岁互相勘分之界，埋立牌博事宜，是以大清国、大俄国大臣会同互造文书，立过牌博地名并立过牌博，言定条款开列于后：

第一条　两国大臣奉旨会定边界，由纳林哈勒哈河起，过穆匝尔特达坂，向西天山中梁罕腾格尔顶，上接萨瓦巴齐之天山〈至〉喀伊车、库库尔图克，以上各达坂，人难越过，均系指天山中梁为界。两国大臣同到别迭里达坂，于别迭里达坂南面陡崖，从达坡〔坂〕行走，路径两边相离二十二丈半，埋立中俄两国界牌鄂博。凡有天山断处，从西北流过天山的河水，遵照红线，天山西北属俄国界，天山东南属中国界。遵照条约不许改截源流。所有两国大臣行走中国之博斯塔克山萨瓦巴齐口，此口有卡子库玛拉克河，即图上的札纳尔特河，楚拉克特普、库鲁克伯果斯、喀西克来、乌鲁再力雅克、库奇嘎尔塔、臻丹、札特克勒克、贡古鲁〈克〉各山口，绕至天山，因高险难越，指天山中梁为界。

① 有时为“别叠里”。

第二条　大清国钦差分界领队大臣沙，大俄国钦差分界格纳拉尔玛玉尔费克托尔密登斯开会面，互由那林哈勒哈河口起，至别迭里达坂以东，所有山大梁陡难以越过，实难埋立牌博，即别迭里达坂埋有牌博，由此山靠向西北处为俄国界，靠东南处为中国界。现中国与俄国互相立定牌博，各名山、河，绘图，编入文书为凭。

第三条　大清国光绪八年五月初五日，即俄国一千八百八十二年依云月初一日起，计足三百六十六日，由两国各派妥员带兵，每年查验达坂新立牌博一次，按年照章查办别迭里达坂新立界牌鄂博，倘有损坏之处，即各派官员按照旧式补修各牌博。

第四条　现在边界山岭降雪严寒，分界事宜难竣，两国钦差大臣等会面言定，分过边界地名编入文书，造写清、俄文字各四分，两国分界大臣钤用印信，书花手押。两国大臣言定，已分之界各绘地图二分。凡分边界，均靠舆图红线，仍将边界地名兼写清、俄文字，钤用印信，书花手押。商定两国分界事宜，由大清国光绪八年九月二十五日，即俄国一千八百八十二年倭克提雅巴里月二十五日起，计足二百二十日，两国分界大臣等，均至库克沙尔山奇恰尔达坂南面之阿克塞河会齐，举办分界事宜。两国分界大臣等编入文书相换，各存地图各一分，文书各四分，以备查办。为此，在喀什噶尔城互换文凭、文书，以昭固信。

大清国光绪八年十月二十七日，即大俄国一千八百八十二年倭克提雅巴里月二十五日。

滇督岑毓英等奏法越交涉法愿调停请预筹善法折　附上谕

署云贵总督岑毓英、云南巡抚杜瑞联奏，为遵旨会议复陈事。

窃臣等于光绪八年十二月初十日奉上谕：总理衙门奏，法越交涉一事，法人现愿与中国会商，请饬预筹善法一折等因。钦此。伏查，法越交涉一案，迭准总理衙门函询，臣等均随时陈复，并将藩司唐炯出关查看情形，节次密陈。嗣承准总理衙门函示法使宝海所议办法三条，复经督同唐炯拟议五条，并绘具南北圻图说，及须从缓通商各情，函请总署核办在案。兹复钦奉谕旨，饬令先事妥筹，臣等敢不殚竭愚忱，倍加详慎！

查宝海所议中国官军退扎一条，法兵是否退扎并未议及，可见其居心叵测。现在滇省防军仅驻扎滇越交界，未经深入，毋庸再行撤退。其第二条，彼国愿设法自海口以达滇境，有裨商务等语。滇省地瘠民贫，洋货难销，亦无土货堪行外洋，于商务毫无益处。且商人惟利是图，能否运货至保胜须出彼情愿，不能刑驱势迫。所请将土货运往保胜窒碍难行，而彼族藉口通商实系垂涎厂利。臣等现已将厂务整顿，选委官绅分报开办，使彼无可争之利，亦足伐其觊觎之谋。该使所谓驱逐盗贼，撤去保胜关卡，自系暗指刘永福而言。臣等不显用此人，正虑彼藉词寻衅。将来会议，请明告以刘永福系属越官，非同土匪，未尝得罪中国，不能无故驱逐。若于此路通商，倘刘永福阻遏，中国亦不能代为管理，预先说明，庶免受彼要挟。其第三条，欲于红江中间分界保护，意存蚕食，显而易见。夫越南久列藩封，尺地一民，无不仰邀覆帱，又何容更分疆界？今越国既不能自强，亦惟有姑就此说以息争端。谨按越南舆图，富春国都以北，除广治省广平道为左圻外，其余河静、乂安、宁平、清化、南定、兴安、河内、海阳、北宁、广安、谅山、太原、高平、山西、兴化、宣光各省均为北圻。富春以南，除广南省广义道为右圻外，其余平定等省均为南圻。必须将北圻各省全归中国保护，与富春国都联为一气，紧急可以援应，方能保此危邦。而河内省现系法人占据，未必肯轻易退出。如万不得已，亦只可分此一处码头为彼贸易之所，此外不容侵占。所有北圻各省守以粤滇防军及越国官兵，足资分布。滇省兵力有余，惟饷需不足，仰蒙天恩敕部筹拨接济，自不至掣肘。其应如何布置，容俟臣等函商两广督臣曾国荃、广东抚臣裕宽、广西抚臣倪文蔚妥筹办理。

总之，疆界可分，而北圻断不可割；通商可许，而厂利断不容分；土匪可驱，而刘永福断不宜逐。其他不关紧要者，无妨姑准一二，以示转圜。夫制胜之方，贵知彼知己。今法兵在越不满千人，故得河内而困守，窥南定而无功，既恨刘永福之阻其前，又虑我军之蹑其后。德与法世仇也，又从中牵掣。情虚势绌，宝海始有此调停之举。似宜坚持定见，示以牢不可逾之限制，使彼就我范围，不致贻害将来，方可行之久远。臣等与藩司唐炯悉心商酌，意见相同，应请旨饬下总理衙门暨两粤督抚臣，将臣等前次所议五条及此次复陈各节，详加商酌，以便临时会议。藩服幸甚，边隅幸甚！谨奏。

光绪九年二月初二日奉上谕：前据总理衙门奏，法越交涉一事，法人现改与中国会商，请饬预筹，当谕令岑毓英等妥议。兹据岑毓英、杜瑞联等奏，法人有此调停之举，似宜坚持定见，不致贻害将来，方可行之久远。疆界可分，而北圻断不可割；通商可许，而厂利断不容分；土匪可驱，而刘永福断不宜逐，洵为握要之论。近闻法国更改前议，并欲将该使宝海撤回。彼族反复无常，惟当持以镇静，严申警备。着岑毓英、杜瑞联、倪文蔚，督饬关外各营，择要扼守，固不宜深入越境，亦不可稍有退扎，以期固边疆而维大局。前派提督吴全美，统带轮船水师，在广东廉琼一带驻扎巡防，现在法越之事未定，着曾国荃、裕宽饬令吴全美认真操防，以壮声势；并着李鸿章、张树声确探情形，随时具奏。

桂抚倪文蔚奏遵筹法越交涉事宜折

广西巡抚倪文蔚奏，为遵旨预筹法越交涉事宜事。

窃于光绪八年十二月初十日奉上谕：总理衙门奏，法越交涉一事，法人现欲与中国会商，预筹办法一折等因。钦此。臣伏查，上年十月间，法使宝海倡为保越通滇之议，准总理衙门王大臣暨署北洋大臣李鸿章先后迭函知照。当经臣随时复商办法，首以保胜立关及安置越官刘永福最为急务，并先遵饬边军驻扎各营酌量退舍，以示朝廷绥藩柔远之至意。兹复钦奉谕旨，饬将法越交涉久远利害详慎妥议，并续准总理衙门函示李鸿章所筹酌定通商口岸、安置刘永福各情。仰见圣虑周详，莫名钦悚！臣于中外通商事宜向未谙习，第就近年所历事势，及今日拟办情形，谨为圣主大略陈之。

法人侵占越南北圻，以通滇路，是其本谋。频年用兵，卒未逞志，良由越官刘永福扼守保胜，又得中国滇、粤之师隐为声援。今既翻然改图，与我言好，则我藉此转圜，以保属藩而固吾圉，自系安边上策。惟是宝海所议第二条内驱除盗贼、撤去保胜境上关卡，第三条内驱逐沿境滋事匪徒等语，粤军频年出关剿匪、保护越圻，至今尚未撤防，法人宁有不知？彼所谓盗贼、匪徒，即指刘永福一军而言。刘永福为保胜守将，忠于其主，未经商之越南遽议驱除，无论名义攸关中国所不忍出，即使胁以威力，而该将部众数千人，聚则为兵，散则为寇，亦恐变生意外，功效难期。是中国未得通商之利，已受穷兵之害，法人亦难坐享其成。据李鸿章之议，刘永福或由越南另调他处，或由中国权授一官，均属通融办法。臣查，刘永福坚守保胜，羽翼已成，所部剧盗甚多，自征商税以供军食，迁徙他方能否安辑，应由越南自行酌夺。至权授一官，藉资捍御，臣曾访诸边将，但能信刘永福之无他，不能保所部之用命。兼之滇、粤饷糈均甚匮乏，防军支应已属牵东补西，安能骤增数千余众之饷？若指新关税项，则事犹未定，赢绌尚不可知，目前作何筹垫？该使所议于红江中间划界，北归中国保护一层，红江上达滇疆，下通海口，是保胜、河内皆在红江界内，则法人先应让出河内，而后滇、粤各就毗连省分保护之，至红江北岸为止，方与北归中国之议合。以臣愚见，保胜之能否设关，必视刘永福之从违为准。中国之能否保护，亦必视刘永福之聚散为衡。否则，疆臣力量不敢悬定，即通商议约亦托空言。现署两广督臣曾国荃，已派招商道员唐廷庚前谕越藩，速派明干大员来东备问。其安置刘永福一节，或由该藩自饬刘永福遵依所令，或由该藩自与法人熟商办理，饬令先行议定呈复。而刘永福系保胜守将一层，似可由总理衙门照会法使，破其影射诡谋，庶于交涉全局始有端绪。法越订约多年，并未知照中国，越虽藩服，已同自主。此次未定议约以前，法亦不能据以责我，肇开衅端。至于通商口岸，由富良江入滇，先抵蒙自，何处可为总口，何处可为子口，滇省督抚臣自应斟酌具奏。法使前以蒙自荒僻为词，专主保胜，并中国设法使滇货运往保胜等语。果如所议，将来商贾不往，彼必谓自我误之。就令通商口岸以保胜为宜，此条似不可许。西省商路向不航海，由滇边以内而至百色始入本境，自此经南宁、浔、梧各府达于广东皆属水程。若出镇南关以至河内，则皆陆程险远，商旅罕通，均与洋人通商无涉。窃计法使宝海所称，该国回电已在指日，越南陪臣亦将遵派来东，钦简大臣会同两广督臣妥议全局，自必仰承谟训，折衷至当。臣一孔之见，荷蒙清问，不敢不献其愚，伏乞饬下总理衙门王大臣及署北洋大臣李鸿章，公同核议。谨奏。

光绪九年二月初六日奉旨。

桂抚倪文蔚奏法越分界事俟派大臣来粤再行定议片

倪文蔚片。

再，臣查，越南全境皆我藩封，以故事言之，则保护所当力任。以近事言之，则分保转须细商。臣所鳃鳃过虑，惟在保胜守将刘永福一节，其不敢遽任分界之处亦在于此。然中法已有成约，未可中止。臣正折所陈照会法人以刘永福实系越官，并非盗贼一层，或可采用，则安置之策徐为详议，似尚有次第可寻。据总理衙门前照会法使称：应议各条，均俟两国派定大员，并由越南选派大员，三面会商，斟酌妥议。李鸿章亦称：会议此事，必须越官在场，乃能筹出办法。均为要论。臣惟有静候简派大臣来粤，定议时，再行详筹办法，奏请宸断，谨再附片密陈。

光绪九年二月初六日。

桂抚倪文蔚奏越藩横征暴敛民怨甚深片　附上谕

倪文蔚片。

再，臣查，越藩国政横征暴敛，民怨甚深。前次西省逸匪、游民逃窜边外，动成股众，占地自雄，越民反恃以抗官，藉安旦夕，以故频年中国剿匪之役不能遽报肃清。目今著名匪首剿抚粗定，而所在伏莽尚不可胜计。诚欲保护越藩，自非改易政令，与民更新，将费财劳师，无有穷期，中国浸成自敝之道。加之刘永福所部三千余人，位置之方急难措手。仰承谕旨，以粤西分界保护何处为问，恭绎再四，实无把握。凡泰西各国于弱小之国交涉事件，辄举保护为名，实则政权归之自操，与吞灭者无异。英人之于印度，是其明征。我朝仁德如天，越藩等属仅于轮年职贡，以示臣服，其于地上政事任藩自主，不更禀承。今越藩势难自立，睦邻除暴，胥仗天朝。臣等忝膺疆寄，自当仰体生成，亟予补救。然亦不敢不权衡利害，以全始终。区区愚忱，谨附片密陈。

光绪九年二月初六日奉上谕：倪文蔚奏，遵筹法越交涉事宜一折，据称：保胜之能否设关，必视刘永福之从违为准。中国之能否保护，亦必视刘永福之聚散为衡等语。不为无见。法人欲于保胜设关，意在驱逐刘永福，此层断不可轻许，必应详慎筹度，免致贻患将来。前闻法国变更前议，并将宝海撤回，其事之有无，尚不可知，着总理衙门、李鸿章、张树声随时体察情形，悉心规画，妥为经理。

总署奏伊犁交涉俄人案件亟应查办完结以免藉口折

总理各国事务恭亲王奕䜣等奏，为伊犁交涉俄人案件亟应查办完结，以免藉口宕延撤兵期约事。

窃查，伊犁交收一案，新约并照会内议明：居民愿往俄国者，自交收之日起，予一年限期迁居，俄兵俟一年期满撤回等语。臣等以一年之内属中属俄，彼此逼处，深恐语言龃龉，为所藉口，迭次电致金顺，格外加意，以顾大局。上年十月，俄国使臣布策称：接其外部电报，伊犁纵兵滋事，若不禁止，俄国不得不设法挽回等语。当由臣等电致金顺，迅为查办。据复，并无其事。十一月间，据俄国署使臣韦贝函称：伊犁将军于查办各案置之不理，兵丁又杀焚二回民。又阿里玛图站有站目阿纳士诺及人廓萨伏之尸。又兵丁费里伯伏、伯雅斯克二名之被杀尸身，请将官员、兵丁从重惩办。又筹赡被害家口。并称：本国拟仍在绥定地方按兵，俟所索补偿即行撤退。臣等函复以边界交涉各归各案办理，应查各案业已行催，迅为办结。至一年期满撤兵一节，系特约内专条，彼此信守，不能藉此耽延。并电致曾纪泽，嘱其转电金顺，认真查办。去后，近又连接俄国署使韦贝来函，以阿里玛图案未获正犯及应偿所索为词，不肯撤兵。臣等给与照会，再伸〔申〕前说。复准曾纪泽电报，俄外部所言与韦贝函意相同，并有添兵进守之语，是俄人既有藉端渝盟之意。查中国允给伊犁偿款现仅二期未交，倘或交清以后此案仍未办结，彼得有词宕延，我已毫无把握。俄情叵测，殊为可虑。除臣等电嘱曾纪泽，以各归各案，据理辩驳，并电金顺迅速缉犯结案外，应请饬下曾纪泽，查照臣衙门迭次电嘱，与俄外部极力剖论，勿稍松劲，以期照约如期撤兵，免生枝节。谨奏。

光绪九年二月初十日奉旨：依议。

使美郑藻如奏美国纽约地方请设领事折

出使美国大臣郑藻如奏，为美国纽约地方华民日众，拟请设立领事官，藉资保护事。

窃查，美国地方西通太平洋，以金山埠为首站。东通大西洋，以纽约埠为首站。两埠相距约万余里，皆为往来必经之路。从前华民寓居美国者，以金山为最多，业经前任出使大臣陈兰彬奏设领事，驻扎金山，料理一切。近则纽约一埠华民往者亦日见增多，土人不无嫉忌。兼以日斯巴尼亚国所属之古巴一岛，与纽约水程相通，华民由古巴回籍，必须假道纽约，实为通行要路。现值美国设立《整理华工新章》：凡华工由纽约出境者，亦须由中国官发给护照，以为再来美国之据。臣迭次与总理衙门函商，似非在纽约添设领事官，不足以严约束而资保卫。可否仰恳俯念该处地居冲要，准设领事官驻扎料理？实于华民大有稗益。如蒙俞允，拟俟奉到谕旨，妥酌章程，钦遵开办，并于随带各员中，选派江苏试用通判欧阳明，充当纽约领事官，同知衔郑鹏翀充当翻译官，五品衔赖鸿逵充当随员，饬令妥慎经理，冀收实益。但事属创始，必先与洋人声气相通，乃易集事。如开办时或须暂用洋员，以备差遣，容俟临时妥酌选用。谨奏。

光绪九年二月初十日奉旨：依议。

左庶子张佩纶奏越事趋重粤西请简边材折　附上谕

左春坊左庶子张佩纶奏，为越事趋重粤西，请简边材，以图方略事。

窃中法相持于越郊垂一年矣，近闻法欲增军撤使，论者颇以为虞。臣惟越南山川间阻，非用众无以制胜。法即增兵多仅千人，少或数百，饷力不充，终难久集，此不足虑也。使之辩拙，与兵之强弱相因，我足应敌，易使何害，此亦不足虑也。所可虑者，疆吏无人耳。故此事之成败利钝，不在法兵之增不增，法使之撤不撤，而在中国之疆吏得人不得人。曾国荃、杜瑞联臣尝论之，其他若两洋重寄，三省边符，颇亦一时之选矣。然南洋置越事不问，北洋距越南过远，论军情则电报不能通，论地势则舆图不足据，故转圜立约当令李鸿章主之，临敌机权必非北洋所能遥制。张树声未能回粤，且广东竟无水师，防廉兵舰撤至虎门，疆臣馁玩可知，是广东但能自治也。岑毓英遣唐炯行边，初志颇锐，近以瘴疠为词，勒兵境上，是云南但能自治也。两军不为粤西犄角，则粤西孤然。粤西形势足以吞并北圻，北圻险阻足以画地自守，巡抚得人，则以一省之全力，存越制法而有余。昔胡林翼抚鄂，江淮遍地皆贼，林翼知存鄂不如图皖，皖得，则进足灭吴，退可安楚。经营积年，粤逆遂弱。广西之北圻，则湖北之安庆也，得之则门户完，失之则藩篱撤，殆必争之地矣。朝廷之简任倪文蔚也，以尝在胡林翼军中，冀收尺寸之效。顾倪文蔚为人长于吏事，而战阵非所习，洋务非所习，边情非所习，殆吏才，非将才也。今粤西军事所宜治者三端：一曰军政提标有骄兵，前敌有虚伍也。一曰军实糗粮未储，库帑未足，枪炮子药未精也。一曰军谍设于法越之间，联黄佐炎、刘永福之情，抚臣而既图之必有征矣。若犹未也，事阅一年从容坐镇，奉寄谕则敷衍复陈，得边报则张皇入告，庸有济乎！夫时事孔艰，人才难得。若倪文蔚之淹雅勤能，臣亦何敢过为疵议？然内不能用徐延旭而欲移之粤东，外不能用刘永福而欲委之越南，声名损于治郡，将略殆非所长。若量移内地，而别简知兵大员巡抚广西，庶中原得一贤抚，岩疆得一边材，亦两全之道也。至关外一军，无论主和、主战，当久屯增备，以防不虞。越南都护黄桂兰不过偏稗，终难独将。伏念徐延旭前在关外捕盗，甚得交人之心，以道员超擢藩司，朝廷所以驱策之者本不在簿书之事，可否敕令出关治军，经画北圻，大修战备，与黄佐炎、刘永福联络声势，所有关外事宜即令专奏，以归机速。如此，则粤西之军声稍振，然后粤南、云南水陆各军得与合力。即法兵果增，法使果撤，我有成谋，屹然不动，以战则可胜，以守则可固，以和则可成矣。臣慎重边寄，不惮渎陈，伏祈圣鉴。谨奏。

光绪九年二月十五日奉上谕：法越交涉一事，现在尚无成议。越南北圻为广西门户，若能保护北圻，即以固吾疆圉。藩司徐延旭于关外情形颇为熟悉，着即出关，相度机宜，准其专折奏事。该藩司务当与黄桂兰、赵沃等和衷商榷，妥慎筹办，并将布置情形随时具奏。倪文蔚当仍遵前旨，督饬关外各营，择要扼紧，妥筹防范。

侍讲学士何如璋奏越南危急请派统兵大员出关筹办以保属土折

翰林院侍讲学士何如璋奏，为越南情形危急，请特派统兵大员出关，筹办保属土而固边疆事。

窃越南毗连滇、粤，负山濒海，土沃产饶，法人蓄意并吞非一日矣。其南圻九省，自割属法人之后，劝垦、招商、设官権税，岁入二百余万，获利颇厚。又习知越南君臣昏懦，武备废弛，欲全据之，以进窥滇、粤门户，故去年复有河内之役。然据城之法兵不过数百人耳，见我三省派兵出关，亦复迟回，而不敢动闻。去冬，法使有罢兵再议之言，今春忽翻前说。虽由该国更换执政，殆亦揣知吾不与力争，因有此番更变。以越南积弱非法人敌，我不与争，必折而归法。越南归法，则滇、粤藩篱尽撤。法人据其土，取其财，练之为兵，驱之为寇，将来南徼千余里间，欲求一夕之安，讵可得乎？今乘法人迟疑未决，拟请旨特派知兵大员出关，节制三省防军，汰弱留强，添募近边土勇，合一万数千人，于北圻、广安、谅山、太原等省，择要扼守，以观其变。刘永福一军久据保胜，与之为仇。法人虑其作梗，令越南逐之。而越人畏法之横，疑不敢用，自孤其势，益启戎心。计不如假以资粮，倚为犄角，有警则调其劲旅，驱为前锋。该军惯习边要，熟悉夷情，使当法人之冲，必能深得其力。明告越南以必救而固其心，并谕用永福之宜专以壮其气。俟防备已严，乃与辩论，庶不致强索横侵，日甚一日，袖手坐视，莫可如何。查法为民主，非必好大喜功，侵略越南也，欲如英人之据印度，倚为外府，收揽东南利权，既割其膏腴，复欺其愚懦。近日之举，直欲以数百人逼劫之，吾但示以必争，则彼欲小试而成功难，必欲大举又劳费不赀。该国惟利是图，或且知难而退，重申前议，当有收场。惟行军必宜置帅，夺人亦仗先声。苟调度之或乖，恐事机之坐失。现法未退，和未成，亟宜及时布置，饬备伐谋，庶操之有方，乃无后时之悔。臣愤法人纵横，越南危急，为保属土、固边防起见，冒昧折陈。谨奏。

光绪九年二月十九日。

中英会议上海至香港电报办法合同

一、英国大东公司遵照同治九年原议，安设上海海口至香港海线一条，沉于海底，其线端不得牵引上岸，以分华洋海旱电线界限。

二、英国大东公司若照同治九年原议，应将其海线之线端，置于趸船，离口停泊。现在中国电报局允请上海一处，准大东公司海线做至洋子角为止，由水线头与中国旱线头相接洋子角在大赤山对面海边。

三、中国电报局，允由上海至洋子角禀设旱线一条，与大东公司海线相接。

四、英国大东公司允许，海线只能由洋子角一处，直达香港大东公司总办。经禀明英国朝廷，酌更前议，不得设水线至宁波、温州、厦门、福州、汕头、广州以及各海口。

五、中国电报局可将电线自广东通至香港地方，与大东公司旱线相接，应照大东公司电线至上海地方与中国电线相接之例，一律办理。

六、中国旱线至洋子角来去报费，应照中国旱线所定收费规例，大东水线至香港来去报费，应照大东海线所定收费规例，彼此按月核结，分割清楚。

七、上海中国电报局，现租旗昌石头洋房一所，除一半中国自用外，分出一半，作上海至洋子角旱线、洋子角至香港海线机器报房。中国电报局派一司账坐驻电报房内，专管洋子角旱线报费，每日帐〔账〕目事宜，门前悬挂中国洋子角旱线电报局、大东电报公司招牌。如中国在香港设立电报局，亦必照大东公司在上海之例一律办理。

八、中国电报局所设由上海至洋子角旱线，如有损坏，自必赶速修好。此条旱线中国必自己巡守妥当。

九、中国电报局，由上海至洋子角设立旱线，必做双线接该处水线电报之用。

十、以上所订各条议，于立合同之日起，以二十年为限。

十一、中国及各国或上海口岸，遇有海口封禁不测之事，以及合同所未及详载之事，彼此均照万国公法办理。

十二、所有上海至洋子角中国旱线报费，现与大东海线相接，议定：香港至洋子角大东海线所收归报费一百分之九十五分，洋子角至上海中国旱线归报费一百分之五分。其算字法，按照万国公例核算，凡有彼此公务局报，两不计费。

十三、以上条款，中国电报局由广东至香港接线，与大东公司由上海至洋子角接线一律办法。

十四、中国电报局所租旗昌石屋一所，以前面一半归大东公司用，以十年为限。每月房金如果是四百两，由大东贴还房金规银二百二十两，所有工部局一切等费各半照派。如果租价不及四百两，大东公司亦可照数均减。

十五、所有大东公司房租、薪工、电灯、纸张、笔墨等项费用，均归大东公司开销。所有看守旱线以及修理旱线之费，均归中国电报局开销。

十六、以上各条，写中、英文字两分，由中国电报局总办、大东公司总办定议签名，再请上海关道台、英国领事官签名盖印，详送中国南北洋大臣、总理衙门、英国驻华大臣核准备案。如有合同字义遇须辩论之处，概以华文为准。

大清光绪九年二月二十三日。

西历一千八百八十三年三月三十日。

伊犁将军金顺等奏勘分科界必先安插蒙哈请款抚恤折

伊犁将军金顺、伊犁参赞大臣升泰、科布多办事大臣清安、额尔庆额奏，为勘分科界，必先择地安插蒙、哈，请款分别量加抚恤事。

窃奴才等曾将派员驰赴乌梁海安抚蒙民，并饬查黄线以西蒙、哈人数，核计量移，尚恐人浮于地，大概情形驰奏在案。嗣奉上谕：清安、额尔庆额奏，勘分科境边界，未敢冒昧从事等因。钦此。自应懔遵，悉心妥筹商办，总期维持大局，勉副圣主轸恤边氓之至意。惟勘分科界，意图迅速举办，俾得早为蒇事。奈黄线以西应行勘分之处现为蒙、哈所居，约计三万余众，须择地宽展，方敷安插，非大费周章，难期妥协。若安插此项蒙、哈，必先将东界蒙、哈所居游牧详细履勘，体察情形，节节重为展移，腾出地方，再行移西就东。但未知其能否全行安插，尚难预定。向来塞外一交秋令，冰雪盈野。现在雪深数尺，地方形势实难履勘，且未便令数万蒙、哈携老扶幼，踏雪履冰，跋涉于风尘之中，其情亦觉难堪，殊不足以示体恤。奴才等辗转筹思，午夜焦急。刻下万难举办，必待明岁春暮夏初，冰雪稍为融化，迅即驰往，赶将择地安插，料理事竣，约于五月即可。勘分边界业经商妥，应由奴才金顺等就近知会俄使，订期指定应于何处，会同举办勘分，先期咨复前来，俾免临时歧异，用昭妥慎。

再，哈萨克决意不愿回塔、恳求收抚一节，实念彼族甚众，无所依归，若不俯如所请，必致到处散漫，又恐别生事端，其势实有不得不然者。故准其收抚，听候择地安插，并令一律改装蓄辫，依照蒙民服色，庶与俄属哈萨克各有分别，将来易于稽查，以免淆混之弊。该哈夷头目均已俯首听命，无不乐从，当即望阙叩谢天恩，深知感戴。惟念该哈夷人固戆直，性近犷悍，良由声教所未及，将来非设官定制，不足以资控驭。嗣后应如何办理之处，自当随时奏闻。

复查，蒙民向以牧养为生计，该处前遭回逆之乱，肆行掳掠，所遗牲畜迭年瘟死，倒毙殆遍。其东界蒙古牲畜现时所存无几，其困苦不堪言状。而更苦者，莫如西界蒙民为尤甚，因无牲畜牧养，尽奔往哈巴河附近一带，遍觅可耕之地，薄种而食，得以糊口。现闻复又勘分该处地界，人情汹汹，坚不肯让。前经奴才等派员善言开导，极力安抚，并将择地安插、筹款抚恤之谕旨剀切宣布，而人心虽然稍定，其中究未能尽皆诚服者。揆厥由来，知该蒙古必以今日之抚恤，只能拯救于目前，终恐无济于将来，深思久计，理所必然。夫边地穷民，又非内地灾民可比。内地灾民，今岁荒歉，以待来年，或可望其丰稔，况抚恤不过暂救一时之饥渴。而此项蒙民既无牲畜牧养，又无地土耕耘，今一旦舍此沃壤，而移居于瘠苦之处，毫无凭藉，其将何以谋生？奴才等悉心筹虑，抚恤蒙民，惟有筹款购牛羊散给，以资牧养。然既为蒙民计，能不为国家计乎？总之，处此时艰，库款未充，自应力求撙节，必使恤所当恤，减所当减，详加分别，酌量抚恤，庶帑项不致虚縻也。前据乌梁海两翼散秩大臣等奏报，西界蒙民男妇老幼约计七千余名，内稍有牲畜聊可自给者一千数百名，又除大小婴孩约七百余口，以上二项应无庸抚恤外，其余极苦无牲畜者五千余名。奴才等拟将此项极苦蒙民量力抚恤，按二名赏给乳牛一双，每一名赏给乳羊五只，以备牧养孳生，取乳度日。且砖茶乃蒙民一日必不可少之物，按每名酌给砖茶二块，以资食用。如此抚恤，则蒙民均沾实惠，感戴皇恩无涯矣。

再查，西界哈夷约计二万余人，及东界蒙、哈，其中贫苦者尚未计其多寡，虽不能与前项蒙民之比，亦当随时查察，择其极苦者，量加抚恤，用彰朝廷一视同仁之至意。窃思抚恤蒙、哈，采买牲畜、砖茶，及勘分界务随带文武员弁、兵役人等裹带口粮、雇备驼马脚价，以及盘川、赏犒，并建立牌博工料等项，通盘合计约需银七万余两。奴才商酌，现时无款可筹，且急需之际刻难稍缓，亟应请旨饬部，无论何款，先行筹拨银七万两。奴才等一面具奏，一面派员赴部请领，星驰押解回科，以济要需。此次筹拨之款倘不敷用，再行随时声明奏请，统俟办理完竣，应由奴才等详细核算，据实造册报部，万不敢稍涉縻费。谨奏。

光绪九年二月二十七日奉旨：户部速议具奏。

伊犁将军金顺等奏请收回乌梁海属之阿尔泰山一带游牧地片

金顺等片。

再，查乌梁海属之阿尔泰山一带，向有游牧千余里。前因塔城未复，经棍噶札拉参暂借安插僧众，并建盖承化寺于其间。此时原为权宜之计，奏明许俟西路平定交还，游牧仍回塔城。迄今收复已久，未见交还。现值勘分科界之际，急须地方安插。虽拟将东界游牧节节量为展移，仍恐不敷安插。奴才等悉心筹度，应即迅将棍噶札拉参原借游牧收回，亦能安插二千余人，除此别无余地可择。若不收回此项游牧，则蒙、哈终恐难期安插，必致有关界务。亟应请旨，速饬塔尔巴哈台参赞大臣锡纶，即将该寺僧仍行收回塔城，并赶将原游牧交还，以符旧制。谨奏。

光绪九年二月二十七日奉旨：着锡纶照办。

中俄议定塔城俄属商人贸易地址条约

大清国钦差塔尔巴哈台参赞大臣所属总理营务处掌关防章京・办理通商・主事衔刘宽，大俄国驻扎塔尔巴哈台领事官巴拉喀什，遵照新定约章，在塔尔巴哈台城，议定俄属商人贸易地址条约。

第一条　塔尔巴哈台旧城东北，俄属商人铺房东北角后围墙起，自缠回街市东栅门渠边，到中国现设总办稽查保甲局，由俄商铺房往西，中国汉民菜园北边，向西往南，绕至城北，离城二十丈大路，过一巷口，由第二路口至俄属商民墙圈，往西北，至楚呼楚小河沿，向北，自水渠往东，由土坡俄属商民墙圈，至缠回街市东北拐角止，此一段内为议定新贸易圈，计东面一百九十四丈，南面一百二十三丈，西面二百四十一丈，北面二百八十八丈。

第二条　分给之地，俄国之人以便贸易，由楚呼楚河水挑挖渠水引入贸易圈，系由俄属之人自行出钱，以便修理桥梁、街道、房间、引水、栽树，并防守失火、雇人知更，以期地方安静。

第三条　中国、俄国之人在此街市杂居，仍准其照旧贸易。所给俄人新地，此后中国民人不可盖房。又，中国民人在礼拜寺附近不可养猪、卖酒。两属回教之人遇有亡故，照回教理，在一坟圈内埋葬一处，念经听其自便。

第四条　所给俄国人之地方修理铺房，中国官员照前定约章不取租税，在贸易圈外牧放牲畜，亦不取税。倘在贸易圈外借地种田，照中国所定给税。

第五条　由塔尔巴哈台所给俄国人之地方，应由领事官巴拉喀什自行调处，修盖住房。从前领事官所住贸易圈旧地现已不用，应交还中国官员管理。

第六条　照新约第十五条，倘十年后，塔尔巴哈台地方俄国所属之人来者较多，须再议添给，地址由西面墙圈往西到河边之地，以便添给。又城北大路至贸易墙圈，地势不可窄狭，均不可任意栽树。

第七条　此次所定之文用汉字、回字写四分，由塔尔巴哈台参赞大臣锡纶、主事衔刘宽、领事官巴拉喀什画押用印。刘宽、巴拉喀什各分两分，以一分在塔尔巴哈台存留备查，其一分各递本国京城上司衙门查考。一切事宜以回字为凭。

大清国光绪九年二月二十七日。

大俄国一千八百八十三年玛拉特月[①]　日。

钦差镇守塔尔巴哈台等处地方办事参赞大臣锡押。

主事衔刘宽押。

领事官巴拉喀什押。

中俄议定管理塔城各属缠头商民条款

大清国钦差塔尔巴哈台参赞大臣所属总理营务处掌关防章京·办理通商·主事衔刘宽，大俄国驻塔尔巴哈台领事官巴拉喀什，照约议定两属缠头商民事宜。

第一条　按照新约第十一条，两国人民在中国贸易，如因事致起争端，听其自行择人，从中调处。塔城现有之中俄两属缠头，应仍照缠头回教旧规，先令其自选公正人为办事人，遇事调处，以期和衷有益。

第二条　中国缠头所选办事人，由总理营务处严饬，务当秉公办事。俄属缠头所选办事人，由领事官严饬，务当秉公办事。倘该办事人办理不善，即行斥革。其中国缠头有事，即由自选办事人经理。俄属缠头有事，亦由自选办事人经理。倘两属缠头有交涉事件，即由两属办事人会同办理。

第三条　两属缠头办事人遇有会办事件，办完时，写两分文字，一分递领事官备查，一分递总理营务处备查。两属缠头所选办事人不准因事向案内人索要贿赂，并遇有事故须先向本管官请示。临办事时，不准向案内人擅自追要牲畜、物件。俟办完结，应赔牲畜、物件，各由本属乡约经管发给，以便完案。

第四条　中俄所选办事人倘遇事不能办理完结，即由总理营务处与领事官会同办理。其案内人遇有应得之罪，各按本国之例办理。

第五条　此所定之事用汉字、回字写四分，由塔尔巴哈台参赞大臣锡纶、主事衔刘宽、领事官巴拉喀什画押用印。刘宽、巴拉喀什各分两分，以一分在塔尔巴哈台存留备查，其一分各递本国京城上司衙门查考。一切事宜以回字为凭。

大清国光绪九年二月二十七日。

大俄国一千八百八十三年玛拉特月　日。

钦差镇守塔尔巴哈台等处地方办事参赞大臣锡押。

主事衔刘宽押。

领事官巴拉喀什押。

---

① 原文如此，下同。

直督张树声奏驻韩官军请缓撤退以顺藩情折 附上谕

署直隶总督·两广总督张树声奏，为留驻朝鲜官军暂缓撤回，以顺藩情而资镇抚事。

上年朝鲜内乱，朝廷命将出师，广东水师提督吴长庆率所部淮勇六营东渡。事平之后，遵旨饬吴长庆仍督军暂驻。嗣于十月间，经李鸿章奏明，俟今年春间令吴长庆撤回三营，仍留三营，俾资翼卫，俟日兵一年期满撤尽，庆军乃酌量抽撤在案。臣昨由省抵津，适吴长庆亦自朝鲜来会，正与李鸿章筹商该军撤留事宜，即准朝鲜国王专差参议交涉通商事务卞元圭赍咨文踵至，以吴长庆在该国信义彰著，军民欢欣，恃而不恐，不可暂离，咨请臣处转奏，情词极为迫切。窃念朝鲜积弱已久，军纪荡然，变乱骤兴，宿卫为祸，故该国王当奠定之后，犹常怀危惧之思。吴长庆当其艰难之会驰往援护，转危为安，近复为挑选兵士，教练洋操，开诚布公，导之更始。该国王依倚既深，一旦分兵内渡，恳切乞留，自亦出于诚悃。且日本窥伺挟制，方百计以愚朝人，而朝鲜大难虽平，反侧之心亦尚未能遽靖，均不可无威重大员坐镇其间。李鸿章起程之先与臣熟商，应将撤回三营之举姑从缓议，仍令吴长庆统率全部六营暂行留驻，以俯顺藩服依赖之忱，即以昭国家镇抚之惠也。谨奏。

光绪九年二月二十七日奉上谕：张树声奏，留驻朝鲜官军暂缓拨回一折。吴长庆一军驻扎朝鲜，前经李鸿章奏明，拟于今春先行撤回三营。兹据张树声奏称，接朝鲜国王咨文，以吴长庆一军不可暂离，拟从缓撤回等语。朝鲜大难甫平，人心未定，尚须大兵震慑，吴长庆所部六营，即着暂留朝鲜，以资保护。

粤督曾国荃等奏遵旨详议法越交涉事宜折

署两广总督曾国荃、广东巡抚裕宽奏，为法越交涉事宜遵旨详议事。

窃奉上谕：总理衙门奏，法越交涉，法人现欲与中国会商，请饬预筹善法一事。法人愿与中国派员商办，李鸿章现与法使宝海筹议大略办法三条，滇、粤各省亟须先事妥筹，以备临时会议。分界保护一节，滇、粤兵力究能保护至越南北圻何省？并何处为滇省保护之界？何处为粤西保护之界？至通商口岸，是否借设保胜为宜？越官刘永福现驻山西、兴化、宣光等处，将来保胜能否作为近边口岸？就所议第三条南北划分之论，以越之富良江各分保护之界，即于入界处设立总口，均须规画情形，预为酌度。着曾国荃、岑毓英、裕宽、倪文蔚、杜瑞联将应行筹画各节，查照该衙门前函，详慎妥议，如何有利无害，堪以行之久远，迅速奏明，并知照该衙门，以凭核办。原折单均着钞给阅看等因。钦此。

伏查，法越交涉一事，署北洋大臣李鸿章与法使宝海所议通商、分界及保护越南各条，其目虽有三端，其事仍归一贯。越南国向分南、北两圻，富春系其国都，南圻各省已多为法人占据，北圻各省法人久已垂涎，富良一江尤其注意所在。臣等检阅地图，富良江或划分南、北圻，各为保护，中国保其北，法人保其南，则越之富春都城已为中国保护所不及。若并富春归我保护，则越南之地我所保护者十之七，法人仅十之三。目下中国是否力能及远，法人是否帖服无词，似非审度地形、通筹局势有未易遥为臆决者。此分界一事，当由滇、粤会同确查，详慎妥议，而后可定者也。

至于保胜，据富良江之上游，其地与滇边之蒙自等处接近。若在该处设立通商口岸，则滇省之屏藩既撤，滇疆之锁钥胥开，洋商轮船溯江往来，洋土各货沿流上下，滇省之蒙自一处又当其冲，日后商务日兴，难保法人不复请以该处为通商口岸。盖富良江既居滇省之下游，蒙自又滇省边境与越南接壤者，广东止钦州一隅，本非冲要，广西则沿边延袤千数百里，在在皆与越境毗连，将来画界定议后，粤西自须留兵防护。究竟粤西之某隘接越南之某省某地，何处为要道，何处为间道，其间山川之形胜，道里之险夷，必须躬历周知，庶防护可期扼要。臣等现已函致广西抚臣，由西省拣派明白地形之员履勘边境，绘图附说，径呈总理衙门，以备核览。此留兵保护一事，宜以广西之议为定者也。

窃维滇南、粤西皆与越南壤地相接，分界、通商、保护三者利害得失所系匪轻，云南、广西各督抚臣俱熟谙中外情形，此次既奉谕旨垂询，自能将应行规画各节详慎妥筹，上陈天听。臣等勉殚愚虑，妄揣机宜，窃以为此时衅端不可开，和好不可失。富良江之通商亦势难阻止，但可共而不可分。越之国，越自主之，中国与法共保之。许以通商之议，而去其分界之名，为越南筹安全之方，即仍不失保护之义。法人苟不利越之土地，谅亦不能别生异说，竟肆吞并之谋。我圣朝眷顾藩属之仁，亦可以昭示万世矣。谨奏。

光绪九年二月二十七日。

清季外交史料卷三十一终

清季外交史料卷三十二

光绪九年三月至四月

新疆督办刘锦棠奏安集延商人赴新贸易恐开衅端并汉缠各回越界滋事亟应阻止折

督办新疆军务刘锦棠奏，为安集延商人持领俄官路票赴新疆各城贸易，恐开衅端，并附俄之汉缠各回及哈萨克人众越界滋事，亟应论辩阻止，以杜后患而重邦交事。

窃臣准帮办军务·广东陆路提督张曜咨开：安集延部落与喀什噶尔境地相连，风气最为狡悍，从前扰乱南疆，大为民害。南八城扫荡后，流寓之安集延悉数驱逐出境，本不准其再来，惟该夷现归俄属，许俄通商，该夷即在其内。如查非向时驱逐之人，应准放卡，与商民一律看待。其安集延货物，天山之南只准在喀什噶尔一处销售，不得分赴各城，漫无禁止等因。比经分别咨行照办。嗣准张曜咨称：据安集延商人禀称，俄国驻喀领事官发俄票十二张，凡安集延商人，无论何城都能去得，具禀请示等因。上年秋间，迭接喀喇沙尔游牧之土尔扈特南部福晋文报：伊犁西北哈萨克部落越境抢掠牲畜，并将牧夫缚去。比经追捕，则向翻珠勒都斯逸逃。该福晋由伊犁报称：逃亡三百余丁，行至控吉斯河脑，被哈萨克抢去群马一百八十五匹，报由善后局转禀到营，经臣行文咨查究办。旋准伊犁将军金顺复称：俄属之哈萨克及汉缠各回，时出抢劫，驻卡兵种种受害，咨会俄官严禁，置若罔闻。拿获到案，俄官必索回不办等语。先后咨会到臣行营。

准此，臣维交邻之道莫如通德达情，安边之谋尤贵防微杜渐，非熟审交涉利害情形预为申约，一旦因事龃龉，重烦口舌，小者尚可迁就了结，大者甚至支节环生，牵掣大局。履霜之渐，驯致坚冰，不可以不慎也。中俄改定新约第十二条内载：准俄国人民在伊犁、塔尔巴哈台、喀什噶尔、乌鲁木齐及关外之天山南北两路各城贸易。标出俄国人民四字，本非他部落所可影射。安集延虽归俄属，究非真正俄民。如果该夷素号驯良，与中国边民夙无嫌怨，则听赴各城贸易，与俄国人民一视同仁，有何不可？无如安集延狠戾狼贪，累世稔恶，道光五年之张格尔，十一年之至素普，同治三年之布籽罕牙和普，扰乱新疆，频烦申讨。此次帕夏阿古柏乘中国关陇有事，不暇及远，遂盗据南疆各城。犯顺以来，杀人不以梃刃，有所仇恶辄饵以毒药，登时毙命。缠回幼女自八岁以上悉被奸淫，死者十常七八。又诛求无艺，终岁取盈。其最惨者，缠回亡一家长，安夷酋长恫喝之曰：尔家中财产系尔家长所积，家长既亡，应将财产悉数充公。有不缴者，则非刑吊拷。一旦夕间而缠回人亡家破，流离失所。似此残忍暴虐，迥出情理之外。缠回人众莫不痛心疾首，饮恨至今。光绪三年，臣率师规复南疆，查明安集延人流寓各城者尚二千有余。察其树怨于缠回甚深，必至耦俱相猜，终启边衅。迭经咨商前陕甘督臣左宗棠，札饬各营局，稽查明确，设法放归安置，免贻养痈之患。乃四年冬间，即有安集延逆目阿里达什潜入布鲁特纠众犯边之举。五年春，安集延与布鲁特合谋入寇，漏网逸酋阿布都勒哈玛与爱克木汉条勒，两次纠众大举犯边。经臣迭次亲督各营出卡兜剿，痛加斩馘，逆焰始熄。搜出贼目金山身藏俄官路票两纸，咨呈总理衙门存案备查，并先后讯据贼供：逆目阿里达什初出犯边，系由俄官处告假潜出。其阿布都勒哈玛与爱克木汉条勒，由俄纠众内犯时，俄官姜达即嘱以此行务取喀什噶尔城池，否则不准再入俄境。故该贼酋在乌鲁克恰提卡外声言：奉俄国号令，攻取喀、英各城。以上情节，均经左宗棠专案奏报，其贼中搜获俄票数见不鲜，尚有未及陈奏者。

综观往事，安集延狡猾凶顽，甘为俄国鹰犬。缠回遭其荼毒，几于不共载〔戴〕天。近年张曜驻军喀什噶尔，各城头目纷纷具禀，请严禁安集延人往来回疆，免滋扰害等情，言之痛切。《易大传》云：凡物之情，近而不相得则凶。际此互市初开，若安夷与俄商漫无分别，彼时将恃俄为护符，遇事猖獗生风，势所必至。缠回积怨生忿，两不相下，寻仇报衅，仍由此起。中国官吏约束固虑其困难，即俄国领事徇庇，恐亦有所不及也。臣又查，关内外积年逆匪窜入俄境者甚多，俄人坚不发还。北路自绥来县以西，时有游匪肆行抢掠，一遇巡防严密之处，则伪为商民贩货贸易，称系已归俄籍之人，莫可究诘。金顺来咨有叵测情形难以枚举之语，难保无白彦虎余党乘间搁入，以作不靖。今安集延之可虑如此，而若辈之滋事又如彼，若听其执持俄票运货赴各城贸易，姑无论烬余逋寇，死灰尚虑其复然〔燃〕，万一各城缠回追念夙恨，出其不意，攘其货而戕其躯，甚至斗殴拒杀，缘引无穷，曲在彼则故为宕延，曲在我则徒贻口实，彼时办理，棘手更不待言。故中国于安集延欲求始终弭衅，自以不准通商为上策。然彼既附俄，终得以有词。再四思维，惟有指定销货地方，俾有所限制而不至于蔓延，则两得之道也。臣谨按，欧洲各种公法有通商不可强逼之条。就中俄盟好而论，陆路通商不便，原许酌商办理，有咸丰十年之续约第十四条在，即新约改定通商章程，亦并无安集延民人字样。现在新疆税厘既免，一切包庇营私之术无所用之。遇有真正俄商出入往来，尚当随时保护，以敦和好。即有噶尔、爱乌罕、克什米耳、巴达克山各部落，在俄有羁縻弗绝之谊，亦应广示怀柔。独安集延为南疆百姓所深恨，通商实多不便。而积年窜俄逆匪及附俄之哈萨克人众，假称俄商，越界生事，俄国既不申禁，发觉又不肯惩办，踵事效尤，后患伊于胡底？边疆辽阔，防不胜防，小有疏虞，动摇全局。臣鳃鳃过虑，实不能已于言。相应请旨，饬下总理衙门，照会驻京俄使，熟权利害，转行俄国驻扎新疆各领事官遵照。此后，安集延商人货物，南路准在喀什噶尔一处销售，北路准在伊犁一处销售，毋须发给路票，分赴各城，以保商务而消隐患。彼如谓安集延即系俄人，应准援例贸易，要必与俄使约法：凡安集延前此从逆之众，如被缠回仇杀，不得向中国官吏求为申理。其附俄之哈萨克与伊犁新疆归俄籍之人，亦只准在伊、喀两城贸易，以便中俄官吏会同讥〔稽〕察。俄国领事尤当随时严加管束，毋任滋事。至中国窜俄之汉缠各回，均系百战死党，愍不畏法，应行文俄国，与白逆一同禁锢，不得纵令为害，致伤和谊。言前定则不给，或亦筹边之一道也。臣为杜后患而重邦交起见，谨会同伊犁将军金顺、广东陆路提督张曜专折具陈。谨奏。

光绪九年三月初二日。

总署奏法使请会商越南事宜现有变局亟应筹防折 附上谕

总理各国事务恭亲王奕䜣等奏，为法国使臣议请会商越南事宜现有变局，亟应密筹防务，以资守御事。

窃臣衙门前因越南一事，法国使臣宝海议与中国各派员会商，在天津与署北洋大臣李鸿章预拟办法，曾经臣衙门将先事预筹用备会议之处，奏请饬下两广、云贵督抚，妥议声复在案。本年二月间，接准李鸿章函称：越事中变，法人现添兵至越，有撤回使臣宝海之说。该使臣现由沪至津，即日赴京。续接张树声函称：据招商局电报，法兵已攻破越之南定等因。嗣宝海到京于三月初三日来署会晤，据该使臣称，派员会商一节，外部不以为然，现拟将其撤回，俟文书到日即起程回国。臣等答以越南系中国属国，且与滇、粤接壤，越南有事，中国不能不保护等语。查法人此次举动情殊叵测，在我保护属邦、固守边界均关紧要，相应请旨迅饬两广、云贵各督抚，于驻越防军挑选劲旅，扼要进扎。至广东原驻廉琼水师，亦即移船洋面，严密防查。凡海军应备之端，必须尽力讲求，不可稍涉疏懈。徐延旭计已出关，亦应饬令迅筹布置。此次筹备各节，非从前事机尚缓可比，务期实堪备御，进止足恃，庶几壮我声威，并可相机因应。除由臣衙门电致出使大臣曾纪泽，力与该国外部辩论外，所有应筹防务各缘由，谨恭折密陈。

光绪九年三月初八日奉上谕：总理衙门奏，越南事宜现有变局，亟应妥筹防范一折。现闻法兵已攻破越之南定，并议将宝海撤回。事已中变，情殊叵测，〈著〉岑毓英、倪文蔚督饬关外防军，挑选劲旅，扼要进扎。现在驻越兵勇若干？着查明准〔确〕数具奏。应否添派队伍，以厚兵力，即行体察情形具奏。并着曾国荃、裕宽饬令吴全美移近越洋，认真巡哨。徐延旭着迅即出关，会商黄桂兰、赵沃，相机办理，保护北圻。此次筹备各节，非从前事机尚缓可比，该督等务当悉心经画，实力整顿。

谕岑毓英着将浪穹县教案及早妥办

上谕：岑毓英奏，特参不能保护教民之知县、汛弁，请旨暂行革职一折。据称，本年二月十九日，浪穹县乡民将该处法国教堂烧毁，致毙男女大小十四人，并将司铎张若望杀毙。现在派员驰往查办，务将滋事首要各犯悉数拿获，按律治罪。现〈值〉法越构衅之时，出此重案，尤应及早妥办，免生枝节，不得徇情迟延，致误大局。署浪穹县知县叶滋濬、外委千总李顺，均着暂行革职。

三月初八日

谕李鸿章着迅往广东督办越南事宜

上谕：前有旨令李鸿章即回北洋大臣署任。现在法人在越势更披猖，迭经谕令曾国荃等妥筹备御，惟此事操纵缓急必须相机因应，亟须有威望素著、通达事变之大臣前往筹办，乃可振军威而顾大局，三省防军进止庶得有所禀承。着派李鸿章迅速前往广东，督办越南事宜，所有广东、广西、云南防军均归节制，应调何路兵勇，着该大臣妥筹具奏。金革无避，古有明训。李鸿章公忠体国，定能仰副委任，星驰前往，相度机宜，妥为筹办。着将起程筹办情形迅即奏闻，以慰廑系。

三月初九日

旨寄左宗棠法破南定防务紧要着妥筹具奏

旨寄左宗棠：法人攻破越之南定，势更披猖，防务紧要，必须厚集兵力。江南防军何营堪以酌调？着妥筹具奏。

三月初九日

桂抚倪文蔚奏遵旨严申边备并陈越南近日军情折　附旨

广西巡抚倪文蔚奏，为遵旨严申边备，并陈越南近日军情事。

窃臣于光绪九年二月二十二日奉初二日上谕：前据总理衙门奏，法越交涉一事等因。当即恭录，行知左、右两路边防统领提督黄桂兰、道员赵沃等，一体钦遵。去后，旋据越南国王咨称：法人于正月间派兵五百名、船二艘，或迫住河内仓库，或争据海阳水屯，声言此次决计剿灭刘团，以通滇路，势甚猖獗。下国不胜危惧，恳饬各路兵将进据山北等处，速赐救援。又据黄桂兰等探报，情形大致相同。并闻越藩现已征兵各省，其统领黄佐炎已到山西、河内，居民纷纷迁徙等情到臣。

伏查，法使宝海前议分保越南，首以滇越退兵为词，业经总理衙门王大臣及北洋大臣李鸿章会议照准。乃我以退兵示好，彼反以增兵逞诈，阴险故态，不可以信义相期。圣明烛照远及万里之外，臣等叨蒙训示，所退营舍均未甚遥。凡中越扼要之区，仍旧深沟高垒，幸不堕其奸谋，足纾廑虑。惟是越官刘永福之与法人久已势不两立，臣前于议复折内详细陈明，仰邀垂察。此次西贡新换将领，增调船兵，或系蓄意进攻，或系虚声恫喝，均未可知。刘永福所据保胜，地形险固，虽堪自保，而以越南积弱之余，兵饷两竭，既不敢与法人开衅，亦实不能为刘永福主持。粤军阳以剿匪为名，隐为刘永福树援，法人固亦知之而深忌之。以臣愚见，乘此会议未定，滇粤之师斟酌进扎，以振军威，一以慰越藩乞救之心，一以壮刘团固守之气，益足征圣朝始终字小之仁。就使法有违言，而我退彼进，证据在前，实为彼曲我直。兼之守而不战，仍可借示和好，以便从容转圜，重申前议。臣现已咨复越南国王，军事进止，应候请旨遵行，并饬黄桂兰等防守加严，于越南官民妥为抚谕，务期慎固边鄙，以维全局，不得生事幸功，上劳宸廑。谨奏。

光绪九年三月二十六日奉旨：着督饬关外防军择要进扎，并令徐延旭出关后相度机宜，妥筹〈备〉御。

桂抚倪文蔚奏越南军情日亟藩司遵旨出关折

广西巡抚倪文蔚奏，为越南军情日亟，谨拟切要办法，并藩司遵旨出关日期事。

窃臣于三月初七日钦奉寄谕：饬派藩司徐延旭出关，筹办防务。遵即复奏大概情形在案。兹据统领左路边防提督黄桂兰禀报：法人于二月十八日由河内驶发大小兵船八艘，载兵四百余人，攻打南定省城，南官极力抵御，互有伤亡。至十九日下午，法人施放开花大炮，南官势不能支，旋被攻陷。该提督现由驱驴前赴五台一带查看隘口，并严饬北宁附近各营移扎移守，以观其变，诚恐法兵乘势进占海阳，则海口归路已无他虞。而山西、北宁四路纵横，侵轶均在意中，如何相机因应，预请酌核饬遵等情到臣。

伏思法人吞并越南蓄谋已久。上年仰承圣谟，滇粤三省水陆出师，隐为声援，兼以越团刘永福据险扼要，稍戢狡逞之心。法使宝海旋即倡议保护，首以三省退师为请。经总理衙门王大臣、北洋大臣李鸿章会议照准，上以体圣主柔远之仁，下以纾藩服燃眉之急，固属权宜办法。乃我兵已退，彼兵日增，近更大肆凶威，侵陵无已。其名仇越南，而实欺中国。揆之万国公法，亦所不容。应请饬下总理衙门，照会法国公使，诘问缘由。并将上年法使宝海在总理衙门及北洋署内先后会议各节，布告各国驻京公使，评其曲直，公义所在，中外当有定论。至滇、粤水陆之师，应请复申前谕，各按近边分布要害，以壮声援。彼既进兵于前，不能阻我屯兵于后。既非悬军深入，角力相争，断不致藉端开衅于我。而越南得此消息，或可稍增壮气，刘永福亦得观衅而动，不致以孤危自疑，似于全局大有裨益。臣等仍当分饬各路统将，密布严防，不得幸功生事，上劳宸廑。连日与藩司徐延旭再四商筹，意见相合。该司定于本月二十日由陆路兼程前进，择要驻防，会合提督黄桂兰、道员赵沃斟酌缓急，妥慎筹办。到防后，一应事宜，即由该司自行奏报，以期迅速。谨奏。

光绪九年三月二十八日奉旨。

中国电报局英国大东公司续订上海香港电报章程

一、［一］原合同第四条所载，大东公司经理人允请总公司不设水线至宁波、厦门、福州、汕头、广州以及上海迤南中国各海口等语。现因大东总公司虽请于福州、汕头两处之中择定一处，离口设立趸船，安置线头，应听中国总理衙门暨英国驻华大东〔臣?〕会议定夺。倘中国电报局欲引水线至新加坡、槟榔屿两处之中择定一处，离口设立趸船，安置线头，亦必由中国执政大臣与美国执政大臣会议定夺。

二、现因大东公司海线头已抵吴淞口，急欲通报，由中国电报局禀设上海至吴淞中国旱线一条，以接大东海线线头，不必再用洋子角接线。所有吴淞接线办法，即照光绪九年二月二十三日所议《洋子角接线合同》十六条一体办理。将来或虽仍归洋子角接线，则吴淞之线仍应拆去。至于第一、二条所载中国电报局旱线报费，如在洋子角相接，应归一百分之五分；如在吴淞口相接，应归一百分之二分五厘。

三、凡日本至香港，及香港至日本电报，经过上海吴淞旱线，中国电报局应照上海至香港电报费取百分之一。其中国各处往来外洋，及外洋至中国各处来往电报费，应取每百分之二分五厘。

四、中国电报局置设上海吴淞旱线两条，与大东水线头相接，所有大东通报事宜应由大东公司自己派人办理。

五、中国电报局在吴淞海边设立房屋，将中国电线头与大东水线头相接，以符原议，而分华洋海旱电线界限。屋内另留住房一间，以便大东公司用人在吴淞办理试验及修理水线之时可以居住。

六、如大东公司日后允将中国官电报往来欧洲让费不取，则大东所接上海吴淞旱线亦可照大北公司所议报费一律办理。

大清光绪九年四月初一日。

西历一千八百八十三年五月初七日。

大清监督江海关·苏松太兵备道邵。

总办江南洋务局·江苏候补道王。

总办电报事务·直隶候补道盛。

会办电报事务·尽先选用道郑。

会办电报事务·候选主事经。

会办电报事务·国子监学正衔谢。

大英驻扎中华上海领事官许。

总办大东电报公司滕。

会办大东电报公司直。

四月初一日

北洋大臣李鸿章奏预筹越南边防事宜折

署北洋大臣李鸿章奏，为预筹越南边防事宜事。

窃臣密奉上谕：现闻法人在越势更披猖。该国列在藩封，不能不为保护。且滇、粤各省壤地相接，倘藩篱一撤，后患何可胜言？迭经谕令曾国荃等妥筹备御。惟此事操纵缓急，必须相机因应，亟须有威望夙著、通达事变之大臣前往筹办，三省防军进止，亦得有所禀承。着派李鸿章前往广东，督办越南事宜，所有广东、广西、云南防军均归节制，应调何路兵勇前往，着妥筹具奏等因。钦此。臣维用兵之道，贵先知彼知己。驭外之要，尤须慎始图终。越南地形情实与法人交涉始末，臣素有访询，请得而详陈之。

越之北圻沿边诸省，地本最瘠，万山丛杂，险阻易守。云南藩司唐炯曾出边亲历其境，去冬奏称：该处道路崎岖，水毒风恶，烟瘴终年不解，法人岂肯冒此危险？必非臆度之词。即越南陪臣范慎遹等在津面呈节略：北圻之山西、北宁、清化、义安诸省地险可恃。至河内、海阳、南定、宁平诸省，或沿海滨，或近江道，防守颇难，江道未能与彼争长，而陆路则彼亦难于得志等语。诚以法兵非轮船不行，而轮船至三江口以上水浅难进。臣前在津与洋员共事日久，审知彼族用兵素极稳慎，断不敢大队离船冒险深入。若以零队入山进剿，则刘永福所部及滇、粤防军尚可设法困之。近来法人攻陷河内、南定，两城皆属沿江，轮船可至。其滇、粤各营扎驻之处距江较远，虽兵力不甚精悍，而熟悉道路情形，人自为守，似尚无虞窜越，致撤藩篱。曾纪泽电称：闻边兵纪律不严，恐露弱象，转足召侮。又称：法廷谓遣兵二千驻越，分据要隘，华越均无能为，皆西人夸诞之言，奚足深信。现奉旨饬滇、粤各挑选劲旅，扼要进扎，该督抚自必遵办。岑毓英等正月间奏称，滇省兵力有余。倪文蔚亦屡称，前敌各营同仇思奋。盖用本省之兵，则出境设防情形较熟，呼应较灵，运费较省，似不必征调远省客军，致涉张皇烦费也。至法人之责言于越者，因甲戌订约由红江通商云南，越官刘永福部众在红江上游阻扰，显违原约，故以进剿刘团为辞。而越人则谓，法国商船之不能往，由于上游江道滩石险阻，轮船不能通行，并非刘永福阻之。两国各执一词，非中国所能排解。去冬，宝海过津，请在保胜设关通商，亦欲中国为之设法疏通。而滇、粤各省既不谓然，法国复自翻前议，度其添兵攻取南定，查封越粮，又遣新使赴越勒订新约，无非胁越以必从，非志在全吞越境也。甲戌之约语多悖谬，当日越王既未请示，此时中国实难代为反悔，似只有听越之自为而已。谕旨派臣前往广东，督办越南事宜，臣受恩至深久已，以身许国，如果于事有济，虽赴汤蹈火所不敢辞。惟查，广东并未派陆兵出防，仅吴全美所带轮船数艘驻泊廉琼一带，遥作声势。其船只单薄，断不能与法国著名水师相敌。曾国荃等自能相机调度，臣即前往，势等赘疣。至广东距粤西边境数千里，粤西距云南边境又数千里，其间非驿站正道，文报往返，动需数月，声气隔绝，消息难通。若徒受节制之虚名，转贻以互相推诿之口实，诚恐误事不浅。应请朝廷仍责成滇、粤各督抚自行箝束，妥为调度，随时商办，较有实济。谕旨令应调何路兵勇妥筹具奏。臣查，御外夷与土匪情事不同，以防土匪之军制御外夷鲜能制胜。目今各路兵勇，自以南、北洋军实较强，然仅足支持海防要地。臣起家兵间，向用淮勇，乃廉颇用赵之意，迭经裁遣，所剩无多，分布直隶，江苏各处，方虑地广兵单，更难抽调大队。且淮军籍隶北省，于越南水土恶劣、卑湿瘴疠之区甚不相宜。往年唐定奎所部调防台湾，为瘴所侵，死亡过半，其明证也。淮将黄桂兰现防粤边，所募皆系粤人，而非淮勇。又况数千里外调营，粮饷、军火转运之难，百倍寻常，而三数月后到防，形势不同，事机又变。若与法人开衅，彼必分遣兵船扰我沿海各口，顾彼失此，尤与根本大局有妨。若无亲军随行，臣孑身前往，转失威重而亵国体，亦非所以威敌致远矣。臣忧患余生，恨不能糜顶踵以图报君父，既承严命，拟即料理束装，刻日起程。过金陵时，与左宗棠筹商有无可以远拨之队，再至上海暂驻，就电报之迅捷，察酌南、北军情，再图进止，随时奏请圣裁。谨奏。

光绪九年四月初一日。

北洋大臣李鸿章奏赴粤督军恐启兵端请熟筹饬遵片　附上谕

李鸿章片。

再，奉密旨令臣赴粤督办越事。臣虽至愚极陋，何敢有所畏避？连日反复筹维大局，在朝廷用意，自因法使宝海有战而后可议和之谈，臣与曾纪泽等所见亦同。但滇、粤现已拨营进扎，该省自顾边界，派兵本系常事，即因法国增兵遂添扎数营于前敌，尚是保护属邦之意，并非显露失和之象。臣若遵旨驰往粤东，当檄调远省大军分道并进，声势浩大，真若欲与法国开衅者，倘因此竟召兵端，该国或据为口实，添调兵船来扰海口，南北各省防不胜防，全局为之震动，日本从而生心，为患更大。彼时臣再驰回畿辅，未免进退失据，贻笑外人。揆以汉过不先之义，似无所取。应请圣明熟筹远虑，决择施行。谨奏。

光绪九年四月初一日奉上谕：李鸿章奏，预筹越南事宜各折片，览奏，甚为周密。该大臣既由金陵驰赴上海，即着暂在上海驻扎，统筹全局，将兵事、饷事预为布置，审度机宜，再定进止，着将筹办情形随时奏闻。其紧要事件，并着由电信寄知总理衙门转奏，以期迅速。原折片留中。将此密谕知之。

伊犁将军金顺等奏俄兵撤回并筹办边防折 附上谕

伊犁将军金顺、伊犁参赞大臣升泰奏，为俄兵撤回出境日期，并筹办边防，以靖地方而固疆圉事。

窃奴才等于接收伊犁之始，即申明条约，所有伊犁居民欲迁居俄国入俄籍者，自交收伊犁之日起，予限一年；并俄国驻兵一年，管束迁移之人，均奉总理衙门来函，遵照办理在案。自上年二月初四日接收伊犁，扣至本年二月初四日，已满一年之限，俄兵自应如约撤回。前经奴才金顺派员，与俄国驻伊犁领事官宝德林商议，照约办理。据称，彼国纪年须扣足三百六十日，当在中国二月十五日方满一年。虽意存展缓，亦止小有出入，尚于大局无碍，即允其请。兹于二月十一日，接准该领事官宝德林咨称：除本领事官留兵一百五十名外，所有前驻伊犁之俄兵，定于俄历三月初八日，即中国二月十二日，由固勒札起程，次日自绥定向霍尔果斯河西前往，其余俄属有产业之人，并俄属商人，俄罗斯诺盖衣、安集延等众，仍驻伊犁等情前来。所有前驻伊犁之俄国兵队于二月十三日西行，奴才金顺当即派队妥为护送出境，回国去讫。查俄兵所驻之固勒札，即宁远城，向为回子驻扎之区，地方完善，人烟辐辏，为全局之枢纽，亦俄人所最垂涎，向之展缓拖延，意在于此。若此处俄兵不撤，则交收全案尚无把握。仰赖圣主威福，潜消敌患，用能如约退去，实为伊犁全局之幸。前此俄国留兵一年，名为保护愿迁入俄籍之人，其实日事逼胁。所迁之民多非情愿，比以限期日近，俄人在固勒札驱追益急。其不愿迁徙者鞭挞重至，哀号之声彻于四野。奴才金顺目击情形，殊深悯恻，派员请以约载迁居之民原听其便，兹以刑驱，讵可谓之情愿？彼知理不可越，稍稍敛息而去。其所未迁者三千余户，半系老弱贫瘠之民。现已委员赴固勒札一带确查，另造户口清册，量拨地亩，酌给牛籽，俾获安居。查旧制，缠回之中向设有阿奇木伯里〔克〕等官，管理屯垦各务，仍照旧安设，用资约束。俟将户口清册〔查〕，由奴才等择其纯良堪以胜任者，再行奏明办理。至已归俄属之陕汉各回白逆余党，其中缠头哈萨克亦多不逞之徒，每出抢劫，一经拿获，俄人辄来袒护，必须释放而后已，以致各缠回玉子阚里、沁山沟、双轿子、白杨沟等处窜匪恃有俄兵为之护符，悉皆视为逋逃之薮。奴才等诚恐别生枝节，未便派兵严搜。现今俄兵既撤，其随去之逆党以及新入俄籍之狡黠陕汉各回缠头、哈萨克、布鲁特等，不下数十万众，悉安置于霍尔果斯河西之新分交界沿边一带居住，相距逼近，难保匪党不乘隙窜扰。现在边防较前更形吃紧，于沿边一带添设卡伦，以资防守，并派兵搜捕逸匪，务期内除奸宄以靖地方，外守边防而慎出入，以仰副朝廷轸念边陲之至意。谨奏。

光绪九年四月初九日奉上谕：金顺等奏，俄兵撤回日期，并筹办边防一折。据称：前驻伊犁之俄国兵队于二月十三日如约撤回。现在清查户口，丈量地亩，仍拟安设管理屯垦官，并于沿边一带添设卡伦，以资防守等语。伊犁所有善后事宜亟须认真经理，着金顺、升泰斟酌情形，妥为筹办。应设阿奇木伯克等官，准其选择安设。其霍尔果斯河西交界地方，新入俄籍人数众多，尤应随时防范，遇有交涉事件，持平办理，免致别生枝节。总期整肃营伍，抚恤遗黎，以固边防而维大局。

滇督岑毓英等奏越南南定省失守督饬各镇严防折　附旨

署云贵总督岑毓英、云南巡抚杜瑞联奏，为据报越南国南定省失守情形事。

窃臣等前据总兵蔡标等禀称：边关各营均照常防守。惟迭据探报，法人已由彼国添兵前后约二千余名来至河内，于二月初八日起至十六日，连日往攻南定。经南官武仲平督兵固守，七战皆捷，法兵败回河内。于二月十九日，复以兵船四只往攻南定，一支分攻北宁，因北宁越兵有备，退至南定，并力夹攻，遂于是日未刻将南定省城攻破，武仲平不知下落。南将刘永福于三月初二日带队拔往山西，与越南统带黄佐炎商筹防剿各情，禀报前来。臣等查，南官武仲平固守危城将及一载，乃以孤立无援，竟致陷没，殊堪惋惜。现在越事愈危，边防尤极紧要。臣等惟懔遵圣训，督饬各镇，扼要严防，相机因应，以免疏虞。谨奏。

光绪九年四月初九日奉旨：着催令唐炯由开化进扎，以固边圉。

滇督岑毓英等奏遵旨密筹越南防务折　附上谕

署云贵总督岑毓英、云南巡抚杜瑞联奏，为遵旨密筹防务，谨将布置情形恭折复陈事。

窃臣等曾将探闻越南国南定省失事各情奏报在案。兹奉上谕：总理衙门奏，越南事宜现有变局，亟应密筹防务一折等因。钦此。伏查，滇省防营练军，前经本任督臣刘长佑会同臣瑞联先后奏奉谕旨，准募二十营。嗣因防务稍松，只招募十四营，每营勇丁三百七十余名，共合五千二百五十名，分防滇越交界之河口、马白、都竜、者宾竜、栏街、新现、窑头及越南之馆司、归化州田鸡塘一带。上年八月，藩司唐炯查勘边务，以副将谢敬彪一营驻扎馆司，远离保胜，殊觉孤悬，调回河口驻扎。又因游击龙文藻一营在归化州田鸡塘多染烟瘴，饬令移扎木厂。并由臣岑毓英奏带来滇之黔军二千名内分拨一千名，藩司唐炯带来川勇一千名内分拨五百名，交开化镇总兵蔡标、记名提督吴永安、周万顺分带，前往开化、蒙自，将各营练军之染受烟瘴者裁并更换，照旧扼要驻防，历经奏明在案。数月来钦遵谕旨，不敢深入越境，恐启衅端。乃法人反复无常，前以通商而攻据河内城，今以说和而复陷南定省，逞其狡谋，肆行无忌，凡属臣民无不切齿。惟事关全局，必须审慎而行。查广西防军原扎越南之谅山、高平、太原、北宁等省，相隔河内不过数十里，壁垒相望，撤之则属国不保，守之则寻衅堪虞。况刘永福出守山西，距保胜千余里，孤军深入，更为可虑。臣等与藩司唐炯悉心商酌，拟即派参将张永清、游击林大魁，挑带能耐烟瘴之练军二三营，前往兴化、山西一带驻扎，相机因应，以壮声援。倘越南事愈吃紧，再陆续添兵前进，总期足资镇慑，藉以保护属邦，固守边圉，仍不容妄启衅端，仰副圣主谆谆告诫之至意。再，滇省开化、广南各属团练不乏敢战之士，臣等已委员督饬编练保甲，挑选精壮，酌给口粮，添守隘口，兵力当可敷用。合并陈明。谨奏。

光绪九年四月二十四日奉上谕：岑毓英等奏，密筹防务布置情形一折。滇省防务，既经岑毓英添派参将张永清等挑带练军，前往兴化、山西一带驻扎，即着督令派出各员实力防守，毋稍疏虞。法人攻破越之南定后，现在局势未定，必须滇、粤兵势互相联络，方足以壮军威。徐延旭于三月二十日起程出关后布置情形如何？着倪文蔚随时具奏，以慰廑系。前谕唐炯出省统率防军，目下当已起程，总须扼要驻守，足资备御，使彼族有所顾忌，不至遽逞狡谋。吴全美所带轮船水师前经驶回虎门，着曾国荃、裕宽督饬将各轮船赶紧修理，仍令该提督驶近越南洋面，认真巡防。廉、琼一带兵力单弱，总兵方耀带兵向称勇往，如令统带数营前往扼扎，是否相宜？悉心酌度，奏明办理。将此各谕令知之。

滇督岑毓英奏援越军队扼要防守片

岑毓英片。

再，臣等正缮折间，准署两广督臣曾国荃密函：接越南国王来文，以驻越防军有欲撤回之意，请饬一体留扎等语。窃维越南积弱不振，受制法人由来久矣，仰蒙天恩高厚，饬粤、滇各军进扎保护，该国臣民同深感戴。查越南河内、安定两省附近海滨，法人兵船可直抵城下，防守原不容易。其余谅山、太原、北宁等省皆系粤军驻扎。今广西藩司徐延旭奉命出关，谅能妥为布置。至山西、兴化两省为保胜门户。保胜又为滇境门户，由滇境出关，顺红江而下，两岸高山峻岭，树木丛杂，烟瘴甚大。保胜之下又有大滩，虽小轮船亦难驶上，陆路更属崎岖，节节险阻。若在大滩以上防守，可以无虑。至山西、兴化均在平原，且离江甚近，轮船畅行无阻，恐难抵御。臣等现与藩司唐炯商派参将张永清等带兵前往，已面授机宜，令到山西、兴化查看，有险可守则守之，若无险可守，即退回大滩，扼要防守，总在刘永福前军之后，断不准轻率启衅，上烦宸廑。谨奏。

光绪九年四月二十四日奉旨：知道了。

伊犁将军金顺等奏安抚蒙哈并勘分边界情形折　附旨

伊犁将军金顺、伊犁参赞大臣升泰、科布多办事大臣清安、额尔庆额奏，为速筹安抚蒙、哈，举办勘分边界大概情形，及起程日期事。

窃奴才升泰于本年三月初二日驰抵科城，业经分别奏咨各在案。伏思勘分界务关系重大，奴才等自当懔遵迭奉谕旨，按照原定图约，会同俄使，详审划分，以冀早为蒇事，俾得稍慰宸衷。但俄使尚未约期定地知会前来。连日妥速筹商，奴才升泰、额尔庆额拟于四月初三日起程，先行驰往应勘之处，赶将蒙、哈等民择地安插，酌量抚恤而固人心。惟图中红线与直线之间尚有黄线一道，就此三线形势必须历勘地名，详加考复，庶几胸有绳墨。如图约与地面稍未符合，有关出入者，亟应向俄使力与指辩，断不敢迁就其事，亦不敢妄起争端，总期中俄两得其平，共敦和好。倘俄使约期定地知会前来，迅即会同勘分。嗣应如何办理之处，自当随时会商，联衔具奏。奴才额尔庆额起程后，所有帮办事务应由清安一手经理，俟界务完竣回任，仍照常视事。至抚恤蒙古穷民经费及各项银两，前经会同奏请户部筹拨银七万两，并派妥员赴部承领。现值举办安抚之际，需用孔亟，故不揣冒昧渎陈。仰恳饬下部臣，迅速如数拨给，交该委员等祇领，星驰押运回科，以济急需。谨奏。

光绪九年四月二十五日奉旨：知道了。所有分界事宜，该将军等务当按照图约妥慎办理，不可稍涉大意。请拨银两，已由户部筹拨。

桂抚倪文蔚奏密陈越南近日军情折

广西巡抚倪文蔚奏，为遵旨密陈越南近日军情事。

窃自越之南定陷后，臣于三月十二日、三十日、四月初四日三次谨将法越军情及筹办兵饷各节由驿密陈在案。兹据提督黄桂兰禀称，法兵近日据守未动，仅由河内拨兵二百名前往离城五里之怀德府驻防，以截刘团永福来路。缘由我军进扎北宁一带，声威较壮，迭经南官启陈，越藩遂有密图规复之举，其总督黄佐炎邀约刘永福于山西会商，即由怀德府进兵北宁。太原总督张登坛亦出扎慈山府，以扼新河，拟乘势进攻河内。两路进兵，克期并举。提督现在亲驻谅江，提调涌球安勇各营，毋过北宁一步，庶几内壮越将之气，外弭法人之衅，动静两不相妨。惟查越之南圻各省全赖北圻运米以资接济，今法人力阻商轮，越都势将坐困。又越将军械不精，屡乞营中借给外洋枪炮，并有备价托向香港代购若干，以资利用。以上二事均关巨要，如何因应之处，请核饬遵各等情到臣。

伏思法兵图越本无大枝劲旅，此次仰蒙谕旨饬滇、粤三省水陆进兵，而越藩君臣亦竟能力图振作，藉势自雄，似可稍戢法人荐食之心，徐寻上年分护之约，息民保境，亦在意中。臣等惟有恪遵圣训，实力筹防，以期进退足恃，不敢妄存侥幸，亦不敢辄肆张皇。藩司徐延旭遵旨赴边已逾二十日，到防复会同黄桂兰等斟酌机宜，自行详悉具陈，仰慰慈廑。至黄桂兰所陈，法人现阻运米商轮，臣拟咨请署督臣曾国荃，传谕招商局员密筹办法。而借、买西洋军火，所关甚巨，未便轻为许诺，臣拟函饬黄桂兰等酌量事势，慎密而行，不可滋启他衅。是否有当？伏乞圣鉴。谨奏。

光绪九年四月二十七日奉旨。

粤督曾国荃等奏粤船巡海无益事机折

署两广总督曾国荃、广东巡抚裕宽奏，为钦奉谕旨，恭折密陈事。

窃奉上谕：总理衙门奏，越南事宜现有变局等因。钦此。伏查，署广东水师提臣吴全美所带舟师，本年二月间钦奉谕旨，饬令认真探访，照前巡哨，业经臣等将各轮船现须修葺撺洗，一时未能赴防缘由，恭折复奏在案。具折后，经即督催善后机器各局，将应修各船并日加工，从速撺洗修葺，原拟俟撺修工竣，即饬赶紧赴防。惟是臣等熟揣近日法越情形，粤东舟师出洋驻巡，于海防未必有裨，而于他族转虞起衅，实有不能不熟筹审处者，谨将实在情形详陈之。

查法人用兵越南，注意专在富良一江。富良江之北，为越南谅山、高平等省，延袤千数百里，在在与粤西毗连。若溯富良江而西，则可由保胜直通滇省。中国保小捍边之策首重粤西，次则滇南。现在粤西防军大半分驻越之北圻各省，广西藩司徐延旭业已出关，自必妥为布置。滇军之驻越境者尚在富良江之上游，中隔刘永福保胜一军，未与法国兵锋相接。至于粤东陆路与越接壤者，止有钦州一隅，彼此皆系边界偏陬，无关全局。水路之廉琼洋面，虽与越洋一水相通，其实巨浸渺茫，声势不相联络。目下越南各港口，法人均驻有兵船。近据探报，中国招商局代越运粮之船，亦为法人所阻，并夺其粮米五万余石。顾粤东舟师若竟驶近越洋巡哨港口之外，风涛汹涌，驻泊綦难。倘或避风驶入港后与法船遥遥相对，则逼处之余恐未能相安于无事。万一粤之兵船驶入港口，法人出而阻拦，彼时刚既启争，柔则示弱，尤觉进退不易。倘若于廉琼洋面驻扎操防，则与越南相距太遥，仍不足以壮声威而资镇慑。昨据越南陪臣阮翻来禀：法人有借助俄国师船之举，并闻该国续有兵舶东来，不日可抵香港。夫以法攻越，屡胜之后又复济师，揣厥隐情，显示戒心于我，其锋未可遽撄。粤东舟师远出外海，后无应援。设若法人谓我援助越南，因而与我为敌，以在越境之战舰扼我军之前，以泊香港之师船截我军之后，腹背受敌，危殆堪虞。从来用兵若不能出于万全，即可未轻于一试。粤东舟师远出，彼族未必慑我威棱，转恐以衅自我开，腾其口实。在越南未蒙保护之益，而在中国海疆或反因此而多事。譬之抱薪救火，自燎其衣，似非计之得也。目下，应修各轮船尚未一律工竣。窃谓提臣吴全美一军只此数船，远不如外洋之利器，似宜仍驻虎门，逐日操练，不明作横海扬戈之举，但隐示勒兵观衅之形，庶声实之间使人莫测，纵未能折冲制胜，总不致别肇他虞，较之跨海悬军，似觉稍有把握。臣等筹思商酌，意见相同。正在恭折具奏间，钦奉寄谕：现闻法人在越南境内势更猖獗等因。臣等奉旨后，复再四筹商，窃谓粤东舟师驰近越洋巡哨，实系无益事机，且恐别滋衅隙。臣等受恩深重，既有所见，何敢缄默自安？且此事利害较然，与其贻患于将来，曷若陈明于先事！所有粤东舟师未便前赴廉琼洋面驻扎缘由，谨合词密奏。

光绪九年四月二十七日。

清季外交史料卷三十二终

清季外交史料卷三十三

光绪九年五月至六月

滇督岑毓英等奏藩司统率防军扼守越边折　附旨

署云贵总督岑毓英、云南巡抚杜瑞联奏，为遵旨饬令藩司出省，统率防军，择要扼守事。

窃臣等于光绪九年四月初二日，曾将密筹防务情形具奏在案，兹奉上谕：前据总理衙门奏，法兵攻破越之南定等因。当即恭录谕旨，密行藩司唐炯钦遵办理。至越南之事，臣等近接广西抚臣倪文蔚密函：续据探报，法人自攻破南定后，复分攻海阳、宁平等省，势愈猖狂，防军更属吃紧，颇以悬军深入为虑。查广西防军现扎宣光、太平、谅山、北宁等省，均在红水江之左。越南黄佐炎、刘永福两军，现扎山西、兴化等省，皆在红水江之右，宣光、兴化遥遥相对。滇军由保胜顺流而下，大滩正在适中，既可联络宣光，又可策应兴化，实系握要之图。惟山西、兴化及宣光三省均逼近江边，轮船可以畅行，倘法兵直抵城下，我军拒敌则衅端即启，退让则失地损威，不便同扎城中。且时当炎夏，沿江烟瘴盛发，上年道员沈寿榕派营出关，先后瘴故文武员弁二十余员，瘴故兵练三百四十余名，业经汇奏请恤在案。今派兵前进，须择素耐烟瘴之人方能得力。臣等前奏拟派参将张永清、游击林大魁等，挑带耐烟瘴练军二三营，先往红水江大滩及山西、兴化一带择要驻防，嗣挑选二营已开拔前去。今又遵旨饬令藩司唐炯出省，统率防军相机因应。现据该藩司详报，定于四月十五日带印出省，驰往蒙自、兴化边界，督同各镇将择要防守，应否添拨兵练，俟到防查看情形再行酌量办理。至藩司衙门日行事件，委署云南府知府邓华熙代行代收，其紧要公事封寄行营核办。惟藩司职在理财、用人，责任綦重，拟俟边防稍松，仍旋省照料，往返兼顾，庶免贻误。所有藩司出省日期，谨合词具陈。

光绪九年五月初二日奉旨：览奏已悉，即着岑毓英等督饬唐炯体察情形，妥筹布置，以固边防。

桂抚倪文蔚奏越将力战大捷折

广西巡抚倪文蔚奏，为越将力战大捷，谨据藩司探报情形恭折密陈事。

窃臣于四月初四、十一等日谨将查探法越军情由驿具奏，计已上邀御览。迭奉寄谕，饬臣督饬关外防军扼要进扎，妥筹备御，当即恭录，行知藩司徐延旭暨提督黄桂兰、道员赵沃等一体钦遵。去后，兹据徐延旭禀称：四月二十一日，由龙州出关驰赴谅山，中途接据越将刘永福报称，十二日晚，袭攻河内，先将城外法人教堂拆毁，并斩教师三人，教民十余人。十三日，法兵出城，刘永福悉队接仗，鏖战三时之久，法兵大败，刘永福阵斩其五画官、四画官各一员，三画官、一画官各三员，复炮毙其四画官一员，生擒水师五画官一员，法兵死者百人，伤者百人。刘永福部下亦伤亡管带官二员，哨长二员，勇丁数十人。十八日，刘永福进逼河内而垒，法人婴城固守，密托越官向刘永福求和，冀释被擒之水师五画官，不提战事。查法人此次攻伐越南，其领兵头目五画官为止，前次南定之陷，陆师五画官已为越人炮毙，今水师五画官又为刘永福生擒，而越民之从教助虐者歼除甚多，法人之势已孤，越官之气稍壮。嗣复接见主事唐景崧并南官数员，面述战事与刘永福捷报相同。现已定于四月二十七日约会黄桂兰、赵沃等驰赴北宁，察看情形，斟酌办理。合将近日军情飞报核夺前来。

臣查，法使宝海倡议分保越圻，时经总理衙门王大臣暨署北洋大臣李鸿章会商办理。宝海本有自击刘团之说，今既折将损兵，咎由自取，断不能向中国别生异言。惟是法人诡诈，反复多端，既可以越南自主为词订约于前，亦可以中国属藩为请要约于后。法人此次受创，必由驻京公使仍向总理衙门重申前约。可否请旨暂缓置议，俟法越战事粗定，转圜有机，再由该国恳请简派大臣商办，以重朝廷柔怀之体，而杜彼族狡逞之谋。该藩司徐延旭到北宁后，法越战和之局尔时当有把握，应由该藩司随时具陈，以慰宸虑。臣仍遵饬黄桂兰、赵沃等，严扎稳守，毋得乘时幸功，庶副圣主轸念边藩、动策万全之至意。谨奏。

光绪九年五月初七日。

北洋大臣李鸿章奏法越交涉统筹全局折

署北洋大臣李鸿章奏，为法越交涉事端重大，遵旨统筹全局事。

窃臣钦奉密谕：统筹全局，速赴天津，仍回北洋大臣署任，筹备海防一切事宜等因。钦此。伏查，越南世守藩封，与缅甸、暹罗同为滇粤屏蔽。今缅甸、暹罗已大半沦陷于英矣。咸丰八年，法人以兵船往越之南圻，先后侵据嘉定等六省，设西贡总督以治其地。同治十二年，法兵进取河内，被刘永福歼其兵官。十三年，法遂与越胁定续约二十二款，其第二款认越有自主之权，无论何国皆无统属，复声言法国愿遇事帮助。自此阳为自主，实已受封于法，名无统属，实系离间吾华。曾纪泽屡告以越南为中国属邦，法外部执定原约坚不肯认。去年冬，法使宝海在津通融议约三条，臣正与总理衙门商办，而该国外部易人，忽又撤使翻议。本年三月，法复袭取南定省城。四月中旬，越将刘永福乘法兵未集之时用奇兵斩馘数十人，又歼其统将。沪上新闻纸得法电，谓其议院以兵败愤甚，意在报复吞并，应用军饷不限数目。道员唐廷枢巴黎来电云：法廷议发兵攻天津。殆欲牵制臣军不得南下之意。臣在沪与该国使臣脱理古接见两次，神情简略，谓：中国如不管越事，则彼此无损和好，如欲视越为属国，无论明助暗助，势必失和。所有问答各词已电呈总理衙门察核。

夫法之经营西贡，久欲并吞北圻，初尚惮各国评其贪很〔狠〕，中国力为援助，略有迟回。今既挫于黑旗，乃藉复仇为名，添派铁甲兵船及陆军克期东来，必欲占其土地，悍然不顾。越人以螳臂当车，沿海、沿江各郡县轮船可到之处恐不能保。臣窃料滇、粤交界山险丛杂，瘴疫繁兴，现有各该省防军及刘永福所部协力分守，彼亦不能深入。惟南路膏腴尽失，即阮祀幸存，何以立国？前者琉球不复，尚未及出师声讨，议者辄谓，示弱邻邦，致有越祸。越如为法所并，凡我属国咸有戒心，而滇粤三省①先失屏蔽，红江为滇越相共，矿务尤彼族垂涎，将来划疆拒守，口舌必多，边患固无已时也。或谓，法人并越之念未必甚坚，中国如以重兵相向，自可俯就范围。臣思法国自同治十年受德人惩创，上下卧薪尝胆，无日不图报复，正欲藉拓地立威，称雄西土，其藐视越南，岂肯甘心释手？况因愤添兵，亦无中止之理。我以虚声吓之，彼未必即相震慑。我以重兵临之，则内地益形空虚，似非两全之策。或谓，华兵前在越境交战，不在华界，我非显与失和。不知法越业经开仗，其滇粤兵之已扎越境者，尚可诿为自防边界，若添调客军再入越境，显系助越拒法，安得不谓之失和？恐不待中法兵交，彼必多派兵船北犯津沽，南闯粤海，甚或声东击西，捣虚避实，以分我兵力，摇我人心。我军远戍越疆，不战仍无以助越，战则敌兵或更舍越而先图我，所有沿海、沿江各省，必应预为备御，务使敌兵所至各能自全，庶前敌可无返顾之忧。昔林则徐拒虎门而敌从定海入浙入苏，僧格林沁拒大沽而敌从北塘入京师，此尚言其近者也。今越与内地相去数千里，若陈师远出而倒戈内向，顾彼失此，兵连祸结，防不胜防。臣查，海疆自广东以迄奉天，口岸林立，惟天津、北塘等口，臣驻守十余年，炮台、营垒、水雷、炮船逐渐筹布，虽未自诩万全，但就现有水陆各军船械兵力当可自守，然兵力未可少分，饷糈尚待添拨。其他牛庄、烟台及北洋不通商各口，实未能处处布置。至南洋之江、浙、闽、粤各口，

① 指云南、广东、广西三省。

罅隙更多。泰西各国战局一开，往往数年不解，必至胜负显判而后已。中国兵轮本少，又未经战阵。法国海部铁甲新船四十余号，旧者在外，快船、根驳各项战船四百余号，装运陆兵则另有轮船，其船械之精，操演之熟，海上实未可与争锋。陆路则我众彼寡，我主彼客，苟能器械精良，饷糈充备，未始不可与战。一时战胜未必历久不败，一处战胜未必各口皆守。西洋用兵，罄其一国之人可以为军，罄其一国之财可以为饷，转战数年，胜负既判，终乃行成。而胜者所糜之饷，皆必索偿于败者，恒以亿万万计。彼平日注重商务，国有急难，可借商民之财力以资敌忾。中国官商隔膜，舍厘税无筹饷之术也。道光、咸丰年间，海疆一再尝试，而盟约所要，愈趋愈下。近二十年与彼族补苴掇拾，虽未遽转弱为强，尚得坚守藩篱，与斯民休养生息。一朝决裂，全局动摇。战而胜，则人才以磨励而出，国势以奋发而强。战而不胜，则后日之要盟弥甚，各国之窥伺愈多，其贻患更不可言也。盖使越为法并，则边患伏于将来，我与法争，则兵端开于俄顷，其利害轻重，较然可睹。臣受恩至深，捐糜不足以图报。伏念皇太后圣躬甫愈，皇上正在冲龄，臣不敢畏葸而置属邦于度外，亦不敢激烈而掷天下于孤注。臣若仍遵前旨赴粤，则愿以滇、粤边境为己任。若遵旨北旋，则愿以畿疆防务为己任。臣之进止，自当再候明旨遵行。至于闽、粤、江、浙、东、奉各省海口以及长江等处，能否各自保护勿使旁窥，应请饬下各直省将军、督抚，迅速妥筹议复。再，两大交兵，旷时糜费，非剿粤、捻情形可比，先须筹集的饷一千万以济目前要需。至兵衅一开，洋税、厘金立形短绌，而各省军需刻不容缓，应请饬下户部，预为妥筹议复。事关重大，应否将臣此次折片发交军机处，会同大学士、六部、九卿密议具奏，抑由圣明裁断决择施行？总期庙堂之上成算先操，则臣下秉受宸谟自可中外如一，始终如一，不致朝三暮四，贻误将来大局。安危所系，必宜先事通筹，方可临时操纵。谨奏。

光绪九年五月十七日。

北洋大臣李鸿章奏越事方亟滇粤防务宜责成疆臣备御法廷如有转机请派专使与议片　附上谕

李鸿章片。

再，法国于同治十三年与越南所定约款，越王并不先行奏闻，其受法所饵，乐为自主之国，不愿为中国统属，居心实不可问。即先后被法人割据南圻六省，亦未具报有案。查向章，中国册封使臣至河内为止，越王亲来候旨。道光二十九年，今越王嗣位，劳崇光奉使册封，乃至其富春都城。查阅该国总督阮登楷原奏云：邦交大礼必于京师行之，在我有无穷之利，在彼有必从之理；又云：此议若成，清果以道路之难停其册封，则国体益尊，民生久利，尤为计之得等语。观此则越之悖妄，不待与法定约而已见端矣。今为法人所逼，始效秦庭之哭，求助上国，是何异子弟欺瞒家长，将祖业自行断送与人，事后乞怜家长，请为攘夺，其情殊堪痛恨！衡以大义，即使废置其君，灭绝其国，亦与汉之捐弃珠崖等耳。但以粤滇三省唇齿相依，边防必宜自固，若由臣远调淮军，显然与法开衅，恐激之使来，动摇全局。直隶仅有周盛传、刘盛休两军，不过万余人，分调即形单薄。江南仅有唐定奎十营驻防江阴，吴宏洛五营驻防吴淞，臣与左宗棠面商，尚可酌调。而该军皆系北人，不耐炎瘴，前年赴台湾颇亡精锐。若调赴南交，瘴湿愈甚，水土不服，所伤必多。且客军远戍，统兵大员无地方之责，转运粮械呼应不灵，亦难有济。嗣后滇、粤边防宜为久远之局。岑毓英久历戎行，滇防自可责令妥办。曾国荃勋望素着〔著〕，广东亦应严加筹备。至广西边境与北圻犬牙相错，地界较长。虽法人并无觊觎粤边之意，而筹防筹饷责在抚臣。倪文蔚吏治优长，兵事素少历练，似宜另简知兵大员，就地添练劲旅，酌拨饷项，精选枪械，与云南相为犄角，较之远调客军縻费所省实多。各该省自固边圉，即为越兵遥树声援，法既不能藉口开衅，万一侵我边地，即当与彼接战。此粤、滇防务宜责成疆臣备御者也。

闻法国议院已议定发兵报复黑旗，而兵数多少仍视中国举动为衡。又闻法党虽思吞越，如畀以越之权利，未必竟夺其祀。法使脱理古阴狡异常，实听该外部主使。臣惟有据理力争，不稍松口。但我以越为属国始终执辩，彼则坚称，越南自主，并无统属，载在《越约》。且西人公法谓，彼于所属藩邦皆有大臣监守，中国于越南政事、外交一切不问，但受朝贡而已，与泰西属邦不同。强词夺理，似非笔舌所能遽争。况此时彼国专以复仇为急，毫无商议。其外部究竟是何主见？议院究竟是何公论？此间仅凭脱理古所言及新闻纸所载，殊难得其确情。孙子云：知己知彼，百战百胜。彼之虚实不可不先了然于胸，稍一误会，贻误匪浅。曾纪泽屡与法外部争论，该国竟置不理。凡两国相争之际，议战、议和，应有分责。盖疆臣身膺兵事，必宜养其威，倘轻与周旋，刚则无可转圜，柔则无可恫喝，操纵两有为难，而谤讟且因之毕集。如果臣与脱理古无可理论，查泰西向遇重大事件，非驻扎该国公使所能了，必专遣全权大臣前往议商，将来法廷如有转机，可否仰乞特简洞达时务之大臣，驰往法国，专议此事，并令遴选熟悉法国情形委员一二人，随同前往，庶可得其实情，相机因应，亦可夺脱理古要挟之气。此法越之约宜遣专员议办者也。谨奏。

光绪九年五月十七日奉上谕：李鸿章奏，法越事宜遵旨统筹全局各折片，览奏均悉。法越交涉事宜关系重大，必须审慎筹画。现在法使与李鸿章会晤，以中国是否助越为言，意殊叵测。惟当告以中国官军剿除黄崇英、李扬才、陆之平等股匪，原以越南系中国藩属，是以频年筹兵筹饷，极力保护。至此次法兵为越所败，并非中国与法失和，而该使辄诘我以明助暗助等词，意为将来讹赖地步。该大臣务当据理与之辩论，以折其谋。现在北洋防务紧要，着该大臣仍遵前旨，迅即赴津，筹备一切事宜，毋稍延缓。本日据署左副都御史张佩纶奏，边情已亟，宜早定计；御史刘恩溥奏，请饬保护越南等语。所奏均不为无见！原折片四件，着钞给李鸿章阅看。

旨寄倪文蔚丁宝桢岑毓英等关于法越战事　三件

旨寄倪文蔚：法人近为越南所败，自必蓄谋报复，或渐生退阻，亦未可知。此时在防官军尤应严申警备，以待其敝。广西距越较近，亟宜厚集兵力，俾壮声援，即着该抚督同徐延旭选募边民之耐烟瘴者，迅速成营，与现有队伍于北宁一带分布扼守。该处距河内甚近，法之援兵到后切不可与之挑战，惟当深沟高垒，掘断来路，多安地雷，靠营墙挖地道以避轰炮，即由徐延旭会商黄桂兰、赵沃，妥为布置，不得稍涉疏懈，使彼日久计穷，或可就我范围。所需饷项，由部议拨给饷银八万两外，着曾国荃、裕宽、崇光于粤海关税项内即行拨解银十二万两，俾济要需。

五月二十一日

旨寄丁宝桢、岑毓英：法人近为越所败，中国亟宜添兵增防，岑毓英着督同唐炯迅募成营，与现有队伍扼要驻扎。法援到后，惟当深沟高垒，使彼计穷就范。丁宝桢着拨银二十万两，解往云南应用。

五月二十一日

旨寄倪文蔚：越将刘永福击败法兵，法仍添兵报复，能否久持，尚未可定。该抚着遵前旨，速募勇营，分布北宁一带，万不可衅自我开。此后情形，仍饬徐延旭随时具奏。主事唐景崧准其留营，当饬令小心谨慎。

五月二十一日

北洋大臣李鸿章等奏美韩换约折　附咨文二件

署北洋大臣李鸿章、署直隶总督张树声奏，为朝鲜与美国上年议订条约现已届期互换事。

窃据朝鲜国王咨称：本年四月初七日，美国全权公使福德航到仁川，该国王特派督办交涉通商事务闵泳穆为全权大臣，于四月十三日会同该国公使，将上年仁川口所订条约批准互换，除第六款内一节另行补订外，按照原约协议施行，咨请转奏，并将原约第六条补订一节，及美国国书各稿录送前来。

伏查，上年春间，美国与朝鲜结约通好，经臣鸿章遵旨妥筹，代订约稿，奏派候选道马建忠前往襄助，将议定条约十四款，于光绪八年四月初六日在朝鲜仁川港，由该两国所派议约大员钤印画押。约内声明，仍候两国批准，总以一年为期，在朝鲜仁川府互换，亦经臣树声照钞原本奏陈在案。美、朝二国之首定是约也，甚非日本所便。上年臣树声接出使日本大臣黎庶昌电告，日本人喧传美朝条约美廷批驳不准，意在怂恿改议。今春，驻日本英使亦遣人赴朝鲜煽诱，虽经臣树声迭饬中书马建常密告朝鲜君臣，务须坚持原约，拒其所请，然美约未换，簧鼓孔多，常虑朝鲜未娴交涉，易为所愚。今美国以一年届期，特派使臣前赴朝鲜互换条约，实能守敦信修睦之义。查原约第六款内载，并不得以土货由此口贩运彼口一节，此次补订，但不禁美国船只从朝鲜此口至彼口，装出口之土货，或交卸运来洋货之意数语，核之原约，于朝鲜自有权利并无贬损。此外既称均即遵行，自照原约毫无更改。朝鲜与泰西通好议约以美国为权舆，美约换妥，续至各邦均可援据以为因应。此后遵守勿坠以维外交，保有权利以谋内治，是在该国君臣之善其后矣。除照录朝鲜国王咨文，及补订原约第六款专条，并美国国书，恭呈御览外，所有朝鲜与美国议订条约届期互换缘由，谨合词具陈。谨奏。

光绪九年五月二十五日奉旨：该衙门知道。单二件并发。

谨将朝鲜国王来咨缮具清单恭呈御览

朝鲜国王，为咨会事。

照得本年四月初七日美国全权公使福德航到仁川，敝邦差员迎入京城，特派督办交涉通商事务闵泳穆为全权大臣，于本月十三日会同该国公使，将上年仁川口所订条约批准互换，除第六款内一节另行补订外，按照原约协议施行。该公使仍驻京城办事。查上年原约悉属妥善，实赖贵大臣仰体皇上绥靖之恩，俯念小邦维持之势，经画远谟，精密周到，派大员襄办，致有今日交际公使允永远凭信。当职谨与一国臣庶北望攒颂，感戴鸿庇。兹将美国原约第六款补订一节，及该国国书二本，照录各稿，呈备鉴裁，请烦转奏天陛，以表小邦无事不达之忱焉。为此合行移咨，请照验施行。须至咨者。

谨将朝鲜国王咨送补订原约第六款专条并美国国书二件照录清单恭呈御览

专　条

今将在仁川口，壬午年四月初六日，西历一千八百八十二年五月二十二日，大朝鲜国与大美国所立条约，大朝鲜国大君主、大美国伯理玺天德，两国特派全权大臣，于本日互换。先言明以该条约第六款内载并不得以土货由此口贩运彼口等语，但不禁美国船只从朝鲜此口至彼口装出口之土货，或交卸运来洋货之意。此约缮写汉、英文各具二分存照。

大朝鲜国癸未年四月十三日，西历一千八百八十三年五月十九日立。

大美国伯里玺天德阿里图①致书于大朝鲜国大君主：大美国民会商允，务与大朝鲜国通商，兹特派本国声名素着〔著〕之员福德航，作为驻贵国二等钦差大臣。深知合众

① 原文“阿里图”、“阿礼图”、“阿理图”均有，保留原貌。

国与贵君主及贵政府修好之心，庶与贵国臣邻彼此往来，永为和睦。因素悉该大臣公平明慎，料亦贵君主之所欣慰者也，此后办事自能允洽，而两国政府必加辑睦。换约之后，两国人民必能长受其益。本国政府信该大臣既深，亦望贵君主相信之切也。是则愿贵君主神明呵护，福寿攸隆焉。

西历一千八百八十三年三月初九日，癸未二月初一日，大美国伯里〔理〕玺天德阿礼图画押，凭首相费林辉生。

国　书

大美国伯理玺天德阿理图函复大朝鲜国大君主：今特派钦差大臣福德航前往贵国，因上年立约之时，曾接奉贵君主来书，兹特修复，着其代呈。盖朝鲜与中国往来，若无妨碍本国商民之事，此外概不与闻，亦不询及。朝鲜为中国属邦，凡贵国内外等事已知归贵君主自为主持，实深仰慕。而于通商一项，亦犹是自主之国焉。本国民会既皆允诺修好，自应批准，除条约内第六款内载所议数语外，均即遵行，以此即作为自主之国。否则，本国概未与之订交。故条约内载之言均极晓畅，兼之立约之时有中国大官在场，不但不为阻滞而反为助理，益足见和睦之至意焉。遥祝君主及臣民同登仁寿矣。

西历一千八百八十三年三月十四日，癸未二月初六日，大美国伯里玺天德阿礼图画押，凭首相费林辉生。

滇督岑毓英等奏越南官军进攻河内连获胜仗折　附上谕

署云贵总督岑毓英、云南巡抚杜瑞联奏，为据报越南官军进攻河内连获胜仗情形事。

窃臣等于光绪九年四月初十日，曾将藩司唐炯遵旨出省筹办防务，并派参将张永清等挑带练军二营，驰往越南山西、兴化一带，择要防守各情，奏报在案。奉上谕：越南南定失守，该国势愈危急，滇省边防尤为吃紧等因。钦此。当即恭录谕旨，密行藩司唐炯钦遵办理。节据该藩司禀报，于四月二十五日，行抵蒙自新安所设防营暂为驻扎，参将张永清、游击林大魁带练军二营先已出关，乘船顺流而下，驰抵山西，声援已壮。现据探报，南将刘永福于四月初一、二、三等日带所部各营，进扎距河内城二十里之怀德府，连日进驻河内，伏兵以待，法人坚守不出。初八日夜间，出队攻城，被城外天主堂之人暗通消息，法人加意严防，未能得手。初九日夜，复派队先攻天主堂，连破重垣，斩法人三圈教首三名及从教十余名，将教堂房屋烧平。十二日，法人派来大轮船一只，中轮船一只，小轮船二只，法兵四百余名，到时即与刘永福战于怀德府之纸桥，被永福诱入安决村，伏兵突起，前后夹攻，杀毙法人带兵官五圈、四圈各一名，三圈四名，一圈三名，法兵死者一百余人，带伤甚众，夺得快枪数十枝，马一匹。刘永福部下亦阵亡管带官杨著恩及哨官二员、练兵三十余名，带伤四十余名。正设法攻取河内等情。并据张永清禀称相符，由该藩司转报前来。

臣等伏查，法人连占越南之河内、南定二城，肆其侵吞，其曲在彼，越国臣民自不能束手待毙。刘永福素为彼族所忌，更属势不两立。上年，藩司唐炯出省查看边防，永福来到木厂求见，深恐兵单粮绌，力不能支。经该藩司善言安慰，许暗为接济，该南将感激涕零，誓图报称。今仰仗天威，有此一捷，歼除首要多名，洵足大快人心，堪以上慰宸廑。法人素欺弱畏强，曩岁刘永福斩其参将安业，遂敛迹数年。今得此一番惩创，或可易于转圜，仍修旧好。即寻衅不休，而越南军威已振，人民思奋，或可支持。至滇省派出防军现扎山西，距粤北宁防营一百数十里，可以互相联络。臣等拟函商藩司唐炯，再挑派一二营驰往添扎，以厚声援。谨奏。

光绪九年六月初三日奉上谕：岑毓英等奏，越南进攻河内，连获胜仗，越将刘永福击败法兵情形一折。法人经此次挫败，势必添兵报复，越兵能否久持，殊难逆料。前经谕令岑毓英选募边民，添兵扼扎，并由四川添拨银二十万两以济要需，着岑毓英、杜瑞联督同唐炯妥为筹办，力求实济；并与粤军互相联络，以壮声威，第不可衅自我开，转添口实。此后越南战守情形，仍着探明具奏。

北洋大臣李鸿章奏定期赴津筹备与法使交涉折 附上谕

署北洋大臣李鸿章奏，为遵旨定期起程赴津事。

窃臣奉上谕：李鸿章着仍遵前旨，即回北洋大臣署任。又奉上谕：现在北洋要务，着该大臣仍遵十六日谕旨，迅即赴津，筹备一切事宜，毋稍延缓各等因。钦此。法使脱理古于五月二十六、七日来晤，辩论各节已电达总理衙门察核。其面递拟办越事节略内称：法兵在北圻所为之事，中国约明毫无阻挠，并不显然或暗中干预越南之事，且不稍侵甲戌条约后已有之情节事宜后，中国允开云南通商口岸，法国约明不犯中国边界，并愿备照会，切实声明，法国毫无侵占越南土地之意等语。若照该使所拟办法，是将属国名分概行抹煞。臣与驳辩再四，该使始允将并不显然或暗中干预越事一语删去。甲戌法越约内认越为自主之国，并无统属，最为悖谬，中国未便显认此约。该使又允将条约二字删去，谓须电请该国示遵，臣亦答以必须请国家示遵。看来此事一时似难议有端绪，臣自应钦遵谕旨，迅赴天津，筹备一切，拟于六月初二日附搭轮船北上。昨询脱理古是否赴津，该使谓奉外部电信，令其在沪与臣会商，未便他往。其性情狡戾如是，若臣在此等候商办，转启其居奇要挟之心，自不可稍涉迁就。如其随后来就商办，亦勿固拒，以仰副朝廷羁縻勿绝之意。谨奏。

光绪九年六月初十日奉上谕：李鸿章现计已抵天津，法国现派脱理古为全权大臣，并赍国书商议中外交涉事宜，谅该使不久必将北来，着李鸿章在津将应议之事妥筹办理。该使此来虽未显露开衅之意，而恫喝要求是其惯技。务须坚持定见，不得为其所惑。如有应行准驳之事，随时奏明，候旨遵行。广东廉、琼一带空虚，必须整理，张树声着即迅赴本任，悉心筹办。

桂抚倪文蔚奏藩司到越边布防情形折　附上谕

广西巡抚倪文蔚奏，为谨据藩司禀报到防布置大概情形事。

窃臣据徐延旭禀称，五月初间，会同黄桂兰、赵沃等，驰赴北宁一带，查勘地势、军情，探悉法越相持，未闻续有战事。刘永福现扎山西之东怀德府，与黄佐炎山西城守相为犄角，均扼定入滇要隘。滇兵业已进扎，暂可无虞。而北宁、河内相距仅七十里，越兵单弱，万无可恃。法人若由河内进攻，北宁唾手可得，则谅山、〈镇〉南关在在可危，粤边倍形吃重。拟于北宁城西南克念地方，派扎两营，以杜河内来攻总路。而北宁东北揽山地方下临月德江，向有越兵驻守，亦拟派扎一二营助之。其富良江原有水师不甚得力，拟遣招越境海口狗头山匪目李光庭等，夙谙水性者百名，给饷编伍，派员管带，仍由越官出名，以备轮舶入月德江，援应陆兵。更以奋勇一营分向山西一路，假名搜匪，藉壮越军之气。惟是添营则饷需无出，不添则布置难周。现定初八日回驻龙州具奏详细情形，先行飞报核夺等情前来。臣查，法越开战以后，滇、粤两边防务愈紧，迭奉廷旨以保守北圻为急，诚属明见万里之外。关外形势险夷，仅据地图而观，终难得其要领。此次徐延旭遵旨筹防，与黄桂兰，赵沃等履勘商度，据所议办各节，自能仰秉宸谟，备预至当。臣已复饬该藩司随时奏请圣训，以期妥速。至筹饷、增兵事宜，臣接准部咨，仰蒙恩饬四川督臣，于盐课项下拨银八万两，迅解前来。应候该藩司会同黄桂兰、赵沃，添募成军，再行续陈，仰纾廑虑。谨奏。

光绪九年六月十三日奉旨：览奏已悉，着该抚懔遵迭次谕旨，督饬徐延旭等，将该处防务切实筹办，妥为布置，毋稍疏懈。

哈密帮办大臣长顺奏中俄勘分贡古鲁克界务折

哈密帮办大臣长顺奏，为恭报行抵乌什，筹商勘界缘由事。

窃奴才于本年二月十五日奏，遵旨勘分南段界一折，随于三月二十二日由哈起程，当咨督办新疆军务刘锦棠代为奏报在案。奴才于三月二十七日西盐池途次恭奉批折，遵即起程，前于五月初九日行抵乌什。准巴里坤领队大臣沙克都林札布咨送去秋勘分界图，核与总理衙门原颁图约，及现据乌什善后局员周应棻所呈图说，均系按照红线相符，其乌什之贡古鲁克果否勘分错误，应由奴才亲勘明确，再行核办。第俄使来文，约期五月初旬在阿克赛河会晤等语，沙克都林札布由喀什噶尔往会俄使，行至苏木塔什，俄使尚无信息，闻奴才抵乌，随即绕道前来，欲与奴才一同勘办。因思贡古鲁克照图虽按红线，究应目睹形势，以昭慎重，而俄使既有成约，若待勘明贡古鲁克，再行会同履分，有需时日，恐以失信藉口。且所勘均系天山，仅能夏日举行，一交秋深，雪即封山，难期蒇事。再四思维，顾此不致失彼，惟有奴才长顺先往勘贡古鲁克，奴才沙克都林札布分道往晤俄使，商办勘分事宜，奴才亦随后兼程赶至；并随时会商帮办新疆军务张曜，公同筹度。断不敢稍形草率，亦不敢妄启争端。务期按图照约，谨慎将事，仰副朝廷垂念边疆之至意。谨奏。

光绪九年六月十五日奉旨：知道了。

粤督曾国荃等奏筹备边防折　附上谕

署两广总督曾国荃、广东巡抚裕宽奏，为遵旨筹备边防事。

窃臣等于光绪九年五月十七日奉上谕：法人攻破越之南定后，现在局势未定，必须滇、粤兵势互相联络，方足以壮声威等因。钦此。查署广东水师吴全美所带舟师，上年十一月间接到总理衙门来函，令将粤省水师防军酌量退扎，当经咨会该提督，统带各船，驶回虎门，暂行屯扎。嗣因粤省各船机器多有锈坏，必须熚洗修葺，方能赴防，臣等恭折奏明在案。本年五月初间，接到署北洋通商大臣李鸿章电音，嘱饬吴全美，会同丁汝昌，前赴廉州洋面查探情形。五月初三日，吴全美乘坐轮船抵香港。初六日，即会丁汝昌驶抵廉洋，在于钦州之白龙尾及越南之江口、平安等处海口察看形势。丁汝昌回上海，吴全美仍回虎门。臣等先已饬催各轮船并工修葺，而令吴全美将可以起碇之船料理启行赴防。此布置广琼洋面之情形也。

至于陆路之钦州，与越南广安接壤，上年派黄得胜劲勇两营驻扎隘口。去冬，总理衙门有饬令东粤防军暂行退扎之信，适值高州会匪滋事，须勇弹压，臣等檄调此起勇丁移驻高州，当经陈明在案。本年五月间，据廉州府禀报，钦州边外有越南土匪乘机窃发，深恐窥伺边境。臣等一面饬署钦州参将莫善喜，就近募勇二百名，先行扼要防堵；一面飞檄黄得胜，统率所部劲勇两营，驰回钦州，据守要隘。五月十七日，钦奉寄谕，臣等函商方耀，预先筹备潮州应办事宜，以便带勇防边。嗣接李鸿章电信，商令提督吴全美酌带兵船巡防，或再奏调闽省兵轮两号，陆续前往廉琼洋面巡扼。我师不出粤洋界限，彼亦不致阻难。并称，探闻越之广安省城又为法兵袭据，须多拨陆兵数营进扎钦州，自固边防等语。与臣等迭次钦奉谕旨，连日会商筹办事理，意见相同。当即咨会提督吴全美，先带粤省安澜轮船一号，连上年原调闽厂之济安、飞云轮船两号，刻日前往。第所带轮船太少，声势较单。闽省之船前已调来两艘，目下闽亦筹防，未便再行请调。查粤海关缉私之蓬洲海轮船船身较大，机器较灵，堪以行驶洋面。商之监督臣崇光，允许借拨此船，交该提督带赴廉琼洋面。昨准该提督咨称，前队五月二十八日起程，二队六月初二日继进，其余修理各船，一俟工竣，陆续前往，以厚水面之声势。至于钦州之陆军，黄得胜两营兵力过单，必须添拨劲旅。遵查，潮州镇总兵方耀，久历戎行，素称勇敢，实是独当一面之才。此次钦奉寄谕，臣等悉心酌度，当经行文该总兵，迅速挑募老勇三营，带印星夜驰赴钦州边境扼扎，即黄得胜两营亦归该镇节制调遣。统计已有五营之数，可与吴全美廉琼水师互作声援。惟潮州地面五方杂处，极关紧要，未便过于空虚，仍饬现署潮州城守营都司方鳌，接带方耀两营勇丁，驻潮弹压，以免顾彼失此之虞。此粤东水陆防军分别布置之情形也。

广西关外防务，藩司徐延旭现已遵旨屯驻关外，一切进止机宜，抚臣倪文蔚与该藩司自必妥协布置。惟西省饷需支绌，军火不敷，上年臣等业已饬司筹解协饷银一万两。昨准该抚咨请接济，又经饬司在于运库筹拨银一万两，给该省来员领解回西。所需军火，昨准倪文蔚函请饬购，若待逐一采买，未免久需时日，经饬善后总局将广东上年购存之快枪二千枝、子药袋二千副、枪码子二十万出、铜火箭三百枝先行拨交，委员解赴西省，以应急需。此项价值约银五千两有奇，将来即作协饷划扣。此东省筹济西省饷项、军火之情形也。

窃念粤东地处海滨，民情浮动，平日地方无事尚虞莠孽潜滋，当此海疆有事之秋，防范不容稍懈。臣等惟有兢业自持，预先设备。并查署云南韶连镇总兵郑绍忠，饶有勇略，于北江一带民情最能固结。又记名总兵邓安邦，在广州府各属缉捕多年，纪律严明，兵民悦服。臣等谆饬该总兵等，督率所部兵勇，勤加操演阵法，密地联络绅民，认真团练，平日则防范周密以靖民心，有事则众志交孚藉资捍御，大约临警之际，号召能战之师，不出浃辰，可集万众护卫省垣要地。特以粤东华洋逼处，事关中外交涉，易滋浮议，恐肇衅隙，臣等每于一切防务均系密地筹办，不敢稍涉张扬，致启外人之疑，更未敢琐屑具奏，上渎宸聪。论者佥谓，办理海防，最要莫如添购大号轮船，及泰西新式之水雷、枪炮，足资战守。然默观粤东近年情形，库空如洗，支绌异常，此时欲议购办，非惟力有未遑，抑且缓不济急。臣等悉心规画，竭力图维，只能就现有及新添之兵力以固圉而防边，结附近与北江之民心以安良而除盗。既不敢稍存畏葸，亦不敢过事张皇，总期战衅不自我开，而地方亦不滋生他患，仰副我圣朝轸念海疆之至意。谨奏。

光绪九年六月十七日奉旨：览奏已悉，该省水陆防务均关紧要，仍着曾国荃等督饬各军，妥筹布置，毋稍疏虞。

桂藩徐延旭奏遵旨出关相机筹办越事折

筹办边防·广西布政使徐延旭奏，为遵旨出关，相机布置，谨将筹办情形据实密陈事。

窃臣于光绪九年三月二十日，由省起程，四月十五日，驰抵太平府属边界之龙州厅边防，左、右两路统领提督黄桂兰、道员赵沃先后入关与臣相见，向其详询关外法越军情，订期出关，相度机宜，及时筹办，先行禀请抚臣由驿驰奏，声明候臣到北宁后，法越战和之局尔时当有把握，再由臣具陈，以慰宸廑在案。嗣抚臣续奉迭次寄谕，饬即督饬关外防军扼要进扎，妥筹备御。节经恭录，行知臣与黄桂兰、赵沃等一体钦遵。臣轻骑简从，酌带文武员弁，挑派精锐新兵，于四月二十一日自龙州启行，次日出镇南关驻扎。谅山省为越南出境首站，接见谅平巡抚吕春威等，宣布朝廷德意，细询近日军情。并据越将刘永福禀报：是月十二日晚，袭攻河内，拆毁城外法人教堂，斩其教师三人，教民十余人。十三日，法兵出城接仗，复阵斩其五画官、四画官各一员，三画官、一画官各三员，又炮毙其四画官一员，三画官、二画官各二员，法兵死伤各百余人。刘永福进逼河内营垒，法人婴城固守，其气已夺，其势渐孤。臣经转报抚臣于前折亦已陈明，计可上纾宸虑。臣在谅山于四月二十七日约会黄桂兰、赵沃相继进发，即于五月初二日行次北宁。查北宁在谅山东南二百九十里，居河内之北，相距七十里，隔两小河。河内之西为山西省，河内之东为海阳省，南为南定省，已为法人所据。该四省地方，虽不如河内之富庶，而田多沃壤，岁冀丰收，彼族逞其狡谋，意在强兵足食。窃谓固广西边疆必守北宁，固云南边疆必守山西。盖北宁以北诸省，类皆荒凉残破，我师已无立足之区，抑且烟户甚稀，米粮不给，即我沿边亦无握要之处。粤西防军十有七营，营四百人，分为左、右两路，左太平而右镇安，左军分扎边内龙州、养利、宁明、上思州，外而谅山、北宁、太原等省所属。右军分扎边内镇安厅、归顺州，外而太原、高平、宣光等省所属，直接滇防之开化府境，声势尚能联络，几如棋布星罗。

臣与两路统领熟筹方略，就其地利而论，由河内通云南一路首重山西。山西以西即为三江口，一名屯鹤，北支为宣江，过宣光省，其水多石。南支为沱江，过兴化省，水稍浅狭。中流即红水江，以其可达滇之普洱，亦名洱江。此三江固非轮船所能游弋，而轻舠小艇无不可通。设山西不守，则屯鹤难守，滇省遂防不胜防。此时云南藩司唐炯业已出边，统率所部扼扎山西，越南统督黄佐炎亦屯重军于此，其东则刘永福所扎之怀德府兵力似已足用。若来广西一路，则首站北宁。北宁之南六十余里有水名新河，设遇大雨时行河流骤涨，轮船亦可来往。预筹备御之策，贵在先行堵扼新河。惟其地在河内对岸，彼此相望，大炮亦能相及，恐致藉口，我军未便进扎。臣已谆饬越南守土、带兵各员早为之计，现经越将梁俊秀以三千人往守矣。

粤西左路防军前队前已进扎北宁之涌球，距城不过十二里。臣愚以为，我军相离已近，倘彼族攻城，援之则无辞于法而自启兵端，听之则有惭于越而顿失要害，未免措置两难。莫如移军进城，转觉有辞可措，盖北宁本我边防运道、储粮、屯戍之所，防守理所宜然。臣与黄桂兰、赵沃巡行村落，周历城厢、外城，居民稠密，未便多容队伍，致滋惊扰。查有西北郊外相距里许土山一座可以扎营，因派左军游击张金泰、都司李荣高、千总黄效忠，管带先锋营，分扎山坡上下，而分哨进驻外城。又城西南二里许之克念总，为河内来路三处之总口，复调守备贾文贵管带新挑奋勇四百名，前往扼扎，以壮越军声势。又查北宁之北相去八里有月德江，每水涨时轮船可到。如其称兵至此，则南北各营势成两截。越人以竹木塞之既不足恃，而防兵数百大都衰弱，器械不全，尤为可虑。因调副将周炳林、守备叶逢春两营前往助守，另募熟谙水性者百人，以助陆军所不及，复派守备彭瑞华、陆桂枝各带两哨，扎于北宁城北，以通声气。其总兵陈得贵原扎市球江一带，都司张锦荣原扎寿昌江两岸，总兵韦和礼原扎安勇县，参将黄玉贤、游击李应章均原扎洞渌，守备李定胜原扎平嘉，副将冯兆全原扎海渊，提督陈朝纲原扎龙州，内外分防，悉仍其旧。此左路各营也。

右路各营因搜拿漏逆李亚生正在吃紧，未便纷纷更调。而总兵陈德朝一营分扎苏街、板怀、左大、那香等处，副将黄忠立一营分扎左丁山头、左禄、新街等处，副将蔡简宸一营分扎那波、百德、唐加等处，参将李石秀一营分扎波赖、银山、牧马等处，参将覃东义一营分扎高平、郄岭等处，副将党敏宣亲兵一营分扎宣光、河阳等处，另以都司陈毓永、把总李世清各带百人，周巡各处，以为游兵。查看所驻地方东与左军境地相连，西与滇防诸军亦通声气，并仍其旧，无待更张。此右路各军也。

又复加派都司田福志，管带新挑奋勇四百名，进扎北宁、山西之间浪泊湖北岸，与山西各垒声息相通，便于应援。旌旗千里，刁斗相闻，以视昔时较为周匝，而人思自奋，亦觉视昔精强，倘遇军事吃紧之秋，未尝不可收功于一战。臣等戒饬诸将，约束众军，各皆静守汛地，毋得幸功挑衅。夫增募新军不如慎简精队，故于两路分防十七营中抽调奋勇八百人，加给口粮，重许功赏，既可速期集事，亦于原营力不多分。名为添营，实未增支两营之饷，亦可无虞糜费。

惟法人新败，为缓兵计，曾经放出被困越兵向刘永福议和，刘永福不允。西贡之七画官闻之愤激，意图报复，添来河内洋兵二百余。其实洋人甚少，无非南圻从教之人，驱之使战，殊非所愿，闻对敌多有泣者。此时不战不退，拟候援兵，或其国添兵来助，尚不可知。总之，经此惩创，其凶焰稍销，狡谋亦可暂戢。我军附近北宁而守，仍以缉匪通运为辞。如其妄肆凭陵，四面皆兵，未必敢于入城，且必不能越境深入，况不难先以理喻之。设竟不从，则衅开自彼，既不获逞志于今日，或当自知敛迹于后日也。独是越南势成积弱，其国之重臣如统督黄佐炎、总督张登坛辈，未见实心为国，虽有部将刘永福尚可应敌，复不能结以恩信，致启猜疑。即如四月十三日之捷，伤亡得力员弁、兵勇不少，亦不闻有所赏恤。臣与黄桂兰、赵沃和衷商榷，惟当各饬所部，勿懈初心，固不容侥幸图功，亦不敢因循误事，总期外绥藩服，内固边陲，尤要在有备无形，万不使他人有所藉口，庶几稍纾圣主南顾之忧，勉申驽效于万一。臣因布置粗定，即于五月十四日进关，次日回驻龙州，仍当探明北宁、河内一带情形，究竟法越战和两端如何定局，随后再行奏报；并将我军扎营地方绘图贴说，呈送军机处备查。谨奏。

光绪九年六月二十日奉旨。

桂藩徐延旭奏留唐景崧商酌防务片

徐延旭片。

再，吏部主事唐景崧前因奉旨发往云南差委，假道越南，旋奉上谕，饬令该员迅即前往，毋稍逗留，当经抚臣转行遵照。臣于途次正遇该员前往云南，与谈外域情形，颇为熟悉，而于赞成刘永福立功报国一端尤为难得。臣查，刘永福原籍广西，流而为匪，自经越南招抚，积功擢至三宣副提督。其统督黄佐炎不能驾驭，转事苛求，刘永福积不相能，常存退志，故不敢轻离保胜，恐为人害。迨唐景崧亲见其人，知其可用，为之开诚劝勉，直以大义责之，谓越南臣服我朝，近接粤徼，能为该国出力，即与内地出力无殊，如其思归故乡，未尝不可俟诸异日。刘永福闻而感悟，誓不与敌俱生，于是发愤自雄，屡战皆捷，非唐景崧之力不至此。现在越法战和之局未定，若将该员留营商酌一切，实于防务有裨。云南藩司唐炯已出扎山西，如有应办事宜，亦可就近兼顾。可否准令该员暂缓前赴滇省，留于防营，俾资臂助，出自圣慈。谨附片陈明。谨奏。

光绪九年六月二十日。

清季外交史料卷三十三终

清季外交史料卷三十四

光绪九年七月至八月

桂抚倪文蔚奏据藩司探禀法越军情并增募军勇折　附上谕

广西巡抚倪文蔚奏，为谨据藩司探禀法越近日军情，并遵旨筹办增军事宜，恭折密陈事。

窃臣奉上谕：法人近为越南所败，自必蓄谋报复，或渐生退阻，亦未可知，此时在防官军尤应严申儆备，以待其敝等因。钦此。遵即传谕徐延旭一体钦遵办理。兹据徐延旭禀称：近日法越陆路未有战事，惟法人屡派轮船巡驶，意欲分袭保胜、山西、北宁，以孤刘永福之势。五月二十四日，有火轮船三艘直扑山西，当被我军新选奋勇营会合滇军假永福黑旗排江轰炮，该船比即回驶。永福旋亦派勇来援，于中途浅狭处合击，将轮船概行逼回河内。查越南各江，水浅岸狭，转舵不灵，岸皆有堤，堤皆有树，伏兵施炮，最易制胜。其月德江较山西江面更窄，加以越人集石填塞，所招狗头山水勇最为得力，彼族轮船似亦难于驰骋。至法兵增援一节，尚无所闻。惟海口原立招商局，现被法人占住，以为招匪之所。尚募有廖姓、刘姓匪党千余人，令其改换法装，因即散去。已飞函知照赵沃，迅速设法招致前来，重予饷项，以期断彼羽翼，壮我声威。黄桂兰现赴安朗，与刘永福会商陆路各事。其河内嘉林地方业已加派一营填扎，永福亦增募水师，安置大炮，与陆师相为犄角。惟是新军加饷，底营补额，以及添置水勇，招徕游匪，所费已属不赀。遇有功赏，更形耗费。应请预筹饬遵各等情前来。

伏思法人目无越南，取犹反手，骤为刘永福所挫，断不能退阻自甘。而北宁一带于粤边尤为吃重，仰承庙算精详，先后饬拨四川、粤海各巨款以厚兵力，臣等自应竭诚筹办，无误事机。关外布置情形已由该司徐延旭奏报，计达宸聪。臣接据呈送各稿，尚觉部署有条，而增募新军不如慎简精队二语，尤见该司节饷苦心。今既奉有拨饷明文，亟宜统计始终，以操万全之策。现已飞饬该司，会同黄桂兰、赵沃等，遵谕迅就关外增募成军，毋论出身良否，总以熟谙技勇、能耐炎瘴便为上选，多以十营为率，少以八营为率。至于成军而后，核计军装、月饷需银若干，该司一面自行奏明，一面知照臣处报部，以凭稽考。要当慎益加慎，庶几内弭肇衅之端，外固辅车之势，以副绥边字小之意。谨奏。

光绪九年七月初二日奉上谕：法越构兵一事久未定局，广西防务经徐延旭出关布置尚属周密。惟粮饷、军火需款甚多，前拨银二十万两，尚恐不敷，着张树声、曾国荃、裕宽于应解京饷项下，截留银二十万两，解交广西应用，即着倪文蔚、徐延旭斟酌机宜，妥为办理。目下库款不充，所有神机营本年七、八、九三个月饷银毋庸由户部支发，即着神机营于存款内按月开放。

哈密帮办大臣长顺奏复勘新疆南界及查明南北路径情形折 附上谕

哈密帮办大臣长顺奏，为复勘去秋分定南界，核与图约相符，及查明南北路径情形事。

窃奴才于本年五月十三日，将行抵乌什日期及筹商勘界缘由，驰驿具奏在案。奴才于拜折后，督同提督衔补用总兵程玉廷、乌什善后局员周应棻并去秋原立界牌之委员·记名副都统寿凌、参领海忠分道复勘。巴里坤领队沙克都林札布所立界牌鄂博，一系贡古鲁克，一系别叠里达坂。以上二处，皆督办新疆军务刘锦棠等会奏内称旧约所在系指天山之顶，并同治三年所定图约即其处也。其原奏别叠里即毕底尔山口，达坂路当即乌什之贡古鲁克卡等语。由于图载地名互异，语言不同，以致误会。至原奏贡古鲁克可达伊犁之路，系为南北相通起见。奴才复查，该处悬崖峭壁，险阻异常，仅容一人一骑，未乱以前偶有土人行走，乱后路为贼毁，近来人迹罕到，即归我有亦属无裨大局。矧在红线之外，天山之阴，彼族谲诈，安肯俯首允从？惟奉谕旨：务使南北路通方为不负委任等因。钦此。谨按新疆形势，现在南北往来仅止冰岭一路，欲求大局全归版图，必须循格根河，由喀喇廓勒顺纳林大道，至喀什噶尔，方无阻隔。诚能如此划分，洵为新疆远大之谋。但于两次所载条约，均须全行更换，揆诸时事，恐非易易。是以刘锦棠等原奏亦称，纳林大道早非我有，自可毋庸议及，盖深知挽回之难也。此议如窒碍难行，则贡古鲁克界俄之路似可不必遽启争端，徒失和议。伏思奴才此番会同勘分委因原奏沙克都林札布勘分错误，重在更正。兹既复勘明确，均与红线相符，且沙克都林札布与原分俄使咩登斯克办理正在得手，复添奴才会勘，恐俄使多疑，转生枝节。自应相机因应，不若仍由沙克都林札布一手经理，以免纷歧。而界务重大，尤期慎益求慎，奴才拟赴喀什噶尔，会晤帮办军务张曜，筹商一切。俟南段勘分完竣，复加详慎妥换界约，先行会同张曜、沙克都林札布将勘分大概情形，据实复奏，以纾宸廑。谨奏。

光绪九年七月初八日奉旨：据复勘，分定贡古鲁克等处界址核与图约相符，着即照所请办理。此外未分南界，仍由沙克都林扎〔札〕布一手经理。并着长顺会商张曜，知照该领队大臣，按照图约，详慎妥办，不可稍有迁就。

哈密帮办大臣长顺奏伊犁著勒土斯山设卡防守片

长顺片。

再，新疆局势，南北相通，洵为要务。舆图所载，若讷〔纳〕林大道，诚如刘锦棠等前奏早非我有，自可毋庸议及。若贡古鲁克，界在天山之顶，山阴属俄，似难强争。况此路险峻异常，有名无实。现在南北往来仅止冰岭，阻梗堪虞，且距俄境太近，终难进退自如。奴才详加探访，惟喀喇沙尔由草达坂著勒土斯山直达伊犁，其路可行大车。前此俄兵驻扎伊犁，于著勒土斯山设卡防守。奴才因思，俄兵今春均已撤退，此路属伊犁腹地，居南北之中，较为便捷，亟应委员查勘，以冀疏通。现委去岁随同勘分中界委员・已革河南候补知县王俊前往，会同喀喇沙尔善后局委员确查情形，就近径禀刘锦棠及伊犁将军金顺，酌商办理而重边防。谨奏。

光绪九年七月初八日奉旨：知道了。

桂藩徐延旭奏报法越军情随时会筹布置折　附上谕

筹办边防广西布政使徐延旭奏，为迭据探报关外法越军情随时会筹布置事。

窃臣钦遵谕旨出关，相机妥筹布置，旋即回驻龙州，业将筹办情形具奏在案。臣以法人既受惩创，婴城固守，难保不是静待援兵。如果来援，或分船出扰，必须先行击退，以寒敌胆而振军威。当经谆饬越将刘永福严为戒备，并嘱边防左右两路统领提督黄桂兰、道员赵沃一体密筹确探。去后，嗣据刘永福禀报：五月十四日，有法人轮船三只，三枝桅者一艘，枝半桅者二艘，驶上山西省辖之瑞香社。刘团旧有炮船六号驻防该处，登即开炮轰击。其船炮位不大，只有二百数十斤，连发五十余出，无不击中轮船，最后碎其三桅船头板片，乃各仓皇遁出。维时刘团派去快枪手百名在江干助战，目睹桅上一人中弹坠落，登时毙命，其余纷纷倒向舱内，不知其数。及后探确，伤者二十九人，毙者二人。刘团阵亡一人，炮船亦被击沉二号。二十四日，又有轮船三枝桅者三艘，直薄山西省辖之丹凤口。人心惊慌，都有挈家迁避者。右军都司田福志管带奋勇一营，适至山西城下，立即会同滇军，悉去号衣，另树黑帜，伪作刘团勇练，列阵江干，放枪争击，逾时始退。刘团派队援应，猝遇其船于浅狭之处，竭力截击，相持良久，终被脱逃。探知法人伤亡四十余名，我军与刘团均无损失。并准黄桂兰、赵沃先后函报相同，且云：河内陆路法人屡经越兵诱敌，迄不接仗，惟逐日修墙、掘濠，引水入内，以为固守之计。

臣查，越南江水本小，今年少雨，尤甚于往年，两岸逼窄，枪炮可及。岸都有堤，堤多植树，故防军易于蔽护。洋船高大，浮出堤面，以下击高，以小击大，不难命中。洋船然〔燃〕炮子辄越过不能中人，兼以船重水浅，实形滞钝，迥不如我舟之灵便。所惜越人船少炮小，未能大挫凶锋，夺其船只。现经刘永福添造炮船，改置大炮，以资利用，尚未能克日告成。前因新河地方距河内太近，但令越兵三千防守。嗣见其人多孱弱，恐不可恃，另派左军奋勇一营，以都司叶逢春管带，驻扎嘉林，以壮越人之胆。其队伍旗帜、号衣一概不用，惟于衣襟志有暗号。与越营相去二里，越营本多内地游民，彼此原有混淆，不致为人觑破，有所藉口。前拟选募水勇，安置月德江，亦经挑足百人，厚其月饷，以待轮船之至。臣复与黄桂兰、赵沃往返函商，关外散匪尚多，不如招之使来，免为敌用。若果真心反正，奋志立功，将来遣送入关，各回原藉，无使失所，且于越南未始非一举数得之道。因派明干员弁，分起招练。总计千数百人，拟即编为三营，现就已经点验者先立一营，委参将连美管带，扎怀德府之北，与刘团相为犄角。

黄桂兰亲至切近河内之安朗县，查看近江情形，越南统督黄佐炎及刘永福等绕道来谒，嘱其添船换炮，修筑炮台，竭力防守。赵沃仍驻北宁，帮同黄桂兰经理防务，并饬越将梁俊秀于新河岸边嘉林、金关、三江口等处添筑炮台，作品字形，以遏轮船西上之路。其余各营，仍复照前扼守，声势尚为联络，不须另议更张。又据探报，西贡旧领事已为其国撤回，另调原在暹罗领事之人前来接办，每向人言，其国将派兵四千来越复仇。日久并无船到，惟五月中有俄罗斯兵船二艘，来至海口寄碇，有人登桅以千里镜四望，次早即行开去，未见复来。又谓，汉奸为其广招沿海匪数千有余，众利其重饷，无不乐从，及至法人逼令剪发改装，人多不愿，如鸟兽散。又谓，法人招匪，将我招商局之在海阳省者据为招匪之所。又谓，法人在西贡，将我招商局存储米谷变卖充饷，系旧时领事所为，并将局前码头石基拆毁，移作别用。言之凿凿，必非无因。臣维法人与越构兵，图据北圻各省，我国素通和好，初未尝稍有龃龉，何以无端迁怒于人，致有售米、占局之事？是其狡谋思逞，蔑礼背盟，已可概见。此时越南渐知振作，水陆设防，复得滇、粤各军分扼山西、北宁暗为之助，固不难收功于一战，庶几后来和局易成。该国王阮福时闻臣奉命出关，投牒通问。臣以布置一切情形详细文复，嘱其责成疆吏，激励阃寄诸臣，发愤自强，毋稍委靡。臣亦会商两路统领，戮力同心，随时禀商抚臣，总当谋出万全，勿贻口实，以期仰副圣主固圉绥藩之至意。谨奏。

光绪九年七月初八日奉旨：览奏关外军情，与倪文蔚前奏大略相同。现闻法人有添兵保护之信，尤应先事筹备。该藩司务当联络滇军，随时相机防守，毋稍松劲。

桂抚倪文蔚奏陈近日边报暨增军提饷情形折

广西巡抚倪文蔚奏，为遵旨复陈近日边报暨增军提饷大概情形事。

窃臣据黄桂兰禀称：六月十四、十六等日，法兵续来一千余名，带有劈山炮百架，分驻海阳、河内等处，并随在招纳游匪，尚无成数。现在我军分扎陆路等营均属扼要可恃，唯虑水师船炮不能相敌，致有牵动。当饬各营沿堤开濠，于临河田矶加筑土墙，或傍大堤，或跨通路，总期伏兵施炮，不使上岸一步，兼于附近土山增筑炮台，以备瞭望。至刘永福所部，仍扎怀德等处筹备战事，另派队在富良江水口各隘筑台以阻轮船。山西一隅，则滇军二营会同我军新练福字一营驻守。如果伏汛不涨，法兵续无大队，应守之局自为有余各等情前来。

臣查，法人经越兵大挫以来，声言报复，迄无大支劲旅，外强中干，已可概见。臣迭饬徐延旭、黄桂兰等训励诸将，不可妄冀邀功，亦不可轻心视敌，要在内固封守，外弭衅端，足操万全之策。黄桂兰所陈近日筹办各节，尚能恪守睿谟，不致贻误。徐延旭前回龙州调拨后路转运，近亦拟出驻谅山行营，以便会同黄桂兰等相机因应。惟是增募勇营以厚兵力，刻已遵旨办理，计左路原统十二营拟加四营，右路原统五营拟加七营，益以水师两营，合共新旧三十营，迭据徐延旭等函告成军。以造册需时，尚迟报部。军火、饷项较旧倍增，臣统计兼筹，实深竭蹶。仰蒙恩谕饬拨四川盐课八万两，粤海关税十二万两，均经委员分道迎提，尚无拨解确期。署督臣曾国荃、广东抚臣裕宽等关心大局，前经臣于未奉明文时飞书告匮，立提运库银一万两，并代办军火各项值银一万五千两，稍资周转。仍须大批立解，始资饱腾。合并陈明。谨奏。

光绪九年七月初八日。

伊犁将军金顺参赞升泰等奏行抵哈巴河与俄使晤商勘界折

伊犁将军金顺、伊犁参赞大臣升泰、科布多办事大臣清安、额尔庆额奏，为行抵哈巴河会所，并与俄使晤面各日期，恭折驰陈事。

窃奴才等于四月初三日由科起程，曾经奏报在案。伏查，经过沿途各台站，原日剩存驼马统系不堪乘用，即前派员发价觅雇驼马，亦多疲瘦。实因上年夏秋荒旱，牲畜多灾，入冬雪又过大，迨交春暮，积冰未融，青草尚未萌芽，牧放不得饱腾之故。兼之崇山峻岭，道路难行，每驼载一起，亦必随时就草设法牧放，方能转运，致难按程以进。嗣至清格里河、额尔济斯河之处，正值溜势泛涨之际，水宽而深，当饬工匠斫伐树株，凿造木槽，方得济渡，于二十五日先后始抵承化寺。自到该处后，适值阴雨连朝，奇林河水势湍急。此河舟楫向不能施，虽造木漕〔槽〕亦难稳渡。第恐稽迟时日，有误会期，致俄人有所藉口，奴才等望洋兴叹，午夜焦急。迨至五月初八日，查称水势稍松，奴才等遂约会先行策马凫水而过，仰赖圣主洪福，化险为平，得登彼岸。所有裹粮、行李等项大半浸湿，幸随从员弁人等均皆无恙。嗣乃次第鼓行而西，于十二日先后行抵哈马河会所，距俄营十余里驻扎。当派员往彼知会查询，据称，该国使臣尚未来到。奴才等遂乘间查勘地址形势，并饬去岁所派委员，将黄线以西上冬未画移居之蒙、哈各民催令一律迁居于阿勒泰山附近山陬，就去岁先行移挪在彼蒙、哈各民暂同拥住一处，因时游牧，庶免临期有碍界务。一俟勘分完竣，即为择地安插，酌量抚恤，以广皇仁。待至二十四日，该国使臣巴布阔福始带兵到哈巴河，在河岸旧日俄营住下。次日来奴才等行营会晤，奴才等即于次日答拜。现定六月初旬与之会商，按约指地妥议后一齐前往勘分。谨奏。

光绪九年七月十三日奉旨：知道了。

总署奏议复朝鲜商务委员章程折

总理各国事务恭亲王奕䜣等奏，为遵旨议奏事。

光绪九年六月二十四日，署北洋大臣李鸿章具奏，派员前赴朝鲜，办理商务，酌议章程一折。据原折内称：前经会议奏定《朝鲜贸易章程》，内开：嗣后由北洋大臣札派商务委员驻扎朝鲜口岸，照料商民，该员与朝鲜官员往来均属平行，应用经费均归自备等语。现美国换约后已派使往驻汉城，日本亦在仁川购地建屋，中国招商局拟即派船前往开拓码头，亟应派员前往察看地势驻扎，联络声气，并将购置、建造等事与朝鲜商酌妥办。惟朝鲜口岸东南隔釜山、元山，商务早为日人垄断。上年议开仁川一口在西境，紧接渤海，距烟台水程不过一日，距该国王京不及百里。若派总办商务委员驻该国王京，即可兼理仁川商务，似为当务之急。委员前往驻扎，与出使外洋体制稍别，而情事略同，自应参酌出使成案，量为变通，并酌拟章程十二条等因。

臣等查，中国与朝鲜既准通商，该大臣奏请派员前往驻扎，经理商务，自系应办之事。核阅所拟章程各条，如酌定派员等额数；委员办理疑难事件禀请北洋大臣核示；年终将华商人数、进出口税银数报咨臣衙门查考；汉城、元山、釜山各建公馆，所费约计银数估办；酌定委员往来文移，及与朝鲜官员公文往来式样；委员等遇朝鲜办公会酌定坐〔座〕次；商民报案由委员照章程办理，若情节重大，解回中国惩办；委员三年一任，由北洋大臣择尤奏奖；公用各款核实报销，饭食各项由各员自备；一切经费在公使经费项下动支；陆路奉天等处设立关卡，另派地方官管理；各委员等有事可彼此知照，不相统辖等语；均为因时制宜起见，应如所拟办理。至动支款项，请由出使经费内拨给，亦可照行。惟朝鲜通商事属创始，一切用项自应力求减省。查第八条所拟各员薪水内，总办委员月给银四百两，系照驻美总领事办理。臣等因思朝鲜地隶东隅，一水可达，非西洋迢隔数万里者比。应照驻扎日本正理事官，月给薪水银三百二十两，分办委员月给薪水银二百两，较为允协。其余随员、通事、书记、听差薪水工食应如议行。又原折声明，其可置为缓图及应随时增损者，应由委员察酌禀办等语，所议亦尚周匝。应请饬下李鸿章，即饬派出之员遵照办理。谨奏。

光绪九年七月二十日奉旨：依议。

使俄曾纪泽奏与俄国外部商议界务折

出使俄国大臣曾纪泽奏，为遵旨与俄国外部商议界务事。

窃臣于光绪九年五月十四日奉上谕：前据刘锦棠奏，中俄界约以天山之顶为限。此次沙克都林札布同俄使勘分新疆南段界务，将贡古鲁克山口，至别叠里之达坂路西边，相离十二里半，埋立中俄两国界牌等因。钦此。伏查，分界一案，前于正月二十、三月十八等日，两奉总理衙门王大臣电报传旨，饬臣详细辩论。即拟照会俄廷，将侵略之地照约更正。继思牌博已立而重加履勘，较之勘分未定而事须商酌者情形不同，若具牍与之遽争，恐措词难于得体。又恐彼国视牌博之设为已得之利，不谓礼所应让，顾乃从而市惠，藉端要求，别生枝节。加以刘锦棠原奏有说无图，中俄地名不同，翻译易致错误。是以不敢遽行文牍，于正月二十三日函商总理衙门，拟俟致贺俄君升冕之时，钦遵谕旨，与俄国外部相机面谈。臣于四月间，在俄之南都木司姑城，屡与俄国外部丞相吉尔斯谈论及之。及回抵森比德堡，又与外部尚书倭良嘎里面谈数次，并作一函，请其饬令分界俄官重加履勘，按照天山骑岭划分之旧，更正已立之界牌鄂博，将侵占之地按约归还。该尚书已允行文饬查，俟查明再行答复。伏思此案刻下既据俄国外部允为查办，将来长顺重加履勘之时，或于更正之事稍易为力。除将致俄外部函稿译汉，咨呈总理衙门查核外，谨将微臣遵旨与俄国外部商论界务情形，恭折复陈。谨奏。

光绪九年七月二十日奉旨：该衙〈门〉知道。

北洋大臣李鸿章等奏会商奉天与朝鲜边民交易章程折　附章程

署北洋大臣李鸿章、盛京将军崇绮、副都统松林奏，为奉天与朝鲜边民交易现经会商详细章程事。

窃查上年八月间，臣李鸿章遵议朝鲜各路通商章程，由总理衙门、礼部会议奏准，钞录原奏，并会议各折片，暨章程八条，咨照各在案。臣崇绮、臣松林当以朝鲜边民既听其随时往来交易，自宜就近设卡，严定限制，申明禁令，以固边防。业经会议复奏，奉旨：依议。钦此。由总理衙门并由臣李鸿章于《朝鲜国王咨请派员会勘边界事宜》折内声称，奉省地方交涉情形应由将军、府尹拣派大员，会同朝鲜陪臣鱼允中踏勘妥商，各就地方情形拟议详细章程，禀由将军、府尹公同斟酌，咨商北洋大臣，请旨遵办，钞录原奏，并恭录谕旨，知照到奉。臣崇绮、臣松林因查奉天东边道陈本植系创办东边事务之员，于该处情形最为熟悉，本年正月奏请委令该道，会同朝鲜陪臣鱼允中，遵照天津原议章程，暨臣崇绮等奏明各情，悉心会议。二月间，该道督率通化县知县张锡銮、安东县知县耆龄、委用通判汪㮚等，驰赴中江，与鱼允中会晤，将设卡地方公同踏勘，并各就地方情形，拟议详细章程计二十四条，禀由臣崇绮等公同酌复咨商署北洋大臣张树声，转商臣李鸿章，意见相同。臣崇绮、臣松林正在会同臣张树声办理具奏间，适值臣李鸿章接署北洋大臣，应即会同具奏。谨将商订章程二十四条，缮单恭呈御览，应请饬下总理衙门，会同礼部，复加核议，请旨遵行。谨奏。

光绪九年七月二十二日奉旨：该衙门议奏。单并发。

谨将商订奉天与朝鲜边民交易章程二十四条缮单呈览

第一条　边界陆路交易，原系天朝优待属国，专为便民而设，与各海口岸通商情事不同，所准随时往来，仅指奉省之与朝鲜边界商民而言，其他各国不在此例。

第二条　奉省商民除在义州贸易外，非由地方印发执照为凭，不准潜往朝鲜各处游历。朝鲜商民更应恪遵此次章程，不得潜往奉省各处游历，尤不准挈带外人入边。若有挈带外人，冒充本国商民，擅入边界者，一经查出，将起意挈带之人照私越边界例从重治罪。

第三条　鸭绿江以内，与朝鲜平安道邻近各处河口，系天朝采办祭品官鱼之地，严禁民间私捕，朝鲜人民更不准往来捕鱼。犯者惩办。

第四条　中江距义州一水之隔，商民贸易朝至夕返，非如各海口岸通商货物运自远来，必须卸装寄顿。兹既勘定中江附近九连城之前，及义州西城之外，设立关卡，修建市廛，往来甚便，所有奉省边界，不准朝鲜人民建房设栈。中国人民在朝鲜界内交易，亦照此办理。

第五条　征收税课、填发验单需员经理，向来栅门原设监督专司税务，现在改立新章，另建关卡，所有督理税务之员，由盛京将军、奉天府府尹咨商北洋大臣会议酌派，请旨定夺，钦遵施行。

第六条　商民货物运到关卡，所有稽察匪类、征收税课等事，统由督理税务之员督饬所属文武员弁，认真经理。其钱财、罪犯等案，应归地方官审断者，各按定律办理。此外，如奉省人民在朝鲜滋事，或私逃在朝鲜境内者，由义州府尹拿交安东县治罪。朝鲜人民在奉省滋事，或私逃在奉省境内者，由安东县拿交义州府尹治罪。倘遇边界重大事件，非安东知县、义州府尹所能擅专者，或先由安东县禀报，或经由义州府尹呈报东边道衙门，转详盛京将军、奉天府尹批示，仍由道札行安东县，并照会义州府尹，遵批办理。

第七条　边界互市，在于关市之处设立关卡；稽察匪类、征收税课均关紧要。凡商民出入，责成关卡盘查，验明执照，立即放行，不得勒索刁难，稍有需索。至货物往来，责成征税官员点验货单相符，按照定章征收税课，不得额外增添。

第八条　常年朝鲜入京朝贡，典礼攸关，一切恪遵定例。贡物例不征税，其使臣及差官、从人携带行李、零星物件，自应遵照部议，宽予限制。使臣不得携带货物，所带衣服、行李、书籍、药物，每员以三百斤为度。差官、从人携带货物冀图沾润，准带红参，每差官一员定额二十斤，从人一名定额十斤。又衣服、行李、零星货物，每差官一员定额一百六十斤，从人一名定额八十斤。差官、从人均照报部员名实数以为定限。另有包裹确系屏帐粗重，途中食物，再行量予免税，藉昭体恤。此外装箱成捆，查系货物，仍报明纳税。至于别项公务差官往来，即奉有执照，携带货物亦应照章征税，不准援免。

第九条　中江贸易征收税课，红参一项，应纳税则，按价值百抽十五为定。至牛只、马匹，除乘骑外，凡入市售卖，概以值百抽五为定。其余蔬菜瓜果、鸡鸭鹅鱼等类，皆民间日用所需，亦甚零星，概行免征。

第十条　中江互市原属边民随时交易，与各海口岸准令各国通商毫不相涉，不得仿照海关章程，另分正税、子税，致滋流弊。凡奉省商民贩运货物至义州开市之处，无论何处货物，均照章交纳正税一次。朝鲜商民贩运货物至中江开市之处，无论何处货物，亦照章交纳正税一次，均不重征。如商民不愿将外国货物贩至开市处所者，悉听其便，官不强为抑制。

第十一条　栅门按季互市，既改移中江随时交易，向来春、秋定期按季互市，自应一律停止。其由中江至栅门旧有贡道，除贡差往来不禁外，其余商民未请执照，不准任便贩运出入，自当严申禁防，杜绝偷漏。

第十二条　中江与义州相距甚近，无劳跋涉，出入往来既有限制，其中江与义州上下各处，均有小径歧途，应即概行禁止。冬春之时，冰坚水浅，处处可通，更应查拿重办，有犯必惩，以昭严密。

第十三条　中江与义州边民交易，与彼此已开口岸各设有商务委员不同，朝鲜商民至奉省陆路采办土货，即由督理税务之员填给执照，并照会义州府尹备案。奉省商民至朝鲜陆路采办土货，即由义州府尹填给执照，并呈报督理税务之员备案。执照内均先声明何项货物，如未能预定何货，俟探办齐全，回到关卡地方，即将实在货物报明，缴还原领执照，以凭查货征税，换给税单。至欲赴何地采办，必须于执照内填明。若不填明应往之处，即不填发执照。

第十四条　奉省商民赴朝鲜交易只准在义州、朝鲜商民赴奉省交易只准在中江设卡处所。凡奉天所辖均系陪都重地，应遵原奏，即采买土货亦只准由凤凰边门出入，仍由贡道折回，不得任意游行。至朝鲜为天朝属国，视同内服，奉省商民亦不得违禁侵越，犯者惩办。

第十五条　海口货物准由海道贩运。奉省商民不准将朝鲜已开口岸贩运之货，由陆路运回中江，或在朝鲜义州及别境售卖；朝鲜商民亦不准将奉省已开口岸贩运之货，由陆路运回义州，或即在奉省中江及别境售卖。违者，查货入官，加等拟罚。倘系官员，因公奉有文书，轻身行走，并无货物，不与商民并论，应即查验放行，以示区别。

第十六条　商民贩运货物均须开单，呈官查验，盖用戳记。如有夹带私货，未经报明，即属偷漏，查出概行入官。至洋药、土药与制成军器及一切违禁之物，除照天津原议不准贩运售卖外，并不准携带过境。即行使铜钱亦不许转运出境。违者，分别治罪。

第十七条　商民交易使用金银，应与随身衣服行李、笔墨、书籍均准免税。但砂金、矿银入市销售，原同货物，与叶金、条金、饰宝、银锭、碎银等项，为市间行用，例得免税者不同，应按值百抽五照章征税，不得豁免，并不准影射偷漏。

第十八条　交易货物，凡属海味、皮革、布匹、纸张、铜器、磁器等类，均按值百抽五纳税。如有税则未载者，由商人估计价值，随时报明，亦按值百抽五纳税，不得额外需索。

第十九条　朝鲜使臣赴京，向例于进边时由凤凰城城守尉先期驰报盛京将军各衙门，知照礼部，一面由城守尉亲赴边门监视，并派员沿途照料护送，以及差官、通事官迎送等事，均系朝贡典礼所关，仍应遵照定制，以符天津原议。自当严束兵役，不得藉端需索。违者查究。

第二十条　中江互市所用丈尺、秤码，与朝鲜不免有高下轻重之殊，自应以中江及义州两处丈尺、秤码平日所行使者互相比较，如有不齐，即由边界地方官会同秉公较准，归于画一，务使因地制宜。不得以他处丈尺、秤码称量，用昭公允。

第二十一条　旧时栅门每于夜间交易，难免偷漏、隐匿等弊。现既改移中江，不得仍照旧习，自应从严禁绝，不准星夜入市。犯者惩办。

第二十二条　朝鲜商民贸易向凭官设经纪估计，难免高下滋弊，或有把持行市，赊欠货物，上季购买货价期以下季归偿，下季经纪每因负债未来无从索讨，大为商民之害。现在改设中江随时交易，愿买愿卖，悉听商民自为评价，不准经纪从中包揽，以除积弊。

第二十三条　中江新设关市及地方官，遇有交涉事件，往来文书应遵体例，朝鲜必须尊称天朝或称上国字样。即属寻常文移，亦当遵循成宪，不得率书中、东等字，有违定制。至奉省边界官员，则称朝鲜国，或称贵国字样，以示优待。

第二十四条　凡边界稽察偷越、严立防闲诸事，如此次章程内有未及备载者，应由彼此地方官随时设法办理，仍互相知照，并详明立案，总期密益加密，不以边民随时交易致妨大局。

桂抚倪文蔚奏收复南圻之安江河仙两省折　附上谕

广西巡抚倪文蔚奏，为遵旨复陈，并据边报近日军情事。

窃臣据徐延旭禀称：法国续到之兵，多系西贡从教土民改装入队，并未经历战事。其兵头七画官，道过海防，遇中国商人纷纷迁徙，亟加慰问。商人答以中法虽未失和，买卖已无通路，只得歇业另图，七画官俯首无词以去。海防各国商人睹此情状，亦俱含怨。而越南土民自经刘永福迭捷乘时起义，据越官探呈，南圻之安江、河仙两省，均自收复，又已进攻定祥，所有法人原占六省已去其三。至北圻扼要之区无过北宁、谅山两省，现经黄桂兰、赵沃于水陆两路分营驻守，均坚筑炮垒，截断津途，法兵纵来大队，未必遽能逞志。越团刘永福扼守山西一带，亦能加意慎密。主事唐景崧往来其间，激劝训导，更为靠实。所虑北宁、谅山地势纷纭，易疏难密，兹加水陆十三营，稍资敷布。惟饷糈紧急，应请迅速催提运解各等情到臣。

伏查，法人迭次挫败，报复之举，固在意中。仰蒙圣训周详至再至三，当经藩司徐延旭切实遵办，三次具奏，稍足上慰宸廑。臣窃以为，法越势不两立，越果官民一心，奋发自强，法必力穷意阻，仍借中国以为转圜之地，则滇、粤边备未尝不可稍纾。兹值相持未定之交，臣等惟有恪遵谕旨，慎固封守，以壮声援，不敢轻率疏懈，致滋贻误。惟增军加饷一节，该司所陈实关切要。前蒙圣慈饬拨四川盐课银八万两、粤海道税银十二万两，四川督臣丁宝桢素抱公忠，署督臣曾国荃、广东抚臣裕宽等关怀全局，自并竭力筹运，以济边储。惟闻川省、粤关拨款甚殷，分协先后颇难预计，不揣愚昧，仰恳重申恩旨，饬下各该督臣，于拨款中移缓就急，庶使边军早资饱腾，实荷生成于无既。大局幸甚！臣等幸甚！主事唐景崧蒙恩留营差遣，现在随同徐延旭往来边营，甚为得力，合并声明。谨奏。

光绪九年八月初四日奉上谕：倪文蔚奏，边报近日军情一折，所称越官探得南圻之安江、河仙两省均自收复，又已进攻定祥。如果属实，自足牵制法人。惟近闻法兵攻占顺化河岸炮台，现有停战议和之说。且值越南国王病故，情形岌岌可虞，我军更宜加意严防。着倪文蔚、徐延旭督饬各营，联络声势，认真扼守。吏部主事唐景崧往来边营，颇为出力，着赏给四品衔，以示鼓励。

桂藩徐延旭奏募勇出关密陈筹办情形折　附上谕

筹办边防广西布政使徐延旭奏，为遵旨选募成营，出关分布扼守，并将节次据报筹办情形据实密陈事。

窃臣维法人自被越南挫败，固未尝一日或忘报复，顾其国重洋远隔，谈何容易动众劳师！所谓援兵者，无非取之西贡，或系教民而怵于势，或系匪类而溺于利，大都乌合之徒。其在河内者，修墙、掘堑，一味固守，虽越兵屡诱，不敢出战。间有轮船游弋山西辖内河面，辄为越兵击退。姑无论日后有无援兵，而其气馁力单，已可概见。节经禀商抚臣，除先挑奋勇二营外，复招抚关外散匪，编立三营，免为敌用。增募出没波涛、长于水战之人编立三营，图其船只。并因彼族在河内竖立黄旗，欲以招诱黑旗之众。黄旗者，昔年河阳逆首黄崇英所常用。黄逆与刘永福素不相能，其众后归刘永福部下，遂为法人劲敌。刘永福旗帜尚黑，法每惮之，此次以甘词重利摇惑众心，欲其去刘永福而就彼也。彼既以术诱人，我亦何妨就其计以图彼？即经函会左、右两路统领提督黄桂兰、道员赵沃，嘱即密商越将刘永福，饬其鼓励所部，潜入其中，阴图内应；并嘱留营主事唐景崧，就近激劝，慎密为之；且于我军员弁中择其索〔素〕有胆识、能知机警者，并令多方设法，密购内应，于中取事。但非重赏不能动人，臣复会商黄桂兰、赵沃，酌中定拟，许给赏格：不计军民，但能夺得轮船一只，大者赏银二万两，小者减半。枪炮等件，以多少为等差，多则千两，少亦数百。斩取兵头首级，以尊卑为等差，尊则三千，卑亦数百。似此区分，以期踊跃。人情莫不好名嗜利，均已力允切实行之。臣仍戒其外以刘团为名，毋得稍露痕迹，致贻口实。各皆领会。

惟刘永福添造大船，改置大炮，并于扼要口岸分筑炮台，一时尚未齐备，不能不从容少待，然后进规。乃六月十九日，法人轮船二艘上驶，欲犯山西省城，刘团截击于上池社，其船只到左风即行折回河内。不知法人有无伤亡，刘团并无损失，拾得发而未响之开花炮子一颗，秤重二十五斤。其南定总督阮旸带兵千名，并有勤王义勇三四千名，尚系六月初间到境，曾于星夜纵火焚其海防兵房一所，法人不敢出战，只在楼中放炮还击。其后越兵进扎省城对岸。十五日夜半，彼来袭营，阮旸督军佯退，毙其三画一员，法兵二十余名，教民五十余名，越兵亦死伤四五十人，尚属小胜。据刘永福先后禀报，并准黄桂兰、赵沃函告相同。又据山西坐探委员连次禀报，海防初添黑鬼三百，运到铁轮开花炮一百架，十四续添人四百，十六又添四百，西贡亦添二百，其数已在一千以外。而北宁总督张登坛面告黄桂兰、赵沃则称：接其枢密院文，叙西贡文武均为彼族逐出，迁居顺化省，因彼添来援兵只有一千，另调西贡六百，惟恐同在一城知其虚实，是以先行遣去。其谋诚狡，其实力已渐穷。顾彼日以虚声恫喝，南民群情不无摇惑。粤西距越较近，诚如圣谕，不能不厚集兵力，俾壮声援。

臣前就左、右两路旧有防军、新增水陆营勇逐加布置，业已上陈天听。惟查右路赵沃所部，仅有六营分扎关外宣光、太原、高平等省辖内要隘，均以搜拿漏逆李亚生，亦关紧要，未便纷纷更调，致有疏虞。先时派赴浪泊湖岸驻防者，独抽挑奋勇一营，兵力似形单薄，臣与赵沃往返函商，禀明抚臣，准其添募五营，即就太、镇两郡各属边民，择其朴实精悍者，挑补成军。若辈生长南荒，无不能耐烟瘴。现将陆续齐集，不日分派出关。其营曰右路新中、新前、新后、新左、新右五军，遴委副将党敏宣、王正明、都司谢洲、守备梁云翀、方安，分别管带，应于北宁、山西之间扼要分布。赵沃与黄桂兰彼此商定，左路各军扼守涌球、宁城一带，右路各军扼守新河、慈山一带，各分疆界，以专责成，仍复互相应援，以壮声势。节经谆饬诸将，各就防汛，深沟高垒，实力严防，惟当断来路，挖地道，以避轰炮，切勿与之挑战，致启衅端。仰蒙逾格恩施，饬拨四川、广东两省重饷及时筹济，以期士马饱腾。凡在戎行，同深感奋！臣尤当懔遵训示，随时禀商抚臣，切实筹办，不敢虚糜帑项，有负生成。

惟犬马之忱，有不能自安缄默者。法之图越，蓄谋已久，志在北圻。若非粤西边外驻有防军，北宁亦将不守。越南势成积弱，几至随所欲为。若非刘永福愤激立功，山西亦难自固。粤、滇边境关系匪轻，臣既奉命筹防，分当力维全局。诚知外夷构难，终以和成，而其中自有区分，未便漫无限制。若仍持红水江通商之议，则此后滇、粤边防不堪复问，臣实不敢以为可行。臣于边外情形尚为熟悉，越南北圻除河内、南定外，其精华惟在北宁、山西。红江出二省之间，切近城垣。若准各国由此通商，二省殆不可问，是越南已无北圻矣。且屯鹤地方荒凉辽廓，亦非可立总口之区。假使通商而贸易不前，势必指索保胜，否则又将垂涎蒙自。彼先争保胜而不得，若通商则各国必助之争。倘于蒙自垂涎，岂非滇省又增隐患？此时越南君臣渐能振作，勤王兵起，其人心之固结可知。重以刘永福矢志立功，复得我军暗为之助，其气既盛，其势自强。果能并力进规，计亦不难得手。若使法人再受惩创，或能就我范围，然后议和，另立条约，庶几一劳永逸，中外相安。臣愚以为，办理此事贵有定识，尤贵有定力。洋人诡计多端，现行电报动辄造言生事，摇惑众听。即如五月下旬两广督臣有书寄臣，谓接上海电信，据港局报，是月十四日，海防来函称述广安省城又被法兵袭据。臣查，越南广安省东界粤东钦州，北界粤西上思州，西南二面即我防军驻扎之所，各营从无禀报，显见不实。又复函询两路统领，亦称并无其事。即此一节，他可类推。不知别由沿海地方造何谎报，设非加以省察，岂不为其所动乎！伏念柔远固圉，圣明自有权衡，冒渎宸聪，不胜战慄、屏营待命之至！谨奏。

光绪九年八月初五日奉旨：览奏均悉。现在防务紧要，着懔遵迭次谕旨，督饬防营，联络声势，严密扼守，毋稍疏懈，并将近日军情即行探明具奏。

旨寄李鸿章闻法舰来津着通盘筹画具奏

旨寄李鸿章：据曾纪泽电报，闻法舰将离越赴津，意欲恫喝，办成此事等语。法人诡计百出，欲以兵船来华要挟，原属意中之事。李鸿章务当认真戒备，不可稍有疏虞。

该督身膺重寄，于法越现在情形，究应如何因应，方为刚柔得中，着通盘筹画，据实具奏。

八月十一日

桂抚倪文蔚奏报越兵战胜法人片 附上谕

倪文蔚片。

再，正缮折间，接据提督黄桂兰、道员赵沃会禀：探称，七月十三日，法兵四千余人，分水陆两路，进攻怀德府越团刘永福老营。其陆路法兵五道并进，每道运有格林、开花等炮，迤逦前攻，势甚凶悍。刘永福即派所部五营各自为战，自卯至酉，血战不休。法兵渐败渐退，拼死相敌。刘永福自率亲军张翼而前，无不一以当十，法兵大败而遁。值天已昏黑，未敢穷追。计共阵斩兵头三画、二画、一画等官数人，法兵二百余人，夺器械、什物不可胜计。其水路法兵有大火船数只驶入府河，各以开花炮射入刘永福炮台各营，复出法兵五百余人登岸助战，势尤奇险。惟时刘永福预定人自为战之策，所部各营分路战守，船炮雷轰，抵死不退。刘永福旋又分派援兵驰往协助，将登岸法兵击退回船，其船亦即掣开退去。综计水陆两路刘永福所部，阵亡哨长一人，伤勇丁二三十人。现在法兵尚未远退，仍于怀德府附近从教村庄盘据，不免续有战事。提督等已飞饬原驻山西协守之黄云高、黄忠立、田福志等营，各带七成队伍，星速前赴福团营后，以备暗助，并拨解火器、子药以应急需。主事唐景崧于十一日闻有警报，当由北宁驰赴怀德，激励刘永福等，先期筹画，翌日遂有此捷。理合飞禀察核各等情前来。

臣查，法人藐视越南，迭遇刘永福接战挫败，蓄愤实深。此次水陆并攻，计尤狡毒。又复遭此大创，殊快人心。然骄险之性一往不回，或又借启他端以求徼幸。臣现飞饬黄桂兰等壹意慎密，万勿任听将士轻率邀功，致贻后患。其刘永福等，亦饬主事唐景崧申戒轻敌，以固根本。谨奏。

光绪九年八月十五日奉旨：览奏均悉。仍着督饬防军，严密扼守，不可轻率从事。顺化消息能否相通，并着确探具奏。

伊犁将军金顺等奏勘分科塔界务议定中俄新界折

附中俄科塔界约二件科布多新界牌博记一件

伊犁将军金顺、伊犁参赞大臣升泰、科布多办事大臣清安、额尔庆额奏，为勘分科、塔界务，现与俄使按照图约界线酌中议定新界，谨先将议办各情恭折驰陈事。

窃奴才等前于本年六月初二日，将驰陈抵哈巴河与俄使会面各日期联衔具奏在案。伏查，科、塔一段界务，原绘图线关系出入极为重大。前乘俄使未到之隙，业将山川形势旁咨博采，预为查看明晰。连日奴才升泰、额尔庆额带同委员、通事等，亲抵俄营，面晤俄国分界大臣巴布阔福暨帮办撇伙策幅等，询以此界应如何分办，悉心与之商酌。无如该俄官图占地利，垂涎哈巴河蓄意已久，故开口即欲照图中直线以哈巴河划界为词。查哈巴河地居上游，为科境之门户，塔城之藩篱。若划分归俄，不惟原住之哈萨克、蒙民等无地安插，即科属之乌梁海、塔属之土尔扈特等游牧之所亦俱受逼压。界址既近，衅端必多，种种窒碍，诚有如去岁七月清安、额尔庆额所陈奏之情形者。奴才升泰、额尔庆额等现履其地，目睹其情，自应恪遵迭奉谕旨所授机宜，力图补救，以期中外相安而维时局。迭经力与指辩，答以哈巴河断难划分，并派随营委员更番前往比喻，相持十余日之久未有成议。

奴才等一面默察其意，一面力诋其诬，并将原订条约第八条内所开：同治三年科塔界约所定斋桑湖以东之界，查有不妥之处，应由两国特派大臣会同勘改，以归妥协，并将两国所属之哈萨克分别清楚。至分界办法，应自奎峒山过里依尔特什河，至萨乌尔岭划直线，由分界大臣，就此直线与旧界之间，酌定新界等语，细译与听。该俄使等闻之，虽慢言支吾，语涉龃龉。奴才等惟静以待之，礼以折之，总以按约酌中定界一语回答。该俄使见奴才等屡系照约与争，持论公允，知哈巴河不能议分，始转圜，先允退让哈巴河迤西约八十余里之毕里克河划分。查毕里克系小河，原图并未绘列。若以此划界，则哈巴河上源仍为俄人多占。复婉言会商，就俄使执来之图，令其按照西洋算法，由旧界至哈巴河直线止，其间共宽若干里。旋据帮办撇伙策幅对众回称，共有二百八十余里。奴才等当以里数既经算明，即应折中议分，方昭平允。若以毕里克河比较，则我所分占者仅八十余里，俄所占者约二百余里，是道里远近已不得其平，即与原约所指旧界之间相悖，办理仍属不妥。复经按约力与理争，又相持十余日之久未能定议。

兹于七月初四日，奴才等复率同科、塔及随营各委员齐抵俄营，开诚布公，晓以按旧界之间，决难迁就允从，剀切与之妥议。该俄使复允退出五十里，议定在于阿拉喀别克河为界。查此地距哈巴河直线共一百三十余里之遥，即原图黄线之旁所开之小河也。其余应分之处均照此类推，依照黄线所指方位划分，或依山，或傍水，顺其形势，建立牌博，以为新界。如遇有碍道路或水流不便之处，此次俱一律商明，准其通行公用，不得截留阻滞。至两国所属之哈萨克，现亦议明：愿入俄籍者即隶俄辖，愿归我国者即为我民。如有人归我而产业在俄，或人居俄而产业在我，均照伊犁办法。以此次议定新界互换图约之日为始，予限一年，概令搬移清楚，限外不得逗遛，以免轇轕。业经两相应允，不日亲督员弁前往各处，逐段查勘，建立牌博。统计此次所定新界，奴才升泰面令俄使撇伙策幅照图丈量，据称，由奎峒山往西行，至新界，计离一百四十余里，已将奎峒形胜之地退出，又由新界北首起，顺至西南萨乌尔岭穆斯岛冰山，共长五百八十余里，俱核与图中黄线所指相符。窃维安边之道固贵因时制宜，而抚夷之方尤当临机应变。如所损者小，而所益大，正不妨全其大而略其小，以广圣朝柔远怀迩之鸿谟。核查现定之新界，均与黄线左右适相吻合，虽较旧界稍有所损，而于蒙古、哈萨克均尚可推展安插。其余应换图约及应立各章程，容俟界牌鄂博一律告竣，再为详细具奏，恭呈御览。谨奏。

光绪九年八月十七日。

附中俄科塔界约 清文译约

大清国特派勘分界务·内阁学士·兼礼部侍郎衔·伊犁参赞大臣升，钦命科布多帮办大臣·副都统衔·法福灵阿巴图鲁额，大俄国钦差分界全权大臣·总管鄂木斯克等省军务衙门大臣吉讷喇拉尼什他布吉讷拉勒累忒那特喀瓦列尔伊旺巴布阔福，管理鄂木斯克省军务衙门使臣吉讷喇拉尼什他布破勒阔瓦呢克喀瓦列尔密哈雅勒撇斐索富，各奉敕命，今照俄国一千八百八十一年，在破特尔布尔格都城，议定和约内第八、第九两条，将同治三年九月初七日，即俄国一千八百六十四年怎帖巴尔月二十五日，在塔城所定边界，自应将斋桑淖尔迤东旧界查勘更改，则于两国和好益敦，因在哈巴河赛哩乌兰齐巴尔地方接晤会商，将议定边界条约，开列于后：

第一条　查今一千八百六十四年，在塔城议定，自大阿勒泰山岭起，至赛哩乌兰止，应将旧界更改。现在两国所立新界：自赛哩乌兰岭之木斯岛山西脚起，至乌勒昆乌拉斯图河源，循此河至迈哈布奇盖地方，名依森克拉得坟，由此直循喀喇额尔济斯河而行，入阿拉克别克河之额尔济斯河口，上十里归额尔济斯河湾南首。由此循喀喇额尔济斯河，至阿拉克别河口，即过额尔济斯克河，循阿拉别克河上游出山，沿额奇克阿苏阿雅噶荒地，而流至左右之阿克塔斯河口，从此转东，直过克森阿什奇克真山梁，由博勒哲克河左至博勒哲克毕尔爱拉克什巴〔巴什〕河口，循博勒哲克之毕尔爱拉克巴什河上游而行，直出萨斯山湾，至该河之源，由此直至阿克哈巴、喀拉哈巴两河交会之处，循阿克哈巴河上游而行，至大阿勒泰山岭来源，自此即归同治三年塔城所定旧界。其木斯岛山以西，及阿克哈巴河源以东，旧定边界，应仍其旧，毋庸更改。至其间因分别现定两国边界，即将议定边界附入条约，以图上红线道作为交会，线道以东、以东南之地均归大清国所属，线道以西、以西北地方皆为俄国之地。两边边界既已议定，不得再议更改。

第二条　查阔济木博特鄂陀克之哈萨克，从前为大清国所属，今此项哈萨克冬夏游牧之地，于此次定界后，皆分入俄国。该哈萨克等应自换约之日起，予限一年，或愿仍居原处为俄国之民，或愿移入大清国为大清国之民外。其楚巴尔爱格尔、真特忒两鄂陀克之哈萨克等，按今所定之界，冬牧为大清国属地，而夏牧分入俄国，该哈萨克等亦应一律予限一年，或愿如阔济木博特鄂陀克之哈萨克等为俄国之民。或愿移入大清国为大清国之民，并阔济木博特鄂陀克之哈萨克内，或有冬牧为大清属地，而夏牧分入俄国属地者，亦应一律听其所愿。现此约既已议定，其两边愿移人等迁移事宜，及所属新地指为伊等冬夏游牧之地，应自换约之日起，予限一年，将往居新地事宜责成两国边界官办理，断不得逾限越界迁移。

第三条　此约第一条内开，作为边界之各处河水，准两国附近之民开渠灌田，两边一律取用。

第四条　今照此约第一条，在阿勒泰山岭赛哩乌兰之间，议定应立新界牌博，由两边钦派分界大臣与全权大臣一同前往，按照此约之第一条，及此约所附之两边分界大臣所定界图，建立交界牌博。于所定二分图上，将所立牌博名色、数目，用满文、俄文填写，并造具边界牌博之满文、俄文条约四分，画押钤印，互换为据。

第五条　此约所定疆界，建立边界牌博，即以本年为始，每届扣足三年，由两国边界官于年中六月，即俄国伊约里月，各派官员先于会议处会晤，将牌博补行修理。今两国钦差分界大臣等会同议定，造具俄文、满文边界条约各四分，由两国分界大臣钤印画押，并绘界图四分，于图上画红线，作为交会之处，将分定边界地方名目用俄文、满文兼写，由两国分界大臣钤印画押，互相换易。两国分界大臣各将满文条约二分，俄文条约二分，并界图各二分换执，将条约一分、界图一分送呈本国总理衙门，其余条约一分及补造边界所立牌博名色、数目图一分，各送本国边界大臣，以备永远遵行。

此约系在哈巴阿赛哩乌兰奇巴尔地方换讫。

大清国光绪九年七月初十日，即俄国一千八百八十三年伊约里月三十一日。

中俄科塔界约　俄文译约旧称喀巴河上定约

大俄国特派分界大臣・统带马队・鄂木斯克省总兵巴，大俄国特派分界大臣・统带马队・鄂木斯克省参将撇，大清国特派分界大臣・内阁学士・兼礼部侍郎衔・伊犁参赞大臣升，大清国特派分界大臣・科布多帮办大臣・副都统衔・法福灵阿巴图鲁额，遵照一千八百八十一年彼得堡议定条约第八条、第九条，将一千八百六十四年九月二十五日，即同治三年九月初七日，塔城和约所立，由斋桑湖往东两国之界，妥为改易，两国大臣即在萨雷乌连赤巴尔自然界之喀巴河上平地会齐，商定妥协，以敦两国邻睦。

第一条　拟改一千八百六十四年塔城和约所立两国之界，自大阿尔台岭至萨乌尔山即赛凌乌拉一带，今于该处改立两国界限如左：

自木斯塔乌雪山西边萨乌尔岭，由此岭下流之乌里昆乌拉斯特小河之源起，议立新界，顺此河而下，至麦噶普察盖自然界止。由此自然界向额贤戈里得谷直往南，末至黑伊尔特什河弓弯处，即阿勒喀别克河口之上游五洋里，即中国十里。再顺黑伊尔特什河下流作界于阿勒喀别克河口，折往阿勒喀别克河而上，顺此河至其发源处，即业什克阿苏阿能阿雅格自然界之平地。其地在阿克塔斯小河之左，由此小河之口折往而东，直过克则勒阿斯赤克则恩山之极高处，顺别列结克河之流，与其左边别列结克腾贝尔爱雷克巴斯小河之流作界，自此顺别列结克腾贝尔爱雷克巴斯小河往上，至其河源，即萨兹山沟。由此再顺阿克喀巴与喀喇喀巴二河之流一直作界，再顺阿克喀巴河往上，至其河源，即大阿尔台岭作界。此处接连一千八百六十四年，即同治三年，塔城和约所立由以上所载之木斯塔乌山往西，及阿克喀巴河源往东，毋庸更改之界。以上所载界线，与图中所画红线，由此线往西及西北所有之地，自今以后归俄国管辖；由此线往东及东南所有之地归中国管辖。以上两国所分之界，彼此永无争端。

第二条　哈萨克种类之阔热木别特人，至今为中国人，其冬牧、夏牧处所有在按照此约退还俄国地内者，即自此约画押之日为始，予限一年，或愿留居俄国界内为俄国民，或愿移居中国界内为中国民，均听其便。至哈萨克种类之楚巴尔爱葛尔人与章特克依人，其冬牧有在中国界内，而夏牧在退还俄国地内者，亦准予限一年，听其移入俄国，与留居俄国为俄国民之阔热木别特人一律办理。其阔热木别特人之冬牧有在中国界内，而夏牧在俄国界内者，亦得按照此例办理。

按照此条上文所载，任听该哈萨克民等由此国移入彼国为民，应由两国边界大臣妥为照料，安插地方，以便该民等有冬、夏游牧之处。惟自此约画押之日为始，不得逾一年之限。倘逾此限，于新立之界，该哈萨克民等，仍有愿由此国移入彼国常住者，概不准许。

第三条　两国人民在此约第一条内所载，附近边界各河凡耕种、取鱼等项水利，准该人民等均平取用，以昭公允。

第四条　按照此约第一条所定，自大阿尔台岭至萨乌尔山一带建立两国新界，应由两国分界大臣各派官员一员，以便建立界牌。该员等即照两国分界大臣此次所定之约第一条，即图中所注之界，妥为建立。另其俄文、满文注明之边界地图二分，再用俄文、满文合注各以四分，画押钤印后，彼此互换，以垂久远。

至稽查此约所立界牌，即自本年为始，每逾三年举行一次。每举行稽察之年，两国边界大臣各派官一员，该员等准于六月初一日在预先约定处所会齐，顺界稽察。如查有界牌伤损或全行拆毁之处，该员等应按图中边界所注原立界牌处所，重新建立。两国分界大臣议定此约用俄文、满文各书四分，画押钤印，并绘边界地图四分，用俄文、满文注明，按照此约所定边界图中书以红线，亦均画押钤印为凭。此次互换新立边界之约，两国分界大臣各以俄文二分、满文二分存案备查；其余二分，附有两国分界大臣注明界牌之边界地图，以一分咨送本国总理衙门，以一分咨送本国边界大臣，以便遵守勿替。

于降生一千八百八十三年七月三十一日，即光绪九年七月初十日，在萨雷乌连赤巴尔自然界喀巴河上平地互换此约。

分界大臣·统带马队·鄂木斯克省总兵巴押。

分界大臣·统带马队·鄂木斯克省参将撇押。

其满文内系内阁学士·兼礼部侍郎衔·伊犁参赞大臣升押。

科布多帮办大臣·副都统衔·法福灵阿巴图鲁额押。

科布多新界牌博记　清文译约

大清国钦命勘分界务·科布多帮办大臣·副都统衔·法福灵阿巴图鲁额，大俄罗斯国钦差分界全权大臣·鄂木斯克省军务衙门使臣吉讷喇拉尼什他布破勒阔呢克撒斐索富，今大清国光绪九年七月初十日，俄罗斯国一千八百八十三年伊约里月三十一日，自大阿勒泰山岭迤西起，至赛哩乌兰岭止，所立新界，两国分界大臣商定，遵照条约第一、第四两条，将新界分别议定条目，开列于后：

今遵条约所定第一条，北界即大阿勒泰山岭自岭西而出，由阿克哈巴河源起，遵河而行，左至喀拉哈巴河口止，该阿克哈巴河原在高山之间，因水流甚急，分界大臣彼此商酌，毋庸在此建立牌博，即以原河为两国交界。自阿克哈巴、喀拉哈巴两河交会之处起，直行过山，即出萨斯山湾此处因有塔木塔克坟，又曰塔木塔克萨斯，至伯勒哲克殷毕尔爱喇克巴什河源，此山湾中自西南而出，至小山之根，即于伯勒哲克殷毕尔爱喇克巴什河源之下游岸上，立萨斯第一牌博。自此牌博往东北相距三百三十二丈，系鄂什库喇蒙奇尔高山之梁。往东相距二百二丈系奇格拜坟，又距二百七十二丈系伯克炮坟。自牌博往西相距六十丈系塔木塔克坟，又右边相距一百二十七丈，有都旺阿勒山之高阜处。

自萨斯牌博起，遵伯勒哲克殷毕尔爱喇克巴什河流而行，此河先自牌博五里，向西北而流，后则曲折向西南而流，因将伯勒哲克殷毕尔爱喇克巴什之名，改为阔破尔他斯名目，入于伯勒哲克河左边。此河向西北莫勒喀山而流，又向东南伯克他拜卓他斯两高大山谷而流，以其易于查看，即作原河。自阔破尔他斯索河口起，直向西方过克森阿什奇克真山梁而行，自阿拉克别克河之左，至阿克塔斯河交会之处，因分边界起见，即于克森阿什奇克真山梁之上，立克森阿什奇克真第二牌博。自此牌博迤北相距三百六十二丈系克森阿什奇索河，又距一百五十一丈地方有奇克拜坟。自牌博迤东六里横界而过，有奇本德山，又距二里有占奇斯图莫源。自牌博往东南四百八十三丈，系克森阿什奇克真山岭，又距二百十一丈有巴斯淘不流源。又自牌博迤南九十丈系喀荫德布拉克细流源。

自所立克森阿什奇克真牌博往西，遵克森阿什奇克真河而行，即自牌博过十二里，入于东阿尔罕伯勒哲克河西边，过克森阿什奇索河此河下游又名库木克第爱喇克，往东至阿拉克别克河此河又名巴斯特呼克特左右之阿克塔斯河交会处，即于两河附近之喀喇托布山之高阜处，立阿克塔斯第三牌博。自此牌博往西北相距八十四丈，山阜之上有坟冢甚多。牌博东北距二里，系德呼勒毕墅噶山脊。自牌博一百丈往东系阿克塔斯河。自牌博二百四十二丈往东南，系他斯库玛沙之高山。自牌博三百二丈往南，系图克他那毕墅噶山，两山之间有图克他那阿苏沙岭。又自牌博往西南相距四百二十三丈，往东〈至〉阿拉克别克河即巴斯特呼克特河之左，系与阿克塔斯河交会处。

阿克塔斯牌博系阿拉克别克河下游，先向西南，后向正南而行，直入喀拉额尔济斯河口，即于河口附近左岸上，喀拉苏毕墅噶库马小山之上，立阿拉克别克第四牌博。自此牌博往西北，相距二百八十丈系托克托拜坟。自牌博往东北相距三百二丈，系图喀拜坟。自牌博往东南相距九十丈，系河岸查阶喀喇索之高池。自牌博迤南距九十丈，系阿拉克别克河口。自牌博迤西距三十六丈，即该阿拉克别克河，是以至于阿拉克别克河之阿拉额尔济斯河入口之处，即属科布多地方。

以上共照建牌博四面，自喀拉额尔济斯河起，至赛哩乌兰岭，系塔尔巴哈台所属，应分新界，即照从前两国分界之四大臣在哈巴河所议，以备大清国分界大臣升仿此勘分。今两国钦差大臣，自科布多所属阿克哈巴源河起，至阿拉克别克河口止，与俄国接壤，即立新界牌博。今将交界牌博名色、数目，造具俄文条约四分、满文条约四分，两国立界大臣各于条约钤印画押，各执俄文条约二分、满文条约二分，以为证据。为此于阿拉克别克河口换约讫。

大清国光绪九年八月初四日，即俄国一千八百八十三年阿瓦古斯他月二十三日。

科布多新界牌博记　俄文译约

大俄国特派分界大臣・参将撇，大清国特派分界大臣・科布多参赞大臣・副都统衔・法福灵阿巴图鲁额，遵照一千八百八十三年七月三十一日，即光绪九年七月初十日，两国分界大臣在喀巴河上所立约内第一条、第四条，于两国交界之大阿尔台岭及萨乌尔山一带，顺其自然，议立新界如左：

按照此约第一条所载，北边自阿克喀巴河源起，此源发于大阿尔台岭，顺此河之流向下至其河口止，即喀喇喀巴河之右，作为新界。因此一带地方阿克喀巴河在山之极高处，自然划分两国之界，故本大臣等以此段交界既系天成，无论何处毋庸建立界牌。顺阿克喀巴与喀喇喀巴二河之流，直越山岭，向别列结克腾贝尔雷克巴斯山河之源。此源发于萨兹山沟，又名塔木特克萨兹，该处有塔木特克谷，于此山沟内建立第一界牌，名为萨兹。此牌建于山嘴之平原，此地自西南向山沟而出，即别列结克腾贝尔爱雷克巴斯小河左岸，其微高处即此河之源。自此界牌往东北五百五十洋码，即中国三百三十二丈，为乌什库尔蒙克尔高岭之巅。往东五百码，即三百零二丈，为车戈拜谷；四百五十码，即二百七十二丈，为别克帕乌谷。往西一百码，即六十丈，为塔木特克谷；二百一十码，即一百二十七丈，为端噶勒小山。

自萨兹界牌起，顺别列结克腾贝尔爱雷克巴斯小河之流，先向西南约二里半洋里，即中国五里，后折往西北，此段河名阔培尔塔斯苏，在别列结克河之左，顺其河之流即自然之界，其流大半归入深涧，其河在险峻之高山，山之西北名莫勒喀，山之东南名博克图拜卓塔斯。

自阔培尔塔斯苏小河之口往西，直越克则勒阿斯赤克则恩山顶，顺阿勒喀别克与其左之阿克塔斯二河之流此段界内，即于山顶建立第二界牌，名为克则勒阿斯赤克则恩。自此界牌往北六百码，即三百六十二丈，为克则勒阿斯赤苏小河。二百五十码，即五百五十一丈，为克斯别依谷。往东三洋里，约中国六里，为赤奔得山，界线横断此山。往东一洋里，即中国二里，为章弋斯图码泉。往东南八百码，即四百八十三丈，为克则勒阿斯赤克则恩山豁；三百五十码，即二百一十一丈，为巴斯塔乌不流泉。往南一百五十码，即九十丈，为喀音得布拉克溪涧泉。

自克则勒阿斯赤克则恩界牌，顺此山再往西，于六洋里，约中国十二里，界线将以上所载之克则勒阿斯赤苏小河截断，右为别列结克河下游之库木得爱雷克河，此河入阿勒喀别克河之上游名巴斯贴咧克特河，其左即阿克塔斯河附近，此数小河之流于喀喇求别小山上建立第三界牌，名为阿克塔斯。自此界牌往西北一百四十码，即八十四丈为谷。往东北一洋里，即中国二里，为得咧里毕伊戈山之平原。往东一百六十六码，即一百丈，为阿克塔斯小河。往东南四百码，即二百四十二丈，为塔兹库木沙石高山。往南五百码，即三百零二丈，为托赫塔嫩毕伊戈山。其将过沙岭处，又名托赫塔嫩阿苏山豁。往西南七百码，即四百二十三丈，为阿勒喀别克河上游，或巴斯贴咧克特河，其左即阿克塔斯河。往西三百五十码，即二百一十一丈，为巴斯帖咧克特河之流。

自阿克塔斯界牌，顺阿勒喀别克河之流向下，先往西南后微直往南，至入黑伊尔特什河流处，于阿勒喀别克河左岸附近河口之喀喇苏毕伊克库木陵上，建立第四界牌，名为阿勒喀别克。自此界牌往西北四百六十五码，即二百八十丈，为托克图拜谷。往东北五百码，即三百零二丈，为求库拜谷。往东南一百五十码，即九十丈，为察克依喀苏小湖，湖岸甚长。往南一百五十码，即九十丈，为阿勒喀别克河口。往西六十码，即三十六丈，为阿勒喀别克河。

所有科布多属新界，至黑伊尔特什河上附近阿勒喀别克河口止，共建立界牌四处。其自黑伊尔特什河至萨乌尔山一带新界，归塔尔巴哈台属辖者，两国分界大臣彼此商酌，中国应由分界大臣升泰办理，两国分界大臣将科布多属辖之新界，自阿克喀巴河源起，至阿勒喀别克河口止，议立妥协。并以四分书写俄文，以四分书写满文，彼此画押钤印。互换后，各以俄文二分、满文二分存案备查，以昭信守。

降生一千八百八十三年八月二十三日，即大清国光绪九年八月初四日，在阿勒喀别克河口会齐议定。

分界大臣・参将撇押。

谕李鸿章张树声法使到津着与交涉并严密戒备

上谕：法使脱理古现于本月十三日由沪乘兵船来津，巴夏哩亦相继北上，彼族诡计多端，无非为恫喝要求之计。该使到津后，着即责成李鸿章据理与之驳辩，以折其谋。一面严密戒备，持以镇静，毋得稍有疏虞。法人有以大队兵船至广东寻衅之说，据张树声电寄李鸿章，有听之则自误，阻之则开衅等语。该国兵船断无听其进口之理，着张树声、裕宽妥筹备御，务在黄埔以外设法阻止。一面力与辩论，如索偿兵费，衅由彼开，万不能允给。方耀素称勇往，既赴钦州，即着调回省城，以资得力。广东饷项支绌，所有本年应解京饷均着截留该省，俾济要需。

八月十七日

旨寄李鸿章北洋防务是否足恃着即具奏

廷寄李鸿章：法使此来，倘以必不可行之事要挟，不免开衅。北洋防务是否足恃？应否添设大员，增募营勇，如潘鼎新等久经战阵之员？此外有无谋略兼优之员？着即迅筹复奏。

八月十八日

谕彭玉麟左宗棠等法以兵船寻衅着实力筹办

上谕：法越构兵一事，法人自攻占顺化河岸炮台后，迫胁越南议约十三条，该国情形危急。法使脱理古现乘兵船来津，并有以大队兵船至广东寻衅之说，恫喝要求，诡谋叵测！南、北洋防务均关紧要，亟须实力筹办，以期有备无患。广东兵力单薄，守御尚虚，着派彭玉麟酌带旧部得力将弁，酌量招募勇营，迅往广东，会同张树声、裕宽妥筹布置。南洋海防，着责成左宗棠悉心规画，妥慎办理。长江防务，着责成左宗棠、李成谋督饬各营认真筹备。北洋防务，着李鸿章懔遵本月十九日谕旨，迅即复奏。前据吴大澂奏，吉林所练防军堪以抽拨民勇三千人，听候徽调等语，着该京卿即行统率此项勇丁，航海来津，以备调遣。

八月二十二日

粤督张树声奏察看粤东海防情形密筹布置折 附上谕

两广总督张树声奏，为微臣到任后察看粤东海防情形，越事愈棘，大局攸关，恭折密陈事。

窃惟法越构衅以来，筹边、恤藩，上廑宵旰，议和、议战，经年而未有所定。夫法人恃其诈力，蔑视我上国，凭凌我属藩，一怒兴师，义无可忍。然犹迟回审顾，不特不遽声法之罪，并不遽居助越之名者，岂非以中国沿海数万里水师未练、防御未周，我于交州攘法，法必以内犯牵我，一处告警，全局为摇，非万全之计也！广东、南洋首冲，海防之紧要，台垒、船炮之未备，兵力之少，财力之匮，与微臣前者待罪两年竭蹶筹办之情形，亦既罄陈蠡管，屡达圣聪矣。臣前在天津，见前署督臣曾国荃，钞咨六月十一日会奏密地预筹海防一疏，备陈虎门之沙角、上横档、浮洲山、饭箩牌等处，黄埔常洲之白兔冈、白鹤山、鱼珠沙路等处，均须增筑炮台，购料并工刻期修筑。虎门沙角、黄埔常洲两要隘每处须屯重兵万人，省城以外亦宜团练万众，已密选能充统带者数十员，能充百长、哨弁者数百员，能充队长者一千五百人，先行齐集训练。密地将各澳渔户联络编集，以杜勾结。臣窃以曾国荃牖户绸缪，赴机奋迅，私心为之钦幸。迨入粤境，行经虎门，见沙角、上横档、浮洲山、饭萝牌均寂如也，过常洲黄埔，见白兔冈、白鹤山、鱼珠沙路亦寂如也。地方文武来迓，询以各处修筑炮台事则茫无以应，询以所选统带、管带、哨长齐集何处，各澳渔户如何联集，则概未有所闻。阅视虎门省河臣前次修竣各台，则驻台弁兵操练稍弛矣。简核省城各局库臣前所购制枪械药弹，则有拨发而无续办，现存无几矣。盖曾国荃以重望高勋督粤年余，不难从容坐镇，及事机既紧，敷陈方略未及举行以遗来者，而不知臣之才力不能任也。

受事旬余，日与抚臣裕宽督同司道竭虑合谋，皆束手于库储之荡然，猝办之寡术。而探报迭传，始接越南国王阮福时于六月十五日病逝之信，续接法人进兵顺化逼立新约之信，均经曾国荃与臣先后函报总理衙门在案。臣伏念法人处心积虑，图据越南，以通滇、粤，视英取印度、日灭琉球狡狠相同，觊觎尤甚。方其寻衅之始，既不认越为中国属藩，而复禁中国之助越，彼固未尝不阴有所慑也。中国重虑挑衅，期与折冲樽俎之间，曾纪泽舌敝于法庭，李鸿章力争于脱使，我则空烦议论，今仍日寻干戈。今据各处电信，洋报所传新议条约虽词意多有参差，定约与否亦无确信，而越南归法国保护，越官须听命法官，各处炮台归法兵驻守，税关归法国收掌，各条皆大致相同，当非尽不可据。果行此约，是无越矣。越南屏藩南徼，二百年来朝贡无缺。法人明目张胆夺地攻城，我既熟视而不能如何，驯至劫制越王城下之盟，等于陨宗夷社。若中国仍隐忍不发，则保护之实不至，即属邦之义果虚。缅甸制于英，暹罗携于外，琉球灭于日本，中国均未能出一旅之师。昔之万国衣冠奉我正朔者，仅余朝鲜与越南两国耳！朝鲜上年内乱曾一出师，今犹岌岌焉为日、俄所窥伺。越南颠危至此，苟坐视而终莫之恤，生心者岂独法兰西哉！中山固永无复国之期，高丽亦必贻东顾之患。唇亡齿寒，为忧何极！此关于大局者，一也。

越南北圻长城之恃惟黑旗刘永福一军，近与法战，屡挫其锋，忠义奋发，颇能矢敌忾同仇之志，特兵单饷绌，全赖滇、粤边军潜为接济。然近日各处洋报多言黑旗得华人之助，法人亦谓内有华兵万余，声言一俟查察得实，彼必径攻广东。盖官军暗助黑旗，掩耳盗铃只可暂用，旷日持久形迹自彰。夫越为吾属，助越本理直气壮之事。惟我有讳莫如深之情，转授彼以藉口问罪之柄，岂非弃直就曲，反壮为老！此关于大局者，二也。

论今日之事，原宜调集水师，直指顺化，先出越君于水火之中，别遣偏师，北断海防，以绝其援应，南捣西贡，使误于多方。特中国水师尚无可以争雄海上之军，而越南危急存亡之际实中国安危利害之机，又决无可以缓为后图之势，以臣之愚，谓宜舍大洋而扼内港，置海军而用陆兵，调大小轮船以辅炮台，集整练兵勇以据要隘。彼果驶船入内，分兵登岸，则节节邀击。用我之长，乘彼之短，致人而不致于人，彼亦非有必胜之道也。拟请明谕曾纪泽，将法国构兵越南，宝海定议旋即翻覆，越王新亡，复乘丧逞兵，逼立新约，全据越南权利，蔑视中国，先坏邦交，中国含宏已极，万难再让各节，明语法廷，遍告各国。如法能幡然就范，仍可言归于好，会商办法。如再悖理逞强，惟有撤去巴黎使馆。并由总理衙门照会驻京各国公使，知照、敕下南北洋大臣、沿海各督抚臣，一律敛兵口内，扼要严备，如有法国兵船入境，即行奋力截击。一面谕饬云南、广西两省关外各军合力前进，督饬刘永福及越南各军进图东京，规取南定，法人所在，惟力是视。自来兵衅既开，利钝无定，尤望朝廷委任责成，坚持定见，勿喜于小胜，勿怵于小挫，勿摇动于一二处之得失，沉舟破釜，期以一年，彼客我主，彼劳我逸，则法人敝，各口商务常年阻碍则各国怒，待其求成，然后与议，则刚柔操纵，自我主之，洋务转机或在于此。

中国海疆粤东最难守御，各省武备粤东最为空虚。臣虽衰庸，然事势至此，不敢因一省之艰难，误国家之全局。且中国于越南之事所以委曲求成者，原虑与法启衅耳！臣屡接广西关外各军禀报，并阅藩司徐延旭节次奏稿，所有接济刘永福枪械、军火及主事唐景崧调拨援助之营络绎于途，事难隐讳。法国兵船远则泊于毗连粤境之越南洋面、桃山、快子湾等处，近者则在香港，一旦反颜相向，瞬息即至。而我犹顾虑失和，一切堵口、封港亟应筹办之事，均碍难预备。是关外已不能掩助越之迹，各省海口仍洞开门户，袖手以待其来，设有疏虞，疆臣一死岂足塞责？何如据理责问、先发制人之为得计乎？尝观前代裴度蔡州之师，寇准澶渊之役，盈廷疑议，惟断乃成。兹事体大，伏愿将臣折发廷臣集议，断自宸衷，发纵指示，使阃外诸臣皆得遵奉庙谟，戮力从事，不致机宜坐失，因应为难。

西人所著《防海新论》一书，述南北花旗之战，南花旗处处设防，兵分力单，遂至大挫，因谆谆于人马、军械、辎重与夫人工、物力最不可散漫遍布，必聚精蓄锐，保护最紧要之数处，庶可固守。其论至为深切。广州省城为全粤根本，虎门一路为粤省门户，必当首为严备，臣与各前督臣均先后奏陈。现在虎门、台湾师船虽难遽臻严密，而筹防总以专顾中路为先，以力守虎门海口以内为主，臣已分派将领迅速布置，竭力图维。至署水师提督吴全美出防廉、琼洋面，船少且小，不足自成一军。而中路师船因抽调出洋，转形单薄。东路潮洲、汕头口岸繁盛，并关紧要。自署潮洲镇总兵方耀带勇五营驻扎钦州，潮防亦形虚弱。当时原以钦州与越南接壤，藉壮声威。今局势已变，越事非虚声所能底定，钦州迤西万山穷僻，实非彼族所必争，防守似无藉重兵。值此饷需万窘，省、潮两要地添募为难，均请由臣相度事机缓急，随时酌量以为进止。此外，濒海之地防不胜防，琼州、南澳两处孤悬大洋，非有大枝水师防守尤无把握。但外郡视省会为宗，中路能屹然可恃，人心当无涣散之虞。届时一有警报，臣即当亲赴虎门、常洲之间择要驻扎，激励将士，奖率绅团，相机调度，凭恃皇威，必期杀敌致果，式遏寇氛。虽成败不敢逆料，要当死生期之，仰慰圣主廑念岩疆之至意。广东海防经费支绌万分，刻当防务吃紧，查核库款，因凑解奉拨京协各饷，及应付洋债，业皆悉索无余。而添募勇粮、制办军火、赶修炮台一切用项皆迫不可缓。臣已督饬司道，就省城、香港等处行商，多方挪借，以应急需。其应如何归补之处，容俟查明筹议，再行奏请圣裁。谨奏。

光绪九年八月二十五日奉上谕：张树声奏，越事愈棘，大局攸关，暨添募勇丁，密筹布置各折片，览奏均悉。所请明谕曾纪泽等各节，着听候谕旨施行。广东防务吃紧，张树声所奏布置情形甚合机宜，深堪嘉尚！吴全美、方耀所部水陆勇营，着该督抚相度事机，酌量调遣，用资得力。该省饷项支绌，既向各商挪借应用，即着速行筹备。其如何归补之处，仍着酌议具奏。

八月二十五日

桂抚倪文蔚奏报越兵再战获捷情形折　附上谕

广西巡抚倪文蔚奏，为谨据探报近日边情事。

窃臣前将越兵再战获捷实情奏陈在案，现据藩司徐延旭禀称：法越自七月十三日以后并未接仗，惟因雨水漫涨，法人用客匪之计乘势决堤以灌越军，幸刘永福先期有备，令各营将卒，分乘竹簰，移扎山西省城四十里高邱之上，惟军械颇有损失。现在水势直至山西城边，一望迷漫，所幸宽而不深，轮船不能轻进。刘团各营精锐声势仍极联络，可以无虞。法人声言，英国借有重兵，不日即到。闻皆虚词恫喝，实则英国止允借予饷银。其南圻安江、河仙、定祥三省，越官报称近已收复，并有进攻西贡之谣。法人欲以轮船径捣富春，越人闻信，斫伐大树，抛沉顺安海口，轮船驶至，被阻退回。前奉旨饬查越南败仗失去枪炮等件，越境通无其事，理合禀报请核各等情前来。

臣查，法越相持，久无定局，香港、上海洋报辄复横生论议，摇惑众心，均在圣明洞鉴之内。此次刘永福因水退营，恐不免增饰谣传，以张法人之焰。上廑宸廑，理合将探报近日边情各缘由恭折密陈。谨奏。

光绪九年八月二十八日奉旨：览奏已悉。仍着懔遵迭次谕旨，督饬徐延旭严密筹防，毋稍松劲。现据各处电报，顺化炮台被占，逼立新约，并有八月朔刘团败于波兰等语，似亦不尽谣传。该抚务饬前敌将南北路情形随时确切探明，迅速具奏。①

桂藩徐延旭奏法人迭被越军击败折　附上谕

筹办边防·广西布政使徐延旭奏，为法人迭被越军击败，适因江涨，怀德一带被淹，刘团营垒避水移扎，照常固守，节据函报会筹妥办情形，据实密陈事。

窃臣前因越南国王新逝，其弟嗣立，预筹册封，拟请变通办理，并将越人自行收复安江、河仙二省，及法人添兵来援，欲与越将刘永福决战各缘由，驰奏并附片陈明。本月初五、初七等日，法人连犯，刘团故为示弱。十三日大举进攻，经刘永福督率部众，将其击退，大获胜仗各在案。嗣据刘永福禀报，十三日之捷较为详晰，实在阵斩法人兵头三画一名，二画两名，一画三名，兵众一百余名，重伤抢回者二百余名，生擒四名，夺获快枪五十余杆，什物数十件。查点各营，勇丁阵亡二十二人，受伤四十九人，哨长并未阵亡，惟受重伤，可以医痊无碍。当法人之败退也，其众犹扎刘营附近从教各村。唐景崧商之刘永福，恐其以我骤胜而骄或图夜袭，应令各营严申警备，未可收队，仍依战次立营。次日十四寅刻，法人又出精队约有五六百人，纯用小旗短刀快枪，直向纸桥蜂拥而进。刘永福立饬所部接战，枪炮连环，子如雨落，中其客匪头目乔二池肚腹，登时倒地殒命，即被抢回，未及割取首级。又毙其众三十余名，彼即退却，仍在桥外数里屯踞，分队千余回顾河内。查乔二池本系法人，因在其国犯事充发越南，久住河内，最为狡悍。此次法人在彼广招匪类，与夫战守事宜，悉恃其人为左右手，今以临阵首先伏诛，人心大快，节经黄桂兰、赵沃、唐景崧函报到营。

维时关外大雨时行，江流盛涨，水势汹涌，堤岸难免不为冲塌。设或陆营避水迁徙，一路并无拦阻，彼族轮船岂不横行江面，上犯山西？臣随分别飞函切嘱黄桂兰等，饬探确情，相机因应；谆饬刘永福审时度势，务策万全；并令知会山西守将，加意严防，不可稍涉疏懈。乃唐景崧所驻之地十五日午后河堤已决，一片汪洋，忽遽之间赶乘竹舟而出。因刘永福营为水所隔，不及晤商，次日直至山西省城，即函告刘永福，怀德一带水大难居，以全军为上。刘永福所部各营初迁左凤下村，十八日以后陆续拔至丹凤县，即在该县地方分头扼扎，地势较高，可无水患，抑且左右首尾均能联络，声气亦复相通，目前尽可稳扎。该处距山西省四十里，距怀德府三十里，去江岸虽远，尚堪兼顾。一俟水退，仍返原防，再图进取。唐景崧暂驻山西省，商同守将布置城防。据其二十日发来函报，尔时水虽漫至山西城下，其深仅止一二尺，此外四郊尽成泽国，深几盈

① 原刊目录标为“八月二十九日”。

丈，浅才尺余，无论马步、轮船均难行走。该员已嘱越南统督黄佐炎等督兵固守，以备不虞。惟法人诡诈多端，屡与越人交战，明知力不能敌，动以虚声恫喝。闻该兵头何化里向人辄言，已向英国借兵，不久即有大队来助。此次刘永福各营避水迁徙，难保彼族不出大言，谓因决堤将其淹没，众皆退散，甚至登诸电报，摇惑众听。其实会逢淫雨，四处溃堤，岂关人力！若怀德一带刘军固不能扎，彼族又岂能行？其理甚明，不敢不据实密陈，仰纾宸虑。除仍函嘱黄桂兰、赵沃、唐景崧广筹方略，一俟水退，刘团回驻原防，速图进取，随时驰报外，谨恭折具陈。

光绪九年八月二十九日奉旨：览奏已悉。仍着徐延旭督饬防营妥筹备御，毋稍疏虞，务将南北两路情形随时确探，迅速具奏。

桂藩徐延旭奏法人决堤以淹刘团转以自害片

徐延旭片。

再，顷接道员赵沃等函称：据河内省城间谍密报，法人自七月十三日挫败之后，自知力不能敌，密议暗决江堤，以淹刘团，另派精锐前往追袭。殊于十五日堤岸自决，洪水横流，势甚汹涌，兵头派四百余人趁势追袭，一面仍决江堤，犹恐客匪走漏消息，多用其本国之人。而刘营早已迁避，愈走愈高，并无损失。法军之追袭者昏夜不辨道路，转向低处遄行，一片汪洋，已多淹死。又兼大雨如注，目无所见，客匪之识路者逃出十数名，余亦就毙。兵头连日遣人捞尸，以盐腌之，载满两船回国，近日仍在下游一带打捞。其决江之法人因岸塌亦有死者，不知实数若干，闻人传说不下二百等语。臣查，法人决堤以淹刘永福营垒，将为一网打尽之计，实为凶狡之尤。乃因天夺其魄，转以害己，诚足以昭炯戒而快人心。谨奏。

光绪九年八月二十九日奉旨：知道了。

桂藩徐延旭奏越南海阳为法人所袭现正防御片

徐延旭片。

再，臣于七月二十五日据越南谅平巡抚吕春葳禀称：本月十三日，接海阳省咨，该省现方移设省城，搬运帑项，惟存仓粟三万余斤留兵看守。十一日未刻，洋人驶来大小火船六艘，载兵六七百名，直抵省津，入城占住。十二日午刻，分小船三艘抵毛田江，次步兵三百余直抵改设新省之平江府，官兵与战，未分胜负，该船仍归彼处。该省现已飞调官军前往平江，协力保守。又闻下国派员办理阮額回国都具述天津新闻，法人现募游匪五六百人，装作天朝营兵服色，要来下国之顺安汛滋扰，该处与富春国都相近，现已由部飞调清化总办张登悌、北宁提督陈春撰驰回防守等情。

据此，臣查，越南海阳近接河内，该国王阮福时在日知其难守，曾令该省守臣迁移他处，其城先已搬空，所存人民无几。今他族不获逞志于怀德，遂据海阳，图攻新省，抑且招匪假冒内地官军，欲向顺安滋扰，逼近富春，其谋诚属狡狯。除饬该巡抚确探情形，随时具报外，谨奏。

光绪九年八月二十九日奉旨：知道了。

北洋大臣李鸿章奏与法使会议及筹办北洋防务折 附上谕

署北洋大臣・直隶总督李鸿章奏，为钦遵迭次谕旨，妥筹复陈事。

窃法使脱理古自五月间与臣在上海会议数次，方其初到之时，意气悍戾，言语悖谬，屡施恫喝，冀遂要求。经臣严辞折之，且不与之多议而径返天津。脱理古乃始知臣不受要挟，然耻于奉使无功，徘徊沪上已逾两月。此次北来，一意婉言，不复露骄横之象，惟其中情仍复狡狯，所议多不可行，臣复严行据理驳斥。所有问答均经钞送总理衙门备查在案。该使计无复之，于二十六日起程入都，臣未便强留，致令有所挟持。

查法人于七月下旬以战舰直捣越都，胁定新约十三条，尽攘其兵权、利权、用人之权，并将越之全境俱归保护。惟越将刘永福所部与法军相持，互有胜负，实赖中国边军暗助饷械，滇、粤各营分扎北圻，与刘军联络声援，得以暂支危局。就目前事势通盘筹办，舍此似别无办法也。法人以我军助刘啧有烦言，固当尽力驳辩。我以边防为名，彼亦无辞可执。但此局可暂而不可久。伏求谕旨严戒徐延旭等，虽隐助刘永福，不宜过张形迹，明启衅端，纵事势变迁，日后两军相遇，难免战事，究未掣〔牵〕动大局，尚冀徐有转圜。更祈密饬总理衙门王大臣深思远虑，早定相机收束之策。近年各省水旱频仍，元气未复，饷力艰窘，沿海万里，罅隙实多。若争属邦一隅无用之地，越已阴降于法，而我代为力征经营，径与法人决裂，兵端既开，或致扰乱各国通商全局，似不为值，更恐一发难收，竟成兵连祸结之势。微臣受国厚恩，与同休戚，不敢不鳃鳃过虑者也。

夫法人图占越南权利，而越王名号与土地犹存，尚未显与中国开衅。曾纪泽电称，法舰将离越赴津，或者彼国之人偶有此议，今固尚无其事。在我沿海各省自应密为戒备，未雨绸缪。广东首当其冲，该处选将练兵，筑台购械，关系尤要。即使越事能了，将来粤省必练有得力水师，庶足固第一重门户，形势使然也。至西洋通例，以兵船护商，或公使前赴各处亦坐兵船，本是常事。脱理古此次来津，仅一兵船泊大沽口外，何足介意？若如周德润所奏，谓其挟兵船以恫喝，先以张皇，适足长敌焰而启狡谋，殊非镇静之道。

谕旨又以北洋防务殷殷垂询。臣于海防筹办有年，因限于经费，船舰不齐，水师尚未练成，难遽与西国兵船决胜大洋。至于口内设防，较有把握。方今炮台修整，后膛枪炮、各项水雷练习有方，电线灵通，征调较捷，布置粗已就绪。其海外之旅顺口筑台浚坞，威海卫鱼雷营正在兴工，尚未克期可竣。而自天津以至大沽、北塘、新城、芦台诸要隘，淮勇练军马步各营人数虽不甚多，饷绌未能添募，而提督周盛传、李长乐、刘盛休等皆能精心训练，总兵唐仁廉现亦假满回营，此皆久经战阵之将，实属谋勇兼著。万一日后出警，臣拟将镇东、镇西、镇北、镇南等数船收回大沽，北塘以作守口护台之用，超勇、扬威、威远等兵船入旅顺口，以示犄角隐伏之形。窃计海口有炮台、蚊船、水雷悉力抵敌，彼尚难于得利。敌船若在洋面停待旬月，彼之煤、粮、淡水必将告罄，亦当自还。倘其强欲登岸，各营节节扼剿，加以客主劳逸之不同，臣虽驽下，激励将士，当不难挫彼凶锋。目下法之战舰在越，其势不能全离越境，舍而之他。倘或分军来犯，虚声固无足畏。彼如再由本国济师，海道辽远，究难多调陆军。况闻该国议院不愿增兵集饷，与中国失和。我不先开衅，则衅亦无自而致矣。昨又蒙谕旨，令吴大澂抽拨吉林防勇三千来津。吴大澂曾随臣营，气谊素投，所练新军器精技熟，亦足以壮声势。潘鼎新现署湘抚，正居要任，鲍超、刘铭传皆养疴在籍，鲍超前年募勇来直锐气已减，刘铭传非独当一面不能尽其所长，均可不必遽调。臣之愚计，但盼各省协饷与海防经费源源接济，则防务稍免掣肘。至于敌情虽则事机迭变，原无定形，嗣后如有须添调大员、增募兵勇之处，臣仍当随时酌量缓急，据实奏闻。

光绪九年八日三十日奉旨：览奏已悉。北洋防务紧要，着李鸿章随时妥筹布置，务臻严密，不得稍有疏虞。至吴长庆所部营勇，现仍驻扎朝鲜，听候调回津郡，并着李鸿章妥筹办理。

清季外交史料卷三十四终

清季外交史料卷三十五

光绪九年九月

谕岑毓英等法人迫胁越南着督饬防军严密扼守电

上谕：岑毓英奏，据报越南刘团获胜及移营退守情形一折，所陈刘永福获胜等情与倪文蔚等前奏相同。滇军驻扎越境，为中外所共知，自宜以剿办土匪为名，令彼族有所顾忌，杜其狡谋。据奏，将防营旗帜、号衣收回，勇丁交刘永福管带，听其调度。是滇省竟无兵驻防矣，办理殊属非是。现在法人迫胁越南议立新约，北圻防务尤形吃紧，着岑毓英、唐炯督饬防军严密扼守，妥筹布置，添调劲旅，俾壮声援，不得松懈。

九月初一日

总署奏颁给巴西总领事等官文凭折

总理各国事务恭亲王奕䜣等奏，为颁给巴西国总领事等官文凭事。

光绪九年八月初十日，臣衙门接据出使大臣曾纪泽文，称：万国公例，凡领事赴任必须由主国颁给文凭，方能视事。光绪七年八月间，北洋大臣李鸿章与巴西国使臣喀拉多订立条约。刻下巴西所派总领事官马尔丹，已由该国行抵英、法，秋凉后即可前到上海。应由总理衙门将此项文凭预为奏明，请旨颁发，俟江海关道禀报该领事到沪，即行饬发等因。臣等查，有约各国领事等官所驻通商各口，向不由中国给与文凭。至巴西国立约始订明，两国于彼此通商口岸设立总领事、领事、副领事等官，须奉到驻扎之国批准文凭，方得视事，如领事官办事不合，即将批准文凭退回等语。此系按照各国公例办理，为中国收回利权之始。据曾纪泽咨报，巴西国现派总领事官马尔丹，秋凉后即可到沪。届时即由臣衙门将此项文凭填写该总领事姓名等项，盖用臣衙门关防，颁给收执。如有商人兼充暨办事不合等项情事，照约即将文凭追缴。并请嗣后凡有该国新设及更换总领事、副领事等官，臣衙门接到该国使臣来文后，均照此办理，以归一律。谨奏。

光绪九年九月初一日奉旨：知道了。

桂抚倪文蔚奏越南王遣使赍表由海道进京折　附越南王弟即位禀

广西巡抚倪文蔚奏，为据情具奏，请旨遵行事。

窃准两广督臣张树声咨开：光绪九年七月二十四日，据越南国王弟阮福升禀称，下国仰荷天朝封殖，列在职方。先兄王福时获缵旧服，属以封内，屡有寇氛，于本年四月积忧成疾，至六月十六日身故。先兄王有预养三子，将以其一为嗣。第长子有疾，其余尚少，当此多艰，国人惧不克堪，经启白王太后，以福升为前王子当嗣，众情协推，辞让弗获，谨奉守钦颁国印，权摄邦事，俟命于朝。钦照典例，缮具告哀表文，委陪臣于关外等候。恳祈据情转奏，请准陪价赍表文、方物，前赴广东省城，由海道进京叩陈，庶得早蒙恩典，绍守藩封，永列职方。下国幸甚！等情咨臣核办前来。

伏念越南久隶藩封，极为恭顺。前该国王弟阮福升以该国王阮福时身故，竭诚讣告，遵照典例，敬遣陪臣于关外候命，理合据情上陈，恭候谕旨遵行。查越南国贡道向由广西太平府属镇南关入境，上年十月内，据该国王请改由海道至广东，以达天津，经臣以应恪遵旧章，未便更改，咨复查照，附片陈明在案。今该国王弟阮福升请遣陪臣诣阙，仍拟由广东海道而进，系因该国北圻河内等省为法人所据，虑有梗阻，事非得已，仰恳俯准从权由广东海道前进，以期妥速而示体恤。照录该国禀文一道附呈御览。谨奏。

光绪九年九月初三日奉上谕：览奏均悉。越南使臣定例由镇南关经广西北上，迩来法人构兵，越地道梗，据该嗣王阮福升文称，现在权慑〔摄〕邦事，循例遣使，恳准由海道进京叩陈等语。情形迫切，自应准照所请，由海道诣广东省城，再附招商局轮船赴津入都。着沿途各督抚饬属一体妥为照料。将来该国使臣到京，一切事宜，礼部仍照向例办理。

谨将越南国王弟阮福升禀文录呈御览

越南国王弟阮福升肃禀：

窃下国仰荷天朝封殖，列在职方。先兄王获缵旧服，凭仗宠灵，以靖其国，属以封内，屡有寇氛，皆藉天威，连年命将出关，迄底安辑。去岁，忽有法国兵侵之事，适当建节粤东，顾念下藩，即先备将事情并应办机宜入奏，仰蒙敕下防维与一切筹谋措置之道，是皆赖英猷硕画，上体柔怀之仁，以为小国系属也。下国用是恃以无恐，竭力支持，坚待拯援，业经屡次奉知〔书〕，均蒙察照。今承调度，已将有端绪，讵意先兄王于本年四月间以积忧成病，而国事处分又未尝少置，致病日以增，至六月十六日淹尔弃世。先是，先兄王有预养三子，将以其一为嗣。第长子有疾，其余尚少，今当此多艰，国人皆惧不克堪，经启白王太后，以愚为前王子当嗣，众情协推，愚再三辞让弗获，谨奉守钦颁国印，权摄邦事，俟命于朝。钦照典例，缮具告哀表文，委员于关外候命。恳祈据情转奏，请准令陪价赍表文、方物前诣广东省城上谒，便由进京叩陈，庶得早蒙恩典，绍守藩封，以济此艰危，永列职方。下国幸甚！惟是先兄王幸蒙爱顾，今所志未就，不幸至此，当此大艰，以愚浅薄，将何以堪？现惟与国人同心，一循先兄王措画，不敢毫有差池，以待处置。伏祈念下国当危难之际，哀先兄王之志，曲予成始成终，为之扶持，愚当举国以听，长铭恩造，而先兄王亦含结于地下矣。辄敢沥布，冒渎高明，惟卓夺施行，无任翘企之至！再者，伏查典例，下国应先具函递禀两广督抚，钧照据情转奏，仍委员在关候命，得旨后委陪价由广西陆道进京。惟兹彼族尚据下国北圻，使部由此治装前行，必为所阻，又恐修远难能早达，昨者先兄王有呈恳酌定贡道一款未蒙允准，兹揆事势进止，又甚觉万难，致奉拟如前，如蒙于定章稍为通融，下国实多受赐。

桂抚倪文蔚奏法越和议有成据报奏陈折　附上谕

广西巡抚倪文蔚奏，为法越和议有成，据报奏陈事。

窃臣于光绪九年八月初十日，谨将探报边情缘由驰陈在案。兹据新授提臣黄桂兰、藩司徐延旭函禀称：法人决堤，越军移营之后，旋有法兵轮八艘往攻越都，彼此轰炮，未经对仗，法人伤毙多名，即又撤回，合集大小兵轮十余艘，陆师二千余人，攻刘永福丹凤县各营，大雨水漫，隔堤相击，历三日两夜未曾收队，互有伤亡。我军派拨赴援者奋力直前，哨官队勇亦阵亡数十人。法兵前后轰毙者不可计数，遂皆相率遁走。当法越联战之际，在事越臣向称忠顺，此时颇有漠视等情。查询再四，续据越臣张登坛、斐文禩禀称：所接枢密院来咨，内言，法国兵船突来顺安汛，连日迫攻诸屯。七月十八日，该国派全权大臣何罗茫①书来讲和，互立条款，虽未交纳而已商定画押，法兵现均撤退。咨饬诸海汛照常办事等语。条款未见明文，容俟颁录照呈，理合转据申请核察前来。

臣查，法人屡次挫败，劫主制下，自在意中。其所立和议条约虽未得见，而安置刘永福一层必为第一要义。或仍视为匪党，要兵合击，并申请中国为助，亦未可知。惟是滇、粤两边现以刘永福所部权为外辅，法越既订和议，法刘再起战事，如何相机因应之处，伏求睿断明示，庶各军情得资进止，不致开衅误边。臣等幸甚！大局幸甚！除臣已飞致提臣黄桂兰、藩司徐延旭等，谆饬各军照旧填扎，加意防守，不得稍有疏纵外，所有法越和议有成，谨据边军探报缘由，恭折密陈。

光绪九年九月初九日奉上谕：本日已有旨，倪文蔚调补广东巡抚，徐延旭补授广西

① 后文有“何罗栏”。

巡抚，张梦元补授广西布政使。现在边事日棘，徐延旭着迅速出关，相机调度，用副委任。后路粮台关系紧要，张梦元〈著〉即赴新任，所有船政事宜，着会商何璟、张兆栋，派员暂行代理。倪文蔚俟张梦元到任再赴新任。

桂抚倪文蔚奏法越和约已订谨陈详细情形折　附廷寄及和约

广西巡抚倪文蔚奏，为法越和约已订，谨据藩属呈报详细情形，恭折密陈事。

窃臣于光绪九年八月十九日，谨将边军探报法越和议有成缘由驰奏在案。兹据越南国王弟阮福升呈称：七月十六日，法国兵船八艘突来下国都城之顺安汛，下国经派官就船接话，答以惟有战耳，随即开炮轰射，下国力拒待援，业经具情声禀。嗣十七、十八连日攻迫、射破诸屯垒，下国官军多被伤毙，沿汛诸屯皆为所据，势极危险，下国方退回江防堵屯扼守。适于十八夜，接法国钦差大臣何罗栏书来议和，其中条款多系万难遵从之事。而下国先王兄在殡，王母老疾悲痛，倏遭此变，不得不权以图存，遂派礼部臣陈廷肃、吏部臣阮仲合，出延该使，就馆商订条约二十七款。虽未经两国画押互交，亦既订约无异。下国久隶藩封，万不获已之情，用敢陈告，并钞录和约款目，呈请核夺各等情前来。

臣伏思法人兵轮横断越南北圻通路，以攻越都，越藩孤危无援，又当国丧之际，势难力与争锋，权词就和，自属姑救目前要着。惟查其所订款目，政权、利权统归于法人，几与英人之于印度相等，越南后祸不可胜言，滇、粤边防亦日以多事。而驱逐黑旗匪党一层则约略及之，未经明订办法。北圻战事恐无已时，中国滇、粤两边老师糜饷，适成自敝之道。臣之愚昧，实为隐忧。闻法使脱理古尚在上海，此次法越和议既成，或仍谋通滇路以办商务，前往天津，就商北洋大臣李鸿章，重申前议，亦未可知。所有法越和约款目开具清单，恭呈御览。谨奏。

光绪九年九月初九日奉廷寄倪文蔚：法越所订和约，政权、利权统归于法，越事已不可问。脱理古在津要求未允，该使抵京不提来意，闻欲回国，另有使臣前来。目前大势独刘永福一军为彼所忌，倘能恢复河内，尚可补救。该营近日曾否进兵，着即查奏。徐延旭着迅即出关，张梦元速赴新任。

谨将法越新订和约条款录呈御览①

第一款　大南国认大法国保护，由此相与交际往还宜从西方诸国之公法。大南国有与何国交通，必由大法国掌管其事。不论何国，即如大清国，亦均不得预及南国之政，

① 此和约条款系译文，语句有不合汉语习惯者，仍照录不改。

惟恃大法国方可。

第二款　断交。平顺省合与六省南圻为大法国所有。

第三款　大法国另立屯住在横山，自上趋下，至泳厨，与在顺安汛口之镇海、禾匀、郃阳、镇浪、蛤洲、鹭洲及新垒各屯，大法国自当修整，随如己意。

第四款　大南国所派现在北圻征伐之军，即刻召回，除却平辰无事额内之官军者仍住。

第五款　宜即撤回在北圻之官军，各归原防。又派官员填补缺额，又宜与大法国两边商议，凭给实授与大法国现经设立官员。

第六款　平顺以至北圻界限各省之官员各行其职，亦犹旧辰政治不受大法国官员看管。除如商改造作诸所，须有通晓之人，如大法国之人者，看管方可。

第七款　界限中向上之所叙者，除却施耐汎〔汛〕旧已开通，今即通行晓谕诸国周知。沱瀼春台今亦已准许开商政。至如诸海口，俟后察有两国益利者，另议大法国官之让地。至如各海口已准通商者，则大法国朝廷量设官员居住，仍亦听从在京公使大臣之令。

第八款　大法国量设望台一所，或在鼐蜓，或在岣崂兽，照如博物官复禀所叙。

第九款　大南国另与大法国商议同受所损修筑官路一条，自在柴棍直抵河内，并要常常修补这路，要得洁好。又大法国许博物人看造桥梁、凿山通路之事。

第十款　大法国即竖电报一条，沿此官路，所有收发电报之钱则法官专认。所得利钱摘取一分，与大南国消用。大南国宜量让土分，以作电报之人员建造房屋居住。

第十一款　在大南国京城，则大法国量设公使大臣一员，系是大官，但不预及南国在内政事，专行其保护之职，专主外国来与大南国商说之事，仍亦听从钦差全权大臣之令，而全权大臣亦将自己之权许与公使，凡有所事则该公使大臣得入面奏，大南国无理可辞则请勿辞。

第十二款　在海防、河内各设公使一员，与北圻诸大省城并北圻沿海诸城，俟后量设一员，而无有让地如前者。倘有紧急之事，则诸小省亦各量设一员，亦须听从大省使员之令，亦犹南国之法。

第十三款　各省大小公使必须各有随候之官、从事人员，并大法国兵或是南兵为之肃卫，以免别生障碍。

第十四款　各公使官不可预理乡民之务，南国之官不论何项之官员临民各随其便，仍亦听从公使官照顾。倘有该处南官而与使官不好，则该使官得专咨请换调。

第十五款　各大法官不论何等何项在诸大位，如传知电报、商政、银库、造作、学场各司，凡有何事欲行咨与南官者，必由公使专咨而已。

第十六款　各诸公使大臣专处西方诸国之人而与南国之人相讼，或是南国之人而与东方外国之人相讼者，则由公使官分理。倘公使官已经理断，两造犹自不服者，则这案寄回柴棍复阅。

第十七款　各诸公使必须勤敏其诸大小省巡防之事，如这各城墉聚集增大，则巡防亦如之。

第十八款　各省公使协与大南布政省官看视其征收出入之诸税。

第十九款　各省商政则交与大法参办官，专收税例，沿海边界有何处所而或有紧急之事，则更设商政。至如大法官兵现在北圻经已办其商政之事者，则不得再有何说。

第二十条〔款〕　北圻诸辖并诸海口经已开商者，则大法国人或与服从大法国之人者各得从容自便。并与己之货物各得自便往来，或起造庯行者，各随其便。与诸外国之人或欲恳求大法国与之长久保护者，或乞暂时保护，亦听。

第二十一款　若有何人欲入大南寻学技艺，或有何故而入者，须乞南圻元帅，或北圻钦差，或在京公使诸大臣，准给引文，仍又在所在南官候取已呈字样者，方听入国。

第二十二款　倘大法国见其预防之事犹然紧急者，则珥河沿岸多置住兵，以利行人往来安稳。倘有益者，则量置屯堡长戍亦可。

第二十三款　大法国自许其从兹以后，必保大南国之封疆永固，国祚延长，更又自愿帮助大南以免国中外内之贼寇，并助大南国追讨对理与诸外国之事。大南国王该治国中除已在约中等款，余一皆如旧。大法国当以驱逐黑旗之党出于北圻境外，并用诸方法使得珥河人民遂于商贾。

第二十四款　大法国又自许助大南国，寻其博物、技艺、教师、通晓诸人与各项官员，如大南国王欲用此等人者，则大法国为之代访。

第二十五款　大法国视其南国之民亦若己之民子，不论现居国中、国外，并在他邦异域者，亦必为之扶持庇护。

第二十六款　从前大南国向欠大法国银数若干，今尽销毁不问，亦如已清算了，原以大南国好心割平顺省赠与大法国故也。

第二十七款　凡国中商政、电报并在北圻商政公司各项杂税，则一年之内，摘取若干分，交大南国朝廷支用者，另行商议；仍摘交之数少者，亦不下二百万匹龄姑。至如各项银元，系迷虽姑所用，与各项银钱在南圻六省所用者，则大南国亦所通用。

向上交约各款，均奏与大法、大南两国批准，俟何日可互交者，即行照办。至互交后，两国派全权大臣，会同在大南国都城商议这约中之诸细款，又两国全权商说学其商贾之事，俾有益利于两国，及议定商政征收之例，照从向上之第十九款，并要知诸矿公司、盐田、林木并诸杂项之税值价许征。

癸未三十六年七月二十三日。

桂藩徐延旭奏法人力扑越军迭被击败退回现拟规复河内折 附上谕

筹办边防・广西布政使徐延旭奏，为法人因乘水涨力扑越军防所，迭被击败退回，刘团现拟移营，规复河内，谨将节次据报筹办情形据实密陈事。

窃臣前因越将刘永福连次击败法人，会逢水涨，其营移扎丹凤，彼族分兵占据海阳，图扰顺安等处，又以决堤自行淹死甚众，经将先后据报情形陈明在案。臣维法越构兵，刘永福实为劲敌，屡经挫败，必欲得而甘心，使其逞志于北圻，势且贻忧于滇、粤，通筹全局，关系非轻。臣忝任边防，责无旁贷，迭经会商左、右两路统领，悉心布置，暗助刘团，幸而仰仗天威，彼族凶锋屡挫。兹复仰蒙训示，饬令联络滇军，随时相机防守，毋稍松劲，敢不懔遵！查滇省初拨两营在越南山西省城助守，经臣禀请云贵总督岑毓英，函商办理边防云南藩司唐炯，量为增益，以厚兵力，已允添募两营，分赴山西省及大滩等处扼扎，此时计可陆续到防。

法人以决堤之计虽行，不能害人，转以自害，誓图报复，乘水涨浪高，船行水驶，遂以大小轮船十一艘、板船九艘于七月二十九日薄暮驶至丹凤县喝江口，即左凤小河。该处为刘永福驻营之所。刘永福先已侦知，并闻其部众三千分头来犯，乃饬所部各营预为之备，自率亲兵营刘成良、刘文谦等伏丹凤堤边，前营督带黄守忠、正左营管带黄宝珠伏堤之正路，副前营管带郑遇霖伏堤之右路，左营管带吴凤典伏丹凤正路，右营管带韩再勋伏丹凤右路，而以参将连美武炜营伏高舍一路，以为策应之师。八月初一日清晨，彼已麇至，因知刘军分伏以待，遂悉众并归丹凤堤正路，来扑正前营，马驮车载格伦炮六尊、开花炮数十架，余则纯用快枪，势极凶猛。黄守忠、黄宝珠率队迎敌，郑遇霖继起助之，枪炮连环，声震山谷。会值倾盆大雨，战已多时，刘成良等各率亲兵接应，刘永福指挥纵击，毙其兵头一名，敌势稍却。天将暮，退至村边，犹复列队放枪，彻宵抵拒。刘永福先已乞援山西，一面赶筑炮垛，以备久战。留营主事唐景崧商之越南统督黄佐炎，立拨两营星夜驰往，并助以快枪逼码，又向滇军借给销头逼码一万出。初二日黎明，彼复来扑，奋不顾身，各军勇气百倍，力能制敌，鏖战竟日，互有伤亡。连美亲督选锋纵横荡决，彼犹拼死不退，适见大队黑旗掩至，知系山西来有援兵，于是退至村中，仍彻夜枪不绝响，初三日早间即向瑞香社一带退去。其轮船初来九艘在左凤小河，原派扒船管带李唐、武烈营管带庞振云等分扼水陆，以顾后路。初一日，来船已进河口，李唐督饬水勇放炮，连美、庞振云等亦各以抬枪击之，破其中船、小船一艘，彼即退泊数里。初二日，又驶轮船十一艘来左凤河面，板船九艘鱼贯而至。初三日午后，刘永福自督亲兵施放大铜炮，于堤岸指击，恰中其中船一艘，势不能支，亦向瑞香河面退去。恐其诈诱，水陆未敢往追，遂各收队回营。连日歼厥丑类，多被抢回，未及割回

〔取〕首级，不知实数。及其退后，询据所据各村土民，称说经见炮毙兵头六画一人，四画各一人，二画、一画各二人，兵众八十余人，勒令伊等抬尸下船，载回河内，尚有客匪六十余尸，即在大吉社前掩埋。其各项受伤轻重不等，约计二百有余。查点所部弁勇，阵亡，正前营哨长陈英茂、何正辉，副前营哨长郑士吉、曾来福，勇丁四十二名；受伤，亲兵营帮办梁茂林、哨长刘文谦，正前营管带黄宝珠，副前营管带邓遇霖，各营勇丁九十八名。

先是，七月十三日怀德之战，彼族轮船泊瑞香河面，心疑对岸庙宇藏有越军，开炮击之，恰中神像，该兵头六画适出舱面挥指，为河干水营炮子击中，登时殒命。各船欲退，六画之船复为雷电风雨激折气筒，顷刻沉水。是夜，黄舍村前复沉没小轮船一艘。十八日，飓风大作，又撞破中轮船一艘。均据附近村民赴报，遣人查看属实。综计先后丧其轮船六艘，节据刘永福禀到。臣并准唐景崧暨提督黄桂兰、道员赵沃随时函报相同。刘永福以驻营丹凤地势虽高，而前临大江，后为喝江环抱，水涨轮船可入，势且三面受敌。此次苦战三昼两夜，幸而法兵败退，否则岂能久持？此时水已渐消，拟欲移营河内省辖国威府青威县，系在喝江之外，离河远而地势高，上距山西八十里，仅隔一小河，往来便捷，下距河内二十里，规复省城亦易为力。禀商其国参赞梁辉懿，颇以为宜，唐景崧言之黄佐炎，即从其请，已饬传夫赶筑营垒，以备迁移。

黄佐炎先于七月二十五日具禀到臣。据称：接下国枢密院咨叙，本月十六日，法人兵船八艘迭至顺安汛放炮攻射，查该船前于十四日驶到广南省沱让汛揭示封禁海口，诸国商船均不得入该省。现在都城以及各汛口水陆防御可保无虞，北圻诸项必须速办，捣其船巢，以杀敌势，毋使得以专意久扰顺安汎〔汛〕等因。窃查，法匪自四月十三、七月十三等日连被团练击败，其锐已挫，扫穴擒渠，将在指日。乃该匪不得逞志于此，又图泄愤于彼。顺安汛乃下国都城所在，固本必先，彼欲为此逼攻以求在外罢兵，其情甚狡。今日事势惟战是议，彼以逼攻顺安汛为别图，我尤当以急复河内城为紧办。下职当经督饬所部各军预为检整，一俟潦水渐退，即行进办。仰恳商之统领列位，调度各营，会同敝处兵练，分道直抵河城，并力剿办，庶竟厥功而纾所急，叨赖实多等情。并据经略斐文禩禀同前由。又接黄桂兰、赵沃函报，亦据该统督禀请到营，与臣商办。

臣查，刘永福此番苦战，艰险备尝，若非山西助以两营，难免不稍形气馁。幸而援兵骤至，其胆既壮，其力仍强。现拟移营逼近河内，意在乘时恢复，正与该国枢密院调度相符。黄佐炎等已饬各军克期大举，乞师相助，亦属实情。惟我军分扎北宁，势难更调，显与为敌，致启衅端，而阴助其威，自不容漠视。前因山西兵力稍单，节经左、右两路分拨四营，前往协守省城，另调右路原扎苏街等处之德字营拔赴北宁候遣。适值沿途水阻，尚驻太原。该营管带・总兵陈德朝久历边庭，深谙军略，颇知缓急轻重。经赵沃与黄桂兰会札饬赴山西，督带各营，就近咨商唐景崧，随时审察，相机因应。越军向由黄佐炎招募客勇布置城防，我军不用号衣，亦与其军无异，即或为刘团暗助，亦可无挑衅之虞。臣与黄桂兰等意见相同，仍嘱唐景崧知会黄佐炎等，慎速办理。其滇军管带·参将张永清等曾在粤营派充哨长，与臣相识有年，此时滇、粤同一防边，常通音问，臣尤当遵旨随时联络，相机防守，不敢稍涉松劲。但使刘永福移营进逼，设法图攻，果能内外合谋，计亦不难收复河内。除俟续后筹办如何情形，随时查明驰报外，所有节次据报，法为越败，刘永福乘胜进逼，现拟移营，规复河内缘由，理合驰陈。谨奏。

光绪九年九月初十日奉旨：昨据倪文蔚奏，越南王咨到，该国为法人逼立和约二十七款。若果如此，越南何以图存？刘永福屡次获胜，谅不因此稍有疑阻。现在进规河内，如能克期攻拔，以固北圻门户，使法人终难逞志，则越事尚可挽回。昨已有旨，将该藩司徐延旭补授广西巡抚，并谕令迅即出关。该抚惟当亲督防军，妥筹调度，以副委任，并将前敌军情随时据实具奏。

桂藩徐延旭奏报越人不以议和为是请力图恢复河内片

徐延旭片。

再，臣于八月初九日既得刘永福击退法兵之报，同时接唐景崧函述，风闻越国已与法人议和，黄桂兰、赵沃来信亦称，但闻传说，未见明文，不知此事究属如何，亟须查明虚实，现经飞函分嘱确探。去后，十一日，续接黄桂兰函称：初七日，据北宁总督张登坛、经略斐文禩呈阅其国枢密院咨文，内叙：法国兵船突来顺安汛，连日迫射诸屯。十八日，该国派全权何罗栏书来讲和，议立条款，虽未互交，各经画押。该兵船皆经撤退，条款俟另录咨呈，先此飞咨知照，请饬诸海汛照常办事等情。是其和议非虚，信如该国统督黄佐炎来禀所料。都城，国之根本，彼故逼攻，以求在外罢兵，其情甚狡。而条款犹未经见，量其要挟必多。臣复谆嘱黄桂兰等，督饬防军，照常警备，毋稍疏虞。唐景崧初闻和信，立即函询黄佐炎有无其事，未接回音，而刘永福则以该统督令其暂缓移营函告。初八日，山西总督阮廷润自丹凤旋省，唐景崧询其底蕴，据云：并未奉到议和明文，即统督军中亦无片纸知会。黄佐炎业已飞章入告，谓刘团屡捷，今日之事有战无和，即不得已而议和，亦当请命天朝定夺。尚未批回等语。旋据刘永福钞寄法使何罗栏告示，阅之不胜骇异！信如所说，越南全境已属法人，何其君臣愚懦至此！况欲驱逐黑旗出境，此议尤不可能，显系法使惑人心之言。且其示系七月二十三日发贴，设已定议，岂有半月之久绝不知照军中者乎？唐景崧因以此意向阮廷润诘问，阮廷润言：其王临终以协办大学士·礼部尚书陈廷肃等受顾命，立其所养之长子嗣位，四日不理朝政，宗室阮说乃启白太妃废之而立今王，于是宗室、外戚各有党援，难保不阳奉阴违，从而构祸，诚为可虑。况闻前者同治十二年间，法人即挟陈廷肃登船胁和，此次与何罗栏议和画押即是此人，安知不因废立之嫌，心存外向，结以自固？而黄桂兰等屡向张登坛等询其条款，坚称未见，但云君丧未葬，国都守御未严，恐有不虞，权和退敌，仍令北圻进兵。现已约会黄佐炎及诸道兵练克期大举，规复失地，只求天朝大兵固守山、北两省，下国恃以无恐等语。迭准唐景崧、黄桂兰、赵沃函报到臣。正疑虑间，又据黄佐炎本月初八日来禀，亦疑和议未必果真，权宜镇静，以便料理诸事，自应先筹固守山、北二省，方有挽回之地，请臣出关仍驻北宁，就近调度，并钞法使告示，呈送前来。

臣查，法越构兵，自本年四月以后，法人每战辄败。会值秋霪累日，盛涨横流，恃其炮利船坚，横行江面，直欲气吞丹凤，逞志北圻。不虞刘永福复挫凶锋，大歼丑类，重遇风雷之变，沉失多船，天怒人怨，从可知矣。其初犯顺安汛也，以水浅沉木阻轮而返。及逢江涨，又复前往，仍未能逼近国都，亦不闻交战情形孰为胜负，何以甫经三日，即与议和？其中疑窦多端，已饬各路切探确情，相机防备。黄佐炎等所筹，均属切要，持论亦正，尚见忠于所事之心。惟臣责在守边，岂可轻言出战，转贻口实，致启衅端？法人狡诈性成，因见秋潦渐消，若非借此罢兵，势必为人所制，议和迅速，固其本心，且故为夸大之词，以显其富强之术，安见不登诸电报，传播四方？其实此时在外越臣均不以议和为是，亦不以议和为真，仍各力图恢复河内等省。臣于本月十四日钦奉七月十八日密寄上谕：法人现在添兵赴越，意图报复，在防官军自宜严申警备。倪文蔚、徐延旭仍当谨遵迭次谕旨，将防务稳慎办理，内固封守，外弭衅端，不得稍涉疏懈等因。钦此。臣谨绎圣谟，迩观事势，固不敢幸功以挑衅，亦不容漠视以弛防。惟当随时禀商抚臣，照常稳慎办理，仍嘱两路统领，确探和议究竟如何，另行奏报。除将越臣黄佐炎来禀、法使何罗栏告示一并钞录，呈送军机处备查外，所有据报法越议和缘由，谨附片陈明。

光绪九年九月初十日奉旨：览奏均悉。

谕唐炯法兵退回河内着赴防所认真筹办

上谕：唐炯奏，密陈法越构兵，及布置情形一折。据称：法人围攻丹凤，经刘永福击退，法兵悉数退回河内等语。法越构兵，迄未定局，迭经谕令唐炯，率防军妥筹前进，自应亲驻防所，随时相机调度。现闻刘永福进规河内，倘能攻拔，尚可固北圻门户。滇军尤须加意严防，并将粮饷妥为运济。乃该抚未奉有谕旨，率行回省，置边事于不顾，殊属不知缓急。着即迅速出省，驰赴防所，认真筹办。滇军退扎大滩，与刘永福军能否联络？仍当察看前敌军情，随时因应。

九月十七日

总署奏俄使布策到任视事片

奕䜣等片。

再，上年十月间，接准俄国使臣布策照会，内称：现在请假回国，所有钦差事务由天津领事官韦贝暂行署理等因。当经附片具奏在案。兹于九月十五日，据俄国新派使臣博白傅照会，内称：本国特授为驻华全权大臣，现已到任，接印视事等语。除由臣衙门照复外，理合附片陈明。谨奏。

光绪九年九月十七日。

广东提督吴长庆奏留防朝鲜难于措置请陛见折 附上谕

帮办山东海防·广东水师提督吴长庆奏，为留防朝鲜，难于措置，密陈大略情形，恳请陛见事。

窃奴才于上年六月二十六日，准署直隶总督臣张树声商同军机大臣，以朝鲜内乱，日本藉端干预，檄调奴才所部六营驰往援护，随于七月初四日由山东登州防次拔队东渡，所有一切定乱情形，先后咨由署北洋大臣李鸿章、署直隶总署臣张树声奏报在案。本年二月间，奴才以朝鲜乱党既平，各事渐次就绪，而兵勇驻此，水土既多不服，转运亦甚为难，躬赴署北洋大臣李鸿章、署直隶督臣张树声商量凯撤。旋经该国王有留兵镇抚之请，奉旨俞允，饬奴才暂留保护。闻命之后，敬谨回防。半载以来，窃见民情安谧，商务畅通，代为改练之兵操练都已娴熟，该国王君臣上下所以经营善后者亦复孜孜不已，力图振兴，第就目前而观，固已尽堪自立。而奴才之愚则以为，朝鲜外侮之患且隐伏于将来，而我军戍守之难并不待于有事。朝鲜北连奉天、吉林，南控烟台，其为中国屏蔽，休戚相关，非道路荒远之琉球、安南可比，人人所知。而其东境界日本、俄罗斯之间，民贫国敝，逼于强邻利其土地，况有英、法诸国耽耽于后，其势之可虑，又人人所知。日本、美利坚既许通商，其余各国势必援例踵至。而其通商口岸元山、釜山、仁川三者之中，仁川距王京密迩，震动尤易。英、俄二国向恃强大，贪婪无厌，不能保其恪守约条，永无异志。法兰西为日本服从之国，狼狈为奸，往年日本灭我琉球，今年法兰西侵我安南，中间相去才五六年耳，以此而推，安知不阴结狡谋图逞于此？奴才三十年来，但以待罪戎行，辱圣明不次之知遇，于洋务、公法素未讲求，万一彼族纷乘，窥我藩服，或借传教以诱煽奸民，或借和好以勾通朝士，或借游历内地以图识山川，或借保护商人以屯兵要害，许之，则灰藩属倚赖之心，失中国辅车之势；不许，则与国家柔远之意相乖，而启衅之罪无所逃于众口。至于兵单势薄，呼应不灵，则又岌岌可虑之一端，而今日言之，似为过计者。孤军远戍，环顾茫然，夙夜殷忧，罔知所措。奴才受恩深重，义在致身，岂复惜此踵顶？诚恐赋性迂戆，无通方达节之才，临事或戾夫机宜，虽捐糜尚有余罪。用敢乘封海期近，朝鲜无事之时，密陈大略情形，吁恳鸿慈，许以陛见，俾平时积悃不便形诸奏牍者，得委曲上达于君父之前；亲聆训诲，庶风涛绝域稍纾恋阙之忱，而犬马余生获知效命之所。瞻天仰圣，无任屏营！谨奏。

光绪九年九月十八日奉旨：览奏已悉。该提督统率防军驻扎朝鲜，关系紧要，所请陛见之处，着听候谕旨。

同日寄李鸿章：前谕将吴长庆察看，未据复奏。朝鲜商务初开，隐患未已，防军久戍，是否相宜？着速议具奏。

桂抚倪文蔚奏法越议和防务愈棘折

广西巡抚倪文蔚奏，为探越南边情防务愈棘事。

窃臣于八月十九日、二十四日谨将法越先后订和各缘由两次驰陈在案。兹据提臣黄桂兰、藩司徐延旭等函禀称：越团刘永福自水漫退营山西，尚拟进攻河内，以保北圻。倏闻越都订和，滇军二营又奉札退回兴化，遂有回程保胜之议。经主事唐景崧多方劝勉，并许月助饷千金，现在去留尚属未定。刘永福为人多疑少恩，其部下均有恨心，不相亲附。迭次告捷，实由我军暨越官扶翊赞助而成。今滇军既经撤退，法越又已订和，北圻各省率以相安无事为乐，刘永福自虑孤危，亟求退步，勉留山西，亦恐于大局无补。现闻法人调遣精锐陆兵二千由丹凤而来，会合轮船水师以攻山西。拟谆约刘永福暂为防御，仍派我军暗为援助，以期固守山西、兴化二省，稍阻通滇之路。嗣后如何情形，随时申请核夺各等情前来。

臣伏思，法越构兵以来，庙谟深远，既不欲彼人之〔因人而〕启衅，又不忍藩服之濒危，谕饬滇粤三路出师，相机因应，特借越团刘永福名目相持至今。现法越和议已成，就使刘永福始终不渝，我军仍旧扼扎，徒以剿匪为名，孰有旋师之日？据提臣等所称永福各节，更属一无足恃，万有可虞。不特刘永福终亦必亡，抑且滇、粤两边益滋患害。盖刘永福所部将卒均系中国漏网匪徒，一旦无归，仍肆其故技。法人得此消息，不难广为收募，横扰北圻。我军若任其隳突往来，固无是理。一经剿办，法人又借口兴戎，立形决裂，殊为滇、粤切肤之灾。虽其时罪有所归，实恐于大局有碍。法越所订条约前已恭呈御览，当蒙饬下总理衙门王大臣暨南、北洋大臣一体知照。臣之愚见，若仿援护朝鲜之例，照会法国公使，并布告各国公使，先正藩属之名，徐商议和之约。法使若肯就范，或〈仍〉宝海旧说稍加斟酌，庶于朝廷字小、绥边之意终始两全。其越南如何分并，刘永福如何安置，滇、粤两边如何戍守，仰候圣明裁断，臣等惟有恪遵祗行，期无贻误。现在臣函报提臣等，谆饬各军照旧防守，不得轻退示弱，亦不得擅动生衅，谨候此次批旨钦遵办理。谨奏。

光绪九年九月二十日奉旨。

滇督岑毓英等奏密筹越南边防折

云贵总督岑毓英、云南巡抚唐炯奏，为遵旨密筹越南边防，拟仍〈照〉前议办理，以顾全局事。

窃臣等于光绪九年八月二十四日，承准军机大臣密寄八月初三日奉上谕：法越构兵，久未定局，现闻越南通顺化之河路两岸炮台被法兵攻克，越兵死伤甚众，越人已请法停战议和，法遣使赴越京商议。似此情形，越南近日更属岌岌可危。着督饬防军严密扼守，务须声势联络，俾法人有所顾忌，庶可挫其凶锋。法人既有赴越京商议之说，特来迫胁要挟，如何立约正难逆料。刘永福一军果能始终扼扎，越南尚可图存。该督抚等随时斟酌，相机应付，以顾全局，是为至要等因。钦此。

伏查，法越屡次交兵，及越南与法议和，暨臣等筹商布置各情，业经先后奏报在案。本月二十七日，据参将张永清禀称：法人乘越南议和未定，于七月十六日进攻富春，越人大败议和，许将全国尽归法人管理，每省设法人大员一名，厘税仅分越人一成。越南昨又遣官谕北圻各省南官，尽回富春，不得与法人争战。黄佐炎、刘永福现均退守山西等情前来。查越南积弱不振，南圻终为法人所有，臣等早已料及。惟刘永福忠义善战，诚如圣谕，果能始终扼扎，越南尚可图存。故臣等于上年即密济以饷银、军火，并滇省所铸开花炮，铲去字迹，给以二十余尊，粤省暗地接济亦复不少，故能迭挫凶锋。现在法越议和，法人势必逼胁越南驱逐永福。若滇、粤两省不能始终覆庇，永福遁逃，所部必为法人勾结，用以攻我两省，边患将无已时。臣等悉心商酌，惟有仍照前议，将驻防山西之滇军移驻大滩，免启衅端，钦遵谕旨，相机应付。将饷银、军火暗助刘永福，密饬增募健勇，扼守山西，以为老营，与北宁犄角，收其租赋以充军实，号召十洲三猛义勇，多树法敌，扼守山西，或可存越宗社，固我藩篱，以仰副朝廷继绝存亡之至意。然必须有胆识之人为之谋主，始能伸缩自如。查主事唐景崧忠义奋发，不避艰险，永福听其指示。臣等现函嘱该员，即驻刘营，代为调度一切。至广西防营，臣等已将一切情形，详细函达广西抚臣倪文蔚暨藩司徐延旭，能否照办，应由其自行妥筹办理。谨奏。

光绪九年九月二十日奉旨。

桂藩徐延旭奏法越议和已见明文法兵仍向刘团寻衅折

筹办边防·广西布政使徐延旭奏，为法越和议已见明文，在外越臣尚疑不实，法兵仍向刘团寻衅，粤军驻守如常，以维大局而固边防，随时会商筹办，密陈实在情形事。

窃臣于本年八月十九日将法为越败，刘永福拟即乘胜移营，规复河内缘由，具折驰奏。并附片陈明，法犯顺安，越与议和，不知确否，应候探实续报等情各在案。当法人之初至顺安也，仅越军悉力抵御，击毙其众一百五六十人，法仅攻破近岸一乡屯。胜负未分，忽闻仓卒议和，即臣亦深为不解。既而探悉，有说该国因故君未葬，权顾目前者；有说因废立之嫌，廷臣植党构祸者；有说法使何罗柁诈称刘永福业已阵亡，黄佐炎隐匿不报，逼胁西贡教民出具切结，持示越都，因而摇惑轻许者。在外诸臣如统督军务黄佐炎、北宁总督张登坛、参赞裴〔斐〕文禩、山西总督阮廷润、参赞梁辉懿等，先后接其枢院咨会，奉有国谕，并钞寄和约二十七款，呈送左、右两路统领提督黄桂兰、道员赵沃暨留营主事唐景崧阅看，照钞函报到臣。阅之不胜愤懑！信如所议，是越已举国授敌，甘为城下之盟，利尽属于他人。越诚无以保社稷，政不预于中国，我又何以固藩篱？即此两端，关系最重，一经迁就，后患无穷。诸臣辄以俟葬故君即须翻案，屡向黄桂兰等面恳，请将山西防军照常扼守，以资协助。并据黄佐炎八月十三日来禀，具述已调刘永福所部兵练于十一日回扎山西，复经奏明，固守山北，以与法人拒战，仍乞我军照常驻扎等情。臣即据情禀请抚臣示夺，一面函嘱两路统领及唐景崧，函称，滇军助山西两营迭奉滇抚严檄调回边境，已于十九日拔队启行。刘永福初志甚锐，后因时局变更，惟恐饷需无着，又见滇军已撤，粤军亦难保久留，顾虑彷徨，进退不决。倘使退归保胜，山西即为法有，刘永福安能自守保胜？法人且直达云南，滇省边防势将吃紧。唐景崧为之反复开导，不啻舌敝唇焦，许向统领婉商，留军协助，令率其所部扼扎山西省城。现其部众不下十营，军心不似从前之固结。幸其诸将弁同仇敌忾，仍复奋勇如常。刘永福接据探报，河内，法人添来马队三百，拟在本月底出队，月初水陆并进，力攻山西，决一死战。北宁探报相同。黄佐炎函嘱张登坛等，如果敌犯山西，应由北省拨军取河内，以分其势。刘永福经唐景崧开导后，深知感悟，遂将各营逐一分屯，自郊外十数里以迄城下，当其来路。我军在内布置城防，俾其专心前敌。假使敌来攻捕〔扑〕，我军助击，亦不致启衅端，盖各勇丁不着号衣，悉张黑帜，原与刘团无别也。该统督黄佐炎先已退往兴化，唐景崧不能不仍留山西。随时激励刘团，调和将士，并与两路统领广筹方略，冀保无虞。臣查，越南国王阮福升嗣位以来，自知振作，赏功罚罪，尚见贤明。月前具禀告哀，拟请抚臣奏准其遣使航海，由天津遵陆诣关乞封，迄今未闻该使臣行抵何处。

窃维越南局面变更，人心涣散，能否自立，尚不可知。而我所设防之处。即我应保护之处，该国北宁一省，实为粤西边境，藩篱一撤，则寇已及于户庭之外。此时无论越事如何，我总不容弃北宁而不守。惟法人无厌，难保其不扰及北宁，我当先以理喻之。即就保南北圻而论，北圻幅员甚广，在昔被匪滋扰，到处蔓延。越南武备不修，未能制贼，讨击悉资于我。计自同治十年命将出关，殄除群丑，糜饷千数百万，用兵十有六年，我为越之北圻亦既不遗余力矣。久居藩服，岂可不行绥辑？以此等语告之，法人能听固善，如其否也，惟口兴戎。设以兵来，是否与之对敌？臣通筹全局，寝馈不安，诚知法人并未与我失和，未可轻言战事，所虑时危势迫，善处为难，让之不能，劝之不听，有不容置若罔闻，拔队而归者。商之黄桂兰、赵沃，意见相同。相应奏请圣裁，钦遵办理。合无仰恳俯鉴微臣不得已之苦衰〔衷〕，饬下总理衙门，先行知照各国，咸晓然于中外是非之所在。臣为预筹妥办起见，勉献刍荛，仰候睿命。谨奏。

光绪九年九月二十二日奉上谕：徐延旭奏，法与越和，仍向刘团寻衅，粤军照常扼守，并刘军需饷情形各折片，览奏均悉。当此局势变更之际，滇省遂行撤兵，实属调度乖方，业经传旨，将唐炯严行申饬，谕令驰赴防所，督军进扎。现在刘团退守山西，断不可退扎一步。刘永福矢志效忠，奋勇可嘉！唐景崧多方激劝，亦甚得力！如能将河内攻拔，保全北圻门户，定当破格施恩，以奖劳绩。刘军饷需越人不能供给，设有缺乏，关系匪轻。前已拨给广西饷银六十五万两，恐一时未能解到，着倪文蔚、徐延旭即于藩库存款内先行借拨银十万两，迅速发给刘永福军营，俾应急需，俟各省解到归款。军火、器械尤应多为筹拨。该军得此接济，定能士饱马腾，踊跃用命。北圻屡经粤军剿办土匪，经营有年，徐延旭所称我所设防之处即我应保护之处，所见甚是！刻下驻扎北宁一带官军，务当联络刘团，严密防守。如果兵力不敌，酌量添募得力勇丁，以资厚集。

九月三十日

谕彭玉麟法人逼越立约局势已异着妥筹办理

上谕：彭玉麟奏，遵旨赴粤部署大略，拟在湖南取给军火，请饬照会各国，并筹乘虚攻捣各折片，览奏均悉。据称：在湘募勇糜费而不能救急，拟于广东就地取材，一面商调江南湘军数营，并已由潘鼎新调勇二千名，派提督王永章管带赴粤。该尚书亦即起程前往。具见忠勇性成，赴机迅速。法人已逼越立约，一切受其箝制，局势与前不同。刘永福一军前虽获胜，近闻不无解体。第念越之北圻为滇、粤屏蔽，势难听其侵占。目前办法总以固守北圻为要。倘法人侵及我军驻扎之地，自不能不与接仗。该尚书所奏，照会各国，明示利害曲直之故，与朝廷之意正相吻合，已令总理衙门酌度办理。法人前有以大队兵船至广东寻衅之说，虚实均未可定，先事筹备自不容缓。但广东人心浮动，河面滋事一案至今尚未了结，倘再别生事端，更于大局有碍。并着张树声、裕宽将现在情形与该尚书妥筹办理，务当约束兵民，示以镇静，不可遇事张皇。至乘虚攻捣一节，尚须度量兵力，详慎筹商。

十月初四日①

谕李鸿章左宗棠等法人侵我藩属着力筹防御

上谕寄李鸿章、左宗棠等：现在法人既与越南立约，必将以驱遂〔逐〕刘团为名，专力北圻。滇、粤门户，岂可任令侵逼？既经总理衙门照会法使，告以越南久列藩封，屡经中国用兵剿匪，力为保护，为天下各国所共知。今乃侵凌无已，岂能受此蔑视？现竟侵及我军驻扎之地，惟有开仗，不能坐视等语。如此后法人仍欲逞志于北圻，则我之用兵名正言顺。刘团素称忠勇，现在退扎山西，距河内稍远，着徐延旭饬令该军进扎，相机恢复河内省城，不可稍有退阻。北宁为我军驻防之所，如果法人前来攻逼，即着督饬官军竭力捍御。前据左宗棠奏，拟饬王德榜调募广勇数营，驻扎滇、粤边隅，并在广东捐输助饷等语。闻王德榜现在永州已招募勇营听调，倘已成军，着左宗棠即饬该藩司迅速赴广西关外扼扎，归徐延旭节制。所需饷项，若待捐输，缓不济急，着左宗棠务为筹定，仍由江南极力筹拨，俾无缺乏。岑毓英等前奏，滇军驻扎山西，轮船炮弹可及城中，防守不易。惟该军与北宁相距较近，必应固守，以成犄角之势。唐炯现驻防所，自应随时相机调度，乃该抚并未奉有谕旨，率行回省，致边防松懈，咎实难容，着摘去顶戴，革职留任，以观后效，如再退缩不前，定行从重治罪。滇省防营无多，着岑毓英、唐炯添募数营，以厚兵力。此举系专为法人侵我藩属，逼近边境，不得不力筹防御。至内地各国通商地方，及法之商人，仍当随时保护，免致别滋口实。倘法人竟以兵船来华寻衅，必应先事戒备，着李鸿章、左宗棠、张树声、倪文蔚、裕宽迅筹布置，不可视为缓图。天津密迩京师，关系尤重，李鸿章筹办海防有年，为朝廷所倚任，天下所责备，尤应勉力图维，不得意存诿卸。

九月三十日

清季外交史料卷三十五终

① 原刊目录标为“二十四日”。

清季外交史料卷三十六

光绪九年十月

滇督岑毓英等奏近日法越尚无战事并筹商布置情形折

云贵总督岑毓英、云南巡抚唐炯奏，为密陈法越近日尚无战事，并筹商布置情形事。

窃奉八月十日上谕：法越构兵一事，法人自攻占顺化河岸炮台后，迫胁越南议约十三条。该国情形岌岌可危，边事孔棘，防务尤形吃紧。近闻越南黑旗各营复经接仗获胜，滇、粤防军皆须严密布置，联络声势，不可稍涉松劲。粤西各营相距较近，更宜加意预备。所有粮饷关系最要，军火器械尤须择其精利者，妥筹接济，毋任缺乏。但能坚持日久，彼族不得逞志，或可渐就范围。该督抚、藩司等务当悉心妥筹，相机办理，以维大局。将此密谕知之。钦此。正筹办间，初十日据主事唐景崧函称：刘团业将备御敌人水陆来路炮台筹加修整。昨有番舶五艘抵丹凤河口，测量河身深浅，旋即驶回河内，此外无甚举动。并据游击林大魁禀称：探得法人于河内对江搬运砖木，在北宁往来路口起造洋楼一座，又在凤圩河边修理码头，并欲建造洋楼各情形。查法人近日屡次声言进攻山西，迄未上驶，或系虚张声势，或俟洋楼造就，再行进攻，均未可知。诚如圣谕，防务尤形吃紧，不可稍涉松劲。复飞函唐主事，密饬刘永福，务遵前谕，上紧增兵，扼要据守，一面号召十洲三猛义勇联络呼应，多树法敌，必求根基稳固，能战能守。其前拟移驻大滩之滇军两营，因刘永福初回山西，人心未定，再三恳请，暂屯兴化，遥为声援，一俟刘营部署就绪，即仍撤回大滩。现在江水渐落，兵轮不能上驶，一时当无战事，不致轻启衅端，上烦宸廑。

又据提督吴永安禀：土匪韦二已于八月内与其党陆善标、何香保，先后前赴田蓬副将陈安邦军前就抚。经该提督等查看，均属真心输诚。除将老弱遣散外，挑其精壮，编为一营，由臣等札委守备张世荣管带，驰赴大滩，会同都司徐世和等各营，择要分守，作为两重门户，层层布置，可静可动，以期周密。谨奏。

光绪九年十月初七日奉旨。

粤督张树声奏法越议和北圻人心涣散谨陈愚虑折

两广总督张树声奏，为法越和议既成，北圻人心将涣，谨陈愚虑事。

窃臣前以越事愈棘，大局攸关，渎陈圣听。近接越南王弟阮福升来文，复以法人进兵顺化，逼立和约二十七款，业经抚臣倪文蔚据情奏报，臣亦照录来文、约款，函达总理衙门在案。伏查，法越现订款目，越南已不可为国，而其以中国不得预及越南之政列为首条，视我蔑如，尤堪发指。无论越裳重译来朝，远在泰西所称耶稣降生之前，汉唐以后九真、交趾且列在职方，即堂堂天朝，越南守藩奉贡几三百年矣，环海内外孰不闻知？法兰西独悍然不顾，明目张胆禁我与闻，是无厌及我之渐，已发声征色而来。此《传》所谓主忧臣辱、主辱臣死者。凡有血气之伦，所当奋不顾身，思所以纾宵旰之忧者也。

中国西南半壁，以云南、广西为屏蔽，越南北圻又滇、粤藩篱也。光绪八年二月间，臣与总理衙门函商越事，即陈经营北圻之议。未几，法兵先动，破越东京。幸刘永福起而拒之，每战辄胜，法兵至今未能逾山西、北宁一步。然永福越南降将，非有精诚远识，金石不渝，区区一旅，亦上恃朝廷声威，下奉越王教令，故能激励忠义，力与法抗耳。今越都新约颁行，北圻撤军驱刘，挟以国命，南官只图目前之安，永福能无孤危之虑？臣接关外将领来函，均言越人自闻和议，鲜有击志，刘永福亦怀疑惧。若见法人禁中国不预越政，而中国仍隐忍不发，则永福益失所恃，必将一蹶不振，而北圻藩篱尽撤矣。交州米谷丰衍，山泽多五金之产，毗连内地，文轨皆同，非如俄占北土，犹皆沙碛荒余；日灭中山，不过海洋孤屿。使法人得全而抚之，有财有人，饷不必远筹，兵不必外调，一举足即叩关而入，滇粤三省岂复有安枕之日哉？

且此次法越构衅，时阅两年，内而总理衙门与法使辩论之，外而出使大臣与法廷辩论之，不可谓中国不与知也。法国一则令宝海来议，再则遣脱理古来议，不可谓中国不与闻也。乃使命方殷，兵轮已鼓于顺化；议论未定，盟书已炳于富春。一意径行，绝不为中国稍留余地。是而可忍，何以谢越人？是而不争，何以示各国？夫法人处心积虑，志在必得越南，度德量力，知难并御中国，而又窥见中国之重起兵端，必不愿开衅也。故彼此会议，忽迎忽拒，若应若不应，或播散谣言，议我助越，振其虚声，无非诳误中国，使迟回不决，观望不前，而彼则既取河内，即袭南定；既得南定，即逼顺化，利权、政权兼收尽取。迨其部署已完全，越已定，中国即欲争而已无及矣。两年以来，成事可睹，驯至今日，犹冀幸折冲樽俎之间，以收就我范围之效，何可得耶！

现在北圻臣庶皇皇无依，刘永福尤有进退维谷之势，人心一离，大局即去。患以积而愈大，机以失而难追。及是时庙谟早定，速饬广西抚臣传谕刘永福及南官黄佐炎等：

该国王阮福时逝世，尚未册立嗣王，顺化现逼于法，国都无主，一应颁发文牍，无非曲徇法人之意，不得据以遵行。北圻各省应同心协力，保守完善，进规河内、南定，传檄富春，纠合忠良，共图兴复。俟时局大定，再择贤能，使主国事，使法人不能挟国王以令北圻，刘永福仍得作士气以图后举。越南则诸道合谋以分其势，中国则严防各口以观其变。一面明谕曾纪泽，责问法廷以逼越订约全据权利，及首列中国不得预及越政，惟恃法国方可之条之谬；遍告各国以越事始末缘由，使其知中国之敦守礼让，法国之悖理蔑义，撤我使馆，拒我使臣，非法国自废新约，毋与再议越事。法人见我不惮用兵，议院或有异同，政府难持成见，穷而后变，庶有转机。

惟法人注意北圻，未必遽甘委弃，必先悉其兵力，以求一逞，关外军情行将吃重。昨阅邸钞，广东抚臣裕宽乞病，得请倪文蔚东来，势不能迟。广西省会无人主持，徐延旭久驻边关，殊多未便。臣近接西省僚属函告：徐延旭亦偶感瘴疠，勉强出关，尤虑致疾。伏念广东防务，业蒙特命兵部尚书彭玉麟酌带将弁，招募勇营，来粤会筹布置。彭玉麟文武威严，勋望冠世，足以镇慑岭海。且粤东现须筹练海军，臣虽向在兵间，凡所经历皆在陆路，彭玉麟久治水师，胸有成竹，军事最虑纷歧，若令一手经画，必能威行粤海。伏望圣恩饬催彭玉麟迅速前来，即将广东海防专任该尚书，会同广东抚臣筹办，以一事权。臣以衰庸之质忝居高位，无补涓埃，际此时艰，惟当宣力行间，捐糜顶踵，以尽犬马报主之谊。一俟彭玉麟到粤，拟商令将所带得力将弁、营勇布置各处，臣即抽带旧部将士驰赴广西，添募劲旅，挑集精锐，出关调度。但求皇上饬部月拨关外的饷七八万两，除广东地居首冲自顾不暇外，务期指拨各省关有着之款源源无误，并令南、北洋大臣随时接济军火，勿稍缺乏。臣虽驽下，誓必亲临前敌，督饬关外诸将，奖率刘永福等，且攻且守，规复北圻之土宇，期存越社于将墟，以宏国家字小之仁，而息法族觊觎之志。

论者谓：兹事一经决裂，兵连祸结，未知所届。臣愚则谓：必明示决裂之形，始有转圜之道。盖法人夺据河内、南定等处，已扼北圻门户，今又订立新约，越政全为掌握，中国不明行保护属藩之权，法人岂肯自弃已成之局？即欲中画红江分界保护，亦虑非口舌所能办到。若再每况愈下，委曲求全，惟有听其吞越，存而不论，厝火积薪，燎原可待。方今直隶、山东等省河流横溢，工赈繁兴，臣亦知度支竭蹶，不堪复有兵事。特以外侮之来，日甚一日，琉球坐弃，延及越南，越南不存，孰承其敝？安危利害，全局所关，臣受恩深重，职任疆圻，刍荛之献，不敢不尽区区血诚。不胜愤激悚切之至！谨奏。

光绪九年十月初七日。

伊犁将军金顺等奏会同俄官勘分科塔新界安设牌博折

伊犁将军金顺、参赞大臣升泰、科布多办事大臣清安、额尔庆额奏，为会同俄官勘分科界，逐段牌博安设完竣，谨绘科塔舆图进呈事。

窃奴才升泰、额尔庆额曾将中俄议定科塔新界互换图约，并由哈巴河起程，分途勘分科塔新界，及建立牌博各缘由，联衔具奏在案。俄国分界使臣巴布阔福于七月十四日起程回国，奴才升泰于十五日起程，过额尔济斯河南勘分塔界，建立牌博。奴才额尔庆额亦于是日随带文武弁兵、工匠人等径赴科属新界，会同俄官撇裴〔斐〕索富，自阿拉克别克河口之喀拉素毕业格库玛小山梁上，竖立牌博一处。由此向北至喀拉图柏山梁，名曰阿克塔斯，竖立牌博一处。由此向东至克森阿什齐山梁，竖立牌博一处。从此向东北至塔木塔克萨斯，竖立牌博一处。间有河者，即以河为界。如遇山麓应行勘分之处，其山形势原有广袤、横斜、大小不同，或数里，或数十里不等。该俄官竟以山脚为界，意图取巧，奴才据理指辩，未肯稍假词色。遇有地面丛杂，道路分歧，眼同俄官度量丈尺，核计里数，皆于适中之地定界，所过勘分地名详注明晰，以杜将来越占之渐，只以循照新定线道划分，而与原定图约黄线部位大致相符，无关出入，均获其平。自科属阿拉克别克河口之喀拉素毕业格库玛小山梁起，至塔木塔克萨斯地方止，共竖立牌博四处，兼埋暗记，庶年久有所考查。当饬该管卡伦侍卫富保，于新立牌博处所分派弁兵加意防守。安设完竣，复会同俄官，书立安设科界牌博条约共四分，中国写满文，俄国写俄文，彼此画押，钤印互换，各取二分，永远为据。

惟查，阿克哈巴河源乃此次新立界尾，与旧界乌噜鲁卡伦接壤，相距六七十里，虽新约注明有此河源为界，毋庸竖立牌博，诚恐日后生枝狡占，不得不先事预防。该俄国撇斐索富已由塔木塔克萨斯折回额尔济斯河南岸，竖塔属牌博。奴才额尔庆额即亲往阿克哈巴河源，详细履勘，已饬该管卡伦侍卫希郎阿，并令该侍卫派兵驻守。随又就便察勘旧界牌博，顺道二次复至奎峒山内，四面周历，留连细勘。此山高耸云表，群峰环抱，与阿尔泰山腹背相连，据形胜之地，为中外关键。俄人蓄意图占，原非一日。奴才等幸得夙秉圣谟，懔遵迭奉训谕，力与指辩，得以挪至迤西一百五六十里之阿克哈马河源为界。该山仍归中土，庶可扼其险要，诚为边圉之幸也。八月初十日，至阿克哈巴河。查该处原驻俄兵，经俄国带兵官全行撤回。奴才于十一日由哈巴河拔营折转，由北山小路行走，至九月初三日始抵大彦淖尔，暂驻数日，将应办一切事宜料理完竣，再行起程回科。惟前次会同俄使议定科塔新界互换图约各二分，并现在互换安设科属牌博条约二分，除将该图约各备一分，咨呈现总理衙门查核，其余收存科署备案。至额尔齐斯河南塔城牌博，系经奴才升泰会同俄官勘分竖立，其条约或就近由奴才升泰汇入塔属西南界段附奏，抑或另行联衔奏咨，容俟咨商办理。谨奏。

光绪九年十月初八日奉旨：该衙门知道。片并发，图留览。

伊犁将军金顺等奏择地安插蒙哈以资游牧片

金顺等片。

再，奴才额尔庆额查照原约第八条，内有将两国所属之哈萨克分别清楚一节，前于哈巴河倡议新约之际，该俄使始则言其人随地转，继而议及新界内外哈民，各以毡房等项定其去留，不得逾数等语。经两次会议，奴才等坚未允从，复以新界内外哈民如有情愿归清归俄，只能听其民之心志；若事涉勉强，于边疆恐有关碍等语回答。该俄使理屈舌结，始行改议定约，其原住新定界外哈民，予限一年，由两国边界官如限自行安插。嗣与俄官驰往勘分新界，竖立牌博，就传谕各哈目，有愿归俄者，并不留难，愿归中国者，自应择地安插，不令一夫失所。当经指示哈民地方，以奎峒山左右及哈巴河源、毕里子克河河源等处山内为夏季游牧，以阿拉克别克河东及毕里子克河、哈巴河、阿拉克台等处为冬季游牧。斯时，该处哈目推森伯特噶子图列，自愿具结归入中国，当札饬卡伦侍卫富保，俟其陆续搬入界内，妥为料理。事竣，奴才即拔队绕越北山道出大彦淖尔，节节体察地方情形，酌量安插。乌梁海两翼蒙部指以和里木图河、雅玛图、约洛图、西里布拉克为夏季游牧，以罕达盖图阿〔河〕、塔哩雅图、庆格里阿〔河〕、乌隆古河为冬季游牧。哈目章噶尔、吉格勒、哈克伯什等各苏木，以奎峒山东之忽木斯山、松达拉光山、哈纳斯淖尔等处为夏季游牧，以大彦淖尔、萨克赛河、德里滚河等处为冬季游牧。择其水草两便勉为安插，即令蒙、哈各往所定游牧居住，各安生理，毋得互相搀越，致起争竞。际此天气寒冷，穷苦蒙民盼望抚恤甚殷，许俟饷到再行商酌办理，均皆欣然乐从矣。谨奏。

光绪九年十月初八日奉旨：览。

桂藩徐延旭奏越势难与图存北圻必须力保折

筹办边防·广西布政使徐延旭奏，为越势难与图存，北圻必须力保，就地妥筹办法，以固边防事。

窃臣前因越与法和，法仍图攻山西，向刘永福决战，粤军照常扼守北宁等处情形，驰奏在案。臣惟越南此次被法逼和，原非得已，而其君臣庸懦，难望奋兴。我军相距甚遥，又苦势难兼及。但就目前而论，自当首保北圻。北圻为边境藩篱，形势最关紧要。

藩篱不守，则寇及户庭。已于前折披沥上陈，知荷圣明洞鉴。犹幸越将刘永福矢志拒敌，气不少衰，唐景崧适蒙恩旨加衔，多方激劝，所部群情较前踊跃。惟越藩力难自振，势必不能供给饷糈。计其所部饷银每月实需五千两，臣与黄桂兰等往反〔返〕函商，禀经抚臣核准，此后月饷由臣行营酌量发给，使无缺乏，照常扼扎山西，相机规复河内。仍用越南名目，法既无从藉口，彼尤乐为中国驰驱，越亦不能掣其肘。似此变通［变］办理，尚堪补救时艰。刘永福前据探报，法人将与决战，水陆来攻，现已逾期，显见虚声恫喝。我军之在北宁者，悉经黄桂兰、赵沃严密布置，声势当能联络，臣复寄书谆嘱。近闻该国各处渐起义兵，宜令越臣妥为联合。北宁总督张登坛力任济粮，高谅剿抚使梁俊秀愿为统督，陆续来集四五千人，定于本月中旬祭旗起义，先取海阳。刘永福亦拟两路进兵，直趋青威、伯阳，规复河内。北宁参赞斐文禩，于八月二十四日起程回都。闻法人留兵轮四艘在顺化监守，其国君臣商之张登坛等，因北圻各军远守，实有鞭长莫及之势，拟请越藩奉其太妃，挈同宫眷，迁避北圻之清化等省，以免投鼠忌器。又据探报，广东〔安〕省辖之大黄村民集众千人，八月二十八日诱杀法兵数十。九月初一日，法往报复，又被设伏，歼毙其党百余人。彼族仍拟力攻，该村知不能免，毁其茅屋，尽室以行。又闻越都遣其尚书阮仲合引带法目乘轮船同赴海防，约会各省大吏，分饬府、县等官胁民遵和。官多不至，大吏被其鞭辱，海阳布政仰药自尽，有一县令佯与周旋，将三画兵头赚至船边，出其不意，曳之同赴水死。张登坛面禀黄桂兰、赵沃，设法目不久来宁，伊已派员往阻，以北宁民情顽蠢，倘离富春，设有吃亏，官不能管。措词尚当，料其未必果来。如其来诘我军，仍以防边缉匪为说。两路统领，均经戒饬部将，严束勇丁，不得争功挑衅。假使法人不听理劝，一味恃强，先动干戈，则我军亦岂能袖手！臣查，越南势成积弱，阮福升嗣位未几，举国授人，何能复振？惟当其初立，即具表遣使，首请册立，法人乘丧称兵，迫立和约，先以所议条款来告抚臣，是其始终服属我朝，固已彰明较著。和约不行该国各省及军次而先呈报中国者，盖欲待我朝出面为之处置，其意若曰：能顾我者，此是告急文，不能顾我，即是告绝文。用心亦良苦矣。

今法约第一款，即以一切事惟法主持、中国不得与闻为言。洱河，我之土地，独与越约通商，而我不能过问，何其蔑视中国一至于此！况法人诡计多端，诚如圣谕，欲以大队兵船至广东寻衅，法使脱理古由沪乘兵船来津，不知如何恫喝要挟，上烦宸虑。臣通筹全局，深切杞忧，惟当会督防军认真扼守，不敢稍涉松劲，尤不敢终任旷持。现在刘团锐厉如前，各路义兵四起，与其虑人之借口，何如先发以制人！拟请敕下总理衙门及北洋大臣，将法人先坏邦交、中国万难再让缘由，布告各国，使知中国不能不顾越南，如法人不忍凶终，幡然就范，改订和约，自可中外相安。若犹固执不回，何堪再事容忍！惟有呼求明降谕旨，准臣会督各军与之开仗。天下积愤久矣，人思敌忾，恨不立挫凶锋。彼族恃其炮利船坚，横行海上，一经登陆，究无能为，必使重受痛创，庶可挽回大局。臣愚味〔昧〕之见，未敢缄默不言。倘赐乾断施行，中外同深庆幸！谨奏。

光绪九年十月初十日奉旨。

桂抚倪文蔚奏徐延旭奉命赴越督师边事当有起色折　附旨

广西巡抚倪文蔚奏，为陈报近日边情事。

窃臣接提臣黄桂兰函称：据刘永福禀报，越南起义之师，南定现有六七千人，山西、兴化两省亦有千数百人。永福与其部将黄守忠复派弁入关，添募勇丁，为大举之计。北宁越官梁俊秀所领义兵，拟先往攻彼族嘉林屯垒。现经该提臣多方劝勉，促其速行。倘蒙敕命进讨，一切当更有把握，各等情到臣。伏查，越南嗣王阖茸无能，惟法人之命是听，振作毫无，势难扶植。所幸北圻刘永福尚能独树一帜，我军扶持赞助，屡摧强敌，借以屏蔽边陲。现在北圻民人同起义师，会合进取，只以天讨未张，群情不无观望。臣于九月十九日奉报边情折内，拟请明发谕旨，饬下滇、粤两边北圻地方遇有法兵侵扰，即行尽锐进攻，愚虑盖即为此。今荷圣明洞见万里，特命徐延旭出关，委筹调度，诸军得秉进止，越之义师有所指向，一鼓作气，进规河内，荡平敌垒，边事当更有起色。除将粮饷、军火随时力筹接济，并函催主事唐景崧，激励刘永福及起义诸军，力图进取外，谨恭折密陈。

光绪九年十月十四日奉旨：览奏已悉。即着该抚懔遵迭次谕旨，会同徐延旭，督饬黄桂兰等，实力筹办，以维大局，毋稍疏懈。

旨寄左宗棠着速拨军械交倪文蔚派员解往前敌电

旨寄左宗棠：倪文蔚奏，西省军火器械已拨解关外无余。闻王德榜募勇赴援越南，现在湖南永州府听候谕旨，所有军火器械皆极精利，请饬就近拨解，俾应急需等语。着左宗棠即将此项军火迅速拨解关外，由倪文蔚派员提解，以资前敌应用。王德榜所需军火等项，仍着左宗棠源源接济，毋任缺乏。

十月十四日

伊犁将军金顺等奏塔属西南界段已按图约议定建立牌博并互换条约折　附塔尔巴哈台西南段界约二件

伊犁将军金顺、参赞大臣升泰、塔尔巴哈台办事大臣锡纶奏，为塔属西南界段已按图约详细议定，派员建立牌博，谨将互换条约日期，及分定界址各情形，专折具陈事。

窃奴才升泰，前在哈巴河行营，将分道顺查新界，建立牌博，并约期八月初旬会办塔属西南界段缘由，会同额尔庆额奏报在案。奴才升泰即由东南起程，顺将新界查勘，督饬塔城委员，依照议定地名前往建立牌博。去后，诚恐延日过久，有爽前约，致俄人得有藉口，旋即带同随营各委员取道前进。途中虽多深林密箐，崎岖难行，幸经锡纶派员引导，拨备驼马、乌拉接替，得免阻滞，于八月初二日驰抵额敉勒河奴才锡纶行营，闻俄国分界大臣斐里德尚未行至会所。住候数日，因念塔属逼近俄疆，易滋嫌隙，往往俄属之哈萨克乘地址尚未分定任意搀越，寻衅生事，关系边防最为切要，亟应乘此分界妥筹厘定，示以限制，方可久安而便约束。当将地方情形及应分界址通盘合计，悉心商酌，意见相同。嗣闻该俄使已到，奴才升泰即于初七日驰抵塔城，委员营务处掌关防章京刘宽及随营委员刘肇瑞等前往俄营，与俄使斐里德等会晤，并将应分界段约期举办。十二日，该俄使带同俄属各员，齐到奴才升泰行营会议。无如该俄使等心存觊觎，意欲藉此多分，为占地利之计。当以此段界务，新约第七条内经指明，系照同治三年塔城界约所定旧界，即原第二条内所指，依额尔格图、巴尔鲁克、莫多巴尔鲁克等处卡伦之路办理，是原有图线条约可循，非若别处尚须勘酌议分可比，因定议后地方旋即变乱，尚未安设牌博，致有今日之举，当时业已从宽割让，何得再于图约外犹有希冀等语折之。该俄官等遁词已穷，且众望未餍，复再三怂恿斐里德前来争论，先欲逞其私智，故作罢分之态，继又言归于好，冀遂要求之谋。奴才答以非图约所指，断不敢擅行议分。该俄官等筹维数日，未得定议，嗣复一齐到营，知奴才不为邪说所动，悖约不能允分，始婉言以实情相告：以此界本应循照向约分办，惟巴尔鲁克山系在我国界内，自塔城变乱后久为投俄属之哈萨克住牧，一经定界，遽难迁移，所以欲将此山划分归俄者，实欲藉以安插此辈起见；如有将此山借让给俄，则此哈民冬、夏游牧俱有定所，不致乱越生事，亦属中外两益，其余悉允照旧约分办等语，恳商前来。察其情词恳切，均属现时实在情形。正在商办间，适奴才锡纶亦到塔，以事关安插，随即公同酌议。以此起原住巴尔鲁克山游牧之哈民一时既难外迁，势不能听其失所，以免久而为害，准援照旧约第十条内所开塔属原住小水地方居民之例，自定界换约之日起，限十年，令伊陆续外迁。至山中树木地址，则仍归我国管用。俟十年限满，概令迁移回俄。其余别处，均照伊犁办法，予限一年，统令各归各界，不得援巴尔鲁克山为例，以清界限。该俄使等闻之，俱各欣然允服，随查明将议立清、俄条约各四分，业于九月初三日盖印、画押、互换讫。除将互换约条各一分咨送总理衙门备查外，伏查此段新界，由伊犁东北界喀拉达板〔坂〕、〈土〉斯赛沟口起，至北之布尔汉布拉克接哈巴尔苏旧界鄂博止，约计一千一百余里，共议设牌博二十一处，以期周密，均与旧约地名大略相同。现已督饬塔城委员刘宽等依照议定地名，会同俄官同往建立牌博，一俟事竣，再将舆图互换，并照绘恭呈御览。谨奏。

光绪九年十月十五日奉旨：该衙门知道。

塔尔巴哈台西南界约　光绪九年九月初三日互换

大清国特派大臣・内阁学士・兼礼部侍郎衔・伊犁参赞大臣升，大俄国特派勘分界务大臣・七河巡抚・总理马队事务大臣吉讷喇勒呢什塔布吉讷勒玛玉尔喀瓦列尔斐里德等，会同按照俄国皮特尔布尔格京都议定新约第九条，及俄国一千八百六十四年新提雅伯里月二十五日，即大清国同治三年九月初七日，因分界事宜，在塔城会合其所定条约内所开，自忠阿尔阿勒乌山之喀拉达巴罕起，至塔尔巴哈台山之哈巴尔阿素达巴罕地界，今两国和好之道，在塔城会面，所有议定边界之条，开列于后：

第一条　今自伊犁东北、塔尔巴哈台西南之喀拉达板〔坂〕地方所立旧界牌鄂博分起，至塔尔巴哈台山之哈巴尔阿素达巴罕止，此间共立牌博二十一处，今将牌博在何处建立之处逐一开明：

分界办法：自喀拉达板〔坂〕起伊犁交界，至土斯赛沟口，从此东南行，至该沟头，即建立俄国第三十四处界牌鄂博即中国塔界第一个牌博。从此行至郎库勒之野高阜，库库阿德尔库布都克地方，建立第三十五处界牌鄂博。从郎库勒之野，西北〈行〉，〈至〉莫敦巴尔鲁克旧卡伦，就此两间之库夏奇等沟口对面，建立第三十六处界牌鄂博。从此行至沙拉阿噶奇达等名〔各〕沟口对面，建立第三十七界牌鄂博。以札娄勒山之南嘴，建立第三十八处界牌鄂博。就此山之西边，建立第三十九处界牌鄂博。莫敦巴尔鲁克旧卡伦地方，建立第四十处界牌鄂博。从此顺中国旧卡伦之路，行至巴尔鲁克旧卡伦地方，建立第四十一处界牌鄂博。额尔格土塔素土旧卡伦地方，建立第四十二处界牌鄂博。察罕托海旧卡伦地方，建立第四十三处界牌鄂博。沙拉布拉克旧卡伦地方，建立第四十四处界牌鄂博。玛呢土旧卡伦地方，建立第四十五处界牌鄂博。从此顺卡伦之路，行至苇塘子旧卡伦，有伊尚缠头之树木园子，以为交界之西，其乌松阿哈奇泉子地方，建立第四十六处界牌鄂博。克吉尔拜泉子地方，建立第四十七处界牌鄂博。苇塘子旧卡伦地方，建立第四十八处界牌鄂博。从此顺卡伦之路，行至喀拉布拉克巴克图旧卡伦地方，建立第四十九处界牌鄂博。从此顺卡〈伦〉之路，行至奇塔特河水由山口流出地方，此处有乌松布拉克之河附近地方，建立第五十处界牌鄂博。由塔城往素瓦素达巴罕之路附近地方，建立第五十一处界牌鄂博。喀拉奇塔特河从塔尔巴哈台山中流出地方，建立第五十二处界牌博鄂。从此喀拉奇塔特河逆流行，至库木尔奇旧卡伦地方，建立第五十三处界牌鄂博。从喀拉奇塔特河逆流行，至布尔罕布拉克河汇流之处，从此以布尔罕布拉克逆流行至河源，建立第五十四处界牌鄂博即中国塔界第二十一牌博。从此卡伦之路，行至哈巴尔阿素达巴罕，直靠旧界，自塔属喀拉达巴罕起，哈巴尔阿素达巴罕止，共立牌博二十一处。其所立牌博缮写清、汉、俄三样字，就此所立牌博之处以为交界，并将所绘舆图内红线亦为两国交界。今将两国所定之界，自塔属西南喀拉达巴罕起，止迤北哈巴尔阿素达巴罕，其界线西北为俄国地方，界线东南为大清国地方，并将舆图内所画红线迤东为中国地，迤西为俄国地。其所立牌博数目及所有舆图内山河及地方，均按此约议定章程办理。

第二条　查喀拉奇塔特河水自塔尔巴哈台山根流出，此河水以两国军民人等均匀分用。至流过两国交界之水，以两国军民人等灌溉田地及各项使用，一律均匀分用。其各河水仍就放流本河，不准另行拦阻，使两边均获其益，不得相争。

第三条　此约内所开交界地方，所立牌博，自今年为始，三年限满，两国边界官处于是年七月间，即俄国敖古斯月，各派妥员，会合商定会所，查点新立牌博。如有损坏之处，即照舆图及约内所立牌博章程，妥为补修。

第四条　查从前巴尔鲁克山内及塔属各处驻牧俄属哈萨克等，因为利己，未令中国官员管辖，亦未交税。今议定，此约后，其巴尔鲁克山及塔尔巴哈台所属地方，仍属大清国地方，即令该哈萨克等迁移俄国之地，亦属碍难，今换此约日起，其巴尔鲁克山之哈萨克，予限十年，仍旧巴尔鲁克山内游牧，俟限满后，两国官员如不另行商办，则将该哈萨克迁住俄国地方。十年限内，中国官员将中国人民毋庸迁住巴尔鲁克山内，亦无须设卡。除巴尔鲁克山哈萨克外，其余塔尔巴哈台所属各处驻牧哈萨克等，即欲迁住俄属地方，亦属碍难，今换此约日起，亦限一年，其一年限内，令将该哈萨克照旧原处游牧。俟限满后，即将该哈萨克迁移额米尔河迤南及巴尔鲁克山内，或俄国所属地方。

第五条　查哈巴尔阿素迤南，顺中国旧卡伦，有一条商路，今将此路以为两国人民行走公路，于此路，或俄国，即中国，均毋须安卡，亦毋庸修盖兵房。

第六条　按照从前两国官员商办，其中国塔尔巴哈台所属奇毕尔阿噶奇地方割草之地，塔尔巴哈台巴克土两边之人，照前一律均匀割用。又俄属乌宗布拉克河水之种地之所，亦照两国边界官定，两国人民一律均匀耕种。此系两国和好之道办理，今将此事均令两国边界官办理。

第七条　今两国分界大臣将界务分毕，公同商议，缮写清、俄字条约四分，舆图各一分，盖印画押，互换为凭。今将此约在塔城互换，各执为据。

大清国光绪九年九月初三日。

俄国一千八百八十三年森提雅里月二十一日。

大俄国特派分界大臣・七河省巡抚・总理马队事务大臣吉讷喇勒吗雨尔喀瓦哩尔阿哩克色伊佛哩得①押。

大清国特派大臣・内阁学士・兼礼部侍郎衔・伊犁参赞大臣升泰押。

① 此处所用人名翻译与前稍异，保留原貌，下同。

俄文译约①

大清国特派分界大臣・内阁学士兼礼部侍郎衔・伊犁参赞大臣升，大俄国特派分界大臣・统带马队・提督全省军务大臣・七河省巡抚弗，遵照一千八百八十一年《彼得堡和约》第九条所立两国之界，一千八百六十四年九月二十五日，即同治三年九月初七日《塔城和约》内载，自中噶尔斯克阿拉塔乌岭之喀喇达板〔坂〕山豁起，至塔尔巴哈台之哈巴尔阿苏山豁止，今由两国分界大臣在塔城会齐，议立此约数条，指明边界，建立界牌处所，条列如左：

第一条　自喀喇达板〔坂〕山豁所立界牌起，东北归伊犁管辖，西南归塔尔巴哈台管辖，至塔尔巴哈台岭之哈巴尔阿苏山豁止，共计建立界牌二十一处：

自喀喇达板〔坂〕山豁起，顺图兹赛山沟，往东南，于此山沟之末处，建立第三十四号界牌。自此向高处之兰阔勒平地行于阔克阿得尔阔普图克之极高处，建立第三十五号界牌。再过兰阔勒平地，往西北，至莫多巴尔鲁克卡伦，顺此边界，恰对阔热克山沟之口建立第三十六号界牌，恰对萨雷阿噶赤特山沟之口，建立第三十七号界牌。于札务劳利高处南头，建立第三十八号界牌。于其西头建立第三十九号界牌。于中国从前之莫多巴尔鲁克，又名库萨克卡伦，建立第四十号界牌。自此顺卡伦路径，往北作界，于从前中国巴尔鲁克卡伦，建立第四十一号界牌。于额尔格图，又名塔斯特卡伦，建立四十二号界牌。于查干托郭依卡伦，建立第四十三号界牌。于萨雷布拉克，建立第四十四号界牌。于玛呢图卡伦，建立第四十五号界牌。自此卡伦，顺卡伦路径，于从前中国卡伦苇塘子地方，建立数牌，将萨尔特宜山园子划留界限之西。于乌宗阿噶兹泉，建立第四十六号界牌。于克尔治拜泉，建立第四十七号界牌。于苇塘子卡伦，建立第四十八号界牌。过此卡伦路径，于从前中国喀喇布拉克巴克图卡伦，建立第四十九号界牌。又顺卡伦路径，至喀喇齐塔特河出山之首一带地方，建立数牌。于乌宗布拉克河身，建立第五十号界牌。于出塔城正路之赛阿苏山豁，建立第五十一号界牌。于喀喇齐塔特河出塔尔巴哈台岭前之首处，建立第五十二号界牌。自此顺喀喇齐塔特河作界，至从前中国库木尔赤卡伦，建立第五十三号界牌。自此再顺喀喇齐塔特河作界，至布哩雅安布拉克河口，复折往布哩雅安布拉克河上游，至其河源，于此处建立第五十四号界牌。自此顺卡伦路径作界，至哈巴尔阿苏山豁，即与现有之界相接。所有塔尔巴哈台属，自喀喇达板〔坂〕起，至哈巴尔阿苏止，共立界牌二十一处，均以俄文、满文、汉文注明。

凡立有界牌之处，即以界牌作为界限。总之，两国之界均以地图红线为凭。

此次立定两国之界，嗣后塔尔巴哈台属，自塔尔巴哈台西南之喀喇达板〔坂〕起，至塔尔巴哈台北边塔尔巴哈台岭之哈巴尔阿苏山豁止，所有界限西北之地归俄国管辖，

① 此约所译地名与前文《塔尔巴哈台西南界约》所载地名有异，均保留原貌，不一一注明。

界限东南之地归中国管辖，按地图中所画红线以西归俄国管辖，红线以东归中国管辖。

所有现在开具界牌清单，及所画地图注载山水地方等名，永遵勿替。

第二条　喀喇齐塔特河出于塔尔巴哈台岭前，此河之水作为公用。此次所定之界，无论大河、小河、溪涧之水，凡为界限截断者，两国居民引水种地或别项使用，均听其便。惟不准改易从前河身，并遏堵河流，以及因水争闹情事，以便两国居民各取本地方之利。

第三条　稽查此约所立界牌，即自本年为始，每届三年举行一次。每届举行稽查之年，两国边界大臣各派官一员，准于八月初一日，即西历七月，在预先约定处所会齐，顺界稽查。如查有界牌伤损或全行拆毁之处，应由稽查委员，按照图中所画边界原立界牌处所重新建立。

第四条　俄国所属哈萨克民，冬、夏在巴尔鲁克山及塔尔巴哈台属之别处游牧，逐水草之利者，中国地方大吏向来不预其事。现在按照所定之界，所有之地虽已退归中国管辖，而该哈萨克民等一时遽难移入俄界，拟将巴尔鲁克山游牧之哈萨克民自换约之日起，限十年内妥为安插。其在塔尔巴哈台属别处游牧之哈萨克民，自换约之日起，限一年内妥为安插。所有俄国哈萨克民，于此定限期内，准其在塔尔巴哈台属现在游牧处所，照旧游牧。

所有巴尔鲁克山游牧之俄国哈萨克民，如满十年之限未经续准，即应安插俄国界内。其在塔尔巴哈台属别处游牧之哈萨克民，自换约之日起，如满一年之限，即应安插额米里河左岸，即南岸，或巴尔鲁克山，或俄国界内。

所有俄国哈萨克民在巴尔鲁克山游牧处所，十年之内，中国哈萨克民概不准在彼游牧，并招集外来有业之民及设立卡伦情事。

第五条　自哈巴尔阿苏往南，顺从前中国卡伦一带商路，应作为两国公用，两国均不得在彼设立卡伦及安设守卡兵丁。

第六条　两国人民，在塔尔巴哈台属楚巴尔阿噶赤自然界割草者，地方大吏向准割取。今由两国地方大吏彼此商酌，仍准照旧割取。至两国人民，向在俄国属地之乌宗布拉克河一带耕种者，亦准一律照旧耕种，用敦两国多年和好之谊。

第七条　两国分界大臣，将两国边界顺其自然议立，妥协商定此约，以俄文四分、满文四分画押钤印后，彼此互换，以昭信守。

降生一千八百八十三年九月二十一日，即光绪九年九月初三日在塔城立约。

分界大臣弗押。

桂抚倪文蔚奏据近日探报边情请进规河内全复北圻折

广西巡抚倪文蔚奏，为谨陈近日探报边情事。

窃臣据藩司徐延旭钞寄道员赵沃等函称：越南自与法议和后，该嗣王派有越官阮仲合带法酋乘轮船赴北圻各省，胁劝百胜遵和，兼赚海阳越官上船，迫令饬谕各州县遵依，各州县多不服从，民心不顺，起义者颇多。经提臣黄桂兰在北宁劝导，越官梁俊秀、李罗等首先倡议，俱已慨允。海阳越官阮善集有千人，怀海之阮廷智亦有数百人，越官张登坛招有千人，现均赶办旗帜、军械。广安省之大黄村、婆湾等处民人均约起义，俟北宁义旗一举，则下游尽皆响应，刘永福亦必奋兴。嗣后如何情形，随时申请核夺各等情前来。

臣查，越南国弱主孱，该嗣王自与法议和，辄听从法人，协同越官，到处劝谕百姓遵和，弃宗社如敝屣，实不足与有为。所幸群情不附，越之臣民尚思号召忠义，力图拒敌，越之能否振兴，在此一举。臣之愚见，窃以法使脱理古已至天津，声言以兵船至广东寻衅，是兵端已自彼开，诚如圣谕，非空言所能慑伏。况法兵船若驶赴广东，又奉旨断不可听其进口，东省督抚臣自当尽力堵御。目前事势非隐忍迁就所可图功，伏愿宸谟广运，迅将法人迫胁我藩服，虔刘我边陲，立约不令与闻，败盟先由彼族，种种欺侮，悉出地球公法之外，布告各国，显与之绝；明发谕旨，饬海疆各督抚，闭关绝市，设险整军；复宣谕滇、粤两边，以越南本我藩属，北圻即我疆宇，尺寸不可以让人，法人脱〔若?〕有侵夺，即行尽锐进攻，有前无却。泰西各国商贾遍于内地，法人讵敢轻发大难？特我愈退，则彼愈进。倘荷皇威震怒，声罪致讨，各国必当出作调人，自可徐图就范。而越南之忠臣义士群知天讨用张，亦当鼓舞奋兴，云集响应，会合我师，进规河内，全复北圻，重建藩服。区区之愚见，不知有当万一否？除飞致徐延旭、黄桂兰等，劝勉刘永福，激励越南起义诸军，力图进取外，谨恭折密陈。

光绪九年十月十八日。

总署奏议复朝鲜边民交易章程折

总理各国事务恭亲王奕䜣等奏，为遵旨议复事。

八月初九日，署北洋大臣李鸿章等奏，奉天与朝鲜边民交易会商详细章程一折，奉旨：该衙门议奏。单并发。钦此。据原折内称：前议《朝鲜水陆通商章程》迭经会议奏准，并声明奉省地方交涉情形，应由将军、府尹派员会商定议各在案。臣崇绮、臣松林查，奉天东边道陈本植，系创办东边事务之员，本年正月奏请委令该道，会同朝鲜陪臣鱼允中，遵照天津原议章程，暨臣崇绮等奏明各情，悉心会议。该道等拟议详细章程二十四条，请复加核议等语。

臣等查，奉天与朝鲜边界相距最近，既准商民往来交易，一切章程自应各就地方情形，妥筹办理。详核所议章程，如第一条，中国优待属国与各海口岸通商不同，各国不在此例，即天津原议章程不在与各国一体均沾之例。第三条，严申鸭绿江捕鱼之禁，系为采办祭品而设。第五条，新章另建关卡，责任较重，所有督理税务之员，自应由该将军、府尹咨商北洋大臣会议酌派，请旨定夺，以昭慎重。第八条、第十九条，分别贡使、差官等携带行李、货物，各予定制，及使臣赴京仍遵定制，严禁需索，均为应办之事。第二十三条，申明来往文书体例。惟中国边界官员文件只应称朝鲜国，无庸称贵国字样，以示属邦与友邦有别。其余各条，或稽查出入，或讯办案件，或分定税章，或祛除积弊，均为因时制宜起见，应如所拟办理。至末条所称，章程内未及备载者，由彼此地方官设法办理等语，自可由该大臣等随时商酌议行，以期周密。请饬下李鸿章等，即饬经理边界事务各员，一切遵照办理。谨奏。

光绪九年十月二十日奉旨：依议。

总署奏德副领事强占汕头官地案酌拟办法片

奕䜣等片。

再，广东汕头新关附近地方，旧有海坪官地一段，上年新关欲填筑此地，作为码头之用，突有德国普麟洋行买办郭继宗出头，谓此地系伊基地，阻止填筑，与新关争控。该处地方以郭继宗既不将契据呈验，又不到案同往该地勘丈，未能查办。郭继宗遂串通普麟洋东，即德国驻汕副领事沙博哈，带同德国水师兵船，在该地方竖旗强占。臣等闻信后，一面照会德国驻京使臣巴兰德，将水师撤去，一面函致出使德国大臣李凤苞，嘱向德国外部辩论。该国外部亦谓其办理未合，将副领事撤任，另委司副领事，与广东派出候补道施在钰会同查办。该领事意存偏袒，仍未结案。近日，德国署使臣谭敦邦迭次来晤，述该国之意，请钦派大员查办，并照会臣衙门，再三哓渎。臣等以钦派大员万难奏请，严词坚拒。惟该国因此案既已撤退领事，亦宜设法早结，以免藉口。因思前任云南布政使·前广东按察使龚易图，于交涉事件尚称熟悉，臣等公同商酌，拟电知两广督臣张树声，令其改派该司前往汕头，查办此案，以期速结。谨奏。

光绪九年十月二十日奉旨：依议。

总署奏英使威妥玛回国及巴夏礼到任片

奕䜣等片。

再，上年七月间，准英国使臣威妥玛照会，内称：近准本国咨令回国，所有英国事务统归头等参赞格维纳署理。本年八月二十八日，准英国新任使臣巴夏礼照会，内称：

现已到任，接印视事等因。除由臣衙门照复外，理合附片陈明。

光绪九年十月二十日奉旨：知道了。

谕沿江沿海各督抚着选将领调兵勇修炮台筹军械俾免法人逞兵

上谕：前据在廷臣工先后陈奏，宜先正属国之名，我之用兵乃为理直，正与朝廷之意吻合。现在业已给予照会，告以法如侵及我军驻扎之地，不能坐视。经此次明白宣布，倘法人不顾名义，仍欲逞兵，则开衅即在意中。法既挫于刘团，不无顾忌，或以不能逞志于北圻，竟以兵船内犯，冀图牵掣，则沿海各口难免惊扰之虞。广东当南洋首冲，天津为畿辅重地，筹防固不容缓。福建、浙江、江苏、山东、奉天各海口，均为轮船往来熟径，恐其乘虚窥伺。虽不能处处设防，总宜相度地势，择要布置，先事筹办，着李鸿章、左宗棠、彭玉麟、崇绮、何璟、张树声、卫荣光、刘秉璋、张兆栋、陈士杰、倪文蔚、裕宽，就各省海口情形，将应如何修筑炮台、筹备军械、慎选将领、调拨兵勇之处逐一详细筹画，迅速办理。安徽、江西、湖北沿江一带虽距海口稍远，然轮船一水可通，应一律严防，着卞宝第、裕禄、潘霨、彭祖贤、李成谋，将各该省水陆各营认真操练，察看沿江形势，分布扼守。此次衅起，法人有碍通商全局，谅非各国所愿，我果战守有备，久与相持，彼自情见势绌，自愿转圜。若一味优容，将得寸思尺，何所底止？该督抚等当念朝廷不得已而用兵，共矢同仇敌忾之心，及早筹防，力维大局。至通商口岸各外商聚居之处，仍当随时加意保护，断不可别酿事端，致生枝节也。

十月二十一日

新疆帮办张曜奏喀什噶尔西边界务应照条约现管之界办理折

帮办军务·广东路陆〔陆路〕提督张曜奏，为喀什噶尔西边界务，应照条约现管之界办理，绘图贴说，恭折具陈事。

窃臣迭奉寄谕：分界事宜，随事随地会商筹办，务臻妥协等因。钦此。八月十九日，经会办南路界务·署哈密帮办大臣长顺奏奉谕旨：此外未分南界，仍由沙克都林札布一手经理，着长顺会商张曜，知照该领队大臣，按照图约，详慎妥协，不可稍有迁就等因。钦此。南路分界巴里坤领队大臣沙克都林札布，会同俄国分界官咩登斯克，从乌什库嘎尔特奇恰尔达板〔坂〕接续分起，至喀什噶尔所属之乌鲁一带，逐段履勘。由苏约克山转向喀什噶尔西边，按照图约，分立牌二十余处，尚无出入。其间有向为喀什噶尔所属之地，因在天山以外，水源向西北流，久为俄人所据，就山水形势，有难与争辩者，已置勿论。惟依尔克池他木，与现管地方舛错太甚。伏查光绪七年新约第九条载明：俄国所属之费尔干省，与中国喀什噶尔西边交界地方，由两国特派大臣前往察勘，照两国现管之界勘定，安设界牌。又同治三年塔城旧约载明：行至葱岭，靠浩罕界为界各等语。当将喀什噶尔现管地方绘图贴说，咨送沙克都林札布，以备查考。会办南路分界大臣长顺到喀后，与之公同面商，而俄官咩登斯克必欲按照图线，在伊尔克池他木设立界牌①。查伊尔克池他木在山以内，地势平衍，既不沿葱岭，不靠浩罕，实与条约不符。现管之贴列克达湾，即贴列克达坂，系葱岭正干，与西南现管之界同一山梁。其山之阴皆浩罕旧地，为今俄国费尔干省现管之界。其山之阳水向东流，直由喀什噶尔城东入罗卜淖尔，为葱岭北河，即黄河之源。然山势水源犹其次也，中间廓克苏至依尔克池他木一带，系喀什噶尔所属岳瓦什布鲁特祖遗牧地，水草既饶，道路又近，部众赖以资生，舍此别无草场，一经划归俄国，是夺其养命根源。该布鲁特一闻俄使就依尔克池他木立界之说，屡次纷纷呈诉。臣目睹情形势难迁就，遂会同长顺、沙克都林札布，按照条约，与俄使咩登斯克反复力争。该俄使理屈辞穷，始云须向该国外部大臣商酌定夺。该俄官因病回国，臣当与长顺、沙克都林札布会商。帖列克达湾一处，由臣咨商督办新疆军务刘锦棠、伊犁将军金顺，转向俄国外部大臣照约商榷，俟议定在帖列克达湾设立牌博，再行互换条约。查喀什噶尔西边界务另立专条，原恐图线有不妥之处，分界大臣得以随时执约设法挽回。虽俄人固执狡展，固难必其允从，而据约以争，亦不致别生枝节。事关边计，不能不竭力图之。除勘办情形由长顺等具奏外，所有喀什噶尔现管地方，谨绘图贴说，恭呈御览。谨奏。

光绪九年九月二十二日奉旨：该衙门核议具奏。图并发。

哈密帮办大臣长顺奏勘分新疆南段界务折

哈密帮办大臣长顺奏，为勘分新疆南段界务应照图线定界事。

窃奴才前在乌什筹商界务，因限期甚迫，商令巴里坤领队沙克都林札布速赴差所，与俄使履勘未分之界。奴才复勘贡古鲁克等处，即赴喀什噶尔，会商帮办军务张曜，妥慎办理各等情，奏明在案。嗣奉旨：据奏，复勘分定贡古鲁克等处界址，核与图约相符，着照所请办理。此外，未分南界，仍由沙克都林札布一手经理，并着长顺会商张曜，知照领队大臣，按照图约，详慎妥办，不可稍有迁就等因。钦此。适该领队沿边履分之际，接准张曜咨开：南疆喀属地方，与俄新设之七河、费尔干两省，均有交界之处。兹值勘分地段，应将现管之界绘图贴说，咨送查考，并派知县张廷楫作为向导。沙

① “伊尔克池他木”与“依尔克池他木”均用，保留原貌。

克都林札布遵由乌什别叠里起，顺山中梁查明红线，并照现管勘至帖列克屯木伦一带。俄使咩登斯克不肯于该两处现管地方划分，坚请按照红线于伊尔克什唐木①立界。持论之下，张曜复会同奴才往晤俄使，执新约第九条现管为界，反复与之理论，几至唇焦舌敝，迄无转机，始终只依红线定界为词，并云：此时已交秋令，西南界高山雪深，人烟俱无，未便前往，可指山梁为界等语。张曜以伊尔克什唐木有碍现管之界，拟请伊犁将军金顺酌夺办理。查现管之界共有三处，均经该领队亲身勘明：其一喀喇多拜在帖列克提达坂迤北，距界线外约八十余里，系天山之阴，水向北流；一帖列克在喀境正西，界线外约二百余里；一屯木伦在帖列克东南，离界线外约百余里，皆相距红线甚远，势难力争。况约载现管原指两国而言，俄使既未于我境内称在彼国现管之地，独我国偏执一是，此议恐难允许。再四筹维，南段界务已经两载，若不赶紧互换图约，恐俄人日久在我界内别生枝节，种种变态，殊难测度，势必狡展迁延，重烦圣虑。且迭奉谕饬，遵照图线，妥慎勘分，昨接总理衙门来信，亦恐偏执新约现管之语，与之较争。故函谓，或有出入数里关系不綦重者，须随时随处与俄员理论，又在因应得宜等因。自应相机办理，以期妥速蒇事，上纾宸廑。因商之该领队，仍按图线划分，西南即指山梁为界，亦与条约相符。现经一律完竣，共立牌博二十二处，其朵云一处准俄人立界，可谓有得无失。俄使业已回国，尚有应办图约，应由该领队速派妥员，前赴俄境倭什地方，照例互换。该领队拟随带员弁，仍由冰岭返回伊犁，遵照去岁将勘分详细缘由，呈请伊犁将军金顺据实复奏，以归划一。奴才率同员弁即回哈密。谨奏。

光绪九年十月二十二日奉旨：该衙门核议具奏。

桂藩徐延旭奏奉旨恢复河内以固北圻应俟越军分途并进即出关调度折 附旨

筹办边防·广西布政使徐延旭奏，为钦遵历奉谕旨，亟图恢复河内，以固北圻，应俟刘团添募新营，约会北宁等处义兵，分途并进，随即出关调度，谨将筹办情形据实密陈事。

窃越南南圻各省尽为法有，北圻先被占据河内、南定、海阳三省，及其余各省，如山西为云南门户，北宁为广西门户，尤称扼要。守山西则有越将刘永福之勇练，而助以粤军四营。守北宁则有该省总督张登坛之官兵，而粤军分扎城乡要害，水陆不下三十营，声势尚能联络。前经越将刘永福所部月饷由臣行营酌量发给，并因越将梁俊秀号召义兵，聚有五千众，拟即分别规取河内、海阳、南定各省。而越都遣其尚书阮仲合，引

① 前奏折为“伊尔克池他木”或“依尔克池他木”。

带法目，前赴北圻各省，到处胁和，民都不愿，正可因势利道，同心协力，以拒法人。张登坛先已派员前往，以阻其来，日久未到北圻，未始不因慑我兵威之故。诚如圣谕，全视边防之能否得力，以为操纵。臣通筹全局，未敢偷安，拟俟山、北两省越军各有举动，奉到明降谕旨，准其声讨法人，即便轻骑出关，会同左、右两路统领提督黄桂兰、道员赵沃，督率所部各军，通饬越南各路官兵、勇练，分头并进，期于一鼓成功。惟刘永福探得河内沿江秋潦犹未全退，法人加筑炮台，把守严密，倍甚于前。其部众仅有三千余，攻剿似嫌单薄，请于内地沿边州县添招壮丁千余人，以厚兵力。具禀到臣，当经批准给予专弁护票，并行文该地方官，听其挑募勇丁，责成约束，妥带出关，于九月二十日由龙州起程往募，未能立即回防。又据黄桂兰等函报：法人于九月十四日驶船两号前赴宁平省，将自携炮位运置城楼，麾去南兵，另拨洋兵把守。查该省滨临大江，为入顺化必经之路，意在拦截北圻赴援越都兵勇，可见彼亦自知多行不义，未尝不以人之图己为虞。其北宁各处义兵，梁俊秀部署虽定，仍候刘永福添营齐备，然后举行。尔时，山、北诸军分途并进，使其应接不暇，或易有成，系为慎重戎机起见。至抚臣钦奉批旨，以据电报，有八月朔刘团败于波兰之语。伏查，刘永福前因防营被水，移扎丹凤。法人水陆进攻，扬言将大战五昼夜。自八月初一日清晨，以迄初三午后，仅连战三昼两夜，虽有伤亡，仍系法败遁。其时，实在越都被法胁和以后，臣于八月十九日业经详晰奏明，正拟续陈近日情形，以冀仰纾宸虑。兹于九月二十六日奉两广督臣行知有旨：以刘永福屡胜，现规河内，如能攻拔以固北圻门户，办理自易得手。谕令徐延旭，迅即出关，妥筹调度。惟寄到尚需时日，着张树声速将此旨寄倪文蔚、徐延旭知之等因。钦此。臣以为，前折已邀圣鉴，故命臣出关调度，尤仰见圣慈顾恤藩封之至意。一俟刘永福募勇到齐，约会北宁等处义兵，分途并进，臣即遵旨出关，妥筹调度，不敢迟延贻误。除仍饬探续后情形随时驰报外，理合恭折具陈。谨奏。

光绪九年十月二十四日奉旨寄徐延旭：览奏均悉。现已照会法外部并各国使臣，告以法如侵我驻扎之地，不能坐视，倘法肯转圜，仍可顾全和局。若竟扰及北宁等处，即督军堵御。现密饬唐景崧，激励刘永福，联络越南义兵，力图恢复，该抚即出关督营扼守。

驻藏大臣色楞额等奏派员办理济咙边界商民失物偿款折

驻藏大臣色楞额、崇纲奏，为拣派汉番委员驰赴济咙边界，酌断巴勒布商民失物偿款事。

窃奴才等前将前藏攒招期内喇嘛滋事，攘夺巴勒布商民财物情形，附片具奏在案。嗣奉旨：览奏已悉。即着督饬通济咙呼图克图等，查照条约，秉公妥办，以息争端。铁棒喇嘛不能约束僧众，致滋事端，并着查明办理，一并详细具奏等因。钦此。伏查，此案前经奴才等迭次译行通济咙呼图克图等，迅速筹议了结，以息争端，并令将议办缘由克日具复。去后，旋据该呼图克图等先后呈递夷禀，或言巴勒布平日贸易不公，致罹此祸；或言巴勒布呈报失物不实，难以赔偿。含混禀复，而此案之应如何了结，则未一语议及。虽严加驳诘，仍属疲玩支吾。复经奴才等委员西藏粮员刘钧、驻藏委员赵咸中，督同噶布伦等，及廓尔喀驻藏头目噶八丹，速将此案持平筹议了结，禀候核夺。随禀称，该员等连日饬传噶布伦等及噶八丹，分别开导，据商上大小僧俗番官等面称：此次巴勒布被劫之后，经商上严饬僧俗番官追查，所失货物陆续追还，约值汉银七八千之数，拟照条约退还，巴勒布商民未肯承领。今巴勒布呈递失单，被劫者共八十三家，所失货物，银钱约三十余万两之谱，实属骇人听闻，即将藏属境内人民财物搜罗罄尽，亦难填此巨款。是以此案日久，尚未议有头绪等语。据噶八丹面称：巴勒布遭此强劫之祸，小的已请示廓尔喀国王，奉谕教小的静听驻藏二位大人公断。小的噶八丹官职太卑，此事甚大，无论如何均须请示国王办理。至巴勒布所失货物，银钱数目均系照实呈报，毫无浮冒。且尚有漏报者，其数目让与不让，商主均在本国，小的不敢作主等语。两造各执一词，该员等难以议结，具禀前来。

奴才等正商办间，适据商上呈递夷禀，转据廓尔喀果敢王衔函称：巴勒布被劫之案日久不结，现拟饬调驻藏噶八丹、巴勒布失主八十三家前往交界地方，请由商上委派番官同往，会同该国派来大头目议办此案。该商上以巴勒布在藏贸易有年，今因被劫之后遽行调回，不惟有伤旧好，且该巴勒布商民家口众多，远道迁移不免流离失所，情实不忍，禀请代为留止等情。奴才等查阅，情词系为和睦邻邦、顾全大局起见，准如所请，当即檄谕该国王，并札知噶八丹遵照在案。

奴才等窃思，将来衅端必须早遏，中外交涉尤贵持平。廓番毗连藏境，唇齿相依，近年震慑天威，尚称恭顺，虽处嫌疑之际，谅无意外之虞。惟此次巴勒布商民被劫财物为数过多，若办理拘泥条约，不肯量予赔偿，即无以示怀柔而昭公允，恐反致速变乱而启贪嗔。且案悬日久，据该国果敢王衔函至商上，派员会议，更不可再事稽延，另生枝节。然藏番柔懦性成，诚恐派出之员仍前延宕，致酿巨端，自应拣派明干汉员督同办理，以弭边患而遏乱萌。查有原办委员驻藏粮员·候补知县刘钧，才识兼优，实心任事；驻藏委员·试用通判赵咸中，办事精明，人尚老成，堪以派令前往。现已檄饬该粮员刘钧会同委员赵咸中，率同噶布伦公爵伊喜洛布汪曲、噶布伦拉旺夺吉等，酌带汉番官兵，迅速驰往济咙交界地方；一面檄谕廓尔喀国王，亦即拣派明白晓事头目约期前来，与汉番委员妥筹商办；并令该员等审度情形，于追出财物之下秉公酌断，饬令商上赔偿银数，妥为筹办了结。第外番之性情难测，固示以信，诚使无疑虑，亦应暗为防范，借作声援。奴才等密谕该汉番委员，于所带官兵相机酌度情形，暗防要隘，以备不虞。谨奏。

光绪九年十月二十六日奉旨：知道了。着即督饬派委各员妥筹商办，迅速了结，以靖边圉。

桂抚倪文蔚奏请饬徐延旭乘势恢复北圻折

广西巡抚倪文蔚奏，为遵旨复陈近日边报筹办情形事。

伏念法越自构兵以来，仰荷圣明轸念边陲需饷孔殷，迭筹巨款。前复蒙恩饬部添拨广西饷银二十五万两，协济边军，有加无已。臣忝膺疆寄，际此时艰，寸长罔效，五中循省，寝馈难安。顷，据提臣黄桂兰函报：探得顺化海口常有法人兵船一双停泊，现在入口之处筑一炮台，名为镇海，有法兵三四十人，西贡兵及滨海匪徒二百余名驻扎，炮力可及越都，故越人甚为惶恐。越兵本有二万余名，但未经战阵，开炮即惊。若得华兵为之助守，亦未尝不可以抵御。法人北圻之兵，现于山西之丹凤、北宁之嘉林渐有实逼处此之势，更在下游处处经营。河内、南定、海阳、宁平皆属膏腴之地，彼若收其权利，即可反客为主，以逸待劳。我军若长此扼守，老师糜饷，恐终于边事无裨。现今越官梁俊秀，已将应募各勇编为营伍，果我军能明与法兵开仗，即可会合刘军，分途进取，办理自易得手等语到臣。

窃惟时机得失间不容发，及今法人部署未定，徐延旭新奉出关恩命，亟应乘此声势，督饬诸军，奖率刘永福，会同各道义师，一鼓作气，且战且守，进攻河内，恢复北圻。若犹照常扼扎，不思变计，使彼族得以利诱力征，兼收并取，因其地之利，用其地之人，流毒之深，讵堪逆亿〔臆〕？臣前奉谕旨，饬徐延旭出关，已迭次函商，度徐延旭此时当已奏报起程出关日期。除再飞催提臣黄桂兰等，迅速激励前敌诸军，与徐延旭妥筹布置，力图进取外，谨遵旨复陈。谨奏。

光绪九年十月二十九日。

滇督岑毓英奏密筹恢复越南事宜折

云贵总督岑毓英奏，为遵旨密筹恢复越南事宜，可否统兵出关，驻扎山西，就近调办事。

窃臣受恩深重，不能迅扫边氛，上纾宵旰，抚躬循省，惶悚莫名！伏查，越南一国久隶我朝，中外共知。乃法人置若罔闻，必期攘为彼有，实属狂悖已极，薄海臣民莫不同怀义愤。圣恩宽大，不忍遽加征讨，只命滇、粤督抚臣备兵防边，相机因应，原冀彼族自知悔悟，仍就范围。无如贪而无厌，竟敢攻逼顺化，胁取和约，势将全吞越南，窥伺滇、粤。法使脱理古到总理衙门并不提及越事，意非我中国所能管也，未免欺凌太甚。南将刘永福赖粤滇暗助军饷、军装，始能力挫凶锋。而将寡兵单，瞻前顾后，新募各营又诚信未孚，遽难得力，唐景崧颇费调停，滇、粤防军如再不协同攻剿，何以挽回越事乎？古来立国，须得民心。越藩自十数年来政乱国危，故法人得乘间窃据。近闻法人又于新占各省抽收人税，民不聊生，是以暴易暴，殆有甚焉！想越民同归覆载，现在引领望救，迫不容已。臣愚以为，若有大员统率重兵进扎山西，督饬越南各官革除苛政，收拾民心，其草泽之间必有忠义之士闻风响应，然后会同南将刘永福、黄佐炎等，或恢复越京，或袭取西贡等处，一有得手，法人即腹背受敌。其时，彼族如退出河内，自易转圜，固可善为了结。否则，断其归路，聚而歼旃，亦可稍纾义愤。洋人素性骄横，畏威而不怀德，果能痛加惩创，和局亦可久安。查各省海口，天津、烟台最关紧要，但求朝廷添派重兵于此二处严密防守，彼族纵以兵船寻衅，不过虚声恫喝，尽可坚持定见，不为摇动，彼族断难久支。惟越事现正吃紧，必须有大员亲赴前敌，相机调度，方能鼓舞群材所向克捷。抚臣唐炯，现定于十月十四日出省，回新安所驻防营，照料一切。其才能胜臣数倍，而身体稍逊于臣。况通省吏治、刑名、钱谷、铜厂诸事，皆其专责，似难远离。臣虽智虑素钝，而情殷敌忾，军务系总督分内之事，曷敢自耽安逸！且臣籍隶粤西，旧部粤勇不少，于越南人地尚属相宜。现在天气渐寒，烟瘴稍减，即带滇、黔各军亦可出关。可否由臣挑带二十营出扎越南山西，就近筹办？相应请旨饬遵。如蒙俞允，并请敕令抚臣回省，筹饷接济，并整顿吏治、刑名、钱谷、厂务各事，不致废弛。臣恭候命下，即刻日带兵出关，驰往山西，择要驻扎，务期竭尽驽骀，力图挽救，仰答高厚于万一。仍当步步谨慎，不敢轻率。臣久在戎行，于军务稍有把握，纵法人并力来攻，可战可守，断无疏虞。祈纾宸廑。谨奏。

光绪九年十月二十九日。

谕彭玉麟法兵船至粤寻衅宜持以镇静

上谕：前因法人有以兵船至广东寻衅之说，其虚实原未可知。朝廷思患预防，特令彭玉麟前往该省，会同张树声等筹办防务。该尚书等惟当持以镇静，严密布置，以期有备无患。兹闻彭玉麟拟晓谕粤民，有准其仇杀法人，及禁各国商船进口，违禁者取其船货等语。揆之目前事理，均不可行。法人侵扰越南，究未与我先开兵衅，此时自宜静以待动，不宜自我先启衅端。至各国通商以来二十余年，尚属相安，现在并无战事，遽行封港，必至激怒酿变，所关于全局者极大。粤东人心浮动，沙面滋事一案尚未办结，尤宜加意镇定，认真弹压，使民情谧静，不致别生枝节。该尚书所拟告示，着毋庸张帖，仍着随时会同张树声，将筹防事宜悉心商榷，总期思深虑远，计出万全，用副朝廷委任至意。

十月三十日

滇督岑毓英等奏法越情形布置边防折 附旨

云贵总督岑毓英、云南巡抚唐炯奏，为遵旨妥筹布置边防，并据探法越近日情形事。

窃臣等于九月十五日，谨将法越议和后尚无战事各情形，两次奏报在案。臣等忝膺疆寄，筹办边防不能尽合机宜，每致上劳圣虑，惶悚莫名！现据主事唐景崧、参将张永清及越官刘永福等先后禀函：彼族近日仍无举动。惟招来汉奸多名，令季姓管带。又法员涂普义带数百人，由西贡来抽收人税，以佐军用，并于河内路道、山西、北宁隘口，分筑炮台，饬其教党扼要分守，防备暗袭等语。

窃思彼族自胁和越南以来，并不亟亟进攻山西，惟在河内等处多方经营，其意实为叵测。然揣其狡谋，不过觊觎滇省矿利。特以刘永福一军扼其咽喉，不能径达，不得不先求自固，迨南圻部署略定，必将要求中国共逐黑旗，然后于蛮耗通商，遂其所欲。伏读圣谕，坚持定见，概毋允许，仰见朝廷烛照万里，筹策无遗，允宜遵守。窃以滇、粤之屏翰实倚越南之北圻，而北圻之存亡，惟系黑旗之留去。若不始终保护，不啻自撤藩篱。此臣等前奏所以有北圻断不容割、刘永福断不可逐之议也。查永福为人勇敢有为，其所部皆百战之余。此番因越京议约，该国王令其退兵山西，又虑滇、粤两省不能为之覆庇，不免进退失据，稍怀疑阻。经臣等剀切开谕，许以助饷增兵，并饬其号召十洲义勇，多树法敌，以壮声势。该南将亦颇感激，愿效驰驱，军心复形鼓舞。闻其新募两营将次成军，并拟趁天晴水落，北圻人心尚未归附，彼族布置亦未周妥，克期整旅进攻河内，先发制人。是其忠诚尚属可用，所需饷银、军械，臣等自当源源接济，务令兵精器利，士饱马腾，可战可守。至滇省防军，除拨三营粮饷交刘永福自行招募外，分守大滩及兴化一带，尚有五营〈守〉开化、蒙自沿边一带，又十二营层层扼守，联络呼应，兵力尚为厚实。如永福得以相机攻取获胜，我军固可遥为声援，俾无后顾之忧。即永福万一不支，而我边防重重门户坚固严密，彼族亦万难逞志。然军情万变，断不敢因已有备御，遂尔稍涉疏虞。惟有懔遵谕旨，督饬各营，严申警备，加意防范，仍随时确探驰陈，用纾宸廑。再，滇省军火器械，前经津、沪两局代购各种格伦枪炮，现据委员禀报起运，约计年内可到，其洋药等项亦咨由四川就近拨用。合并陈明。谨奏。

光绪九年十月三十日奉旨：览奏均悉。昨已谕令岑毓英督兵出关，并令唐炯回省，着该督抚等将应办事宜悉心筹画，妥为办理，毋稍疏懈。

清季外交史料卷三十六终

清季外交史料卷三十七

光绪九年十一月

粤抚倪文蔚奏越南义兵战胜折　附上谕

广东巡抚倪文蔚奏，为遵旨拨解饷银发给越军，并探报近日边情事。

窃广西边防先后仰蒙恩旨，拨给饷银六十五万，臣遵即咨催四川、广东、湖北、江西各督抚臣迅速筹解，以应要需。现据粤海关拨解银四万两，广东督抚臣由藩、运两库拨解银八万两，除由臣委员赴东拨银一万五千两购办军火外，共解到饷银十万五千两，已悉数解赴关外。臣当函商新任抚臣徐延旭，遵将恩赏刘永福之项陆续发给祗领，倘有不敷，容臣再由藩库酌量拨借。刻下，粤海关应解二批饷银四万两已派员往提，十一月内当可解到，挹注边军。目前尚是足资周转，堪以上慰宸廑。顷，据前敌探报：越南海阳省建瑞府安老县义勇范忠直、郑文乙等已与法见仗，颇有斩获。海阳阮必达亦于宁江府地方与彼族开仗，夺获鬼板船五只，生擒法兵及西贡兵二十八人等语前来。现奉谕旨，已饬总理衙门照会法使，义正词严。凡北宁、山西一带，皆我曩时经营土匪设防之地。臣遵即函催徐延旭，督饬诸军，相机进扎，激励刘永福诸军，会合大举进攻河内，扫荡夷巢，期副圣主固圉、绥藩之至意。谨奏。

光绪九年十一月初三日奉旨：览奏已悉。着该抚会同徐延旭随时妥筹调度，激励刘永福一军及该国义兵迅图进取，以固边圉。

礼部奏据琉球官员禀称国灭主辱请复藩邦折　附琉球国陪臣禀

礼部尚书恩承等奏，为据情转奏事。

本月初四日，据琉球国陪臣紫巾官·前进贡正使·耳目官向文光、都通事魏元才等，赴臣部呈递禀词，臣等公同阅看，系因该国遭日本陵虐，盼望天威，以复藩邦，禀恳代为转奏等情。臣等查，光绪五年，该国耳目官毛精长等在臣部具禀，经臣等据情转奏，准军机处片交军机大臣面奉谕旨：本日据总理衙门具奏，已将琉球官派弁送至天津，由李鸿章派员护送回闽矣。钦此。传知钦遵等因。又光绪八年，据该国陪臣法司官毛凤来等在臣部具禀，复经臣部据情转奏，准军机处片交军机大臣面奉谕旨：该衙门知道。钦此。除原折单钞交总理衙门钦遵办理外，传知礼部钦遵等因，各在案。今该国陪臣紫巾官向文光、都通事魏元才，复赴臣部呈递禀词，臣等不敢壅于上闻，谨钞录原禀，恭呈御览。至该使臣等薙发改装，由闽北上，其流离颠沛情形殊堪悯恻！可否仍遵光绪五年谕旨，交总理衙门派弁送至天津，由李鸿章派员护送回闽之处，伏候训示遵行。谨奏。

光绪九年十一月十一日。

附琉球官员请复国复君禀

具禀：琉球国陈情陪臣紫巾官・前同治七年进贡正使・耳目官向文光等，为号恳恩准奏请天威，严行天讨，迅赐复全土，归孤主，永守藩封，以修贡典事。

窃照敝国世列天朝屏藩，迭蒙圣世怀柔，鸿恩有加无已，恪遵会典，间年一贡，罔敢愆期，已经二百余年之久。讵于光绪元年，日本禁阻进贡，又杜绝天朝各大典。又于光绪五年，日本竟然亡灭宗社，囚羁孤主及世子，罹毒受辱，卧薪尝胆五年于兹矣。且日人所行苛政日甚一日，阖国人民苦其暴行，父离子，子离父，朝夕不胜悲观之至。况日人虺蝎心肠，鬼蜮行径，敝国主及世子既有刻刻失措之忧，而臣民又时时遭其荼毒，现刻盼望天威责申日罪，以复藩邦，犹赤子之待其父母，而日急一日也。敝国主业于光绪三年及八年遣拨紫巾官向德宏、法司官毛凤来等，先后赍捧密咨来闽，再三禀请，叨蒙宪谕静候，未知赐救援在何日哉？业于本年八月间，众官密饬官吏马必选等，饰为漂风来省，传知留闽省者，恳请早赐救援，荷蒙宪恩，已与光等先后安插馆驿。惟光等本年七月间奉国主传谕，捧赍密咨来闽，呈缴藩宪详请，并禀恳督抚两院宪据情具奏外，一面薙发改装，赶程北上，号恳救难，犯法之罪，有所弗辞。伏思国家亡灭以来，如前所陈，生民之涂炭已极，而敝国主痛受苦辱，为臣子者岂忍坐视哉？肝肠裂碎，千思万虑，无策可施。俾敝国主及世子罹此辱难，此即臣子忠爱未竭之所致，而其罪不轻，深怀惭愧。惟是同系圣朝赤子，岂甘束手待毙哉？苟非仗圣天子之赫威，无从另有筹策。除禀总理诸位大人外，伏乞礼部仰体皇上覆载之至仁，俯察日人烦苛之猛政，据情奏请圣朝声威，亟赐天讨，复国复君，永为中朝藩属，仍修贡职，以守封疆而奉宗社，则上自国主，下及臣民，亿万千年，均戴皇恩、宪德于无既矣。切禀。

滇督岑毓英等奏刘永福退守山西并添派官兵出关折　附上谕

云贵总督岑毓英、云南巡抚唐炯奏，为密陈越南刘团退守山西实在情形，并添派官兵出关，驻扎兴化、山西一带，以备援应事。

伏查，南将刘永福一军，原扎怀德，与河内法人相持，因七月十五日河决被淹，遂退扎丹凤。其时，法人分股，以兵船八艘于七月十六日等日进攻越京，胁立和约，逼令将各省南官兵团概行撤退，不得与法人争战。刘永福于八月初一、二、三日，与法人鏖战三昼夜，精锐伤亡不少。甫将法人击退，正拟移扎青威，得越京议和之信，即于八月初十日与南官黄佐炎各营一概退回山西。仓卒之间，军心涣散，刘永福部下头目本有回顾保胜之说，主事唐景崧、参将张永清再三劝勉，臣等前发去两月饷银一万两，适亦解交刘永福，藉资鼓励，军心始安，仍驻守山西。至参将张永清等二营原扎山西城内，因前奉谕旨：山西城逼近江边，法船上驶，我军进止殊多窒碍，饬令统筹全局，相机布置，俾法人有所顾忌，而不致藉为口实等因。钦此。臣等故拟以三营勇饷，暗助张永清等移扎大滩、兴化一带，免滋彼族口实。该参将等于八月十九日始移营兴化，时刘永福军心已固，并未动摇，且相距不过六七十里，仍抽派队伍往附近预备策应。两月以来，迭据探报，法越并无战事，法人虽修路扎营，仍在丹凤以下。刘永福正添募勇营，尚未进攻河内。此刘团退守山西之实在情形也。臣炯已于本月十四日出省，回新安防营照料一切。臣毓英将练营另行整顿，恭候命下，即刻日出师。现派记名总兵丁槐，先统带驻省三营黔军共一千余名，出关到兴化驻扎，听候随同前进，并饬参将张永清等各营，仍拔往山西城外，择要驻扎，随时援应，不得稍有疏虞。谨奏。

光绪十一月十一日奉旨：览奏均悉。据称，河内猝难攻拔，所虑亦尚周密。前已有旨令岑毓英带兵出关，即着督饬各营，力保山西，稳慎进扎，与徐延旭随时和衷商办，联络粤军，妥筹布置，以固边圉而裨大局。

桂抚徐延旭奏关外刘团募兵未齐请暂缓出关折

广西巡抚徐廷旭奏，为探得关外刘团添募未齐，河内沮洳未涸，现在筹办之法，拟请暂缓出关事。

窃奉上谕：倪文蔚奏，法越和约已订，并遵饬防军稳守各折片等因。钦此。又奉旨：昨倪文蔚奏报，据越南王咨到，该国为法人逼立和约等因。钦此。伏念臣自奉命出关筹办边防以来，无日不思灭此朝食，而察看现在情形，实有未能遽进之势，不敢不据实上陈。

查越将刘永福胆气甚壮，奋勇图功，国虽议和，志仍激战，实有抵敌之力，毫无疑阻之心。诚如圣鉴所云，究为彼所顾忌，惟其添募之勇刻尚未齐，而海阳、南定各义兵虽已聚集数千，究竟半系乡民，未经战阵。且据右路统领道员赵沃转据梁俊秀所禀，地方瘠贫，饷需难继，若不酌为接济，俾待刘团募齐，而遽令独力轻尝，诚恐不敌彼族枪炮。一队失利，则全军皆惊，关系实为不小。况探闻法据各城，守御甚严，而河内城外地雷密布，沮洳尚多，固不易于得手，尤不易于进兵。臣前次入关之后，曾闻彼族举相庆幸，今若闻臣再出，必极力以增守备，必设法以挠义旗。彼既生心，我愈费力，此皆不能刻日出关之实在情形也。

臣维义旗之众，以之克敌则不足，以之扰敌则有余。前已密派千总陈荣坤，绕由北海投入河内城中，潜探埋伏地雷处所，以备将来进取之路，仍令届期相机内应。现又函复赵沃，准许酌给梁俊秀等义旗口粮，即密饬其坚持初志，暂张虚声，或声东击西，或彼归我出，彼如伏而不动，则攻其所必救以致之，彼如出队来援，则又舍而他攻以乱之，使彼欲休不能，求战不得。旬月之后，奔命已疲。彼时刘永福添募亦已齐全，然后饬令会合大举，以义旗助刘团之声威，以刘团壮义旗之胆志，臣再轻骑出关，亲入军中调度一切。俟各队齐集，即饬分路进军，直捣河内。仍分兵牵制海阳、南定各处，以期一鼓成功，断不敢藉词稽延，致负委任。现在关外防军均仍照旧驻扎。昨复遵奉谕旨，转行左右两路统领提督黄桂兰、道员赵沃，务须亲督各营，如前严密扼守，不可稍涉松劲。并函致留营主事唐景崧，督催刘永福，迅速招募成营，配足军械，以备克期出战，亦不得任其延迟。谨奏。

光绪九年十一月十二日。

哈密帮办大臣长顺奏中俄南路划界毫无舛错折

哈密帮办大臣长顺奏，为声明新疆南界依尔克池他木详载新约，并绘图线毫无舛错事。

窃奴才于本年九月十七日，在喀什噶尔差次，谨将南段界务告竣，应照图线定界大概情形，业已奏明在案。奴才拜折后起程返哈，行至中途，接巴里坤领队大臣沙克都林札布来函，云：准帮办军务张曜咨称，按照图约分立界牌二十余处，尚无出入，惟依尔克池他木与现管地方舛错太甚等语。伏查依尔克池他木，即新约后载议准俄商出入卡伦山口之伊尔克什地方，亦图中之依尔克池他木河是也。夫中、北两路，凡准俄通商各卡伦山口，均遵按图线安设界牌。即以南路准俄人相通各山口而论，系如此办法。何独此依尔克池他木一处舛错太甚之有乎？又称，依尔克池他木在天山以内，地势平衍，据沙克都林札布亲勘明确，此地本非平衍，皆是漫斜达坂，不过无他山之险峻耳。况迤东大山绵亘相峙，层出不穷，线外并无游牧，间有孑遗布民，均住卡伦附近之地。此依尔克池他木应照图线定界之实在情形也。

至张曜咨称：会同沙克都林札布及奴才等，执约向俄使咩登斯克理论，该俄官理屈词穷，始言须向该国外部大臣商酌定夺，该使因病回国云云。奴才闻之不胜骇异。其时，沙克都林札布正会俄帮办官沿边履分，并未身到喀城，惟奴才与张曜偕往，向俄使咩登斯克力为指辩，俄使只言谨依图线划分，曾未允向该国外部大臣商酌定夺等情。比时，张曜知理难取胜，乃假词俟咨商督办军务刘锦棠、伊犁将军金顺酌夺，自为转换之计，并无奴才衔名照会俄使以实前言。该使见行文往商，尚需时日，未便久候，故托病回国，非真病也。前月，沙克都林札布沿途会勘时，俄使复言：若以线外为现管之界，则俄国线外亦可作为现管，彼此均欲多占，虽延至十年难以完竣。视此足征俄使之狡黠。而现管无庸强争，明矣。所可异者，值沙克都林札布勘分之际，张曜连寄数图，于总理衙门所颁官图红线之外，添画一线，责其照办，以致沙克都林札布无所适从，徒劳周折。奴才已将其图随前折咨呈总署备查矣。迨至沙克都林札布来喀，张曜与奴才等共议奏稿界约二十余日，并请由张曜主稿，从未提及现管咨商刘锦棠、金顺核办一语，乃往商署稿时，始言未便列衔上奏。查有应照现管划分之处，再待商酌，然究未明言某处为舛错太甚之故。窃思界务重大，有关边计，而同为臣仆者，宜如何和衷共济，竭蹶图维，勉副朝廷委任至意。况此中外交涉之事，更宜加以信守，奚取反复其词，自取罪戾，纵或贻讥邻邦，在所不惜？而明知此疆彼界各有攸分，故为矫饰其说，徒烦圣主西顾之忧，静夜自思，能无惶愧？盖以奴才亲历其事，深尝掣肘，不能不据实直陈，上达宸聪。应吁恳饬令总理衙门，照会驻京俄使，转询交界俄官咩登斯克，果否许向该国外部大臣商酌之事，则虚实自见，即南疆边界两国应如何照办各情，不待辩而亦明矣。谨奏。

光绪九年十一月十二日奉旨：该衙门核议具奏。

粤抚倪文蔚奏越边各军筹备情形折

广东巡抚倪文蔚奏，为据探近日边情，并前敌各军筹备情形事。

窃据黄桂兰与道员赵沃会报，法人逼越和后，胁令各处退师，彼即拨兵驻守。且于刘永福丹凤拔营之处添筑炮台，填修大路，直抵河内，宽皆逾丈，高于平地五六尺。又于河口前之嘉林及河内下游之北栈等处，筑垒架炮，扬言截禁北宁油米。复拟在海阳并工开修大路两条：一通河内，一通北宁，为架驶炮车之用。近来，海阳、广安、宁平等省越亦次第让为法据，窃计所恃丹凤、嘉林以为山西、北宁屏蔽者，今皆夷骑充斥，情形较前不同。该提督当再四筹商，现在距北宁四十五里之顺城府地方，力扼平均、锦江两处，最为要隘，其间虽有小河，尚可力制。平均前距海阳五十里，后距锦江十里，锦江距顺城三十五里。已令梁俊秀所部五营开赴顺城，以二营导同右军二营，于顺城前之平均地方扼扎，以三营分扎锦江，复派左军三营、右军三营开赴顺府外相度地势，分头扎营，深沟高垒，为久守不拔之计。如顺城之防守能固，则左达嘉林以顾新河而制河内，右扼河口以护涌球而控海阳，前御海防而后障北宁大营，局势较为宽展。并据报：各路进兵后，法人添轮船七艘、陆兵五百余前来海阳助守。十月初九日，法以小火轮一艘驶至平均江边窥探，经我军出队，尚未放枪，该船即鼓轮而去。是日，法驻丹凤之军亦各弃垒遁回河内。已飞致主事唐景崧，速饬刘永福，派营驰守遗垒，以省兵力。该提督等复拟函，请新任抚臣徐延旭，再调数营，进堵南策府下之象山，既可拒其海防来路，亦可进规海防。密饬梁俊秀，率义勇分起袭之。昏夜无间，误以多方，法兵万一进逼，即以义勇为前驱，悉锐进战等情前来。

臣查，法人现于山西之丹凤、北宁之嘉林整军设险，渐有实逼处此之势。若使再肆侵陵，蚕食鲸吞，藩篱尽撤，彼时将径叩边关，非徒唇齿之忧，实为心腹之患。再查越南地舆志，顺安府在北宁之西南，地势广邈，江流萦回，并无顺城府地方。黄桂兰等所谓顺城府当即是顺安府。我军现已进扎此地，前因不敢启衅，一味稳守，既奉谕旨，业经总理衙门照会法使，有侵及我军驻扎之地，即行开仗等语，是凡属山西、北宁地方皆我军剿办土匪设防之地，岂容任彼横行？既法兵已于河内下游之北栈等处筑台架炮，扬言截北宁油米，是已明目张胆与我开衅。诚如圣谕，此后法仍逞兵北圻，我之用兵固属名正言顺。窃以目前事势，亟应乘法人布置尚未大定，督饬前敌各军四面进逼，分头侵袭，使法由海阳开通河内、北宁两处炮车之路不能成功，庶彼陆战失其长技。一面速饬刘永福尽锐进攻河内，我军继进，义师分拨，一面饬现驻顺安府各军，相机进扎，攻其不备，务将嘉林等处夷兵夷垒扫荡驱除，以固吾圉。患以积而愈深，时一失而难再，倘再令其狡逞，不图进取，后患殆不胜言。业已函商徐延旭及黄桂兰等，妥筹攻取之计。并属徐延旭，将现驻南宁之靖边三营迅调出关，以厚兵力而固边防。谨奏。

光绪九年十一月十六日奉旨。

谕张树声等越南民变戕王着前往戡定

上谕：现闻越南民变，竟将该国嗣王戕害，祸乱方殷。该国为我朝藩服，世修职贡，当此危急之时，岂忍置之度外？着派张树声统带兵勇迅速前赴越南，宣布天朝威德，相机戡定，一面令该国择贤嗣位，奏请册封。此次派张树声统兵赴越，专为平定乱民，绥靖越境起见，自应直达顺化，妥筹镇抚。至或由海道或由陆路前进之处，并着详筹妥办，总期迅赴事机，毋任另生他变，是为第一要义。广东兵力恐嫌单薄，着吴大澂驰赴该省，帮同该督商酌办理。并着李鸿章饬令丁汝昌，统带师船赴粤，听候张树声调遣。广东既筹进兵，滇军亦须力为应援。前谕岑毓英统营赴防，着即迅速前进，妥筹策应。

十一月十八日

桂抚徐延旭奏关外义兵获胜分别进规严防折

广西巡抚徐延旭奏，为恭报遵旨出关日期，并据报关外义兵获胜，现饬分别进规严防各情形事。

窃臣节据黄桂兰、赵沃函禀：梁俊秀所部赵文明、李全忠等六营，于九月十七日出扎嘉林。梁俊秀托名出示，并自定赏罚章程，号召忠义计已不下八九千人。其时，有法目五画偕南官率兵至蜀绉村胁和，不从，大肆焚杀，激怒村民出斗，将南官杀毙，并败法兵。二十八日，有火船一艘、板船五艘至宁江府，登岸肆掳，经阮善、阮文礼等督义勇新营拦击，多所擒斩，并夺获板船五艘及快枪、马枪、名册、功牌等件。法人于嘉林新筑屯垒三座，义民范伯维挑集死士二百人，于十月初一夜袭其前屯，亦有斩获。惟河内、南定、西贡、海防一带，凡有越官之处，皆派法官兼理，擅置守备。刘永福拔队，所遗怀德、丹凤各旧垒，法皆踵而据之，增修碉堡，又于嘉林江岸修筑炮台，新河亦为彼所独有。现在慈山、涌球各要隘，两军皆派有重兵，严密扼扎，无虑疏虞。主事唐景崧仍回山西，激劝刘永福商筹进规，亦并未稍形退阻。惟彼族新据海阳、广安，则顺成府一面亦当驻军扼守。现虽有李全忠等营移扎顺成、锦江，究竟我防营不敷分布，军装亦尚短缺，义民之待用者尤多。又刘永福禀报：本月初二日，法以轮船十一艘至县之冯市，意在攻扑山西省各等情，具报前来。

臣查，法人自胁越和之后，既据海阳、广安、宁平诸城，又据怀德、丹凤各垒，节节进逼，处处设防，犄角已成，狡谋日甚，若不痛予重创，势必益肆凭陵。就现在局势而论，非先复怀德、丹凤，不足以直达山西；非严扼新河上游，不足以进规河内。臣已饬刘永福先由青葳县①规复怀、丹，以通进兵之路。饬梁俊秀先攻南定、海阳，渐逼嘉林，以为捣巢之举。我两军驻防之处，饬令照常严密扼守，并令两路统领察看情形，抽拨队伍，出扎顺成、葱山等府，以顾北宁门户而壮越军声援。防营实在不敷，准其会商酌量添募。遇越军进战，均随时相机应援。凡我设防之处，彼族如敢冲犯，即遵奉谕旨，与开明仗。臣仍函致两路统领及唐景崧，不时激劝刘永福、梁俊秀等勉力图功。现据刘永福禀报，添募之勇渐次到齐，只待配足军装，便可成军而出。前委提解上海军械，亦已据报行抵南宁，想可刻日解营，以备发给中外新集各军之用。臣前已募亲兵一小队三百人，委参将于德富管带，兹复札饬副将刘仁贵，前赴南宁添募新兵一营，并调总兵董履高新募驻防南宁后路之二营，拔队来龙。又派差遣委用之知府王政慈、提督王鸿顺综理营务，再酌带随营文武员弁，定于十一月初二日遵旨出关，调度一切。惟有懔

---

① 有时作“青威”。

遵坚持定见之谕，竭力筹办，以冀早日蒇事，仰纾朝廷南顾之忧。谨奏。

光绪九年十一月二十日奉旨。

桂抚徐延旭奏遵饬两路统领联络刘团相机拨应片

徐延旭片。

再，正缮折间，承准军机大臣密寄光绪九年九月二十二日奉上谕：徐延旭奏，法与越和，仍向刘团寻衅，粤军照常扼守，并刘军需饷情形各折片，览奏均悉等因。钦此。查刘永福情殷敌忾，志切图功，前因该军饷糈不继，准由臣营按月酌发，以资接济，均经先后奏明。兹复仰荷天语褒嘉，拨给巨款，永福何人，能不感激涕零，图报鸿恩于万一？臣已即日恭录咨行黄桂兰、赵沃、唐景崧等，分别转饬知照。调任抚臣倪文蔚先奉此次谕旨，必已由库提款起解，计可随南宁转解上海军械先后到营，即当随时宽为发给，以昭优异之恩而收饱腾之效。刻据唐景崧函称：刘永福俟招募成军，即当进取河内，万不能坐守山西。近日彼族偶来丹凤游弋，旋即引去等语。查唐景崧来函称，本月十二日所发，并无法兵攻扑山西之信，是前来冯〔凭〕祥之洋兵，仍是恫喝故智。现又蒙谕旨饬云南抚臣唐炯，驰赴防所，督军进扎，刘团更可无后顾之忧，各军亦得有腾挪之力。臣仍遵旨切嘱两路统领，转饬各营，联络刘团，相机拨应；再令转饬梁俊秀等义兵，乘此小胜，练习胆略，继起北圻，则刘团之军势不孤，谅亦不难规复各城也。谨奏。

光绪九年十一月二十日奉旨：知道了。

谕海防紧要着南北洋大臣及各督抚实力筹防

上谕：总理衙门奏，海防紧要，宜毖近患而预远谋一折，览奏均悉。法人侵占越南，外患日亟，沿海设防必应综览形势，统筹全局，为未雨绸缪之计。南、北洋防务，经李鸿章、左宗棠专力经营，而登莱之防未严，苏太之防尚阙，山东要隘以烟台为最，江苏则崇明孤悬海外，兵力单薄，闽省台澎等处在在堪虞，浙之定海、乍浦应与宁波、镇海并力严防，全在南、北洋大臣及各该督抚先事预谋，实力筹办。着李鸿章遴选得力将领，如曹克忠、郭宝昌等，酌带数营扼扎烟台、塘沽、旅顺，相为犄角。陈士杰当就本省现有各营严密布置，察明地方应如何预筹备御，着左宗棠熟筹酌办。其沿海可通内地者防不胜防，或以冬防为名，檄令沿海各州县，挑拣民壮，联络声势，或招募太湖一带枪船，藉资巡缉，着卫荣光妥筹办理。台湾久为外人所觊觎，镇将是否得力？兵勇是否足恃？何璟履任多年，责无旁贷。张兆栋曾否渡台？于该处情形亦应周悉，务当同心筹画，备预不虞。浙省防务，前据刘秉璋奏明，添营在镇海等处扼要设防。着即迅速办理，严扼要口，并随时与苏、闽两省互相策应，以期巩固。法越构衅已久，沿海办理防务，必先能守而后能战，各海口情形有筹议所未及者，均应确抒所见，切实预筹。该大臣等为朝廷所倚任，务各振刷精神，共体时艰，以维大局。

十一月二十日

滇抚唐炯奏赴越布置防务折 附旨

云南巡抚唐炯奏，为到防后接奉严旨，谨将现在布置情形恭折密陈事。

窃臣前次驻防四月有余，因彼时法人尚未开衅，惟有督饬防营，并激励越将刘永福，严密拒守，固我藩篱，实不敢冒昧致启兵端，以一隅而震动全局。今既懔奉谕旨：现经总理衙门照会法使，倘竟侵及我军驻扎之地，惟有开仗，不能坐视等因。钦此。臣前于出省时，业将增调各营应带将弁及一切粮饷、军火与督臣筹商妥备，并由督臣恭折请旨，统率出关。如圣意以督臣为兼圻重任不可轻离，则臣即便带领各军亲赴前敌，察看情形，随时因应，恭候命下之日，整旅启行，断不敢退缩不前，自干重罪。谨奏。

光绪九年十一月二十日奉旨：览奏均悉。前已谕岑毓英带兵出关，并令该抚回省筹办饷需、厂务等事宜，即着懔遵前旨，实力经理，毋稍疏懈。

滇抚唐炯奏刘永福募勇尚未成营暂难进取片

唐炯片。

再，迭据参将张永清、越官刘永福禀称：九月二十五日，彼族带同河内总督，率领教民，前来迫令居民投顺，将渡丹凤河，突出义民千余人，声称专诛教党，击毙河内总督，教党败北。又遣河内提督阮姓，带队进攻怀德府属之青威县，该处民兵悉力抵御，擒斩法兵数十名，并将阮姓击毙。彼族复于十月初四、五等日驶兵轮数艘，距山西城十余里，闻有戒备，仍复驶回。现在刘永福防守山西省城，沿江炮台并陆路要口一切就绪，其新募之勇约三四千人，不日到营各等情。

臣查，法人日来于嘉林等处，增筑炮台，进逼北宁，意在声东击西，乘虚袭取山西。此次开轮上驶，忽进忽退，自系查探虚实。而刘永福布置完备，势足相持，各处义勇亦多响应。滇省防军，已饬进扎山西城外。臣与督臣复商派总兵丁槐督带黔军三营出关，于附近兴化、山西一带扼要驻扎，业经由省开拔，约下月初间陆续到防。以山西而论，足可无虞。惟刘永福新募之勇尚未成营，军火器械都未齐备。且河内经彼族筑城、修路、安设地雷，防守甚密。刘永福既无攻坚器具，一二日内尚难责其进取，致有疏失。抑臣更有请者，自来拔取坚城，必须先断粮道及其应援。法人据守河内，所有粮饷、援兵均由海防运济，轮艘往来络绎不绝。若不断彼粮援，仅由山西一路进攻，无论一时不能猝拔，即幸而拔取，法人势必复争，兵来甚便，彼攻此守，糜饷老师，将无已时。臣愚以为，广东宜派兵船占据海防，截其后路；滇桂之师由山西、北宁两路会攻。在我则通力合作，首尾呼应，在彼则备多势分，孤悬无援，庶乎河内刻期可取。谨附片密陈。

光绪九年十一月二十日奉旨：知道了。

谕张树声等法破越南山西省城着严饬各军不得松懈

上谕：现据李鸿章、曾纪泽电报，法兵已攻破越南山西省城，刘团退走，事机尤为紧急。山西既为法据，则与我军驻扎之地相接，倘再得步进步，滇、粤边疆均形吃重，此时惟有严饬各军，力保完善之地，毋使再行闯入。岑毓英计已出省，徐延旭业已出关，着即相机调度，严密扼扎，不得松懈。刘团现在退至何处？仍着设法激励，令其统营进扎关外。各军恐尚不敷防御，着张树声派得力将领统带劲旅，驰赴镇南关，以实后路。徐延旭进至何处？唐景崧是否亦在北宁？一切详细情形，着张树声迅速电闻，以慰廑系。

十一月二十一日

总署奏喀什噶尔西边界务应照现管之界办理折

总理各国事务恭亲王奕䜣等奏，为遵旨核议具奏事。

窃据帮办新疆军务张曜具奏，喀什噶尔西边界务绘图贴说，应照现管之界办理一折，奉旨：该衙门核议具奏。又据署哈密帮办大臣长顺具奏，勘分南段界务，照图线定界大概情形一折，同日奉旨：该衙门核议具奏。各在案。当由军机处将张曜等原折钞交前来，臣等公同阅看。

张曜原折内开：南路分界，由苏约克山转喀什噶尔西边，按图分立牌博，间有喀属之地久为俄占者，已置弗论。惟依尔克池他木地方舛错太甚。查旧约第九条载：俄国所属费尔干，与中国喀什噶尔西边交界地方，由两国特派大臣前往查勘，照现管之界勘定。旧约载，行至葱岭，靠浩罕为界各等语。俄官欲照图线，在依尔克池他木立界。查该处地势平衍，不沿葱岭，不靠浩罕，与条约不符。现管之帖列克达湾系葱岭正干，与西南现管之界同一山梁，山阴皆浩罕旧地，今为俄国费尔干省。中间廓克苏至依尔克池他木一带，系喀属岳瓦什布鲁特牧地，水草既美，道路又近，部众赖以滋生。遂会同沙克都林札布按约力争，俄官始云，向该外部大臣商酌定夺。该使因病回国，当会咨刘锦棠、金顺，转向俄外部商榷，俟议定在帖列克达湾设立牌博，再行互换约记等因。

长顺原折内开：准张曜将现管之界绘图，咨送领队大臣沙克都林札布，遵由别叠里山顺中梁查明红线，并照现管勘至帖列克屯木伦一带。俄官不肯在该两处画分，坚请按红线于伊尔克什他木立界。张曜会同理论，讫无转机。并云：山高雪深，未便前往，可指山梁为界等语。张曜以有碍现管之界，拟请金顺酌夺办理。查现管之界共三处，该领队亲身勘明：一、喀喇多拜，在帖列克提坂迤北线外约八十余里，系天山之阴；一、帖列克，在喀境正西，距线外约二百余里；一、屯木伦，在帖列克东南线外约百余里，皆相距红线甚远，势难力争。约载现管原指两国而言，南段界务已经办理两载，若不赶紧互换图约，恐俄人日久在我界线内别生枝节，殊难测度。因商之该领队，仍按图线划分。一律完竣，共立牌博二十二处。俄使业已回国，应办图约由该领队派员赴俄境互换等因。

是据张曜所奏，尚须向俄外部争回帖列克达湾一带地方。而据长顺所奏，已照红线划分完竣。两人所见不同，所陈现办情形亦涉两歧。

臣等正在详核间，又据长顺具奏南界毫无舛错一折，奉旨：该衙门核议具奏。查原折内开：依尔克池他木，即新约后载议准，俄商出入卡伦山口之依尔克什唐地方，亦即图中之依尔克池他木河也。此地本非平衍，皆曼〔漫〕斜达坂，不过无他山之险峻，况迤东大山绵亘相峙，层出不穷，线外并无游牧，间有孑遗布民，均住卡伦附近之地等语。又称：与张曜向俄使咩登斯克力为指辩，俄使言谨依图线划分，未允向该国外部大臣商酌定夺等情。并有吁恳饬令臣衙门，照会俄国驻京大臣，转询俄官，则虚实自见之语。大抵言张曜指争之地碍难再争，而张曜所陈非实在情形，未足为据而已。

臣等将张曜进呈地图一件、长顺咨送地图五件，与新旧线详图二分，详细核对，虽其中地名详略互异，译音各别，方位亦未一一吻合，而大致尚能明晰。查喀喇多拜一处，新旧图俱未载，既据现送各图，在喀城之北红线外，无可与争，应毋庸议。依尔克池他木河，旧图不载，新图正依红线界限，长顺所奏不误。其帖列克一处，张曜所谓帖列克达湾者，在喀城极西，新图列在红线外，其屯木伦一处即在帖列克南，新图未载，旧图则两旧地名均无之。惟载迤南喀喇库里湖与红路同，却在红线之内。此新旧红线不符之情形也。

揣曾纪泽定约时，或因新图不无缩入，又知左宗棠咨报克复喀城，有占得安集延遗地边界展宽之说，故约内添西边以现界为界一语，以预留地步。臣衙门迭次函属长顺等亦是此意。既以现管为界，即可指定红线，此二处确在喀城之西，原可力争，张曜所陈极是。今长顺等抱定红线勘分，未免沾滞。但查新约卡伦单，确有伊尔克什唐木名目，既指为入口之路，于此分界，理亦甚长。臣等窃意俄官必明知地图稍有展进之处，故不肯照旧管为界，而坚以红线为凭，争之诚恐不易。长顺所虑，迟久不互换图约，恐俄人在我界内别生枝节，亦系实情。俄人狡诡多端，如果争之甚力，即使曲从，亦必另指一处以为抵制，或且耽延时日，多方误我，正未可知。且沙克都林札布于俄官未去之先，已与迁就定议，今欲追悔，势反不顺。然形势攸关，未容轻率。今虽勘分，竟究〔究竟〕未互换图记，如张曜所指，既系现管之地。仗义执言，在我尚有可据之理。趁此时按约与争，冀图补救，似亦不致遽有违言，未便因畏难而遂听之。惟帖列克达湾是否系西边要隘？又岳瓦什种人是否舍此别无游牧之场？臣等未敢悬揣。再四思维，应请饬下刘锦棠、金顺，就近熟筹利害，确切查明，据实具奏，请旨办理。倘该地实属不可轻弃，仍应设法力争，以为得尺得寸之计。如该处尚无十分关系，则慎重邦交成事不说，似亦不必以边隅片壤再肇争端。谨奏。

光绪九年十一月二十五日。

粤抚倪文蔚奏法人阻越贡使据情上陈折

广东巡抚倪文蔚奏，为越南贡使为法人所阻，一时未能朝贡，谨据越藩呈报情形上陈事。

窃臣钦奉谕旨，以越南国王弟阮福升呈称：下国候命吕春葳递到照会，钦奉上谕，下国贡使此次暂由海道入都，深感殊恩，即应及早谨遣陪价备将不腆进京叩陈。惟下国于本年七月法国兵船投来顺汎〔汛〕迫攻，胁定和约，曾经具禀。现下国北圻之宁平、河内、海阳、南定等省既为法兵胁据，残虐士民，都城顺安汛口又为该兵船封守。近又接法使咨叙：如有上国咨文，何事即钞示通知；上国如有使来，不得接受等情。实属横迫，想乘人之丧而扰害之，于礼未见。彼法虽佯为和约，其吞并稔恶可知。下国为势所屈，只知抱恨长叹，而莫知所措。兹于循奉遣使，则水陆难通，一有为他执阻，更增艰碍。遥瞻帝阙，恋慕弥殷。谨具禀，统祈据情代题，幸蒙垂顾，曲为周全。使水陆清通，下国陪价取程进发，则上国恤小之恩更加广被等情。禀请代奏前来。

臣查，越南顺安汛口逼近该国都城，为咽喉要隘，现经法人以兵船封守，水陆难通。该国一应条教、号令皆系请命法人而后行，一时未能遣使入贡，自系实情。合无仰恳天恩，饬下徐延旭，就近传谕该国嗣王，此次请封，入贡之使恩准暂缓。并将臣此折发交总理衙门，摘录该国来文，照会法使，并告各国，以法人违约称兵，滇、粤整军备边，前经照会，此举为法侵及边圻，不得不力为防御；而内地通商地方法之商人仍当随时保护；中国念邦交，重邻衅，可谓仁至义尽；顾法一味强横，迫胁我藩属，佯为和约，实肆并吞，皆越南来文所自言；近复以兵船封阻海口，禁中国使来不得接受，悖理伤道，实出万国公法之外等词，明白宣示，使环海四洲皆晓然于是非曲直之所在，而我之用兵北圻益为名正言顺矣。谨奏。

光绪九年十一月二十七日。

粤抚倪文蔚奏越南嗣王迟遣贡使恐与法人暗订盟好片

倪文蔚片。

再，臣查，越南国王弟阮福升嗣位伊始，若果恪遵侯度，遣使请封，自不容缓。即或因海道多阻，亦当设法遣使，绕道先行，乞恩将贡品方物暂缓呈进。乃来文含混其词，但以曲为周全，使水陆清通，陪价取程进发为言，是其首鼠两端，坐视成败以定从违之心已露端倪。且该嗣王甘心降虏，弃宗社如敝屣，若论大义，亦当在废置之列。第我军现正经营北圻，力有未遑，恐一经责问，彼或心生疑惧，反与法人并力图我，实非目前事势所宜。臣愚以为，刻应暂事羁縻，谕以遣使朝贡暂从缓议，俟时局大定，再行择立贤能，重建藩服。再查越南前与法人立约，称为自主之事。今该嗣王迟遣贡使，观望不前，难保不与法人暗订盟好，仍以自主为词。此次该国来文有法人乘丧扰害，残虐士民，佯为和约，其实并吞稔恶等语，若译示法使，亦足以携其好而败其谋。愚昧之见，谨附片密陈。谨奏。

光绪九年十一月二十七日。

科布多办事大臣清安等奏塔城北段牌博建立完竣并中俄互换条约折　附塔尔巴哈台北段牌博记二件

科布多办事大臣清安、额尔庆额奏，为塔城北段牌博建立完竣，并中俄互换条约事。

窃奴才额尔庆额前于哈巴河分途举办科界先行完竣，彼时升泰安设塔城北段牌博尚未蒇事，若俟该处条约咨寄前来一并办理，诚恐有稽时日，遂于光绪九年九月初九日在大彦淖尔行次一面函商，一面联衔奏闻，并先将中俄新定科塔边界敬绘图说，恭呈御览。昨准伊犁参赞大臣升泰来咨，内云：现已会同俄官撇斐索富履勘塔属北段新界，建立牌博：自科属阿拉克别克河口对面之喀喇拉额尔济斯河南岸，系塔城地方，建立牌博一处；由此至乌勒昆乌拉克图河之毕里扣地方，建立牌博一处；由此至穆斯岛之迈哈布奇盖地方，建立牌博一处。以上三处均照新定图约地名建立，其间并另立小牌博二处，以备年久有所查考，免致两相争竞，均书立条约共四分，中国写清文，俄国写俄文，彼此画押、盖印、互换讫，其一分经升泰就近咨送塔尔巴哈台参赞大臣锡纶存案，下余一分咨寄到科，奴才等现已转呈总理衙门查核矣。谨恭折具奏。

光绪九年十一月二十八日奉旨：该衙门道知〔知道〕。

塔尔巴哈台北段牌博记　清文译约

大清国特派分界大臣·内阁学士·兼理〔礼〕部侍郎衔·伊犁参赞大臣升，会同大俄国钦差分界大臣吉纳喇拉呢什他布破勒阔瓦呢克撇斐索富等，于大清国光绪九年七月初十日，俄国一千八百八十三年伊约里月三十一日，两国分界全权大臣等，在哈巴河商定，自大阿勒泰山岭起，至赛哩乌兰岭止，遵所立新条约第一条、第四条，今此新界南段，由阿拉克别克河口起，至赛哩乌兰岭之木斯岛山，将所立新界分别定章，开列于后：

今遵上次条约第一条，两国边界自阿拉克别克河口起，遵喀喇额尔济斯河上游而行，过阿拉克别克河口十里以上，至额尔济斯河湾之南头，即于此河湾南头附近处，立喀喇额尔济斯第一牌博。由此牌博往北，相距三十六丈，系喀喇额尔济斯河流。自牌博往东北，相距四百二十三丈，系河岸，土名为齐汗喀喇都之小池此地土尔扈特等呼为喀喇乌苏。

自牌博往东南一百十八丈地方，名曰查玛开坟。自牌博往西北，名为阔昭阔克特呼克之谷林。自喀喇额尔济斯牌博起，直行而南，至迈哈布奇盖之伊森格勒第坟，即将该界边靠乌勒昆乌拉克图河，是以由额尔济斯牌博至此河，有百余里之遥，于此分别边界，即于毕哩扣地方此地土尔扈特等呼为博尔扣小埠之上，立毕哩扣第二牌博。

自此牌博往北及东北平洼，自此洼处之牌博往东北，相距四百一丈，有阔札木库拉妃子之杜尔伯勒锦坟，洼内原有爱那拉库斯、阔卓拜康、堪库都克、额斯破拉等名之井，额斯破拉井即是牌博正东三百八丈地方所有之井。此毕哩扣洼东面，系阔卓古勒巴业格库玛高山之脊此高山土尔扈特呼为黄果尔拜岭，其他所向皆环围小沙埠。此洼之西北边，即系牌博之北，此洼之东北与宽厂地相接。今由毕哩扣牌博起，即照条约第一条直行而南，至迈哈布奇盖地方之伊森克勤第坟，此处与乌勒昆乌拉克图河为接壤，将此为公界。该处直行之路由阿克库玛沙路而出，向东首过乌勒昆乌拉克图夏季干涧此涧又呼为库塔拉，遵涧将及十四里，中路向南而行，直至涧边，为越涧沟之地，是以分别边界。向涧沟之南沿为卓索拜坟，附近立小牌博。再由此牌博往北三里之地，仍分为直行之道，立第二小牌博。由卓索拜坟附近之库塔拉涧沟往南立小牌博起，直至伊森克拉第坟，由该涧沟直行，至边界些微往西，因见之爽然，本分界全权大臣互商，即将其间涧沟定为边界。自此系伊森克拉第坟之附近乌勒昆乌拉克图河西，沿之乌兰托拉威邱上，立迈哈布奇盖之第三牌博。

自此牌博往西北，相距二百三十二丈，由该处坐落东边之乌勒昆乌拉克图河之两支交会之地。由牌博起向东北三十二丈之地，即乌勒昆乌拉克图河之正西支，由牌博向东南二十二丈之地，以土培板系伊森格拉第坟，此仍向三十七丈之地山上所划之克金图木苏克，即险梁。由牌博直向南二十三丈之地，即往西，由斋桑城向东走迈哈布奇盖大路，由迈哈布奇盖牌博，遵乌勒昆乌拉克图河之上游土尔扈特等呼此河为业克济比奈原沟直行，此河由木斯岛岭之冰雪内土尔扈特等呼此岭为固尔班查克图出至其源，由此转向西行，在赛哩乌兰岭土尔扈特等呼此岭为赛堪岭在所划道上绕至旧界北边，正仗此曲路为交会，于是由此旧界绕越往西及往西南，将所有旧边仍旧不改。由曲路起至阿克哈巴河源，将旧界于此次两国分界全权大臣等，于光绪九年七月初十日，俄国一千八百八十三年伊约里月三十一日，会于哈巴河，商定照换条约，及此约内载立定新界，于是会同两国分界全权大臣，此次由阿拉克别克河口起，向南仗旧界会立，将新交界牌博名目造俄文条约四分，满文条约四分，各于条约上钤印画押，各执俄文条约二分，满文条约二分为据。为此在迈哈布奇盖地方换约讫。

大清光绪九年八月十三日。

俄国一千八百八十三年森提雅巴哩月初一日。

塔尔巴哈台北段牌博记 俄文译约

大俄国特派分界大臣・参将撇，大清国特派分界大臣・内阁学士・兼礼部侍郎衔・伊犁参赞大臣升，遵照一千八百八十三年七月三十一日，即光绪九年七月初十日，两国分界大臣在喀巴河上所立约内第一条、第四条，于大阿尔台岭及萨乌尔岭一带南面，由阿勒喀别克河口起，至萨乌尔岭之木斯塔乌山止，顺其自然议立新界如左：

按照此约第一条所载，两国之界自阿勒喀别克河口起，顺黑伊尔特什河上游末，至极南弓弯处，系五洋里，即中国十里。本大臣等于附近极南弓弯处，建立第一界牌，即名黑伊尔特什界牌。自此界牌往北六十码，即中国三十六丈，为黑伊尔特什河之流，往东北七百码，即四百二十三丈，为赤干喀喇苏湖岸，又名哈喇乌苏，往东南一百九十六码，即一百一十八丈，为查玛凯墓，往西北一百一十八码，即七十一丈，为阔兹苏阔克帖喇克洼湿处，其地有小树林。

自黑伊尔特什界牌起，微直往南，在麦喀普察盖自然界，直向乌里昆乌拉斯特小口作界，恰对额贤戈里得墓。此段界长袤延五十余里，即中国百余里，于贝尔克乌自然界，设立第二界牌，即名贝尔克乌，又名贝尔阔乌。自此界牌往北及东北，为平坦山沟，沟中有大四方砖墓，名阔攘古勒。自此界牌往东北六百六十四码，即四百零一丈，为爱那果斯、阔租拜喀斯、喀呼都克及额分坡勒等四井，第四井距界牌直往东五百一十码，即三百零八丈。其贝尔克乌山沟东面，为廓热古勒毕伊克库木山，又名欢古尔拜达巴噶，峭然壁立，其余三面画为沙漠，小阜在贝尔克乌山沟西北。自此界牌往北作界，中间尽属平地，其地之东北即临平川大道。

按照约内第一条所载，自贝尔克乌界牌起，仍直往南至麦喀普察盖自然界，即上文所载，直向乌里昆乌拉斯特小河之界，恰对额贤戈里得墓。自此出阿克库本沙地界线，截断乌里昆乌拉斯特东边河身，此段河身夏令即干，名库乌塔勒。再顺附近河身往南约七洋里，即中国十四里，河身右岸之上即南岸，于界线截断河身处，依卓萨拜墓建立一半界牌，自此半界牌往北一里半，即三里处，建立次半界牌。自库乌塔勒河身右岸上附近卓萨拜墓之半界牌起，直至额贤戈里得墓止，两国分界大臣会商，拟即以此河身为界缘界线，顺河身偏西自成天然划分之界，于乌里昆乌拉斯特小河左岸按中国右边为西附近额贤戈里得墓之乌兰托罗郭依建立第三界牌，名麦喀普察盖。自此第三界牌往西北三百八十四码，即二百三十二丈，此河分为二汊，往东北五十二码，即三十二丈，为此河之正流，西为乌里昆乌拉斯特小河之汊，往东南三十七码，即二十二丈，即黄土夹木顶之额贤戈里得大圆墓，仍此方向六十一码，即三十七丈，山嘴平畦处，名克则勒图木苏克，自此界牌直往南三十八码即二十三丈，东西横互〔亘〕大道，系斋桑卡往麦喀普察盖自然界之路。

自麦喀普察盖界牌起，顺乌里昆乌拉斯特小河，又名伊黑折米尼，上游正河身至此河之源，其源出于木斯塔乌雪山，又名古尔板揸萨图冰窟中。再由乌里昆乌拉斯特小河之源起，往西作界，向从前界线之点起，往西及西南所有之界勿庸更改。至从前界线之点，与阿克喀巴河源中间之地，即照一千八百八十三年七月三十一日，即光绪九年七月初十日，两国分界大臣在喀巴河上所立约内第一条改立新界。自阿勒喀别克河口起，往南至从前之界，两国分界大臣议立新界段落，并以俄文、满文各书四分，彼此画押钤印后，各以俄文二分、满文二分互换为凭，以昭信守。

降生一千八百八十三年九月初一日，即光绪九年八月十三日，在麦喀普察盖自然界上立约，分界大臣参将撇。

清季外交史料卷三十七终

清季外交史料卷三十八

光绪九年十二月

粤抚倪文蔚奏法在越南北圻各省设官折　附越南国王咨文

广东巡抚倪文蔚奏，为法人近于越南北圻各省设官迫住，谨据藩属呈报各情上陈事。

据越南国王弟阮福升呈称：窃照下国前为法人迫攻胁约，当此势迫，故作权宜，一以待天朝命令，一以俟再行商酌。现则此约尚未经批准互交，而彼于北圻之河内、宁平、南定、海阳、兴安等省设官迫住。兹又接南圻该元帅递将佩星及物项寄来致赠。约未互交，而各省已先设住，赠项已遽递来，事事苦迫，叫诉无由。又接法使咨叙：下国如接有上国咨文，不问何事，应守新约，即许该使闻知。及有钦派往封，下国不得接受等语。下国遭此孤危，难以图存等情，呈请代奏前来。

臣查，本年十月二十三日，接准北洋大臣李鸿章来咨，转据出使英、法、俄国大臣曾纪泽咨开：该大臣前拟节略六条，照会法国外部，兹于八月初一日接准法外部复文内声明，于越南全境土地无所损害；又声明中国按照旧例，体面攸关，必欲保存者，法国愿存此礼貌等语。今据越南嗣王呈称，北圻河内、宁平等六省法人已经设官迫住，又以佩星、物项来赠。是直欲臣属其君，疆理其地，既违法外部无损越南土地之言，又云中国使来不得接受，复与法国愿存礼貌等语大相悖谬。兹谨将越南来文另钞清折呈御览。应否饬下曾纪泽，将越南来文译示法廷辩论之处，伏候谕旨遵行。谨奏。

光绪九年十二月初一日。

谨将越南国王弟阮福升咨呈原文钞录呈览

窃照下国节为法人迫攻胁约，经已备函禀达。当此势迫，故作权宜，一以待天朝命令，一以俟再行商酌。嗣下国派官伴随该全权商请，该全权托以俟回国，不肯与商。现则此约尚未经批准互交，而彼于北圻之河内、宁平、南定、海阳、兴安、广安等省设官迫住。兹又接住南圻之该元帅递将佩星及物项，谓该监国寄来致赠。且约未互交，而各省已先设住，赠项已遽递来，想彼以此证下国已经顺受，便与中朝争论。下国不受，恐彼生心；受之，更为惭惧。事事苦迫，叫诉无由。又接法使咨叙：下国如接有上国咨文，不问何事，应守新约即许该使闻知。及有钦派往封，下国不得接受，应咨交涉使料办等语。似此肆虐于下国，无礼于中朝，实深可恨。每欲往诉，又虑彼耳目甚繁，一有探知，先罹反噬。下国遭此孤危，非藉天朝拯援难以图存，月日以冀，不啻望云。谨此具由密禀，伏愿据情题达，幸蒙俯加存恤，早一日则受一日之赐，情迫语烦，遥惟恕谅。谨密禀。

直督李鸿章奏遵旨妥筹法越事宜折　附旨

北洋大臣·署直隶总督李鸿章奏，为遵旨妥筹边计事。

本月二十六日，张佩纶到津传旨商办法越事宜。臣惟中外交涉，每举一事，动关全局，是以谋画之始断不可轻于言战，而败挫之后又不宜轻于言和。刘永福以新集之军隔河而守山西，本是危道，杀伤相当，弃城走险，疆场胜负彼此何常？此亦未足介意。即敌或径犯北宁，三面受兵，势颇难守，然我兵终无遽罢之理也。窃谓关外进止机宜，应请旨悉以委之岑毓英，进退战守，惟利是视，不为遥制。就不甚爱惜之越地以练我兵，以挠敌志。越割未已，黑旗尚存，法亦尚多顾忌。久之，彼气衰饷耗，自愿转圜，斯得理处之法。岂可望风震慑，仓猝撤防，使法窥我内怯，要挟多端，增环海各国狎侮之渐哉？夫南宋以后，士大夫不甚知兵，无事则矜愤言战，一败则恇懦言和，浮议喧嚣，终至覆灭。若汉唐以前，则英君智将和无定形，战无定势。卒之虚骄务名者恒败，而坚忍多略者恒胜，是以知制敌之奇终在镇定。伏愿朝廷决计坚持，增军缮备，内外上下力肩危局，以济艰难，不以一隅之失撤重防，不以一将之疏挠定见，不以一前一却定疆吏之功罪，不以一胜一败卜庙算之是非，与敌久持，以待机会，斯则筹边制胜之要道矣。至津防为京师门户，尤系圣心，臣练军简器十余年于兹，徒以经费太绌，不能尽行其志。然临敌因应，尚不至以孤注贻君父忧，伏祈圣躬颐神加餐，毋以法船到津挟和为虑。臣事君治军，惟矢一诚输写愚忱，语多越次，无任悚惶之至！谨奏。

光绪九年十二月初一日奉旨寄李鸿章：近因法人破越之山西，正在严饬诸军力保完善，原无撤兵之议。该督所奏与敌久持，与现在朝廷办法吻合。内地防务，天津最要，着该督妥筹办法。前有议及防务，谓宜坚壁清野，办理团练者，着并议具奏。

直督李鸿章奏请责成岑毓英节制前敌各军并由津匀拨枪炮片

李鸿章片。

再，前敌各军事权散漫，兵家所忌。岑毓英现已行边，应请旨将黄桂兰、赵沃、刘永福各军均归该督节制。北宁如能扼守，因粮于越，稍省飞挽之劳。否则，粮饷、军火均当节节转运，以便久持。唐炯承命回省，徐延旭亦即饬令在关内外择要屯扎，经理转运事宜，俾各军资粮无缺。抚臣久驻边境，后路须有知兵大员赞助匡扶。新授浙江臬司李秉衡廉公有威，可否请旨与国英对调，俾偕张梦元整饬吏治，简练军资，以免抚臣回顾。边军与臣处音问旷绝，张佩纶到津言及桂军器械缺乏尤为焦虑，现拟由臣军匀拨两磅后膛过山炮十尊，子弹三千颗；林明敦后膛枪一千枝，子弹一百六十万颗，士乃得后膛枪三千枝，子弹九十万颗。吴大澂军匀拨云者士得后膛枪五百枝，子药二十万颗，由津、沪陆续运至粤东，递至关外供用。并请旨饬下南洋大臣，协济后膛枪炮子药若干，迅解边军。嗣后所有前敌滇、桂各营军械，即请责成张树声实力经理，转运分拨。臣仍当函告岑毓英等，讲求练军简器之法，师其所长，以期戒备严密。张佩纶拟初一日起程回京，其未尽事宜，已商由该副都御史到京面奏矣。谨奏。

光绪九年十二月初一日。

吉林将军希元奏会议朝鲜贸易章程折　附章程

吉林将军希元奏，为吉林派员，会同朝鲜陪臣切议商民贸易地方章程，现经核定事。

窃查，本年正月，前任吉林将军铭安、督办宁古塔等处事宜·太常寺卿臣吴大澂，会同署北洋大臣李鸿章，奏派前刑部郎中彭光誉前往朝鲜，会同陪臣鱼允中，勘议图们江两岸交界商民贸易地方章程等因。奉旨：着照所请。钦此。经该将军等檄令该郎中，并发给木质关防，前往会议。嗣于八月间，该郎中回省，将勘议情形及会定章程呈请核示前来。维时奴才甫经到任，情形未能周知。经臣吴大澂核定，所议设关地方离边界较远，规模较大，将章程酌加改定，会同奴才咨商署北洋大臣李鸿章。去后，兹据咨称：所议《吉林朝鲜商民贸易章程》均尚妥协，请主稿会衔具奏，咨行前来。臣吴大澂业已遵旨赴津，自应由奴才主稿，核定《吉林朝鲜商民贸易章程》十六条，缮单呈请御览，伏乞饬下总理衙门核议施行。惟吉林珲春城偏在极东，仅与朝鲜庆源府接壤，非两国商民必由之地。朝鲜北鄙以会宁府为货物集聚之所。过江入吉林境四五百里之内，并无城池、村镇，空山旷野，为盗贼出没及朝鲜流民偷垦之区，遽于其间设局收税，不能不审慎周详。与从前每年市易一项，仅止往来获〔护〕送，中道并不停止情形不同，且现在本省人员缺乏，应候将撤还流民，及酌拨防军一切事宜议定之后，再由奴才遴派委员前往，将所议开市处所设法盖房，筹策妥善，再行奏请开市贸易，以昭慎重。署北洋大臣李鸿章，谨会同太常寺卿吴大澂，专折具奏。谨奏。

光绪九年十二月初一日奉旨：该衙门议奏。单片并发。

谨将核定派员勘议吉林朝鲜商民贸易地方章程缮折呈览

朝鲜久列藩封，勤修职贡，今于两国边界改互市旧例为随时交易，系中国优待属邦之意，拟立《吉林朝鲜贸易章程》，与各国通商章程两不相涉。开列各条如左：

第一条　两国边地以图们江为界，图们江北岸东岸吉林所属之地大半荒陬，向无村镇，敦化县城距江岸甚远，自应于会宁对江之和龙峪沿江一带设立税务局，准吉林商民盖房屯〔囤〕货，与会宁一江之隔，俾商民人等可以朝至夕归，往来甚便。由吉林派出督理商务之员征收税课，稽查匪类。珲春与庆源府相去甚近，应于珲春所辖之西步江渡口添设分局，另行委员收税兼司稽查事宜。

第二条　如有商民欲入内地采办土货以及游历者，可照天津所定章程第四条办理。惟欲西入奉省较近祖宗陵寝重地及东入俄界者，概不准填给执照，并不准由本国地方私结他国商伴至开市地方，违者严惩。

第三条　从前宁古塔与会宁互市，库尔喀与广源互市，一切旧例概行停止，此后贸易均照新定章程办理。吉林委员遇有公事前赴会宁府、庆源府等处，不得援照向章，致滋歧异。

第四条　吉林与朝鲜商民随时往来贸易，一切创办事宜，应派督理商务之员，由吉林将军咨北洋大臣会议，酌派请旨定夺，俟奉旨之日，再行定期开市。珲春西步江所设分局，由吉林将军另派妥员经理。朝鲜各城开市设卡事宜，自可就近由朝鲜地方办理，以归简易。

第五条　吉林既于图们江边之和龙峪、西步江两处设立税局分局，朝鲜钟城之对岸，亦系从前互市商民通行之路，自应酌设分卡，由总局派员稽查匪类及偷漏货物等弊。

第六条　吉林与朝鲜接壤地方就近开市，以便商民贸易。朝鲜之人不准在吉林开市地方建房设栈，亦不准将货物运入内地售卖。如有请照入境采办内地土货者，不准在境内转相售卖。吉林商民在朝鲜地方亦同此例。其赁房寄顿〔囤〕货物者，听从其便。

第七条　征收税课，除红参外，均值百抽五，只交纳正税一次，均不重征子税。货物报官验单，照章纳税，不得于额外需索。商民出入，验照放行，不准稍有留难耽延。

第八条　商民贸易使用金银，应与随身衣服、行李、笔墨、书籍、所骑马匹，均准免税。但沙金、矿银入市销售，原同货物，与叶金、条金、金饰、宝银、锭银、碎银等项为市间行用，例得免税者不同，应按值百抽五，照章纳税。吉省亦照奉省所议办理。惟珲春及庆源各城，民间购买货件价雇佣保，多不用钱而用布，此项名为小布，亦系市间行用，与钱无异。如非车载驼运，每捆百匹者，应准免税，以存古风。近亦有代以洋机布者，不准援照免税。

第九条　所有稽查匪类、征收税课等事，统由督理商务之员妥派司事弁兵随时认真办理。其钱财、罪犯等案，珲春、庆源自应就近归地方官审断，各按定例办理，并互相知照。如有关商务者，仍照会税务局备查。惟宁古塔敦化县与会宁相距过远，非安东、义州、珲春、庆源相离较近情形可比，如吉省人民在朝鲜滋事，或私逃在朝鲜境内者，应由会宁等城地方官拿交督理商务之员。其无须归案而罪止枷杖者，及寻常词讼，由该员拟议发落，以省拖累。徒罪以上，仍分别解交地方官审办。朝鲜人民在吉省滋事，或私逃在吉省者，并由督理商务之员转令地方官缉拿，解由税局发交原报之朝鲜地方官治罪。倘有边界重大事件，非朝鲜地方官所能擅专，税局委员所能核拟者，应由该委员详奉北洋大臣、吉林将军、督办大臣批示后，仍由督理商务之员照会朝鲜各该地方官，遵批办理。朝鲜官员亦可转报朝鲜政府听命。

第十条　吉林、朝鲜商民贸易与奉天情形相近。朝鲜商民欲入吉省采办土货，先由地方官给发执照，由督理商务之员接照，盖用关防，更填给护照。吉林商民欲入朝鲜采办土货，亦用此例。执照内均先声明何处地方、何项货物。如未能预定何货，俟采办齐全，回到关卡地方，将实在货物报明，缴还原领执照，以凭查货征收，换给税单，出关、入关时呈单查验，盖用戳记。如出入有携带私货未经报明，即属有意偷漏，查出，货物入官。其寻常随时往来至开市处所贸易，应由地方官或税局给予关防印照，写明商人姓名、货物、牲畜数目，无照不许放行。只准由两国开市地方正路行走，不得肆意闲行。向民房借宿，由歧路捷径越绕者，各卡兵捕送到官，罚征正税三倍。

第十一条　吉林与朝鲜以图们江为界，交壤地段绵长，应于两国议定，开市处所对岸渡口官造渡船，逐日稽查出入货物。不准商民于他处另造渡船，致有绕越偷漏之弊。封江之日，路径处处可通，尤宜严加巡缉。应由督理商务之员随时体察情形，详细派队择要驻扎巡缉。

第十二条　洋药、土药与制成军器严禁贩运售卖，违者，照天津章程办理。朝鲜红参例准带入中国，吉林民种秧参亦经本省奏明，与药材并准征收税课，运贩他处。此项秧参运贩出关，应与红参一律办理，按价值百抽十五，以归划一。貂皮及猞猁狲等皮为吉林、朝鲜皆产之物，市易旧例禁止以此项皮张易货。现在旧例罢除，应准开禁，以通一时有无。其余蔬菜、瓜果、鸡、鸭、鹅、鱼，以及瓦木零星器具民间日用所需，概照奉天所议，一律免征。

第十三条　两国边界凡有人畜、货物被人诱去偷取，一经指明获犯，即行给还。如无原物，向该犯追偿。倘该犯无力赔还，地方官不得代赔，各将该犯以本国之律严行究治。若无指明人名，又未获犯，俱不得请偿。凡私来搜索财产、携带军器来劫者，俱从严惩办。

第十四条　商民夜市自应禁止，亦不准设立经纪名目，估值悉听商民评价。虽吉林、朝鲜向来贸易无此等流弊，自应照奉省所议章程预议立禁。其开市之处尺丈秤码亦应因地制宜，酌立定法，应候派定督理商务之员会同朝鲜地方官临时酌定。

第十五条　交涉事件来往文书，照奉天所议应遵体制，朝鲜必须尊称天朝，或称上国字样，即属寻常文移，亦不得率书中东、中朝等字，当照《会典》与用中外字样，以期简易。至吉省边界官员，则称朝鲜国，或称贵国字样，以示优待。公牍往来应用照会格式，悉照天津议定章程。两国闲散职员复自为商，因钱财细故，向两国地方官衙门投词结讼者，与民人一体用禀、用呈。

第十六条　吉林与朝鲜贸易事属创办，此次所定章程将来两国有欲增损之处，随时咨商酌改，由督理商务之员详请北洋大臣、吉林将军、督办大臣核示遵行，以期悉臻妥善。

谕彭玉麟张树声法攻北宁闻将犯琼州着扼要严守

上谕：现据李鸿章、张树声电报，法兵攻破山西，进攻北宁。并闻将犯琼州，欲据以为质，图索兵费等语。琼州孤悬海外，备御空虚，甚为可虑。现在省城防务张树声自已布置妥协，彭玉麟所部湘楚各营即可专顾琼州一路，着该尚书择地驻扎，迅饬各营驰赴琼州，会合吴全美师船，扼要严守。郑绍忠于该处情形较熟，着张树声饬令带兵前往，合力防守。刻下，东省防务紧要，王孝祺一军即毋庸调派赴闽。彭玉麟威望素著，务当相机调度，不必亲赴琼州，以期慎重。至各国商船，照常贸易，自应照常保护。并严饬水陆各营，不得别生事端。

十二月初四日

桂抚徐延旭奏出关暂驻谅山并越南义兵得胜折

广西巡抚徐延旭奏，为由龙州起程出关，暂驻谅山，据报，越南义勇会合我军三攻海阳，迭获胜仗，臣现分致各路，力图进取，并请饬下派拨火船，严扼海口事。

窃臣自令两路统领提督黄桂兰、道员赵沃，抽派队伍，分别出扎之后，节据黄桂兰、赵沃函禀：十月初三日，梁俊秀所部义勇李全忠、方金安及我军县丞林寿棠、六品军功陈天宋等，共四营，出扎平均地方，前距海阳十五里，后去锦江十里。义勇黄文明、黄福茂、赵福星，及我军游击谢洲、田福志等五营，出扎锦江一带，后去顺城府三十里。左军督带提督陈朝纲，督都司尚国瑞、叶逢春，并右军督带副将党敏宣，共四营，先后驰抵顺城府外，高垒深沟，立营扼扎，后去北宁法营三十五里。讵初六、七、八等日，法人即添轮船七艘，陆兵百余人协守海阳，而另以小火船游弋于平均江岸。陈朝纲、党敏宣等得报，即合挑精锐，驰赴平均，集商将弁，于十三日午后，密令南官阮善暨方金安等五营，各率义勇，分攻海阳水东，而以李群、林寿棠、陈天宋各营继之，均乘夜攻入。有三画兵头败逃，六品军功林两桢猛追，中炮阵亡。方金安枪中六画兵头马姓，弃剑奔回婆庙。各勇因天已黎明，暂退五里外驻扎。阮善仍于十四夜，率死士百人，焚其城东兵房五十余间，阮必达得大象一头驱回平均。至十七日，梁俊秀于锦江防营添拨先锋，会合我军精壮及各义勇，再攻海阳。陈朝纲、党敏宣等以海城炮垒坚利，入而难守，复商之梁俊秀，以李全忠、黄文明等分攻城内四楼，以尚国瑞、田福志等专攻婆庙，陈朝纲等自率亲兵专攻庙前围基，均经是日酉刻会齐，分道并进，夺据东、西、北三门炮楼，其婆庙炮台亦经攻克。党敏宣等即挥勇进城，据登围基望楼，只东楼坚锐异常，因令各营并力合攻。正在得手，不意彼族乘先夜雨涨，添来船二艘，与原船环城轰击，我军亦从炮眼开枪遥击，战至天明，彼固不敢登岸，我亦难以拢攻，相持竟日。我哨长黄新福施炮中一火船舵工，其船稍却，乃收队出城，回驻平均。先后约共毙法兵七十余名，西贡鬼八十余名，并夺获洋枪、旗、剑、号筒多件。查点我军，计共阵亡十二名，受伤三十八名，均经分别赏恤医治。维时黄桂兰、赵沃据北宁总督张登坛禀报：十八日，有法火船、板艇各六艘驶至桃溪江、扶朗墟等处。十九日，河内又出一千三四百人，带有开花格伦炮，分扎晴光社、青庵各村，即以百余人径渡新河，欲来挑战，均经黄桂兰、赵沃先后调派总兵陈得贵、陈德朝等，出队分往抵御，并亲临调度。又飞饬顺城各营，直上嘉林，以抄其后，彼族即于二十日、二十一日仍退回嘉林、河内，其驶来之船亦皆退去。我军即扼扎新河、慈山一带。黄桂兰、赵沃以法据海阳旧城增修守备，又于城中筑已一小围，四面皆水，得而难守，且探得河内、南定等省并巢内围，一闻炮音，援船瞬至，拟塞其河道要隘五处，派营坚守，以遏敌援等因。又据越南谅山巡抚吕春葳将前项军情禀报，而虑彼族狡诈百端，恐其再扰顺安，挟制各路，恳请派拨兵轮数十艘，保护顺汛等情。又据留营主事唐景崧函称：二十四日，有兵轮大小五艘驶至山西城外，沿江施炮，又有番兵千数人来至丹凤，势将水陆并攻。唐景崧即督饬新靖中营贾文贵布置内外城守，而令刘永富、连美、朱冰清等各率所部，出扎东北门外，严阵以待。彼族见已有备，亦遂仍皆退回等因。

臣查，法人久据河内，四处横行，近又胁兴安省城，且连河内、南定、宁平、海阳、广安等省，一并设官迫住。由吕春葳禀请题达，是以臣令各营抽拨出境驻扎，免其日肆凭陵。乃见我军进扎，辄敢以兵轮游弋平均。又见我军分拨，更敢由水陆窥伺山西。诚如总理衙门所议，实不能受此蔑视。臣前委派副将刘仁贵所募亲兵营，并调总兵董履高派拨游击晋文治、参将翟世详管带靖边前后两营，均据报于十一月初一、初三等日先后到龙。臣又添调驻防镇安之参将党英华一营，并委参将姚大瑛、都司甘乃斌添募亲兵左右二营，先挑四营饬赴前敌，以一营随行听调，以一营留驻龙州，顾［护］卫后路粮饷、军火源源运解。臣即于十一月初二日由龙州起程出关，迄初四日行抵越南谅山省城，接见该巡抚吕春葳，细询近日军情，与该抚前报及两路统领所称，大略相同。臣因起程之前肝气复发，至此未愈，暂驻谅山医调；且亦须布置后路，先驰书谆嘱黄桂兰、赵沃，督饬前敌各军，步步为营，力图进取，仍不时分袭海阳、嘉林，以疲敌力。又以手函奖励刘永福，照给月需饷项，而另派员弁赍解赏银三千两以鼓励之。饬即督率新旧各营，刻日进军，规复河内，仍函致唐景崧，不时激励。又以梁俊秀等义勇营此次出仗奋勇可嘉，亦经酌给赏项二千两，并解银二千两交两路统领，以作义民随时赏恤。惟念臣以庸材，当此重任，老师靡饷，甚切惭惶。兹蒙谕令两江督臣左宗棠，饬王德榜督带勇营，驰赴关外扼扎，以助臣力所不逮，实不胜感幸之至。臣与王德榜虽未得晤，而素闻其报国情殷，计必迅速成行，刻日出关，从兹滇、粤各边兵力愈厚，不惟足固北圻门户，抑且愈壮越军声援。臣俟后路布置稍有眉目，即驰赴北宁察看情形，联络滇军，激励越将，相机因应，以期通力合作，迅扫夷氛。惟法人之横恣自由，全恃火船为救援，海防为接济，而顺汛河口逼近越南国都，亦不无投鼠忌器之虑。臣前已函请彭玉麟、张树声，派拨轮船，扼扎广安省属洋面之虎门山，以断法人出入之路。并据吕春歲所禀分别咨呈，仍应请旨饬下南、北洋大臣暨福建船政大臣、并兵部尚书彭玉麟、两广督臣张树声会商，酌派得力大轮船十数艘，配足枪炮，驰赴越南海防，顺安各海口扼要分泊。法人如果自知进退，便可按兵不动。否则，即以截其归路，并焚击其海防洋楼洋兵，而痛惩之，庶足断其援军，制其死命，并可兼顾越都，而河内各省亦不难刻期规复矣。惟广东轮船稍小，恐于大洋难期得力，可否饬调闽省轮船及彭玉麟旧部以备战守?伏候命下饬遵。谨奏。

光绪九年十二月初五日奉旨：览奏均悉。据李鸿章、曾纪泽等电报，越南山西已为法据，该抚务当督饬各军，力保北宁，毋任深入，以固边疆门户。

桂抚徐延旭奏据报告各处义民响应遇敌敢战片

徐延旭片。

再，正缮折间，接主事唐景崧函称：奉到八月二十二日恩旨，即经传示刘永福，莫不感激涕零，罔知所措。刘永福新募各勇已到千余人，现商俟配足枪械并滇军出扎山西，足备法人不时窥伺，即一面进规河内，一面分取宁平，期与锦江各营夹河而垒，截其下游轮船，以坐困之。臣查所筹甚合机宜，即经函复转饬照办，并飞提新经解到龙州各军火枪械，分别发给应用。闻云南抚臣唐炯早已起程赴防，其出扎山西之军计亦不日可到也。又接黄桂兰、赵沃函称：据越南剿抚使梁俊秀禀，海阳省辖安老县义民范忠直、郑文乙等号集义兵二千余众，于十月初一、十二、十五、六等日①，迭与法兵战于春盎、山盎②、仙会、文场、柳屯诸社，毙敌党三十余名，并于金城县河边夺获搁浅西

① 按现行语法应是“十五、十六”。

② 据黄振南、庾裕良：《试论中法战争的性质》（《学术研究动态》1983 年第 8 期）一文所引为“盎山”。

船一只，及铜炮、旗帜、喷筒等件，阵亡义民一名。当由黄桂兰等照章给赏，饬梁俊秀转饬范忠直、郑文乙，挑精锐二千人，为义勇新军正、副两营，令各领一营，互为援应。又称，九月二十八日，法率西贡教党共约千人，袭攻南定省辖太平府城，经在籍提督谢现督率义民四百名，协同南兵击走。谢现即进扎建昌府城，法人又来攻扑，亦为谢现义民击退，共毙法党约三百人。各处义民愤憾彼族迁怒肆焚，愿从谢现者至五六千余名之多。黄桂兰复饬梁俊秀抽拨义勇一营前去镇导，随时策应。又称，据陈朝纲等禀称：十月十三日，复有中火船三艘，驶来锦江河口，悬炮肆轰锦江、平均各防营，并以板艇分渡洋兵三百人，猛扑平均营盘。经党敏宣等分饬各营相机迎战，并往援锦江，绕截下游河口，据岸伏击。彼知陆战不敌，乃仍渡回，环施火炮，即悉望下流退去各等因。臣查，彼族连日轰扑锦江、平均营垒，实以扼其要害，碍其轮船上下之故。而海阳、南定各义民四处响应，遇敌敢战，河内一经得手，便可四路截杀，洵是天怒人怨，该夷虏灭亡之秋也。除分饬各军随时激励，扼要稳扎，合图大举外，谨附片具奏。

光绪九年十二月初五日奉旨：知道了。

桂抚徐延旭奏法人增兵运械事机日紧拟分路并进使其四面受敌片 附旨

徐延旭片。

再，臣前奉谕旨，即与提督黄桂兰等迭次函商，檄令陈朝纲、党敏宣等督军会合义勇，出扎顺城、锦江、平均一带，以免日久又为彼族所据。乃顷接黄桂兰、赵沃函禀：法人竟敢扬言将攻顺城，而于十月二十七、八等日以火船三艘驶至平均、锦江，在船桅悬炮直轰义勇及我军所扎营盘，至数十余出，伤毙勇丁十余名。经都司叶逢春、游击谢洲出队援截，副将方大义以开花炮中其船头，始行折回。又据唐景崧函称：二十七、八、九等日，彼族复连驶火船两艘，至山西城外游弋，是已侵及我军驻防之地，断不可再事姑容。臣现加致黄桂兰、赵沃、唐景崧等，转饬前敌各营，遵照迭次寄谕，与之开仗，遏其猖狂。惟法人既据越南多省，而河内为彼老巢，海阳为彼要道，并皆近接北宁、涌球、慈山、新河，固所必守，顺城、锦江、平均尤所必防，且须严扼塞河之所，又须添营进扎之师，布局既宽，需勇益众，即王德榜所部出关，尚虑备多力分。臣近接准云贵督臣岑毓英密咨，十月初九日复奏，密筹恢复越南事宜折稿，固知圣明指示自有机宜，万一尚须，再候谕旨。现在事机日紧，合无仰恳天恩，准其自带二十营出扎山西，力扼怀德、丹凤，以据河内上游，俾腾出刘永福一军，经由陆路专攻河内，兼可腾出越军代守山西之四营，严扼新河对岸，攻其嘉林营垒。并联络顺城、锦江各营，截其下游援应之船，而助刘团攻取之势。臣拟俟王德榜到后，再与云南督抚臣会商，酌拨一军间道斜捣南定与安宁，平分其老巢之力，即以兼顾越都，彼族势将四面受敌。若再蒙饬拨火船，断截海口，定可聚而歼旃，惩一警百，亦实一劳永逸之至计也。惟迭据各报：近日添来吕宋马打鬼二千余人，分赴河内、海防为最多，南定、海阳次之。又新到鬼卒一千名，半留海防，半抵河城，载有大开花炮十八架，快枪不计。又到高蛮土人一千八百余人，并造小轮船十八艘，为冬令水涸之用各等语。

查关外两军并刘团义勇新集各营，枪炮尚少，而开花炮为攻坚所必需，广西不可多得，此外实不敌法炮之远。及前经调任抚臣倪文蔚奏请，借拨两江督臣左宗棠交王德榜携来永州军火器械，虽未奉到批旨，而现蒙谕派王德榜督勇出关，则此项军械可先起解。臣已飞函恳倪文蔚向王德榜借用济急，应仍请饬左宗棠转行王德榜知照；并檄行上海机器局，代购开花炮十尊，各项洋枪二三十杆，配足子药、铜帽，并多办水雷、电线，派拨熟识施放员弁，携带修整机器工匠委员，迅解来营，以便拨还，兼资源接济。所需此项经费由左宗棠代筹，或以江西、湖北协饷解还，均候命下遵行。谨奏。

光绪九年十二月初五日奉旨：王德榜所带军械前已准倪文蔚所请提拨应用，并谕令左宗棠将王德榜一军所需军火迅速接济矣。

滇督岑毓英奏带兵出关折　附旨

云贵总督岑毓英奏，为遵旨带兵出关事。

窃越南之事近据探报：法人于十月十八日驶兵船五艘，泊海阳之楼栖江。十九日，有法兵七八百人，占据附近新河之清庵、晴光等社。二十五日，复袭据兴安省旧城，将该省巡抚阮文教拿解河内。二十九日，复有法兵轮四艘，驶抵海阳省属鹅黄江，施放大炮，平均社所扎北宁义勇二营被其击散，旋即复回。同日，又有法兵二千余人到左凤，上岸扬兵，势颇猖獗。并闻海防法人恐贸易华人为义勇内应，将华人三百余名尽行枷号，解至河内索银取赎。凡法人所占各省，富厚之家均被抢劫勒赎，民不聊生，深堪悯恻！亟应迅速出关，设法拯救。臣前拟挑带二十营，共计一万人，业已齐备，惟保胜一路船只稀少，必须分道并进，庶免拥挤耽延。除前交记名总兵丁槐先带去三小营，同参将张永清等五小营已到山西、兴化驻防外，兹又饬补用副将陈安邦分带三小营出关，由越南安边、河阳、宣光一路，径赴山西对面之屯鹤关扼要驻扎。臣定于本月二十五日起程，亲带记名提督吴永安，记名总兵马柱、雷应山，补用副将王用梅、徐成林、李朝言，补用参将李崇魁、赵伟、李世兴、杨载春、李凤呈，补用游击段仁、王森、李万高、柳秉象、许占元、张显福等各营，陆续分道进发，约计十二日内可以齐抵山西。臣自当激励刘永福、黄佐炎等相机进取，并联络广西防军，严密布置，步步谨慎，不稍轻率。至保举将才，必求名实相副。臣不敢徒采虚声，滥登荐剡，容再留心查访，据实保奏，以副圣主求才若渴之至意。再，臣带印出关，本署紧西〔要〕公事仍寄行营核办。其日行寻常事件，因署藩司李德峨现代抚署行折，恐难兼顾，现委署臬司熊昭镜暂代行折，俟新授藩司龚易图到任，再委其代行代折，以符定制。谨奏。

光绪九年十二月十七日奉旨：览奏均悉。越南山西省城前闻已被法兵攻破，该督出关后，着即严密布置，力保北宁等处，以固边疆。所请调员差遣，已谕知潘霨，饬令邵复胜驰赴越南，交该督差委。

桂抚徐延旭奏法兵攻破越南山西请饬滇粤出兵匡复折

广西巡抚徐延旭奏，为调拨勇营驰赴前敌，据报法人攻据越南山西省城，现饬北宁严密扼防，并分别添募添调，恳请饬下广东、滇、闽，合图扫荡各情形，据实密陈事。

窃臣节据副将刘仁贵、游击晋文治、参将翟世详、副将党英华，各率所部营勇，于十三、四、五等日先后驰抵谅山；并留防南宁总兵董履高，亦率亲兵前来请示。维时连接左右两路统领提督黄桂兰、道员赵沃函称：彼族于十一月初旬时扰芹驿关、扶朗墟一带，窥伺北宁。又时以兵轮停泊山西城外，斩竹通路。该两统领即抽调黄忠立、陈德朝、李定胜、黄云高等营，扼要进扎，并调派防越南高平、太原省辖之副将李石秀一营，又调派防越南芃封、平加等处之参将黄玉贤一营，前往协助。留营主事唐景崧亦告以商饬越将刘永福，拟于二十日前后进规河内。臣当即札饬刘仁贵、晋文治、翟世祥三营，悉数拔队驰赴北宁，听候调遣。而饬董履高迅回龙州，调其留邕全队防顾龙州后路，替出都司甘乃斌一营，拔赴前敌，其党英华一营暂留谅山，分哨填扎芃封，照前巡防；仍派参将于德富、千总邱世朝再分赴邕、梧，添募两营，以厚兵力。刘永福禀报，自购洋枪子药一宗，需价银七千两，经札饬梧州厘局照数拨给，又饬由行营另为筹解军火一批。至十七日，接准黄桂兰、赵沃转据唐景崧函报：本月十三日申刻，彼族数千人由丹凤过喝江，扎庙村，距山西城二十里，有开花炮二百余门、逼码车数百辆、马五百匹；又水路大小兵轮十五艘、民船三十六艘，于十四日辰刻以三千余人登岸，扎富江，距城十里。唐景崧等闻警，即督率亲兵布置城守，而商饬刘永福所部及滇、粤各军，出城分头埋伏，并令我军明用旗帜、号衣列队河干，以备抵御，复饬南兵守护河堤。讵十五日辰刻，彼族兵轮竟敢齐逼城下，施炮轰城，又以数千人登岸四扑我军。时有粤军李应章、贾文贵，滇军张永清、徐世和、莫矜智等五营，及黑旗之右营、七星营、武捷营，与敌力战于东北隅，枪炮互施，毙敌多人，我军亦有伤亡。战至申刻，法人退据河干莲沿社村中。七星营搴旗直上，李应章继之，连美、朱冰清、黄守忠、吴凤池等军由东门绕道包袭。正在酣战，忽报守堤南兵被法人击退，北路各军纷散入城，法兵全据河堤，逼至城外木栅，炮弹如雨。唐景崧亲至城门口，严令张永清等三营、李应章等二营回马再战，法兵稍却。刘永福亦赶至，唐景崧即令其大队紧靠城根，连夜挖土筑墙，为蔽身出战之地，而悬重赏下令滇、粤五营，各挑奋勇夜战，夺回河堤。迄至天明，不能取胜，各军乃退保罗城。与唐景崧所报相同。此山西各军连日备警接仗之情形也。

黄桂兰、赵沃一闻战信，即饬派陈德朝带队，在于山北适中之地列阵梭巡，并饬锦江义勇，连夜袭扰嘉林炮台。黄桂兰于十八日自督各营，往攻新河、慈山，并飞调义民杨文注、阮必达等进逼丹凤，以图处处牵制敌师。又分给刘永福军火逼码，以资接济。时法人板艇、火船数艘，在普赖地方游弋，并驶至芹驿关、扶朗墟施炮，经派陈得贵、韦和礼会同李石秀，各挑劲勇，于十七日击退。乃复扰及陆岸县，烧屋放囚，肆行掳掠。该两统领以芹驿关为北宁河道险要隘口，商派四营扼扎，以固涌球、谅江门户。臣随时函复嘱拨生力军驰援山西，并须严扼各路要隘，备敌暗算。此北宁各军随时援应严防之情形也。

正悬念间，旋于二十一、二等日据赵沃连日续禀：十七日辰刻，唐景崧专勇请解逼码枪炮。询据面称，法人于十六早复驶船至西门，悬炮轰城，又率兵登岸紧攻。我军并力死守，至晚，大小枪炮齐发，敌兵死伤甚多。黄桂兰以山西危急，于十九日回防，商派总兵韦和礼率领全队星夜直上山西。不意二十日午刻，据南官张登坛面禀，山西领兵官派员来报：彼族于十七日仍攻西门，刘永福暨各官军均极力堵御。午后，法兵拼命直前，轰倒城楼并城垣数处，竟于申刻由缺口攻入，纵火焚烧，又暗用教民导至南门内。南兵齐换白衣，倒戈相向。唐景崧与刘永福等犹押队巷战，无如军民纷纷溃乱，南官黄佐炎首先出城，阮廷润继之。于是刘永福及滇、粤各军带队血战，与唐景崧等冲出围城等语。北宁解去之逼码等件，因金英、屯鹤道路梗塞，时亦折回。此法人连日猛攻山西，占据该省之情形也。

臣查，法人与刘永福久已势不两立，此次以水陆大队直犯山西，船炮既强，人数亦众，滇、粤七营及刘团所部与血战数昼夜，卒以城塌、内应因之不支。闻此猖狂，实深愤恨！臣即专弁赍书星驰绕探唐景崧等所在，谕以收拾溃兵，再图复振，并仍济以枪械军火、饷项之需。复又函嘱两路统领，督饬各军，随时警备，到处严防，务须周密布置。并饬于月德江渡口赶筑炮台、短墙，拨营扼守。北宁距河较远，该两统领已将锦江各防营调回。昨适甘乃斌全队赶到，亦饬迅速赴防，断不至再有他虞。臣现复派差遣委用提督王洪顺前赴浔柳一路添募四营，并调内地各府防勇四营，星速出关，听候调遣。而咨请调任抚臣倪文蔚酌量另募填扎，以备腹地巡防。惟念臣自奉命出师筹办越事以来，今已七八月矣，不惟不能协规河内，而且不能助保山西，师既徒劳，罪无可逭，自应亟图恢复，以赎前愆。而事势之缓急，办理之难易，今与昔实迥然不同，不敢不据实陈之。

法人初至，数本无多，屡挫之余，犹在顾忌。今以休息数月，遂为沉舟破釜之谋，明知山西为我军驻防之所，明见旗帜为中国驻防之师，而竟敢扑城，竟敢死战，此其蔑视无状，岂可稍忍须臾？而侥幸一胜，势盛气骄，不乘北宁必窥滇境，不图保胜必据富春。我已失辅车之依，彼全据洱河之险，得步进步，防不胜防，再不及时图维，势将何所底止？此今所以急于前也。法人虽于上年占据河内，而情形未熟，守备未定。若乘刘团战胜之时滇、粤各军通力合作，仰承庙算，俯采群谟，速扫夷氛，当易驱殄。今则洋兵日增，装束不一，吕宋显违公法而助其虐焰，南官半率教民而受其牢笼，船炮之恣肆弥多，水陆之险夷尽悉。广西已竭全省之力，北宁实当三面之冲，守则彼益侵陵，进则我虞牵制。欲求荡除妖孽，势非独木能支。此今所难于前也。然而迭奉寄谕，饬云南抚臣唐炯迅赴防所，并前福建藩司王德榜募勇出关。且蒙俞允，江南军火先行提用。又奉十月二十四日批谕，法人若竟扰及北宁等处，并蒙准臣督饬官军竭力堵御。同日，接准广东督抚臣密咨，又蒙饬下沿海、长江各疆臣预筹战备。是现在不可姑容，不可易视情形，均已早在圣明洞鉴之中。但滇军出扎，甫到三营，楚军成行尚需时日。臣自得法人添兵添船之报，深虑彼族诡谲百端，大局攸关，难安寝馈。是以前折有恳恩准云贵督臣岑毓英自带二十营出关，并调拨闽省大轮船之请，而此际局势，尤非臣独力所能胜。臣知广东民素强劲，且谂兵部尚书臣彭玉麟已拟就地取材之疏，请乘虚直捣。合无仰恳天恩饬彭玉麟，派拨一军，速乘海阳空虚，由东径行攻入。并望圣慈如臣前折所请，以闽师严扼海口，以滇师直出山西。臣再督率所部，会合楚军，进规河内，使彼首尾不能相顾，必可计日成功，大纾积愤。否则，彼益根深蒂固，我愈糜饷老师，来岁春水涨生，更不知如何措置。彼时，即治臣以重罪，亦何裨于事局？亦何益于越藩？除俟探明唐景崧等退扎情形，续行驰报外，理合恭折密陈。谨奏。

光绪九年十二月二十三日奉旨。

桂抚徐延旭奏请饬闽抚及船政大臣派拨大轮船十数艘分扼海口断敌归路片

徐延旭片。

再，臣于十一月初二日由龙州出关，所有筹办情形迭经奏报在案。兹阅内阁学士周德润奏称，海阳为出入要口，丹凤据河内上游，拟用火攻断其接济，实为握要之论，亦皆制敌之图。营中近月有献火攻之策者，系拟以竹簰装载柴草，中藏硝磺、火箭、喷筒，联以铁练〔链〕，夤夜乘风顺流放簰，近敌纵火，而仍辅以陆兵，截其援应。曾函黄桂兰、赵沃酌办。但江流湍急，敌舟皆泊中流而不连，尚不知能否合用。兹准周德润所陈，即当转行该两统领遵照妥办。果皆认真讲求，敌舰虽或不同，而古法具在，未有不助成功者也。至于法据各省，恃海防为接济，轮船为应援，诚如周德润所云，必须守以兵船，方足扼其吭而制其死命，臣前次奏折亦已及之。但刘永福原有炮船刻正不知何在，北宁所造皆舟小力轻，而尚未成。昨接彭玉麟复函，亦称广东轮艘过小，只能游弋内河，不能驾驶外洋。惟有恳恩饬下福建督抚及船政大臣，派拨得力水师大轮船十数艘，分扼海防各口，焚其洋楼，断其归路，彼族粮匮援绝，必可聚而歼旃，固不仅恢复越南各省也。目下，败盟启衅实出法人，圣谕煌煌，早已不能受其蔑视，此后声罪致讨，拟请朝廷不必讳言用兵，亦不必借名刘永福，惟合粤东、滇、闽及江南，群策群力，共图殄除。臣断不敢以衰病之躯，存畏难之念，自取咎戾，辜负圣恩也。谨奏。

光绪九年十二月二十三日奉旨寄岑毓英、徐延旭：越南山西失守，北宁防务益紧，着徐延旭督饬各军，严密布置，不可株守待援。彭玉麟兵轮暂难远调，着岑毓英迅率所部出关，合图规复。

总署奏法人吞越显背公法请筹饷备械以遏外侮折

总理各国事务恭亲王奕䜣等奏，为遵旨会议具奏事。

十二月十三日，奉旨：张之洞奏，法衅已成，敬陈战守事宜，暨沥陈不可罢兵各折，着军机大臣、总理衙门王大臣会同妥议具奏。钦此。查该抚两疏虽有传闻之异，而统筹全局，虑远思深，语颇切中。其所陈用刘团、用越民及天津、烟台、旅顺、江浙、闽粤各军，大致与近日办理情形吻合。至备军火、速文报、筹饷需、散敌援，均属行军要着。此次法越事宜，刘永福一军战非不力，而攻守之具未备，遂至一挫怀德，再挫山西。器械不精，兵家大忌。前奉谕旨，以军火责成张树声经理，并由臣等函致李鸿章，筹款订购克虏伯炮位、毛瑟、哈乞开思后膛枪，已于议复许景澄条奏折内声明。关外文报稽迟，现在即系由粤电寄到京，复由张树声奏准将电线展至龙州，已蒙俞允。臣等复电致张树声，于龙州电线未成之先，由关外达粤，由兴化达北宁，添设马拨健夫，以速邮传。经张树声分别咨办，似较该抚请设台站更为简捷。许景澄筹借洋款昨已议驳。该抚亦虑及兵锋既交，他国瞻顾，借款不易，应即无庸置议。至部存四成洋税，近年陆续拨用，实存无几。如何调剂盈虚，当由户部实力设法经理，以期持久。英、德与法有隙，诚如该抚所言，而德猜疑尤甚。惟外国族类相同，壤地相接，即有忌法之心，断无助我之意。原奏所称撤使疑法，此时尚可从缓其接济军火资粮。中法尚未绝交，例难阻止，况其离合向背全以中国之强弱为转移，公法、要约殊不足恃。现在粤省探报传有英商接济法人煤饷等情，商令曾纪泽达英饬禁，电复即甚支吾。德厂所造兵船商借德旗回国，德人未肯假借。惟望外国不助我，亦不助法。臣等当密与联络，即不能破纵为横，亦免启戎树敌，庶法势稍孤，诸军得以并力耳。另折于用粤团为兵，定刘永福为王，盖不啻反复而长言之。查原奏称：粤省近因筹备海防，民间捐输已成巨款，请择粤绅佐彭玉麟、吴大澂办理粤东团练等语。粤东俗强财富，筹饷如东征局，办团如三元里九十六乡团练，均有成效。惟粤民可用，要在用之者有人。粤财可捐，要在捐之者有道。现在捐输有无巨款，未据该省奏报。吴大澂赴粤之役中止，应由臣等摘录原奏，饬下彭玉麟、张树声等详查复奏。越王传闻遇杀，迄今尚无确耗，边将义民犹以复阮为名，似不宜别立假王，转生枝节。请俟岑毓英出关后，将如何立贤存越之处相机办理。旧臣宿将如杨岳斌、曹克忠，均已蒙恩召用。吴长庆镇抚朝鲜，未便撤戍。其丁宝桢、刘铭传、金运昌、娄云庆、郭宝昌诸臣，或现膺重寄，曾著战功，应否调京备用，伏候圣裁。总之，法人吞越，显背公法，专尚诈谋，朝廷不得已而用兵，非徒保护属邦，实以遏绝外侮，此举成败利钝关系非轻。张之洞力陈不可罢兵，与李鸿章疏请坚持同孚宸断，臣等惟有禀承庙算，殚竭血诚，冀伐狡谋而维全局。谨奏。

光绪九年十二月二十四日。

滇抚唐炯奏扼守家喻关以图进取折

云南巡抚唐炯奏，为据报越南山西不守实在情形，现已扼守家喻关，赶为整顿，以图进取事。

窃臣于本月二十六日接副将陆春禀报，十七日，山西南官率领教民开城内应，我军败退兴化，各情附片具奏在案。二十七日，接据参将张永清禀称：十三日，侦知法兵数千并运开花炮、格伦炮二百余门至丹凤县，轮船、民船大小二十余艘，泊月德江口。当经主事唐景崧约会，分布滇、粤两军及刘团准备战守。十五日辰刻，法人分三路攻扑东、北两面，大小炸炮环施，各军力战，斩杀不少，法人稍却。时已至申，不意江边炮台被法人炸炮轰坏，伤亡甚多，我军犹据堤血战，一夜未息。唐景崧因商令各军收入附城土围，分段固守。十六日，法人即将大炮车至堤上，向围内轰击彻一昼夜。各军虽有伤亡，士气未尝稍馁。十七日达旦，法人拥队奋攻土围，西门各军竭力抵御。至酉戌间，忽城内南官竟放炮从后轰击，我军腹背受敌，顿然涣散，纷纷向东南奔退。沿途村庄教民亦多起应，拦途截抢。该参将绕道殿后保护，于二十日始回至兴化。主事唐景崧，南将刘永福均先后到来，分扎城内外，现已商同赶为收集整理。惟兴化越民多逃，米粮一无存储，形势又无可据。且近大河，小轮船可以直上，守御甚难等情前来。

臣愚以为，此时滇、粤两军及刘团既经新挫，一切尚需整顿，而士气尤宜养蓄。倘驻守兴化毫无把握，设有再误则军事更为棘手。臣已一面函告主事唐景崧，令与刘永福察看情形，细心筹画，如能稳扎兴化，则即驻守该城。否则，暂移扎兴化上游三十里之家喻关，俟督臣增调各营，次第出关布置周妥，再图进取。总兵丁槐现已饬扎家喻关，并檄提督周万顺携饷前往，先行照料军食，以固士心。至此次阵亡员弁、兵练，容俟查明实数，另案奏请给恤。谨奏。

光绪九年十月二十七日奉旨：知道了。

清季外交史料卷三十八终

清季外交史料卷三十九

光绪十年正月至三月

粤抚倪文蔚奏法陷山西粤军失利当奖率将士力图绥靖折

广东巡抚倪文蔚奏，为钦奉谕旨，恭折复陈事。

窃臣于光绪九年十一月二十日在西抚任内钦奉上谕，以内阁学士周德润筹议攻取机宜折片饬令酌度妥办。臣遵将原片悉心审度，所称火攻之策固为切要，惟刘永福本系陆军，若令招集水师，用违其长，恐难得力。且转瞬冬初将尽，南交节候甚早，火攻之计亦恐难施。臣当即函商徐延旭，相机因应。去后，旋于二十八日交卸广西抚篆起程赴东。初十日，臣行次苍县属之界首镇，接准徐廷旭函称：越南之山西省已于十一月十七日被法人攻陷，刘永福退军兴化，官军伤亡二百余人，军火、粮饷遗弃殆尽。臣接信之余，不胜愤懑！其详细情形，徐延旭必已据实驰奏。臣查，法军屡摧〔挫〕于刘永福，矢志报复。前于丹凤开修炮路直抵河内，宽皆逾丈。此次山西被陷，徐延旭来函虽未缕述情形，臣遥度事势，必彼炮路修成，炮车得以驰骋，是以各军力难抵御。臣于十二月三十日奏报边情，曾陈明刻须分军进扎，使彼炮车之路不得就，最为要图。前闻彼族在海阳开修大路两条，一通河内，一通北宁。臣顷复飞致徐延旭，亟宜设法掘毁其路，始可操制胜之权。岑毓英现又奉命筹边，计程应已驰抵防所。该督智勇深沉，必能审机应变，力图进取。臣现于十二月十五日接篆，东省海防节经尚书臣彭玉麟、督臣张树声次第布置，已有条理。法人既有山西之胜，洋报张大其词，各国不无冀幸之心，东省防务尤当示以镇静。臣惟有恪遵训谕，随时与彭玉麟、张树声和衷商办，开诚布公，奖率湘、淮各军将士，联络绅团，俾众志成城，缓急足恃，冀副圣主思患预防、绥靖海疆之至意。谨奏。

光绪十年正月初十日奉旨：知道了。

桂抚徐延旭奏布置北宁各路防军迅图恢复折　附上谕

广西巡抚徐延旭奏，为布置北宁各路防军严加扼守，督饬刘团迅图恢复，恳请饬下滇军先行会规山西，并东师仍攻海阳各情形事。

窃臣前将调拨勇营驰赴前敌，法人攻破越南山西省城，北宁严密扼防，分别添募添调，恳饬广东、滇、闽合图扫荡，各情形密陈在案。臣自得山西警报，并准督臣函示总署电寄法人行险侥幸之语，节经函致左右两路统领提督黄桂兰、道员赵沃，督率各营，加意严防，随时警备。旋据复称：芹驿、慈山、涌球皆要隘之地，业派副将党敏宣督带八营扼守芹驿关、三江口，总兵陈德朝督带四营扼守慈山前路，副将周炳林督带四营扼守慈山后路，提督陈朝纲督带四营扼守涌球，而以两营守北宁，以两营守谅江，另以精锐先锋三营为游击之师，分等挑选奋勇以备迎仗；并加增木石，填塞月德江口，遏敌轮船来路。又经赵沃自至各扎营处所，周历察看，督饬挖濠、立营，安放地雷，并沿河添筑炮台，备轰轮舶。臣复催令赶紧备御完固。又虑涌球、谅江兵力尚单，复催前添调募各营，迅速出关，驰赴前敌，协助分守。并有南官张登坛固顺城、锦江、多福县之防。刻下均能稳守，北宁后路当可无虞。山西之战，法人驱教民当先，继以西贡巴衣马打及真正法人约八九千人，虽得破山城，而为刘团及滇、粤各军所毙者实不下三千余人，洋官二十余人，凡各鬼尸多已用船装回河内。黑人向法索葬费，不允。乞以船送回国，又不允，哄焚火药库，毙黑白人二百余，各项炮子亦炸裂不少。两路统领转据原派内应及南官所报皆同。臣以彼既内讧，机正可乘，复切嘱前用间密探，以守为攻。刘永福退扎兴化后，经臣迭次委解枪炮、子药、逼码、饷银，为整顿部曲之用。本月初二日，刘永福遣其营官韩再勋率数百人转战，而至北宁请领饷械，因金屯鹤一带均有教民阻截，路不疏通，皆不敢多携。适云南抚臣唐炯函告：业由新安起程，暂住保胜。臣因复请唐炯先为刘团就近接济军火、饷项，俾得及时图功。旋接主事唐景崧函称，现有总兵丁槐所部滇军五营来到兴化，因商请先固第二重门户。又据黄桂兰、赵沃函报，黑旗营官黄守忠带勇千余扑攻山城，毙敌甚多。南策府义民两次击退法人轮船，南官谢现督南定义民战胜法人，擒其总理各等情，经臣查探属实。复饬唐景崧加意激劝刘永福，赶紧整齐旧部，迅图恢复山西，并分饬各路联络义旗，互为援应。云贵督臣岑毓英勇于任事，现蒙圣慈，俯如所请，必能闻命即行，臣尤不胜欣幸。

惟臣初四日接准督臣张树声函示有越都戡乱之役。正月初八日，复准来咨，已奉改派岑毓英前往。臣查，越都之事，一谓，嗣王因法人日逼，欲治议和诸臣之罪，因而施鸩，矫太妃之命，立前王三子，年十四岁；一谓，嗣王私迎洋人入城，各臣请其太妃废之，而立前王三子名膺登者，年十七岁，嗣王因而仰药自尽。臣前以此皆出自传述，其说纷歧，故未敢遽以入奏。接准前因，复切致两路统领密查，南官张登坛仍前两说，并云，清化道梗，尚无明文。该国世守藩封，自应遵旨查办。惟查，由越南兴化赴其国都，必取道山西、河内、宁平各省，即迂道而行，亦不出此数省，所属皆为后路，现又皆为法所据，实不能不通盘筹画。臣窃维越南数月之间两易其主，或亦该国气运使然。况其嗣王犹未奉天朝册封，揆以春秋大义，尚在未成君之列。法人之以越南改立嗣王，及山西之战急登电报者，无非欲以夸示中外，惊骇听闻。督抚为中国重臣，值此强敌四据，藩京受制之时，岂宜轻入越都，忽置后路于不顾？臣读迭次电旨，饬岑毓英随时相机，务臻妥慎。而又蒙谕张树声派得力将领，带劲兵以实南关后路，固知圣虑备极周详。现在滇军已有数营进扎兴化，岑毓英大队并将继至南关一面，臣亦布置粗定，楚军仍从此出。惟东路颇觉空虚，若东省之师由钦、灵一带出攻海阳，会合滇、粤、楚军约期并举，彼必不能兼顾，但得下其山西、海阳一二城，河内、宁平必易收复。河内既复，法人将不击自走，彼时仍由正路直达越都，问罪正名，择贤嗣位，越之陪贰敢不听从？合无仰恳天恩饬下岑毓英，先行合图规复山西；并仍乞谕张树声，檄行派出将领勇营，改道东出，以示朝廷声罪致讨，先其所急之至意。谨奏。

光绪十年正月十三日奉上谕：徐延旭奏，布置北宁各路防军，严加扼守，请饬筹解一折，览奏均悉。北宁各路要隘，经徐延旭饬黄桂兰等分别布置，该抚务当督饬各营修御完固。岑毓英计早到防，兵力较厚，即着会商徐延旭，分饬滇、粤各军，疏通道路，迅速进兵，互相援应。彼族狡谋叵测，时时窥伺北宁，尤宜稳慎扼扎，毋为所乘。并激励刘永福一军，赶紧整顿，规复山西。着张树声传令方长华迅速到防。钦州一带路僻难行，据奏称，广东官军由钦、灵进攻海阳，是否可行，仍着张树声酌度办理。王德榜军饷，昨已据左宗棠奏，由江西及两淮运司每月各拨解银二万两，并令康国器筹捐接济矣。

旨寄岑毓英着节制诸军和衷商办电

旨寄岑毓英：已抵保胜，亟应亲往兴化一带查勘布置。边外各军心志未齐，必当有所统摄，以一事权。所有徐延旭统带各营及各路调防各军，均着归岑毓英节制调度，徐延旭仍当和衷商办，不得稍存意见，致误戎机。本日，据内阁学士周德润奏，请饬滇、粤分兵收取兴化等七省，纳其租赋，以饷战士而养义民；并令刘永福、杨著恩、黄守忠、梁俊秀等，各遣兄弟子侄二三人，效力滇营，编入亲军，以示羁縻等语，着岑毓英、徐延旭妥筹办理。方长华一军可否由钦、灵一带前进，着彭玉麟、张树声斟酌地势，催令迅速到防，毋得迟延。

正月十八日

旨寄徐延旭调度乖方致北宁失陷着革职留任并收集败军尽力抵御电

旨寄徐延旭：昨据李鸿章电，报北宁业已失守，官军退至太原，曷胜愤恨！前谕徐延旭妥筹备御，力保北宁，乃该抚株守谅山，毫无布置。岑毓英派刘团十二营赴北宁，该抚谓北宁无警报，令复嘉林关，该城旋即失陷，调度乖方，殊堪痛恨！着先行摘去顶戴，革职留任，责令收集败军，尽力抵御。如再退缩不前，定当从严问罪。彼族肆意蚕食，边患日深。前有旨令岑毓英节制诸军，着即激励各营及刘永福一军力图进取，一面疏通道路，务令滇、粤防军联络策应，捍卫边疆，毋任再有侵逼。黄桂兰、赵沃等现在何处，查明具奏。

正月十九日

滇督岑毓英奏筹画防御情形折 附旨

云贵总督岑毓英奏，为遵旨筹画防御情形事。

窃臣于光绪九年十二月十五日曾将带兵出关，行抵越南保胜，会同抚臣唐炯会商布置，各情奏报在案。

复蒙我皇太后、皇上命臣等赴彼国都，定其藩位，藉以维系人心，号召忠义，共图恢复，此上策也。臣前拟驻扎山西，将刘永福、黄佐炎两军抽出，亦欲令其直入越都，先固根本。讵料山西先期失守，刘团退扎兴化，军威已挫，势难远征。且自兴化陆路至越都约计二十三站，必由宁平经过，而宁平省城已为法据，节节梗阻。以孤军绕道深入，军火、粮饷不继，在在堪虞。百里趋利，兵家所忌，况千数百里乎？臣懔遵圣意，随时相机，务臻稳慎。今一时骤难进发，惟有仍与粤军联络，固守力保完善之地，并激励刘团扎营前进。但刘团甫经败创，法人势颇猖獗，各属教民纷纷蠢动，总须挫彼凶锋，振作士气以安反侧，然后可战可守。查洋人用兵恃有电线，数万里军情瞬息可达，又有轮船载运粮饷、军装，数十万斤之重数日可至，故其军火充裕，每战辄数昼夜不停。官军文报既多艰滞，挽运更属艰难。以滇、粤比较，则滇军尤难。臣到保胜将及十日，而各营弁勇到者未及一半，军火、军装亦赶运不及，焦灼万分！已迭次严檄催调，并派办理营务道员汤聘珍分驻保胜，陈席珍分驻蒙自县，随时转催，必须月底方能陆续赶到。俟到时，臣即驰往前敌，相机办理，断不敢稍有疏忽。谨奏。

光绪十年正月二十一日奉旨：览奏已悉。着该督俟各营到齐即行前进，懔遵迭次谕旨，妥筹办理。

桂抚徐延旭奏法人窥犯北宁官军添募勇营竭力抵御折

广西巡抚徐延旭奏，为上思州教堂勾引匪徒，密图滋事，法人水陆窥犯北宁，官军竭力抵御，现经添募勇营，以实内地而备外援，恳请饬拨饷需，预筹解济事。

窃臣据南宁府知府何昭然，转据上思州知州张岂禀称：该州教堂三处，徒党繁多，平日行踪已极诡秘，近则遣人四探，添修坚房，勾引匪人，执持军器，出入无忌，不服盘查。本月初五日，有教士马若望、周绍良来自钦、灵，辎重甚多，并不许人过问，形迹愈觉可疑，民情因之浮动。且传闻教士富道有阴带悍匪赴援河城之语等情，飞禀前来。并准左江镇刘光裕函报相同。臣查，上思州地方接壤越南之广安省，法人不得逞于北宁，日久旷持，势成骑虎，到处勾结教民，为铤而走险之计，原在意中。然该教匪等若只于出境助贼，为害犹轻，若勾引匪徒滋事内地，为害实属非细。适前添调募各营陆续禀报拔队起程，经臣一面批饬上思州牧张岂赶集团练，并准募勇二百名，会商原派驻防该州之参将周天意，督饬营勇加意巡防。一面札饬思恩府调来之都司王兰富一营，留扎南宁，协防听调。而饬参将姚大瑛、千总邱世朝，率由梧募来新勇二营，折赴上思州，会同张岂、周天意察看情形，妥筹防范。如有蠢动情事，迅即相机掩捕。仍檄委副将李云梯添募一营，迅速前去，藉资督率。查太平府、宁明州及龙州厅皆近接上思，又皆为关外大军后路，并前有土匪伏匿，复分札该守丞牧各募一营弹压地方。思恩、浔州两府伏莽原尚未靖，前因关外吃紧，将该二府防勇檄调出关，颇觉空虚，虽经调任抚臣倪文蔚谕饬副将卢爵，添募一营，而尚未成军。臣兹复檄省局司道选派得力将官，在省添募三四营分派填扎，俾实腹地而遏乱萌。旋接准左右两路统领提督黄桂兰、道员赵沃函报：法人于本月十二、三等日以火船数艘游弋于芹驿、三江口等处，晚复加大小火船三艘，并驶至扶朗村河边，又由河内出法人数百、教民千余，渡过嘉林，于十四日扑我亭榜、慈山一带防营。经黄桂兰、赵沃督饬派驻各将领，挑选奋勇，竭力堵截，枪炮互施。贼不得逞，各营乘势追过新河，见有接应，遂各退回。其扶朗村边之船，亦仍退泊江口。黄桂兰等于十五日均回北宁，见南官谢现来营面禀，所部义勇败于法人，建昌府城已于初九日为法所据，溃卒二千余退扎真定、青关二县等因。

臣维法人既据山西，必乘北宁，节经遵奉谕旨，切致黄桂兰、赵沃，亲督各部，加劲扼防。乃彼又竟敢出队窥犯，虽未获逞，亦岂须臾相忘？况现闻云贵督臣岑毓英已于本月十一日率勇八营驰抵保胜，尚有多营踵至，不日进驻兴化，彼自知山西不敌，尤不能不防其狂窜北宁。日前接准总理衙门函示，于北宁以北次第布置，使越南官民怀德畏威，以为进战退守之局。臣亦屡次谆告两路统领，力求振作，加意拊循。惟因一时兵力不敷，是以谅江一带防勇尚单。现据前饬添募之参将于德富，并调驻防浔州之参将蒋大彰，驻防百色之副将黄才贵，及赵沃所调驻防越南牧马、太原之参将覃东义部勇各一营，先后驰抵谅山。时因原防越南艽封、平加之参将黄玉贤一营，并自龙州以至北宁分扎沿途，驰递军报，各哨队均已先期调赴北宁，臣即饬于德富、蒋大彰两营留扎谅山，替出副将党英华一营驰赴北宁，仍由于德富派出两哨填扎艽封、平加沿途各站。现在甫到之覃东义一营仍饬赴前敌听候调遣，其黄才贵一营，饬即于北宁之北谅江府城一带择要驻扎，一以联后路之声气，一以资前敌之应援，均切嘱振刷精神，申严纪律，以求勉副力保完善之旨，昭示朝廷德威。臣前原望东师出关合图，惟十八日接准督臣张树声密咨，本月初四日电寄奉旨：王孝祺即毋庸赴关。自是东省现在情形不能分拨。臣只得复札都司吴阳熊、守备卢仕杰、千总蔡定禄，再赴浔、梧一带，添募三营，迅速出关，以备策应。惟自十月以来，因事机日紧，内外交讧，先后添募二十余营，每月骤增月饷三万余金，此外赏犒杂费及刘团之款、越南义旗之需尚不在其内。本年迭蒙谕拨巨款，本已渥荷鸿施，无如需用日繁，现计各省协饷即尽数拨解，亦只能支持至三四日〔月〕，而广东、四川尚未解清。如果刻日奏功，自可仰纾宸虑。否则，不能不先行筹画，以免临期贻误。相应请旨饬下户部，再为预筹拨款，咨行解济，并恳饬下广东、四川，将本年拨解未清之款迅为委解，俾济穷边而全危局。谨奏。

光绪十年正月二十二日奉旨。

桂抚徐延旭奏越南山西失陷后教民蜂起当加意严防片

徐延旭片。

再，臣准督臣张树声函告，已与兵部尚书彭玉麟会商，酌派得力将领，添募勇营，出关策应等因。臣维彭玉麟、张树声皆素著公忠，顾全大局，必有以仰慰朝廷，奠安藩服。臣以庸材忝膺重任，本拟进扎北宁，惟调任抚臣倪文蔚业经东下，现又有上思州之警，而太平、南宁、思恩、浔州各府属土匪、教民并多伺隙，不得不仍驻谅山，以资兼顾后路，而距前敌急行只二日程途，亦可督率调度。昨据前敌探确，留营主事唐景崧已于本月初七日前往保胜，赴云南抚臣唐炯之约。近奉旨旋省，唐景崧必就云贵督臣岑毓英筹商一是。刘团一军，凡有入关添募及请领饷项、军装、赏银弁勇往返经过，臣无不一一传见，详问情形，资其缺乏，激其天良。闻其部将黄守忠带勇千余人，已扎近山西省城十余里外，必能为岑毓英前驱，力图恢复，岑毓英亦必与唐景崧时加激励。现节据黄桂兰、赵沃函报，北宁前路距河较远，已照臣屡次指示，分布各营，高垒深沟，足资抵御。后路亦遵照于谅江府及大犖两河并填塞完密，两岸皆有炮台，拒守可保无虞。但探报，于本月初六日添来法兵二千人分布各处，而山西一带道路亦尚梗阻等语。臣查，山西系由河内赴云南之路，北宁则在山西东北，系由河内赴广西之路，两路均接壤河内，北宁至山西百余里，兴化又距山西百余里。自山西失陷后，教民蜂起，故尔音信难通。惟臣与岑毓英素知性情，必当恪遵圣训，设法联络，互为应援。仍严饬前敌照前扼扎，加意严防，力保完善，以待东师、楚军合图荡扫，断不敢稍涉松懈，致负生成。谨奏。

光绪十年正月二十二日奉旨：知道了。[奉旨知道了]

直督李鸿章奏改订朝鲜贸易章程折　附朝鲜国王咨文

直隶总督李鸿章奏，为《中国朝鲜商民贸易章程》第四条现应变通酌改，庶与英、德各约不致轩轾事。

窃查，光绪八年奏定《中国朝鲜商民贸易章程》四条内载：朝鲜商民除在北京例准交易，中国商民准入朝鲜杨花津、汉城开设行栈外，不准将各色货物运入内地，设肆售卖等语。原因朝鲜风气未开，若华洋各商运货入彼内地，恐生疑阻。乃上年十月间朝鲜与英、德续订条约载明：英、德商民准将各货运进内地出售，及购买一切土货。是彼已无疑阻之心。若中国商民转不得运往朝鲜内地，既与体制未符，亦于商情未协。且中国优待属邦，若朝鲜商民前来中国内地卖货，亦应视同华民，均沾利益。经臣督饬津海关道周馥，悉心酌核，拟请嗣后中国商民准其持照将中国货、洋货入朝鲜内地售卖，不得有逊于英、德诸商。其朝鲜民亦准持照将朝鲜货运入中国内地售卖，照华商逢关纳税、遇卡抽厘。近年华商运洋货入内地，有不愿逢关纳税、卡遇〔遇卡〕抽厘而愿先完一子口半税者，业已准行。倘朝鲜商民愿领洋货入内地税单冀免内地厘税者，亦听其便，以示优待一体之意。其请领执照各按已定章程办理，未领执照不准擅入内地。仍禁止两国商民不准在内地开设行栈，设肆售卖，以示限制。至两国商民入内地采买土货，仍照原定通商章程，照纳沿途应定厘税，毋庸议改。如此办理，与待华商无分轻重，于体恤属邦之道更加周至，而于体制、名分亦相符合。查原议《中国朝鲜商民贸易章程》内开：此次所定贸易章程姑从简约，以后有须增损之处，应随时由北洋大臣与朝鲜国王咨商妥善，请旨定夺施行等语。臣即据详咨商朝鲜国王。去后，兹准该国王复称：中国商民将货运进朝鲜内地出售，允合事宜，朝鲜商民前来中国内地卖货，中国视同华［洋］民，一律同沾利益，甚仰天朝体恤属邦、无分内外之盛意，极为感激，请转奏定夺等因前来。除咨会总理衙门，并咨行各省关一体查照外，谨录该国王复文，恭折具陈。谨奏。

光绪十年二月十九日奉旨：该衙门知道。单并发。

谨将酌改中国朝鲜商民贸易章程第四条朝鲜国王复文照录恭呈御览

朝鲜国王，为咨复事。

承准贵署大臣咨开：上年朝鲜与英国、德国原议条约，只准运货进出海口，不准运入内地，故前议《中国朝鲜水陆贸易章程》于第四条内载明：朝鲜商民除在北京例准交易，与中国商民准入朝鲜杨花津、汉城开设行栈外，不准将各色货物运入内地，坐肆售卖等语。原因朝鲜风气未开，若准华商运货入彼内地，英、德诸国将必援引要索，徒令朝鲜多生疑阻。现在，朝鲜新与英、德续议条约，既载明英、德商民准其将货运进内地出售，而中国商民转不得运往朝鲜内地，既与体制未符，亦于商情未协。此条自应变通，酌量更改。且中国优待属邦，朝鲜商民前来中国内地卖货，在中国亦应视同华民，一律同沾利益，拟请嗣后中国商民准其持照将中国货、洋货运入朝鲜内地售卖，不得有逊于英、德诸商。其朝鲜商民亦准持照将朝鲜货、洋货运入中国内地售卖，照华商逢关纳税、遇卡抽厘。近年，华商运洋货入内地，有不愿逢关纳税、遇卡抽厘而愿先完一子口半税者，业已准行。倘朝鲜商民愿领洋货入内地税单冀免内地厘税者，亦听其便，以示优待一体之意。其请领执照，各按已定章程办理，未领执照不准擅入内地。仍禁止两国商民不准在不通商之内地开设行栈、坐肆售卖，以示限制。至两国商民欲入内地采买土货，仍按上年原定通商章程，照纳沿途应完厘税，毋庸议改。如此办理，与待华商无分轻重，于体恤属邦之道更加周至，而于体制名分亦相符合。合将酌议更改缘由咨商，查核办理，见复施行等因。

准此，当经发付督办交涉通商事务闵泳穆等复议。兹据启称：伏奉传下北洋大臣咨商一本，谨行查阅：所有嗣后中国商民，准其持照将中国货、洋货运入朝鲜内地售卖；朝鲜商民，亦准持照将朝鲜货、洋货运入中国内地售卖，照华商逢关纳税、遇卡抽厘。近年，华商运洋货入内地，有不愿逢关纳税、遇卡抽厘而愿完一子口半税者，业已准行。倘朝鲜商民愿领洋货入内地税单冀免内地厘税者，亦听其便一节。查前年奏定《中国朝鲜水陆贸易章程》第四条内载，不准将各色货物运入内地坐肆售卖等语，业经遵行。而在英、德新约既载明，英、德商民准其将货运进内地出售，则中国商民自应准其将货运进朝鲜内地出售，以符体制而协商情。如此变通酌改，允合事宜。至朝鲜商民前来中国内地卖货者，中国视同华民，一律同沾利益之处，具仰天朝体恤属邦、无分内外之盛意等情。据此，相应咨复贵署大臣，奏定施行。须至咨复者。

谕彭玉麟等北宁失陷官军退至太原着筹备海防电

上谕：昨据李鸿章电报，北宁已失，官军退至太原。曷胜愤懑！现在琼州防务愈急，若有疏虞，办理更形棘手。着彭玉麟、张树声、倪文蔚认真筹备，务须缓急足恃，以纾廑系。

二月十九日

桂抚徐延旭奏北宁失陷情形折

广西巡抚徐延旭奏，为法兵三路攻扑北宁，各军分御，力战败退，北宁失陷，请旨将臣交部从重治罪事。

窃臣于二月十七日，谨将芹驿关扶良防营被法兵攻破、占据炮台，严饬各军竭力堵击，请旨将臣交部议处，各缘由密陈在案。奉上谕：徐延旭奏，教堂勾匪滋事，法人窥犯北宁，现经添营备御，请饬催拨饷需一折，览奏均悉。上思州地方与越南接壤，该处教堂勾引匪徒，不服盘查，且有教士带匪赴援河城之语，难保不乘间滋事。法人占据山西后，时以火船游弋，扑犯防营，越之建昌府城又为法据，内外交讧，事机甚紧。徐延旭先后添募二十余营分别布置，着即督饬各营严密防范，如有土匪藉端蠢动，立即捕拿，以轻内患，仍着急速前进，力保北宁。昨有旨，令岑毓英节制各军，徐延旭务当彼此互商，妥筹抵御，以维大局。广西防饷紧要，现又添募多营，需用更亟。上年饬派广东、四川筹解之款，据奏尚未解齐，着张树声、丁宝桢、倪文蔚督饬藩司，将未解之数迅速筹解，毋稍迟延。至所请再为预筹拨解之处，着户部速议具奏等因。钦此。

连日据探报，法人于十五日黎明由河内添来悍党数千人，兵轮九艘，合前船众由扶良水路直上涌球，并分攻新河、三江口各处驻防。涌球之提督陈朝纲，督饬所部数营齐出抵御，总兵韦和礼、副将周炳林、都司李定胜、黄云高等营，飞驶接由至卯至申〔接战，由卯至申〕，敌已且战且却。因我军火药用完，被敌乘势夺据涌球各土山炮台，我军败退涌球两岸。是日，越将刘永福会合参将翟世祥、都司李逢桢等，及原驻各防营，悉力御敌于新河江口一带。正在得手，因闻涌球危急，刘永福率勇来援，将塞后路，教民奋勇冲开，于十五夜将涌球炮台夺回，获开花炮二尊。李逢桢等仍在新河江口各处力战，至晚，阵亡帮办一员，哨长十数员，韦和礼、周炳林、李逢桢等并受重伤。刘永福与敌相持，战至十六日未刻，毙法兵、教匪多人。因闻两路统领先于十五夜往太原一路而去，北宁业已失陷，亦遂不能支，于是两路各营同时溃散，望谅江、郎甲退回。现在教民纷纷四起，并有越兵展转倡煽，谅江两岸以至浪山各村皆为摇动，连夜放火等语。由派出查探各委员禀报前来。

臣维北宁既失，只得就日德江北岸诸营因地分布，以顾谅山近边一带。两路统领前派游击晋文治、把总李全忠两营驻防北岸，续派参将于德富、都司甘乃斌二营驰往驻防。时直隶州张秉铨、州同耿在田先奉臣委，在郎甲设局采办米粮，适见陈朝纲、党敏宣各部渡河而还，李定胜、李极光、翟世祥及帮带郭湧泉亦先后来到。张秉铨、耿在田即请党［请］敏宣全部八营留扎北岸一带，党敏宣以须救援统领飞赴太原，乃商令李定胜、郭湧泉、于德富、甘乃斌各营，于谅江旧府等处扼要分扎。惟越南府州县向无城垣，谅江府切近日德江边，浅水轮船可到，近处各乡村居民皆逃，兵力尚嫌单薄。臣因复调提督王鸿顺所部四营由谅山折回，以顾北岸后路，并饬提督康得前去会合马站各委员，招集散亡，以安溃勇而定人心，仍专派弁勇探听黄桂兰、赵沃踪迹。顷，据报，黄桂兰于十六日申刻奔至黄云社，赵沃则闻已奔至太原，亦尚不知确否。此皆十五至十八日之事也。

伏查，臣暗直迂庸，罔知军事，只以黄桂兰、赵沃历经前任抚臣委办边防多年，必皆诸可信任。臣惟遇事推诚，力求共济，而各路防营布置，尤莫不随时谆嘱，以广侦探、安地营、禁扰民、严冒饷为要。初不意其粉饰欺朦，贼踪甫至，战守一无可持，弃地先逃，一败不救。此皆由臣无知人之明，失整军之道，抚躬自问，万不敢诿过于人。相应请旨将臣交部从重治罪，并恳简派大臣接办广西关外军务。如蒙天恩仍准戴罪军前，力图自赎，尤必殚竭愚忱，随同办理，断不敢置身事外。至黄桂兰、赵沃分位较崇，应如何惩儆之处，伏候圣裁。此外，一应将官、营勇勇怯存亡，容俟查明详细情形，再行分别奏请奖恤，并据实参劾。谨奏。

光绪十年二月二十一日。

桂抚徐延旭奏法据郎甲现饬唐景崧等驻扎长庆府以遏凶锋片

徐延旭片。

再，正缮折间，据州同耿在田等禀报：本月十八日，有杉板二只，驶至日德江塞河地方，沿途施炮。时有应良光等三营自南岸退回近村，耿在田即饬各挑百人，并商同李定胜、郭湧泉、于德富、甘乃斌各营，出队迎敌。不料，旧府对河先有法兵教匪开炮打来，我军亦击以开花炮，毙匪百余人，匪即由上游渡过，数千人蜂拥而来，枪炮愈密。各村教匪四出，耿在田及各营官分途督队迎击，鬼板时又驶上谅江轰炮，各勇因后路兵单，敌势过大，教民由后包抄，加以日晚饥疲，只得一齐退扎郎甲。讵教民彻夜聚谋，次日复偕法人踵至，郎甲亦为所据。时提督王鸿顺所部四营驻扎左溪，匪党乘势扑去，各军力战逾时，悉不能支。通计两日接仗，哨弁受伤二名，勇丁伤亡近二百余人，我军击毙匪党亦不下三百余人等语。臣维法人现以方张之寇乘疲败之师，趁势长驱，实堪痛恨。现因主事唐景崧回至谅江，闻北宁不守之信，不能过河，刻仍转回谅山。臣即饬唐景崧、耿在田，会同提督唐得胜，设法加意招集散亡，随时成队，就近驻扎长庆府，以遏凶锋。王德榜楚军现在已有四营到驱驴，其余四营即日亦可到齐。拟俟到后，商请就近分扎长庆府，以顾广西第二重门户。谨奏。

光绪十年二月二十一日。

桂抚徐延旭奏北宁守御尚可无虞现调营勇西联滇军东防江口折 附旨

广西巡抚徐延旭奏，为恭折复陈，北宁守御尚可无虞，现饬调派营勇，西联滇军，东防江口一带各情形事。

窃查，越南北宁省为拱卫镇南关门户，南当河内，西接山西，东距海阳，而日德、月德、红水各江又皆绕出北宁之后，法人轮船时可往来，实为四面受敌之处。自法据河内、海阳，仅恃山西为犄角，乃又为彼族攻陷，遂少一面之助，而多数路之防。当山西不守之时，贼势披猖，北宁孤立，势实岌岌可危。是以督饬黄桂兰等一面加紧扼防，一面赶添调募，而奏请广东等省济师，为合围扫荡之举。幸先后调募各营星速赴防，竭力御堵，得以勉撑危局，以迄于今。已迭将窥犯击退情形随时奏报在案。近日，连接云贵督臣岑毓英函牍，于正月十五日进军兴化时，臣先因金英县以上村社尽是教民，依恃近河，易于勾结洋轮，肆其顽抗，非节节扫荡，不易达永祥府安乐县一路，以通滇、粤声势。复致两路统领，于前派游击李应章一营驻扎金英之外，再加派副将刘仁贵、黄才贵、党英华等三营，由金英以上接连西扎，而商请岑毓英派营出扎屯鹤关一带，藉以联络两军。现据黄桂兰、赵沃呈报，刘仁贵于正月十六日到防。至十八日，永祥府官禀报有东英村教匪八百余人于十七日早攻破多禄社，搜劫近村，来营请援，刘仁贵等即率队前往扑救。该教匪居然率党吹角开炮拒敌。刘仁贵督队前进，当即收复该社，颇有斩擒，教匪败退淹毙者约百余人，生擒二十八名，交越官讯明，取保五名，正法二十三名。又称，派副将党敏宣等督率六营，东出陆岸县，驻扎三江口；另派总兵陈得贵等六营，填扎新河、锦幢、蓬莱、扶朗、文峰一带。十八日卯刻，法人以大、中火船四艘，勾通丰谷等村教匪，直犯文峰，经该处义练同官军出队伏岸轰击，战至未刻，炮台大炮轰中火船，洋兵倒落十余人，各船登即退泊丰谷村。至十九日，又添一小火船分两路上犯，各营均严阵以待，相持至日昃，乃仍鼓轮退去六头江下游。

臣维夷情无厌，时犯北宁，门户之防，实未可稍涉松劲。前派提督王鸿顺添募四营，昨到谅山等处，即饬其驰赴浪山、三江口、六头江一带择要驻扎，协同党敏宣等各营分布严御；并派都司甘乃斌一营，扎近三江口之郎甲、屯牙一带，以顾大兵后路。前福建藩司王德榜所部，据报正月二十二日可抵南宁，出月初旬亦可出关。俟其到后，拟饬其悉锐从上游渡红水江，会合滇军、刘团，分规宁平、河内。广东派来候选道方长华，据报，正月初六日自梧州溯流而上，暂驻南宁，俟所募五营到齐，可于二月初旬拔队。又据两路统领报称，打造大炮船两只，定于二月初六日下水，仍赶紧打造长龙，随造随用，尔时江水渐涨，现扎各营虑为水漫，难以屯驻。臣等再为相机调度，现饬黄桂兰等督率前敌各营，就各派定地段如前严密扼守，仍步步进扎，攻守兼资，切实责成，毋少疏懈。就现在情形而论，北宁守御固可无虞。惟愿仰仗天威，会合各军及时扫荡，防务庶有止期。臣惟有遇事就近会商岑毓英，和衷共济，互为应援，而殚精竭虑，尽其心力之所能为保守完善之区，以期勉报国恩。如所部各营有战守不力、贻误事机者，即行从严参劾惩办，以儆军心，固不敢稍涉迁就，亦不敢稍有瞻徇。刘永福一军，现奉岑毓英饬令，按照滇军营制编立十营。臣已于恩赏项下，每月提给银八千两接济饷项，所需军火随时派弁领取，合并声明。谨奏。

光绪十年二月二十四日奉旨：前据李鸿章电报，北宁业已失守，该抚所奏守御可以无虞等词毫无实际，其平日办事粉饰已可概见。现在局势迥异，着即会商岑毓英，妥筹扼守，若再有疏虞，定行从重惩办。

彭玉麟张树声倪文蔚奏钦灵山险不便进兵折

兵部尚书彭玉麟、两广总督张树声、广东巡抚倪文蔚奏，为遵旨酌度，方长华一军已由南宁迅赴关外，碍难由钦、灵前进事。

伏查，道员方长华一军，据报由南宁迅赴关外，业经另折奏报。北宁军情方紧，势不便折回粤东，迂道钦、灵，以致缓不及事。惟钦、灵进兵之策，臣等始筹越事，议者亦谓滇军临其上，西军当其中，东军牵其后，三省合谋，计当出此。嗣经考核地势，审察敌情，乃知其有未易行者。盖灵山境界广西，与粤南并无接壤。钦州出境至越南海阳之路，迤逦由东北而指西南，其右皆丛山峻岭，鸟道崎岖，省志所谓十万山也。其左一径斜通，悉濒大海，广安一省棋峙中道，法人并守之为犄角。至于海阳境内，支河汊港，百道纷歧，尤非陆师所能径达。法人久据河内，嗣又袭取南定、兴安、宁平，并攻夺山西各省，海阳为后路门户，设守极坚，轮舰环泊海口内外。我军沿海南行，彼可以水师沿海相薄，节节阻击，势不能前。就令先下广安，渡江越河，直抵海阳城下，彼以坚轮大炮截我归路，环而击我，则进不足以牵掣山西、河内之法兵，退反蹈顿兵坚城之危道。去冬，北宁官军三袭海阳，虽入其外郭，而不能得手，实由于此。然犹幸西军以北宁陆地为后路，河道无多，可以从容撤去，无取道广安沿海之险也。若由钦州迤西，寻陆路进兵，必越十万山中，缘崖穿谷，辗转而前，仍须先抵谅山一带乃达海阳，非复间道出奇之意，而转输之吃力则百倍于镇南关一路矣。且迭奉谕旨，法如侵我驻军之地即与开仗，已明谕法人，布告各国。北宁、兴化两路官兵，与法军相持日久，兵刃相接，亦无启衅内地之嫌。钦州界外广安、海阳等处，东省向未驻军。近来廉、琼等处渔船偶入越洋海界，辄为法军杀伤焚毁。至在粤洋则彼此相安，是彼族不遽犯中国之意界限犹明。若东军鼓行而出，彼或藉口败盟，亦鼓轮而来，各口骚然，似非计之得者。至广东兵力、饷力之不逮，水陆转运之艰难，犹其后焉者也。徐延旭节次奏请调拨轮船，严扼顺化、海防各口。果使能来，定非胜算。方今闽、粤筹防均当吃紧，且无大号得力兵轮可以征调，久为圣明所洞烛。臣等再三酌度，钦、灵一路似未便以偏师尝试，转致有损无益。谨奏。

光绪十年二月二十七日奉旨：知道了。

谕彭玉麟等着派兵援越并固琼防电

上谕：彭玉麟奏，遵旨派将添营，迅赴前敌，暨筹防琼、廉各折片，览奏均悉。北宁失守，粤西防营退扎，正须收拾整顿。方长华一军现已募齐，着彭玉麟饬令克日拔队出关，驰赴前敌，以厚兵力。琼州防务紧急，着彭玉麟、张树声、倪文蔚懔遵前旨，督饬吴全美、王之春严密布置，不得稍涉疏虞。西路团练并令冯子材等实力筹办，俾壮声威。惠州会匪由稔山分股窜扰，业经官军击败，现在已否扑灭？务当迅速歼除，以清内患，免致牵掣防军，是为至要。

二月二十八日

谕彭玉麟张树声倪文蔚法攻太原着速筹备御电

上谕：昨据李鸿章电报，法兵已攻取太原，华兵死伤甚众，又有拟索兵费之说。法人猖獗至此，殊堪发指！徐延旭二月初一日折尚称北宁可以无虞，实属昏愦已极！本日已谕令潘鼎新，速赴广西筹办一切。刻下黄桂兰、赵沃等军退扎何处，着张树声查明具奏。冯子材于广西边外情形较熟，着即速赴镇南关外，接统黄桂兰所部各营，认真整顿。琼州防务吃重，着彭玉麟、张树声、倪文蔚速筹备御。如兵力不敷，即行添调前往，以资厚集，并将各路团防加意联络，藉壮声威，以佐兵力之不及。

二月二十九日

旨寄潘鼎新太原失守徐延旭拿问桂抚着潘鼎新署理电

上谕：越之太原失守，关外军情万紧。潘鼎新奉旨后，当即迅赴镇南关外，传旨将徐延旭拿问，派员解交刑部治罪，广西巡抚着潘鼎新署理。徐延旭所带各营，即着该署抚接统，认真整顿。黄桂兰、赵沃退扎何处，并着查明严参。

二月二十九日

谕张凯嵩署理滇抚并将唐炯革职拿问电

上谕：前派唐炯督带滇军防守越南山西等处，乃该抚并未奉有谕旨率行回省，以致边防松懈，当经摘去顶戴，以示薄惩。近日山西、北宁、太原相继失陷，皆由唐炯退缩于前，以致军心怠玩，相率效尤，殊堪痛恨！着张凯嵩驰赴云南，将唐炯革职拿问，派员解京，交刑部治罪，云南巡抚着张凯嵩署理，贵州巡抚着李用清暂行护理。

二月二十九日

滇督岑毓英奏法攻北宁派兵往援折 附上谕

云贵总督岑毓英奏，为据报法兵大股往攻北宁，现抽出刘团全军交主事唐景崧带往接应事。

窃臣前将行抵兴化布置防守各情形奏报在案。连日赴先锋各营踏勘形势，并询刘永福前数日所下战书法人如何答应，据来丁回报说，准于二月初二日前来开仗等语。臣即饬刘团及各将领严兵以待。二十七、八等日，见法人由山西城出来，即传各营出队，而法人旋即收队进城。正拟饬刘永福带兵过沱江，相机进取，官兵继进接应，乃据探报，法酋连日在河内同谋，纠约新旧法兵、教民将及万人，各备干粮在轮船，图攻扑北宁等语。今又据探报，已有大股法兵驶轮船二十余艘，于正月三十日往攻北宁，并由主事唐景崧送阅广西提督黄桂兰函报相符。臣复查。北宁、兴化唇齿相依，迭奉谕旨，饬臣联络粤军，合力保固。今北宁有警，亟应设法援应，或围攻山西，或分兵赴援，以期不失机宜。当即集将领而谋之，佥谓：法人自据山西后，日派民夫数千将墙壕炮台加修完固，城外四面埋伏地雷，攻之不易等语。兵法云：十则围之，倍则攻之。查刘团全军四千余人，臣所部万人，计出关到兴化，由条〔保〕胜、河阳两路皆有一千五六百里，不能不留兵四千分布后路，同臣到前敌者前后不过六千余人。近日，法兵增多，而教民胁从亦众，尤宜步步谨慎，不可冒昧围攻，只有分兵前往接应。查南将刘永福所部，经臣与唐景崧督饬整顿，现已齐备。此军熟悉地利，堪以派往。刘永福感激天恩，情殷图报，情愿前往接应。臣现商请唐景崧，督同带领所部全军，即于二月初一日黎明开拔，由永祥府金婴县一路驰往北宁，不过三四日即可到该处，相机抄袭。已咨请广西抚臣徐延旭，督饬北宁各营，竭力坚守，到围约会内外夹攻，仰仗天威，或可大挫凶锋。惟彼族恃有轮船，来去飘忽无常，倘不得逞于北宁，势必移攻兴化。臣已饬总兵丁槐、马柱等，谆嘱各营严加戒备，并饬提督吴永安等各营预备策应，毋稍怠忽。谨奏。

光绪十年三月初一日奉上谕：迭据李鸿章电报，北宁、太原相继失陷，殊堪发指！粤军退扎何处，着岑毓英查明详细情形具奏。一面督饬该统将等收集整顿，择要扼扎，王德榜、方长华两军计可到防，着饬令妥筹备御，毋稍疏虞。现在边事万分棘手，该督务当竭力筹画，维持大局，以纾朝廷南顾之忧。

桂抚徐延旭奏法兵犯芹驿关现饬各军竭力堵御折

广西巡抚徐延旭奏，为法兵大股扑犯芹驿关，现饬在防各军竭力堵御，并云贵督臣抽派刘团全军接应，及督催后军迅速出关事。

窃臣前将北宁守御无虞，派营西联滇军，东防江口各情形，密陈在案。查粤军驻防越南北宁省属守城之外，皆分布于四路各险隘定地扼扎，近者二三十里，远者五六十里，自上年冬季以来，无日不闻警报，无日不加严防。节据两路统领提臣黄桂兰、道员赵沃函报：探得法人招来高蛮二三千人，西贡二千人，合以新旧法人号称万余人，期以正、二月之交猛攻北宁。正月二十四、五等日，果添来大小火轮及板艇二十余艘，抄泊芹驿关，游弋扶朗一带。有法兵千余，就关前丰谷村藏匿，留筑炮垒。赵沃商之黄桂兰，定计于二十八日二鼓后督饬党英华、黄才贵、覃东义、李极光、陈得贵、李石秀、叶逢春，各挑勇壮，漏夜疾趋，逼近炮垒。甫经攀登，而近泊法船已放开花巨炮，我军奋呼猛攻。正在相持，忽近村教匪突起，枪炮并施，我军一面分头力战，一面抽队回军，平毁教匪巢穴三处，勇丁略有伤亡。又探得河内出法兵数百，到嘉林合队二千余，拖机炮十余架，将扎筏过河，攻扑慈山防营。黄桂兰侦知，以二月初二日驰往督饬各营，严密布置，彼见有备仍即退回。惟时党敏宣等初一、初五等日分攻法人屯据之抛山村庙基等处，党英华等于初四日截击火船于左治墟之上，皆互有伤亡。云贵督臣岑毓英先将大股上犯之报遗书约臣，以兴化、北宁互为援应，迄闻敌势趋重北宁，随请主事唐景崧督同越将刘永福全军十二营，于初六日行抵北宁。臣先已饬拨饷项、逼码为刘军解去，因复函致两路统领，分派勇营，会合刘军，谋攻嘉林、芹驿关各处炮垒。讵十一日续报，法人将另以小船上犯谅江，挠我大军后路，比饬原驻防勇及提督王鸿顺所部四营，合力严堵浪山一带，并添派甘乃斌、于德富二营，驰往策应。惟芹驿关一面颇形吃重，适唐景崧前来谅山商度军事，臣即录恩旨请其即日赍回，宣示刘永福，加意激励，饬令合力严扼芹驿关。前福建藩司王德榜所部楚勇业抵龙州，王德榜单骑前来臣营晤商进止，仍于十二月转回调队。候选道方长华现报行抵南宁，所募五营业已一律成军，均经遵旨飞催星驰出关。并飞调都司吴杨熊、守备卢仕杰、千总蔡廷禄已报成军之添募三营，及驻防上思州守备邱世朝一营，刻日拔队，以备调遣。臣惟法人时以轮船窥伺北宁，自冬徂春，经营已久。此次竟敢以大股扑犯芹驿关一带，叵测之性，狡谲之谋，诚如圣谕。臣惟有严饬在防及派出各军竭力堵御，并督催在后各营迅速出关，俟各营有到谅山者，臣即亲督前进，用资策应。岑毓英久掌戎兵，素娴方略，现与臣规画攻守，函牍往还，几无虚日。臣惟遇事熟商，力图补救，仰荷天威将此次大股击退。彼若移犯兴化，仍当遵旨互为应援，断不敢稍涉忽玩〔玩忽〕，自外生成。谨奏。

光绪十年三月初十日奉旨：北宁于二月十五日失守，徐延旭此奏于前敌紧急情形一无所知，贻误大局，实堪痛恨！现在太原又陷，边事正急，着该抚懔遵前旨，收集溃卒，扼扎抵御。倘再有挫失，则该抚获罪益重。懔之！

桂抚徐延旭奏法兵攻破扶良业经竭力堵击并请交部严议折 附旨

广西巡抚徐延旭奏，为芹驿关扶良防营被法兵攻破，占据炮台，现经严饬左右两路及刘团各军竭力堵击，请旨将臣交部严加议处事。

窃臣于光绪十年二月十四日，将法兵大股扑犯芹驿关，饬令防军力堵，并刘团全军来宁接应各情形，密陈在案。拜折后，即据两路统领提臣黄桂兰、道员赵沃飞报：十一日辰刻，法驶兵轮四艘、板艇十余只由六头江直上扶良墟，以三千余人登岸扑犯防营，当经在防之已革总兵陈得贵、副将李极光、参将翟世祥、覃东义等各率所部出队堵御，枪炮互施，日中被洋船开花大炮将陈得贵营盘轰破，登即败退。适总兵韦和礼、参将黄玉贤、都司叶逢春、守备贾文贵等各营驰至，奋勇直前，敌炮如雨，李极光、翟世祥皆受重伤，韦和礼等拼命冲锋，敌势稍却。无如各村教匪四起响应，副将党英华、军功陈世善、覃志成等正拔队来援，忽新河口下游添来火船五只，将其截住，韦和礼等力敌至晚，扶良炮台竟为法兵所据，我军伤亡不少，只得进扎桂阳县。后两路统领复飞调提督陈朝纲、副将党敏宣各督带所部于十二日出队，而饬刘永福一军包抄其后。法兵遥见黑旗，恐为所乘，亦遂收队退回。

臣惟法人于扶良一带窥伺已熟，此次大举扑犯虽未得肆狂逞，断难杜其狡谋。臣得报后，即飞致主事唐景崧，加意激励刘永福，迅将芹驿关扶良炮台夺回，于恩赏之外另给万金，为犒劳弁勇之资。又飞函两路统领，分营先扎北宁城外山岭，及湖渡之婆山，凭高击下，并令于扶良以上陆路沿途设伏，到处游击。又飞催王德榜、方长华两军迅速出关。此次进战不力之陈得贵，臣已檄撤管带；并将堵御落后之副将党敏宣，摘去顶戴，均暂留营，以观后效。然该将等丧师玩寇，皆由臣平日训练不预，军令不严，咎无可诿，相应请旨将臣交部严加议处，以儆军心。惟臣以驽劣之材，衰病之体，自知智虑不及，耳目不周，非得明干知兵大员帮同办理，尤恐贻误大局，关系匪轻。前福建藩司王德榜智勇深沉，器识宏远，不避艰险，懋著忠勤，连日晤商，诸中窍要，实非臣愚所能及。合无仰恳天恩，饬派王德榜帮办广西关外军务，俾得随时会筹前敌机宜，以匡臣所不逮，仍概归云贵督臣岑毓英节制调遣。无任感激之至！谨奏。

光绪十年三月十二日奉旨：徐延旭发此折时北宁业已失守两日，该抚竟未得信，其于前敌军情形同聋聩，殊堪痛恨！所请严议之处，着听候谕旨。

滇督岑毓英奏遵旨增募勇营分道进取请拨协饷折

云贵总督岑毓英奏，为遵旨迅速进兵，拟增暮勇营，分道进取，恳恩添拨协饷，以资口粮事。

伏查，越南之事，大局攸关，不惜巨帑，命滇、粤各军出关办理，原冀大张国威，以寒敌胆，彼族狂妄狡诈，亦必须大受惩创，始就范围。臣受恩深重，不能迅扫妖氛，抚躬循省，惶悚难名。惟用兵之道宜避实击虚，避坚攻瑕，与其株守一隅而老师糜饷，曷若分道进取而早日收功！前奉旨驰赴越南，戡定内乱，因法人占据宁平，道路梗阻，遽难前去。又奉旨联络粤军，力保完善之地，当将遵办情形奏明在案。今法人将河内、山西防守坚固，并力以图北宁，正与官兵相持未下。而宁平、南定等处法兵似属无多，昨据南官黄佐炎泣诉越都危急情形，请速拯救。又据清化省布政使阮辉琼到臣营面禀，清化地方尚属完善，请派兵镇守。该处与宁平接壤，保固此处即可规取宁平、南定，又可入定越都，洵属至好机会。但须再有万余人，以数千直入越都，肃清内乱，严守海口，以数千驻扎清化，分攻宁平，始能得手。查南宫黄佐炎所部南兵懦弱无用，刘永福所带粤勇纪律不严，均未便派往。臣现带各营，分扎兴化前、后、左、右各要隘，尚觉单薄，而旧部滇勇再添一二万人不难克期招集，赶来添用，俟续募各营到防，拟即委妥实干员统带，陆续前往，相机办理。刘永福一军，俟会同粤军将攻北宁之贼击退，即激励乘势进攻，不容松劲。至臣军月饷虽奉旨饬抚臣唐炯筹解接济，而本省入不敷出，专恃四川协饷，亦恐独力难任。抚臣唐炯前奏请赏拨银五六十万两，系连本常款一并合计，今臣添募新军所需口粮尚在无着。仰恳敕部于切实款项拨银一百万两，解交抚臣唐炯，陆续转解来营，以资支放。臣具有天良，自当力求撙节，核实开支，断不敢稍事虚糜。谨奏。

光绪十年三月十三日。

清季外交史料卷三十九终

清季外交史料卷四十

光绪十年三月下至四月

粤督张树声致枢垣北宁失陷退驻谅山电

密。丙。徐延旭报：黄桂兰于北宁失守后，绕至谅山前久屯，拟收集败兵驻守。二月二十三，失太原，赵沃走高平一带。兴化路梗，云军谓岑制军转运、文报均不通。岑前来函恳颁洋枪，已由粤筹拨千杆，铜帽百万解往。此后转运，须由南宁改道百色，路更艰远。百色以上如何至保胜，须由云查勘。

三月十五日

附注：谨案：前清军机处之电信往时均入洋务档，自光绪十年三月间另立电寄档，专录上谕。又有电报档，则往来紧急公文也。

滇抚唐炯奏缅属猛拱蛮幕等处夷匪滋事现饬永昌腾越沿边防范折

云南巡抚唐炯奏，为缅甸所属猛拱、蛮幕等处夷匪滋事，现饬永昌、腾越沿边防范事。

窃臣迭据永昌、腾越文书禀称：缅甸猛拱夷官苛虐，激生民变。该国主派兵往剿失利，以致骂汤、瑞沽、海弄、新店、蛮幕等处夷匪乘乱蜂起，新街势甚危急。蛮幕距边界蛮允仅一百余里，该镇张松林派参将饶炳章带领兵勇前往蛮允，督饬干岩、南甸、盏达各土司，调集土练驻防，以顾门户等情，先后禀报前来。臣查，缅甸近年变乱日甚，新街为自缅入滇大路，商贾聚集之区，英人垂涎已久。倘缅甸国不能将土匪即时扑灭，窃恐英人乘乱占据新街，勾结夷匪，则永昌、腾越、龙凌沿边一带均属可虞，亟须先事预防。现在大军出关，腹地空虚，原设练军驻防东昭等处，不能抽调。查沿边民夷久经战阵，尚属可用，现经委员驰赴永昌、腾越，团结训练，择要分防。倘或缅匪窜扰近边，再当选派大员，添募勇营，前往督办，不敢稍涉疏忽。谨奏。

光绪十年三月十六日奉旨寄张凯嵩：现闻缅甸夷匪滋事，新街为自〈缅〉入滇大路，着该抚严饬防营，联络扼守，藉免英人勾结占据。

旨寄潘鼎新着解办失守人员电

旨寄潘鼎新：该抚行抵广西后，速将徐延旭解京，并会同王德榜，将黄桂兰、赵沃严讯请旨，陈得贵、党敏宣着即就军前正法，张树声改为交部议处，广西巡抚着潘鼎新补授，湖南巡抚着庞际云兼理，云南提督着王德榜署理。

三月十九日

滇督岑毓英奏派兵驰往北宁击散教匪并据报北宁失守折　附上谕

云南总督岑毓英奏，为续派官兵驰往北宁援应，沿途击散教匪，并据报北宁失守各情事。

窃臣于正月三十日据探报：有大股法人往攻北宁，当即派南将刘永福带所部全军四千余人，随同主事唐景崧，于二月初一日开拔前往接应，恭折奏明在案。连日迭据统领广西防军提督黄桂兰、道员赵沃函称：刘永福全军于初五日行抵北宁，即派扎城外预备接应。十一日辰刻，有法人兵轮五艘、板艇十余只由芹驿关逼驶扶郎〔朗〕社，合计法人、教匪四五千人，水陆并进，直扑防营。粤军管带翟世祥、李极光、陈得贵、叶逢春等抵敌不住，率队冲出，退回六七里，扼要驻扎。匪等追至桂阳县一带，幸刘团赶到堵住。并据刘永福禀称：粤军未扎地营，难御炮弹，拟即仿照滇军地营形式赶紧分扎。又无锄头，诸多掣肘，请分发应用，并派人前往指示扎立等情。臣即派哨弁何自学等，带勇二百名，解锄头、逼码各物，先往济用；又挑派旧勇队二千人，交记名提督吴永安，督同参将马维骐、游击刘映华等带领，于十七日开拔，驰往应援；并以奏带出关之翰林院庶吉士段树藩，同往筹画。兹于二十日据吴永安禀称：十七日，带队由屯鹤关过渡，有土匪六百余人聚集滋事，即晓谕解散。十八日，行抵暮道社，有各寨教匪施放枪炮，阻住去路。不得已挥军力攻两刻之久，将暮道社攻破，毙匪数十名，夺得匪旗八杆，余皆逃散。拟于次日带队前进，忽据探报，北宁省城已于十五日未刻失守，前途教匪纷纷扎营阻截，官军文报业经阻塞等语。又接广西提督黄桂兰、道员越沃函禀：十三日，粤军挖成地营二座，刘团亦挖成地营二座，尚未修好。十四日，法人复分股攻扑新河、涌球、左河各营。该提督等与刘永福分路接应，防守无虞。十五日黎明，出队开仗，彼族驶大小船二十七艘，运开花炮十数尊、格林炮数尊，与官军战至午刻，毙匪数百人，官军亦伤毙六十余名。正相持间，忽有另股法人勾通教匪，暗将塞河各物挖通，驶快船由涌上岸，有教匪在城内响应，遂冲入城中，所有军火、军装、文件、银钱等物概行失落。该提督等救援无及，且战且走，退至太原等情，飞报前来。

臣查，北宁防军共计四十余营，不为不多，经营防备不为不久，乃因敌势猖獗，竟不能固守待援，殊非意料所及。今法人又添北宁教匪，其势愈众，兴化独当强寇，其势愈孤。顷，据南官黄佐炎等面称：探闻法酋定计，分三路进兵，一由红江，直攻兴化城；一过三歧江，取端雄临洮府，绕出清波、夏和两县；一过沱江曲，由眉支关扑缅旺，绕出家喻关、锦溪县，使官军粮饷隔绝，文报不通，腹背受敌等语。窃揣敌情亦必出此。臣所部各营不敷分布，续募之勇又遽难赶到，惟有就现在官军分股抵御。查兴化城外地营，经统带各营记名提督丁槐修筑坚固，应即责成该总兵带所部八营驻防，以资熟手，并以总兵马柱所部四营助之。临洮府一面，系提督吴永安所部五营驻防，仍将该提督调回防守。至缅旺地方，距兴化城三十五里，臣拟亲带数营前往布置。又另开一山路，上至保胜，以通文报，并转运军饷、军装，不经过河边，以免敌人要截。臣胞弟道员岑毓宝先带三营出关，月内可以到防，俟到时再饬扼要驻扎。其家喻关、清波、夏和等处原有防勇四营，仍留驻防，以顾后路。臣与诸将领及南官黄佐炎等饮血誓师，竭力固守，不敢稍有疏虞。惟北宁既失，衅端已开，大局攸关，宜如何办理之处，相应请旨敕下遵行。再，主事唐景崧先于二月初十日自北宁往谅山，同广西抚臣徐旭延面商军事，刘永福已带所部退至太原驻扎。谨奏。

光绪十年三月二十二日奉上谕：岑毓英奏，北宁失陷，兴化等处布置防守一折。据称，法人拟分三路攻扑，现饬官军分投抵御，即着岑毓英激励防营及刘永福一军，竭力固守，相机筹办。该督所部各营兵力不敷，分布所有续募之勇，即着候令迅速到防。家喻关等处为大军后路，务宜妥筹兼顾。该督以北宁既失，衅端已开，大局攸关，请旨办理。目下事势，惟有力筹战守，以遏贼氛。越官黄佐炎等所带官兵，办理各项差使既尚得力，着照所请按月赏给银一千两。惟黄佐炎等是否可靠，着岑毓英随时体察，加意审慎，毋致意外之虞。正在寄谕间，据李鸿章、曾纪泽电报，法犯兴化，华军将城焚毁退走等语，是否属实？着岑毓英迅速详细奏闻。至现在进止机宜，总以酌量兵力，力保边疆门户为要，不得疏懈。

直督李鸿章致枢垣兴化失守法水师提督拟据中国口岸为质电

二十一日西电，兴化已被法兵据守云。粤税司德璀琳到津，密称：晤法水师提督，拟调兵船入华，将夺据一大口岸为质。若早讲解，可电请本国止兵等语。俟呈说帖再奏。

三月二十三日

使英法曾纪泽致总署我战虽不利不应赔费请拒法索偿电

闻谢署使索兵费，确否？想署必严拒之。我理应保越，战虽不利，不应偿费。英高指高丽约，如奉朝旨允准，高廷乃批准，庶保我上邦权。

三月二十四日

总署复曾纪泽坚持不偿法国兵费电

谢未索费。保越不偿费，论极是。彼国有此说，务坚持。

三月二十五日

直督李鸿章致总署中法交涉事宜据德璀琳述法总兵福禄诺意见密函　附福禄诺致李鸿章函及曾纪泽致德国报馆函

密。启者：

前据振轩张树声字电称：前津关税司德璀琳自西洋到粤，深悉近日法情，并晤法水师兵头，谓有紧要条陈须赴津面禀等情。当经电请钧署饬总税司赫德转令赴津在案。前德税司到津，业将陈说大意电达，谅蒙鉴悉。先是，光绪五、六年德璀琳任津关税司，时适有法国水师总兵福禄诺带船在津驻防，彼此时相过从，谈宴甚洽，福禄诺常为敝处斟酌水师章程，动中款要，皆德璀琳为先容也。上年，法使脱理古在沪晤商，颇肆要挟。嗣八月间，脱理古来津词气顿和。其时，忽有福禄诺在座询称，该总兵奉派在越南筹画军事，屡请伊国添兵进取计，冬春可尽占北圻方面。责其大言不惭，不谓我军迭次失利，其言果尽验也。今福禄诺与德璀琳遇于香港，正北宁军溃之后，福酋因与鸿章曾有一日之雅，愿为从中讲解，密致一函交德税司赍呈，谨令翻译官照译原稿，钞呈台览。函内词意侈陈军情，固是西人夸张恫喝习套，而论及治病用药之法，似将来此事收束，亦只能办到如此地步。若此时与议，似兵费可免，边界可商。若待彼深入，或更用兵船攻夺沿海地方，恐并此亦办不到。与其兵连祸结，日久不解，待至中国饷源匮绝，兵心、民心摇动，或更生他变，似不若随机因应，早图收束之有裨全局矣。据德税司云，福酋与之要约八日内在烟台候信，如廷议许其讲解，应请先给回信，再由鸿章察看福禄诺如何议论。或彼国有大员来津，届时当奏请钦派大臣前来会商，相机筹办。鸿章身任疆事，分应备兵御侮，不敢专主和议，伏乞鉴原。再，脱理古去秋在津，屡诋劾刚于各国新报造言，有失使臣之体。腊月间，德国新报传播劼刚曾纪泽字一函，内将法人从前师丹之败，君虏国亡，比拟讥诮。德璀琳谓，彼正在巴黎，法议院闻之，愤怒至不可忍，竟欲倾国之力以与为难。李丹崖李凤苞字曾密钞寄示，谨照录呈阅。兹福禄诺函中谓，曾侯一日不调开，法国一日不与中国商议，此事盖怨毒之于人深矣。应如何办理解释之处，并候卓裁。鸿章与劼刚世好，事关大局，亦不敢为之深讳也。密肃奉布，鹄候回示。

制李鸿章谨启。

三月二十五日

照译法国水师总兵福禄诺密函

一、自西历一千八百八十三年十二月，法国所拟办法中国未能允许，曾侯屡以用兵相吓，中国边疆又添兵干预其事，法国复屡得胜仗。今法国为保护红江界内地方起见，不得不守北圻门户，以防黑旗之再犯，故遣其先锋，欲至形势之地驻扎，如铁原、谅山、鹤圻、高平、保胜等处是也。现在法国能让中国者，惟此数处之北边境界而已。

二、照近日军情而言，越南北圻一事，法国派出两人于中国大有损害，其故皆由曾侯办理此事之主见太属冒险所致。以上两人即大将军米律、水师提督孤拔也。大将军米律现在大有权柄，手中握有兵符，议院复有党羽，用兵复屡次得胜。水师提督孤拔为统领中最有血气者，好事喜功。中、法如至用兵，法国必命其节制中国、越南两处法国师船。去冬，孤拔带领陆军侵占山西，已得盛名，现在更欲于海外立功，以增声誉，故于兵事谋略多端，图建勋业。法廷与之商榷东京事宜，孤拔与米律必不主和而主战。巴黎大臣亦有主战者，与北京无异。所不同者，法国已得胜仗，中国未得胜仗，不应藐视法国耳。法国力量，能于一月之期派兵三四万人前赴东京，能于一月之内派铁甲十余号、兵船一大队前来中国沿海布置，无论需饷若干，议院亦必议准。至于中国，既无饷款，又无练兵，海疆既有外战，各省必生内乱。照此而言，中华公忠体国之大臣，必不拂法国主战者之情，诚因法国主战者既自知其强，复深悉中国之弱也。

还有第三件事，中国亦宜自审量。中国公使曾侯竭其生平智能，用去许多银钱，方能令各国新报并法国许多新闻纸替中国说话，今各新报尽以曾侯为笑柄，于中国体面不无小损。英国代谟斯在法京之探报，现在不但不感曾侯之恩，且甚鄙夷曾侯，不啻以脚踢之。中国南边三省素有内匪，现在既与法国交界，法国如肯接济乱党，中国边疆必永无肃清之日矣。

以上均系实情，中堂知之既深，故敢直陈无隐。良相治国，无异于良医之治病，必预防其病之增剧也。

以上所陈为病症，以下所陈为药剂并用药之法：

一、中国须有法国愿保和局之凭据，中国亦须晓得，从前已办之事非人力所能挽回，所当保者，后来之和局是也。现在法国既为中国南省之强邻，中国宜与之订立南省通商章程并税关规则，日后商务愈旺，则两国交情愈密。

二、现在情形既已如故，中国即可不必想法以限制或拦阻法国保护越南之权利，法国于此事现已定局，后此必遵成例办理，中国惟有因之以为利而已。越南开口通商，法国必出资修造运河、铁路，而收其利者必为滇、粤华商，于中国为益尤大也。

于拟订约章中，法国愿极力担保，约中措词必有以全中国体面，不至于中国朝贡之邦少，失天朝应有威权。

三、中国宜迅将注〔驻〕法公使曾侯调开，缘曾侯办事未妥，中国将其调回甚有题目。若不遽回，亦宜勿令再充驻法公使。其在巴黎办事，于法国国家命意所在全未知晓，其所预断越南事宜亦毫不符合，惟时时妄以中国将与法国战相吓诈，致使中国有失体面，欧洲众议公以中国为不可信。曾侯一日不行调开，即法国一日不与中国商议此事。

四、法国欲向中国索偿兵费，且拟乘此机会，用其兵力占据东方沿海地方，以为质押。中国如果与法国实心敦睦及早挽回，法国亦可将此层极力相让，如立一简明条约。果能，即在天津或北京议定画押，外面不至张皇，殊有以全两国之体面。曾侯及都中诸公既走入迷途，今若幡然变计，能使中国照办后，到处商议，复归正路，实足为中国大臣生色。

此函所写均系福禄诺一人私见，并未向本国请示，惟福禄诺素承中堂知遇，必有以知福禄诺所料之事往往而验，故敢自献爱敬之忱，想中堂亦必见信也。

福禄诺谨启。

此信于西历一千八百八十四年四月六日，在香港交由税司德璀琳转呈中堂察鉴，以资采择，望密不宣。

谨将德意志新闻报述曾侯函译钞呈览

敬启者：

阁下尝以为东京事可以平静了结，此固美意，本爵大臣喜甚！所有现在情形，俱于西十二月三十一日《台姆斯新报》上载明，彼时中国之意固如此。今法国已取山西，事局又变，恐中国之意因而不同从前，北京主和之党今必附入主战之党矣。盖主和之党原期法人仅攻红江口岸，今见其贪得不已，擅过中国所准之地，遂不能再主和议也。即李中堂竭力周旋，友邦亦不免更改其初意耳。法外部飞里在议院请筹兵费云：凡华兵所据兴化、山西、北宁三城皆当取来，不能顾惜。今山西已得，愿望已足，举国无不夸法兵之勇敢，手舞足蹈，如收回麦次及士塔士布情状。新闻纸又因而言须与中国索赔兵费，或占取华地为质，此不过吓诈中国，使其任法人在东京为所欲为耳，中国不惧也。东京为中华属地，天下皆知，惟法人不认，行当竭我全力以保之，法人恐吓之智终无所施展。盖中国此时虽失山西，尚未似十年前法失守师丹之故事也。至有人论各国调停和议一节，此事自出于各国心愿，然早来则可，今事已至此，恐中国不能收纳矣。前此各国何以畏缩不出？本爵大臣料系各国明知法人无理，而因与各国利益无伤也，故不必过问耳。按一千八百五十六年四月十四日巴黎之约云：若两国商议不妥，未开仗之先，须请他国调停。今若英国肯说一句，或德国聊为指挥，则可止法人战志，可释人心狐疑。各国何坐视而不为耶？虽然，吾恐各国必有后悔者，因中国战事一兴，必加征洋货之税，且须倍抽厘金，以资兵饷。此虽各国袖手所致，而推其源，则实法人迫而致之也。

在馆接曾侯此信之末句，欲倍加厘金之语，关系甚重，大约用以激一国出来说合耳。

德外部云：函内不应将往年德法交战麦次师丹法人之败，比较今日中国，岂不思法师丹一役，君虏国亡，为大耻辱事。今山西、北宁不过属邦之一小城，不但拟于不伦，且必激法廷之怒，又徒辱中国之体，为使臣所大忌也。

直督李鸿章致枢垣法提督带兵船八艘过厦门向北开驶电

昨接振轩电，法水师提督利士比初九由香港北下，法兵轮次第随行。据上海邵道电，德翻译接厦门电：法提督带兵船八艘过厦门，向北开驶。德璀琳谓，此帮兵船有福禄诺在内，约在烟台候回信。尽置不答，利士比必与驻越之提督孤拔并力内犯。未知确否？

三月二十六日

谕沿海各督抚法以兵船来华恫喝着督饬将领实力筹防电

上谕：总理衙门昨据道员邵友濂电报，德国施翻译官云，洋行接厦门电报，法国提督带兵船八只过厦门，向北开驶等语。法人连陷越南北宁等省，其势甚张。彼以兵船来华恫喝要求，自在意中。沿海各处亟应妥筹备预，着李鸿章、曾国荃、彭玉麟、穆图善、何璟、张树声、卫荣光、刘秉璋、张兆栋、陈士杰、倪文蔚、吴大澂，饬令防军加紧训练，于沿海各要隘力筹守御，务臻严密。琼州、台湾孤悬海外，久为彼族所觊觎，有欲据以为质、藉索兵费之说，倘有疏虞，办理愈形棘手，着彭玉麟、穆图善、何璟、张树声、张兆栋、倪文蔚，督饬将领，实力筹防，总期有备无患。际此事机紧要，正我君臣卧薪尝胆之秋，该大臣等务当振刷精神，竭诚筹办，用副委任，仍宜持以镇静，不得稍涉张皇，是为至要。

三月二十六日

滇督岑毓英奏越事万难补救乘此全师撤回免伤精锐折

云贵总督岑毓英奏，为据报太原失守，兴化更加吃紧，越事万难补救事。

窃臣于二月二十一日曾将据报北宁失守各情具奏后，即函嘱提督黄桂兰、道员赵沃，督饬退回各营扼守太原，并函请广西抚臣徐延旭，派前福建藩司王德榜带所部楚军八营，由太原出扎永祥府，联络滇军，以顾粮路。二十五日，刘永福由太原撤回兴化。据称：北宁防军退至太原，皆不肯留守，只好撤回，另候遣用等语。臣当即飞函切嘱道员赵沃，务须激励将士，竭力坚守。乃现据太原布政使武楠报称：二十二日，法人甫至太原，官军各自走散，太原业经失守。臣两次所寄各函均专差驰递，一次为太原教匪截夺，一次被阻折回等情。臣据报之下焦灼莫名。

伏查，越南军事，当上年山西未失以前，本可设法挽救，臣故奏请带兵出关，驻扎山西，相机筹办。讵料尚未起程，而山西先已失守。经营两月，始将兴化防务布置就绪，犹望北宁兵多守固，与兴化联络支持，可以力当敌冲，臣故奏请添拨协饷，增募勇营，分道进规，为釜底抽薪之计。今北宁、太原相继沦陷，道路梗阻，臣与广西抚臣徐延旭音问不通者半月矣！谅山情形如何，实难悬揣。至兴化小城紧接江边，江水一涨，轮船直抵城脚，难御炮弹，早邀圣明洞鉴。臣军日需粮米系价交南官黄佐炎采办，大半由永祥、广威各府运来。近因该处无兵驻防，教匪拦路截抢，亦不能催运。前奉旨由北洋大臣李鸿章拨发军火枪炮，由广东、广西转运龙州，臣两次委员前往接解，均因路阻不能运来。续调滇军各营迤西居多，皆相距二三十站，遽难赶到。臣与现在诸将领面商，无论如何为难，总当竭力固守。惟粮米、军火件件缺乏，万难久支。且暗查越事自法酋夏文、脱理古先后到越京胁立和约，越之君臣已受其挟制，并派兵二千到河内助守，又有密谕饬黄佐炎等罢兵议和，所收赋税，法越分用，越臣多受其蛊惑。黄佐炎等初意原不以为然，自北宁、太原失后颇怀异心。窃揣越事如将倾大厦，断非一木所能支。臣与诸将领纵力图悍御，即幸而获胜，法人断不甘心，势必大举报复，兵连祸结，漫无了期。今兴化城无半月存粮，转瞬江水涨发，烟瘴盛起，官军守既难，而退更难。臣受恩深重，虽捐糜顶踵未能仰答万一，在臣固不足惜，其如国体何？况诸将士皆百战之余，犬马报效为日正长，曷忍轻于一掷？如乘此全师撤回，退守边境，可以免伤精锐。惟事关重大，未敢擅便，相应请旨饬下遵行。不胜屏营待命之至！谨奏。

光绪十年三月三十日。

苏抚卫荣光直督李鸿章致枢垣法船进沪情形电　共二件

二十七日，法三桅兵船一条泊佘山，窥探崇明一带，改泊吴淞口，近炮台十余里，未见动静，候谕遵。

四月初一日

昨接沪局电报，法大号兵船一只先到吴淞口，余者继至上海，法总领事李梅将伴提督孤拔北上。

四月初一日

谕各大臣中法和战事宜着详审陈奏

上谕：御前大臣、军机大臣、总理衙门大臣、大学士、六部、九卿、翰詹科道等知悉：越南久列藩封，世修职贡，自法国取西贡六省为其属地，继复攻夺河内、海阳等处，逼立条约，认为保护。其时，中国尚有内寇，总理各国事务王大臣又未能先事预筹，早加诘问，法人遂谓我未遑远略，谋占越南。近年以来，越事益急，朝廷轸念藩服，不忍膜〔漠〕视，特命云南、广西督抚率师扼扎北圻地方，俾壮声援。此固字小之义，为保护该国计，因以为屏蔽边境计也。乃该国昧于趋向，始则首鼠两端，继且纵令教民抗我颜行，肆意侵逼，山西、北宁之失，皆系该国民人纷纷内应所致，辜恩悖义，莫此为甚！广西官军纪律不严，遇敌即溃。岑毓英驻军兴化，亦有该处形势难守，不若全师暂退，以固门户之奏。疆场之事，一胜不可幸，一败不可挠。此时自应整军经武，再图进取，是以命潘鼎新驰赴粤西，重加整顿，迭谕沿海疆臣妥筹战守。又特召鲍超、刘铭传等来京听候调派，原未尝因偏师偶挫稍摇定见。适据总理衙门接到李鸿章电信，据称，法国水师总兵福禄诺嘱税务司德璀琳面呈信函，请准从中讲解等语。因思出师护越，越不知感，法又为仇，兵连祸结，亦非万全之策。既据该国先来讲解，是彼亦愿保全和局，因势利导，保境息民，未常〔尝〕非计。当经谕知李鸿章，许其讲解，并令该大臣通盘筹画，酌定办法，即行具奏，期于不损国体，不贻后患。兹据该大臣遵旨复陈，所称审势量力，持重待时等语，尚属老成之见。自应相度机宜，与之妥议，庶此事有所归束。惟大局所关，必须详审。越南地方若与法划界而守，似乎利其土地。若弃而不守，又有唇亡齿寒之虞。此后，滇、粤防务疆圉应如何固守，饷需应如何预筹，和局果成有何流弊，应如何杜渐防微，法酋狡诈要挟应如何辩难折服，以上数端并此外如有应行预筹之处，着一并悉心详陈，迅速复奏。朝廷集思广益，惟在力求实际，尔诸臣务当体念时艰，各据忠谠，总期切实可行，不准徒托空言，敷衍塞责，亦不准故为难行之论，转于国事无裨。李鸿章折并岑毓英等折件、信函，一并发给阅看。

四月初二日

伊犁将军金顺等奏会同俄使勘分新疆南界折

伊犁将军金顺、参赞大臣升泰奏，为分界大臣会同俄使勘分新疆南段界务，安设牌博，互换图约情形，绘图贴说呈览事。

窃奴才等前据勘分南段界务巴里坤领队大臣沙克都林札布将上年十二月二十一日驰回伊犁日期咨呈前来，比因图约尚未换回，未经奏报。兹据该领队咨称：窃领队前将会同俄使勘分界务，由罕颠格里即罕腾格尔山起，至别叠里山梁止，议定交界，埋设牌博各情形，及互换图约，均经咨呈，已蒙奏明在案。嗣经督办军务刘锦棠奏奉谕旨：刘锦棠奏，新疆南界贡古鲁克地方关系紧要，请饬按约索还一折等因。钦此。复经署哈密帮办大臣长顺遵旨驰抵乌什因筹商察勘界务期迫，一面商令领队速赴差所，与俄使复勘未分之界，一面复勘前次分定界址路径，于上年六月初六日查明具奏。奉旨：据奏，复勘分定贡古鲁克等处界址，核与图约相符，着即照所请办理。此外未分南界，仍由沙克都林札布一手经理，并着长顺会商张曜，知照该领队，按照图约，详慎妥办，不可稍有迁就，钦此。当即随带文武员弁、通事、工匠，并帮办军务张曜所派之向导人等，会同俄使咩登斯克、俄帮办韦立根，由乌什别叠里山边西之喀克善山起，详查红线，续勘未分之界。

正在履勘定界之际，迭准帮办军务张曜先后咨送舆图四纸，均于总理衙门所颁官图红线之外，添画一线，称系现管地方，必须争回。领队遵即亲身前往逐段勘明：其一喀喇多拜，在帖列克提达坂迤北，距界线外约八十余里，系天山之阴，水向北流；一帖列克达湾，在喀境正西界线外约二百余里；一屯木伦，在帖列克达湾东南，离线外约百余里地方，皆系漫斜达坂，本非平衍，迤东大山尚多，线外并无游牧，间有孑遗布民俱住卡伦附近之地。然疆土关系重大，自应竭力以争，以为得尺得寸之计。当与俄使执新约第九条现管为界反复与之理论，虽至唇焦舌敝，而俄使不肯于该三处现管地方划分，坚请按照官图红线之界。嗣又会同帮办军务张曜、署哈密帮办大臣长顺，与俄使辩论多日，迄无转机。长顺因南段界务已经两载，若不赶紧分定，互换图约，恐俄人日久在我界线之内别生枝节，种种变态，殊难测度，势必狡展迁延，重烦圣虑，故商令领队仍按图线，详慎划分，以期妥速。领队与之再四筹商，意见相同，于是会同俄使，谨遵官图红线，逐段履勘。

自喀克善山勘起，此山险峻难越，不能埋立牌博，同指山梁为界，由此向西南，至库嘎尔特山梁，埋立牌博一处。由此向西南，至奇恰尔，埋立牌博一处。由此向西南，至乌鲁，埋立牌博一处。由此向西南，至巴图玛纳克，埋立牌博一处。由此向西南，至库伦杜，埋立牌博一处。由此向西南，至和坚特，埋立牌博一处。由此向西南，至博孜艾格尔，埋立牌博一处。由此向西南，至黑皮恰克，埋立牌博一处。由此向西，至帖列克提达坂，埋立牌博一处。由此向西，至倭图鲁，埋立牌博一处。由此向西，至黑子库尔，埋立牌博一处。由此向西，至图鲁阿提，即图鲁嘎尔特。俄官坚欲向迤南六十里之朵云立界，领队查，朵云虽系天山支岭，却非天山正干，且离卡伦较近，与之再三理论，俄官词穷，始允仍在图鲁阿提，埋立牌博一处。由此向北，至苏约克，埋立牌博一处。由此向西南，至库嘎尔塔，埋立牌博一处。由此向西，至依提不阿苏。此山因如前险峻，同指山梁为界。由此向西南，至吐子阿苏即阿来库里，埋立牌博一处。由此向西南，至喀喇玛阿苏。此山如前险峻，同指山梁为界。由此向西南，至塔拉格依，埋立牌博一处。由此向西南，至色丹。此山因如前险峻，同指山梁为界。由此向西南，至萨瓦雅尔得，埋立牌博一处。由此向西南，至塔拉库勒，埋立牌博一处。由此向西，至克斯达尔。此山因如前险峻，指山梁为界。由此向南，至哈拉卡拉，埋立牌博一处。由此向西，至东格尔玛，即喀喇别里，埋立牌博一处。由此向西南，至以克则克，即依特特克，埋立牌博一处。由此向西南，至伊尔克什唐，埋立牌博一处。由此向南，至有玛里他巴尔山、乌斯别里山，均系应立牌博之地。据俄使咩登斯克面称：此时已交秋令，西南山高雪深，人烟俱无，未便前往，可仍指山梁为界等语。领队细考舆图，该二处紧靠浩罕，尤形紧要，若不赴此履勘地方，指辩明确，恐贻将来越占之渐，遂亲身前往查勘，实系异常险峻，积雪深厚，可望而不可即，因与帮办军务张曜、署哈密帮大臣长顺三面会商，始与俄使定议，同指山梁为界，至线外之喀因噶里山为止。

以上所分南段界务，除别叠里以东分定情形业经呈蒙奏明外，所有自喀克善山起，至乌斯别里山止，共立牌博二十二处，指山为界者七处，详考官图红线，均属相符。细查现在地名毫无舛错，并于牌博之下暗埋铜牌为记，以期年久有所考查。当与俄使议定，彼此将图约办妥，随即互换。俄使咩登斯克，因帮办军务张曜咨商伊犁将军行文往返尚须时日，未便久候，故称病回国。领队亦即驰回喀什噶尔，与帮办军务张曜、署哈密帮办大臣长顺会议图约。一切事宜，于上年九月十七日，经署哈密帮办大臣长顺，将勘分新疆南段界务应照图线定界大概情形，先行奏明在案。领队一面派协领衔・即补佐领・花翎・委防御霍伦布，赴俄国窝什地方，与俄使互换图约；一面随带文武员弁、通事、工匠人等，仍由冰岭旋回伊犁。至履勘此段界务，正在夏秋之际，山高雪涣，涧径崎岖，每勘一段皆须迂绕数重达坂，或经一二日始达山梁，跟同俄官查勘明确，方立牌博，仍由原路折回，方能再勘前路。又因帮办军务张曜咨送自画图线，责令划分，均经逐段亲到履勘，以致往返多费周折，耽延时日。职是之故，现在已将图约换回，领队逐细考证，均属与图约相符，并无讹错。所有勘分南段界务一律完竣情形绘图贴说，呈请具奏，并附呈照会帮办军务张曜咨寄地图四纸，请转咨总理衙门，以备查考等情前来。

正在详核间，复准总理衙门咨开：本衙门具奏，议复南段界务，请饬刘锦棠、金顺确查具奏一折，同日奉旨：依议，钦此。窃维界务事体重大，在事诸臣自应和衷商榷，以期有裨大局。张曜注定现管之说，与长顺查照红线划界办法致涉两歧，而沙克都林札布面陈所勘山川形势及俄使胶执耽延，其势不能不遵照图线划分，洵属实在情形。然帖列克达湾是否系西边要隘，及岳丸什种人是否舍此别无游牧之场，尚须详考确查，应由奴才函商刘锦棠妥筹查明，另行会同复奏。谨奏。

光绪十年四〈月〉初三日奉旨：该衙门知道。图留览。

直督李鸿章致总署调开曾侯已密告福禄诺电

福酉初四日到沪，晤马道建忠云：须中朝迅与确实回复，方可径电海部；政府集议，始能宣布议院息兵，派使来议。鸿已电商马道，密告福以特旨调开曾侯，派李使法，即是愿念友谊确实凭据，彼当径电法廷，止兵会议。福初六日赴烟台，拟先自来津密商，马亦随来。

四月初五日

直督李鸿章致枢垣东来法舰月内保无动静电

顷，马道建忠自沪电称：晤法水师提督利士比，暂留各舰在南，明日遣福禄诺带一船北驶，即电报海部。法舰在中国与东京海面，月内保无动静。又示以曾侯调开之旨，彼谓，法廷闻之，必德此意，以后福与彼私拟办法谅必动听。

四月初六日

直督李鸿章奏中法交涉请预为审定折

直隶总督李鸿章奏，为遵旨复陈，密抒愚悃事。

窃三月二十五日上谕：中国自与法国通商以来，讲信修睦，历有年所，惟期永固邦交。嗣法国与越南构兵，当以越南为我国藩服，不得不为保护。且越境土匪滋扰，尤恐窜入中国边疆，是以派兵往扎北圻地方，以资防堵。仍一面照会法国使臣，以免彼此猜疑。乃越南昧于趋向，首鼠两端，致使该国教民抗我颜行，此皆越南君臣不识事机所致，朝廷于法国并不愿伤睦谊也。本日，据总理衙门接到李鸿章电报：兴化已被法兵据守，粤税司德璀琳密称，若早讲解，可请本国止兵等语，自系为保全和局起见。着李鸿章通盘筹画，酌定办理之法，即行具奏。李鸿章筹办交涉事件责任綦重，迭经被人参奏，畏葸因循，不能振作，朝廷格外优容，未加谴责。两年来，法越构衅，任事诸臣一再延误，挽救已迟。若李鸿章再如前在上海之迁延观望，坐失事机，自问当得何罪。此次务当竭诚筹办，总期中法邦交从此益固，法越之事由此而定，既不别贻后患，仍不稍失国体，是为至要。如办理不善，不特该大臣罪无可宽，即前此总理衙门王大臣亦不能当此重咎也等因。钦此。

窃惟中外大局关系綦重，若不综其始终本末，则事理不能显著，而筹画恐有难周。盖法人之经营越南实在二十年前，始取西贡六省为其属地，继复攻夺河内、海防等处，旋据旋退，逼胁越南与立条约，认为法国保护。斯时，中国尚有内寇，未暇诘问。法人以中国向不务远略，误谓铁案已定，遂谋渐占越南矣。光绪六、七年间，法人筹兵筹饷，端倪大露，中国始悉其隐谋。议者遂佥陈保护越南，经营北圻之策，所以维体统而绥边圉，其为谋固甚忠也。无如法人蓄锐积虑已非一日，竟成骑虎之势，攻城夺地不留余步。中国争之以口舌而不应，争之以函牍而不应，不得已而派兵分驻越境。其事虽由朝廷主之，臣之愚见亦谓，借边防为名，隐掣法军之势，不难乘机讲解，使彼此可以收场。八年十月，适法国前使宝海过津，有分界保护之议。臣知相持既久，必致决裂，因与酌订办法三条，以期渐有结束。乃外而疆臣，内而言路，皆不以臣言为然，均谓越地必不可分，通商必不可允。而法之政府亦不肯遵约，竟撤宝海回国，于是越南之患愈变而愈棘矣。自昔艰难之世，议论愈多则是非愈淆，而任事者亦愈无把握。迄于今日，西洋各国纷至沓来，尤为千古未有之奇局。其中得失利病，非阅历有素者，骤难得其要领。即如滇境通商，他日果得人妥办，于国于民决无大损，可于各海口通商之事验之。法人既得越南，形格势阻，岂能遽入滇、粤？但使妥订约章，划界分守，当能永久相安，可于中俄接壤之事验之。至于藩邦见削、外侮交乘，中国宜奋兴自强，式遏敌焰，乃为正理。惟是用兵必先训练。西洋各邦皆以数千年之战国，研究兵理，讲求利器，精益求精。中国风气初开，强弱不齐，未必各省皆有劲旅。用兵必先裕晌。西洋赋税繁重，往往什取三四，一遇战事，富商集饷动逾千万。中国兵燹水旱之余，闾阎困苦，财力殚竭，未必商民能输巨饷。况有乾隆五十四年成案，孙士毅进图安南，既得复失，高宗纯皇帝撤兵引咎之谕皆载在方策。前事可鉴，既审势而量力，不能不持重以待时。去岁，广西抚臣徐延旭慷慨谈兵，尝称欲尽歼法众，光复西贡，乃未几而一蹶不振。臣未尝不壮其志，而又深悯其不知彼己、不达时宜也。臣于去夏奉命赴粤，当时起自田里，骤无可携之军，暂驻上海，筹调兵饷，茫无着落。适法使脱理古来议越事，毫无就绪，曾胪陈和战大局一疏，奉旨饬催回津筹备海防。秋间，脱理古复来会议。该使气焰颇盛，要挟较多，不能遽就范围，实亦无如之何。盖法人之欲得越南始终不稍松劲，倘允其将驻越诸军退扎边界，非惟众口必哗，亦与庙谟不合。且我军无端自退与力屈而退同一弃越，固不如暂与磋磨，徐待其变。故臣于不守山西之后尚主坚守北宁之议，此臣前后筹办越事未敢迁延观望，亦非敢畏葸因循也。

兹奉特旨，责臣以竭诚筹办。今日事势至此，恐不能如前岁与宝海所订三条之妥，然诚能速于议结，犹可比之遇险而自退，见风而收帆，凡事虑敌之要挟，不如行之于敌未要挟之先，谓其意之自我出也。畏敌之决裂，不如先示以我无决裂之志，俾其计之无所施也。详译税务司德璀琳与总兵福禄诺函，意似尚不无转机，果其措词得手，则不贻后患，不失国体，两层或尚可以办到。中国诚能先结此案，以其间暇选将、练兵、通商、裕饷、造船、简器，内外同心，切实经理，何尝不可争雄于各国。惟事平之后，我君臣上下当共卧薪尝胆，讲求实事，不宜复尚空谈，互相牵掣，乃有蒸蒸日上之机。至目下法越一事，总当竭臣棉〔绵〕力，以期仰副圣怀。

然不能不鳃鳃过虑者，约有两端：大抵国势随兵势为转移。法既连占越地，日肆枭张，即与讲解，岂能尽如人意？将来越地分界，必有以分守太少为言者。滇境通商，必有以通商宜拒为言者。其他条目不少，指摘必多。臣既膺重寄，固当顺受其责而不敢有辞，力当其冲而不敢畏避，但恐意见益歧，则谋议难定，枝节横生，此一端也。法为欧洲强国，而议院各党持论每有异同。今揆其本计，虽非必欲失和，亦难保无倾邪喜事之徒别创新议，或要我以必不能行之事，则羁縻之中仍当竭力迎拒，恐难克期成议，此又一端也。

夫天下事本难逆料，若办内政，则谋定事举，可以操券而成。惟议立和约，必俟两国俱允，方能定局。其遇事机紧迫之秋，往往一言不合，则玉帛变为干戈；一人阻挠，则风波起于呼吸。苟非众志悉协，时会已到，决难强为撮合。臣前所以屡与法使会议而无成功者，职是故也。为今之计，挽救不宜再迟，苟彼降心相从，臣必因势利导，赶为设法。万一彼所要求，有必不能从之事，臣当竭力驳拒，不稍迁就，仍复加意笼络，徐图机会。尤愿宸衷预为审定，何者可行，何者难允，先具大略规模，庶几国是衷于一定，不致为众论所摇，而臣亦得所遵循矣。抑臣更有请者，交涉大局，独任则难于操纵，合办则易臻周密。将来法使若奉其国命来商，应请旨于军机处、总理衙门才望卓著之大臣，简派一员，驰赴天津，统筹斯事。臣虽驽钝，必当殚竭智虑，和衷会商，务臻妥洽。如蒙圣明俞允，俾臣届时遵办。大局幸甚，微臣幸甚！

谨奏。光绪十年四月初六日。

直督李鸿章奏请抽撤驻韩防营并委袁世凯会办朝鲜防务片

李鸿章片。

再，臣前迭经奏明吴长庆现驻朝鲜六营，拟随时酌度机宜，分别撤留在案。今春，吴长庆自朝鲜来津商询一切，据称：该国与英、美各邦立约后，商务可兴，民心渐定，若暂留三营保护弹压，当无他虞。正与臣筹议抽撤之法，适因法国兵船向北开驶，与臣处所接电报相同。北洋地广兵单，防务吃紧，亟须添调策应，自应先其所急，令吴长庆统带所部亲兵前营、中营、正营撤回内渡，由臣相机察度何处紧要，即饬前往扼守。仍留亲兵左营、后营、庆副营暂驻朝鲜王城，以资兼顾。查有记名提督吴兆有，朴实勤练，纪律严明，随同吴长庆在朝鲜带兵两年，威惠兼著，军民翕服，堪以委令统带驻朝鲜三营，俾专责成。分发同知袁世凯，廉明果毅，晓畅机宜，久办庆军营务，兼管朝鲜练军，该国君臣均深敬佩，堪以委令总理营务处，会办朝鲜防务，可期得力。惟军士远戍海外，艰苦异常，殊非经久之策。容臣随时查访，如朝鲜练军稍可自能镇抚，即将暂留三营撤回归队，以后再派兵船轮替前往巡驻海口，藉以护商防患，庶为活着远谋。谨奏。

光绪十年四月初六日奉旨：知道了。即着李鸿章随时相机调度，妥筹兼顾。

谕各疆臣通饬边海各军严防备战以杜法人要盟

上谕：署都察院左副都御史张佩纶奏，请饬边海各军严防备战，以杜要盟之计一折，前据总理衙门接到李鸿章电报，法国水师总兵福禄诺令税司德璀琳面呈信函，请准从中讲解等语。朝廷念出师护越以来，越不知感，法又为仇，兵连祸结，殊非万全之策。既据该国先来讲解，因势利导，保境息民，未始非计。当经谕知李鸿章，许其讲解，并令该大臣酌定办法，即行具奏。嗣据李鸿章遵旨复陈，已谕令廷臣会议，俟复奏时，再降谕旨。至将来该国所议果否可行，殊难逆料，原不得稍弛战备也。兹据张佩纶奏，请以讲解责成李鸿章，仍以备御责成各路疆臣、统帅，使讲解者以有备御而辩论可施，备御者不得以为讲解而军心顿懈等语。自来能战而后能和，所陈尚为切要。迭据李鸿章等电报，该国兵船先后来华，沿海各口岸防务吃重，着李鸿章、曾国荃、彭玉麟、穆图善、何璟、张树声、卫荣光、刘秉璋、张兆栋、陈士杰、倪文蔚，懔遵迭次谕旨，整饬防军，严申警备，务臻周密，仍宜持以镇静，不得稍涉张皇。滇、粤边境，着张树声、岑毓英、潘鼎新督饬各营，实力扼守，毋稍松懈。所奏请饬李鸿章电商陈士杰，将烟台各军酌归一统领钤辖，旅顺及山海关等处应如何扼要布置，着该大臣分别商酌，妥议具奏。至所称将来必索刘永福，请饬李鸿章、岑毓英顾全大局等语。法人屡为黑旗所败，其蓄志驱除，自在意中，着李鸿章、岑毓英先事筹计，以为辩论地步。本日已谕令曾国荃，饬潘鼎新招募五营，迅赴广西；署理广西提督唐仁廉，着李鸿章饬令迅速前往，毋稍延缓。滇、粤各营需用军火，着责成张树声悉心经理，俾资接济。琼州、台湾、定海、崇明等处非通商口岸，尤为彼族所窥伺，彭玉麟、穆图善并该督抚等，倍宜严密防守。广东为南洋首冲，由越抵琼，尤瞬息可至，彭玉麟、张树声务当和衷共济，力筹备御。广西系张树声兼辖，该省防务不得稍存漠视，并着会商潘鼎新，妥筹兼顾，毋稍疏懈，致干重咎。长江门户关系紧要，着曾国荃会商李成谋，妥为布置，期于有备无患。所奏北洋水师能否巡行大连湾、庙岛，使彼转运有所顾忌，及以师船扼扎敌所必经之地，为截资粮、诘奸宄计，着南、北洋大臣酌度办理。前据陈士杰奏，法如败约，必分兵屯烟台、登州购买米粮，防之之法，当先断其接济，并编查渔户各节，着该抚斟酌事机妥为筹办。总之，和战现无定形，其间缓急操纵机宜，全在该大臣、督抚等精心酌核，实力办理，期无贻误。懔之！慎之！

四月初八日

谕曾国荃着督饬在防各军竭力守御电

上谕：近闻法国兵船北驶，有和议如不能成，即前往江宁之说。江宁为长江形胜要区，倘被彼族滋扰，肆其要求，则办理益形棘手，所关于大局者甚重。着曾国荃懔遵迭次谕旨，先事预防，严密布置，督饬在防各军竭力守御，毋得稍有疏虞，致干咎戾。前据张树声电报，潘鼎新请调皖南镇总兵潘鼎立，募淮勇五营，皖省拨给饷银二万两，两江拨给枪炮，由海道赴粤等语。着曾国荃饬令潘鼎立，迅速招募成军，拨给枪炮，并知照裕禄等筹给饷银，克日起程前赴广西，听候调遣，毋稍延缓。

四月初八日

谕李鸿章办理中法和议电

上谕：前据李鸿章复奏，税司德璀琳所称讲解止兵等语，遵旨竭诚筹办一折，当经谕令御前大臣等公同会议，兹据遵议复陈，请饬因势利导，力杜要求等语。法越构衅已久，现因法人自愿保全和局，朝廷准令该署督与之讲解，无非为保境息民起见。惟与外人交涉之事，必先通盘筹画，坚持定见。其事之可允者，务当详细斟酌，迅速奏明办理。如有非理要求，则必严行拒绝，万不可稍有游移，致堕彼族得步进步之计。

目前最要者约有数端：越南世修职贡，为我藩属，断不能因与法人立约致更成宪，此节必严与之切实辨明。通商一节，若在越南互市，尚无不可，如欲深入云南内地，处处通行，将来流弊必多，亟应预为杜绝。刘永福黑旗一军屡挫法兵，为彼所畏服，蓄志驱除，自在意中，岂可遂其所欲，更长骄矜之气。此次法人侵占越南，衅自彼开。用兵以来，屡经谕令通商各口岸保护法商，所以优待者甚。至我与彼毫无失和之意，为各国所共知。若再索偿兵费，不特情理所必无，亦与公法显背。以上各节，均与大局极有关系，李鸿章膺此重任，宜如何竭力图维，预筹辩论。如果放松一步，使彼得志以去，将来各国起而效尤，其将何以应之？该署督筹办防务业已十有余年，如战守确有可靠，谅不至临时失措，迁就依违。着即悉心筹议，必须胸有成竹，方可与之讲解，切勿轻于尝试，致误机宜。总之，目下要义，一面留以可和之机，一面仍示以必战之局，使彼有所顾忌，庶可就我范围。倘办理不善，或伤国体，或滋后患，朝廷固必执法严惩，且贻天下万世之訾议。该署督返而自思，亦当懔然生畏也。

四月初十日

粤督张树声致枢垣法于太原破后弃城而去电

昨探，近日法于北宁、湧球筑台固守，太原破后，弃城而去，余无动静。

四月初十日

直督李鸿章致枢垣越南收复太原富平电

三月初八、九日，越南收复太原、富平。查富平府在太原迤南。

四月初十日

直督李鸿章致总署据李凤苞电法廷谓新旧使均须国书电

据丹崖电称：与劼刚商明，以暂代公使告外部，苞亦函告。初六日，起程与劼会晤，即到巴黎。顷，法外部谓，新旧使均须国书，兼使亦然，以重君命。似不可少，请转总署。

四月初十日

总署致李鸿章使法只给照会毋须国书电

历年各使来中国，或实任，或署任，到京后，前任者即照会本署，交卸以后一切公事，可与后任商办云云，署任者不尽带有国书。昨询何天爵，亦云，应给照会，毋须国书。本处已电知劼刚，即照会法外部，希转告丹崖。

四月初十日

总署致曾纪泽派李凤苞兼署法使电

丹崖到法后，阁下应照会法外部，现奉本国电信，朝廷令交卸法使之任，派许接办，许未到，派李兼署，交卸以后一切公事，即可与李商办。

四月初十日

直督李鸿章致枢垣粤西匪徒连结贵州散勇电

琴轩潘鼎新字初九日到梧，电称：思恩土匪自二月至今未打一仗，五峒防勇不战而走。前委臬司往办，顷报，该匪连结贵州散勇、苗匪数千，拟分两路：一由陆窥思恩，一由水窥怀远镇、庆柳。各郡皆空虚，现仅调湖南新军商集柳州，不知臬司能了此事否。新到龙州暂住，即赴谅山。赵党等尚拥众数千，未易猝办，此辈万难再用。新募各军只须目前增饷，数日后正气渐足，即可以此易彼。即一时止兵，后来防务岂能放松?

四月十一日

粤督张树声致枢垣兴化粮尽难守陆续退兵电

岑督三月十四日函，兴化粮尽难守，岑已率两营移扎管〔馆〕司，余饬渐次退，仍留数营助刘团，三月底可陆续撤还。

四月十二日

使法李凤苞致总署已到法京须谢使电方接见电

苞到三日。茹虽得劼文，仍须谢使电方接见，此系彼中通例。

四月十二日

直督李鸿章致总署法外部电云兵费可免但求商务有益电

福禄诺到津晤称：其外部电云，界务、商务可商，国人皆曰兵费应索。鸿与辩驳两时，彼拟有私议大略五条，末言兵费可免，但求将来商务有益于法人，其余与初十日密谕尚不大悖。现仍会商，福急欲电知外部，以定和战大计，如和议可谐，即由提督利士比前来画押，商界一切条目，再候巴使赴津议订，巴即驻京新使。如无成议，则巴必不来，福亦回矣。

四月十三日

直督李鸿章致总署法国提出简明条款函 附钞册及简明条款

密。启者：

税务司德璀琳与法总兵福禄诺于十一日晚抵津。是夜，德璀琳来晤，具言在烟台及沿途同福酋所论各节，该国众议均以兵费必须索赔，福意欲稍减让，该税司屡阻不可。盖闻其密计法提督孤拔、利士比等，遍查中国沿海防务。闽、粤、江、浙罅隙颇多，若乘此夏令越南暑瘴之际，移调水陆来扰，必随意攻夺一二口岸，为要索兵费地步，其意尚不在北也。鸿章谓，曾侯已调开，彼既就商，姑候面与剖论。福禄诺遂于十二日下午来署谒晤，反复辩驳，至向晦始去。所有议办紧要各节，业于是夜电达在案。其问答详细情节，及与福酋议订简明五条，钞呈钧核。此五条内，该兵官原议仅三款，经鸿章与之再四推敲，酌改数次，始能办到如此地步，实已舌敝唇焦。该兵官性急，便欲定议，电达其外部，告以彼议虽定，我必须请朝廷示遵。乞由钧署恭代进呈核定，迅速示复。如以为可，即令其转达利提督，来津画押。否则，彼族意甚坚决，我已无可再进，中国只有预备决战而已。

伏查，四月初十日密谕各节内，越南职贡照旧一节，已隐括于第四款，法国现与越议改条约，决不插入伤碍中国体面字样之内。据福禄诺云：法已派驻京新使巴德诺往越，如蒙准行，伊可电达外部，令巴使与越王另议，将甲戌及上年约内违碍中国属邦语尽行删除，不肯明认为中国属邦也。通商一节，已包括在第三款，毗连越南北圻边界，所有法越两地之货，听凭运销无阻。既云边界，必不准深入云南内地，明矣。至刘永福一节，彼未提及，我自不应深论。盖刘永福本系越将，前守山西及协剿北宁，均被大创，法人视之蔑如，似在无足重轻之列，将来派使会议及此，再与酌定安置之法，亦未为晚。其第二款，北圻华军调回边界云云，查桂军退扎谅山，滇军退扎馆司、保胜，皆近边界。此约倘蒙许可，须密饬边军屯扎原处，勿再进攻生事，便能相安，亦不背约。总之，讲解于我军溃败之后，如挽流上水之舟，鸿章实智尽能索，若于此外再有争较，则事必无成，患更切迫，区区之愚，伏维亮察。顷，德使巴兰德过津未晤，但私语马道建忠，谓法事龃龉，祸在眉睫，深忌德璀琳、福禄诺之从旁调停，总税司赫德亦不以德璀琳议和为是，皆有幸灾乐祸之心。而法酋则深佩德税司之公忠，窃虑各国有向左右进谗者，祈勿听信为幸。

制李鸿章谨启。

四月十三日

计钞册二件

光绪十年四月十二日法国总兵福禄诺来署面谈节略

下午三点钟，法国总兵福禄诺同其驻津领事法兰亭来见。

福云：此番北上，承水师提督利士比嘱，请中堂安。

询云：提督好否？

答云：甚好。福禄诺此次来津，极欲一抒愚诚，中堂幸勿见怪。中堂深明交涉之法，和局可以长保。吾知中国所争者，不在区区一越南，实以属邦甚多，不能轻弃越南，致使上国体制有碍。

答云：此事关系极重，尤宜恪遵朝廷意旨。贵兵官谓，中国所争者在上国体制，不徒在区区一越南，可谓明白已极。

福即于怀中取出洋字一张，译云：此系福禄诺所议办法，不知中堂以为何如？

答云：试念给我听。

福云：此稿已有三款。第一款云：中国南省毗连越南北圻之边界，无论外国何人前来侵犯，无论系何情形，法国约明均应保全护助。

询云：此条于中国有何益处？

福云：将来别国如有与中国开衅，法国不能暗地与之立约，有碍中国。且保全二字，即系法国不再侵犯之意。第二款云：中国既经法国许以实在凭据，于中国南省边界勿得侵占滋扰。中国约明，即将北圻驻扎各防营退回，并约明于法越已定、未定各约概置不问。

答云：从前法越《甲戌条约》云，无论何国皆无统属；去年七月新约首条云，越南有与何国交通，必由法国掌管，即大清国，亦均不得预及南国之政云云。此等语，于中国数百年来为越南上国体制大有违碍，必须删改。

福云：此事再商。末后可另添一条，专论法越历次约章。

答云：必须说。仍将历次条约销废，另行议改。

福云：亦可商量。

询以此条不问二字系何意思？

福云：不问二字与不认二字有轻重之别。中国不问法越条约，并非认允其约，犹之法国不问越南朝贡中国之事，亦非承认中国属邦也。

答云：何不即将此节写上条约？

福云：彼此议论三年正为此事，若载入属国字样，法国断不能明认。且此种简明条约，最怕有人挑剔，全在措辞得体，于中国无碍，所以须另添一条，浑融在内。

又念第三款云：北圻边界，听凭彼此货物往来运销无阻。

答云：但不准其在中国境内开口通商。

福云：兵费照公法必应议赔。

答云：中国驻兵越境，保护属国为应尽之职责。贵国自行添兵攻取，衅自彼开，与中国何干？何能说到此节？

福云：法国众议如此，我何敢违？

答云：我已说过，提到兵费即无办法。汝若真心要成就此事，切勿再提。

福故作为难之状，再四沉吟，答云：万不得已，只可另添一条，因感中国和好商办之情，姑允将兵费免去，但中国亦宜益敦睦谊，优待法人，许于越南北圻之边界，所有法越与内地货物听凭运销；并约明日后派使另议详细商约税则，期于法国商务极为有益，庶外部可藉词，搪塞议院需索兵费之口。

答云：在越南境内，中国有可让法国者，总可和衷互商。若欲在中国境内开口、设领事等事，中国断不能准。

因命随员马道建忠等回寓，与福禄诺照所议大略，另行商订简明条款。

福云：我等商定大略，急须电告外部，以定和战大计，中堂即先函知总署，候两国国家答应，法国派水师提督利士比来津，与中堂画押，不过八天工夫，即可定议。

中法会议简明条款

兹际人心摇惑，事故纷纭，大清国大皇帝、大法民主国切愿两国彼此相安，永敦和好，因即议立简明条款，以为日后再立详细条约张本。大清国大皇帝特派钦差全权大臣·太子太傅·前文华殿大学士·署直隶总督·北洋通商大臣·一等肃毅伯李，大法民主国特派钦差全权大臣·哇尔大前锋师舰水师总兵·佩带威显宝星福，彼此将所有全权字样较阅妥善，议定条款，胪列于后：

第一款　中国南界毗连北圻，法国约明无论遇何机会并或他人侵犯情事，均应保全护助。

第二款　中国南界既经法国与以实在凭据，不虞有侵占滋扰之事。中国约明将所驻北圻各防营即行调回边界，并于法越所有已定与未定各条约均概置不问。

第三款　法国既感中国和商之意，并敬李大臣力顾大局之诚，情愿不向中国索偿赔费，中国亦宜许以毗连越南北圻之边界，所有法越与内地货物听凭运销。并约明日后遣其使臣议定详细商约税则，务须格外和衷，期于法国商务极为有益。

第四款　法国约明现与越南议改条约之内，决不插入伤碍中国体面字样，并将以前与越南所立各条约关涉东京者尽行销废。

第五款　此约既经彼此签押，两国即派全权大臣，限三月后，悉照以上所定各节，会议详细条款。再，此约缮中、法文各两份，在天津签押盖印，各执一份为据，应按公法通例，以法文为正。

谕李鸿章法人居心叵测务当切实辩论力杜狡谋电

上谕：据总理衙门接到李鸿章电信，据称：福禄诺与该署督晤面，拟有和议五条，兵费可免，但求商务有益于法人等语。法人自知理屈，不索兵费，自可与之从容筹议。惟所称商务有益于法人一语，彼族设心叵测，不可稍涉含糊。李鸿章务当懔遵初十日谕旨与之切实辩论，力杜狡谋。前据伯彦讷谟佑等复奏一折及廖寿恒等折，均为思患预防起见，其中可采之处，该署督即可据以立论。伯彦讷谟佑等，廖寿恒、李端棻等，李端棻、张人骏、赵增荣、文海、冯应寿、吴大澂折各一件，着钞给阅看。张佩纶、龙湛霖、屠仁守、贵贤、冯应寿等折，着摘钞给与阅看，并着迅速复奏。该署督筹议此事关系大局，言路交章论劾，虽有不悉原委，措词失当者，而该署督办理海防有年，尚无十分把握，不免予人指摘之端。朝廷实事求是，现经责成该署督与法人讲解，总以办理是否得宜定其功过，并不以人言为转移。该署督当思倚任之专，益存戒慎之念。本日据周德润、邓承修奏北塘防务吃紧，唐仁廉未便远离等语，目前固有可和之机，尤须示以必战之局。天津海防，自较广西关外更为重大，唐仁廉如未起程，着即饬令暂缓交卸，仍督饬该署提督，将北塘海防严密布置，以固要区。

四月十四日

醇亲王奕譞等奏简明条约意尚明晰无庸询问折

醇亲王奕譞等奏，前以简明条约第一款，请旨询问李鸿章查奏，蒙允准。兹复详查问答节略，保全、护助一节，原文有福禄诺云，将来别国如有与中国开衅，法国不能暗地与之立约，有碍中国。且保全二字，即系法国不再侵犯之意等语。语意尚属明晰，似可无庸询问，所拟发给原议诸臣阅看之件，即将此一层节去。谨奏。

光绪十年四月十四日。

谕派吴大澂陈宝琛张佩纶会办南北洋闽海疆事宜

上谕：通政使司通政使吴大澂，着会办北洋事宜；内阁学士陈宝琛，着会办南洋事宜；翰林院侍讲学士张佩纶，着会办福建海疆事宜。均准其专折奏事。

四月十四日

旨寄岑毓英潘鼎新法人与李鸿章讲解略有端倪滇桂防军着扼扎原处电

旨：法人在津与李鸿章讲解，略有端倪，广西、云南防军，着潘鼎新、岑毓英督饬扼扎原处，进止机宜，听候谕旨，仍随时侦探警备，勿稍疏懈。

四月十五日

谕会议诸臣法越事务诸须慎重不应漏泄谕旨电

上谕：本月初八日，已有旨将办理法越事务谕知会议诸臣矣。兹据总理衙门将李鸿章与福禄诺所拟五条呈览，不索兵费，不入滇境，其余各条均与国体无伤，事可允行。将来详议条目，如别有要求，自无难再予驳正。此时整兵备边仍不容懈。已派吴大澂、陈宝琛、张佩纶会办海防，并迭谕沿海疆臣实力整顿防务，不得粉饰因循，以为自强之计。此事为各国观瞻所系，若办理稍有不合宜，嗣后洋务更不可问，不得不倍加慎重。前次传集在廷臣工公阅谕旨，原以集思广益，与议之人自当格外慎密。龙湛霖未曾与议，何以将谕旨引叙数语？设非会议之员任意漏泄，外间岂能知悉？此次谕旨倘再有传播之事，定行严究，按例惩办。然亦不得因此训饬并应行敷陈事件，遂至缄口不言也。将此谕令前此会议诸臣知之。福禄诺所拟五条，着发给阅看。

四月十五日

谕派李鸿章与法使办理条约事务电

上谕：前大学士・署直隶总督李鸿章，着作为全权大臣，与法国使臣办理条约事务。

四月十六日

直督李鸿章致总署法外部复电允和电

谕旨全权奉到，刻即画押具奏。顷，福又送阅该外部复电，译云：汝奉国旨拟定条款，无须议院批准，惟将来详细商约例应议绅复核。外部、海部皆属致敬中国政绩，切愿天朝声威日广，民安年丰云云。

四月十八日

谕李鸿章中法议和细目务须详明

上谕：李鸿章奏，筹办法越交涉，议定简明条约，画押竣事一折，览奏均悉。此次简明条约，与初十日所谕该署督各节，尚不相背。惟越南系我藩属，第四款内虽有现与越南改约，决不插入伤碍中国威望体面字样之语，究系隐约其词，并不将属藩一层切实说明，殊未惬心。将来条目中越南册贡照旧办理，务须注明越南既系属邦，一切政令与中国交涉者，朝廷均可酌办，即如越南与法人两次立约，并未预为奏闻，南官黄佐炎、张登坛心存疑贰，误我戎机，中国皆可以大义责之。现在简明条约既定，所最要者全在随后所议详细条目，商务、界务确切分明，不准稍容含混。议定后必须请旨定夺，不准匆遽迁就。彼族议事尚须议院会商，岂有中华大政反不集思广益之理？此层亦可与福禄诺预为说明，免致临时再有急促情事。总之，法人狡狯多端，该署督务当随时随事杜其诡谋，方免他日反复。

四月十九日

谕彭玉麟等法越构衅着切实筹练勿稍松劲

上谕：法越构衅，迭经谕令沿海各督抚严密设防。现在法人在津与李鸿章讲解，虽已议有简明条款，惟彼族狡诈多端，事变殊难预度，沿海防务不可一日稍弛。所有炮台及防守各营，朝廷不惜帑项准备已久，断不准以兵力尚单、防守未预为词，稍存诿卸。着彭玉麟、曾国荃、穆图善、何璟、张树声、卫荣光、刘秉璋、张兆栋、陈士杰、倪文蔚各就该省兵力切实筹练，事事有备无患。倘必须开仗，立即成阵，战御有方，不准稍形松劲。潘鼎新驻军关外情形尤为紧要，并着随时侦探备御。倘有疏虞，惟该督抚是问！

四月十九日

粤督张树声复奏援越各军情形并催冯子材出关片

张树声片。

再，钦奉上谕：昨据李鸿章电报，法兵已攻取太原，华兵死伤甚众，又有拟索兵费之说，法人猖獗至此，实堪发指！粤西防军布置经年，乃一经遇敌不能固守，以致北宁、太原相继被陷。刻下，黄桂兰、赵沃等军退扎何处，着张树声查明具奏。冯子材于广西边防情形较熟，着张树声传知该提督，速即驰赴镇南关外，接统黄桂兰所部各营，认真整顿，力筹战守，毋稍迟延等因。钦此。

伏查，接广西抚臣徐延旭来报：黄桂兰于北宁失守后，绕至谅山之屯福地方，收集败兵驻守。赵沃先由北宁退走太原，迨太原既陷，复走高平一带，业于三月十三日电报总理衙门在案。嗣据黄桂兰、赵沃先后函禀，情形大略相同。黄桂兰所部左路各营统带营哨各官，据提督册报：十五日打仗受伤身故及当时阵亡总兵韦和礼、游击刘国勋共十员名，十一、十五、十八等日打仗受伤副将李极光、参将翟世祥、郭湧泉等共十八员名，阵亡勇丁五百一十名，受伤勇丁二百三十四名，与前敌侦探各员所报尚多相符。赵沃所部右路各营，如党敏宣等军，当北宁危急时，皆屡调不赴，亦未据报有临阵伤亡者。前广西提督冯子材在籍办理团练，臣已遵旨飞速传知该提督，有起程赴西日期，当再随时奏报。谨奏。

光绪十年四月二十七日奉旨：该部知道。

清季外交史料卷四十终